Y BYWGRAFFIADUR CYMREIG
1951 – 1970

Y BYWGRAFFIADUR CYMREIG

1951-1970

GYDAG ATODIAD I'R
BYWGRAFFIADUR CYMREIG HYD 1940
A'R
BYWGRAFFIADUR CYMREIG 1941-1950

PARATOWYD DAN NAWDD
ANRHYDEDDUS GYMDEITHAS
Y CYMMRODORION

LLUNDAIN
1997

ISBN 0 900439 86 6

Cysodwyd ac argraffwyd gan
Argraffwyr Cambrian, Aberystwyth

GOLYGYDDION

Y diweddar E. D. JONES
BRYNLEY F. ROBERTS

CYNNWYS

CYFLWYNIAD

Aeth dros chwarter canrif heibio ers cyhoeddi yr ail gyfrol o'r *Bywgraffiadur Cymreig (1941-50)*. Un rheswm dros yr oedi yw fod y gyfrol hon yn delio â dau ddegawd, sef 1951-70. Mae'r dystiolaeth yn glir fod y *Bywgraffiadur* wedi ennill ei le fel rhan angenrheidiol o gefndir ysgolheictod Cymreig, yn cynnwys data a fu'n gymorth i haneswyr, llenorion a phawb sydd â diddordeb yn hanes y genedl. Mae'r gwaith ymchwil wedi dechrau eisoes ar y bedwaredd gyfrol.

Fel yn y gorffennol, mae'r fenter wedi dibynu ar lu o ysgrifenwyr – yn aml yn gweithio yn ddidâl – ac yn arbennig, wrth gwrs, ar y golygyddion. Hyd at ei farw bu Dr. E. D. Jones wrth y gwaith yn ddiflino, a chynorthwywyd ef yn ffyddlon gan Dr. Auronwy James. Cymerodd Dr. Brynley Roberts y gwaith drosodd fel golygydd i orffen y gyfrol hon. Yr ydym yn ddyledus dros ben iddynt am roddi cymaint o'u hamser a'u hegni ar ran y Gymdeithas; mae'r Llyfrgell Genedlaethol wedi bod yn ail gartref i'r Gymdeithas yng ngwir ystyr y gair.

Mae'n dyled yn fawr hefyd i Mr. Gwyn Davies am drefnu'r argraffu a'r cyhoeddi, ac i bawb sydd wedi rhoi help llaw gyda'r proflenni. Ar ran y Gymdeithas mae'n fraint fawr i gyflwyno'r gyfrol hon fel pennod yn hanes ein cenedl.

Emrys Jones
Llywydd

RHAGAIR

Pan fu farw ym Mawrth 1987 yr oedd Dr E. D. Jones wedi casglu'r mwyafrif o'r ysgrifau yr oeddid wedi cytuno i'w cynnwys yn Y Bywgraffiadur Cymreig 1951-1970 a'r Atodiad ac yr oedd wedi golygu llawer ohonynt. Yr oedd ef yn hen gyfarwydd â'r gwaith – yn olygydd profiadol ac yn archifydd trwyadl a threfnus a âi ati'n gyson i gofnodi enwau ac i godi ysgrifau coffa yn y wasg, i nodi cywiriadau a dilysu ffeithiau: ysgrifennodd lawer cofnod ei hun. Wedi cyfnod yn cynorthwyo Dr R. T. Jenkins, E. D. Jones a gwblhaodd y gwaith o olygu a dwyn trwy'r wasg Y Bywgraffiadur Cymreig 1941-1950 wedi ymddeoliad, ac yna farw, yr ysgolhaig hwnnw. Colled enfawr oedd na chafodd E. D. Jones fyw i gwblhau ei waith yntau ar y trydydd Bywgraffiadur hwn.

Gwahoddwyd fi i ymgymryd â'r olygyddiaeth ychydig amser wedi marwolaeth E. D. Jones. Yr oeddwn ar y pryd yn Llyfrgellydd y Llyfrgell Genedlaethol ac yn fy niniweidrwydd tybiais y gallwn gyflawni'r gwaith hwn tra oeddwn yn fy swydd. Buan iawn y sylweddolais faint fy rhyfyg ac ni lwyddais i wir fynd ati, ar wahân i gasglu rhai cofnodion a oedd heb ddod i law ac i olygu ychydig, nes imi ymddeol yn 1994. Mawr yw fy nyled i Gyngor Anrhydeddus Gymdeithas y Cymmrodorion a'i ysgrifennydd ar y pryd, Mr David Jones, ac i'r cyfranwyr hwythau am eu hamynedd.

Ychydig o gofnodion a oedd heb eu cywain gan E. D. Jones a bu rhaid ymorol am y rheini a threfnu i lunio rhai eraill. Arhosai gwaith golygu ac yma a thraw gwelir ychydig anghysondeb mewn mannau yn y confensiynau golygyddol a ddilynai ef a'm rhai i. Cafodd E. D. Jones gymorth gwerthfawr Dr Auronwy James tra bu'n olygydd a mantais fawr iawn imi yw iddi gydsynio i fod yn gynorthwyydd i minnau. Elwais yn ddirfawr ar ei phrofiad, ei thrylwyredd a'i chraffter. Mr Gwyn Davies a lywiodd y gwaith trwy'r wasg ac y mae arnaf ddyled arbennig iddo yntau. Hoffwn ddiolch i Argraffwyr Cambrian (Aberystwyth) am bob cydweithrediad ac am eu gwaith argraffu glân.

Yn sylfaenol dilyn y Bywgraffiadur hwn yr un patrwm â'i ragflaenydd, Y Bywgraffiadur Cymreig 1941-50, sef adran 1951-1970 ac Atodiad yn cynnwys ychwanegiadau a chywiriadau i'r ddau Bywgraffiadur blaenorol. Cadwyd yr un byrfoddau ag yn y ddwy gyfrol gynharach gydag ychydig o rai ychwanegol.

Brynley F. Roberts

YR YSGRIFWYR

A.D.F.J.	A. David Fraser Jenkins, Llundain
A.H.L.	Archibald Henry Lee, Caerdydd
A.J.M.	**Aubrey John Martin (1911-90), Llandysul**
A.L.	**Aneirin Lewis (1924-89), Caerdydd**
A.Ll.D.	Aled Lloyd Davies, Yr Wyddgrug
A.Ll.H.	Arwyn Lloyd Hughes, Llandaf
Al.R.J.	Alwyn Rice Jones, Llanelwy
B.A.M.W.	B.A. Mark Williams, Sidmouth, Devon
B.B.T.	**Benjamin Bowen Thomas (1899-1977), Bangor**
B.F.R.	Brynley Francis Roberts, Aberystwyth
B.G.C.	Bertie George Charles, Aberystwyth
B.G.J.	**Benjamin George Jones (1914-89), Llundain**
B.G.O.	Benjamin George Owens, Aberystwyth
B.H.	Belinda Humfrey, Llanbedr Pont Steffan
B.L.J.	**Bedwyr Lewis Jones (1933-92), Bangor**
B.Ri.	**Brinley Richards (1904-81), Maesteg**
C.A.G.	**Colin Alistair Gresham (1913-89),Cricieth**
C.B.	Clive Betts, Caerdydd
C.D.	Christopher Dignam, Abertawe
C.G.	Ceris Gruffudd, Aberystwyth
C.H.T.	Ceinwen Hannah Thomas, Caerdydd
C.Ll.-M.	Ceridwen Lloyd-Morgan, Aberystwyth
D.A.B.	Douglas Anthony Bassett, Caerdydd
D.A.E.D.	Dewi Aled Eirug Davies, Caerdydd
D.A.W.	**David Alun Williams (1920-92), Caerdydd**
D.B.C.J.	**David Brinley Clay Jones (1924-96), Cas-gwent**
D.E.J.D.	David Elwyn James Davies, Abertawe
D.E.W.	Daniel Emrys Williams, Aberystwyth
D.G.R.	David Glanville Rosser, Caernarfon
D.I.	Dylan Iorwerth, Llanbedr Pont Steffan
D.J.	David Jenkins, Penrhyn-coch, Aberystwyth
D.J.G.	David John Griffiths, Aberystwyth
D.J.M.	**David James Morgan (1894-1978), Aberystwyth**
D.J.Mu.	Daniel Joseph Mullins, Abertawe
D.J.R.	**David John Roberts (1910-96), Aberteifi**
D.J.Wr.	Dennis John Wright, Bangor
D.Je.	David Jenkins, Aberystwyth
D.L.D.	David Leslie Davies, Aberdâr
D.M.J.	Derwyn Morris Jones, Abertawe
D.M.Ll.	**David Myrddin Lloyd (1909-81), Aberystwyth**
D.O.E.	Dyfed Oswald Evans, Pwllheli
D.P.J.	David Peregrine Jones, Tymbl, Llanelli
D.R.Ho.	Deian R. Hopkin, Llundain
D.T.D.	Daniel T. Davies, Llundain
D.T.Ll.	**David Tecwyn Lloyd (1914-92), Corwen**
D.T.W.P.	David Trevor William Price, Llanbedr Pont Steffan
D.W.H.	Donald Walter Hopkins, Abertawe
D.W.P.	Dewi Watkin Powell, Cricieth
Da.Jo.	**Dafydd Jones (1907-91), Ffair-rhos, Tregaron**
De.J.	Derwyn Jones, Bae Colwyn

Don. M.	Donald Moore, Aberystwyth
E.B.	**Edouard Bachellery (1907-88), Versailles**
E.D.J.	**Evan David Jones (1903-87), Aberystwyth**
E.E.L.J.	Elizabeth (Bethan) Eirliw Louis Jones, Wrecsam
E.G.B.	**Emrys George Bowen (1900-83), Aberystwyth**
E.G.E.	**Evan Gwyndaf Evans (1913-86), Llandudno**
E.G.H.	**Edward George Hartmann (1912-95), Wilkes-Barre, T.U.A.**
E.G.Je.	Emlyn Glasnant Jenkins, Aberteifi
E.L.E	**Evan Lewis Evans (1898-1978), Abertawe**
E.L.El.	Edward Lewis Ellis, Aberystwyth
E.O.R.	**Emrys Owain Roberts (1910-90), Llundain**
E.O.W.	Euryn Ogwen Williams, Y Barri
E.P.E.	**Emrys Peregryn Evans (1898-1981), Llundain**
E.P.R.	Enid Pierce Roberts, Bangor
E.R.M.	Edward Ronald Morris, Llanidloes
E.W.J.	Emyr Wyn Jones, Pwllheli
E.W.R.	Eryl Wyn Rowlands, Llangefni
E.Wy.J.	E. Wyn James, Caerdydd
El.G.J.	Elis Gwyn Jones, Cricieth
Em.D.	Emlyn Davies, Caerdydd
Em.W.J.	Emrys Wynn Jones, Aberystwyth
En.P.	Enid Parry, Bangor
Er.E.	Eric Edwards, Wrecsam
F.M.G.	Francis Michael Gibbs, Abertawe
G.A.J.	Gwilym Arthur Jones, Bangor
G.B.O.	Gwilym Beynon Owen, Bangor
G.C.B.	**George Counsell Boon (1927-94), Penarth**
G.E.	**Gwilym Evans (1896-1983), Aberystwyth**
G.E.J.	Geraint Elfyn Jones, Y Drenewydd
G.G.	Robert Geraint Gruffydd, Aberystwyth
G.H.	Graeme Holmes, Llandaf
G.H.J.	Geraint Huw Jenkins, Aberystwyth
G.H.W.	Gareth Haulfryn Williams, Caernarfon
G.I.L.	G. I. Lumley, Wrecsam
G.Je.	Gwyn Jenkins, Aberystwyth
G.Jo.	**Gerallt Jones (1907-84), Caerwedros, Ceinewydd**
G.L.R.	Graham Lloyd Rees, Aberystwyth
G.M.	Gwyneth Morgan, Tonyrefail
G.M.G.	Griffith Milwyn Griffiths, Aberystwyth
G.M.R.	**Gomer Morgan Roberts (1904-93), Llandybïe**
G.R.H.	Glyn Rhys Hughes, Llanelli
G.R.T.	Gwilym Richard Tilsley, Prestatyn
G.T.	**Gildas Tibbott (1900-79), Aberystwyth**
G.T.H.	Glyn Tegai Hughes, Y Drenewydd
G.T.S.	G. T. Streather, Kettering, Northants.
G.Tu.	Gwilym Tudur, Aberystwyth
G.V.-J.	Geraint Vaughan-Jones, Aberystwyth
G.W.	Glanmor Williams, Abertawe
G.W.W.	Gareth W. Williams, Aberystwyth
Ga.R.	**Garnet Rees (1912-90), Stamford, Lincs.**
Ge.M.	Gerald Morgan, Aberystwyth
Gl.P.	Glyn Parry, Synod, Llandysul
Gw.E.	Gwynfor Evans, Pencarreg, Llanybydder

Gw.H.J.	Gwilym Henry Jones, Bangor
H. ab E.	Hedd ab Emlyn, Wrecsam
H.E.	Huw Ethall, Caerdydd
H.E.H.	Hugh Emlyn Hooson, Llanidloes
H.M.S.	H. Morrey Salmon, Caerdydd
H.N.J.	**Herbert Noel Jerman (1909-94), Y Drenewydd**
H.T.Ed.	Hywel Teifi Edwards, Llangennech
H.W.	Huw Williams, Bangor
H.Wa.	Huw Walters, Aberystwyth
I.B.R.	Ioan Bowen Rees, Bangor
I.C.P.	**Iorwerth Cyfeiliog Peate (1901-82), Llandaf**
I.Ff.E.	Islwyn Ffowc Elis, Llanbedr Pont Steffan
I.Gl.R.	Ivor Glyn Rees, Penarlâg
I.Je.	Islwyn Jenkins, Caerfyrddin
I.M.J.	Iwan Meical Jones, Aberystwyth
I.O.	Ifor Owen, Llanuwchllyn
I.S.J.	Ieuan Samuel Jones, Aberystwyth
Io.J.	**Iorwerth Jones (1913-92), Gorseinon**
J.A.D.	James Arthur Davies, Bangor
J.A.O.	John A. Oddy, King's Lynn, Norfolk
J.D.	John Davies, Caerdydd
J.E.C.W.	John Ellis Caerwyn Williams, Aberystwyth
J.G.J.	John Graham Jones, Aberystwyth
J.G.W.	John Gwynn Williams, Bangor
J.H.H.	John Hrothgar Habakkuk, Rhydychen
J.K.E.	John Keith Evans, Caerwedros, Ceinewydd
J.L.J.	John Lewis Jones, Yr Wyddgrug
J.Ll.T.	John Lloyd Thomas, Pontardawe
J.M.J.	**John Morgan Jones (1903-89), Aberystwyth**
J.R.R.	John Roderick Rees, Tregaron
J.R.W.	John Roberts Williams, Caernarfon
J.Ty.J.	**John Tysul Jones (1902-86), Llandysul**
Jo.G.J.	John Gwilym Jones, Wrecsam
K.E.	Keri Edwards, Bargod
K.E.J.	**Kenneth Emlyn Jones (1911-83), Sgeti, Abertawe**
K.W.J.	**Keith Williams Jones (1926-79), Bangor**
L.D.	Lorraine Davies, Caerdydd
L.N.H.	L. N. Hopper, Caerdydd
Ll.G.C.	Llywelyn Gwyn Chambers, Bangor
Ll.P.	**Llywelyn Phillips (1914-81), Aberystwyth**
M.A.J.	Mary Auronwy James, Aberystwyth
M.E.	Megan Ellis, Aberystwyth
M.E.C.	Muriel E. Chamberlain, Abertawe
M.E.T.	**Margaret Ethelwynne Thomas (1906-89), Arberth**
M.G.E.	Mary Gwendoline Ellis, Aberystwyth
M.H.D.	Margaret Helen Davies, Aberystwyth
M.H.J.	Marian Henry Jones, Aberystwyth
M.J.J.	Moses John Jones, Yr Wyddgrug
M.J.W.	**Morgan John Williams (1910-95), Sgeti, Abertawe**
M.M.W.	Margaret Mitford Williams, Llangefni
M.R.	Maurice Richards, Y Drenewydd
M.R.W.	Melfyn Richard Williams, Llanuwchllyn
Ma.B.D.	Mary Beynon Davies, Aberystwyth

Ma.E.C.	Mair Elizabeth Cole, Llundain
Me.E.	Meredydd Evans, Cwmystwyth
N.H.W.	Nia Hall Williams, Llandaf
N.T.	**Norman Percy Thomas (1915-89), Abertawe**
O.E.	Owen Edwards, Caerdydd
O.W.J.	Owain William Jones, Abertawe
P.C.B.	Peter Clement Bartrum, Berkhamsted, Herts.
P.J.	Paul Joyner, Aberystwyth
P.L.	Peter Lord, Aberystwyth
P.M.	Prys Morgan, Abertawe
R.B.W.	**Richard Bryn Williams (1902-81), Aberystwyth**
R.C.B.O.	**Reginald Campbell Burn Oliver (1908-93), Llandrindod**
R.H.M.	Richard Harding Morgan, Aberystwyth
R.L.H.	**Richard Leonard Hugh (1913-83), Gorseinon**
R.L.J.	Richard Leslie Jones, Llandaf
R.M.	Roland G. Mathias, Aberhonddu
R.M.J.	Robert (Bobi) Maynard Jones, Aberystwyth
R.O.G.W.	Robin O. G. Williams, Cricieth
R.P.P.	R. Palmer Parry, Llansannan
R.Td.J.	Robert Tudur Jones, Bangor
R.W.E.	Raymond Wallis Evans, Bangor
Rh.G.	Rhidian Griffiths, Aberystwyth
Ri.E.H.	Richard E. Huws, Aberystwyth
S.R.J.	Sally Roberts Jones, Port Talbot
S.R.W.	Sian Rhiannon Williams, Gwenfô, Caerdydd
T.E.G.	Thomas Elwyn Griffiths, Caernarfon
T.G.D.	Thomas Gruffydd Davies, Blaendulais, Castell-nedd
T.G.J.	**Thomas Gwynn Jones (1904-90), Abertawe**
T.J.M.	**Thomas John Morgan (1907-86), Abertawe**
T.P.	**Thomas Parry (1904-85), Bangor**
T.R.O.	**Thomas Richard Owen (1918-90), Abertawe**
V.J.L.	Vyrnwy John Lewis, Farnham, Surrey
W.A.W.	William Alister Williams, Wrecsam
W.B.D.	**William Beynon Davies (1908-87), Aberystwyth**
W.C.R.	William C. Rogers, Abertawe
W.D.	Walford Davies, Aberystwyth
W.D.J.	William David Jones, Caerdydd
W.G.E.	William Gareth Evans, Aberystwyth
W.G.T.	**W. Gwyn Thomas (1928-95), Aberystwyth**
W.L.	William Linnard, Llandaf
W.Ll.D.	**William Llewelyn Davies (1887-1952), Aberystwyth**
W.M.R.	William Morgan Rogers, Caerdydd
W.R.N.	**William Rhys Nicholas (1914-96), Porth-cawl**
W.R.P.G.	William Richard Philip George, Cricieth
W.R.Wi.	W. R. Williams, Y Friog
W.T.M.	**Walter Thomas Morgan (1912-90), Aberystwyth**
W.T.O.	William Thomas Owen, Llundain
W.T.P.D.	**William Thomas Pennar Davies (1911-96), Abertawe**

BYRFODDAU YCHWANEGOL

Adroddiad Blynyddol A.G.C.	Adroddiad Blynyddol Amgueddfa Genedlaethol Cymru
Alpine Jnl.	Alpine Journal
Ann. Roy. Coll. Surgeons	Annals of the Royal College of Surgeons
Atodiad	Atodiad i Y Bywgraffiadur Cymreig 1951 hyd 1970
Bangor Dioc. Gaz.	Bangor Diocesan Gazette
Bapt. Rec.	Baptist Record
Biog. Memoirs Fellows R.S.	Biographical Memoirs of Fellows of the Royal Society
Blwyddiadur A	Blwyddiadur yr Annibynwyr Cymraeg
Blwyddiadur MC	Blwyddiadur y Methodistiaid Calfinaidd
Blwyddlyfr MC	Blwyddlyfr y Methodistiaid Calfinaidd
Braslun o Hanes Meth. Môn	Huw Llewelyn Williams (gol.), Braslun o Hanes Methodistiaeth Galfinaidd Môn 1935-70 (1977)
Brec. & Radn. County Times	Brecon & Radnor County Times
Brit. Med. Jnl.	British Medical Journal
Bulawayo Chron.	Bulawayo Chronicle
Bywg.	Y Bywgraffiadur Cymreig hyd 1940
Bywg.2	Y Bywgraffiadur Cymreig 1941 hyd 1950
C.C.C. Welsh Mus.	Complete Catalogue of Contemporary Welsh Music
Caern. & Denb. Herald	Caernarvon and Denbigh Herald
Camb. News	Cambrian News
Carms. Historian	The Carmarthenshire Historian
Cath. Dir. &c.	(Complete) (Battersby's) Catholic Directory &c.
Cylch. Cymd. Alawon Gwerin	Cylchgrawn Cymdeithas Alawon Gwerin
Cylch. Hanes Cymru	Cylchgrawn Hanes Cymru (Welsh History Review)
Dict. American Biog.	Allen Stone, Dictionary of American Biography, 1928-44
Dict. Australian Biog.	Percival Serle, Dictionary of Australian Biography (1949)
Dict. Business Biog.	Dictionary of Business Biography
Dict. Lab. Biog.	Joyce M. Bellamy & J. Saville, Dictionary of Labour Biography (1972)
Dict. Scient. Biog.	Dictionary of Scientific Biography (1970)
DWB	The Dictionary of Welsh Biography down to 1940 (1959)
Dyddiadur EF	Dyddiadur yr Eglwys Fethodistaidd
Dysg.	Y Dysgedydd
Ellis, UCW	E.L. Ellis, The University College of Wales, Aberystwyth, 1872-1972 (1972)
Geiriadur Bywgr.	gw. J.T.J. yn Bywg.
Gen. Gymr.	Y Genedl Gymreig
Genh.	Y Genhinen
Glam. Hist.	The Glamorgan Historian
Gol.	Y Goleuad
Guy's Hosp. Gaz.	Guy's Hospital Gazette
Guy's Hosp. Reports	Guy's Hospital Reports
Hanes Meth. gorll. Meirionydd	R. Owen, Hanes Methodistiaeth Gorllewin Meirionydd (1891, 1899); H. Ellis (1928)
Herald Cymr.	Yr Herald Cymraeg (a'r Genedl)

Jnl. Agric. Soc. UCW	Journal of the Agricultural Society, University College of Wales, Aberystwyth
Jnl. Brit. Grassld. Soc.	Journal of the British Grassland Society
Kelly's Handbook	Kelly's Handbook to the titled, landed and official classes
Liv. D.P.	The Liverpool Daily Post
Lond. Welsh.	The London Welshman
Lives Fellows Roy. Coll. Surg.	Lives of the Fellows of the Royal College of Surgeons, London, 1930-51, 1952-60
Llyfr. Llen. Gymr.	Thomas Parry a Merfyn Morgan, Llyfryddiaeth Llenyddiaeth Gymraeg (1976)
Man. Guard., Manch. Guardian	Manchester Guardian
Mont. County Times	Montgomeryshire County Times
Munk's Roll	William Munk, The Roll of the Royal College of Physicians of London, 1518-1700 (1878), 1701-1800 (1878), 1801-25 (1878); G.H. Brown, Lives of the Fellows of the Royal College of Physicians of London 1826-1925 (1955); Richard R. Trail, Munk's Roll, 5: Lives of the F.R.C. of Ph. of L. continued to 1965 (1968); Gordon Wolstenholme, Munk's Roll, 6: Lives ... F.R.C. continued to 1975 (1982)
N. Wales Chronicle	North Wales Chronicle
N. Wales Obs.	North Wales Observer
N. Wales Times	North Wales Times
N. Wales Weekly News	North Wales Weekly News
Neath Guard.	Neath Guardian
OPCS	Mynegeion cofrestri geni, priodi a marw Cymru a Lloegr yr 'Office of Population and Census Studies'
Phil. Trans. Roy. Soc.	Philosophical Transactions of the Royal Society
Proc. Geologists Association	Proceedings of the Geologists Association
Proc. Roy. Soc.	Proceedings of the Royal Society
Radnor Expr.	The Radnor Express
Rep. Brit. Assn. Adv. of Science	Reports of the meetings of the British Association for the Advancement of Science
S. Wales Argus	South Wales Argus
S. Wales Echo	South Wales Echo
S. Wales Evening Post	South Wales Evening Post
S. Wales Guardian	South Wales Guardian
S. Wales Voice	South Wales Voice
T.N.	Y Testament Newydd
Tr.	Y Traethodydd
Traf. Cymd. Hanes Sir Ddinbych	Trafodion Cymdeithas Hanes Sir Ddinbych
Traf. Cymd. Hynafiaethwyr Môn	Trafodion Cymdeithas Hynafiaethwyr Môn
Traf. Cymm.	gw. Trans. Cymm.
Trans. Cymm.	The Transactions of the Honourable Society of Cymmrodorion
Trans. Liverpool Med. Inst.	Transactions (Proceedings) of the Liverpool Medicine Institute
Trans. R.S.A.	Transactions of the Royal Society for the Encouragement of Arts, Manufacture and Commerce
Trans. S. Wales Inst. Engineers	Transactions of the South Wales Institute of Engineers

Trys. Plant	*Trysorfa y Plant*
W. Wales Guard	*West Wales Guardian*
West. Mail	*Western Mail*
West. Telegraph	*Western Telegraph*
Ww	*Who's who?*
Ww in America	*Who's who in America?*
WwFC	L.G. Pine, *Who's who in the Free Churches?* (1951)
WWP	*Mynegai Bywgraffyddol W.W. Price* (yn Llyfrgell Genedlaethol Cymru); *The Biographical Index of W.W. Price, Aberdâr*
Www	*Who was who?*
WwW (1921; 1933; 1937)	Arthur Mee (gol.), *Who's who in Wales* (1921; 1933; 1937)

Y BYWGRAFFIADUR CYMREIG
1951 HYD 1970

A

ALBAN, Syr FREDERICK JOHN (1882-1965), cyfrifydd a gweinyddwr; g. 11 Ion. 1882 yn (?) Y Fenni, yn fab i David Alban a'i wraig Hannah. Bu'r fam f. yn Y Fenni 28 Medi 1884. Teiliwr wrth y dydd oedd y tad a bu yntau f. yn Henffordd 2 Ion. 1891. Y canlyniad fu chwalu'r teulu. Bu'r ddau fab hynaf yn cadw siop grydd yn agos i Fleetwood. Magwyd Frederick John gan 'Miss Williams' a elwid yn fodryb gan ei blant, ond ni wyddys a oedd yn berthynas gwaed. Beth bynnag, o dan amgylchiadau caled y magwyd y bachgen. Bu yn yr ysgol genedlaethol yn Y Fenni nes bod yn 12 oed, yna codwyd y tâl ysgol i 6c. yr wythnos a bu rhaid iddo yntau ei gadael. Ymroes i'w addysgu ei hun gan fenthyca llyfrau a'u copïo mewn llawfer tra'n gweithio fel crwtyn yn swyddfa Spicketts, cyfreithwyr, ym Mhontypridd. Yr oedd yn weithiwr caled a bodlonai ar bedair awr o gwsg. Er hynny, yr oedd yn llawn asbri fel llanciau ei gyfnod, a thorrodd ei goes a'i fraich ar wahanol achlysuron, ac ni osodwyd yr un ohonynt yn gywir yn eu lle. Cafodd ddamwain i'w lygaid hefyd, ac amharodd hynny ar ei olygon. Ymsefydlodd ym Mhontypridd ac yn 17 oed penodwyd ef yn gynorthwywr clerigol i'r Bwrdd Gwarcheidwaid Lleol. Dair blynedd yn ddiweddarach dyrchafwyd ef yn gyfrifydd i'r cyngor dosbarth trefol. Yn 1907 enillodd y safle uchaf yn arholiad terfynol yr *Institute of Municipal Treasurers and Accountants*. Cyflawnodd yr un gamp yn arholiadau terfynol y *Society of Incorporated Accountants and Auditors*, a'r *Chartered Institute of Secretaries*. Ef oedd yr unig un erioed i ennill yr anrhydedd driphlyg hon. Enillodd fedal aur y *Soc. of Inc. Accountants & Auditors*, yn 1909. Yr oedd yn gymrawd o'r *Institute of Chartered Accountants* (F.C.A.). Bu'n gyfrifydd i Fwrdd Dŵr Unedig Pontypridd a'r Rhondda am ddwy flynedd. Daeth i sylw Thomas Jones (gw. isod) a welodd ei werth i'r Comisiwn Yswiriant Cenedlaethol Cymreig (rhagflaenydd y Bwrdd Iechyd) ac yn 1912 gwnaethpwyd ef yn ddirprwy gyfrifydd i'r corff, swydd a roes heibio yn 1916 er mwyn bod yn rheolwr ac ysgrifennydd cyffredinol i'r Gymdeithas Genedlaethol Gymreig i Goffáu'r Brenin Edward VII ac ymladd i ddileu'r ddarfodedigaeth. Gweithredodd fel cyfrifydd i'r Weinyddiaeth Fwyd yng Nghymru, 1918-19. Ymddiswyddodd o'r Gymdeithas Goffadwriaethol yn 1922 ond parhaodd i'w chynghori ar faterion cyllidol. Bu'n cynghorwr ar gyllid i nifer o awdurdodau lleol. Gyda Norman Ernest Lamb ffurfiodd gwmni Alban & Lamb, cyfrifyddion siartredig, yng Nghasnewydd a Chaerdydd. Sefydlodd *The Accountancy and Secretarial Training Institute* yng Nghasnewydd i drefnu cyrsiau hyfforddi drwy'r post a chyhoeddi llawlyfrau talfyredig i gynorthwyo myfyrwyr ar gyfer arholiadau proffesiynol, adlais o'i brofiadau cynnar ef ei hun yn ei ymdrech i feistroli gwybodaeth ei alwedigaeth. Bu'n gyfrifydd ymgynghorol i Fwrdd Dŵr Taf Fechan, a gweithredodd ar dribiwnlysoedd a sefydlwyd o dan ddeddfau seneddol ynglŷn â thrydan, dŵr, a nwy. Bu'n

gadeirydd pwyllgor cyllid Ysgol Feddygol Cymru (y Coleg Meddygol erbyn hyn). Cadwodd ei ddiddordeb mewn trefnyddiaeth feddygol oddi ar ei gyfnod gwasanaeth i'r Gymdeithas Goffadwriaethol. Y pryd hwnnw llwyddasai i berswadio awdurdodau lleol Cymru i gydweithio i sicrhau llwyddiant ymgyrchoedd y gymdeithas honno. Gwelwyd effeithiau ei arweiniad doeth a diogel yn y berthynas ffrwythlon a grewyd rhwng Bwrdd Ysbytai Cymru, yr Ysgol Feddygol, ac ysbytai unedig Caerdydd pan oedd ef yn gadeirydd y bwrdd hwnnw o 1947 i 1959.

Cyhoeddodd nifer o lyfrau ar weinyddu gweithfeydd dŵr ac ar gwestiynau ynglŷn â threthiant a chyllid llywodraeth leol a materion ynglŷn â threth incwm. Yn 1954 cyhoeddodd lyfr ar *Socialisation in Great Britain and its effects on the accountancy profession*. Derbyniodd lu o anrhydeddau yn ei alwedigaeth ac o'r tu allan iddi. Gwnaethpwyd ef yn llywydd y *Society of Incorporated Accountants* yn 1947, yn aelod anrhydeddus dros oes o gymdeithas Cyfrifyddion Cyhoeddus Ontario ac yn gymrawd anrhydeddus o'r *Inst. of Municipal Treasurers & Accountants*, 1954. Yr oedd yn ynad heddwch ym Morgannwg, gwnaethpwyd ef yn C.B.E. yn 1932 ac yn farchog yn 1945. Rhoes Prifysgol Cymru radd LL.D. er anrhydedd iddo yn 1956. Enillodd fedal arian y *Soc. of Arts* ddwywaith.

Pr., 27 Awst 1906, ag Alice Emily Watkins, a anwyd yn Ewyas Harold 21 Hyd. 1881, merch James Watkins, saer olwynion, ac Emily, ei wraig (g. Hughes, yna Woodhill). Yn 1906 yr oedd hi'n gweithio yn y fasnach hetiau merched yng Nghrucywel, ac wedi priodi bu'n gymorth mawr i'w gŵr gyda'r gwaith clerigol. Cawsant chwech o blant, pedwar mab a dwy ferch, a mynnodd eu tad roi pob cyfleusterau addysg iddynt. Aeth dau o'r bechgyn a'r ddwy ferch yn feddygon, a'r ddau fab arall i alwedigaeth eu tad. Bu ef f. 2 Mai 1965.

WwW (1937); *Www*; *West. Mail*, 3 Mai 1965; gwybodaeth gan ei fab Vivian F. Alban.

E.D.J.

ALBAN DAVIES, DAVID (1873-1951), gŵr busnes a dyngarwr; g. 13 Ebr. 1873 yng nghartref ei fam, Hafod Peris, Llanrhystud, Cer., yn fab ieuengaf Jenkin Davies, capten llong, ac Anne (g. Alban) ei wraig. Pan adawodd yr ysgol leol yn 14 oed aeth i weithio ar fferm ei ewythr yn Hafod Peris, gan fod ei dad newydd ddioddef colledion ariannol. Cawsai ei frodyr eu haddysg yng ngholeg Llanymddyfri, felly cynilodd ei enillion a mynychu Ysgol Owen yn Nghroesoswallt pan oedd yn 18 oed. Ar 28 Tach. 1899 pr. â Rachel Williams, Brynglas, Moria, Penuwch, yn Eglwys y Drindod, Aberystwyth, a bu iddynt 4 mab a merch. Aethant i weithio gydag Evan, brawd Rachel, a gadwai fusnes laeth lwyddiannus yn Lundain. Ymhen yrhawg prynodd David Alban Davies gwmni llaeth Hitchman a ddatblygodd yn fusnes lewyrchus o dan ei gyfarwyddyd. Yn 1933 cododd dŷ moethus, Brynawelon, Llanrhystud ac ymddeol yno, gan adael dau o'i feibion, Jenkin a David Harold, i ofalu am y busnes. Bu f. 2 Rhag. 1951 a'i gladdu ym Mhen-uwch.

Ar ddechrau ei yrfa ymdynghedodd i roi'r ddegfed ran o'i enillion i'r eglwys. O ganlyniad, ac mewn cydweithrediad ag ychydig aelodau eraill, daeth eglwys Moreia (MC), Walthamstow, i fod, a chynorthwyodd godi tŷ gweinidog yno. Cododd ysgoldy (MC) ger ei hen gartref yn Llanrhystud yn ogystal. Gwasanaethodd naw ml. ar Gyngor Bwrdeistref Walthamstow. Wedi dychwelyd i Gymru bu'n siryf Ceredigion yn 1940 a daeth yn aelod ac yn henadur (1949) Cyngor Sir Aberteifi, gan fod yn gadeirydd y pwyllgorau lles ac iechyd. Ef oedd cadeirydd Cymdeithas Tai Hen Bobl Aberystwyth a'r Cylch pan brynwyd Deva, cartref i'r hen y bu ef yn hael iawn ei roddion iddo. Cymerai ddiddordeb arbennig mewn gwelliannau mewn amaethyddiaeth a rhoddodd £10,000 i'r Adran Iechyd Anifeiliaid yng Ngholeg Prifysgol Cymru, Aberystwyth. Bu'n llywydd Cymdeithas Gydweithredol Ffermwyr Gogledd Ceredigion am gyfnod. Cefnogai addysg, gan fod yn gadeirydd cyntaf rheolwyr Ysgol Uwchradd Fodern Dinas, Aberystwyth, ac yn rheolwr C.P.C., Aberystwyth a Phrifysgol Cymru. Ar fyr rybudd prynodd a chyflwynodd i'r coleg 200 erw o dir ar ystad Penglais rhag i adeiladau anaddas gael eu codi yno. Derbyniodd radd LL.D. er anrh. yn 1947 am ei gymwynas. Y flwyddyn ddilynol cyflwynodd ei wraig fen gyntaf y llyfrgell deithiol i'r Cyngor Sir i gynnal gwasanaeth a werthfawrogir yn fawr gan bobl cefn gwlad Ceredigion.

Llawlyfr Cymdeithas Ceredigion Llundain, 1952-3, 5-7; gwybodaeth gan Mrs. Margaret Alban Davies, Aberaeron.

M.A.J.

ALBAN DAVIES, JENKIN (1901-68), gŵr busnes a dyngarwr; g. 24 Meh. 1901, yn Walthamstow, Llundain, mab hynaf David Alban Davies (gw. uchod) a Rachel (g. Williams) ei wraig, y ddau o Geredigion. Addysgwyd ef yn ysgol Merchant Taylors, ac enillodd ysgoloriaeth i Goleg S. Ioan, Rhydychen, ond ni allai fforddio mynd yno. Aeth i Brifysgol Cornell, T.U.A., am ddwy fl. yn efrydydd amaethyddiaeth a llaetheg a gweithiodd am gyfnod byr mewn cwmnïau Americanaidd er mwyn astudio'u dulliau hwy o redeg busnes. Ymunodd â busnes y teulu yn 1925 ac ymhen amser daeth yn gadeirydd y cwmni, Llaethdai Hitchman, Cyf., a werthai 20,000 o alwyni o laeth y dydd a chyflogi dros 500 o ddynion pan werthwyd ef i gwmni cyfyngedig United Dairies yn 1946. Yr oedd hefyd yn dansgrifennwr cwmni yswiriant Lloyd. Ar 6 Rhag. 1939 pr. Margaret, merch John Davies, capten llong, Aberaeron a bu iddynt ddau fab. Bu f. 26 Mai 1968 ym Mrynawelon, Llanrhystud, Cer., ei gartref er 1963.

Bu'n weithgar yn lleol, gan ddod yn llywydd y Gymdeithas Ryddfrydol a'r Clwb Rotari yn Walthamstow a gweithiodd gyda Chymdeithas y Clybiau Ieuenctid yno, ac yntau'n sbortsmon ei hun. Pan aeth capel Moreia (MC), Walthamstow, yn rhy fach, ef a fu'n bennaf gyfrifol am annog codi capel newydd, Moreia,

yn Leytonstone, a oedd yn fan cyfarfod cyfleus i'r Cymry ifainc a dyrrai i Lundain bryd hynny. Derbyniodd lawer o gymdeithasau Cymraeg Llundain roddion hael ganddo. Gwnaeth ei orau i hyrwyddo'r iaith Gymraeg ac yr oedd yn un o sylfaenwyr Ysgol Gymraeg Llundain a agorwyd fis Medi 1961 mewn ystafell dros dro yn neuadd Eglwys Dewi Sant. Yn ddiweddarach darparodd fws i gludo'r plant i'r dosbarth Cymraeg yn ysgol gynradd Ffordd Hungerford yn Islington cyn i'r dosbarth symud i Willesden Green. Flynyddoedd ynghynt, yn 1948, sefydlodd ysgol baratoawl i fechgyn yn Abermâd, Llanilar, Cer., lle y dysgid hwy trwy gyfrwng y Gymraeg hyd at naw oed. Bu'r ysgol ar agor hyd tuag 1971. Yn 1965 arweiniodd ddirprwyaeth i Batagonia. Gwasanaethodd nifer o sefydliadau yng Nghymru. Fel trysorydd rhoddodd arweiniad gwerthfawr i Urdd Gobaith Cymru (c. 1950), i G.P.C. (1954-68) ac i Goleg Harlech (1957-68). Bu'n gadeirydd Cyngor Diogelu Cymru Wledig; yn aelod o gynghorau C.P.C. ac A.G.C.; ac aelod dros Gymru o'r Awdurdod Teledu Annibynnol am ddau dymor, 1956-64. Derbyniodd Urdd Gobaith Cymru roddion ganddo, cyfrannodd yn hael tuag at gynhyrchu *The Oxford book of Welsh verse* a rhoddodd £10,000 i gronfa adeiladau C.P.C., Aberystwyth. Cydnabuwyd ei wasanaeth arbennig i amrywiol agweddau ar y bywyd Cymreig trwy ei benodi'n siryf Ceredigion yn 1951 a dyfarnwyd gradd LL.D. er anrh. iddo gan Brifysgol Cymru yn 1964.

West. Mail, 27 Mai 1968; gwybodaeth gan ei weddw.

E.D.J., M.A.J.

AMANWY - gw. GRIFFITHS, DAVID REES isod.

ANTHONY, DAVID BRYNMOR (1886-1966), athro a chofrestrydd; g. 28 Hyd. 1886 yng Nghydweli, Caerf., ail fab John Gwendraeth a Mary (g. Harris) Anthony. Masnachwr bwydydd a dilledydd oedd y tad yn Paris House yn y dreflan honno. Addysgwyd ef yn ysgol y Castell yng Nghydweli, ysgol Uwchradd Llanelli, a Choleg Prifysgol Cymru, Aberystwyth, lle'r ymaelododd yn Hyd. 1905 a graddio gyda dosbarth I mewn Ffrangeg a Ieithoedd Romawns yn 1908, gan gynnwys hanes a Lladin yn ei gyrsiau. O Hyd. 1908 hyd Ion. 1910 bu'n dysgu yn *y Collège de Garçons*, Cambrai (Ffrainc), ond gyda chymorth ysgoloriaeth ymchwil Prifysgol Cymru galloddadael a swydd honno a pharhau ei astudiaethau yn y Sorbonne a'r *Bibliothèque Nationale*. Enillodd radd M.A. Prifysgol Cymru ym Meh. 1910 am draethawd ar y grŵp Parnasaidd o feirdd Ffrainc. Yn Ion. 1911 apwyntiwyd ef yn athro Ffrangeg yn ysgol Uwchradd Sirol Holloway, Llundain.

Ymunodd â'r Ffiwsilwyr Brenhinol Cymreig ym Medi 1914 a bu'n gwasanaethu yng Ngwlad Belg, Ffrainc a'r Eidal o Dach. 1915 i ddiwedd Ion. 1919. Dyrchafwyd ef yn gapten a dyfarnwyd iddo'r M.C., a bar i'r M.C., medal arian yr Eidal am ddewrder a'r *Croce di Guerra*. Ar ddiwedd y brwydro apwyntiwyd ef i drefnu cynlluniau addysgol i'r milwyr yng ngogledd yr Eidal, a daeth, drwy ei arhosiad pellach, yn feistr ar Eidaleg. Yn 1920 enillodd ddiploma mewn Eidaleg o Brifysgol Fflorens.

Dychwelodd yn 1919 i ysgol Holloway ac yn Chwef. 1921 apwyntiwyd ef yn gofrestrydd Prifysgol Cymru. Yn ychwanegol at ddyletswyddau'r gofrestryddiaeth cymerodd at ysgrifenyddiaeth weithredol yr Ysgol Feddygol yn 1931, hyd oni phenodwyd ysgrifennydd amser llawn. Fel ysgrifennydd Pwyllgor Celfyddyd y Brifysgol cafodd gyfle i ddeffro a meithrin mwy o werthfawrogiad o gelfyddyd yng Nghymru. Yr oedd yn un o sylfaenwyr Cymdeithas Celfyddyd Gyfoes yng Nghymru y daeth yn ysgrifennydd ac wedyn yn gadeirydd arni, a pharhaodd celfyddyd yn nwyd ynddo. Nid anghofiodd ei ddiddordeb mewn Ffrangeg ac ieithoedd modern. Bu'n drysorydd mygedol i'r *Modern Language Association*, yn aelod o'i chyngor, ac yn llywydd cangen de Cymru ohoni. Yn 1936 enwyd ef yn *Officier d'Académie* gan lywodraeth Ffrainc. Rhwng 1939 ac 1945 bu'n gadeirydd Cyfeillion Ffrainc Rydd yng Nghaerdydd ac am ei wasanaeth i'r Lluoedd Ffrengig Rhydd dyfarnodd llywodraeth Ffrainc y *Médaille de Vermeil de la Reconnaissance Française* iddo yn 1947. Yn 1964 dyrchafwyd ef i reng *Officier de l'Ordre des Palmes Académiques* am ei wasanaeth i Ffrainc a'i diwylliant.

Ymddeolodd o'r gofrestryddiaeth yn 1945, ac yn Chwef. 1946 penodwyd ef yn brif arolygydd y Bwrdd Canol Cymreig. Unwyd y Bwrdd gyda'r Cyd-bwyllgor Addysg dan y drefn newydd ac aeth yntau drosodd i'r Cyd-bwyllgor.

Pr. Doris Musson, merch ieuengaf Mr. a Mrs. George Tait Galloway Musson, Lerpwl, 24 Ebr. 1918. Bu iddynt ddau blentyn, David Alan a Lois Mary. Cafodd ryddfreiniaeth Cydweli yng Ngorff. 1924. Yr oedd yn flaenor yn eglwys Pembroke Terrace (MC), Caerdydd, ac yn aelod o bwyllgor Symudiad Ymosodol Eglwys Bresbyteraidd Cymru. Credai'n gadarn yng ngwerth bod yn gorfforol ddiwyd; cymerai gerdded o ddifri a chwaraeai golff yn gyson fel aelod o glwb y Radur. Yn ystod yr Ail Ryfel Byd dechreuodd gadw gwenyn a daeth yn berchen cychod lawer a chynhyrchu cyflenwad mawr o fêl. Y mae hyn yn nodweddiadol o'i ddifrifoldeb a'i ddiwydrwydd, neu'n well, ei fisïwch. Bu f. 24 Ion. 1966.

Manylion personol gan ei ferch, Lois Mary Anthony.

T.J.M.

AP GWARNANT - gw. WILLIAMS, THOMAS OSWALD isod.

ASHBY, ARTHUR WILFRED (1886-1953), economegydd amaethyddol; g. 19 Awst 1886, yn fab hynaf Joseph a Hannah Ashby, Tysoe, swydd Warwick. Cafodd ei addysg yn yr ysgol leol ac ar ôl gadael honno'n ddeuddeg oed bu'n cynorthwyo'i dad (gŵr arbennig iawn, yn ôl yr hanes, ac arweinydd ym mywyd ei fro) nes ei fod yn 23 oed, pryd y cafodd ysgoloriaeth i fynd i Goleg Ruskin, Rhydychen, yn 1909. Enillodd ddiploma gydag anrhydedd mewn economeg a gwyddor boliticaidd. Yn 1912 cafodd ysgoloriaeth gan y Bwrdd Amaethyddiaeth a bu'n fyfyriwr yn y Sefydliad Ymchwil mewn Economeg Amaethyddol yn Rhydychen ac ym Mhrifysgol Wisconsin. Dyma gyfnod ei astudiaeth o hanes rhandiroedd a manddaliadau, ac erys ei lyfr *Allotments and*

small holdings in Oxfordshire (1917) yn waith safonol. Gweithiodd gyda'r Bwrdd Amaethyddiaeth rhwng 1917 ac 1919, a bu ganddo ran flaenllaw ynglŷn â sefydlu'r Bwrdd Cyflogau Amaethyddol cyntaf yn y blynyddoedd hynny. Ar ôl cyfnod pellach ar staff y Sefydliad Ymchwil mewn Economeg Amaethyddol yn Rhydychen, daeth i Aberystwyth yn 1924 fel pennaeth yr adran newydd yng Ngholeg Prifysgol Cymru mewn Economeg Amaethyddol. Fe'i dyrchafwyd yn athro yn 1929, a hon oedd y gadair gyntaf mewn economeg amaethyddol i gael ei sefydlu yn y Deyrnas Unedig. Aeth yn ei ôl i Rydychen fel cyfarwyddwr y Sefydliad Ymchwil mewn Economeg Amaethyddol yn 1946 a daliodd y swydd honno tan ymddeol yn 1952.

Yr oedd Ashby yn ŵr amlwg ymhlith y criw bychan a fu'n arloesi gydag economeg amaethyddol fel maes astudiaeth ynddo'i hunan. Yn ystod ei flynyddoedd yn Aberystwyth cafodd gyfle i amlygu'i ddoniau yn y maes hwn, a chafwyd arweiniad cadarn ganddo oddi mewn i'r coleg ac yn y cylchoedd amaethyddol oddi allan. Yr oedd addysg pobl ifanc cefn gwlad yn bwysig yn ei olwg, ac fel aelod o'r pwyllgor a oedd yn dyfarnu ysgoloriaethau i feibion a merched gweithwyr cefn gwlad cafodd gyfle i wneud ei orau drostynt ar hyd y blynyddoedd. Gyda'i brofiad ymarferol o fywyd a gwaith fferm rhoddodd o'i orau fel aelod o'r Bwrdd Cyflogau Amaethyddol o 1924 ymlaen i gadw ac i ddyfnhau'r berthynas dda rhwng ffermwyr a gweithwyr tir. Yn gymaint â dim yr oedd hefyd yn weithiwr diflino o blaid cydweithrediad amaethyddol a bu'n gefnogol iawn mewn llawer ystyr i weithgareddau Cymdeithas Trefnu Gwledig Cymru (W.A.O.S.). Bu ganddo ran fawr yn y cefndir ynglŷn â chynlluniau marchnata amaethyddol, gan gynnwys sefydlu'r Bwrdd Marchnata Llaeth a wnaeth fwy na'r un cyfrwng arall i ddod ag amaethyddiaeth llawr gwlad yng Nghymru (a'r Deyrnas Unedig i gyd o ran hynny) o'i thlodi o 1933 ymlaen.

Cyfrannodd nifer fawr o erthyglau yn ei faes mewn lliaws o gylchgronau, ac mae ei lyfr (gydag Ifor L. Evans; gw. isod) yn 1943 *The Agriculture of Wales and Monmouth*, yn gyflawn o wybodaeth ar bynciau'r tir rhwng 1867 ac 1939. Cafodd radd M.A. er anrh. yn 1923 a thrwy archddyfarniad yn 1946 gan Brifysgol Rhydychen: fe'i gwnaed yn gymrawd o Goleg Lincoln yn 1947. Yr oedd yn Ynad Heddwch, ac fe'i penodwyd yn C.B.E. yn 1946. Pr. Rhoda Dean Bland yn 1922 a bu iddynt un mab. Bu f. 9 Medi 1953 yn Ysbyty Radcliffe, Rhydychen.

DNB, 1951-1960; Richard Phillips, *Pob un â'i gŵys* (1960); *Www*; adnabyddiaeth bersonol.

Ll.P.

AWBERY, STANLEY STEPHEN (1888-1969), gwleidydd, hanesydd lleol ac awdur; g. 19 Gorff. 1888 yn Abertawe. Derbyniodd y rhan fwyaf o'i addysg mewn dosbarthiadau nos tra'n gweithio ym mhorthladd Abertawe. Treuliodd chwe bl. fel ysgrifennydd cangen Abertawe o Undeb y Docwyr cyn sicrhau swydd lawn amser fel swyddog undeb pan benodwyd ef yn 1920 yn ysgrifennydd cangen y Barri o'r *Transport and General Workers' Union*. Fe'i dewiswyd yn gadeirydd Cymdeithas Llafur

Abertawe yn 1921 a chadeirydd Ysbyty Cyffredinol Abertawe y flwyddyn ganlynol. Yn 1928 cafodd ei ethol yn llywydd cangen Gymreig y Blaid Lafur Annibynnol a gwasanaethodd fel llywydd Cyngor Masnach y Barri.

Safodd fel ymgeisydd Llafur ar gyfer etholaeth Clitheroe yn etholiadau cyffredinol 1931 ac 1935 ond yn aflwyddiannus. Etholwyd ef yn aelod o Gyngor Bwrdeistref y Barri yn 1931, daeth yn henadur y cyngor yn 1939 a daliodd afael yn ei sedd nes iddo benderfynu ymddeol ym mis Tach. 1945, gan wasanaethu fel maer y Barri yn 1941-42. Gweithredodd hefyd fel Arolygwr Porthladdoedd de Cymru yn 1941-42. Ym Mawrth 1937 dewiswyd ef yn Ynad Heddwch dros sir Forgannwg. Bu hefyd yn Ddirprwy Raglaw'r sir ac yn 1951 fe'i dyrchafwyd yn gadeirydd ynadon Morgannwg. Yn etholiad cyffredinol 1945 etholwyd ef yn aelod seneddol (Llafur) dros etholaeth Canol Bryste. Ailetholwyd ef gyda mwyafrif sylweddol yn 1950, 1951, 1955 ac 1959, a phenderfynodd ymddeol yn 1964. Yr oedd yn aelod o'r ddirprwyaeth seneddol i Malaya yn 1948 ac yn aelod o'r Pwyllgor Dethol ar Amcangyfrifon yn 1950-51.

Yr oedd yn hanesydd lleol brwd a gweithgar ac yn awdur nifer o weithiau pwysig gan gynnwys *Labour's early struggles in Swansea* (1949), *Let us talk of Barry* (1954), *Llancarfan: the village of a thousand saints* (1957), *The story of St. Athan and Aberthaw* (1959), *I searched for Llantwit Major* (1965), *St. Donat's Castle and the Stradlings* (1966), *The Baptists in Barry for 150 years* (1967), a *Fourteen talks about Barry* (1968). Cyhoeddodd yn ogystal nifer o erthyglau ar agweddau ar hanes lleol.

Pr. yn 1911 a bu iddo ef a'i wraig Elizabeth Jane ddau fab a thair merch. Bu ei wraig f. ym mis Ebr. 1969 ac yntau 7 Mai 1969.

Www; Dod's Parliamentary Companion; WWP; OPCS 1911.

J.G.J.

B

BANCROFT, WILLIAM JOHN (1871-1959), chwaraewr rygbi a chriced; g. 2 Maw. 1871 yn fab i William Bancroft, Carmarthen Arms, Stryd Waterloo, Abertawe, yr hynaf o 11 o blant. Crydd ydoedd wrth ei grefft. Ganwyd ef yng Nghaerfyrddin ond magwyd ef yn nghysgod maes Sain Helen, Abertawe. Chwaraeai dros dîm ieuenctid lleol yr Excelsiors, cyn cael ei gêm gyntaf dros Abertawe ar 5 Hyd. 1889. Ar ôl prin 17 o gemau, ac heb gêm brawf, dewiswyd ef i chwarae dros Gymru yn erbyn yr Alban yn Chwef. 1890 pan anafwyd y dewis cyntaf, Tom England o Gasnewydd. Aeth Bancroft ymlaen i ennill 33 o gapiau yn ddi-dor rhwng 1890 ac 1901, record na thorrwyd tan 1954 gan Ken Jones (Casnewydd). Yr oedd yn gefnwr digymar, a chanddo lygaid craff a dwylo diogel y cricedwr profiadol: treuliai oriau maith yn perffeithio'i gicio, a chic gosb adlam o'i eiddo a enillodd y gêm yn erbyn Lloegr yn 1893, pan gipiodd Cymru'r goron driphlyg am y tro cyntaf erioed. Arweiniodd Gymru i'w hail goron yn 1900. Ef oedd un o'r cyntaf i'w cyflogi fel chwaraewr proffesiynol gan Glwb Criced Morgannwg (a sefydlwyd yn 1888) yn 1895 am ddwy bunt yr wythnos. Bu f. 3 Maw. 1959, yn Abertawe.

Bu ei frawd JACK BANCROFT (1879-1942) yn ei dro yn gefnwr nodedig dros Abertawe a Chymru gydag 13 o gapiau rhwng 1908 ac 1912.

J.B.G. Thomas, *Great rugger players* (1959); David Smith a Gareth Williams, *Fields of praise* (1980); J.H. Morgan, *Glamorgan county cricket* (1952); *S. Wales Evening Post* a *S. Wales Echo*, 4 Maw. 1959.

G.W.W.

BARSTOW, Syr GEORGE LEWIS, (1874-1966), gwas sifil, llywydd Coleg Prifysgol Abertawe; g. 20 Mai 1874 yn fab i Henry Clements a Cecilia Clementina (g. Baillie) Barstow yn yr India, y tad yn y gwasanaeth sifil yno. Bu teulu Barstow am ganrifoedd yn amlwg mewn masnach yng Nghaererfrog. Trwy ei briodas ag unig ferch Syr Alfred Tristram Lawrence, Barwn cyntaf Trevethin, ac ymgartrefu yn ymyl Llanfair-ym-Muallt y daeth George Barstow i gysylltiad â Chymru. Wedi graddio yn y dosbarth cyntaf yn nwy ran y Tripos clasurol yn 1895-96, yng Ngholeg Emmanuel, Caergrawnt, aeth i'r gwasanaeth sifil ac yn 1898 ymsefydlodd yn y Trysorlys. Cyn Rhyfel Byd I bu ganddo ran yn newid tanwydd y llynges o lo i olew. Yn ystod y rhyfel a than 1947 bu'n flaenllaw yn rheolaeth cyflenwi yn y Trysorlys. Yn 1927 cafodd ei wneud yn gyfarwyddwr y llywodraeth ar yr *Anglo-Persian Oil Company*. Bu hefyd yn gyfarwyddwr Banc y Midland ac yn gadeirydd Cwmni Yswiriant y Prudential. Yng Nghymru cymerodd ddiddordeb arbennig yn yr Eglwys yng Nghymru ac mewn addysg uwch. Ef a fu'n bennaf gyfrifol am ad-drefnu cyllid yr Eglwys yn ei blynyddoedd cyntaf, a chyfeirio'i gweinyddiaeth ariannol. Yr oedd yn un o lywodraethwyr Coleg Crist, Aberhonddu, ac o 1929 i 1955 bu'n llywydd Coleg Prifysgol Abertawe. Gwnaethpwyd ef yn C.B. yn 1913 a'i ddyrchafu'n farchog yn 1920. Derbyniodd radd LL.D. er anrh. gan Brifysgol Cymru yn 1937.

Yn 1904, pr. Enid Lilian Lawrence, a bu iddynt ddau fab ac un ferch. Bu f. yn ei gartref, Chapel House, Llanfair-ym-Muallt, ar 29 Ion. 1966.

Www; WwW (1921) a (1937); *DNB,* 1961-70.

E.D.J.

BEBB, WILLIAM AMBROSE (1894-1955), hanesydd, llenor a gwleidydd; g. 4 Awst 1894 ym Mlaendyffryn, Goginan, Cer. yn fab i Edward ac Ann Bebb. Symudodd y teulu i Gamer Fawr, Tregaron, ac yn ysgol ramadeg Tregaron y cafodd Bebb ei addysg. Derbyniwyd ef yno fis Medi 1908. Graddiodd yng Ngholeg Prifysgol Cymru, Aberystwyth, yn 1918, mewn Cymraeg a hanes, a threuliodd ddwy flynedd yn gwneud ymchwil am radd M.A.. Aeth i Brifysgol Rennes yn 1920, ond nid oedd y cyfleusterau yno wrth ei fodd, ac ar ôl ychydig wythnosau aeth i Baris, lle bu'n dilyn darlithiau'r Athro Joseph Loth yn y *Collège de France* ac yn cynorthwyo'r Athro Joseph Vendryes yn y Sorbonne gyda dysgu Cymraeg i fyfyrwyr. Yn 1925 penodwyd ef yn ddiwtor yn y Coleg Normal, Bangor, ac yno y bu am y gweddill o'i oes. Bu'n dysgu Cymraeg, hanes ac Ysgrythur ar wahanol adegau.

Cyhoeddodd Ambrose Bebb chwe llyfr ar hanes Cymru, o'r cyfnodau cynharaf hyd yr unfed ganrif ar bymtheg. Gwersi a draddodwyd ar y radio yn 1936 oedd un ohonynt, sef *Hil a hwyl y castell* (1946). Y mae'r pump arall yn ddilyniant, er nad yw dyddiadau eu cyhoeddi yn dilyn ei gilydd mewn trefn amseryddol. Y cyntaf oedd *Ein hen hen hanes* (1932), llyfr syml i blant ifainc yn rhoi hanes Cymru o'r oesoedd bore hyd gwymp Llywelyn ap Gruffudd. Yr ail oedd *Llywodraeth y cestyll* (1934), yn dwyn yr hanes ymlaen i ddiwedd y bymthegfed ganrif. Yna daw *Machlud yr Oesoedd Canol* (1950), *Cyfnod y Tuduriaid* (1939) a *Machlud y mynachlogydd* (1937). Y mae dwy nodwedd arbennig ar y gweithiau hanesyddol hyn. Un yw bod yr awdur wedi defnyddio ffynonellau Cymreig, sef gweithiau Beirdd yr Uchelwyr, yn ogystal â ffynonellau mwy arferol fel amryfal bapurau'r wladwriaeth, i ddeall ac egluro hanes Cymru, gan ddyfynnu'n helaeth o gasgliadau cyhoeddedig ac anghyhoeddedig o weithiau'r beirdd. Nodwedd arall yw'r brwdfrydedd cenedlaethol sy'n cymell pob trafodaeth ac yn peri fod llyfr hanes ganddo ef, nid yn unig yn gofnod o ffeithiau am adeg arbennig mewn hanes ac am y gwŷr o bwys ar y pryd, ond hefyd yn ymgais i ddeffro yn y darllenydd yr un brwdfrydedd ag yr oedd yr awdur yn ei deimlo.

Rhoes yr hanesydd raff i'w ddychymyg mewn tri llyfr, a'r tri yn ymwneud â bywyd cefn gwlad Cymru pan oedd ymfudo i America yn beth cyffredin. Yn *Y Baradwys bell* (1941) ceir dyddiadur dychmygol un o'i hynafiaid ef ei hun am y flwyddyn 1841, ac yn *Gadael tir* (1948) y mae hanes yr un gŵr nes iddo ymfudo i America yn 1847. Yn y ddau lyfr gwneir defnydd o lythyrau a anfonwyd o America ac a gadwyd yn y teulu. Nofel yw *Dial y tir* (1945) am nifer o wŷr a gwragedd o Faldwyn a ymfudodd i America yn niwedd y ddeunawfed ganrif a dechrau'r bedwaredd ar bymtheg, gan gynnwys eto aelodau o deulu'r awdur ei hun. Y mae elfen helaeth o wir hanes yn y tri gwaith hyn.

Fel un a fu'n ysgrifennu dyddiadur am flynyddoedd yr oedd Bebb mewn safle da i lunio sylwadaeth ar ddigwyddiadau mewn cyfnod arbennig. Dyna a wnaeth yn *1940, Lloffion o ddyddiadur* (1941) a *Dyddlyfr 1941* (1942). Cyffelyb yw *Calendr coch* (1946), sef cronicl ei ymgyrch etholiadol fel ymgeisydd seneddol dros Blaid Cymru yn 1945. Rhagoriaeth y gweithiau hyn yw eu bod yn cadw ymateb cyfamserol yr awdur i'r hyn a ddisgrifir, heb i bellter amser ymyrryd o gwbl.

Byth er pan dreuliodd ychydig amser yn Rennes yn 1920 a gweithio am y pedair bl. ym Mharis, daeth Bebb i ymddiddori fwy a mwy yn Llydaw. Ymwelodd â'r wlad droeon a theithio ei hyd a'i lled nes dod i adnabod ei daear yn drwyadl; dysgodd yr iaith, a bu ganddo nifer o gyfeillion agos ymysg y Llydawiaid. Cyfrannodd lawer o erthyglau i *Breiz Atao*, cylchgrawn y cenedlaetholwyr Llydewig. Trwy hyn i gyd enillodd iddo'i hun nid yn unig wybodaeth drwyadl am Lydaw, ei hanes, ei harferion a'i chrefydd, ond hefyd edmygedd o'i bywyd a chydymdeimlad ag amcanion y sawl a oedd am ddiogelu ei diwylliant. Y canlyniad oedd tri llyfr: *Llydaw* (1929), *Pererindodau* (1941) a *Dydd-lyfr pythefnos, neu y Ddawns Angau* (1939), sef hanes ei daith trwy Lydaw yn ystod y pythefnos olaf cyn dechrau'r ail ryfel byd.

Er anghytuno'n drwyadl ag agwedd elyniaethus Ffrainc tuag at Lydaw a'i hiaith, yr oedd Bebb yn fawr ei edmygedd o Ffrainc a'i chyfraniad nodedig hi i ddiwylliant y byd, ac yr oedd yn hyddysg yn ei hanes a'i llenyddiaeth. Gwelir hyn yn ei lyfr *Crwydro'r cyfandir* (1936), hanes taith trwy Ffrainc, yr Eidal a'r Swistir. Tra bu'n byw ym Mharis daeth i adnabod Leon Daudet a Charles Maurras ac eraill o arweinwyr y mudiad ceidwadol a breniniaethol a elwid *L'Action Française*, a chawsant ddylanwad mawr ar ei feddwl. Yn ystod ei holl ymweliadau â Ffrainc bu'n darllen cylchgrawn y mudiad yn gyson.

Un rheswm am ymlyniad Bebb wrth Lydaw oedd ei fod er yn gynnar ar ei yrfa yn genedlaetholwr pybyr. Yr oedd felly pan oedd yn fyfyriwr yng ngholeg Aberystwyth, lle bu'n olygydd *Y Wawr*, cylchgrawn myfyrwyr a feiddiodd, yn ystod Rhyfel Byd I, ddadlau achos gwrthryfelwyr wythnos y Pasg, 1916, yn Iwerddon, a chefnogi'r rhai oedd yn gwrthod mynd i'r lluoedd arfog ar dir cydwybod. Y diwedd fu i awdurdodau'r coleg wahardd cyhoeddi'r cylchgrawn. Pan oedd yn gweithio ym Mharis, byddai Bebb yn anfon erthyglau i gyfnodolion Cymraeg fel *Y Geninen, Y Llenor, Y Faner, Cymru*, a'r *Tyst* yn trafod dyfodol yr iaith Gymraeg, ac mor gynnar ag 1923 yn dangos fod ar Gymru angen ymreolaeth. Bu gan yr erthyglau hyn ran bwysig mewn creu awyrgylch ffafriol i sefydlu plaid boliticaidd Gymreig annibynnol. Yn Ion. 1924 cyfarfu G.J. Williams (gw. isod) a Saunders Lewis ac yntau ym Mhenarth a phenderfynu cychwyn mudiad gwleidyddol Cymreig. Yn Awst 1925 cyfarfu

nifer fach o Gymry brwd ym Mhwllheli, a sylfaenu Plaid Genedlaethol Cymru. Daeth y ddau fudiad at ei gilydd, ac ym Meh. 1926 cychwynnwyd *Y Ddraig Goch*. Erthygl gan Bebb oedd ar dudalen cyntaf y rhifyn cyntaf, ac ef oedd y golygydd ar y rhifynnau cynnar. Bu'n aelod o'r bwrdd golygyddol hyd ddechrau'r rhyfel.

Am y pymtheng ml. hyn ymroes Bebb yn ddiarbed i bob math o waith dros y Blaid Genedlaethol (fel y gelwid hi y pryd hwnnw). Bu'n llywydd cangen Coleg y Brifysgol, Bangor, a phwyllgor sir Gaernarfon, ac enillodd sedd ar Gyngor Dinas Bangor yn enw'r Blaid yn 1939. Anerchodd gyfarfodydd afrifed, ac ysgrifennodd i'r wasg yn gyson ar egwyddorion cenedlaetholdeb. Buan y daethpwyd i'w gydnabod fel un o brif arweinwyr y mudiad.

Ond gyda chychwyn y rhyfel yn 1939 torrodd ef ei gyswllt â'r arweinwyr eraill. Yr oeddent hwy yn dadlau na chafodd Cymru, yn niffyg ymreolaeth, gyfle i benderfynu ei hagwedd at y rhyfel, ac mai niwtraliaeth oedd yn gweddu. Ond i Bebb yr oedd tynged Ffrainc, y wlad a gyfrannodd mor helaeth i ddiwylliant y byd ac a oedd mor annwyl ganddo ef, yn rhy bwysig i'w gadael ar drugaredd materoliaeth a militariaeth yr Almaen. Am rai blynyddoedd ni bu dim a wnelo ef â gwleidyddiaeth yng Nghymru. Ond yn 1945, wedi taer bwyso arno, cytunodd i sefyll fel ymgeisydd y Blaid Genedlaethol yn yr etholiad seneddol a gynhaliwyd ym mis Gorff. y flwyddyn honno.

Yr oedd Bebb bob amser yn arddel crefydd bersonol, ac yn arbennig o bleidiol i'r Ysgol Sul. Cyhoeddodd lyfr arni (*Yr Ysgol Sul*) yn 1944. Cyn diwedd ei oes yr oedd ei ofal am Gymru wedi symud oddi wrth ystyriaethau iaith a diwylliant at bryder ynghylch ei chyflwr crefyddol. Nid yn y pleidiau gwleidyddol, ond yn nelfrydau'r grefydd Gristionogol, yr oedd gobaith i ddyn a chenedl. Mynegodd y safbwynt hwn mewn cyfres o erthyglau yn *Yr Herald Cymraeg* yn 1953. (Cyhoeddwyd hwy wedyn yn y gyfrol *Yr Argyfwng* yn 1955, wedi marw'r awdur). Mynegodd yr un gred yn gryf iawn yn y gyfrol a ysgrifennodd i ddathlu canmlwyddiant sefydlu ei gapel ym Mangor, *Canrif o hanes y Tŵr Gwyn* (1954). Ond er newid safbwynt, ni laeswyd dim ar y brwdfrydedd na'r argyhoeddiad na'r diffuantrwydd a oedd mor gryf yn ei gymeriad ef bob amser. Fel ysgrifennwr rhyddiaith Gymraeg yr oedd iddo ei nodweddion amlwg. Byddai'n defnyddio geiriau llafar ei dafodiaith ef ei hun yn helaeth, ac yn cyfosod geiriau, a'r rheini'n fynych wedi eu cyflythrennu, nes creu'r argraff o afiaith a bwrlwm, a'r cyfan o ran y pleser o ysgrifennu neu er mwyn cyfleu ei neges, boed honno'n ddisgrifiad o ddarn o wlad neu'n fynegiant o ryw egwyddor bwysig y mynnai ef ei gosod yn ddiogel ym meddyliau ei ddarllenwyr.

Cyfieithodd Bebb ddau lyfr o'r Ffrangeg: *Geiriau credadun* gan Lamennais (1923) a *Mudandod y môr* gan 'Vercors' (1944).

Pr. yn 1931 Eluned Pierce Roberts, Llangadfan, a bu iddynt saith o blant. Bu f. yn ddisyfyd 27 Ebr. 1955, a chladdwyd ef ym mynwent Glanadda, Bangor.

Leonard Clark, *Anglo-Welsh Review*, 17/40, 25; Saunders Lewis, *Gallica: essays presented to J.

Heywood Thomas (1969); A.O.H. Jarman yn *Genh.*, 6, 87; T.H. Lewis yn *Genh.*, 21 65; gwybodaeth gan ei weddw; [Gareth Miles yn D. Llwyd Morgan, *Adnabod deg* (1977); Rhidian Griffiths, *Llyfryddiaeth Ambrose Bebb* (1982), Robin Chapman, *Ambrose Bebb*, 1997].

T.P.

BELL, ERNEST DAVID (1915-59), arlunydd a bardd; g. 4 Meh. 1915, yn fab i Syr Idris Bell (gw. isod) a Winifred (g. Ayling). Cafodd ei addysg mewn ysgol breifat yn Crouch End, Llundain, ac yna yn ysgol Merchant Taylors, lle yr astudiodd y clasuron a derbyn peth hyfforddiant mewn celfyddyd. Bu am bedair bl. yn y Coleg Celfyddyd Brenhinol ac enillodd y diploma. Ar ddiwedd y cwrs aeth i'r Sudan o dan yr *Egypt Exploration Society*, a bu'n gweithio yn Sesepi ac Amarah yn 1936-37 ac 1937-38. Ar ôl dechrau'r rhyfel yn 1939 bu am rai misoedd yn Llanfairfechan cyn cael gwaith yn adran cartograffeg y Morlys, yn Bath i gychwyn ac yna yn y Llyfrgell Genedlaethol yn Aberystwyth. Dychwelodd i Lundain gyda'r adran, ac arhosodd gyda hi hyd derfyn y rhyfel. Yn 1946 penodwyd ef yn gyfarwyddwr cynorthwyol (celfyddyd) dan Bwyllgor Cymru Cyngor y Celfyddydau, ac yn 1951 yn guradur Oriel Gelfyddyd Glyn Vivian, Abertawe.

Cydweithiodd David Bell â'i dad ar y cyfieithiadau o gerddi Dafydd ap Gwilym a gyhoeddwyd dan y teitl *Dafydd ap Gwilym: fifty poems*, fel cyfrol xlviii *Y Cymmrodor* yn 1942. Ef oedd awdur 24 o'r cyfieithiadau. Yn 1947 cyfieithodd i'r Saesneg eiriau *Wyth gân werin* (Enid Parry). Yn 1953 cyhoeddodd *The Language of pictures*, llyfr a fwriadwyd (a dyfynnu'r rhagair) `nid i ychwanegu at wybodaeth neb am gampweithiau'r byd nac am ddarluniau cyfoes ... ond yn hytrach i gyfoethogi profiadau pobl, pan welont ddarlun, trwy iddynt ddeall beth y mae'r arlunydd yn ceisio'i ddweud a sut y mae'n ei ddweud.' Cyhoeddodd *The Artist in Wales* yn 1957, ymgais i gyffroi ymateb i gelfyddyd yng Nghymru. Yn 1959 cyhoeddodd ei dad 17 o gerddi gwreiddiol David Bell, a gyfansoddwyd rhwng 1938 ac 1954, mewn argraffiad preifat o 65 o gopïau dan y teitl *Nubian Madonna and other poems*.

Pr. Megan Hinton Jones o Aberystwyth yn 1944, a bu iddynt ddau fab. Pan oedd yn 14 oed cafodd David Bell y clefyd *encephalitis lethargica*, a bu ei effaith arno tra bu byw. Bu f. 21 Ebr. 1959.

Ceir rhai ffeithiau bywgraffyddol yn rhagair y llyfr *Nubian Madonna*; gwybodaeth gan ei weddw.

T.P.

BELL, Syr HAROLD IDRIS (1879-1967), ysgolhaig a chyfieithydd; g. 2 Hyd. 1879 yn Epworth, swydd Lincoln, yn fab i Charles Christopher Bell a Rachel (g. Hughes). Yr oedd ei dad o ochr ei fam, John Hughes, yn hanu o Ruddlan, ac yn Gymro Cymraeg. Cafodd Bell ei addysg yn Ysgol Uwchradd Nottingham, ac yn 1897 enillodd ysgoloriaeth i Goleg Oriel, Rhydychen, lle graddiodd yn y clasuron. Yna treuliodd flwyddyn ym Mhrifysgol Berlin a Phrifysgol Halle yn astudio hanes y cyfnod Helenistaidd. Yn 1903 penodwyd ef yn gynorthwywr yn adran y llsgrau. yn yr

Amgueddfa Brydeinig. Dyrchafwyd ef yn ddirprwy geidwad yn 1927, ac yn geidwad yn 1929, ac yn y swydd honno y bu nes iddo ymddeol yn 1944. Yn 1946 daeth i fyw i Aberystwyth, gan alw ei dŷ yn Bro Gynin, oherwydd ei barch at Ddafydd ap Gwilym.

Maes arbennig Bell fel ysgolhaig oedd papyroleg, a gwelwyd profion o hynny mewn erthyglau mor gynnar ag 1907. Yn y cyfnod hwn hefyd yr oedd yn cynorthwyo i lunio catalogau o'r defnyddiau a oedd yn yr Amgueddfa Brydeinig, ac erbyn y bedwaredd gyfrol (1917) a'r bumed (1924) ef ei hun oedd yn gyfrifol am y cyfan. Trwy hyn daeth yn awdurdod ar hanes yr Aifft yng nghanrifoedd cynnar y cyfnod Cristnogol, a chyhoeddodd lawer o erthyglau a llyfryddiaethau mewn cylchgronau dysgedig, yn arbennig y *Jnl. of Egyptian Archaeology*, a phenodau yn y *Cambridge Ancient History*. Yn 1935 penodwyd ef yn Ddarllenydd anrhydeddus mewn papyroleg ym Mhrifysgol Rhydychen, a daliodd y swydd hyd 1950. Erbyn hyn cydnabyddid ef yn ysgolhaig gwir fawr, ac yr oedd ei wybodaeth am bob math o ddogfennau - cyfreithiol, cymdeithasol neu lenyddol - yn helaeth iawn. Ef oedd llywydd yr *International Association of Papyrologists* o 1947 hyd 1955. Etholwyd ef yn aelod gohebol o amryw o gymdeithasau dysgedig ac academïau ar y cyfandir ac yn America. Derbyniodd raddau er anrh. gan Brifysgolion Cymru, Lerpwl, Michigan a Brussels. Etholwyd ef yn gymrawd o'r Academi Brydeinig yn 1932, ac ef oedd ei llywydd o 1946 hyd 1950. Penodwyd ef yn O.B.E. yn 1920, yn C.B. yn 1936, ac yn farchog yn 1946.

Diau mai ymwybod â'i dras Cymreig, a hefyd diddordeb ei dad, a barodd i Bell ymddiddori yn yr iaith Gymraeg. Dechreuodd ei dysgu pan oedd yn chwech ar hugain oed. Ei gyfraniad cyntaf oedd gwaith ysgolheigaidd, *Vita Sancti Tathei and Buched Seint y Katrin*, sef testun Lladin Buchedd Tathan a chyfieithiad i'r Saesneg, a Buchedd Catrin yn Gymraeg, gyda rhagymadrodd. Cyhoeddwyd y gyfrol yn 1909 yn nghyfres Cymdeithas Llawysgrifau Bangor. Ond nid fel ysgolhaig y mynnai ef wasanaethu Cymru a'i llenyddiaeth. Dywedai bob amser nad oedd ef yn ysgolhaig Cymraeg, ac mai ei amcan oedd bod yn gyfrwng i egluro i Saeson ac i Gymry na wyddent mo'r iaith beth yw cynnwys ac ansawdd llenyddiaeth Gymraeg, ac yn fwyaf arbennig y farddoniaeth. Ei ymgais gyntaf oedd cyfrol o gyfieithiadau, *Poems from the Welsh* (1913), ei waith ef a'i dad, C.C. Bell. Gwaith y tad a'r mab oedd y gyfrol nesaf hefyd, sef *Welsh Poems of the Twentieth Century in English Verse* (1925). At y cyfieithiadau yn y gyfrol hon fe ychwanegwyd traethawd o 57 o dudalennau lle rhoir braslun o hanes barddoniaeth Gymraeg o'r Cynfeirdd hyd ugeiniau'r ganrif hon. Helaethodd Bell y traethawd hwn yn llyfr o 192 o dudalennau, a'i gyhoeddi o dan yr un teitl â'r traethawd, sef *The Development of Welsh Poetry*, yn 1936.

Yn y mesurau rhydd yr oedd bron y cyfan o'r cerddi a gyfieithwyd yn y ddwy gyfrol gyntaf, a hyd y gellir yr oedd y ddau gyfieithydd wedi glynu wrth batrymau mydryddol y cerddi gwreiddiol. Yn y gyfrol *The Development of Welsh Poetry*, yr oedd y rhan fwyaf o'r dyfyniadau enghreifftiol wedi eu trosi i ryddiaith Saesneg. Y cam nesaf oedd cyfieithu cerddi yn y mesurau caeth, a chaed *Dafydd ap Gwilym: fifty poems* fel cyfrol xlviii o'r *Cymmr.* yn 1942. Y mae 26 o'r cyfieithiadau yn waith Bell, a 24 yn waith ei fab David (gw. uchod). Y mydr a ddefnyddiodd y tad oedd llinellau iambig pedwar curiad yn odli'n gwpledi, gydag ychydig o amrywiaeth achlysurol yn yr acennu, a chyffyrddiadau o gyseinedd i awgrymu'r gynghanedd - patrwm caethach o lawer na dull cyfieithwyr diweddarach. Yr oedd ei arddull yn 'farddonol', ac yn fynych yn cynnwys geiriau a chystrawennau braidd yn hynafol, peth yr oedd ef yn ei gyfiawnhau am fod arddull y gwreiddiol yn hynafol. Y mae'r gyfrol yn cynnwys rhagymadrodd ar fywyd a gwaith Dafydd ap Gwilym.

Fel rhan o'i ymgyrch i wneud llenyddiaeth Gymraeg yn adnabyddus i bawb na wyddent yr iaith yr ystyriai Bell ei waith yn cyfieithu *Hanes Llenyddiaeth Gymraeg hyd 1900* (T. Parry). Ychwanegodd rai nodiadau eglurhaol ac atodiad o chwech ugain tudalen yn trafod llenyddiaeth yr ugeinfed ganrif. Cyhoeddwyd y cyfan o dan y teitl *A History of Welsh Literature* yn 1955.

Yn 1926 aeth Bell ar daith i'r Aifft i gasglu papyri dros yr Amgueddfa Brydeinig. Ysgrifennodd yr hanes, a chyfieithwyd ef i'r Gymraeg gan D. Tecwyn Lloyd - *Trwy diroedd y dwyrain*, dwy gyfrol, 1946. Ysgrifennodd hefyd ddau lyfr i blant - *Dewi a'r blodau llo mawr* (1928) a *Calon y dywysoges* (1929), cyfieithiadau gan Olwen Roberts. Yn 1954 cyhoeddodd *The crisis of our time and other papers*, yn cynnwys sylwadau ar y byd o'i gwmpas, cenedlaetholdeb Cymreig, yr Eglwys yng Nghymru a'r diwylliant Cymreig, a'i brofiad crefyddol ef ei hun wrth adael agnosticiaeth a derbyn y ffydd Gristnogol.

Yr oedd Bell yn ŵr mwyn iawn ei natur a bonheddig ei ymarweddiad, heb ymffrost yn agos ato er gwaethaf ei statws uchel fel ysgolhaig a'r anrhydeddau a ddaeth i'w ran. Yr oedd ei gariad at Gymru yn ddwfn a diffuant, ac un o'r pethau a roes fwyaf o foddhad iddo yn ei fywyd i gyd oedd derbyn medal Anrhydeddus Gymdeithas y Cymmrodorion yn 1946 a'i dymor fel llywydd y gymdeithas, 1947-53. Bu f. 22 Ion. 1967.

Pr. Mabel Winifred Ayling yn 1911. Bu hi f. wythnos o'i flaen ef. Claddwyd y ddau ym mynwent Aberystwyth. Bu iddynt dri mab.

Www; C.H. Roberts, *Proc. Brit. Acad.*, 53 (1967). Ceir rhestr o weithiau Bell yn y *Jnl. of Egyptian Archaeology*, 1954 ac 1967.

T.P.

BELLIS, MARY EDITH - gw. NEPEAN, MARY EDITH isod.

BERRY (TEULU), Arglwyddi Buckland, Camrose a Kemsley, diwydianwyr a pherchnogion papurau newyddion, o Ferthyr Tudful.

Dyrchafwyd yn arglwyddi bob un o dri mab JOHN MATHIAS BERRY (g. 2 Mai 1847 yng Nghamros, Penf.; m. 9 Ion. 1917) a'i briod Mary Ann (g. Rowe, o Ddoc Penfro), a symudodd i Ferthyr Tudful yn 1874. Gweithiai J.M. Berry ar y rheilffordd ac fel cyfrifydd cyn cychwyn busnes yn 1894 fel arwerthwr a gwerthwr

eiddo. Ef oedd y maer yn 1911-12 pan ymwelodd y Brenin Siôr V â'r dref. Gosodwyd carreg sylfaen adeilad newydd Byddin yr Iachawdwriaeth ym Merthyr er cof amdano yn 1936 ac er cof amdano y codwyd Coleg Technegol J.M. Berry gan ei fab hynaf.

HENRY SEYMOUR BERRY, Barwn BUCKLAND 1af (1877-1928), diwydiannwr; eu mab hynaf, g. 17 Medi 1877 yng Ngwaelod-y-garth, Merthyr Tudful. Yn 1892 yr oedd yn fonitor yn ysgol bechgyn Abermorlais a phasiodd arholiad i fod yn ddisgybl-athro. Cafodd dystysgrif athro yn 1896 a bu ar y staff hyd 1 Medi 1897 pryd y gadawodd i weithio gyda'i dad. Yn 1915 gofynnwyd iddo gynorthwyo D.A. Thomas (Is-iarll RHONDDA; *Bywg.*, 884), a phan benodwyd hwnnw'n aelod o gabinet y llywodraeth y flwyddyn ddilynol ymddiriedodd ei gwmnïau diwydiannol niferus i ofal H.S. Berry ac o ganlyniad newidiwyd cwrs ei fywyd. Cyn pen tair bl. daeth H.S. Berry yn gyfarwyddwr ar gynifer â 66 o gwmnïau. Gweithfeydd glo a llongau masnach oeddynt gan mwyaf, ynghyd â chwmni John Lysaght Cyf. gyda'i weithfeydd sitenni sinc, dur, glo a melinau rholio yr oedd ef, ei frawd William Ewert Berry, D.R. Llewelyn (gw. Atod. isod), ac Is-iarlles Rhondda (gw. THOMAS, Margaret Haig isod) newydd ei brynu am bum miliwn o bunnoedd, - y trosglwyddiad mwyaf yn hanes diwydiant yng Nghymru hyd hynny. Gwnaed ef yn gadeirydd y cwmni, ac yn ddirprwy gadeirydd wedi i Lysaght ddod yn rhan o Guest, Keen a Nettlefold yn 1920, cwmni y bu ef hefyd yn gadeirydd (1927) iddo. Gwnaeth lawer i ad-drefnu GKN, gan gychwyn amryw bwyllgorau rheoli, ond nid oedd yn ddyn poblogaidd iawn. Er na chymerai ran yn natganiadau cyhoeddus perchnogion y gweithfeydd glo yr oedd yn gryf yn erbyn undebau llafur. Ei brif gysylltiad â'r papurau newydd oedd fel cyfarwyddwr y *Western Mail*, 1920-27.

Pr., 5 Medi 1907, â Gwladys Mary, merch hynaf Simon Sandbrook, Merthyr Tudful, a bu iddynt bum merch. Yn 1922 prynodd Buckland, Bwlch, Brych., ac aeth yno i fyw. Gwnaed ef yn ynad sir Frycheiniog yn ogystal â bwrdeistref Merthyr Tudful. Bu'n hael iawn wrth ei dref enedigol, gan roi iddi bwll nofio, cangen newydd i'r ysbyty a llawer o roddion llai i gynorthwyo gweinidogion, cyn-filwyr a thrigolion tlawd eraill. Yn 1926 addawodd ef a'i frodyr roi £750 y flwyddyn am 7 ml. i ysbyty Merthyr. Noddodd hefyd Goleg Coffa Aberhonddu, Coleg y Brifysgol Caerdydd, ac Amgueddfa Genedlaethol Cymru a phenodwyd ef yn aelod o'i llys llywodraethol ychydig cyn ei farw. Derbyniodd ryddfraint bwrdeistref Merthyr Tudful yn 1923, a gwnaed ef yn Farwn cyntaf Buckland o'r Bwlch yn 1926. Bu f. 23 Mai 1928 wedi iddo syrthio oddi ar gefn ei geffyl.

WILLIAM EWERT BERRY, Is-iarll CAMROSE 1af (1879-1954), perchennog papurau newyddion a golygydd; yr ail fab, g. 23 Meh. 1879. Bwriodd ei brentisiaeth fel newyddiadurwr ar y *Merthyr Tydfil Times* yn 1893 ac ar bapurau eraill yn ne Cymru cyn mynd i Lundain yn 1898 lle y gweithiodd fel gohebydd. Treuliodd dri mis heb waith yno ac nid anghofiodd byth mo'r profiad chwerw wrth ymdrin â'i weithwyr mewn blynyddoedd i ddod. Yn 1901, gyda benthyciad o £100 gan ei frawd hŷn, cychwynnodd *Advertising World*, y cyfnodolyn cyntaf o'i fath. Gofynnodd i'w frawd iau, JAMES GOMER BERRY, ddod i'w gynorthwyo gyda'r ail rifyn, gan gychwyn partneriaeth a barhaodd am dros 35 ml. Yn 1905 gwerthwyd y cyfnodolyn i'w galluogi i gychwyn cwmni cyhoeddi bychan, Ewart a Seymour a'r Cwmni, Cyf. Yr un flwyddyn prynasant eu papur cyntaf, *The Sunday Times*, a oedd yn gwerthu ar golled ar y pryd, a bu W.E. Berry yn brif olygydd iddo, 1915-36. Yn 1924, gyda Syr E.M. (Arglwydd yn ddiweddarach) Iliffe, sefydlwyd *Allied Newspapers*. Eu pwrcasiad mawr nesaf oedd *Amalgamated Press* yn 1926, a gynhwysai nifer fawr o gylchgronau anwleidyddol, adran lyfrau, dwy wasg ac *Imperial Paper Mills*. Y flwyddyn ddilynol prynasant Edward Lloyd Cyf. a weithiai un o felinau papur mwyaf y byd, yn ogystal â'u papur dyddiol safonol cyntaf yn Llundain, y *Daily Telegraph*. Erbyn hyn rheolent 25 papur a thua 70 o gylchgronau. Bu cystadleuaeth ffyrnig yn y tridegau, ond yn lle cynnig rhoddion i ddenu darllenwyr, fel y gwnâi'r papurau eraill, penderfynwyd newid diwyg y *Daily Telegraph*, cadw safon eu hymdriniaeth o'r newyddion, a haneru'r pris o 2g. i geiniog; dyblodd y cylchrediad ar unwaith i 200,000 a chynyddu i dros filiwn o gopïau erbyn 1949. Yn 1937 penderfynodd y tri phartner ymwahanu, a chadwyd y *Daily Telegraph*, *Financial Times* a'r *Amalgamated Press* gan Arglwydd Camrose. Yr oedd yn berson urddasol yr olwg, o dymer addfwyn, yn un hawdd troi ato am gymorth, ac yn siaradwr dawnus. Cadwai gysylltiad â'i dref enedigol. Collodd ef a'i frodyr lawer o arian wrth achub pyllau glo yng nghyffiniau Merthyr Tudful rhag cau, ac yn 1936 rhoddodd ef a'i frawd ieuengaf, Is-iarll KEMSLEY 1af, dŵr cloc newydd i eglwys y plwyf. Bu'n gyfarwyddwr John Lysaght Cyf., Guest, Keen, a Nettlefold, nifer o weithfeydd glo yn ne Cymru a'r *Western Mail*, a daeth yn un o lywodraethwyr Coleg Crist, Aberhonddu. Yr oedd yn awdur *London newspapers: their owners and controllers* (1939) a *British newspapers and their controllers* (1947). Yn 1905 pr. Mary Agnes, merch hynaf Thomas Corns, a bu iddynt bedair merch, a phedwar mab a daethant hwythau'n gyfarwyddwyr ar rannau o fusnes y teulu. Yn 1921 gwnaed ef yn farwnig; yn 1929 yn Farwn Camrose y 1af. o Long Cross, Virginia Water, a'i ddyrchafu'n Is-iarll Camrose y 1af. o Hackwood Park, Basingstoke yn 1941. Bu f. 15 Meh. 1954 yn Southampton; gosodwyd maen coffa iddo yn y gladdgell o dan gadeirlan S. Paul.

JAMES GOMER BERRY, Is-Iarll KEMSLEY 1af (1883-1968), perchennog papurau newyddion; y mab ieuengaf, g. 7 Mai 1883. Aeth i ysgol Abermorlais ac y cœd ymhlith y disgyblion cyntaf yn Ysgol Sir Merthyr Tudful. Ar gais ei frawd aeth i Lundain yn 18 oed i gynorthwyo gyda'r *Advertising World*. Fel y dywedwyd eisioes, o hynny ymlaen cydredai ei yrfa ef a'i ail frawd hyd 1937, ac fel ei frodyr, bu yntau'n gyfarwyddwr a chadeirydd llawer o gwmnïau. Pan rannwyd y fusnes, daeth Arglwydd Kemsley yn gadeirydd *Allied Newspapers* (a ailenwyd yn *Kemsley Newspapers* yn 1943). Yr oedd y grŵp yn berchen ar 26 o bapurau a chadwyd nifer eu daliadau'n lled gyson am dros 22 fl., gan ei wneud ef y perchennog mwyaf ar bapurau'r

deyrnas. O'r cychwyn canolbwyntiodd Arglwydd Kemsley ei egni ar y *Sunday Times*, a chyn gynted ag y daeth y papur i'w ddwylo ef ei hun daeth yn brif olygydd iddo a threblodd ei gylchrediad. Yn 1947-49 rhoddodd dystiolaeth amddiffynnol rymus gerbron y comisiwn brenhinol i weithrediadau'r wasg. Ef a gychwynnodd Gynllun Golygyddol Kemsley i hyfforddi gohebwyr ac a ysgrifennodd y rhagair i *The Kemsley manual of journalism* (1947). Yn 1959 gwerthodd ei ddaliadau i gyd yn Kemsley Newspapers i Roy Thomson ac aeth i Monte Carlo i fyw.

Cadwai gysylltiad â'i dref enedigol, gan ddilyn ei frawd hynaf fel llywydd Ysbyty Cyffredinol Merthyr, 1928-49, a derbyn rhyddfraint y dref yn 1955; bu'n llywydd Coleg y Brifysgol Caerdydd 1945-50 a Chymdeithas Pêl-droed Cymru 1946-60. Derbyniodd radd LL.D. er anrh. gan Brifysgolion Cymru a Manceinion ynghŷd â llawer o anrhydeddau eraill. Pr. (1), 4 Gorff. 1907, Mary Lilian (a fu f. 1 Chwef. 1928) merch Horace George Holmes, Brondesbury Park, Llundain, a bu iddynt ferch a chwe mab. Pr. (2), 30 Ebr. 1931, Edith a fu'n briod â C.W. Dresselhuys. Gwnaed ef yn farwnig yn 1928, wythnos cyn m. ei wraig gyntaf, Barwn Kemsley y 1af o Farnham Royal yn 1936, ac Is-iarll Kemsley y 1af o Dropmore yn 1945. Bu f. 6 Chwef. 1968 ym Monte Carlo.

Www, 1916-28; *WwW* (1921); *West. Mail*, 24 Mai 1928; David J. Jeremy, *Dictionary of business biography* (1984); *DNB*, 1951-60, 1961-70; *Burke* (arg. 105); *WWP*; llyfr log Ysgol Bechgyn Abermorlais 1892-97 yn archifdy Morgannwg, cyfeirnod E/MT.

M.A.J.

BEVAN, ANEURIN (1897-1960), gwleidydd ac un o sylfaenwyr y Wladwriaeth Les; g. 15 Tach. 1897 yn 32 Charles Street, Tredegar, Myn., y chweched o ddeg plentyn David Bevan a Phoebe ei wraig, merch John Prothero, gof lleol. Yr oedd David Bevan yn ŵr Fedyddiwr, yn hoff o lyfrau a cherddoriaeth a chafodd ddylanwad sylweddol ar ei fab. Aeth Aneurin Bevan i ysgol elfennol Sirhywi, ond nid oedd yn hoff o'r ysgol a gadawodd yn 1910. Eto benthycai lyfrau o Lyfrgell y Gweithwyr a darllenai'n eang ym meysydd economeg, athroniaeth a gwleidyddiaeth. Dechreuodd weithio dan ddaear yn 1911, profodd ei hun yn löwr medrus a magodd ddiddordeb yng ngweithgareddau'r undebau llafur. Ni bu raid iddo wynebu gwasanaeth filwrol yn ystod Rhyfel Byd I oherwydd nam ar ei lygaid, a daeth yn adnabyddus fel un o wrthwynebwyr y rhyfel. Dewiswyd ef yn gadeirydd cangen leol Undeb y Glöwyr yn 1916.

Yn 1919 enillodd ysgoloriaeth Undeb y Glöwyr a'i galluogodd i dreulio dwy fl. yn y Coleg Llafur yn Llundain lle ehangodd ei orwelion ac y dysgodd sut i ddadlau'n effeithiol. Dychwelodd i Dredegar yn 1921 i wynebu cyfnod o ddiweithdra. Etholwyd ef yn aelod o Gyngor Dinesig Tredegar yn 1922, sicrhaodd swydd *checkweighman* mewn pwll glo am rai misoedd ond ymuno â'r di-waith fu ei hanes unwaith eto. Penodwyd ef yn gynrychiolydd gan gangen ei undeb yn ystod streic y glöwyr, 1926, a dangosodd ei hun yn drefnydd medrus a siaradai'n gyson mewn cynadleddau cenedlaethol. Etholwyd ef yn aelod o Gyngor Sir Mynwy yn 1928 a'r flwyddyn ganlynol yn aelod seneddol Llafur dros etholaeth Glyn Ebwy yn olynydd Evan Davies. Parhaodd i gynrychioli'r sedd hon yn y senedd hyd ei farwolaeth.

Yn fuan profodd ei hun yn ddadleuwr effeithiol yn Nhŷ'r Cyffredin a siaradai'n gyson, yn enwedig ar ddiweithdra a phynciau'n ymwneud â'r diwydiant glo. Yr oedd yn arbennig o hallt ei feirniadaeth ar Neville Chamberlain yn ystod y tridegau. Yn gynnar yn 1939 diarddelwyd ef o'r Blaid Lafur oherwydd iddo gefnogi Syr Stafford Cripps yn y mudiad *United Front*, ond dychwelodd i'w blaid ym mis Rhagfyr. Gwrthwynebodd i llywodraeth drwy gydol Rhyfel Byd II a beirniadodd Syr Winston Churchill, y Prif Weinidog, ac Ernest Bevin, yn llym. Yn Rhag. 1944 etholwyd ef yn aelod o Bwyllgor Gwaith Cenedlaethol y Blaid Lafur am y tro cyntaf.

Penodwyd ef yn Weinidog Iechyd yn Llywodraeth Lafur 1945 a gosododd seiliau'r Wladwriaeth Les. Rhoddodd Deddf Gwasanaeth Iechyd Gwladol 1946 wasanaeth meddygol a deintyddol yn rhad ac am ddim i bob aelod o gynllun yr Yswiriant Gwladol. Cenedlaetholwyd yr ysbytai a dewiswyd byrddau rhanbarthol i'w llywodraethu. Defnyddiwyd trethi cenedlaethol i gynnal y gwasanaeth. Yn ei frwydr yn erbyn y meddygon hyd 1948 dangosodd Bevan ei hun yn arbennig o amyneddgar ac yn barod i gyfaddawdu. Rhoddodd Deddf Llywodraeth Leol 1948 gyfrifoldebau newydd ar yr awdurdodau lleol, yn arbennig i ofalu am blant a phobl ieuainc. Bu Deddf Cynhorthwy Cenedlaethol 1948 yn gyfrifol am ddileu hen Ddeddf y Tlodion a chyflwyno cynlluniau cynhwysfawr ar gyfer gwasanaethau lles. Aeth Bevan ati'n ogystal i hyrwyddo atgyweirio llawer o'r difrod a wnaed i dai yn ystod y rhyfel, i ddarparu tai parod a chymorth-daliadau i awdurdodau lleol fel y gallent ddarparu tai i'w rhentu. Yr oedd yn feirniadol o wariant y llywodraeth ar arfau a'i pholisïau tuag at T.U.A. a Rwsia.

Penodwyd Bevan yn Weinidog Llafur yn Ion. 1951, ond ymddiswyddodd yn Ebr. oherwydd anghytundeb â Hugh Gaitskell ynglŷn â'r bwriad i ddechrau codi taliadau o fewn y gwasanaeth iechyd. Casglodd o'i gwmpas nifer o aelodau seneddol a safai i'r chwith yn y sbectrwm wleidyddol a sonid amdanynt fel *Bevanites*. Yr oedd yn dal yn boblogaidd ymhlith yr etholwyr ac aelodau canghennau'r blaid Lafur yn y wlad, a pharhaodd yn aelod o'r *Shadow Cabinet*. Collodd ei le yn y blaid am rai misoedd yn 1955 pan heriodd Attlee oherwydd ei agwedd tuag at arfau niwclear. Pan ymddiswyddodd yr arweinydd yn ystod yr un flwyddyn, safodd Bevan am arweinyddiaeth y Blaid Lafur ond Gaitskell a enillodd y dydd. Dewiswyd ef yn drysorydd y blaid yn Hyd. 1956 a daeth yn Llefarydd yr Wrthblaid ar faterion y trefedigaethau a pholisi tramor. Yn 1959 teithiodd yng nghwmni Gaitskell i Moscow ac ym mis Hyd. dewiswyd ef yn ddirprwy-arweinydd yr Wrthblaid fel olynydd i James Griffiths. Erbyn hyn yr oedd ei areithiau yn y senedd a'i agwedd yn gyffredinol dipyn yn llai ymosodol. Cyhoeddodd nifer sylweddol o bamffledi ac erthyglau yn enwedig yn *Tribune*, ac yn 1952 ymddangosodd y gyfrol *In place of*

fear a roes fynegiant i'w gred mewn Sosialaeth ddemocrataidd.

Pr. yn 1934 Jennie Lee, a fu'n aelod seneddol dros North Lanark, 1929-32, a Cannock, 1945-70, ac a safai i'r chwith o fewn y blaid Lafur. Ni bu iddynt blant. Bu. f. 6 Gorff. 1960 yn ei gartref, Fferm Asheridge, Chesham, swydd Buckingham, ac amlosgwyd ei weddillion yn amlosgfa Croesyceiliog.

Www; DNB; *Times,* 7 Gorff. 1960; A. Bevan, *In place of fear* (1952); Vincent Brome, *Aneurin Bevan* (1953); John Campbell, *Nye Bevan and the mirage of British Socialism* (1987); Huw T. Edwards yn *Aneurin,* 1, rhif 1 (1961); Michael Foot, *Aneurin Bevan,* 2 gyf. (1962 ac 1973); Mark M. Krug, *Aneurin Bevan: cautious rebel* (1961); Jennie Lee, *This great journey* (1963) a *My life with Nye* (1980); David Llewellyn, *Nye: the beloved patrician* (d.d.); Kenneth O. Morgan, *Labour People: leaders and lieutenants, Hardie to Kinnock* (1987).

J.G.J.

BEYNON, ROBERT (1881-1953), gweinidog (MC), bardd ac ysgrifwr; g. 8 Hyd. 1881 yn yr Offis, Pontyberem, Caerf., mab Thomas ac Anne Beynon. Dechreuodd bregethu yn eglwys Soar, ac addysgwyd ef ar gyfer y weinidogaeth yn ysgol Watcyn Wyn yn Rhydaman, ysgol Pontypridd, Coleg y Brifysgol, Caerdydd (lle graddiodd yn B.A.), a'r Coleg Diwinyddol, Aberystwyth. Ordeinwyd ef yn 1911, a bu'n bugeilio eglwys Carmel, Aber-craf, ym mhen uchaf dyffryn Tawe ar hyd ei oes (1910-53). Pr. Sarah Rebeca Thomas o Drehopcyn, ger Pontypridd, a chafwyd dwy ferch o'r briodas (un yn fabwysiedig).

Fel un o 'fechgyn' Watcyn Wyn ymddiddorodd Beynon mewn barddoni, a chyhoeddwyd un o'i bryddestau cadeiriol, *Tyred, canlyn Fi,* yn 1912. Enillodd goron Eist. Gen. Rhydaman yn 1922 am ei bryddest i'r 'Tannau coll'. Ceir rhai o'i emynau i blant yn *Llyfr emynau a thonau'r plant* (1947). Y mae cryn gamp llenyddol ar ei ysgrifau, a gyhoeddwyd yn 1931 dan y teitl *Dydd Calan ac ysgrifau eraill* (ail arg. 1950); a daeth ei athrylith fel ysgrifwr i'r golwg drachefn pan oedd yn olygydd *Y Drysorfa* (1939-43). Cyhoeddwyd hefyd ei *Detholiad o Lyfr y Salmau* (1936), a ddengys yr un gelfyddyd fel llenor cabwledig. Ef, a Rhys Davies (un o flaenoriaid Carmel), oedd awduron y gyfrol *Hanes Carmel, Abercrâf* (1921).

Yr oedd yn bregethwr poblogaidd iawn yn y de a'r gogledd, a dotiai'r cynulleidfaoedd ar bertrwydd ei ymadroddion a'i ddywediadau bachog a disglair. Ar gyfrif hynny y mae'n siŵr y penodwyd ef i draddodi'r Ddarlith Davies ar 'Y ffordd dra rhagorol' yn 1948; ond nis cyhoeddodd. Etholwyd ef hefyd yn llywydd y Gymanfa Gyffredinol (1952), ond bu f., ym mlwyddyn ei lywyddiaeth, ar 12 Chwef. 1953. Claddwyd ei weddillion ym mynwent Carmel, Aber-craf.

Blwyddiadur MC, 1954, 222; T. Beynon, *Allt Cunedda* (1955), 129; gwybodaeth gan ei dylwyth ym Mhontyberem, ac adnabyddiaeth bersonol.

G.M.R.

BEYNON, TOM (1886-1961), gweinidog (MC), hanesydd ac awdur; g. 3 Meh. 1886 yn y Cenfu, Mynydd y Garreg, ger Cydweli, Caerf., mab

William ac Elizabeth Beynon. Ar ddiwedd ei dymor yn ysgol cyngor ei ardal aeth i weithio, yn 1903, i Bontyberem, a'i dderbyn yn aelod yn eglwys Soar; yno y dechreuodd bregethu yng ngwres y diwygiad. Addysgwyd ef ar gyfer y weinidogaeth yn ysgol yr Hen Goleg, Caerfyrddin, ysgol ramadeg Castellnewydd Emlyn, a Choleg 'Diwinyddol y Bala. Ordeiniwyd ef yn 1916 a bu'n gweinidogaethu yn y Tabernacl, Blaengwynfi, Morg. (1916-33), a Horeb a Gosen ger Aberystwyth (1933-51). Pr. 1922, Eleanor Annie Whittaker, o'r Caerau, Maesteg.

Ymddiddorodd yn hanes Cymru, yn arbennig yn hanes Methodistiaeth Galfinaidd Cymru, ac ysgrifennodd yn gyson i'r *Goleuad*, *Y Drysorfa*, *Y Traethodydd*, ac i'r papurau lleol megis y *Llanelly Mercury* a'r *Welsh Gazette* (gw. 'Llyfryddiaeth T.B.' yn *Cylch Cymd. Hanes MC*, cyf. xlvii). Bu'n gydolygydd *Y Pair*, cylchgrawn y coleg, pan oedd yn y Bala, a golygodd gylchgrawn *Cymd. Hanes MC* o 1933 hyd 1947, gan gyfrannu llawer iddo. Bu'n aelod o bwyllgor hanes ei gyfundeb o 1926 hyd ei farwolaeth, ac ef oedd ysgrifennydd y pwyllgor am dymor (1930-60), a cheidwad y greirfa gyfundebol yn y Llyfrgell Genedlaethol. Bu'n aelod hefyd o lys y Llyfrgell am lawer blwyddyn.

Ymddiddorodd yn fawr yn y 'tadau' Methodistaidd, yn enwedig Howel Harris. Bu'n lloffa'n ddyfal yn nyddiaduron Harris, gan gyhoeddi dyfyniadau helaeth ohonynt yn y cylchgrawn hanes ac yn ei lyfrau. Cyhoeddodd lyfrynnau ar hanes capel y Gyfylchi a Phontrhyd-y-fen (1926), ac eglwys y Morfa, Cydweli (1930); a chyhoeddodd gryn lawer o'i ysgrifau difyr mewn pump o gyfrolau, sef: *Golud a mawl dyffryn Tywi* (1936); *Gwrid ar orwel ym Morgannwg* (1938); *Treftadaeth y Cenfu a Maes Gwenllian* (1941); *Cwmsêl a Chefn Sidan* (1946); ac *Allt Cunedda, Llechdwnni a Mwdlwscwm* (1955). Cyhoeddodd a dyfyniadau a gopïodd o ddyddiaduron Trefeca yn *Howell Harris, reformer and soldier* (1958); *Howell Harris's visits to London* (1960); a *Howell Harris's visits to Pembrokeshire* (a gyhoeddwyd gan ei weddw yn 1966). Y mae'r cyfrolau hyn o ddefnydd mawr i'r sawl a fyn wybodaeth am hynt a helynt y diwygiwr o Drefeca. Bu f. 10 Chwef. 1961 yn ei gartref, Disgwylfa, ym Mhenparcau, Aberystwyth, a chladdwyd ei weddillion ym mynwent Mynydd y Garreg.

Trys. Plant, 1931, 57-58; *Treftadaeth y Cenfu*, 174ff. ac *Allt Cunedda*, 87, 92, 94, 100-05, 131; *Blwyddiadur MC*, 1962, 256; *Cylch. Cymd. Hanes MC.*, 45, 54-6; 47, 29-33; adnabyddiaeth a gwybodaeth bersonol.

G.M.R.

BOB TAI'R FELIN - gw. ROBERTS, ROBERT isod.

BOWEN, DAVID ('Myfyr Hefin'; 1874-1955), gweinidog (B) a golygydd; g. 20 Gorff. 1874, yn fab Thomas a Dinah Bowen, Treorci, Morg., a brawd hŷn i Ben Bowen (*Bywg.*, 41) ac i Thomas (Orchwy) Bowen (tad yr archdderwydd Geraint Bowen a'r bardd Euros Bowen), ac i fam Syr Ben Bowen Thomas. Symudasai'r rhieni o'r ddwy ochr o sir Gaer i byllau glo'r Rhondda. Noddwyd Cymreictod y teulu gan fywyd capel Moriah (B), Pentre. Addysgwyd David yn ysgol

fwrdd Treorci, ac yn ddeuddeg oed aeth i weithio ym mhwll Ty'n-y-bedw. Meithrinwyd ei alluoedd gan y gweinidog, yr eisteddfodau bach, a llwyddiant rhyfeddol ei frawd Ben. Bu ysgrifennu cofiant i hwnnw a chasglu'i farddoniaeth yn 1903 yn achlysur a aeddfedodd ei ddoniau ef ei hun. Troes i bregethu yn ystod diwygiad 1904-05. Bu yn ysgol baratoi Pontypridd ac aeth am y fl. 1908-09 i Goleg y Brifysgol Caerdydd. Enillodd gadair eist. y myfyrwyr yn Ion. 1909. Cafodd alwad i fod yn weinidog Bethel, Capel Isaf ger Aberhonddu, ac ymroddodd i adfer y Gymraeg yno fel y bu William Morris ('Rhosynnog'; *Bywg.*, 628-9) wrthi yn Noddfa Treorci. Am y cyfnod hwn gw. ei lyfrynnau *Oriau Hefin* (1902), *Emynau pen y mynydd* (1905) a *Cerddi Brycheiniog* (1912).

Symudodd yn 1913 i gapel Horeb, Pum Heol ger Llanelli. Ef oedd golygydd Cymraeg y *Llanelly Mercury* rhwng 1915 ac 1942, a golygydd *Seren yr Ysgol Sul* o'r un swyddfa, 1916-50. Sefydlodd Urdd y Seren Fore yn 1929, a bu darparu llenyddiaeth i blant yn Gymraeg yn un o'i brif amcanion. Bu'n aelod o Orsedd y Beirdd o 1897 hyd ddiwedd ei oes. Llywyddodd Gymrodorion Llanelli a Chylch Awen a Chân y dref, ac yr oedd blaengarwch gyda phob mudiad Cymraeg yn brif nodwedd arno. Cyhoeddodd bum llyfr am ei frawd, Ben, wyth llyfryn o'i waith ei hun ynghŷd â'r holl ysgrifennu a wnaeth i'r *Llanelly Mercury* a *Seren yr Ysgol Sul*. Pr. (1), yn 1901 â Hannah Jones, Treorci, a fu f. yn ieuanc gan adael un ferch, Myfanwy. Yn 1909 pr. (2) Elizabeth Bowen, Halfway, Llanelli, a fu f. yn 1937. Bu dwy ferch Rhiannon ac Enid, o'r briodas hon. Bu. f. 22 Ebr. 1955, a chladdwyd ef ym mynwent newydd Horeb, Pum Heol, Llanelli.

Gwybodaeth gan ei deulu ac o'i lyfrau.

G.R.H.

BOWYER, GWILYM (1906-65), gweinidog (A) a phrifathro coleg; g. 7 Chwef. 1906, yn 74a Chapel Street, Ponciau, Rhosllannerchrugog, Dinb., yn fab William Bowyer, glöwr, a Sarah ei wraig. Ef oedd y pumed o'u chwe phlentyn. Cafodd ei addysg gynradd yn ysgol y cyngor, Ponciau, yna o 1920 hyd 1928 bu'n gweithio mewn siop groser. Yn y cyfnod hwn bu o dan addysg bellach tan gyfarwyddyd J. Powell Griffiths gweinidog (B. Saesneg), Grenville Williams, athro yn ysgol y cyngor, ac yn arbennig R.J. Pritchard, ei weinidog ym Mynydd Seion (A), Ponciau, a'i cododd i bregethu yn 1923. Derbyniwyd Gwilym Bowyer i Goleg Bala-Bangor, lle'r oedd ei frawd hŷn, Frederick, eisioes yn fyfyriwr, 27 Medi 1928, a graddiodd yn B.A. gydag anrhydedd yn y dosbarth cyntaf mewn athroniaeth yn 1932, ac yn B.D. yn 1938. Cafodd ei ordeinio yn Soar, Cwmclydach, Y Rhondda, 12 Medi 1935, a bu wedyn yn weinidog eglwysi Annibynnol y Boro, Llundain (1939-43) ac Ebeneser, Bangor (1943-6). Yn Hyd. 1946 dechreuodd ei waith fel prifathro Coleg Bala-Bangor a daliodd y swydd tra bu byw. Bu f. 5 Hyd. 1965 o ganlyniad i drawiad ar y galon a chladdwyd ei weddillion, 8 Hyd., yn y Fynwent Newydd, Bangor. Pr., 1 Hyd. 1935, â Prydwen Harrison o Benmaenmawr a bu iddynt dri phlentyn.

Prin iawn oedd cynnyrch llenyddol Gwilym Bowyer, er ei fod yn gryn feistr ar arddull

Gymraeg gyhyrog a bywiog. Cyhoeddodd *Yr Eglwys wedi'r Rhyfel* (Pamffledi Heddychwyr Cymru, 1944) ac *Ym mha ystyr y mae'r Beibl yn wir?* (1954) a rhyw 25 o erthyglau, pregethau ac adolygiadau. Yn y gair llafar oedd ei gryfder. Siaradai'n chwim, yn rymus ac yn groyw ac yr oedd yn bregethwr gyda'r mwyaf poblogaidd a dylanwadol yn ei genhedlaeth. Ond fel darlledwr medrus y daeth i sylw cenedlaethol. Ar y radio sain enillodd glust y cyhoedd gyda'i ddatganiadau cryno a'i resymu miniog yn y cyfresi `Seiat Holi' (1946-49) a `Problemau bywyd' (1957-60) a dangosodd yr un medrusrwydd fel un o gadeiryddion y gyfres `Codi testun' a gynhyrchwyd gan gwmni teledu T.W.W. rhwng Medi 1961 a Mawrth 1962. Cyfrannodd at yn o agos i gant o ddarllediadau yn ystod ei yrfa a bu'r gwaith hwn yn dreth fawr ar ei adnoddau corfforol.

Fe'i doniwyd â meddwl disglair a thafod chwim. Yr oedd yn gryfach wrth ddadansoddi a beirniadu nag wrth adeiladu. Fel diwinydd gogwyddai at safbwyntiau hytrach yn geidwadol a'r meddylwyr a adawodd fwyaf o'u hôl arno oedd Awstin Fawr, Luther, Kierkegaard a'i athro J.E. Daniel (gw. isod). Mewn materion gwleidyddol cymerai safiad radical. Bu'n heddychwr digymrodedd ar hyd ei yrfa ac yn bleidiwr cadarn i addysg trwy gyfrwng y Gymraeg. Gwnaeth gyfraniad sylweddol at hwyluso'r ffordd i fyfyrwyr diwinyddol ym Mhrifysgol Cymru ddilyn eu cyrsiau a sefyll eu harholiadau trwy gyfrwng y Gymraeg.

W. Eifion Powell, *Bywyd a gwaith Gwilym Bowyer* (1968); *Portreadau'r Faner*, ii, 36-8; *Dysg.*, Tach./Rhag. 1965; *Tyst*, 4 Tach. 1965.

R.Td.J.

BRANGWYN, Syr FRANK FRANCOIS GUILLAUME (1867-1956), arlunydd: g. yn Bruges, Gwlad Belg, 13 Mai 1867, yn drydydd mab William Curtis Brangwyn (a fu f. 1907 yng Nghaerdydd) ac Eleanor (g. Griffiths) ei wraig a hanai o Aberhonddu. Pensaer eglwysig oedd y tad a chanddo weithdy dodrefn eglwysig yn Bruges ond dychwelodd y teulu i Lundain yn 1875. Ychydig o addysg ffurfiol a gafodd y mab. Bu'n dysgu dylunio yn Amgueddfa De Kensington ac yn gweithio yng ngweithdy William Morris yng nghanol Llundain, 1882-84, yna bu'n arlunydd crwydrol yn Lloegr cyn dechrau teithio ar y cyfandir, y Dwyrain Canol a De Affrica. Yn 1896 pr. nyrs, Lucy Ray (bu f. 1924), ac ymsefydlu yn Hammersmith, Llundain ond ni bu iddynt blant. Bu f. yn Ditchling, Sussex, 11 Meh. 1956.

Arbenigodd mewn addurno adeiladau mawr megis y Cyfnewidfa Frenhinol yn Llundain a'r Capitol yn Nhalaith Missouri, T.U.A., â murlenni anferth, a chynllunio carpedi a gwaith tapestri. Comisiynwyd ef gan Arglwydd Iveagh yn 1924 i beintio murlenni yn gofeb rhyfel i Dŷ'r Arglwyddi. Wedi arbrofi gyda golygfeydd o faes y gad cafodd y syniad o ddarlunio cyfoeth yr Ymerodraeth Brydeinig y syrthiodd y bechgyn er ei mwyn, ond pan oedd y gwaith ar ei hanner gwrthododd yr Arglwyddi ei dderbyn ac yn awr y mae'r lluniau mawr lliwgar yn addurno canolfan ddinesig Abertawe lle' y cynlluniwyd Neuadd Brangwyn i'w derbyn. Ceir casgliad mawr o'i ddyluniadau a'i gartwnau

paratoadol i'r gwaith hwn yn Oriel Glynn Vivian, Abertawe, lluniau yn ninasoedd Ewrob ac Awstralia, a chasgliad mawr o'i waith yn Amgueddfa Genedlaethol Cymru. Yr oedd yn awdur *Belgium* (1916) a *The way of the cross* (1935). Derbyniodd lawer o anrhydeddau yma ac ar y cyfandir a'i urddo'n farchog yn 1941.

DNB; T. Mardy Rees, *Welsh painters, engravers and sculptors, 1527-1911* (1912), 13; gw. hefyd William de Belleroche, *Brangwyn talks* (1946) a *Brangwyn's pilgrimage* (1948); V. Galloway, *The oils and murals of Sir F. Brangwyn* (1962) a *Trivium*, 8, 1973, 121-6 am ail ystyriaeth o'r paneli.

E.D.J.

BRAZELL, DAVID (1875-1959), datganwr: g. Cesail Graig, y Pwll, ger Llanelli, Caerf., 23 Chwef. 1875, yn fab i John a Mary Brazell. Fe'i magwyd ar aelwyd gerddorol; yr oedd ei dad (glöwr wrth ei alwedigaeth) yn bur hoff o gerddoriaeth, a dau o'i frodyr, John a Thomas, yn gerddorion pur amlwg, gyda'r naill yn rhagori fel unawdydd tenor, a'r llall fel arweinydd corawl ac fel arweinydd y gân yn eglwys Annibynnol y Pwll. (Aethai David a John ar daith saith mis i T.U.A. gyda chôr Llanelli yn 1909-10; bu John f. ar y llong `Mauretania' wrth ddychwelyd i Brydain o Efrog Newydd).

Ar ôl gadael ysgol elfennol y Pwll aeth i weithio i'r diwydiant alcam, gan ymroi i astudio cerddoriaeth yn Llanelli yn ei oriau hamdden, yn gyntaf gyda Maggie Aubrey, ac yn ddiweddarach gyda R.C. Jenkins, arweinydd Cymdeithas Gorawl Llanelli, a gŵr a fu'n astudio wrth draed Joseph Parry (*Bywg.*, 694-5). Bwriodd ei brentisiaeth fel datganwr yn yr eisteddfod, ac ar gymhelliad R.C. Jenkins aeth i'r Academi Gerdd Frenhinol yn Llundain ym mis Mai 1901, lle y bu'n astudio am bum mlynedd gyda Frederic King (canu), Frederic Corder (cynghanedd a gwrthbwynt), ac Edgardo Levi (opera). Cafodd yrfa ddisglair fel myfyriwr; enillodd chwech o fedalau'r academi, a chymerodd ran amlwg mewn perfformiadau o rai o'r prif operâu yno. Ar derfyn ei gwrs yn 1906 cynigiwyd iddo ymrwymiadau gyda rhai o'r prif gwmnïau opera, ond er iddo ymaelodi dros gyfnod byr â Chwmni Opera Carl Rosa, dewisodd ddilyn gyrfa fel datganwr proffesiynol ar ei liwt ei hun.

Bu'n cyngherdda yn y mwyafrif o'r prif ddinasoedd yng Nghymru ac yn Lloegr, yn ogystal ag ar y cyfandir. Canodd lawer yng nghyngherddau'r Eist. Gen. ac yng Ngŵyl Harlech, a daeth yn ffefryn mawr gyda rhai o brif gyfansoddwyr ei ddydd. Ar gais Edward German cymerodd ran `The Earl of Essex' yn ei opera *Merrie England* yn Bournemouth, ac fe'i gwahoddwyd gan Edward Elgar i ganu mewn perfformiadau cynnar o'i oratorio *The Dream of Gerontius*. Cyfansoddwr arall a'i hedmygai oedd D. Vaughan Thomas (*Bywg.*, 886), a ysgrifennodd a chyflwyno iddo ei gân adnabyddus `Angladd y Marchog', yn ogystal â'i drefniant o `Y bwthyn bach to gwellt' (`Crych Elen', Thomas Lloyd, *Bywg.*, 556).

Yr oedd yn berchen llais bariton swynol a chyfoethog, a bob amser o dan lywodraeth gadarn, a chan fod ei arddull ac ansawdd ei lais yn ddelfrydol i bwrpas recordio y mae'n un o'r rhai cyntaf y gwelir ei enw yng nghatalogau'r cwmnïau gramoffôn. Dechreuodd recordio ar roliau cŵyr cyn troad y ganrif, a pharhaodd i recordio (baledi, detholion o opera ac oratorio, a chaneuon Cymraeg) ar ddisciau 78 i tua hanner dwsin o wahanol gwmnïau hyd at y tri degau.

Yr oedd yn gyfeillgar â llu o gerddorion amlwg a dylanwadol. Ef a ysbrydolodd Katie Moss (yn 1910) i ysgrifennu 'The Floral Dance' wedi ei seilio ar alaw o Gernyw, cân a ddaeth yn un o brif ffefrynnau'r datganwr Peter Dawson. Pr. yn 1938 â Catherine Hughes, prifathrawes ysgol Coleshill, Llanelli. Bu f. yn ysbyty Bryntirion, Llanelli, 28 Rhag. 1959, ac amlosgwyd ei gorff yn Nhreforus.

Cerddor, Mai 1910, Gorff. 1910, a Meh. 1911; Welsh Music, 3, Gaeaf 1970, 8, 25; Peter Dawson, Fifty years of song; dyddiad ei eni a'i farw trwy law ei nith, Mrs. Morfudd Beynon, Pembre.

H.W.

BRITHDIR - gw. WILLIAMS, HUGH DOUGLAS isod.

BRUNT, Syr DAVID (1886-1965), meteorolegydd ac is-lywydd y Gymdeithas Frenhinol; g. 17 Meh. 1886 yn Staylittle yng ngorllewin Maldwyn, yr ieuangaf o bum mab a phedair merch John a Mary (g. Jones) Brunt, gweithiwr amaethyddol. Hyd nes ei fod yn 10 oed bu'n ddisgybl yn ysgol y pentref - ysgol un athro a roddai ei holl hyfforddiant yn Gymraeg. Yn 1896 cymerodd y tad ei deulu i'r maes glo yn y de, lle y bu'n gweithio fel glöwr. Ymsefydlodd y teulu yn Llanhiledd yng Ngwent mewn amgylchedd gwahanol iawn i'w cynefin ar weundir agored y canolbarth. Am y tair blynedd nesaf mynychodd David yr ysgol elfennol leol gan oresgyn y problemau iaith a phroblemau dosbarthiadau mwy lluosog a diffyg sylw arbennig. Yn 1899 safai ar ben rhestr y rhai a enillodd ysgoloriaeth mynediad i ysgol ganolradd (sirol wedyn) Abertyleri, ac yno dechreuodd ddangos disgleirdeb eithriadol mewn mathemateg a chemeg. Yn 1904 cafodd anrhydedd mewn mathemateg ychwanegol yn arholiad y Dystysgrif Uwch, ac o ganlyniad dyfarnwyd iddo ysgoloriaeth sir o £30 y flwyddyn am 3 bl. Yn yr un flwyddyn enillodd ysgoloriaeth uchaf (£40) mynediad i Goleg Prifysgol Cymru, Aberystwyth, dros gyfnod cyffelyb. Felly y gallodd ddilyn gyrfa prifysgol. Bu'n astudio mathemateg dan ddau athro arbennig iawn, R.W. Genese a G.A. Schott, a ddaeth i ymfalchïo yn eu disgybl. Yn 1907 gadawodd Aberystwyth gyda gradd anrhydedd dosbarth I disglair mewn mathemateg ac ar ôl ysbaid fer aeth yn fyfyriwr mewn mathemateg yng Ngholeg y Drindod, Caergrawnt. Cafodd ddosbarth I yn nwy ran y Tripos Mathemateg, ac yn 1909 etholwyd ef yn fyfyriwr ymchwil Isaac Newton yn y National Solar Physics Observatory. Ar ôl gadael Caergrawnt bu'n darlithio am flwyddyn ar fathemateg ym Mhrifysgol Birmingham, ac am ddwy flynedd arall mewn swydd gyffelyb yng Ngholeg Hyfforddi Caerllïon. Yno, yn 1915, pr. Claudia Mary Elizabeth, merch W. Roberts, Nant-y-glo, cyd-ddisgybl iddo yn Abertyleri ac Aberystwyth. Bu iddynt un mab a fu f. yn ddibriod.

Daeth y trobwynt mawr yng ngyrfa David Brunt pan ymrestrodd yn 1916 yn Adran Feteorolegol catrawd y Peirianwyr Brenhinol. Cyflawnodd waith pwysig ym mlynyddoedd y Rhyfel ynglŷn ag amodau hinsoddol ar lefelau isel mewn rhyfel cemegol, ac ar lefelau uwch wedi iddo fynd yn feteorolegydd i'r Llu Awyr. Enwyd ef droeon mewn cadlythyrau. Daeth yn rhagolygydd medrus, ac wedi ei ryddhau o'r lluoedd gwahoddwyd ef i fynd i'r Swyddfa Feteoroleg a ddaeth yn Weinyddiaeth Awyr yn 1921. Ni chaniataodd i'w ddyletswyddau swyddogol dorri ar ei waith ymchwil personol. Derbyniodd wahoddiad Syr Napier Shaw i ymuno ag ef fel athro rhan-amser mewn meteoroleg yn Imperial College of Science and Technology, Llundain. Ar ymddeoliad Syr Napier daeth Brunt yn athro llawn-amser (y cyntaf mewn meteoroleg ym Mhrydain). Daliodd y gadair o 1934 i 1952, ac etholwyd ef ddwy flynedd yn ddiweddarach yn Gymrawd o'r Coleg.

Yn ystod ei yrfa academaidd ysgrifennodd 58 o bapurau gwyddonol a 5 llyfr pwysig - Combination of observations (1917), Meteorology (1928), Physical and dynamical meteorology (1934), Weather science for everybody (1936) a Weather study (1942). Ef oedd llywydd y Gymdeithas Feteorolegol Frenhinol, 1942-44, a dyfarnwyd iddo Wobr Buchan a Medal Aur Symons. Bu'n llywydd y Gymdeithas Ffisegol, 1945-47. Ymddiddorai mewn pynciau perthnasol i Feteoroleg yn yr ystyr eangaf. Bu'n gadeirydd y British Gliding Association, ac yn gadeirydd y Electricity Supply Research Council, 1952-59. Etholasid ef yn F.R.S. mor gynnar ag 1939, a dyfarnwyd Medal Aur y Gymdeithas Frenhinol iddo yn 1944. Rhoes wasanaeth mawr iddi fel ysgrifennydd tra effeithiol, 1948-57, ac fel is-lywydd, 1949-57. Urddwyd ef yn farchog yn 1949 ac yn K.B.E. yn 1959.

Syr David Brunt, yn ddiamau, oedd meteorolegydd enwocaf hanner cyntaf y ganrif hon, pan oedd y pwnc yn newid o fod yn wyddor ddisgrifiadol bron i fod yn wyddor seiliedig fwyfwy ar gysyniadau mathemategol, ac ar yr un pryd yn newid o ddibyniaeth ar sylwadaeth seiliedig ar y ddaear i ddibynnu ar ddata o'r awyr uchaf. Derbyniodd radd Sc.D. (Caergrawnt) yn 1940, D.Sc. er anrh. Prifysgol Llundain, 1960, ac anrhydedd cyffelyb gan Brifysgol Cymru, 1951. Bu f. 5 Chwef. 1965.

Portreadau'r Faner, i, 33-4; gwybodaeth bersonol; [Biog. Memoirs Fellows R.S., 11, 41-52; Times, 8, 23, 24 Chwef. 1965].

E.G.B.

BRYTHONYDD - gw. WILLIAMS, DAVID PRYSE isod.

BUSH, PERCY FRANK (1879-1955), chwaraewr rygbi; g. 23 Meh. 1879, yng Nghaerdydd. Hanai ei deulu o Ben-y-graig. Bu ei dad, James Bush, yn athro celfyddyd ac yn un o sylfaenwyr clwb rygbi Caerdydd yn 1875. Addysgwyd ef yng Ngholeg y Brifysgol, Caerdydd. Enillodd 8 cap fel maswr rhwng 1905 ac 1910. Cymeriad hynod, yn llawn direidi a'r annisgwyl ar y maes. Yr oedd yn hollol hunan-feddiannol ac annibynnol. Chwaraeodd gyntaf dros Gaerdydd yn Nhach. 1899. Bu'n aelod o dîm Prydain yn Awstralia a Seland Newydd yn

1904, lle'r ystyriwyd ef yn un o'r maswyr gorau
a welwyd yno erioed. Sgoriodd 104 o bwyntiau
ar y daith, 17 ohonynt mewn un gêm. Bu'n
gapten clwb Caerdydd 1905-06, pan enillwyd
pob gêm ond honno yn erbyn y Crysau Duon,
a chyfrifid Bush yn bersonol gyfrifol am y
methiant hwnnw. Chwaraeodd ran allweddol
ym muddugoliaeth hanesyddol Cymru (3-0)
dros y Crysau Duon ar 16 Rhag. 1905. Yn 1907
bu'n gapten Caerdydd pan drechwyd De
Affrica 17-0. Nid enillodd ond 8 o gapiau
oherwydd y gwrthgyferbyniad rhwng ei ddull
ef ac eiddo mewnwr Cymru, Dickie Owen.
Bu'n athro ysgol tan 1910, pan ymsefydlodd yn
Nantes lle y parhaodd i chwarae rygbi. Yn 1918
penodwyd ef yn ddirprwy-gonswl Prydeinig yn
y ddinas honno. Dychwelodd i Gaerdydd tua
chanol yr 1930au, a dyfarnwyd iddo *Médaille
d'Argent de la Reconnaissance Française* yn
gydnabyddiaeth o'i wasanaeth i gysylltiadau
Ffrainc a'r gwledydd Celtaidd. Bu f. yng
Nghaerdydd 19 Mai 1955. Chwaer iddo oedd
Ethel M. Bush, yr heddychwraig.

David Smith a Gareth Williams, *Fields of praise*
(1980); *West. Mail* a *Times*, 20 Mai 1955.

                                        G.W.W.

C

CAMROSE, IS-IARLL, y 1af - gw. BERRY (TEULU), WILLIAM EWERT BERRY uchod.

CARRINGTON, THOMAS (TOM), (`Pencerdd Gwynfryn'; 1881-1961), cerddor ac argraffydd; g. yn y Gwynfryn, Bwlch-gwyn, ger Wrecsam, Dinb., 24 Tach. 1881, yn fab i John Carrington (disgynnydd i un o'r teuluoedd a ymfudodd o Gernyw erbyn dechrau'r 19 g. i weithio i'r Mwynglawdd, sir Ddinbych) a Winifred (g. Roberts), brodor o Fryneglwys. Treuliodd flynyddoedd cyntaf ei oes yn y Gwynfryn, a'i addysgu yn ysgol Bwlch-gwyn. Ar ôl gadael yr ysgol fe'i prentisiwyd yn argraffydd gyda chwmni Hughes a'i Fab, Wrecsam. Pr. yn 1905 â Mildred Mary Jones, Minera, a symud i fyw i Goed-poeth, lle y bu'n dilyn ei grefft fel argraffydd ac fel cyhoeddwr cerddoriaeth. O'i blentyndod cynnar yr oedd yn amlwg fod ganddo ddawn arbennig fel cerddor. Yn naw oed fe'i penodwyd yn organydd gyda'r Methodistiaid Wesleaidd yn y Gwynfryn, a bu yn y swydd honno am oddeutu 15 ml. gan astudio cerddoriaeth yn ei oriau hamdden trwy gyfrwng nodiant y Tonic Sol-ffa a chyda Morton Bailey yn Wrecsam. Mewn cyfnod diweddarach treuliodd dros hanner canrif yn organydd yn eglwys Rehoboth (EF), Coed-poeth, a dod yn ffigur pur amlwg fel beirniad eisteddfod, arweinydd a chyfansoddwr. Bu'n olygydd cerdd *Y Winllan* a'r *Eurgrawn*, ac ef oedd ysgrifennydd y pwyllgor a ofalai am gynnwys cerddorol *Llyfr emynau a thonau y Methodistiaid Calfinaidd a Wesleaidd* (1929). Yr oedd hefyd yn eisteddfodwr pybyr, a gwasanaethodd fel ysgrifennydd cyffredinol Eist. Gen. Wrecsam 1933. Ei brif weithiau cerddorol yw *Concwest Calfari* (anthem SATB 1912), *Hen weddi deuluaidd fy nhad* (unawd contralto/bariton 1910) a *Gwynfryn a Bryn-du* (tonau cynulleidfaol). Ef hefyd yw awdur y llawlyfr *Yr Ysgol Gân* (Gee, 1957) a *Doniau Da* (1955) sy'n cynnwys nifer o'i donau a'i ganiadau gwreiddiol, yn ogystal â threfniadau ganddo o emyn-donau. Bu f. yn ei gartref yng Nghoed-poeth, 6 Mai 1961. Yn 1963 dadorchuddiwyd llechen i'w goffáu yn eglwys Rehoboth, Coed-poeth.

WwW (1937); *Cymro*, 29 Hyd. 1959, 18 Mai 1961 a 31 Hyd. 1963; *Eurgrawn*, Awst 1961.

H.W.

CASSON, LEWIS (1875-1969), actor a chynhyrchydd dramâu; g. ym Mhenbedw, swydd Caer, 26 Hyd. 1875, yn fab i Thomas Casson o Ffestiniog, Meir., a'i briod Laura Ann (g. Holland-Thomas). Ar ôl gadael Ysgol Ramadeg Rhuthun bu'n cynorthwyo'i dad i wneud organau, a mynychodd y Coleg Technegol Canolog, South Kensington, am gyfnod, cyn mynd i Goleg S. Mark, Chelsea, i'w hyfforddi'n athro. Yn 1903 ymddangosodd ar lwyfan y Court Theatre fel actor proffesiynol yn *Man and superman* a dramâu eraill. Bu 1907 yn flwyddyn dyngedfennol yn ei hanes oherwydd dyna pryd yr ymunodd â chwmni Miss Horniman yn theatr y Gaiety lle y cafodd

ddechrau cyfarwyddo dramâu, a hefyd yno y cyfarfu â Sibyl Thorndike a br. yn Aylesford, swydd Caint, 22 Rhag. 1908. Bu iddynt bedwar o blant.

Yn ystod Rhyfel Byd I bu'n sarsiant yn yr *Army Service Corps* (1914-15) ac uchgapten gyda'r *Royal Engineers* (1916-19), clwyfwyd ef, a chafodd M.C. Wedi dychwelyd i Lundain, cyfarwyddodd ar y cyd â'r awdur, G.B. Shaw, y cynhyrchiad gwreiddiol o *St. Joan* (1924), a'i wraig yn cymryd y brif ran. Teithiodd ef a'i wraig trwy Dde Affrica yn 1928, a'r Dwyrain Canol, Awstralia a Seland Newydd yn 1932. Yn 1938 cynhyrchodd *Henry V* yn Drury Lane i Ivor Novello (gw. isod), ac adnewyddodd ei gysylltiad â'r Old Vic, lle y cyfarwyddodd Laurence Olivier yn *Coriolanus* a John Gielgud yn *King Lear* (1940). Y flwyddyn honno teithiodd ef a'i wraig trwy Gymru i berfformio *Macbeth*, a ddilynwyd gan *King John, Candida, Medea* a *St. Joan*. Buont yn cydweithio ar ôl Rhyfel Byd II, nid yn unig yn Llundain, lle y dangosodd Lewis Casson ei ddawn nodedig fel actor yn *The linden tree* gan J.B. Priestley, ond hefyd mewn gŵyl ddrama yng Nghaeredin ac Efrog Newydd, ac ar bedair taith o berfformiadau dramatig a dramâu cyfoes yn y Dwyrain Canol, y Dwyrain Pell, India, Awstralasia ac Affrica. Dathlasant jiwbili eu priodas trwy gymryd rhan yn *Eighty in the shade* (1959), drama a gyfansoddodd Clemence Dane yn arbennig iddynt hwy. Yr oedd gan Lewis Casson lais bas cryf a chyfoethog, ac yr oedd yn actor amryddawn yn ogystal ag yn gynhyrchydd o fri. Ymddangosodd mewn cannoedd o rannau a pharhaodd i weithio hyd 1968.

Wedi cynorthwyo i ddatblygu undeb llafur yr actorion, bu am flynyddoedd lawer yn un o arweinwyr mwyaf ymroddgar y mudiad. Siaradai'n eofn o blaid y theatr ac etholwyd ef yn llywydd y *British Actors' Equity* (1941-45), ac yn gyfarwyddwr y ddrama i'r Cyngor er Hyrwyddo Cerddoriaeth a'r Celfyddydau (1942-44). Yn 1945 dyrchafwyd ef yn farchog, a derbyniodd raddau er anrh. gan brifysgolion Glasgow (1954), Cymru (1959) a Rhydychen (1966). Er mai yn 98 Swan Court, Llundain, yr oedd ei gartref, arhosai'r teulu'n achlysurol yn eu tŷ, Bron-y-garth, Porthmadog, cyn ei werthu yn 1949. Bu f. 16 Mai 1969.

Www; John Casson, *Lewis and Sibyl: a memoir* (1972); *Times*, 17 Mai 1969; *Genh.*, 27, 1977, 26-7.

M.A.J.

CECIL-WILLIAMS, Syr JOHN LIAS CECIL (1892-1964), cyfreithiwr, ysgrifennydd Anrhydeddus Gymdeithas y Cymmrodorion a phrif hyrwyddwr cyhoeddi'r *Bywgraffiadur Cymreig*; g. 14 Hyd. 1892 yn Paddington, Llundain, yn un o ddau blentyn y Dr. John Cadwaladr Williams, meddyg, a Catherine (g. Thomas) ei wraig. (Cymerodd y mab y cyfenw Cecil-Willams drwy weithred newid enw yn 1935.) Hanai'r teulu o Uwch Aled. Addysgwyd ef i ddechrau yn Llundain, ac wedi cyfnod o ryw flwyddyn yn ysgol bentref Cerrig-ydrudion dychwelodd i Lundain a mynd i'r *City of London School*. Oddi yno aeth i Gaergrawnt (Coleg Gonville a Caius) i ddarllen y gyfraith, a graddio yn M.A., LL.B. Ymrestrodd yn yr *Inns of Court OTC* yn 1914, a'r flwyddyn wedyn ymunodd â'r Ffiwsilwyr Brenhinol Cymreig, gan wasanaethu yn Ffrainc a chyrraedd rheng capten. Fe'i clwyfwyd deirgwaith. Yn 1920, fe'i derbyniwyd yn gyfreithiwr a dechreuodd ddilyn ei alwedigaeth yn Llundain, yn gyntaf ar ei liwt ei hun, ac yna mewn partneriaeth. Ymddeolodd yn 1960.

Daeth i'r amlwg yn gyflym ymysg Cymry Llundain fel gŵr o ynni a brwdfrydedd dros bethau Cymreig ac fel trefnydd da. Yn 1934, etholwyd ef yn ysgrifennydd mygedol Anrh. Gymd. y Cymmr. fel olynydd i Syr Evan Vincent Evans (*Bywg.*, 217-8). Daliodd y swydd am bron ddeng mlynedd ar hugain, a dyma waith mawr ei fywyd. Yn rhinwedd rhyw gymaint o incwm preifat, nid oedd yn llwyr ddibynnol ar ei enillion fel cyfreithiwr, ac oherwydd hynny yr oedd bob amser yn barod i roi cyfran helaeth o'i amser i fuddiannau'r Anrh. Gymd. ac achosion diwylliannol ac elusennol eraill. Bu iddo lwyddiant mawr. Llwyddodd i godi aelodaeth y Cymmrodorion i tua dwy fil, llawer ohonynt o wledydd tramor, ac fel ei ragflaenydd denodd i'w rhengoedd nifer da o Gymry amlycaf eu dydd. Yn 1951, ar achlysur dau canmlwyddiant y Gymdeithas, rhoddwyd iddi siarter frenhinol. Yn yr un flwyddyn, urddwyd ef yn farchog a dyfarnodd Prifysgol Cymru radd LL.D. er anrh. iddo. Er treulio ei holl fywyd bron yn Llundain parhaodd acenion Uwch Aled yn beraidd a rhugl ar ei wefus gydol ei oes. Yr oedd yn ymwybodol iawn o hynafiaeth ac urddas Cymdeithas y Cymmrodorion a manteisiodd ar bob cyfle i osod sêl a delw aruchel arni. Yng ngeiriau Syr Thomas Parry-Williams, a fu am gyfnod yn llywydd y Gymdeithas, defnyddiodd Cecil-Williams swydd ysgrifennydd 'yn eofn a diflino i hyrwyddo buddiannau a noddi treftadaeth Cymru a'r Gymraeg'.

Os i'r Athro R.T. Jenkins, ynghŷd â Syr John Edward Lloyd a Syr William Davies, y mae'r clod yn ddyledus am gynllun a chynnwys *Y Bywgraffiadur Cymreig*, y mae'n amheus a fuasai'r gyfrol wedi ei chyhoeddi onibai am ymdrechion Cecil-Williams. Gwrthododd ildio i'r ddadl fod y cynllun yn rhy uchelgeisiol a chostus. Gyda chymorth ei gyd-swyddogion, llwyddodd i godi'r arian, yn bennaf o'r cynghorau sir a chyrff megis y *Pilgrim Trust*, a sicrhawyd cyhoeddi yn 1953 y gyfrol a gydnabyddir erbyn heddiw yn un o'r llyfrau pwysicaf a ymddangosodd yng Nghymru yn ystod y ganrif hon. Mynnodd drefnu cyhoeddi'r atodiad deng mlynedd cyntaf er mwyn sefydlu cynsail i gyfres barhaol.

Bu'n amlwg mewn nifer o fudiadau diwylliannol ac elusennol. Yr oedd yn aelod o lysoedd Prifysgol Cymru, y Llyfrgell Genedlaethol (yn aelod o'r Cyngor hefyd) a'r Amgueddfa Genedlaethol. Yr oedd yn ymddiriedolwr Amgueddfa'r Ffiwsilwyr Brenhinol Cymreig yng Nghastell Caernarfon, yn aelod o bwyllgor dathlu 350 mlwyddiant talaith Virginia ac o'r Genhadaeth Ewyllys Da i'r Taleithiau Unedig yn 1957. Yr oedd yn llywydd y *Southern Olympian Amateur Football League* o 1951-59, ac yn 1959 etholwyd ef yn llywydd yr

Amateur Football Alliance. Dyfarnwyd medal Hopkins iddo yn Efrog Newydd yn 1957, ac yn 1962 rhoes Anrh. Gymd. y Cymmr. ei anrhydedd uchaf iddo drwy ddyfarnu ei medal iddo. Yr oedd yn aelod anrhydeddus o Orsedd y Beirdd dan yr enw 'Seisyllt'.

Pr. Olive Mary, unig ferch yr henadur Aneurin O. Evans, Dinbych, yn 1935, a bu iddynt un mab. Bu f. yn Llundain 30 Tach. 1964, a bu'r gwasanaeth angladdol yn Amlosgfa Golders Green, 5 Rhag.

Trans. Cymm., 1964; *Times*, 1 Rhag. 1964; *London Welshman*, Ion., 1965; adnabyddiaeth bersonol.

B.G.J.

CEMLYN-JONES, Syr ELIAS WYNNE (1888-1966), gŵr cyhoeddus; g. 16 Mai 1888 yng Ngwredog, Amlwch, Môn, yn fab i John Cemlyn Jones, cyfreithiwr o Gaerffili, a Gaynor Hannah, merch John Elias Jones - o Benmaenmawr a thrwy ei wraig o Wredog, Amlwch, gŵr blaenllaw ym mywyd cyhoeddus Môn a Rhyddfrydwr selog. Collodd ei dad yn blentyn a chafodd ei addysg yn breifat yn Ysgol Mostyn, Parkgate, swydd Gaer, yn Ysgol Amwythig, ac yn Llundain. Daeth yn fargyfreithiwr. Yn 1910-11 aeth ef a'i fodryb - chwaer ei fam - ar daith o amgylch y byd, yr hen 'grand tour', trwy'r Taleithiau Unedig, Canada, Japan, Korea, Tseina, etc. 1912-14 bu'n ysgrifennydd preifat i (Syr) Ellis Jones Ellis-Griffith, A.S. (*Bywg.*, 201) yn y Swyddfa Gartref, a rhwng 1914-18 gwasanaethodd fel capten gyda'r Ffiwsilwyr Brenhinol Cymreig. Bu'n ymgeisydd Rhyddfrydol aflwyddiannus yn Ne Croydon 1923 ac ym Mrycheiniog a Maesyfed 1929. Gwasanaethodd ar lu o bwyllgorau a chyrff cyhoeddus, e.e. Cyngor Sir Môn o 1919 ymlaen (bu'n gadeirydd 1928-30 ac yn henadur), Cymdeithas y Cynghorau Sir, Pwyllgor Milne ar Gyflenwad Dŵr, Pwyllgor Athlone ar y Gwasanaethau Nyrsio, Pwyllgor Rushcliffe ar y Cyflogau Nyrsys, Cyngor Canolog Whitley y Gwasanaeth Iechyd, Cyngor Amgueddfa Genedlaethol Cymru, Cyngor Coleg Prifysgol Gogledd Cymru, Bangor. Rhwng 1939 ac 1946 bu'n amlwg gyda gwaith y *War Agricultural Executive Committee* yn sir Fôn. Urddwyd ef yn farchog yn 1941.

Yn 1931 aeth ar daith o 7000 o filltiroedd trwy Rwsia gyda Frank Owen i ddal awyrgylch y wlad wedi'r chwyldro ar gyfer nofel yr oedd y ddau'n cydweithio arni - disgrifiodd y daith yn *Y Ford Gron*, Medi 1931. Cyhoeddwyd y nofel, *Red Rainbow*, yn 1932. Ynddi, dan gochl adrodd stori gyffro, ceisiai'r awduron rybuddio'r cyhoedd ym Mhrydain am nerth bygythiol Rwsia.

Pr. yn 1914 â Muriel Gwendolin, merch Owen Owen, Machynlleth a Lerpwl, y perchennog siopau. Ganwyd iddynt ddau fab a dwy ferch. Bu f. ar 6 Meh. 1966 ac fe'i claddwyd yn Amlwch.

Www; *WwW* (1937); Papurau Gwredog yn Llyfrgell Coleg y Gogledd ym Mangor; gwybodaeth gan Miss Gaynor Cemlyn-Jones, Porthaethwy, ac Ellis Roberts.

B.L.J.

CHANCE, THOMAS WILLIAMS (1872-1954), gweinidog (B) a phrifathro coleg; g. 23 Awst 1872 yn fab i Thomas Chance (bu f. 5 Ion. 1873 yn 29 ml. oed) a Mary (g. Williams; bu f. 15 Awst 1908 yn 79 ml. oed) o Erwyd, Brych. Derbyniodd ei addysg gynnar yn ysgol Penrhiw, ond oherwydd colli ei dad yn ifanc bu'n rhaid iddo adael yn 11 ml. oed i ennill ei fywoliaeth ei hun a'i deulu am y naw ml. nesaf yn was fferm, ar y cyntaf yn Erwyd ac yna i ffwrdd yn ardal Cathedin. Bedyddiwyd ef 17 Ebr. 1887 yn eglwys Heffsiba, Erwyd, ac ar anogaeth ei weinidog John Morgan dechreuodd bregethu, gan ailgychwyn ei addysg, hynny am ddwy fl. mewn ysgol ramadeg a gynhelid gan Daniel Christmas Lloyd, gweinidog (A), yn ei gartref yn Nhŷ Hampton, Y Clas-ar-Wy, ac wedyn yng Ngholeg y Bedyddwyr a Choleg y Brifysgol, Caerdydd, lle y graddiodd yn B.A. yn 1898 gydag anrhydedd yn y dosbarth I yn yr Hebraeg. Enillodd radd M.A. yn 1900 a gradd B.D. yn 1916. Ord. ef yn 1899 yn weinidog eglwys Saesneg High Street, Merthyr Tudful. Penodwyd ef yn athro rhan-amser, yn darlithio ar Hanes yr Eglwys, yng Ngholeg y Bedyddwyr, Caerdydd, Ion. 1904; ac yn athro llawn a hefyd yn ysgrifennydd ariannol yn 1908. Bu'n brifathro gweithredol y Coleg wedi marw John Morlais Davies yn Ebr. 1928, ond er ei gymeradwyo gan y pwyllgor gwaith i gyfarfod brwd o bron naw cant o gynrychiolwyr eglwysi yng Nghaerdydd ar 20 Medi, colli'r swydd barhaol a wnaeth i Thomas Phillips (1868-1936; *Bywg.*, 718), hynny o ddim ond pedair pleidlais ac yn ôl y farn gyffredin oherwydd ei ddiffyg Cymraeg. Yn dilyn marwolaeth Thomas Phillips, codwyd ef i'r swydd, Gorff. 1936, eithr nid heb gryn ddadlau am fisoedd ar dudalennau *Seren Cymru*. Parhaodd yn bennaeth hyd at ei ymddeol 30 Meh. 1944 a'i ddynodi yn brifathro emeritws.

Ar wahân i'w alluoedd academaidd, yr oedd ganddo ddawn eithriadol i weinyddu a thrafod busnes, ac ymhlith ei brif gymwynasau yr oedd ei waith yn gosod cyllid y Coleg ar seiliau cedyrn, yn sicrhau rhydd-ddaliad y safle yn rhodd, a gofalu bod y tir a'r arian ar gael i godi'r coleg preswyl y buasai ef ers tro hir yn gwasgu amdano. Bu'n ddeon Cyfadran Ddiwinyddiaeth Prifysgol Cymru, 1928-32, ac ef biau rhan o'r clod yn 1928 am sefydlu Ysgol Ddiwinyddol Unedig yng Nghaerdydd, ac yn 1934 am lunio cwrs diploma i fyfyrwyr gweinidogaethol heb radd.

Bu'n aelod o eglwys Albany Road, Caerdydd, ac yn frwd ei gefnogaeth i waith yr enwad yn y ddinas, e.e. yn gadeirydd y *Cardiff Baptist Board* am 21 ml. Bu hefyd yn llywydd Cymanfa Saesneg Dwyrain Morgannwg yn 1934-35. Yr oedd ganddo ddiddordeb eirias yng ngwaith cenhadol *Christian Endeavour*, a bu'n llywydd Undeb Cenedlaethol Cymru yn 1906-07 ac 1923-24, ac yn llywydd Undeb Prydain Fawr yn 1924-25. Ym Meh. 1954, yn deyrnged i'w wasanaeth hirfaith i Gymanfa Saesneg Dwyrain Morgannwg, derbyniodd anrheg ganddi o ddarlun mewn olew ohono'i hun, o waith Alfred Hall, Caerdydd, a cyflwynodd yntau'n rhodd i Goleg y Bedyddwyr. Golygodd a chyfrannodd dair pennod i gofiant un o'i ragflaenwyr, *The life of Principal William Edwards ...* (1934).

Pr., 8 Awst 1900, Mary Maria, merch ei weinidog cyntaf John Morgan (bu f. 8 Medi 1922 yn 82 ml. oed) a Margaret ei wraig (bu f. 14 Ebr. 1924 yn 74 ml. oed), ac yr oedd mab iddynt yn

fyw adeg priodas aur ei rieni ond wedi marw o'u blaen. Bu f. 22 Rhag. 1954 yn dilyn triniaeth llawfeddyg yn Ysbyty'r Sir, Henffordd, a chladdwyd ef ddeuddydd wedyn ym mynwent Heffsiba. Bu f. ei briod 22 Gorff. 1956 yn 81 ml. oed.

D. Mervyn Himbury, *The South Wales Baptist College (1807-1957)* (1957), 78, 89 ff.; Adroddiadau Blynyddol Coleg y Bedyddwyr, Caerdydd, yn enwedig 1955, 7, 10-13; *Ser. Cymru*, 4 Mai, 28 Medi 1928, 5 Meh. 1936, 31 Rhag. 1954 a 7 Ion. 1955; *West. Mail*, 23-24 Rhag. 1954; *Baptist Times*, 6 Ion. 1955; *Dyddiadur B.*, 1956, 114-5; *Bapt. Hdbk.*, 1956, 322-3; *Www*; a gwybodaeth gan y Parchg. W. George Evans, Yr Eglwys Newydd, Caerdydd, Ivor Hayward, Caerdydd, ac E.C. Davies, Erwyd.

B.G.O.

CILCENNIN, IS-IARLL - gw. THOMAS, JAMES PURDON LEWES isod.

CLEDLYN - gw. DAVIES, DAVID REES isod.

CLWYD O ABERGELE, BARWN - gw. ROBERTS, JOHN HERBERT isod.

COOMBE TENNANT, WINIFRED MARGARET ('Mam o Nedd'; 1874-1956); cennad i gynulliad cyntaf Cynghrair y Cenhedloedd, un o 'ferched y bleidlais', meistres gwisgoedd Gorsedd Beirdd Ynys Prydain a chyfethrydd (*medium*) enwog; g. yn unig blentyn George Edward Pearce-Serocold a'i ail wraig Mary Richardson, o Dderwen Fawr, Abertawe. Yn 1895, pr. Charles Coombe Tennant, ac aethant i fyw i Cadoxton Lodge, Llangatwg, ger Castell-nedd. Daeth hi, felly, yn ferch-yng-nghyfraith i Gertrude Barbara Rich Collier, ac yn chwaer-yng-nghyfraith i Dorothy Coombe Tennant, a br. H.M. Stanley, y fforiwr enwog (*Bywg.*, 866).

Yn ystod Rhyfel Byd I yr oedd hi'n is-gadeirydd Pwyllgor Amaethyddol y Merched dros sir Forgannwg a gwasanaethodd fel cadeirydd Pwyllgor Pensiynau Rhyfel dros Gastell-nedd a'r cylch. Apwyntiwyd hi'n Ynad Heddwch yn 1920 ac eisteddodd ar fainc sir Forgannwg - y wraig gyntaf i wasanaethu yno. O 1920 hyd at 1931, yr oedd yn un o'r Ymwelwyr Swyddogol i garchar Abertawe, ac yn gyfrifol am gyflawni rhai gwelliannau sylweddol yn nhriniaeth y carcharorion, e.e. ymladdodd y wraig hynod hon i gael caniatâd i'r carcharorion gael raseli diogel yn Abertawe yn lle bod rhaid iddynt dyfu barf. Fel canlyniad, fe fabwysiadwyd y gwelliant trwy'r deyrnas ymhen blynyddoedd.

Ym myd gwleidyddiaeth, yr oedd hi'n Rhyddfrydwraig selog ac yn edmygu Lloyd George yn fawr iawn. Yn 1922 bu'n ymgeisydd am sedd fel A.S. dros Fforest y Ddena, ond methodd ei hennill. Y cysylltiad â 'L.G.' a oedd yn gyfrifol am ei hapwyntio yn un o'r cynrychiolwyr i'r Cynghrair y Cenhedloedd newydd - y fenyw gyntaf o Brydain. Ond trodd Winifred Coombe Tennant yn genedlaetholwraig frwd ymhen amser, a daeth yn flaenllaw yng Ngorsedd y Beirdd. O dan yr enw 'Mam o Nedd' hi oedd Meistres y Gwisgoedd, a gadawodd swm o arian i'r Orsedd yn ei hewyllys, a phapurau ynglŷn â'r Orsedd i'r Llyfrgell Genedlaethol. Bu'n gadeirydd Adran

Gelf a Chrefft yr Eist. Gen. yn 1918, ac fe'i hetholwyd hi yr un flwyddyn i fod yn aelod o bwyllgor o ugain, i ymchwilio posibiliadau sefydlu llywodraeth ffederal i Gymru. Heblaw hyn oll, yr oedd Winifred Coombe Tennant yn fam i bedwar o blant, sef Christopher, Daphne, Alexander a Henry. Ond rhyw ddeunaw mis bu Daphne byw, a bu'r ergyd ysigol hon yn gyfrifol am droi Mrs. Coombe Tennant i gyfeiriad byd yr ysbrydion. Yr oedd yn hawdd iddi wneud hynny am fod chwaer-yng-nghyfraith arall, sef Eveleen, yn briod â F.W.H. Myers a sefydlodd, gyda Henry Sidgwick, y Gymdeithas Ymchwil Seicigol. Yr oedd Mrs. Coombe Tennant yn gyfethrydd hynod o dalentog, ond ni wyddai'r byd mo hynny, y tu allan i gylch bach o ffrindiau agos, nes ar ôl iddi farw. Ar hyd y blynyddoedd, bu'n gyfethrydd i Syr Oliver Lodge ac eraill megis Gerald Balfour, o dan y ffugenw 'Mrs. Willett'. Mae llawer ysgrif am ei chyfethryddiaeth yn y *Jnl. of the Society for Psychical Research* a chasgliad o ysgrifau *post-mortem* yr honnwyd iddynt ddod oddi wrthi drwy law Geraldine Cummins (cyfethrydd arall) yn y gyfrol *Swan on a black sea* (gol. Signe Toksvig, 1970).

Yr oedd yn bersonoliaeth liwgar a chynnes, yn meddu ar argyhoeddiadau personol dwfn ac yn wrol ei safiad drostynt. Gwnaeth lu o gyfeillion yn ei gwlad fabwysiedig a mawr oedd ei diddordeb yn niwylliant Cymru, er na lwyddodd yn hollol i feistroli'r Gymraeg.

Bu f. 31 Awst 1956, yn ei chartref yn 18 Cottesmore Gardens, Kensington. Gorchmynnodd nad oedd blodau na gwisgoedd galar i fod yn ei hangladd. Ar Fedi 7 cynhaliwyd gwasanaeth coffa amdani yn eglwys yr Holl Saint ger y Tŵr lle y cynrychiolwyd Undeb Bedyddwyr Cymru gan James Nicholas (gw. isod) a'r Cymmrodorion gan Syr John C. Cecil-Williams (gw. uchod).

Gwybodaeth bersonol; *Times*, 1, 8, 21 Medi 1956; [Emyr Wyn Jones, *Tr.*, 1996].

G.L.R.

COX, ARTHUR HUBERT (1884-1961) daearegwr; g. 2 Rhag. 1884 yn Birmingham yn fab Arthur James Cox a'i wraig Mary. Addysgwyd ef yn Ysgol Ramadeg Edward VI yn Birmingham, ac yna ym Mhrifysgol Birmingham lle y graddiodd yn B.Sc. yn 1904 ac M.Sc. yn 1905. Enillodd raddau uwch Ph.D. Strassburg a D.Sc. Birmingham. Yr oedd yn F.G.S. a dyfarnwyd iddo fedal Lyell y Gymdeithas Ddaearegol yn 1948. Dechreuodd ei yrfa'n ddarlithydd mewn daeareg yn C.P.C. Aberystwyth yn 1909, ond symudodd i King's College Llundain y flwyddyn ganlynol. Yr oedd yn aelod o'r Arolwg Ddaearegol yn 1917 cyn penodwyd ef yn Athro Daeareg yn C.P.C. yng Nghaerdydd yn 1918, swydd a ddaliodd nes ymddeol yn 1949. Bu'n gweithio ar arfordir Penfro a Chader Idris gan ehangu'r wybodaeth am losgfynyddoedd y cyfnod Ordofigaidd, ond ei gyfraniad mwyaf oedd ei astudiaeth o strwythur daearegol de Cymru. Sylweddolodd yn gynnar bwysigrwydd economaidd yr wybodaeth ddaearegol a ddôi i'r amlwg, e.e. yn yr ymchwil i amodau cronfeydd olew a mwynau, ac yr oedd ei ymchwil i achosion clefyd y llwch o arwyddocâd arbennig. Bu'n flaenllaw hefyd yn natblygiad Amgueddfa Genedlaethol Cymru.

Pr. Florence Elizabeth Page yn 1919. Bu f. yng Nghaerdydd, 14 Chwef. 1961.

Www; *Times*, 20 Chwef. 1961; *Nature*, 1961.

B.F.R.

CRAWSHAY, GEOFFREY CARTLAND HUGH (1892-1954), milwr a noddwr cymdeithasol; g. 20 Meh. 1892, yn fab i Codrington Fraser Crawshay, Llanfair Grange, Y Fenni, Myn., a gor-orwyr i William Crawshay I (*Bywg.*, 79). Addysgwyd ef yng Ngholeg Wellington a threuliodd flwyddyn yng Ngholeg y Brifysgol, Caerdydd. Yna bu ar brentisiaeth fer yng ngwaith haearn Cwmbrân, a chyfnod wedyn gyda chwmni o ymgymerwyr. Yn 1914 ymunodd â'r 3edd *Welch Regiment* ac yn ddiweddarach comisiynwyd ef i'r Gwarchodlu Cymreig a oedd newydd gael ei ffurfio, gan gyrraedd rheng capten. Clwyfwyd ef yn dost ym mrwydr Loos, a dechreuodd ar ymdrech oes yn erbyn afiechyd. Parhaodd gyda'i gatrawd tan 1924, a sefydlodd ei chôr a'i thîm rygbi. Tyst o'i frwdfrydedd dros y chwarae hwn oedd iddo noddi a hyrwyddo XV Crawshay a fu'n teithio siroedd y gorllewin bob blwyddyn a bod yn fagwrfa i chwaraewyr ieuanc o Gymry, a'i lywyddiaeth dros glwb rygbi y Cymry yn Llundain o 1924 ymlaen. Ei ddiddordeb nesaf oedd gwleidyddiaeth, ysgolion haf y Rhyddfrydwyr, Cynghrair y Cenhedloedd, ac aml gyrch aflwyddiannus fel ymgeisydd Rhyddfrydol dros etholaethau seneddol de Cymru. Ar ôl 1930 troes oddi wrth wleidyddiaeth weithredol at waith cymdeithasol.

Arweiniasai diweithdra cynyddol yn ne Cymru, drwy fentrau lleol, i dwf cyflym canolfannau galwedigaethol a chlybiau i ddynion di-waith. Sefydlwyd Cyngor Gwasanaeth Cymdeithasol De Cymru a Mynwy yn Chwef. 1934 i ddarparu peirianwaith cyd-drefnedig taleithiol i arwain ac i galonogi'r unedau gwasgaredig. Cofnodir yn ei Adroddiad Blynyddol cyntaf: 'Syrthiodd tasg drom sefydlu'r Cyngor ar ysgwyddau'r Capten Crawshay, a roes wasanaeth llawn-amser bron' fel ysgrifennydd mygedol a chadeirydd ei bwyllgor llywodraethol. Bu rhaid iddo roi'r swyddi hyn heibio yn Rhag. 1934, pan ddaeth yn gomisiynydd rhanbarthol dros yr ardaloedd arbennig yn ne Cymru, gan gynrychioli yn yr ardaloedd glofaol y comisiynwyr cenedlaethol y rhoes y Senedd iddynt y gofal dros 'gychwyn, trefnu, gweithredu a chynorthwyo mesurau a luniwyd i hwyluso datblygiad economaidd a gwelliant cymdeithasol' ardaloedd 'yr effeithiwyd yn arbennig arnynt gan ddirwasgiad diwydiannol'. Y pwysicaf o'r mesurau economaidd oedd darparu ffatrïoedd newydd i'w gosod ar rent drwy gyfrwng y *Wales and Monmouthshire Industrial Estates Ltd.*, yr oedd Crawshay yn gyfarwyddwr iddo o 1936 i 1945. Fel comisiynydd rhanbarthol, cadwodd ei ddiddordeb cydymdeimladol yn y Cyngor Gwasanaeth Cymdeithasol, gan weithredu arno fel cynrychiolydd y llywodraeth. Drwy ei ddylanwad, cafwyd grantiau hael o gronfa'r ardaloedd arbennig i estyn gwaith y Cyngor i feysydd newydd, gan gynnwys mudiad clybiau merched, mwy o nyrsio lleol, addysg oedolion, ac ailsefydlu llyfrgelloedd. Fel garddwriaethwr pybyr sicrhaodd fod adnoddau'r llywodraeth ar gael i ddau arbrawf llwyddiannus mewn amaethu cydweithredol a alluogodd nifer o lowyr i ddychwelyd i'r tir. Yr oedd y rhain dan reolaeth y *Welsh Land Settlement Society Ltd.* yr oedd ef yn gadeirydd arni. Ef hefyd oedd cadeirydd Pwyllgor Diwydiannau Gwledig Cyngor Cymunedau Gwledig sir Fynwy.

Daeth gweithgareddau'r ardaloedd arbennig i ben pan dorrodd y rhyfel allan yn 1939, ac o 1940 i 1945 Geoffrey Crawshay oedd rheolwr rhanbarth Cymru o'r Weinyddiaeth Cynhyrchu Awyrennau, yn cysylltu'r llywodraeth ganolog gyda'r cwmnïau gwneud rhannau a chyfarpar awyrennau yng Nghymru. Yn 1945 gwnaethpwyd ef yn gadeirydd Bwrdd Iechyd Cymru, a oedd y pryd hwnnw yn cychwyn ar waith ail-lunio wedi'r rhyfel, yn cynnwys gwasanaeth iechyd newydd, rhaglen ddarparutai helaeth, gwell cyflenwad dŵr, gwasanaethau cymdeithasol helaethach, ac arolygiaeth llywodraeth leol.

Ymhlith ei ddiddordebau addysgol yr oedd aelodaeth o lys Coleg Prifysgol De Cymru, Caerdydd, yr Amgueddfa a'r Llyfrgell Genedlaethol. Rhoes sylw brwdfrydig i'r Eist. Gen. a'i diwygiad, yr oedd yn aelod o'r Orsedd o dan yr enw 'Sieffre o Gyfarthfa', a hyd 1947 yr oedd yn arwyddfardd trawiadol ar ei farch. Yn 1935 rhoes Prifysgol Cymru radd Ll.D. er anrh. iddo. Yr oedd yn Uchel Siryf sir Fynwy yn 1939; yr oedd yn ddirprwy Lifftenant ac Ynad Heddwch dros y sir, ac yn farchog Urdd S. Ioan. Bu'n gadeirydd Bwrdd Afon Wysg a'r Cyngor Adeiladau Hanesyddol dros Gymru.

Wedi gorfod ymddeol parhaodd am ddwy flynedd i frwydro yn erbyn afiechyd a bu f. yn ddisymwth mewn gwesty yng Nghaerdydd ar 8 Tach. 1954. Fe'i claddwyd yn eglwys Llanfair Cilgedin, Y Fenni. Yr oedd yn 62 oed ac yn ddibriod.

Cymerodd ran mewn llawer agwedd ar fywyd Cymru ond i'w gyfoeswyr adnabyddid a pherchid ef yn fwy na dim am ei nawdd hael a'i anogaeth i ieuenctid addawol ym mhob maes o ddiddordeb.

Ymchwil bersonol; *Ww*, 1947 ac 1953; *West. Mail*, 9 Tach. 1954; Margaret S. Taylor, *The Crawshays of Cyfarthfa* (1967).

L.N.H.

CRWYS - gw. WILLIAMS, WILLIAM (CRWYS) isod.

CUDLIPP, PERCY (1905-62), newyddiadurwr; g. 1905, yn fab i William Cudlipp, trafeiliwr masnachol adnabyddus iawn yn ne Cymru, a Bessie ei wraig, Lisvane Street, Caerdydd. Yr oedd yn un o dri brawd enwog ym myd newyddiaduraeth (Reginald, golygydd *News of the World*, 1953-59; a Hugh, golygydd *Sunday Pictorial*, 1937-40 ac 1946-49, a chadeirydd Odhams Press, 1960). Addysgwyd Percy, a'i frodyr hefyd, yn Ysgol Gladstone ac Ysgol Uwchradd Howard Gardens, Caerdydd. Dechreuodd weithio gyda'r *South Wales Echo* fel negesydd a *copy boy* pan oedd yn 14 ml. oed, gan ddod yn ohebydd ymhen dwy fl. Wedi hynny gweithiodd ym Manceinion ar yr *Evening Chronicle*. Dyma'r adeg y cyfrannodd erthyglau a rhigymau i bapurau Llundain y

cymerwyd llawer o sylw ohonynt yn Stryd y Fflŷd. Bu'n newyddiadurwr dros gyfnod o 34 ml., a gadawodd ei ôl ar newyddiaduraeth yn ei benodiad cyntaf fel golygydd trwy feithrin gohebwyr arbenigol mewn maes newyddion estynedig ac iddo gynnwys arbenigol, fformat a fabwysiadwyd gan y mwyafrif o'r papurau cenedlaethol a rhanbarthol. Bu'n feirniad y ddrama a cholofnydd digrifol i'r *Sunday News*, Llundain, 1925-29, ac yn ysgrifwr arbennig a beirniad ffilmiau i'r *Evening Standard*, Llundain, 1929-31. Dyrchafwyd ef yn olygydd cynorthwyol yn 1931 ac yn olygydd yn 1933. Dechreuodd ar ei waith gyda'r papurau dyddiol cenedlaethol Prydeinig pan benodwyd ef yn rheolwr golygyddol y *Daily Herald* yn 1938, ac yna'n olygydd, 1940-53 (gan olynu Francis Williams a ddaeth yn ysgrifennydd y wasg i'r Prif Weinidog, Clement Attlee, yn Downing Street yn 1946). Cyfyngid arno fel golygydd mewn modd a oedd yn groes i'w ewyllys ac a wrthwynebai, ond yr oedd y papur, a oedd bryd hynny'n enau i Sosialwyr y chwith, dan reidrwydd yn gyffredinol i bleidio polisïau a gymeradwyid gan Gyngres yr Undebau Llafur a'r Blaid Lafur. O dan y fath bwysau symudodd i fod yn golofnydd i'r *News Chronicle* Rhyddfrydol, 1954-56 ac eto yn 1956 i fod yn olygydd *New Scientist* o'i gychwyniad. Adnabyddid ef yn Stryd y Fflŷd, calon newyddiaduraeth Prydain, fel ysgrifennwr cywir ac ymgomiwr ffraeth a ddynwaredai enwogion yn reddfol, yr hyn a werthfawrogid yn fawr. Darlledai'n fynych ar y radio a theledu ac adlewyrchid ei hoffter o farddoniaeth o'i febyd yn ei gyfrol, *Bouverie ballads* (1955). Pr., 1927, â Gwendoline James a bu iddynt un mab. Bu f. 5 Tach. 1962.

Www; *Times*, 6 Tach. 1962.

D.G.R.

CYBI - gw. EVANS, ROBERT isod.

CYNAN - gw. JONES, Syr CYNAN ALBERT EVANS isod.

D

DAGGER - gw. REES, THOMAS WYNFORD isod.

DALTON, EDWARD HUGH JOHN NEALE, BARWN DALTON (a adweinid fel Hugh Dalton; 1887-1962), economegydd a gwleidydd; g. yng Nghastell-nedd, Morg., yn fab i'r Canon John Neale a Catharine Alicia Dalton, 26 Awst 1887. Buasai'r tad yn diwtor i'r brenin George V pan oedd yn Dywysog Cymru, ac yr oedd yn ganon yng Nghapel Sant Siôr yn Windsor o 1885 i 1931 pan fu f. Yr oedd y fam yn ferch i Charles Evans-Thomas o'r Gnoll.

Addysgwyd Hugh yn Summer Fields, Rhydychen ac Eton cyn mynd i Goleg y Brenin, Caergrawnt, lle y daeth yn *junior optime* yn rhan gyntaf y tripos mewn mathemateg yn 1909. Yna bu'n astudio economeg o dan A.C. Pigou a J.M. Keynes a chymryd ail ran y Tripos yn y pwnc yn 1910. Yr oedd Rupert Brooke yn un o'i gyfeillion mwyaf mynwesol. O dan ddylanwad Keir Hardie ymunodd â'r Gymdeithas Fabian. Bu'n fyfyriwr ymchwil ar ôl y rhyfel yn y *London School of Economics*. Galwyd ef i'r Bar yn 1914 cyn iddo ymuno â'r fyddin a gwasanaethu yn Ffrainc a'r Eidal.

Yn 1923 cyhoeddodd ei *Principles of public finance*. Erbyn hyn yr oedd wedi troi i fyd gwleidyddiaeth ac yn 1924 cafodd ei ethol yn A.S. dros Peckham. Yn 1929 newidiodd ei etholaeth ac enill Bishop Auckland a daeth yn gadeirydd y Blaid Lafur yn 1936-37. Yn ystod Rhyfel Byd II penodwyd ef yn weinidog *Economic Warfare*, a sefydlodd gyfundrefn i hybu gwrthwynebiad mewnol yn y gwledydd a feddiannwyd gan yr Almaen. Yn 1942 symudwyd ef i'r Bwrdd Masnach a thrwy ei ymdrechion sefydlwyd y Weinyddiaeth Tanwydd a Phŵer a'r Bwrdd Glo Cenedlaethol. Paratôdd ar gyfer cyfnod heddwch drwy gyfeirio diwydiant i'r ardaloedd dirwasgedig.

Gyda buddugoliaeth y Blaid Lafur yn 1945 gwnaethpwyd ef yn Ganghellor y Trysorlys a chymerodd yntau J.M. Keynes i fod wrth ei benelin. Bu'n gyfrifol am ddatblygiadau derbyniol iawn ond at ei gilydd siomedig fu ei yrfa yn y Trysorlys a daeth i ben yn annisgwyl yn 1947 drwy iddo ar funud wan ddatgelu peth o gynnwys ei Gyllideb i ohebydd pan oedd ar y ffordd i'w chyflwyno i'r Tŷ. Erbyn hyn yr oedd yn un o wŷr blaenllaw y Blaid Lafur. Yn 1948 gwnaethpwyd ef yn Ganghellor Dugiaeth Lancaster. Ni safodd am etholiad yn 1959 a dyrchafwyd ef i Dŷ'r Arglwyddi yn 1960. Pr. Ruth, merch Thomas Hamilton Fox, yn 1914 a bu iddynt un ferch a fu farw'n blentyn. Bu yntau f. 13 Chwef. 1962.

Ei gyfrolau atgofion, *Call back yesterday* (1953), *The fateful years, 1931-45* (1957), a *High tide and after* (1962); *Times*, 14, 17, 20 Chwef. 1962; *DNB*, 1961-70, 266-9.

E.D.J.

DANIEL, JOHN EDWARD (1902-62), athro coleg ac arolygydd ysgolion; g. 26 Meh. 1902, ym Mangor, yr hynaf o ddau fab Morgan Daniel (1864-1941), gweinidog (A), ac Anna, ei wraig. Addysgwyd J.E. Daniel ym Mangor a

meithrinwyd ef yn y traddodiad clasurol yn Ysgol y Friars. Yn 1919 enillodd ysgoloriaeth i Goleg Iesu, Rhydychen, a thra oedd yno enillodd yn 1922 radd dosbarth I yn *Classical Moderations* a'r flwyddyn ddilynol radd dosbarth I mewn *Litterae Humaniores* a choroni'r gamp hon gyda dosbarth I mewn diwinyddiaeth yn 1925. Yr un flwyddyn crewyd swydd `cymrodor' iddo yng Ngholeg Bala-Bangor a chyda marw'r Dr. Thomas Rees (*Bywg.*, 781), fe'i penodwyd ar 28 Gorff. 1926 yn athro cyflawn i ofalu am y cyrsiau mewn athrawiaeth Gristionogol ac athroniaeth crefydd. Yn 1931 fe'i rhyddhawyd o'i waith er mwyn iddo dreulio hanner blwyddyn wrth draed Rudolph Bultmann yn Marburg. Bu'n athro yng Ngholeg Bala-Bangor hyd Ion. 1946. Erbyn hynny yr oedd wedi ei benodi'n un o arolygwyr ysgolion y Weinyddiaeth Addysg gyda gofal arbennig am addysg grefyddol a'r clasuron a thrigai yn y cyfnod hwn yn y Wig, Morgannwg, ac wedyn yn y Tŷ Gwyn, Bodffari. Fe'i lladdwyd mewn damwain foduron yn ymyl Helygain, sir y Fflint, 11 Chwef. 1962, a chladdwyd ei weddillion yn y Fynwent Newydd, Bangor. Pr. â Chatrin, merch Rowland Hughes (1870-1928), gweinidog (A), a bu iddynt bum plentyn.

Gyda'i gymwysterau academaidd eithriadol, yr oedd Daniel yn ddiwinydd gyda'r medrusaf yn ei genhedlaeth, yn cyfuno gwybodaeth eang, cof diollwng a meddwl dadansoddol o'r radd flaenaf. Daeth yn drwm o dan ddylanwad dysgeidiaeth Karl Barth a Rudolph Bultmann, yn nyddiau cynhyrfus eu hymgyrchoedd cynnar. Cyfranogai o'u hysbryd herfeiddiol a'u beirniadu llym ar y ddiwinyddiaeth a oedd mewn bri ar y pryd, gan greu trwy hynny wrthwynebwyr ffyrnig. Ond Daniel oedd lladmerydd Cymraeg galluocaf yr adwaith yn erbyn y ddiwinyddiaeth ryddfrydol yng Nghymru. Prin iawn, er hynny, oedd ei gynnyrch llenyddol yn y maes. Cyhoeddodd *Dysgeidiaeth yr Apostol Paul* (1933) a dyrnaid o erthyglau hwnt ac yma. Ni chafodd ei ordeinio ond yr oedd galw mawr am ei wasanaeth fel pregethwr oherwydd grymuster cynhyrfus ei bregethu, yn cyfuno diwylliant eang ac argyhoeddiad eirias.

Yr oedd yn genedlaetholwr cadarn. Daeth i amlygrwydd yn gynnar fel un o arweinwyr Plaid Genedlaethol Cymru a sefydlwyd yn 1925. Ysgrifennai'n gyson i'w phapur, *Y Ddraig Goch*, ac mewn pedwar etholiad cyffredinol safodd fel ymgeisydd yn ei henw. Bu'n is-lywydd y Blaid o 1931 hyd 1935 a dilynodd John Saunders Lewis fel ei llywydd yn 1939 a dal y swydd hyd Awst 1943.

Yr oedd Daniel yn nodedig am ei ddiwylliant eang, disgleirdeb eithriadol ei feddwl, grymuster a chyfoeth ei Gymraeg wrth siarad ac ysgrifennu, ei sêl tros bopeth gorau Cymru a thros y Ffydd Gristionogol, yn anad dim.

Pennar Davies (gol.), *Athrawon ac Annibynwyr* (1971), 128-142; [D. Densil Morgan, *Torri'r seiliau sicr* (1993); *Tr.*, 1997].

R.Td.J.

DAVIES, ANNIE (1910-70), yn fwy adnabyddus fel NAN, cynhyrchydd radio, a theledu'n ddiweddarach; g. 16 Meh. 1910, yn Llwyngwinau House, Tregaron, yn drydydd (o chwech) plentyn David ac Elizabeth Davies. Pan anwyd hi cadwai'r teulu siop cigydd yn Nhregaron, ond pan oedd hi tua blwydd oed symudasant i ffermio Cefngwyddyl ym mhlwy Llanbadarn Odwyn, a thrachefn yn 1919 i fferm Pontargamddwr ym mhlwy Caron-is-clawdd. Cafodd ei haddysg yn ysgol gynradd Castell Fflemish o 1915 i 1923 pryd yr aeth i ysgol sir Tregaron. Aeth i Goleg Prifysgol Cymru yn 1929 a chymerodd ei harholiadau terfynol mewn Lladin a hanes ym Meh. 1932, ond yn 1933 y graddiodd.

Bu am gyfnod ar staff Llyfrgell Dinas Caerdydd cyn ymuno â'r B.B.C. yn 1935 fel ysgrifenyddes i Sam Jones. Bu'n ei gynorthwyo gyda sefydlu traddodiad gwych canolfan Bangor ym myd radio Cymraeg. Yn 1946 gadawodd y B.B.C. a dychwelyd i Geredigion yn warden Aelwydd Urdd Gobaith Cymru yn Nhregaron a Phontrhydfendigaid. Y flwyddyn wedyn penodwyd hi'n ysgrifennydd apeliadau ariannol yr Urdd, a'i dyrchafu ymhen y flwyddyn yn bennaeth yr adran apeliadau, ac yn bennaeth adran rhaglenni a chynllunio'r mudiad yn 1949. Ymhen ychydig fisoedd, dychwelodd i Fangor fel cynhyrchydd sgyrsiau radio, ac yn 1955 symudodd i bencadlys y B.B.C. yng Nghaerdydd, i fyd radio ac wedyn i deledu.

Yng Nghaerdydd yr oedd yn gyfrifol am olygu'r cylchgrawn radio llenyddol `Llafar', a hi oedd cynhyrchydd cyntaf (ac yn ddiweddarach, golygydd) y cylchgrawn teledu `Heddiw', y rhaglen deledu gyntaf i drafod materion cenedlaethol a chydgenedlaethol trwy gyfrwng y Gymraeg. Yn 1965 enillodd y rhaglen hon wobr y *Western Mail and Echo* am raglen Gymraeg orau'r flwyddyn. Ymwelodd â'r wladfa ym Mhatagonia a chynhyrchu'r ffilmiau cyntaf a welwyd ar y teledu o'r wlad honno. Bu'n gyfrifol am nifer fawr o raglenni megis `Nant dialedd', `Shepherd's calendar', `Bugail Cwm Prysor', a `Prynhawn o Fai'. Yn 1969 ymddiswyddodd o'r B.B.C., dychwelyd i Dregaron a phrynu tŷ'r `Monarch' yno; ni chafodd ond ychydig fisoedd o iechyd a bu f. yn 59 oed yn ysbyty Singleton, Abertawe, 7 Mai 1970. Claddwyd hi ym mynwent capel Bwlchgwynt, Tregaron ar Fai 11.

Gwybodaeth bersonol, a manylion gan ei chwaer, Mrs. Jane Edwards, Ysbyty Ystwyth, ac Oswyn Evans, Porth-cawl.

O.E.

DAVIES, BEN (1878-1958), gweinidog (A); g. yn Llanboidy, Caerf., 12 Ebr. 1878, yn fab i Thomas Davies, gweithiwr ar ystad Maes-gwyn, a'i wraig Sarah. Wedi bwrw prentisiaeth fel saer celfi, aeth i ysgol yr Hen Goleg, Caerfyrddin yn 1901 a derbyniwyd ef i'r Coleg Presbyteraidd yno yn 1902. Ordeiniwyd ef 28 Gorff. 1904. Pr. Sarah, merch Benjamin a Mary Bowen o blwyf Eglwys Newydd, ger Caerfyrddin, a oedd yn llinach Samuel Bowen, Macclesfield (1799-1877; *Bywg.*, 42). Bu iddynt un ferch, Arianwen, a thri mab, Elwyn, Alun a Hywel (gw. isod).

Dechreuodd ei weinidogaeth yn eglwysi Siloh, Pontarddulais, a'r Hen Gapel, Llanedi.

Aeth i Hermon, Plas-marl, Abertawe, yn 1907 a bu yno hyd 1914. Gwasanaethodd yn Seion, Llandysul, o 1914 hyd 1924. Symudodd i'r Capel Newydd, Llandeilo, llu bu hyd ei ymddeoliad yn 1954, pan aeth i fyw i Sgeti, Abertawe. Bu f. 17 Medi 1958 a chladdwyd ef ym Mwlchnewydd, sir Gaerfyrddin.

Bu'n llywydd Undeb yr Annibynwyr Cymraeg yn 1947, a'r flwyddyn honno ymwelodd â T.U.A. ar achlysur Cyngres Cynulleidfaolwyr y Byd yn Boston. Cyhoeddodd dair cyfrol: *Siôn Gymro* (1938), *Cofiant Tomos Llanboidy* (1953), a *Coleg Presbyteraidd Caerfyrddin a'r genhadaeth* (1957). Cyfrannodd yn gyson i gylchgronau ei enwad: *Y Tyst*, *Y Dysgedydd*, *Cennad hedd* a *Tywysydd y plant*, a hefyd i'r *Genhinen*. Pregethwr ysgrythurol ydoedd uwchlaw pob dim, a'i bersonoliaeth siriol, ei gorff lluniaidd a thal, a'i ddawn ymadroddi persain, yn ei wneud yn ffefryn am flynyddoedd lawer yn eglwysi ei enwad.

Tyst, 24 Medi, 2 a 9 Hyd. 1958; adnabyddiaeth bersonol.

Io.J.

DAVIES, CLEMENT EDWARD (1884-1962), gwleidydd; g. 19 Chwef. 1884 yn Llanfyllin, yr ieuengaf o saith plentyn Moses Davies, arwerthwr, ac Elizabeth Margaret (g. Jones), ei wraig. Addysgwyd ef yn yr ysgol elfennol leol ac enillodd ysgoloriaeth i ysgol sir Llanfyllin pan agorwyd hi yn 1897. Aeth i Gaergrawnt ac ymaelodi yn Neuadd y Drindod. Cafodd ddosbarth I yn nwy ran y tripos yn y gyfraith yn 1906-07 ac ennill nifer o wobrwyon. Bu'n ddarlithydd yn y gyfraith yn Aberystwyth 1908-9 cyn ei alw i'r Bar yn Lincoln's Inn ac ymgysylltu â chylchdaith Gogledd Cymru yn 1909 a symud wedyn ymhen blwyddyn i gylchdaith Gogledd Lloegr. Bu'n llwyddiannus iawn yn ei yrfa ac fel y gellid disgwyl o ystyried ei dras, cyhoeddodd lyfrau ar gyfraith amaethyddiaeth a'r gyfraith ar arwerthiannau ac arwerthwyr.

Ar ddechrau Rhyfel Byd I dewiswyd ef yn cynghorydd ar weithgareddau'r gelyn mewn gwledydd niwtral ac ar y môr. Symudwyd ef i'r Bwrdd Masnach i fwrw golwg ar fasnachu gyda'r gelynion. Bu'n ysgrifennydd i lywydd adran Profiant, Ysgar a'r Morlys, 1918-19, ac i Feistr y Rholiau 1919-23. Yn y deugeiniau bu ei brofiad yn y swyddi hyn a'i gyngor parod a ffafriol i gael gosod ewyllysiau Cymru a chofnodion y Sesiwn Fawr yn Llyfrgell Genedlaethol Cymru o werth mawr i awdurdodau'r Llyfrgell. O 1919 i 1925 bu'n gwnsler i'r Trysorlys a dod yn K.C. yn 1926. Bu'n gadeirydd Sesiynau Chwarter Maldwyn o 1935 hyd ei f. Bu ar Fwrdd Unilever 1930-41, a pharhaodd i'w gynghori ar ôl hynny.

Yn 1929 etholwyd ef yn A.S. dros Faldwyn fel Rhyddfrydwr a pharhaodd i gynrychioli'r sir dros weddill ei oes. Yn 1931 ymunodd ag adran y Rhyddfrydwyr Cenedlaethol ond dychwelodd at y Blaid Ryddfrydol annibynnol yn 1941. Yng nghyfnod Rhyfel Byd II yr oedd yn un o gefnogwyr pybyr y glymblaid. Yn 1945 gwnaethpwyd ef yn gadeirydd y Blaid Ryddfrydol a daliodd y swydd hyd 1956. Yr oedd yn ymladdwr cadarn dros ryddid a chyfiawnder cymdeithasol.

Etholwyd ef yn gymrawd er anrh. o Neuadd y Drindod yn 1950 ac yn feinciwr yn Lincoln's Inn yn 1953. Derbyniodd ryddfraint y Trallwng yn 1955 a rhoes Prifysgol Cymru radd LL.D. er anrh. iddo yn 1955. Bu f. yn Llundain 23 Mawrth 1962 a chladdwyd ef ym mynwent eglwys Meifod.

Pr. yn 1913 Jano Elizabeth (m. 27 Rhag. 1969) merch fabwysiedig Morgan Davies, meddyg poblogaidd gan y Cymry yn Llundain a ysgrifennodd lawer i'r papurau Cymraeg o dan yr enw 'Teryll y Bannau'. Bu iddynt dri mab ac un ferch ond un o'r meibion yn unig a'u goroesodd; collwyd tri yn 24 oed, un mab a'r ferch trwy ddamwain. Yr oedd ei wraig yn siaradwr cyhoeddus ardderchog a bu'n gefn iddo yn ei yrfa wleidyddol. Jano Elizabeth Davies oedd yr ieuengaf o ysgolfeistri Llundain yn ei dydd.

Times, 24 Mawrth 1962; *DNB*, 1961-70, 278-9. [Mae papurau Clement Davies yn Ll.G.C.; gw. *Cylch. Ll.G.C.*, 23, 406-21].

E.D.J.

DAVIES, DANIEL JOHN (1885-1970), gweinidog (A) a bardd; g. 2 Medi 1885, yn y Waunfelen, bwthyn ym Mhentregalar, Crymych, Penf., yn fab i John Morris ac Ann Davies. Pan laddwyd ei dad mewn damwain gyda thrên yng ngorsaf Boncath, symudodd ei fam a'i thri mab i dŷ o'r enw Tŷ-canol, ond yn fuan bu farw'r fam a'r ddau frawd, ac aeth y bachgen amddifad i gartrefu gyda chwaer ei fam yn Aberdyfnant, Llanfyrnach. Yno daeth o dan ddylanwad O.R. Owen, gweinidog eglwys Glandŵr (A). Dechreuodd bregethu yno ar y Sulgwyn, 1906. Wedi cyfnod yn ysgol yr Hen Goleg, Caerfyrddin, dilynodd gwrs anrhydedd mewn Hebraeg yng Ngholeg y Brifysgol, Caerdydd, a graddio yn 1913, a chwrs diwinyddol yn y Coleg Coffa, Aberhonddu. Yr oedd awdurdodau Aberhonddu wedi ei atal rhag cymryd Cymraeg yn brif bwnc yng Nghaerdydd. Er hynny, enillodd gadair eisteddfod y coleg ddwywaith. Ord. ef yng Nghapel Als, Llanelli, yn 1916 - heddychwr pybyr yng nghanol y Rhyfel Mawr. Meddai ar ddaliadau radicalaidd cryf, yn wleidyddol a diwinyddol; ond nid un o feibion y daran ydoedd. Cododd chwech o fechgyn Capel Als i'r weinidogaeth, ac un cenhadwr a fu'n gweithio yn y Swdan.

Enillodd ar y cywydd bedair gwaith yn yr Eist. Gen. Dywedodd R. Williams Parry, mewn sylwadau ar ei 'Ffynnon Fair', na welodd neb a rodiai mor rhwydd a diymdrech yn llyffetheiriau'r gynghanedd. Daeth yn ail i Gwenallt yng nghystadleuaeth y gadair y flwyddyn cyn ennill y gamp yn 1932 yn Aberafan am ei awdl, 'Mam', mewn cystadleuaeth o safon uchel. Beirniadodd yn y brifwyl droeon. Cyfansoddodd amryw o emynau cymeradwy. Cyhoeddwyd yn 1968 gasgliad o'i farddoniaeth, *Cywyddau a chaniadau eraill*. Cynhaliai ddosbarthiadau yn y cynganeddion yn Llanelli.

Er mai swil ydoedd wrth natur, daeth yn un o dywysogion ei enwad, gŵr hirben a doeth, gyda hiwmor diymdrech a deniadol. Etholwyd ef yn llywydd Undeb yr Annibynwyr, a gwelir ei araith o'r gadair yn *Adroddiad* 1957. Yr oedd yn un o olygyddion y *Caniedydd Cynulleidfaol* a

gyhoeddwyd yn 1960. Ymddeolodd o ofalaeth Capel Als yn 1958. Bu f. 4 Meh. 1970. Claddwyd ei ludw ym mynwent Glandŵr. Yr oedd ei briod, Enid, yn ferch i D. Stanley Jones, gweinidog (A), Caernarfon, gwraig hoffus a dawnus.

Blwyddiadur A, 1971, 165; *Tyst*, rhifynnau Meh. 1970; atgofion personol; Maurice Loader, *Capel Als* (1980).

Io.J.

DAVIES, Syr DANIEL THOMAS (1899-1966), ffisigwr; g. ym mis Tach. 1899 yn fab i D. Mardy Davies, gweinidog (MC), Pontycymer, Morg., ac Esther ei wraig. Magwyd ef yn nyffryn Garw ac addysgwyd ef yn ysgol ramadeg Pen-y-bont ar Ogwr a Choleg y Brifysgol, Caerdydd. Gadawodd ei ôl ar batholeg gemegol yn Ysbyty Middlesex, Llundain, wedi ei benodi'n batholegydd yno yn 1927, a bu'n gofrestrydd meddygol nodedig i'r ysbyty cyn ymuno â staff y *Royal Free Hospital* yn 1930, lle y gwnaeth waith clinigol am 30 ml. ac yn Ysbyty S. Ioan a S. Elizabeth am 35 ml. (1930-65). Rhagorodd fel athro a bu'n ddarlithydd Bradshaw yng Ngholeg Brenhinol y Ffisigwyr. Gwnaeth waith arloesol ym myd meddygaeth gyda Lionel Whitby, Graham Hodgson, yr Arglwydd Dawson ac eraill. Bu'n gweithio ar ddefnyddio serwm Felton mewn niwmonia a chydnabyddir ei erthygl ar 'Gastric secretions of old age' a gyhoeddodd ar y cyd â Lloyd James yn glasur. Cyhoeddodd nifer o lyfrau meddygol, gan gynnwys gwaith safonol ar niwmonia a llyfrau ar glwyfau yn y stumog a diffyg gwaed. Yr oedd yn gymrawd o'r Gymdeithas Feddygol Frenhinol. Yn 1938 penodwyd ef yn feddyg i'r teulu brenhinol gan ddod yn feddyg i'r Brenin George VI ac yn ddiweddarach i'r Frenhines a pharhaodd yn feddyg i Ddug Windsor gan fod yn un o'i ffrindiau personol. Bu'n gyfeillgar iawn â meddygon amlwg fel yr Arglwyddi Dawson a Horder. Ef oedd meddyg personol yr Arglwydd Beaverbrook a bu'n gynghorwr meddygol iddo pan oedd yn y Weinyddiaeth Gyflenwi yn ystod Rhyfel Byd II. Urddwyd ef yn farchog yn 1951. Fel anghydffurfiwr digymrodedd gwrthododd ymuno â'r gwasanaeth iechyd cenedlaethol er bod Aneurin Bevan (gw. uchod) yn un o'i gyfeillion mwyaf mynwesol. Cadwodd gysylltiad â'r bywyd Cymreig gan gadw ei Gymraeg yn llithrig a gloyw. Yr oedd yn storïwr ac ymgomiwr di-ail a darllenwr eang mewn llenyddiaeth Saesneg a Chymraeg. Yr oedd ymhlith aelodau gwreiddiol Ymddiriedolaeth Pantyfedwen a ffurfiwyd yn 1957. Pr. Vera, merch J. Percy Clarkson, a chawsant ddwy ferch. Bu f. 18 Mai 1966 yn ei gartref yn Wimpole Street, Llundain.

Times, 19 Mai 1966; *Lancet*, 28 Mai 1966.

E.D.J.

DAVIES, DAVID ALBAN - gw. ALBAN DAVIES, DAVID uchod.

DAVIES, DAVID CAXTON (1873-1955), argraffydd a chyfarwyddwr cwmnïau; g. yn Llanbedr Pont Steffan, 8 Awst 1873, yn fab i David a Margaret Davies (hi oedd yr hynaf o drigolion y dre honno pan fu f. 28 Rhag. 1937).

Cafodd ei addysg yn ei dref enedigol. Ef oedd rheolwr y Wasg Eglwysig Gymreig yn Llanbedr a chwmni Grosvenor a Chater, Llundain (1909-19), rheolwr a chyfarwyddwr cwmni William Lewis, argraffwyr, Caerdydd, a chwmni Davies, Harvey a Murrell, masnachwyr papur, Llundain. Bu'n llywydd Cynghrair Argraffwyr De Cymru a Mynwy, 1935-36. Yr oedd yn un o sylfaenwyr Clwb Rotari Caerdydd. Cafodd radd M.A. Prifysgol Cymru er anrh. yn 1947 am ei wasanaeth dros gyhoeddi llyfrau a chyfnodolion yn ymwneud â Chymru, ac yn arbennig dros y cyfryw yn yr iaith Gymraeg. Bu f. 5 Tach. 1955; cynhaliwyd gwasanaeth angladdol yn eglwys Dewi Sant, Caerdydd, cyn cymryd ei gorff i amlosgfa Thornhill ar 9 Tach.

WwW (1937); *West. Mail, Welsh Gaz.*, 6 Ion. 1938.
E.D.J.

DAVIES, DAVID CHRISTOPHER (`Christy'; 1878-1958) cenhadwr, cynrychiolydd Cymdeithas Genhadol y Bedyddwyr yng Nghymru; g. 16 Gorff. 1878 yn Nghlydach, Cwmtawe, yn ail o ddeg plentyn John ac Elizabeth Davies. Gweithiai'r tad yn y gwaith alcan lleol ac yr oedd ganddynt siop groser. Yr oedd yn ddiacon ac yn drysorydd eglwys Calfaria (B). Gweinidog yr eglwys honno oedd T. Valentine Evans (tad Syr David Emrys Evans, gw. isod) a bu ei ddylanwad ef yn drwm ar y bachgen. Magwyd ef ar aelwyd gerddorol a chwaraeai'r tad y trombôn yng ngherddorfa bres Clydach. Cafodd ei addysg elfennol yn yr ysgol genedlaethol. Yn ddeuddeg oed, wedi cyrraedd dosbarth ucha'r ysgol, treuliodd flwyddyn yn siop y teulu cyn cael ei brentisio'n ddilledydd yn Ystalyfera. Yn eglwys Soar yno y bedyddiwyd ef. Ar derfyn ei brentisiaeth, bu'n gweithio yn Abertawe a Chaerdydd cyn ymsefydlu yng ngwasanaeth Colmers yng Nghaerfaddon. Ymaelododd yn eglwys Hay Hill, ac yn 1900 penderfynodd fynd i'r weinidogaeth. Yr wythnos y bu ei dad farw cafodd gyfweliad am le yng Ngholeg Spurgeon. Dechreuodd ei gwrs yno yn Ion. 1902. Yn ystod gwyliau Nadolig 1904 cafodd brofiad o Ddiwygiad Evan Roberts (gw. isod). Bu'n fyfyriwr-weinidog yn Thorpe-le-Soken, a throdd ei olygon at y meysydd cenhadol, China yn bennaf, ond penderfynodd Cymdeithas Genhadol y Bedyddwyr (B.M.S.) ei ddanfon i'r Congo. Ar ôl hyfforddiant yn Sefydliad Livingstone a rhai misoedd i wella'i Ffrangeg ym Mrwsel, gadawodd Lundain yn niwedd Awst 1906 a mynd i'w orsaf genhadol yn Yalemba yn y Congo ger aber yr afon Aruwimi. Ymfwriodd i ddysgu ieithoedd y trigolion a pharatoi i gyfieithu'r Testament Newydd i Heso a Lingala. Molembia oedd enw y brodorion arno a mawr oedd eu parch tuag ato. Perffeithiodd ei feistrolaeth ar Heso, ond Lingala oedd yr iaith gyffredin i drigolion blaenau'r Congo, ac i honno y cyfieithodd y Testament ysgrifenedig. Cyfansoddai emynau yn yr ieithoedd a'u canu ar donau Cymreig.

Yn 1919, penderfynodd y Gymdeithas ei symud i Leopoldville, dinas a oedd yn cynyddu'n gyflym. Ei dasg oedd canolbwyntio ar y newydd-ddyfodiad o lwyth y Bangala a siaradai Lingala. Yn 1933, oherwydd gwaeledd iechyd dychwelodd i weithio fel cynrychiolydd y Gymdeithas Genhadol yng Nghymru, a bu'n weithgar arbennig gyda threfniadau ysgolion haf a'i Gymdeithas mewn gwahanol ganolfannau yng Nghymru cyn ymsefydlu dros gyfnod yn y Coleg Diwinyddol yn Aberystwyth, ac ar ôl hynny yn y Cilgwyn, Castellnewydd Emlyn. Yr oedd ei hiwmor iach a'i fwrlwm yn ysbrydiaeth yn yr ysgolion hyn. Ymddeolodd yn 1943, a threuliodd weddill ei oes yn y Mwmbwls, gan ymaelodi yng Nghapel Gomer, Abertawe.

Pr., yn Nhach. 1914, Margaret Parker, diacones yng nghapel (B) Bloomsbury. Bu iddynt ddwy ferch. Bu f. 4 Mai 1958, newydd gael ei ethol yn aelod anrhydeddus o'r B.M.S.

J. Williams Hughes, *D. Christy Davies* (1962).
E.D.J.

DAVIES, DAVID IVOR (1893-1951) - gw. NOVELLO, IVOR isod.

DAVIES, DAVID JAMES (1893-1956), economegydd; g. 2 Meh. 1893 yng Nghefn-y-mwng, bwthyn yn ymyl pentref Carmel, Caerf. y 3ydd o blant Thomas Davies, glöwr, a'i wraig Ellen (g. Williams). Wedi mynychu ysgolion lleol (hyd 1907) a dilyn dosbarthiadau nos a gohebol, bu'n gweithio mewn amryw byllau glo a Doc y Barri (1907-12) cyn ymfudo i T.U.A. a Chanada (a chyfnodau yn Tsieina a Siapan), lle bu'n mwyngloddio, gan sefydlu'r *Northwestern Coal and Coke Co.*, Steamboat Springs, Colorado, yn paffio ac yn astudio'r gyfraith ym mhrifysgolion Seattle a Pueblo. Ymunodd â Llynges T.U.A. yn 1918 a'i hyfforddi'n beiriannydd ond dychwelodd i Gymru yn 1919 (a'i ryddhau o'r Llynges yn 1920). Bu'n gweithio dan ddaear am ychydig yn Llandybïe, ond wedi damwain ddifrifol yn 1919 ni allai barhau i weithio a threuliai ei amser yn darllen ac yn astudio economeg, gwleidyddiaeth, a hanes mudiad y gweithwyr. Yr oedd yn un o sylfaenwyr y Blaid Lafur yn ardal Rhydaman. Newidiodd ei agwedd at berthynas sosialaeth a chenedlaetholdeb pan dreuliodd gyfnod yn 1924 yn y coleg gwerin cydwladol yn Elsinôr (lle y cyfarfu â Noëlle Ffrench, o Bushy Park, Roscommon, Iwerddon, a ddaeth yn wraig iddo 2 Meh. 1925), ac yn ysgol werin Vestbirk, Denmarc. Daeth i gredu fod cydwladoldeb gwirioneddol yn seiliedig ar gydweithrediad rhwng cenhedloedd rhydd ac mai mewn Cymru annibynnol y gellid hyrwyddo buddiannau gweithwyr Cymru. Yr oedd felly yn rhagredegydd y mudiad a ffurfiodd y Blaid Genedlaethol yn 1925. Dychwelodd D.J. Davies o Ddenmarc yn genedlaetholwr o argyhoeddiad ac yn bleidiwr cydweithrediad fel polisi economaidd a osodai berchnogaeth a rheolaeth moddion cynhyrchu yn llaw'r gweithwyr. Wedi ymgais aflwyddiannus i sefydlu ysgol werin yn Iwerddon, yn 1924-25, aeth i C.P.C. Aberystwyth lle y graddiodd mewn economeg (B.A.) yn 1928, M.A. (1930), Ph.D. (1931), ac enillodd nifer o wobrau yn yr Eist. Gen. ar bynciau gwleidyddol ac economaidd (1930, 1931, 1932 - traethawd a gyhoeddwyd gan Wasg Prifysgol Cymru, *The economic history of south Wales prior to* 1800 (1933) - ac 1933). Daeth yn aelod blaenllaw o Blaid Cymru a chyflawni cryn wasanaeth fel ymchwilydd ac ysgrifennu pamffledi ac erthyglau cyson i holl gyhoeddiadau'r mudiad, e.e. *The economics of Welsh self-government* (1931), *Towards an* *economic democracy* (1949), *Can Wales afford self-government?* (gyda Noëlle Davies, 1938, 1947), *Cymoedd tan gwmwl* (gyda Noëlle Davies, 1938), *Diwydiant a masnach* (1946). Yr oedd yn ymwybodol o'r rheidrwydd i apelio at Gymry di-Gymraeg a chymerodd ran amlwg yn y penderfyniad i symud y brif swyddfa o Gaernarfon i Gaerdydd yn 1944.

Yn 1932 prynodd ef a'i wraig blas Pantybeiliau yn Gilwern ger Bryn-mawr, Myn., a cheisio sefydlu ysgol werin yno. Er iddynt fethu yn y bwriad hwn, daethant i ymddiddori yn y ddadl ynghylch statws cyfreithiol sir Fynwy a daliasant ar bob cyfle i ddangos ei bod erioed yn rhan annatod o Gymru.

Bu f. 11 Hyd. 1956 a'i gladdu ym mynwent Carmel (B) yn y pentref lle y'i ganwyd.

Gwybodaeth bersonol; D.J. Davies (a bywgraffiad gan C.H.T.), *Towards Welsh freedom* (1958).

C.H.T.

DAVIES, DAVID REES (`Cledlyn'; 1875-1964), ysgolfeistr, bardd, ysgrifwr a hanesydd lleol; g. 6 Chwef. 1875 yng Nglan-rhyd, Cwrtnewydd, Cer., tŷ a elwir bellach `Langro', y rhoddwyd maen bychan arno i gofnodi ei eni yno. Un o ddau fab Evan Davies (`Ifan go' neiler') a'i wraig Elizabeth (g. James) ydoedd. Cafodd ei addysg yn Ysgol Fwrdd Cwrtnewydd ac o 14 oed hyd nes iddo fynd i G.P.C. Aberystwyth, yn 1894, bu'n ddisgybl-athro yno. Enillodd ar ddiwedd ei dymor cyntaf yn y coleg un o'r ysgoloriaethau a gynigid i'r tri myfyriwr gorau yn yr adran addysg, ac ar ôl dwy fl. gadawodd gyda thystysgrif dosbarth I. Yn 1895 aeth i ddysgu ym Moelfre, Llansilin, ger Croesoswallt, a symud i ysgol Cofadail, Cer., 9 Mai 1898. O 28 Chwef. 1902 hyd nes ymddeol yn 1935 bu'n brifathro ysgol ei bentref genedigol. Fel ysgolfeistr dawnus enillodd barch yr ardalwyr a'i ddisgyblion. Bu ei gyfrol o gerddi at wasanaeth ysgolion, *Tusw o flodau* (1925), yn boblogaidd iawn gan adroddwyr ieuainc.

Ymddiddorai mewn prydyddu, cystadlu a beirniadu mewn eisteddfodau. Enillodd brif wobrau am englynion a chywyddau, ynghŷd â chadair yr Eist. Gen. yng Nghorwen, 1919, am ei awdl `Y proffwyd', ac yn yr Wyddgrug, 1923, am awdl `Dychweliad Arthur'. Yr oedd ei feistrolaeth ar yr iaith Gymraeg yn gadarn ac yn sail i'w allu fel cynganeddwr. Bu'n llywydd Cymdeithas Undodaidd Deheudir Cymru yn 1920 ac ymddangosodd deuddeng emyn o'i waith yn *Perlau moliant*, er iddo ymwrthod â chrefydd o'r tridegau ymlaen. Ar ran Cymdeithas Hynafiaethwyr Ceredigion golygodd ef y penillion (a gasglwyd gan mwyaf gan John Ffos Davies) a D.J. de Lloyd (*Bywg*.2, 11) y miwsig yn *Forty Welsh traditional tunes* (1929). Ysgrifennodd yn gyson i'r *Welsh Gazette* dros gyfnod o drigain ml., ac i'r *Ymofynnydd*, *Y Genhinen*, a'r *West. Mail* (gw. Glyn Lewis Jones, *Llyfryddiaeth Ceredigion, 1600-1964* (1967) a'r *Atodiad, 1964-8* (1970) am lawer o'i waith). Pan oedd yn bedwar ugain ac wyth cyhoeddodd lyfr ar gymeriadau ei ardal gyda detholiad o'i farddoniaeth ei hun, *Chwedlau ac Odlau* (1963), ond ei brif waith, mewn cydweithrediad â'i ail wraig, oedd *Hanes plwyf Llanwenog* (1936; ail arg. 1939). Ysgrifennodd y ddau `Hanes plwyf Llanwnnen' hefyd a chyhoeddwyd rhannau ohono yn y *Welsh Gazette*.

Pr. (1), haf 1895, ag Elizabeth Thomas, Cwrtnewydd, a fu f. 12 Chwef. 1908 gan adael tair merch a mab. Pr. (2), 1914, Zabeth Susanah Owen, a fu'n ysgolfeistres ysgol y Blaenau. Bu f. 29 Rhag. 1964, bum niwrnod ar ôl ei wraig.

Gwybodaeth gan ei ŵyr, Bifan Prys Morgan; *Ymofynnydd*, 65, 1965, 22-6; D.J. Goronwy Evans (gol.), *Deri o'n daear ni* (1984).

E.D.J.

DAVIES, DAVID TEGFAN (1883-1968), gweinidog (A); g. 27 Chwef. 1883 yn nhyddyn Capel Bach, plwyf Abergwili, Caerf., a'i fagu yno gan ei dad-cu a'i fam-gu, Dafydd a Hannah Dafis. Iddynt hwy, a phobl ardal Peniel, yr oedd yn ddyledus am yr iaith fyw a chyhyrog a siaradai, yn llawn ymadroddion a hen eiriau a gollwyd o'r iaith lafar bellach. Aeth o'r ysgol yn was fferm Rhyd-y-rhaw, Peniel. Derbyniwyd ef yn aelod yng nghapel Peniel (A), a dechreuodd bregethu yno yn Awst 1903 o dan weinidogaeth H.T. Jacob (gw. isod). Aeth i ysgol yr Hen Goleg, Caerfyrddin, ac yna i Goleg Bala-Bangor yn 1905. Ord. ef yn weinidog yn Seion, Pontypridd, 13 Medi 1908. Symudodd i'r Addoldy, Glyn-nedd, a'i sefydlu yno Ddydd Calan 1911. Wedi pum ml. yno fe'i sefydlwyd yng Nghellimanwydd (*Christian Temple*) Rhydaman, 13 Medi 1915 lle y bu'n weinidog am hanner canrif. Yr oedd yn Rhyfel Byd I pan ddaeth i Rydaman. Ymroes at y weinidogaeth fugeiliol yn y cylch a barhaodd hyd y diwedd. Gwnaeth gyfeillion o bawb yn Rhydaman; aeth lluoedd ato yn eu gofid, ac aeth yntau at bawb. Poenai lawer am y diweithdra a'r tlodi yn y tri degau, a daeth yn gadeirydd y *Distress committee* yn y cylch. Pan fabwysiadwyd Rhydaman gan dref Wallasey, yr oedd yn aelod o'r ddirprwyaeth a aeth yno i ymgynghori â hwy.

Ymddiddorodd mewn llawer maes. Adwaenai'r sêr wrth eu henwau, a gwyliai hwy trwy ei delisgop o flaen y tŷ ar lawer noson glir. Yr oedd yn gymrawd o'r Gymdeithas Seryddol Frenhinol (F.R.A.S.). Ymddiddorodd yn hynt a helynt y sipsiwn, a gwnaeth gyfeillion o lawer ohonynt. Yr oedd yn awdur pedair cyfrol: *O ganol shir Gâr, Cyn dringo'r Mynydd Du, Rhamantwr y De a Cyffro'r hen goffrau* sydd yn gyforiog o hen gystrawennau sir Gâr, hen goelion, a difyrion cefn gwlad, a'i ddychymyg byw a'i ddawn dweud stori yn amlwg ynddynt. Teithiodd lawer ar gyfandir Ewrop. Ei arfer fyddai llogi lle ar long gargo o Abertawe. Bu ar daith bregethu yn T.U.A. Derbyniodd radd D.D. er anrh. (Oslo). Bu'n gadeirydd Undeb yr Annibynwyr Cymraeg, a thraddododd anerchiad o'r gadair yn 1958 ym Mhwllheli ar y testun `Parhad y Pentecost'. Un o'i lu cymwynasau hael oedd ei rodd o fil o bunnoedd i Drysorfa Gynorthwyol ei enwad. Yn 1965 dyfarnwyd iddo'r O.B.E. i gydnabod ei wasanaeth dyngarol a'i ddewrder droeon yn achub rhai mewn perygl mewn môr ac afon.

Pr. (1), 10 Tach. 1908, Anna Twining, Richmond Tce., Caerfyrddin (bu f. 1933); pr. (2), yn 1934, Sarah Jane Davies, Wauncefen, Heol-ddu, Rhydaman. Bu f. 10 Awst 1968 a chladdwyd ef ym mynwent Gellimanwydd.

Tyst, 22, 29 Awst, 26 Medi, 2 Hyd. 1968; *Blwyddiadur A*, 1969; Robert Ellis, *Lleisiau ddoe a heddiw* (1961); llawlyfrau Undeb yr Annibynwyr yn Rhydaman, 1927 ac 1959.

D.M.J.

DAVIES, DAVID THOMAS (1876-1962), dramodydd; g. 24 Awst 1876 yn Nant-y-moel, Llandyfodwg, Morg., yn fab i Thomas Davies a'i wraig Martha (g. Thomas). Cafodd ei addysg yn y Gelli, Ystrad, Cwm Rhondda, ac yn ysgol Thomas James, Llandysul, Cer. Bwriadai ei dad iddo fynd i'r weinidogaeth, ond ar ôl graddio yng Ngholeg Prifysgol Cymru, Aberystwyth, yn 1903, aeth yn athro i'r Central Foundation School, Llundain. Gwasanaethodd gyda'r Ffiwsilwyr Brenhinol Cymreig yn Ffrainc yn ystod Rhyfel Byd I, ac yn 1919 penodwyd ef yn arolygydd ysgolion dan y Weinyddiaeth Addysg gan symud i fyw i Bontypridd. Ymddeolodd yn 1936 a symudodd i fyw i Borth-cawl. Symudodd drachefn i Abertawe yn 1954 lle y bu f. 7 Gorff. 1962. Claddwyd ef ym mynwent Glyn-taf, Pontypridd. Pr. â Jane Davies, yn Nhrealaw, 29 Gorff. 1909 a bu iddo un ferch.

Y mae D.T. Davies yn haeddu lle teilwng ymhlith dramodwyr cymdeithasol Cymraeg hanner cyntaf y ganrif hon. Daeth i gyswllt â John Oswald Francis (gw. isod) tra oedd yn fyfyriwr yn Aberystwyth, a chafodd gyfle i ymgydnabod â dramâu Saesneg y cyfnod pan fu'n athro ysgol yn Llundain. Yr oedd dramâu Ibsen yn ffasiynol yn theatrau Llundain a bu'r rhain yn batrymau i D.T. Davies a'r to newydd o ddramodwyr Cymraeg fel Robert Griffith Berry (*Bywg.2*, 3), J.O. Francis a William John Gruffydd (gw. isod). Lluniodd nifer o ddramâu hir a mwy fyth o ddramâu byrion ac ymhlith ei weithiau pwysicaf y mae *Ble ma fe?* (1913), *Ephraim Harris* (1914), *Y pwyllgor* (1920), *Castell Martin* (1920) a *Pelenni Pitar* (1925). Torrodd dir newydd gyda'r dramâu hyn drwy roi portread ffyddlon o fywyd a'i feirniadu'n onest. Bu bri arbennig ar ei weithiau yn ystod y dauddegau pan ddaeth y mudiad drama Cymraeg i'w lawn dwf yng nghymoedd y de, a phan sefydlwyd cwmnïau a gwyliau drama yn y capeli ac yn neuaddau'r gweithwyr.

Menna Davies, 'Traddodiad llenyddol y Rhondda', traethawd Ph.D. Prifysgol Cymru (Aberystwyth, 1981), 259-82; R.M. Jones, *Llenyddiaeth Gymraeg 1902-1936* (1987), 529-32; gwybodaeth gan ei ferch, Sara Anne Davies; gw. hefyd David Jenkins (gol.), *Erthyglau ac ysgrifau llenyddol Kate Roberts* (1978), 148-50.

H.Wa.

DAVIES, EDWARD TEGLA (1880-1967), gweinidog (EF) a llenor; g. 31 Mai 1880, yn yr Hen Giât, Llandegla-yn-Iâl, Dinb., y pedwerydd o chwe phlentyn William a Mary Ann Davies. Chwarelwr oedd ei dad, a anafwyd yn ddrwg yn y Foel Faen ond a ddaliodd i weithio yno ac wedyn yn chwarel galch y Mwynglawdd, rhag cyni. Yn 1893 symudodd y teulu i Bentre'r Bais (Gwynfryn) ac yn 1896 i Fwlch-gwyn. Yn 14 oed dechreuodd Edward yn ddisgybl-athro yn ysgol Bwlch-gwyn. Daeth dan ddylanwad Tom Arfor Davies, athro ifanc ym Mwlch-gwyn am gyfnod byr cyn ei f. cynnar; ef a ddeffrôdd ei ddiddordeb yn hanes a llenyddiaeth Cymru. Cafodd dröedigaeth ysgytiol ar ôl cyrddau

pregethu yng Nghoed-poeth, a phenderfynodd fynd i'r weinidogaeth. Yn 1901 derbyniwyd ef yn weinidog ar brawf, ac ar ôl blwyddyn yng nghylchdaith Ffynnongroyw aeth i Goleg Didsbury, Manceinion. Bu'n weinidog yn Abergele, Leeds, Porthaethwy, Y Felinheli, Tregarth deirgwaith, Llanrhaeadr-ym-Mochnant, Dinbych, Manceinion ddwywaith, Lerpwl, Bangor a Choed-poeth. Yn 1908, pr. Jane Eleanor (Nel) Evans, Siop y Gwynlys, Bwlch-gwyn, a ganwyd iddynt dri o blant: Dyddgu, Arfor a Gwen. Ymddeolodd yn 1946 oherwydd gwaeledd ei briod a symud i Fangor, lle y bu hi f. yn 1948. Bu'n llywydd y Gymanfa Fethodistaidd Gymreig yn 1937. Bu f. 9 Hyd. 1967, a chladdwyd ef ym mynwent Y Gelli, Tregarth.

Er na chafodd erioed wers Gymraeg yn yr ysgol nac addysg prifysgol, daeth yn un o'r llenorion mwyaf toreithiog yn y Gymraeg. Bu ei gyfeillgarwch ag Ifor Williams (gw. isod), T. Gwynn Jones (*Bywg.2*, 33-4), David Thomas (Bangor, 1880-1967, gw. isod), a gwŷr llên eraill yn hwb nid bychan iddo. Bu'n olygydd *Y Winllan*, 1920-28, a'r *Efrydydd*, 1931-35, ac ef a olygydd Gyfres Pobun, 1944-50. Cyhoeddodd ei storïau am fechgyn yn *Y Winllan* ac yna'n gyfrolau. Daeth y cyntaf, *Hunangofiant Tomi* (1912) yn dra phoblogaidd, a dilynwyd ef gan *Nedw* (1922), *Rhys Llwyd y lleuad* (1925) a *Y doctor bach* (1930). Cyhoeddodd nifer o lyfrynnau i blant ar gymeriadau chwedlonol a Beiblaidd, ac addasiad o *Taith y pererin* (1931). Gwelir ei ddychymyg ar ei hynotaf yn *Hen ffrindiau* (1927), ac yn ei ffantasïau *Tir y dyneddon* (1921) a *Stori Sam* (1938). Beirniadwyd y moesoli a'r alegoreiddio yn y rhain, ond erys eu dyfeisgarwch a'u hadroddiant yn rhyfeddod. Ymddangosodd ei unig nofel hir, *Gŵr Pen y Bryn*, yn benodau yn *Yr Eurgrawn* ac yn llyfr yn 1923. Beth bynnag yw ei gwendidau, mae'n garreg filltir yn hanes y nofel Gymraeg oherwydd ei chynllun trefnus a'i hastudiaeth dreiddgar o wewyr enaid. Cyfieithwyd hi i'r Saesneg. Un nofel arall yn unig a gyhoeddodd: y nofel fer ddychanol *Gyda'r glannau* (1941). Yr oedd wedi ysgrifennu storïau byrion i gyfnodolion, a chasglodd hwy ynghyd yn *Y Llwybr arian* (1934). Ac eithrio nifer o lyfrau crefyddol i bobl ifainc, cyfrolau o ysgrifau a gyhoeddodd yn bennaf rhwng 1943 a diwedd ei oes: detholion, gan mwyaf, o'i ysgrifau wythnosol i'r *Herald Cymraeg* o 1946 hyd 1953 dan y ffugenw 'Eisteddwr' a sgyrsiau radio. Dengys *Rhyfedd o fyd* (1950) ei ddychan ar ei fwyaf deifiol; eglurebau grymus a phregethwr creadigol sydd amlycaf yn *Y Foel Faen* (1951) ac *Ar ddisberod* (1954). Dilynwyd ei hunangofiant, *Gyda'r blynyddoedd*, gan gyfrol bellach o atgofion, *Gyda'r hwyr*, a detholiad o'i bregethau yw *Y Ffordd*. Cyhoeddodd fwy na 40 o lyfrau a llyfrynnau i gyd.

Ystyriai Tegla'i hun yn wrthryfelwr ar hyd ei oes. Er fod yn un o bregethwyr amlycaf a gwŷr mwyaf dylanwadol ei enwad, ni pheidiodd â beirniadu a dychanu cyfundrefniaeth, boed grefyddol neu seciwlar. Yr oedd yn un o hyrwyddwyr cynnar beirniadaeth feiblaidd yng Nghymru a pharodd *Llestri'r trysor* (1914), a olygodd gyda'i gyfaill D. Tecwyn Evans (gw. isod), a'i ragymadrodd i'r *Flodeugerdd Feiblaidd* (1940) gryn gyffro. Ond yr oedd yn Weslead i'r carn. Cyfrannodd ysgrifau ar weinidogion Wesleaidd i'r *Bywgraffiadur* ac erthygl ar Wesleaeth Gymreig i *The Methodist Church*, 1932, yn ogystal ag ysgrifau i'r *Geiriadur Beiblaidd*, ac yr oedd ar gyd-bwyllgor llyfr emynau'r Methodistiaid, 1924-26. Bu'n aelod o gyngor a phwyllgor gwaith yr Eist. Gen. am flynyddoedd ac yn feirniad eisteddfodol mynych. Derbyniodd radd M.A. er anrh. gan Brifysgol Cymru yn 1924 am ei gyfraniad i lenyddiaeth Gymraeg, a D.Litt. yn 1958.

E. Tegla Davies, *Gyda'r blynyddoedd* (1952); Islwyn Ffowc Elis (gol.), *Edward Tegla Davies, llenor a phroffwyd* (1956); Thomas Parry a Merfyn Morgan (gol.), *Llyfryddiaeth llenyddiaeth Gymraeg* (1976), 245; gwybodaeth bersonol gan ei ferch, y Fonesig Dyddgu Elwyn Jones; [Huw Ethal, *Tegla* (1980)].

I.Ff.E.

DAVIES, ELLIS (1872-1962), offeiriad a hynafiaethydd; g. 22 Medi 1872 yn fab Ellis Davies, garddwr yn Nannerch, Ffl., ond cyn bo hir symudodd y teulu i Laniestyn, Llŷn. Aeth i ysgol ramadeg Botwnnog a chafodd ysgoloriaeth i Goleg Dewi Sant, Llanbedr Pont Steffan yn 1892 lle yr enillodd wobrau bob blwyddyn. Ar ôl graddio a'i ord. yn 1895 bu'n gurad yn Llansilin, Colwyn a S. Giles, Rhydychen. Tra oedd yno cafodd radd B.A. (1907) yng Ngholeg Worcester a chychwynnodd ei astudiaethau ar gyfer gradd M.A. (1911). Bu hefyd yn gaplan Coleg Iesu ac Ysbyty Radcliffe. Penodwyd ef yn ficer Llanddoged, Dinb. yn 1909 a rheithor Chwitffordd, Ffl. yn 1913, lle y bu nes iddo ymddeol yn 1951. I gydnabod ei wasanaeth hir ac ymroddedig i'r Eglwys cafodd ganoniaeth yn Llanelwy 1937-46, a bu'n ganghellor yr esgobaeth 1944-47. Er iddo gyfansoddi nifer o emynau a siantiau, ym maes archaeoleg y daeth yn fwyaf adnabyddus. Yn 1913 ymunodd â Chymdeithas Hynafiaethau Cymru ac ennill gwobr yn Eist. Gen. y Fenni am lawlyfr ar weddillion Prydeinig a Rhufeinig yn sir Ddinbych a gyhoeddwyd yn 1929 wedi iddo wneud rhagor o ymchwil yn y sir. Enillodd wobr yn Eist. Gen. Corwen yn 1919 am draethawd ar enwau lleoedd sir Feirionnydd. Yn 1956 dyfarnwyd iddo wobr G.T. Clark (a gynigir am ymchwil i hanes Celtaidd) am ei waith a gyhoeddwyd yn *The prehistoric and Roman remains of Flintshire* (1949). Yr oedd hefyd yn awdur *Llyfr y proffwyd Hosea* (1920), *Flintshire place names* (1959) a llawer o erthyglau yn *Yr Haul*, *Y Llan*, *Y Bywgraffiadur Cymreig hyd* 1940 a chyfnodolion cymdeithasau hanes. Bu'n gydolygydd *Archaeologia Cambrensis* o 1925 hyd 1940 ac yn olygydd wedyn hyd 1948. Yn 1929 etholwyd ef yn Gymrawd Cymdeithas yr Hynafiaethwyr (F.S.A.) ac yn 1959 cafodd D.Litt. er anrh. gan Brifysgol Cymru.

Pr. Mary Louisa (m. 27 Mai 1937), merch y Parchg. David Davies, Llansilin. Bu f. 3 Ebr. 1962 ym Mryn Derwen, Caerwys, Ffl., gan adael tri mab a thair merch.

Arch. Camb., 1962, 168-9; *Llan*, 13 Ebr. 1962, 7; Ffilm 302 LlGC, myfyrwyr Coleg Dewi Sant.

M.A.J.

DAVIES, ERNEST SALTER - gw. SALTER DAVIES, ERNEST isod.

DAVIES, EVAN THOMAS (1878-1969), cerddor; g. 10 Ebr. 1878 yn 41 Pontmorlais, Merthyr Tudful, Morg., yn fab i George (barbwr gyda'i siop yn South Street, Dowlais), a Gwenllian (g. Samuel) ei wraig. Fe'i magwyd yn Nowlais, ond symudodd i Ferthyr Tudful yn 1904. Yr oedd ei rieni'n gerddorol; buasai ei dad yn arwain y canu yn Hermon, Dowlais, am bron chwarter canrif, ac yr oedd ei fam o linach y cyfansoddwr caneuon R.S. Hughes (*Bywg.*, 367) ac yn gantores dda. Addysgwyd ef yn breifat a daeth yn drwm dan ddylanwad Harry Evans (*Bywg.*, 220) ac eraill. Aeth ar daith i T.U.A. gyda pharti o gantorion o Gymru yn 1898, ac ar ôl iddo ddychwelyd daethpwyd i'w ystyried fel prif gerddor ei fro enedigol, ac fel olynydd teilwng i Harry Evans, ei athro. Bu'n organydd capel Pontmorlais, Merthyr Tudful, 1903-17, ac yn athro canu rhan-amser yn ysgol ganolraddol Merthyr Tudful, 1904-20, gyda'i gartref yn `Cartrefle' ger yr ysgol - tŷ a fuasai'n gartref i Harry Evans.

Ar ôl ennill diploma F.R.C.O. bu galw mawr am ei wasanaeth fel unawdydd organ, a dywedir iddo agor tua chant o organau newydd yng Nghymru a Lloegr. Yn 1920 penodwyd ef yn gyfarwyddwr cerdd llawn-amser cyntaf yng Ngholeg y Brifysgol, Bangor, lle y bu'n gyfrifol am sefydlu llu o weithgareddau cerddorol, ac y bu'n cydweithio â Walford Davies (*Bywg.* 2, 9), i ledaenu gwybodaeth gerddorol i gylch eang o dan nawdd cyngor cerdd y Brifysgol. Ymddeolodd yn 1943 a symud i fyw i Aberdâr, lle y treuliodd weddill ei oes yn cyfansoddi, beirniadu a darlledu.

Daeth i sylw fel cyfansoddwr ar ôl ennill y wobr gyntaf am yr unawd `Ynys y Plant' yn Eist. Gen. Llundain, 1909, ac er nad oedd yn cael ei ystyried yn gyfansoddwr toreithiog, a'i fod yn tueddu i edrych ar gyfansoddi fel hobi yn unig, llwyddodd i ddylanwadu'n llesol ar gerddoriaeth ei genedl am dros hanner canrif. Heblaw ysgrifennu nifer fechan o ganeuon, cyfansoddodd hefyd ranganau, anthemau a gweithiau ar gyfer gwahanol offerynnau a chyfuniadau offerynnol, a cheir ganddo tua 40 o donau, siantiau ac anthemau mewn gwahanol gasgliadau tonau. Yr oedd yn effro i'r gwaith rhagorol a wnaethai John Lloyd Williams (*Bywg.*2, 62) ym maes canu gwerin ym Mangor o'i flaen, ac ef oedd un o gerddorion cyntaf y genedl i weld digon o rinwedd yn yr alawon gwerin i'w trefnu ar gyfer llais neu offeryn. Y mae ei drefniadau o'r alawon hyn, dros gant ohonynt (gydag amryw ohonynt wedi cael eu llunio pan oedd y cyfansoddwr mewn gwth o oedran) yn firain ac yn artistig. Ymddiddorai hefyd yn alawon cenedlaethol y genedl, a chydolygodd â Sydney Northcote *Caneuon cenedlaethol Cymru* (1959). Pr., 31 Awst 1916, Mary Llewellyn, merch ieuangaf D. Williams Jones, Aberdâr. Bu f. yn ei gartref yn Aberdâr ddydd Nadolig 1969.

Cerddor, Tach. 1909; David Morgans, *Music and musicians of Merthyr and district*; *Cymro*, 7 Ion. 1970; *Cerddoriaeth Cymru*, 3, (1970), 2-10; Robert Smith, *A catalogue of contemporary Welsh music*, rhif 5 (1972).

H.W.

DAVIES, GLYNNE GERALLT (1916-68), gweinidog (A) a bardd; g. yn Lerpwl 21 Chwef. 1916, ond magwyd ef yn y Ro-wen, Dyffryn Conwy, Caern. Addysgwyd ef yn ysgol y Ro-wen ac ysgol ramadeg Llanrwst. Bu am gyfnod yn gweithio yn swyddfa Henry Jones, cyfreithiwr yn Llanrwst. Dechreuodd bregethu gyda'r MC a bu dan addysg bellach yng Ngholeg Clwyd, Coleg y Brifysgol, Bangor, a'r Coleg Diwinyddol yn Aberystwyth. Safodd fel gwrthwynebwr cydwybodol yn ystod Rhyfel Byd II a bu'n gweithio ar y tir gartref yn y Ro-wen. Ar ddiwedd y rhyfel ymunodd â'r Annibynwyr ac ar ôl cyfnod byr yng Ngholeg Bala-Bangor, ord. ef, a bu'n gweinidogaethu ar eglwysi Peniel a Gerisim, Llanfairfechan 1946-51; Ebeneser, Bangor 1951-65; Salem, Bae Colwyn a Degannwy Avenue, Llandudno 1965-68.

Bwriodd ei brentisiaeth fel bardd ym 'Mhabell awen' *Y Cymro* dan gyfarwyddyd Dewi Emrys (gw. JAMES, DAVID EMRYS isod) a daeth dan ddylanwad R. Williams Parry (gw. isod) ym Mangor ac E. Prosser Rhys (*Bywg.2*, 48) yn Aberystwyth. Enillodd lawer o wobrau eisteddfodol gan gynnwys rhai yn yr Eist. Gen. Ar wahân i fod yn weinidog gofalus a hoffus daeth yn adnabyddus i gylch eang yng ngogledd Cymru fel beirniad eisteddfodol, colofnydd mewn papurau wythnosol, darlledwr ac athro gyda Mudiad Addysg y Gweithwyr. Cyhoeddodd ddwy gyfrol o farddoniaeth: *Yn ieuenctid y dydd* (1941) a *Y Dwyrain a cherddi eraill* (1945). Ar ôl ei f. cyhoeddwyd trydedd gyfrol o'i farddoniaeth, *Yr ysgub olaf* (1971). Enillasai radd M.A. Prifysgol Lerpwl yn 1958 am draethawd ar fywyd a gwaith Gwilym Cowlyd (*Bywg.*, 831), a chyhoeddodd ei weddw ef dan y teitl *Gwilym Cowlyd 1828-1904* (1976).

Pr. Freda Vaughan Davies, Maesneuadd, Pontrobert a bu iddynt fab a merch. Bu f. yn ei gartref ym Mae Colwyn 13 Meh. 1968, a chladdwyd ef ym mynwent Bron-y-nant, Bae Colwyn.

Gwybodaeth bersonol; *Lleufer*, 24, rhif 2 (1968), 7-12; rhagair i *Yr ysgub olaf*; *Blwyddiadur A*, 1969; *Baner*, 11 Gorff. 1968.

De.J.

DAVIES, GRIFFITH ('Gwyndaf'; 1868-1962); bardd, athro beirdd, a hynafiaethydd; g. 5 Chwef. 1868 yn nhyddyn bychan Llwynpîod, Llanuwchllyn, Meir. Bu f. ei dad, Griffith Davies, cyn ei eni, a chafodd ei fam amser caled wrth fagu eu dau fab, Griffith a Thomas. Bu yn yr ysgol leol, ac am gyfnod yn ysgol enwog Owen Owen (1850-1920; *Bywg.*, 675-6) yng Nghroesoswallt. Treuliodd ran helaethaf ei oes yn ffermio Bryncaled, fferm yn ymyl Llwynpîod. Pr. (1) Elin Davies, Bryncaled, Llanuwchllyn, ac yna (2) Kate Ann Jones, Bryn Coch, Llanuwchllyn, un o wehelyth John Jones, ('Tudur Llwyd') Weirglodd Gilfach, Llanuwchllyn, bardd a hynafiaethydd. Bu iddynt un ferch, Megan. Treuliodd Gwyndaf flynyddoedd olaf ei oes ym mwthyn Glan'rafon wrth droed Carndochan. Yr oedd yn ddiacon yn eglwys annibynnol Yr Hen Gapel, Llanuwchllyn, a bu'n aelod a henadur o gyngor sir Meirionnydd am 40 mlynedd. Bu'n is-lywydd Cymdeithas Hanes Meirionnydd, ac yn aelod o Gymdeithas Hanes Penllyn. Yr oedd yn gynganeddwr ac englynwr medrus, a bu'n athro beirdd gydol ei oes faith. Bu'n eisteddfodwr brwd, a derbyniwyd ef i'r Orsedd yn 1911, a bu'n annerch o'r Maen Llog fwy nag unwaith. Ysgrifennai'n gyson i'r wasg leol, ac yn achlysurol i'r *Tyst*, *Y Dysgedydd* a'r *Geninen*. Yn 1910 cyhoeddodd lyfryn bychan yn cynnwys ei awdl i Michael D. Jones (*Bywg.*, 466). Wedi ei farw, cyhoeddwyd, yn 1966, dan olygiaeth James Nicholas, gyfrol o'i waith, *Awen Gwyndaf Llanuwchllyn*. Bu f. 4 Chwef. 1962, ddiwrnod cyn ei 94 mlwydd oed, a chl. ym mynwent newydd Llanuwchllyn.

Gwybodaeth gan Megan Davies; *Awen Gwyndaf* (1966); Ifan Roberts; ac adnabyddiaeth bersonol.

I.O.

DAVIES, GWENDOLINE ELIZABETH (1882-1951), casglydd celfyddydwaith a chymwynaswydd; g. yn Llandinam, Tfn., 11 Chwef. 1882; ei thad Edward oedd unig fab David Davies, 'Top Sawyer' (*Bywg.*, 105-6). Bu f. ei mam, Mary unig ferch Evan Jones, Trewythen, gweinidog (MC) yn 1888 ac ymhen tair blynedd fe briododd Edward ei chwaer Elizabeth (bu f. 1942).

Addysgwyd Gwen Davies a'i chwaer Margaret (gw. isod) yn ysgol Highfield, Hendon, a thrwy deithio tramor, yn enwedig yn Ffrainc. Eu bwriad wrth brynu plasty Gregynog, ger y Drenewydd, yn fuan wedi Rhyfel Byd I oedd sefydlu canolfan gelfyddyd a chrefft i Gymru. Un grefft a ddatblygwyd, sef argraffu, a hynny i raddau pell oherwydd ynni Thomas Jones, C.H., (gw. isod). Rhwng 1923 ac 1942 fe gyhoeddodd Gwasg Gregynog ddau deitl a deugain mewn argraffiadau cyfyngedig; ac ymhlith y cyfrolau, llawer ohonynt yn hynod hardd eu hargraffyddiaeth a'u rhwymiad, yr oedd wyth yn Gymraeg a nifer dda o'r lleill ag iddynt gysylltiadau Cymreig. (Ni allai'r chwiorydd siarad Cymraeg.) Dechreuodd y ddwy brynu darluniau o ddifrif yn 1908, ac yn ystod y pymtheng mlynedd nesaf fe ffurfiwyd ganddynt gasgliadau nodedig, a roddwyd neu a gymynwyd bron yn gyfan i Amgueddfa Genedlaethol Cymru yng nghwrs amser. Eu cynghorwr yn eu prynu cynnar oedd Hugh Blaker (1873-1936), brawd eu hathrawes breifat a churadur Amgueddfa Caerfaddon ar un adeg, ac o'r gweithiau a brynwyd y mae enghreifftiau gwych anghyffredin o ddarluniau gan Corot, Millet, Cézanne, Monet a Renoir, ac o gerfluniau gan Rodin. Yr oedd Gwen Davies hefyd yn feiolinydd amatur pur fedrus ac fe aed ati yn fuan i ddatblygu bywyd cerddorol Gregynog. Wedi adeiladu ystafell gerdd fe gafwyd Frederick Rothwell i osod organ ynddi dan arolygiaeth Syr Walford Davies (*Bywg.2*, 9) a oedd hefyd yn bennaf gyfrifol am y cyngherddau a gyrhaeddodd eu hanterth yn y gwyliau blynyddol o gerdd a barddoniaeth rhwng 1933 ac 1938. Yr oedd y chwiorydd yn aelodau o gôr Gregynog a ganai yn y cyngherddau hyn, ac fe fu Elgar, Holst a Vaughan Williams ynddynt fel ymwelwyr. Y ddwy chwaer oedd yn gyfrifol am y rhan fwyaf o'r cymorth ariannol a gafodd y Cyngor Cerdd Cenedlaethol, ac ymhlith derbynwyr eu rhoddion elusennol - sylweddol iawn yn aml - yr oedd llawer o sefydliadau cerddorol, cymdeithasol, meddygol ac addysgol. Yng Ngregynog, hefyd, rhoddwyd croeso i nifer o gynadleddau ar faterion y dydd, yn fynych mewn cydweithrediad â'u brawd, yr Arglwydd Davies Iaf (*Bywg*.2, 8).

Yr oedd ffordd o fyw y chwiorydd, wedi ei gwreiddio mewn cefndir cadarn Calfinaidd, ymhell o fod yn gonfensiynol aristocrataidd. Hytrach yn swil a diymhongar oedd y ddwy, ac am lawer blwyddyn yr oedd dylanwad eu llysfam awdurdodol yn drwm arnynt. Ond yr oedd gan yr hynaf bersonoliaeth fwy anturus ac efallai ddychymyg mwy effro, gyda pheth hoffter at foeth ac amrywiaeth, er enghraifft ym myd garddio. Er mor ddiymhongar oeddynt yr oedd iddynt eu delfrydau, ynghŷd â'r moddion a'r ewyllys i'w gwireddu.

Bu f. Gwen Davies, a grewyd yn C.H. yn 1937, yn ysbyty Radcliffe, Rhydychen, ar 3 Gorff. 1951, a chladdwyd ei llwch yn Llandinam.

I. Parrott, *The spiritual pilgrims* (1969); *Gregynog* (1977); J. Ingamells, *The Davies Collection of French art* (1967); P. Cannon-Brookes, 'The Davies Sisters', *Apollo*, 109 (1979), 205, 221-6; T. Jones, *The Gregynog Press* (1954); M. Hutchins, *Printing at Gregynog* (1976); D. Harrop, *A History of the Gregynog Press* (1979); [Eirene White, *The ladies of Gregynog* (1985)].

G.T.H.

DAVIES, GWILYM (1879-1955), gweinidog (B), hyrwyddwr dealltwriaeth rhyngwladol; sylfaenydd Neges Heddwch Plant Cymru; g. 24 Mawrth 1879 yn Nghwmfelin, Bedlinog,Morg. (lle mae cofeb iddo), yn un o feibion D.J. Davies, gweinidog (B). Yr oedd yn ddisgybl-athro ym Medlinog pan symudodd ei dad i gyffiniau Llangadog ac aeth yn ddisgybl i ysgol ramadeg Llandeilo. Dechreuodd bregethu mor gynnar ag 1895, a pharatôdd ei hun at y weinidogaeth yn y Midland Baptist College, Nottingham, ac yng Ngholeg Rawdon. Yno enillodd ysgoloriaeth Pegg a'i galluogodd i fynd i Goleg Iesu, Rhydychen, lle y graddiodd. Tra oedd yn Rhydychen golygodd *The Baptist Outlook*. Yn 1906 ord. ef yn weinidog yn Broadhaven, Penf., a'r flwyddyn honno pr. (1) Annie Margaret Davies ond bu hi f. 3 Rhag. 1906 a'u mab bedwar mis yn ddiweddarach; claddwyd hwy ym mynwent Cwmifor (B), Maenordeilo, Caerf. Wedi hynny bu'n weinidog yng Nghaerfyrddin, 1908-15; Y Fenni, 1915-19; a Llandrindod 1919-22. Yr oedd yn un o sylfaenwyr Ysgol Gwasanaeth Cymdeithasol yng Nghymru yn 1911, a dangosodd wreiddioldeb fel ysgrifennydd, cadeirydd a llywydd y mudiad. Yr oedd eisioes yn adnabyddus am iddo sefyll dros iawnderau bechgyn o'r ysgolion diwygio na chaent eu trin yn deg bob amser gan eu cyflogwyr.

Yn 1922 ymddeolodd o'r weinidogaeth i hyrwyddo heddwch rhyngwladol. Cychwynnodd ef ac (Arglwydd) David Davies (*Bywg*.2, 8) adran Gymreig Undeb Cynghrair y Cenhedloedd gyda'i chanolfan yn Aberystwyth a bu'n gyfarwyddwr o'r cychwyn (1922-45). Cynhaliwyd cynadleddau blynyddol (1922-39) yng Ngregynog ar addysg ryngwladol hyd nes i Gynghrair y Cenhedloedd chwalu. Yn ystod y rhyfel gofynnwyd i'r Pwyllgor Addysg Gymreig lunio o dan ei gyfarwyddyd ef gyfansoddiad mudiad addysg ryngwladol. Ar y cynllun a gyflwynodd Gwilym Davies y

seiliwyd cyfansoddiad UNESCO. Ond cofir ef yn bennaf am gychwyn yn 1922 neges heddwch plant Cymru i blant y byd a ddarlledir yn awr ar y radio ar 18 Mai. Yn ddamweiniol, ef oedd y cyntaf i ddarlledu yn Gymraeg, a hynny ar Ddydd Gŵyl Dewi 1923. Defnyddiodd y sinema, radio a'r wasg i hyrwyddo'i waith. Ymddangosodd llawer o erthyglau pwysig ganddo yn *Welsh Outlook*, *Yr Efrydydd*, ac yn *Y Traethodydd* (lle yr ymddangosodd ei erthygl ddadleuol ar Blaid Cymru yn 1942). Casglwyd rhai ohonynt yn *Y Byd ddoe a heddiw* (1938). Cyhoeddodd *International education in the schools of Wales and Monmouthshire* (1926), *The Ordeal of Geneva* (1933), *Intellectual co-operation between the Wars* (1943), a *The Gregynog conferences on international education 1922-37* (1952), yn ogystal ag adroddiadau blynyddol cyngor cenedlaethol Cymru o Undeb Cynghrair y Cenhedloedd, 1923-39, ac o Gymdeithas y Cenhedloedd Unedig, 1943-46. Gwnaethpwyd ef yn C.B.E. yn 1948, a derbyniodd radd LL.D. er anrh. gan Brifysgol Cymru yn 1954.

Bu ei iechyd yn fregus ers dyddiau coleg. Treuliodd lawer o'i fywyd yng Nghaerdydd a Genefa, ac aeth ei waith ag ef i bob rhan o'r byd. Pr. (2) ar 24 Ion. 1942 â Mary Elizabeth Ellis, Dolgellau (yr ail wraig i gael ei phenodi'n arolygwr ysgolion yng Nghymru; cafodd ganiatâd i br. ac i ddal ei swydd hyd 1943). Cartrefasant yn 8 Rhodfa'r Môr, Aberystwyth. Bu ef f. 29 Ion 1955 a gwasgarwyd ei lwch ger Trwyn Larnog, Penarth, lle y trosglwyddodd y negeseuau radio cyntaf ar draws y dŵr.

Ieuan Gwynedd Jones (gol.), *Gwilym Davies, 1879-1955* (1972); papurau Gwilym Davies yn Ll.G.C., 1955-72; gwybodaeth gan D. Emrys Williams, Aberystwyth.

M.A.J.

DAVIES, HARRY PARR - gw. PARR-DAVIES, HARRY isod.

DAVIES, HUGH EMYR (1878-1950), gweinidog (MC) a bardd; g. 31 Mai 1878 ym Mrynllaeth, Aber-erch, Caern., mab Tudwal ac Annie Davies. Addysgwyd ef yn ysgol sir Pwllheli, ysgol Clynnog, Coleg y Brifysgol, Aberystwyth a Choleg y Bala. Ord. ef yn 1909, a bu'n gweinidogaethu yn Llanddona, Môn (1920-29). Pr., 1910, Sidney Hughes o'r Bala, a bu iddynt un ferch. Ar ôl ymddeol bu'n byw yng Nghaergybi ac ym Mhorthaethwy. Bu f. 21 Tach. 1950 yn Llandegfan.

Yr oedd yn bregethwr melys i'w ryfeddu, ond fel bardd y daeth i amlygrwydd. Enillodd gadair ym Mhwllheli pan oedd yn 16 mlwydd oed, ac ar ôl hynny cipiodd 22 o gadeiriau eisteddfodol. Meistrolodd y cynganeddion, ond yn y mesurau rhydd y rhagorai. Cyhoeddwyd casgliad o'i weithiau yn 1907 dan y teitl *Llwyn Hudol*. Cafodd y goron yn Eist. Gen. Caernarfon (1906) am bryddest, 'Branwen ferch Llŷr'; a thrachefn yn Llangollen (1908) am bryddest, 'Owain Glyndŵr'. Enillodd hefyd gadair Eist. Gen. America yn 1929. Bu'n beirniadu ar gystadleuaeth y goron droeon yn yr Eist. Gen.

WwW (1937), 35; *Blwyddiadur MC*, 1951, 250-51; *Gol.*, 13 Rhag. 1960.

G.M.R.

DAVIES, HUGH MORRISTON (1879-1965), arloeswr amlycaf llawfeddygaeth y thoracs ym Mhrydain; g. 10 Awst 1879 yn fab i Dr. William Davies, brodor o Abertawe, a oedd yn feddyg teulu yn Huntingdon. Addysgwyd ef yn Ysgol Caerwynt; Coleg y Drindod, Caergrawnt; ac yn Ysbyty Coleg y Brifysgol, Llundain. Ar ôl ennill rhai o'r gwobrau mwyaf clodforus graddiodd yn 1903. Sicrhaodd y graddau uwch o M.Ch. ac M.D. yng Nghaergrawnt yn 1907, a dilynwyd hyn gan F.R.C.S. yn 1908, a'r flwyddyn ganlynol fe'i hapwyntiwyd ar staff yr ysbyty.

Ar ôl cyfnod o ymchwil i'r broblem o adferiad nerflinynnau, trodd ei sylw at afiechydon yr ysgyfaint, ac ymweliad â Berlin yn 1910 a symbylodd ei ddiddordeb yn llawfeddygaeth y thoracs. Dwy fl. yn ddiweddarach nid yn unig fe leolodd dyfiant yn yr ysgyfaint gyda phelydrau-x, ond fe lwyddodd i'w symud ymaith, ac ef oedd y llawfeddyg cyntaf i gyflawni'r fath orchest. Dilynodd hyn gyda nifer o driniaethau newydd a thra gwerthfawr. Yr oedd y llwyfan wedi'i gosod ar gyfer gyrfa o addewid eithriadol, a hyd yn oed o gamp unigryw.

Mîs Ion. 1916 tra'n trin archoll heintiedig cafodd y profiad trychinebus o wenwyno ei law dde ei hun. O ganlyniad i ffyrnigrwydd yr heintiad yr oedd ei fywyd mewn perygl enbyd. Argymhelliad rhai o feddygon enwocaf Llundain oedd i'r claf ganiatáu iddynt drychu'r fraich. Gwrthododd Davies. Ar ôl triniaeth ar raddfa eang arbedwyd ei fywyd, ond y canlyniad oedd crafanc llurguniol o law ddiwerth, gyda'r arddwrn a'r penelin yn ansymudol. Yr oedd yn alaethus amlwg fod disgleirdeb ei yrfa wedi'i ddifodi, ac yntau ond 37 ml. oed. Yr oedd ei ymddeoliad o'r ysbyty yn anochel.

Cynigiodd yr ysbyty iddo swydd fel radiolegydd, ond yn 1918 penderfynodd Davies gyda dewrder anhygoel brynu Sanatorium Neuadd Llanbedr, ger Rhuthun, oherwydd byddai'n uniongyrchol gyfrifol am ei gleifion ei hun. Y flwyddyn ddilynol cyhoeddodd y gyfrol gyntaf yn Saesneg ar lawfeddygaeth thorasig. Sylwodd bod angen triniaethau llawfeddygol ar nifer fawr o'i gleifion, a thrwy rym penderfyniad a dyfalbarhad addysgodd ei law chwith a'i law dde fethedig, i'w alluogi i ailafail yn ei arbenigaeth gynnar.

Ymhen ychydig flynyddoedd daeth Llanbedr yn ganolfan a enynnai ddiddordeb byd-eang. Apwyntiwyd Davies yn ymgynghorydd i bob sanatoriwm yng Nghymru, ac yn fuan estynnwyd ei gyfrifoldebau clinigol i gynnwys swyddi Caerhirfryn a Chaer. Dibynnai ei enw da ar y ffaith yr ymgorfforai ynddo'i hun mewn modd eithriadol ddoethineb cytbwys y ffisigwr profiadol gyda deheurwydd anturus llawfeddyg, ac ar ben hynny ei ddawn ddigymar i ddadansoddi ffilmiau radiolegol. Canlyniad y fath gyflenwad o dalentau oedd i'w lyfrau a'i gyhoeddiadau eraill gael eu derbyn fel y gair terfynol.

Ychwanegodd Rhyfel Byd II yn aruthr at faich ei gyfrifoldeb. Ef a sefydlodd, ac a ddaeth yn Gyfarwyddwr Gwasanaeth Thorasig y Gogledd-Orllewin yn Ysbyty Broadgreen, Lerpwl. Yno bu ei gyfraniad fel athro clinigol ac arweinydd gweinyddol o bwys allweddol, a chyfwerth fu ei lwyddiant yn hyfforddi grŵp o lawfeddygon ifainc medrus i'w ddilyn.

Parhaodd ei ymlyniad wrth y Ganolfan yn Broadgreen, mewn dull ymgynghorol, nes iddo gyrraedd ei bedwar ugain. Yna ymddeolodd i'w fwthyn yn Llanarmon-yn-Iâl, a pharhaodd yno i ymhyfrydu yn ei ardd er gwaethaf eiddilwch cynyddol.

Am gyfnod o hanner canrif a mwy mawr werthfawrogwyd ei lafur gan ei gydweithwyr, ac fe gafodd gydnabyddiaeth academaidd yn ogystal. Derbyniodd radd Ch.M. er anrh. gan Brifysgol Lerpwl yn 1943; rhoddwyd iddo Wobr Weber-Parkes gan Goleg Brenhinol y Ffisigwyr, Llundain, yn 1954; ac yn 1961 cyflwynwyd iddo LL.D. gan Brifysgol Cymru.

Dyn bychan o gorff ydoedd, dipyn yn wargam a'i ben ar un ochr. Yr oedd golwg braidd yn fregus arno a llefarai'n wastad mewn llais esmwyth ac uchel. Eto yr oedd yn berchen ynni a dewrder rhyfeddol, gyda gallu dihysbydd i weithio'n galed. Carai lyfrau, peintiadau a cherddoriaeth, a choleddai foduron mawr, nerthol a chyflym. Gŵr hawddgar a gwirioneddol fawr.

Pr. â Dorothy Lilian (bu f. 15 Hyd. 1966), merch Dr. W.L. Courtney, a bu iddynt ddwy ferch. Bu f. yn Llanarmon-yn-Iâl 4 Chwef. 1965.

Brit. Med. Jnl., 27 Chwef. 1965; *Lancet*, 13 Chwef. 1965; *Ann. Roy. Coll. Surgeons*, 1965, 36, 246-9; *Lives Fellows Roy. Coll. Surg.*, 1965-73, 99-100; *Times*, 5 Chwef. 1965; *Trans. Liverpool Med. Inst.*, 1965, 16-19; gwybodaeth bersonol.

E.W.J.

DAVIES, HUGH THOMAS (1881-1969), cerddor, llenor, ac un o arloeswyr Cymdeithas Cerdd Dant Cymru; g. 5 Ebr. 1881 yn y Felin Uchaf, Glanconwy, Dinb., yn fab i Richard Davies a'i briod Eunice (g. Williams). Pr., 4 Medi 1909, â Margaret, merch Griffith R. Jones, gweinidog (B) Ffordd Las, Glanconwy, a ganwyd iddynt bump o blant, pob un yn ymddiddori yn y `pethe'. Wedi byw am gyfnod yn Lerpwl ac yna yng Nglanconwy yn ei swydd fel tirfesurydd Conwy, symudodd H.T. Davies yn 1919 i Dywyn, Meir., lle treuliodd weddill ei oes fel pensaer, tirfesurydd a swyddog iechyd. Crefydd a cherddoriaeth oedd ei brif ddiddordebau, a rhoes gyfraniad sylweddol i'w gylch ac i'w genedl yn y ddau faes. Ef oedd un o sylfaenwyr Cymdeithas Cerdd Dant Cymru ar 10 Tach. 1934, a bu'n llywydd y Gymdeithas ac yn drysorydd iddi am 12 ml. Yr oedd yn feirniad cenedlaethol, yn osodwr toreithiog ac yn gyfansoddwr ceinciau gosod. Bu'n hyfforddwr ar lu o bartïon, unigolion a chorau cerdd dant a ddaeth i'r brig yn yr Eisteddfodau Cenedlaethol a'r gwyliau cerdd dant. Gwerthfawrogwyd ei gyfraniad i fyd cerdd dant gan aelodau'r Gymdeithas a'i wneud yn aelod anrhydeddus am oes. Bu f. 14 Maw. 1969.

Gwybodaeth gan ei ferch, Margaret Eunice Williams, Aberystwyth.

A.Ll.D.

DAVIES, HYWEL (1919-65), darlledwr; g. yn Llandysul, Cer., 2 Chwef. 1919 yn un o bedwar o blant Ben Davies, gweinidog (A) (gw. uchod), a Sarah ei wraig. Addysgwyd ef yn ysgol ramadeg Llandeilo a Phrifysgol Caeredin. Graddiodd yn M.A. gydag anrhydedd mewn llenyddiaeth Saesneg.

I ddechrau, yr oedd ei fryd ar yrfa ym myd masnach ac ymunodd â chwmni Lewis ym Manceinion ond yn 1942 ymunodd â'r B.B.C. yn Llundain fel cyhoeddwr a darllenydd newyddion ac wedi hynny'n olygydd y newyddion Cymraeg. O 1946 ymlaen yr oedd yng Nghaerdydd yn drefnydd rhaglenni, yn is-bennaeth rhaglenni ac, o 1958 hyd ei farw, yn bennaeth rhaglenni. Yn 1961 teithiodd yn helaeth yn T.U.A. gydag ysgoloriaeth Sefydliad Ford.

Yn weinyddwr gwych, yr oedd Hywel Davies yn enwog drwy'r Deyrnas Unedig fel darlledwr radio ac yn ddiweddarach fel holwr mewn rhaglenni teledu. Yn 1959 enillodd ef a'r cynhyrchydd, David J. Thomas, y wobr gyntaf am eu rhaglen 'Out of this World' mewn cystadleuaeth ryngwladol ym Monte Carlo. Eto, yn 1962, ef oedd holwr y rhaglen 'It happened to me' a oedd yn llwyddiannus yn ei hadran yn yr un gystadleuaeth. Clodforwyd ef am ei delediadau o Eist. Ryngwladol Llangollen ac enillodd gymeradwyaeth ac edmygedd gwylwyr ym mhob rhan o'r Deyrnas Unedig am ei waith fel holwr yn y gyfres 'At Home'.

Yn Ion. 1965 cyhoeddodd y B.B.C. y ddarlith a draddododd yng nghyfres darlithoeddd awr ginio yng nghanolfan y B.B.C. yn Llundain ar 'The role of the regions in British Broadcasting'. Yn yr un flwyddyn fe'i hanrhydeddwyd â'r O.B.E. ychydig fisoedd cyn ei farw ar 16 Hyd. 1965. Ei weddw yw Lorraine a oedd gynt yn drefnydd 'Awr y Plant' a phrif gynhyrchydd Radio B.B.C. Cymru.

Adnabyddiaeth bersonol; *Portreadau'r Faner*, ii, 21-2.

O.E.

DAVIES, IDRIS (1905-53), glöwr, ysgolfeistr a bardd Eingl-Gymreig; g. 6 Ion. 1905 yn 16 Field Street, Rhymni, Myn.; mab i ddirwynwr mewn gwaith glo, Evan Davies, a'i wraig Elizabeth Ann. Y Gymraeg oedd iaith yr aelwyd.

Wedi gadael yr ysgol yn bedair ar ddeg oed bu'n gweithio am y saith ml. nesaf fel glöwr ym mhyllau lleol Abertyswg a Rhymni Maerdy. Ar ôl damwain pryd y collodd fys, a chymryd rhan weithgar amlwg yn streic gyffredinol 1926, bu'n ddi-waith a threuliodd y pedair bl. nesaf wrth yr hyn a alwai 'the long and lonely self-tuition game'. Yna aeth i goleg hyfforddi Loughborough a Phrifysgol Nottingham fel darpar athro, ac wyth ml. yn ddiweddarach enillodd ddiploma Prifysgol Llundain mewn hanes. Rhwng 1932 a 1947 bu'n dysgu yn ysgolion cyngor sir Llundain ac mewn ysgolion a oedd wedi gadael Llundain adeg y rhyfel i Pytchley (Northants.), Meesden (Herts.), Treherbert (Morgannwg) a Llandysul (Ceredigion). Yn 1947 dychwelodd i Gwm Rhymni ei febyd i ddysgu mewn ysgol plant iau yng Nghwmsyfiog, i ddarlledu, darllen, darlithio ac ysgrifennu tan iddo f. o gancr yn 7 Victoria Road, Rhymni, ddydd Llun y Pasg, 6 Ebr. 1953.

Yn ystod ei oes cyhoeddodd bedair cyfrol o'i farddoniaeth: *Gwalia Deserta* (1938), a ysgrifennwyd yn Rhymni; *The angry summer: a poem of 1926* (1943), gwaith tri mis ym Meesden; *Tonypandy and other poems* (1945), a ysgrifennwyd yn ystod yr arhosiad byr yn Nhreherbert: a *Selected poems* (1953), wedi'u dethol gan T.S. Eliot, a oedd o'r farn fod gan gerddi Idris Davies hawl i barhad fel 'the best poetic document I know about a particular epoch in a particular place'.

Yr oedd ei waith, mewn Cymraeg a Saesneg, yn adlewyrchu delfrydiaeth a gwrthwynebiad pobl mewn cyfnod o newid economaidd, cymdeithasol a chrefyddol dirfawr, yn enwedig dechreuad, twf a dadfeiliad hen dref haearn a glo Rhymni, sir Fynwy.

Wedi iddo f. cyflwynwyd dros ddau gant o'i gerddi llawysgrif a drama fydryddol fer, ynghyd â chopïau teipysgrif o'i ddyddiaduron cynhwysfawr o flynyddoedd y rhyfel, i Lyfrgell Genedlaethol Cymru yn Aberystwyth. Yn nes ymlaen, darganfuwyd rhagor o'i gerddi anghyhoeddedig a'r rhan fwyaf o'i ryddiaith: nofel heb ei gorffen, traethodau, nodiadau darlithiau a rhai o'i lythyrau. Ymddangosodd peth o'r deunydd diweddar hwn yn *The collected poems of Idris Davies* (1972), [Dafydd Johnston, *The Complete Poems of Idris Davies* (1994)], Islwyn Jenkins, *Idris Davies* (Writers of Wales; 1972), ac *Argo Record No. ZPL.1181: Idris Davies* (1972).

Meddai wybodaeth eang o farddoniaeth, ond ni ddilynodd unrhyw ffasiwn lenyddol boblogaidd. Daeth i gael ei ystyried yn gynryrchiolydd barddoniaeth cymoedd glo De Cymru yn ystod hanner cyntaf yr ugeinfed ganrif.

Adnabyddiaeth bersonol 1918-53; Islwyn Jenkins, *Idris Davies* (1972); Islwyn Jenkins, *Idris Davies of Rhymney* (1986); ei lsgrau. yn Ll.G.C.; papurau preifat.

I.Je.

DAVIES, IEUAN REES - gw. REES-DAVIES, IEUAN isod.

DAVIES, JAMES KITCHENER (1902-52); bardd, dramodydd a chenedlaetholwr; g. 16 Meh. 1902, yn fab i Thomas Davies o deulu Pant-glas, Blaencaron, a Martha (g. Davies), merch Pantfallen, Tregaron, Cer. Ym Mhantfallen y ganwyd eu meibion, Thomas, John ac yna James; ymhen tua blwyddyn symudodd y teulu i'r Llain, Llwynpïod, tyddyn ar gyrion Cors Caron, lle y ganwyd eu merch Letitia.

Cafodd James ei addysg gynradd yn ysgol yr eglwys, Tregaron. Pan oedd yn saith oed collodd ei fam, ac anfonwyd ef am gyfnod i Banbury (o'r lle y dychwelodd yn Sais bach uniaith!). Magwyd y plant wedyn yn y Llain gan fodryb iddynt, Mary Davies. Yn 1915, aeth i ysgol sir Tregaron. Yma y glynodd yr enw 'Kitchener' wrtho; tarddodd hynny o hen gellwair teuluol fod ei dad, a'i fwstas, yn debyg i'r maeslywydd Prydeinig nid anenwog, a 'Kitch' fu yntau i bawb wedyn.

Yr oedd tad yn ŵr cydnerth yn gweithio yng nglofa'r Garw ac yn dychwelyd i drin y tir bob gwanwyn, haf a Nadolig. Eithr daeth tro ar fyd pan briododd hwnnw yr eilwaith ac ymgartrefu ym Mlaengarw. Golygai hynny werthu'r tyddyn, a bu raid i'r fodryb adael a mudo i Donypandy yn 1919.

Cafodd y profiad o chwalu'r aelwyd argraff ddwys ar y llanc. Yn Nhonypandy yr oedd ei gartref bellach, eithr am y ddwy flynedd olaf yn yr ysgol arhosai mewn llety yn Nhregaron. Dyma'r pryd y cafodd nawdd a dylanwad arhosol yr athro hanes, S.M. Powell, a greodd ynddo ef fel mewn cynifer o enwogion y cylch hwnnw, serch at hanes a diwylliant ei fro a'i genedl, ac yn y ddrama a siarad cyhoeddus.

Gadawodd yr ysgol yng Ngorff. 1921 a mynd yn ddisgybl-athro i Flaengwynfi. O 1922 hyd 1925 dilynodd gwrs B.A. yn y Gymraeg ac addysg ynghyd â hanes, Lladin, ac athroniaeth yng Ngholeg y Brifysgol, Aberystwyth. Dyma 'Aber' y dygyfor creadigol a grewyd gan Idwal Jones (*Bywg.*, 477) a'i debyg. Dyma hefyd gyfnod y cyn-filwyr a'r gwrthwynebwyr cydwybodol (yr oedd ei gyfaill Gwenallt (gw. David J. Jones isod) yno tua'r un pryd), a thyfodd diddordeb Kitchener ym merw gwleidyddiaeth a heddwch Ewrob. Bu'n ysgrifennydd cymdeithas ddadlau'r coleg ac yn aelod o gyngor y myfyrwyr gan arwain mudiadau cymorth myfyrwyr y Cyfandir a Chynghrair y Cenhedloedd, a'u cynrychioli am fis mewn ysgol materion cydwladol yng Ngenefa yn 1925. Wedi cael ei dystysgrif athro yn 1926 aeth i ddysgu i Gwm Rhondda, ac yno mewn nifer o ysgolion y gweithiodd am weddill ei oes. Yn fuan wedi mynd yno bu farw'r fodryb, a dywed ef mewn ysgrif y bu hyn yn gymaint o golled iddo ag a brofodd o golli ei fam a gadael y Llain gynt.

Os bu gafael ei blentyndod a bro ei febyd yn drwm arno ef a'i waith, nid llai fu arwyddocâd y Rhondda iddo. Gweithiodd yn ddiarbed dros fywyd ac achosion Cymraeg y Cwm, talcen caled na fennodd ddim ar ei ysbryd. Arweiniodd frwydr hir i sefydlu'r ysgol Gymraeg yno. Gwasanaethodd dryfrith o gymdeithasau a sefydliadau cenedlaethol ynglŷn â diwylliant, addysg a heddwch; a bu'n eithriadol brysur yn trefnu a darlithio mewn addysg i oedolion. Ymboenai am dlodi a chyflwr economaidd y cwm oddi ar adeg y dirwasgiad, serch nad oedd lle amlwg i genedlaetholwr ym mudiadau'r gweithiwr yn ei oes ef; cynorthwyodd arbrawf cymdeithasol Maes yr Haf adeg y rhyfel. Yr oedd yn aelod o gapel Bethania, Tonypandy, ac arferai bregethu hyd y cymoedd, er na charai enw na delwedd pregethwr.

Eithr fel un o ladmeryddion Plaid Cymru y daeth i'r amlwg. Yr oedd yn areithiwr meistrolgar a dylanwadol, â dawn i gynhyrfu. Canfasiai a chynhaliai gyrddau awyr-agored (yn aml yng nghwmni ysbrydoledig Morris Williams, a'i wraig Kate (Roberts) hefyd, a drigai yn yr un stryd am gyfnod). Wedi sefyll am y cyngor sir, safodd yn ymgeisydd seneddol ei blaid yn nwyrain y Rhondda yn 1945, ac yn y gorllewin yn 1950, a thrachefn yn 1951, ychydig cyn ei salwch.

Pr. yn 1940 ag athrawes yn ysgol ramadeg Tonypandy, Mair Rees, o Ffos-y-ffin ger Aberaeron, a chartrefu yn Aeron, Brithweunydd, Trealaw, lle y ganwyd eu tair merch, Megan, Mari a Manon.

Yr oedd yn arddwr, yn gwmnïwr afieithus ac yn ddarllenwr eang. Ymdrwythodd yng ngweithiau Pantycelyn (W. Williams, (1717-90); *Bywg.*, 1013). Gwerthfawrogai waith Saunders Lewis a T.S. Eliot, a mynnai yntau le i'r bardd yn y theatr. Yr oedd ganddo ddiddordeb egnïol ym myd y ddrama; sefydlodd Gwmni Drama'r Pandy, a bu'n cynhyrchu ac actio ynddo yn y tridegau; daeth yn feirniad a darlithydd, a darlledodd gryn dipyn. Cyfrannodd lawer o erthyglau i'r wasg Gymraeg a Saesneg, ar wleidyddiaeth a drama gan amlaf. Derbyniwyd

ef i Orsedd y Beirdd yn 1945 ar sail ei gyfraniad i'r ddrama Gymraeg.

Arbrofion llenyddol cyson ydoedd ei ddramâu ei hun iddo, ffrwyth cystadleuaeth yn aml. Yn 1935 cyhoeddwyd *Cwm glo*, y ddrama am ddryllio cymdeithas a moes un o deuluoedd y dirwasgiad y bu'r helynt cyhoeddus rhyfeddaf yn ei chylch. Y mae'r ferch ynddi yn gadael i ennill ei thamaid ar y stryd; gwrthodasid ei gwobrwyo yn Eist. Gen. Aberafan yn 1934, a thyrrai pobl i'w gweld. Cyfansoddodd *Y tri dyn dierth* (1937), drama fer a addaswyd o un o storïau Hardy; *Susannah* (1938), drama un act seiliedig ar yr Apocryffa, a *Hen wlad fy nhadau* (1939), cyfieithiad o waith Jack Jones. Trasiedi farddonol yw *Meini gwagedd* (1944; ail arg. 1945) am gyni bywyd ar Gors Caron; gyda'i defnydd nodedig o gyfoeth iaith y fro, hi a ystyrid yn orau o'i waith, cyn *Sŵn y gwynt sy'n chwythu*. Cwplaodd bum drama arall: *Dies irae*, drama tair act ar hanes Buddug; *Gloria in excelsis*, drama radio fer ar thema'r Pasg; *Miss Blodeuwedd*, ffars ar y chwedl, mewn cywaith â'i wraig; *Y fantell fraith*, ar y cyd â'i ddosbarth ysgol haf yn Harlech yn 1942; a hefyd *Ynys Afallon*, drama led-fydryddol ar hanes Cymru. Honno yn ei dyb ef, oedd ei arbrawf mwyaf uchelgeisiol.

Ni chanodd lawer o gerddi unigol. Serch hynny, fel bardd y cofir ef, oherwydd ei fod yn ei ychydig waith barddonol, ac yn arbennig mewn un gerdd hynod, wedi gadael neges i'w gyfnod. Ym *Meini Gwagedd*, 'Ing cenhedloedd' ac 'Yr arloeswr' ceir y byrdwn a ddatblygwyd yn derfynol yn *Sŵn y gwynt sy'n chwythu* (1953), pryddest gomisiwn a ddarlledwyd yn 1952. Yn yr ysbyty, ac yntau rhwng dwy driniaeth lawfeddygol ar y cancr, yr ysgrifennodd hi, gan gab   oli ac adrodd ei ffurf derfynol i'w wraig ei chofnodi. Cerdd ysgytwol ydyw a'r bardd yn dadwisgo'i holl gymhellion; felly y gwnaethai Pantycelyn, ond ceir yma lais newydd didostur. Dyry inni olwg ar bererindod arswydus hyd at wyddfod sancteiddrwydd, a thry ymbil y Cymro rhag ei ddyletswydd yn argyfwng dyn ym mhob oes. Fe'i cydnabyddir yn un o gerddi Cymraeg mwyaf y ganrif hon, a daeth enw Kitchener yn gyfystyr â hi, ac ogystal ag â Chwm Rhondda a Phlaid Cymru.

Bu f. 25 Awst 1952, a chladdwyd ef ym mynwent Llethr Ddu, Trealaw. Dadorchuddiwyd cofeb iddo ar fur capel Llwynpïod ar 3 Medi 1977, ac yn 1980 cyhoeddwyd casgliad o'i brif weithiau, *Gwaith James Kitchener Davies*, gol. Mair Kitchener Davies.

Dogfennau a gwybodaeth gan ei weddw, yn bennaf, a'i chwaer; *Baner*, 23 Awst 1944, 27 Awst 1952; y Rhagymadrodd i *Sŵn y gwynt sy'n chwythu* (1953); *Lleufer*, gaeaf 1953; *Barn*, Ebr., Awst, 1966; J.K. Davies, 'Adfyw', *Cardi*, 3 Awst 1968, 14-18; Ioan Williams, *Kitchener Davies* (1985), llyfryddiaeth lawn.

G.Tu.

DAVIES, JENKIN ALBAN - gw. ALBAN DAVIES, JENKIN uchod.

DAVIES, JOHN GLYN (1870-1953), ysgolhaig, ysgrifennwr caneuon a bardd; g. 22 Hyd. 1870 yn 55 Peel St, Sefton Park, Lerpwl, yn fab i John a Gwen Davies. Masnachwr te oedd ei dad a'i fam yn ferch i John Jones, Tal-y-sarn (*Bywg.*,

450-1); brodyr iddo oedd George Maitland Lloyd Davies (*Bywg*.2, 8-9), Stanley Davies, a'r Capten Frank Davies. Addysgwyd ef yn y Liverpool Institute. Bu'n gweithio gyda chwmnïau llongau hwylio Rathbone Brothers (1887-92) a'r Cambrian (1892-95), gyda Henry Tate & Sons (1895-96) ac yna gyda'r *Mines Corporation of New Zealand* (1896-98). Wedi dychwelyd adref (drwy'r Taleithiau Unedig) fe'i perswadiwyd gan Thomas Edward Ellis ac eraill i fynd i Goleg Prifysgol Cymru, Aberystwyth i gasglu llyfrgell Gymraeg a fyddai'n sylfaen ymhellach ymlaen i Lyfrgell Genedlaethol Cymru. Bu yn Aberystwyth o 1899 i 1907 a gwneud gwaith da yno, ond yr oedd yn dra anfodlon ar amodau ei swydd. Yn 1907 fe'i penodwyd ar staff llyfrgell Prifysgol Lerpwl ac wedi hynny'n gynorthwywr i'r Athro Kuno Meyer yn adran Gelteg y Brifysgol. Pan ymddeolodd Meyer yn 1920 penodwyd J. Glyn Davies yn bennaeth yr adran ac arhosodd yn y swydd hon nes iddo ymddeol yn 1936; ym Mostyn ac yn Ninbych yr oedd yn byw, fodd bynnag. Wedi ymddeol bu'n byw yng Nghaergrawnt, Llandegfan, Llannarth (Ceredigion) a Llanfairfechan; ac yn Llanfairfechan y bu f. 11 Tach. 1953. Pr., 18 Gorff. 1908, â Hettie Williams o'r Ceinewydd, Cer., a bu iddynt fab a thair merch.

Cyfrannodd erthyglau ar lenyddiaeth Gymraeg i nifer o gylchgronau a chyhoeddodd *Welsh metrics* (1911). Er gwaethaf ei allu diamheuol ac addewid bendant ei waith cynnar, mympwyol ac anwastad fu cyfraniad J. Glyn Davies i ysgolheictod Cymraeg. Y mae, fodd bynnag, nodau athrylith ar ei ganeuon i blant, *Cerddi Huw Puw* (1923), *Cerddi Robin Goch* (1935) a *Cherddi Portinllaen* (1936), a sylfaenwyd, lawer ohonynt, ar ganeuon morwyr a glywsai pan oedd yn llanc. Ac y mae yn y gyfrol o farddoniaeth a gyhoeddwyd wedi ei farw, *Cerddi Edern a cherddi eraill* (1955), amryw delynegion sydd yn sicr o fyw. Gellir ychwanegu fod ei atgofion am y gymdeithas Gymreig a adnabu ym more oes, a'i sylwadaeth arni, bob amser yn ddiddorol a threiddgar odiaeth.

Hettie Glyn Davies, *Hanes bywyd John Glyn Davies* (1965); [ei bapurau yn Ll.G.C.].

G.G.

DAVIES, JOSEPH EDWARD (1876-1958), cyfreithiwr rhyngwladol; g. 29 Tach. 1876 yn Watertown, Virginia, T.U.A., mab Edward Davies, saer, a Rachel (*Bywg*., 135) ei wraig, efengyles a bardd a adweinid fel 'Rahel o Fôn'. Treuliodd beth amser yn blentyn yn sir Fôn, ac yn ystod ei ddyddiau coleg deuai bob haf i Gymru a threuliai beth amser gydag Evan Rowlands Jones, conswl dros T.U.A. yng Nghaerdydd, a brodor o Dregaron, fel ei dadcu. Y cysylltiad â Thregaron a barodd iddo yn ddiweddarach roi enw'r dref honno ar ei dŷ yn Washington y dymunai weld ei ddefnyddio yn ysgol i fyfyrwyr graddedig mewn astudiaethau rhyngwladol.

Galwyd ef i'r Bar yn Wisconsin yn 1901 a datblygodd yn gyfreithiwr rhyngwladol o fri. Ef oedd un o wŷr deheulaw Woodrow Wilson, a safodd etholiad aflwyddiannus i'r Gyngres yn 1918. Ymwrthododd â gwasanaeth cyhoeddus ar ôl hyn, a chanolbwyntio ar ei yrfa yn y gyfraith. Penodwyd ef yn llysgennad i Rwsia yn 1936 ac i wlad Belg yn 1938, i Rwsia yr eildro yn 1943 ac i Brydain yn 1945 ychydig cyn mynychu Cynhadledd Potsdam.

Derbyniodd tua naw gradd prifysgol, gan gynnwys LL.D. Prifysgol Cymru (1946), ac etholwyd ef yn islywydd Anrh. Gymd. y Cymm. Dyfarnwyd iddo *Medal of Merit* yn 1946, yr anrhydedd uchaf y gellid ei roi i ddinesydd gan lywodraeth T.U.A.; a chafodd anrhydeddau cyffelyb gan lywodraethau deg gwlad arall. Ceir ysgrifau ganddo mewn amryw gylchgronau (1913-47), ac adroddiadau ar ddiwydiant, treth corfforaethol ac agweddau ar y gyfraith. Daeth yn adnabyddus i gylch ehangach wedi cyhoeddi ei lyfr dadleuol, *Mission to Moscow* (1941).

Pr. (1), 10 Medi 1902, Emlen Knight, a bu iddynt dair merch: Eleanor, Rahel ac Emlen. Yr oedd yn ŵr cyfoethog iawn ei hun pan br. (2), yn 1935, Mrs. Marjorie Post a etifeddodd 20 miliwn doler gan ei thad. Bu f. 9 Mai 1958 a chladdwyd ef yng nghadeirlan Washington.

Www in America, 1951-60; *West. Mail*, 10 Mai 1958.

E.D.J.

DAVIES, Syr LEONARD TWISTON (1894-1953), noddwr celfyddyd ac astudiaethau bywyd gwerin; g. 16 Mai 1894, yn fab i William L.T. ac M.L. (g. Brown) Davies, Caer. Yr oedd yn orŵyr i Samuel Davies 'y cyntaf', gweinidog (EF; *Bywg*., 139) a'i wraig Mary (g. Twiston). Ysgrifennodd, yn 1932, gyfieithiad Saesneg o *Samuel Davies a'i amserau* (1866) o barch i'w hendaid. Fe'i haddysgwyd yn Charterhouse ac ym Mhrifysgol Lerpwl. Pr. (1), yn 1918, â Mary Powell ond cawsant ysgariad; a (2), yn 1924, â Dorothy Savile Jackson o Broughton Park, Manceinion; bu iddynt ddau fab ac un ferch. Treuliodd ddwy fl. gyda chwmni *Imperial Tobacco* a thair bl. (1915-18) wedyn yn y fyddin pryd y clwyfwyd ef yn dost nes gorfodi ei ryddhau, gyda theitl capten er anrhydedd. Ar ôl ffermio am gyfnod byr (hyd 1924) yn swydd Henffordd, symudodd i fyw i Rockfield Park, Trefynwy, lle y bu am weddill ei oes. Bu'n uchel siryf Mynwy yn 1933; yn aelod o gyngor sir Mynwy am flynyddoedd; yn llywydd cyngor cymunedau gwledig Mynwy; yn ynad heddwch, ac yn weithgar mewn nifer o gyfeiriadau eraill yn ei sir. Eithr yn sefydliadau cenedlaethol Cymru yr oedd ei brif ddiddordeb. Gweithredodd fel cadeirydd Cyngor Gwasanaeth Cymdeithasol Cymru, fel is-gomisiynydd Ambiwlans S. Ioan yng Nghymru ac fel aelod o lys Prifysgol Cymru. Yr oedd ei wasanaeth a'i haelioni i Lyfrgell ac Amgueddfa Genedlaethol Cymru yn dra nodedig. Bu'n drysorydd y Llyfrgell Genedlaethol ac ef ydoedd ei his-lywydd pan fu farw. Bu'n llywydd yr Amgueddfa Genedlaethol ac yn brif symbylydd sefydlu'r Adran Fywyd Gwerin (1936) a arweiniodd at greu'r Amgueddfa Werin Genedlaethol (1947) yn Sain Ffagan. Yr oedd rhestr ei roddion i'r Llyfrgell a'r Amgueddfa yn un faith; yr un pryd gweithiodd yn galed ac yn llwyddiannus i godi safonau cyflogau'r ddau sefydliad. Yn ei flynyddoedd olaf cynrychiolai'r Amgueddfa a'r Llyfrgell ar Gomisiwn Sefydlog Amgueddfeydd ac Orielau Celfyddyd Prydain. Yn 1937 dyfarnwyd iddo O.B.E. a'i urddo'n farchog (K.B.E.) yn 1939. Yr oedd yn is-raglaw

Mynwy, yn F.S.A., ac yn 1947 derbyniodd radd LL.D. gan Brifysgol Cymru. Ef oedd awdur *Men of Monmouthshire* (1933); (gydag Averyl Edwards) *Women of Wales* (1935) a *Welsh life in the eighteenth century* (1939); (gyda Herbert Lloyd-Johnes) *Welsh furniture: an introduction* (1950). Bu f. 8 Ion. 1953.

Adnabyddiaeth bersonol; [Gwybodaeth gan H. Lloyd-Johnes; ceir llsgrau. a gweithredoedd L.T. Davies yn Ll.G.C.].

I.C.P.

DAVIES, LEWIS (`Lewis Glyn Cynon'; 1863-1951), nofelydd, hanesydd lleol; g. yn Tramway, Hirwaun, Aberdâr, Morg., 18 Mai 1863, yn blentyn ieuangaf Lewis ac Amy Davies. Yr oedd ei dad yn ffeinar (`refiner') yng ngwaith haearn Crawshay ar Hirwaun. Addysgwyd y mab yn ysgol elfennol Penderyn nes iddo aeddfedu yn ddisgybl athro. Enillodd ysgoloriaeth i'r Coleg Normal, Bangor, lle y bu'n fyfyriwr am ddwy fl. (1881-82). Bu'n ysgolfeistr ym Mhenderyn o 1884 hyd 1886 ac yna symudodd i'r Cymer yn Nyffryn Afan, lle y bu'n ysgolfeistr hyd ei ymddeoliad yn 1926. Pr. Celia Lewis o Ben-y-pownd, Cwm Taf yn 1886. Bu'n ddiacon (am 60 ml.), ysgrifennydd (am 50 ml.) ac yn arweinydd y gân ac organydd eglwys (A) Hebron y Cymer. Bu'n gadeirydd cyngor dosbarth Glyncorrwg, yn ynad heddwch ac yn gadeirydd mainc ynadon y plant yn Aberafan, yn arweinydd seindorf *drum and fife* yn y Cymer ac yng Nghwm-parc ac yn arweinydd côr meibion Blaenau Afan. Ef oedd cyfansoddwr y dôn adnabyddus `Cymer'. Beirniadodd mewn cannoedd o eisteddfodau lleol ar ganu, adrodd, traethodau a barddoniaeth a hefyd yn yr Eist. Gen. Darlithiodd yn helaeth ar destunau llenyddol a cherddorol a hanesyddol a bu'n hyfforddwr ar y cynganeddion am lawer blwyddyn yn Ysgol Haf Llanwrtyd. Perthynai i genhedlaeth enwog o ysgolfeistri Cymraeg llengar a cherddgar. Enillodd tua 30 o wobrau yn yr Eist. Gen. am storïau, nofelau i blant, traethodau hanesyddol a daearyddol, nofelau hanes &c. Ei wobr fawr olaf oedd am nofel yn Eist. Gen. Dolgellau yn 1949, ac yntau yn 86 oed, yn fusgrell ac yn ddall mewn un llygad. Yr oedd yn ail i D. Rhys Phillips yn Eist. Gen. Castell-nedd, 1918, am draethawd ar hanes Cwm Nedd. Ef oedd yr colofnydd `Eryr Craig y Llyn' yn *Y Brython* a bu'n ohebydd cyson i bapurau'r De, yn genedlaethol ac yn lleol. Enillodd amryw gadeiriau am farddoniaeth mewn eisteddfodau lleol. Yr oedd yn awdurdod ar dribannau Morgannwg, ac fe rannodd y wobr am gasgliad gwych ohonynt yn Eist. Gen. Pen-y-bont ar Ogwr, 1948, ac yntau yn 85 oed. Ef oedd yr awdurdod ar hanes plwyf Penderyn, ac yr oedd ganddo ysgrifau hanesyddol ar ddyffryn Afan, Glyncorrwg, Margam, Blaen-gwrach, Mynachlog Nedd, Morgannwg, &c. Cyhoeddodd *Radnorshire* (Cambridge University Press, `County Series'), *Outlines of the history of the Afan districts*, *Ystorïau Siluria*, *Bargodion hanes* a 4 nofel antur - *Lewsyn yr heliwr*, *Daff Owen*, *Y Geilwad bach* a *Wat Emwnt*. Erys nifer o'i weithiau heb eu cyhoeddi.

Bu f. 18 Mai 1951 ac fe'i claddwyd ym mynwent gyhoeddus Cymer-Afan. Dadorchuddiwyd cofeb iddo yng nghapel Hebron, y Cymer, yn ymyl cofeb i'w hen gyfaill, Syr William Jenkins.

Brinley Richards, *Hamddena* (1972).

B.Ri.

DAVIES, LOUIE MYFANWY - gw. THOMAS, LOUIE MYFANWY isod.

DAVIES, MARGARET SIDNEY (1884-1963), casglydd celfyddydwaith a chymwynasydd, chwaer Gwendoline Elizabeth Davies (gw. uchod); g. yn Llandinam, Tfn., 14 Rhag. 1884. Er mai ar y cyd â'i chwaer y cyflawnwyd y rhan fwyaf o'i gweithgarwch, yr oedd hi ei hun yn arlunydd amatur eithaf derbyniol. Yr oedd `Miss Daisy' fel y gelwid hi fynychaf, yn fwy confensiynol ei chwaeth na'i chwaer, ond ar ôl marwolaeth Gwen fe helaethodd ei chasgliad o beintiadau i gynnwys Bonnard, Kokoschka, Sisley, Utrillo ac eraill. Hefyd fe brynodd weithiau gan arlunwyr Prydeinig cyfoes, gyda'r bwriad o osod seiliau casgliad teithiol wedi iddynt gael eu gadael i'r Amgueddfa Genedlaethol.

Derbyniodd radd LL.D. er anrh. gan Brifysgol Cymru yn 1949, ac yn 1960 fe gyflwynodd ei chartref a'r ystad yn rhodd haelionus i'r Brifysgol, i'w defnyddio'n ganolfan breswyl gynadleddol a chelfyddydol. Fe barhaodd hithau i fyw yn y neuadd fel deiliad hyd ei marw yn Llundain ar 13 Mawrth 1963. Claddwyd ei llwch yn Llandinam.

Am gyfeiriadau gweler yr erthygl ar ei chwaer.

G.T.H.

DAVIES, MORRIS (1891-1961), chwarelwr, hanesydd lleol a chwilotwr; g. 24 Meh. 1891 yn ffermdy Plas Capten, Trawsfynydd, Meir., yn fab i William Davies a'i wraig Ruth (g. Humphreys). Addysgwyd ef yn ysgol fwrdd Trawsfynydd (yr oedd Hedd Wyn (*Bywg.*, 214) yn gyfaill iddo yno), ond fel llawer o'i gyfoedion bu'n rhaid iddo ymadael â'r ysgol yn gynnar i weithio gartref ar y fferm. Gwasanaethodd gyda'r Ffiwsiliwyr Brenhinol Cymreig ym Mhalesteina a Ffrainc yn Rhyfel Byd I. Ar ôl hynny, hyd nes iddo ymddeol yn 1956, gweithiodd yn olynol yn chwareli Maenofferen, yr Oakleys a'r Llechwedd ym Mlaenau Ffestiniog. Y peth cyntaf a wnaeth ar ôl ymddeol oedd sefydlu cymdeithas leol i gael gwaith a gwell amodau byw i'r anafus.

John Dyfnallt Owen (gw. isod), pan oedd yn weinidog yn Nhrawsfynydd rhwng 1898 ac 1901, a'i symbylodd i ddechrau cymryd diddordeb yn hanes ei fro enedigol a bu wrthi'n ddyfal ar hyd ei oes yn casglu deunydd ac yn chwilota i'r pwnc. Ysgrifennodd yn achlysurol i bapurau fel *Y Cymro*, *Y Dydd*, *Y Rhedegydd*, *Y Seren*, *Yr Herald Cymraeg* a'r *Genedl* etc. Ystyrid ef yn awdurdod ar hanes Trawsfynydd a'r cylch. Diogelir ei holl lsgrau., yn unol â'i ddymuniad, yn y Llyfrgell Genedlaethol, rhifau 17843-932 (ceir detholiad ohonynt ar feicroffilm yn swyddfa cofysgrifau Meirionnydd). Yr oedd Morris Davies (neu `Moi Plas' fel y gelwid ef yn lleol), yn berson diwylliedig, hoffus a llawn hiwmor.

Pr. ddwywaith: (1) yn 1919 â Kate Lewis, Cwm Cynfal, Ffestiniog (bu f. 1929), a ganed pedair merch iddynt; (2) yn 1931 â Lisi Jones,

Tanygrisiau (bu f. 1968). Bu f. ym Mlaenau Ffestiniog 16 Ebr. 1961 a chladdwyd ef ym mynwent eglwys Salem, Trawsfynydd.

Gwybodaeth gan ei ferch hynaf, Mrs. Naomi Roberts, Dolgellau; *Baner*, 6 Tach. 1958; *Camb. News*, 28 Ebr. 1961; John Ellis Williams, *Moi Plas* (1969).

A.Ll.H.

DAVIES, OWEN PICTON (1882-1970), newyddiadurwr; g. 6 Meh. 1882, yn ffermdy Waunffynhonnau, Trimsaran, Caerf., mab i Stephen ac Anna Davies, Tre-lech. Symudodd y teulu i blwy Cilrhedyn, i fferm Morlogws Uchaf, yn 1884, ac y mae'r bumed genhedlaeth wedi parhau i ffermio yno. O 1886 hyd 1894 addysgwyd ef yn ysgol Pen-y-waun. Arhosodd gartref i weithio ar y fferm am ddwy fl. wedyn, gan ei fod yn rhy ifanc i fynd i ysgol y dref. Yn 1896 aeth i ysgol yr Hen Goleg, yn nhre Caerfyrddin, ac yna yn 1898 yn brentis ar y *Carmarthen Jnl.*, ac yn 1901 i fferm Rhondda fel gohebydd i'r *Western Mail*. Symudodd i Gaerdydd yn 1903 yn is-olygydd ar y *Western Mail*, ac i Gaernarfon yn 1907 yn olygydd *Yr Herald Cymraeg* a'r *Carnarvon and Denbigh Herald*, yn olynydd i Daniel Rees (*Bywg.*, 774).

Pan ddaeth y rhyfel yn 1914, cynigiwyd swydd is-olygydd iddo ar y *Western Mail*, ac fe'i derbyniodd. Yno y bu am rai blynyddoedd nes ei benodi'n olygydd y *Weekly Mail*. Parhaodd yn y swydd hon hyd 1949, ac eithrio ychydig o flynyddoedd yn y tri degau pan aeth yn ôl yn is-olygydd ar y *Western Mail*. Yn 1949 penodwyd ef yn hyfforddwr newyddiadurwyr ar staff y *Western Mail* nes iddo ymddeol dair bl. yn ddiweddarach. Treuliodd 54 o fl. ym myd y wasg.

Pan oedd y radio'n datblygu, ysgrifennodd lawer o erthyglau technegol ar y pwnc i'r papur. Yn ddiweddarach, ysgrifennodd tua 50 o raglenni nodwedd yn Gymraeg, a darlledwyd hwy o orsaf Radio Cymru yng Nghaerdydd. Cyhoeddodd *Atgofion dyn papur newydd* yn 1962.

Yn 1909 pr. Jane Jones, merch hynaf Capten a Mrs. David Jones, Caernarfon, a bu iddynt un ferch. Bu f. 10 Hyd. 1970.

Gwybodaeth bersonol.

En.P.

DAVIES, RHISIART MORGAN (1903-58), gwyddonydd ac athro ffiseg; g. yn Nghorris, Meir., ar 4 Chwef. 1903 yn fab i Rhys Davies gweinidog (A) a hanai o Wynfe. Addysgwyd ef yn ysgolion gramadeg Machynlleth a Dolgellau, a llwyddodd i ennill ysgoloriaeth i Goleg y Brifysgol, Aberystwyth, yn 1921. Graddiodd mewn ffiseg gyda gradd anrhydedd dosbarth I yn 1924, ac fe'i hapwyntiwyd yn yr un flwyddyn ar staff ymchwil ysgol H.M. Signals yn Portsmouth, ond y flwyddyn ddilynol dychwelodd i Aberystwyth yn ddarlithydd cynorthwyol yn yr adran ffiseg a gwnaed ef yn ddarlithydd cyflawn yn 1928. Yn 1937 enillodd D.Sc. (Cymru) am waith pwysig ar fesur cysonion deuelectrig ac elastig o dan amgylchiadau dynamig.

Yn 1938 enillodd ysgoloriaeth ymchwil Leverhulme, ac o'r herwydd gallodd weithio yng Nghaergrawnt. Yn ystod y cyfnod hwn, datblygodd ddiddordeb mewn tonnau diriant

(*stress waves*), a daeth yn un o'r prif arbenigwyr yn y maes hwn. Cyhoeddwyd canlyniadau ei waith yn 1948 a chydnabyddir hyn bellach o werth sylfaenol i'r gangen hon o ffiseg. Derbyniodd radd Ph.D. Caergrawnt am ei waith ymchwil. Rhyddhawyd ef o'i swydd yn ystod blynyddoedd Rhyfel Byd II ar gyfer gwaith ymchwil i'r Morlys i astudio ffrwydron tanfor.

Ar derfyn y Rhyfel dychwelodd i Aberystwyth. Ar farwolaeth Evan James Williams (*Bywg.*2, 61) syrthiodd gofal yr adran ar ei ysgwyddau ef, ac fe'i penodwyd yn Ebr. 1946 yn athro ffiseg y coleg. Aeth ati dros y blynyddoedd i gasglu ato ei gilydd dîm o wyddonwyr i'w adran i astudio'r problemau dirifedi ynglŷn â diriant, a daeth ei adran yn fyd-enwog. Bu'n is-brifathro'r coleg o 1954 hyd 1956 gan fod yn hynod o lwyddiannus, a hynny ar gyfnod eithriadol anodd.

Bu'n athro gwadd Sefydliad Technoleg California a Sefydliad Politechneg Reusselaer, 1956-57. Cyfrannodd nifer helaeth o erthyglau i wahanol gylchgronau gwyddonol, a'r pwysicaf ohonynt yn *Trans. Roy. Soc.* 1948 o dan y teitl `A critical study of the Hopkinson pressure bar', ac ef hefyd oedd cydolygydd a chyfrannwr i *Surveys in Mechanics* (1956). Bu'n gyfrifol am gyfres o ddarlithoedd radio ar `Gwyddoniaeth heddiw' yn ystod y tridegau.

Yr oedd ganddo nifer o ddiddordebau. Bu'n organydd a diacon yn eglwys Seion (A), Baker Street, Aberystwyth, am flynyddoedd. Yr oedd ganddo syniadau uchel am ansawdd addoliad cyhoeddus a lle caniadaeth y cysegr. Cadwai gyfrif o'r emynau a genid, ac anfynych y canai'r gynulleidfa yr un emyn ddwywaith mewn blwyddyn. Ymddiddorai hefyd mewn mabolgampau yn y coleg a bu'n drysorydd clwb pêl-droed y dref. Yr oedd ganddo bersonoliaeth hoffus. Byddai bob amser yn gwneud ei sigarennau ei hun gan eu rholio mewn papur licorys.

Pr. yn 1928 ag Elizabeth Florence, merch Thomas Davies, Aberystwyth, a bu iddynt un mab a fu farw'n ifanc. Bu f. yn ddisymwth ar 18 Chwef. 1958.

Www; *Courier*, 4 Chwef. 1956; *Dysg.*, Meh. 1958; Ellis, *UCW*.

M.R.W.

DAVIES, RHYS JOHN (1877-1954), gwleidydd a swyddog undeb llafur; g. 16 Ebr. 1877 yn Llangennech, Caerf., mab Rhys Davies, gweithiwr yn y diwydiant alcam, a brodor o Abergorlech, ac Ann (g. Griffiths), ei wraig, a hanai o Brechfa, ac a fu f. yn 34 blwydd oed wedi geni 11 o blant. Addysgwyd Rhys John yn ysgolion elfennol cenedlaethol a Phrydeinig Llangennech, cyn mynd am dair bl. yn was ffarm ger ei gartref. Yna symudodd i Gwm Rhondda at ei frawd a gweithio am ddeng ml. mewn pyllau glo yn Ferndale a Thonpentre. Yn 1901 fe'i penodwyd yn gyfrifydd i gymdeithas gydweithredol y Ton. Ymroddodd i drefnu'r *Amalgamated Union of Co-operative Employees* yn ne Cymru. Symudodd i Fanceinion yn 1906 yn swyddog amser llawn i'r undeb hwnnw, a adwaenid yn ddiweddarach fel NUADW (*National Union of Allied and Distributive Workers*). Yn 1910 cyhoeddodd ar y cyd â Joseph Hallsworth (a urddwyd yn farchog yn ddiweddarach, ac a ddaeth yn un o arweinwyr enwocaf yr undebau llafur) lyfr dan y teitl *The working life of shop assistants* yn trafod cyflogau isel ac amodau gwaith truenus gweithwyr y diwydiant hwnnw. Yr oedd yn awdurdod ar yswiriant cymdeithasol ac ar ôl i ddeddf yswiriant cenedlaethol ddod i rym yn 1911 arbenigodd ymhellach ar y wedd hon ar waith yr undeb, a daeth yn ysgrifennydd 'cymdeithas gydnabyddedig' y NUADW. Yr oedd yn aelod cynnar o'r I.L.P. ac ymdaflodd yn frwd i weithgareddau'r mudiadau llafur ac undebol ym Manceinion. Yn 1913 etholwyd ef ar gyngor y ddinas ac yn ystod y deng ml. nesaf bu'n aelod o'r awdurdod addysg ac o bwyllgor yswiriant Manceinion. Bu'n llywydd Plaid Lafur etholaeth Manceinion a Salford, cyngor undebau Llafur Manceinion a Salford, a Phlaid Lafur etholaeth Withington. Yn 1918 bu'n ymgeisydd Llafur aflwyddiannus yn West Salford, ond enillodd sedd Westhoughton mewn is-etholiad yn 1921, a'i chadw hyd ei ymddeoliad o'r Senedd yn 1951. Yn 1924 fe'i penodwyd yn is-ysgrifennydd yn y Swyddfa Gartref yn llywodraeth gyntaf y Blaid Lafur. Cyflawnodd ei orchwylion yn fedrus a chydwybodol ond nid oedd bod yn weinidog y Goron yn gydnaws â'i anian. Golygai fynych gyfaddawdu ag egwyddorion, peth nad oedd yn hawdd iddo. Deilliai ei sosialaeth yn fwy o deimlad crefyddol a dyngarol nag o ystyriaethau athrawiaethol. Yr oedd yn heddychwr digyfaddawd erioed. Yr oedd yn hynod boblogaidd yn ei etholaeth ymysg pobl a edmygai ei ddidwylledd a'i onestrwydd, serch iddynt anghytuno'n fynych â'i syniadau ar ddirwest a heddychiaeth. Daeth yn seneddwr dawnus ac yn feistr ar drefniadaeth y Tŷ. Bu am flynyddoedd lawer yn gyd-ysgrifennydd *British Group of the Parliamentary Union* ac yn 1945 etholwyd ef yn llywydd y corff hwnnw. Yn y cyswllt hwn, ac ar achlysuron eraill, ymwelodd â nifer fawr o wledydd y byd.

Er iddo fyw ym Manceinion am 45 ml. cyn ymddeol i Borth-cawl cadwodd gysylltiad agos â'i famwlad ar hyd yr amser. Nid yn unig yr oedd yn siaradwr Cymraeg huawdl ond cyfrannai'n aml i'r cyfnodolion, yn enwedig i'r *Cymro* a'r *Tyst*. Cyhoeddodd ddetholiadau o'r erthyglau hyn mewn dwy gyfrol glawr-papur - *Y seneddwr ar dramp* (1934) yn disgrifio ymweliadau â gwledydd tramor, a'i argraffiadau ohonynt, a *Pobl a phethau*, manion bywgraffyddol diddorol ac amryfal atgofion. Cyhoeddodd nifer o bamffledi, gan gynnwys *Y Cristion a rhyfel* (Pamphledi Heddychwyr Cymru III) yn 1941.

Yr oedd yn gerddor brwdfrydig ac arweiniai'r gân yn aml yn ei gapel, Bootle End (A), Manceinion. Gwahoddid ef ar brydiau i arwain cymanfaoedd canu yng Nghymru a Lloegr. Yn ystod streic y glowyr yn 1898 ffurfiodd gôr o 25 o leisiau yn y Rhondda i deithio'r wlad i gasglu arian i helpu teuluoedd y streicwyr.

Yn 1902 pr. â Margaret Ann Griffiths, athrawes gwyddor tŷ yn Nhonpentre, a bu iddynt dri mab. Brawd iddo oedd y bardd-bregethwr T. Cennech Davies (1875-1944; gw. David J. Thomas, *Bywyd a gwaith Cennech Davies* [1949]). Bu f. yn Mhorth-cawl 31 Hyd. 1954. Collasai ei wraig ryw flwyddyn cyn hynny.

Www; WwW (1921, 1933, 1937); *Times*, 2 Tach. 1954;

West. Mail, 1 Tach. 1954; Rhys J. Davies, *Pobl a phethau* (1943); *WWP*.

W.T.M.

DAVIES, RICHARD OWEN (1894-1962), gwyddonydd, ac athro cemeg amaethyddol; g. yn y Ganllwyd, ger Dolgellau, Meir., 25 Mai 1894, yn fab i Owen Davies, gweinidog (A). Addysgwyd ef yn ysgol ramadeg Dolgellau a Choleg y Brifysgol Aberystwyth lle'r enillodd radd M.Sc. yn 1916. Wedi cyfnod o 5 ml. mewn cemeg diwydiannol gyda chwmni ffrwydron Nobel, apwyntiwyd ef yn ddarlithydd cynorthwyol mewn cemeg amaethyddol yn ei hen goleg, a dyrchafwyd ef yn ddarlithydd yn 1925. Fel cymrawd o Urdd Graddedigion Prifysgol Cymru astudiodd broblemau ymbortheg yng ngogledd Amerig, ac yn 1939 fe'i hapwyntiwyd yn gemegydd ymgynghorol a phennaeth adran cemeg amaethyddol Coleg y Brifysgol, Aberystwyth, ar ymddeoliad yr Athro T.W. Fagan (gw. isod). Oherwydd prinder cyllid gadawyd y gadair mewn cemeg amaethyddol yn wag am y tro. Enillodd brofiad eang o ddysgu efrydwyr yn y brifysgol a'r rhai a gofrestrai yn ei ddosbarthiadau o dan nawdd yr adran efrydiau allanol, a gallai ddarlithio gyda'r un rhwyddineb yn Saesneg ac yn Gymraeg.

Ef oedd trysorydd pwyllgor bathu geiriau *Gwyddor gwlad*, y cylchgrawn Cymraeg cyntaf i drafod amaethyddiaeth ac a gyhoeddid ar ran adran amaethyddol Gymraeg Urdd Graddedigion Prifysgol Cymru (1952-63). Bu'n un o'r cyfranwyr cyntaf i'r cylchgrawn ac yn ddarlledydd cyson ar 'Wyddor gwlad' i ysgolion a 'Byd y ffermwyr' rhwng 1935 ac 1951. Yn ei waith ymchwil fe roddodd sylw arbennig i broblemau ynglŷn â phorfa a llaeth, a chydweithiodd yn glos â Bridfa Blanhigion Cymru. Cyfrannodd yn helaeth i nifer o gylchgronau technegol ac ysgrifennodd lawlyfr ar ddysgu cemeg i ysgolion o dan y teitl *Elfennau cemeg* (1937). Bu'n ddeon y gyfadran wyddonol (1950-51). Adferwyd y Gadair ac apwyntiwyd ef yn athro cemeg amaethyddol yn 1954. Ymddeolodd yn 1959 a gwnaethpwyd ef yn athro emeritws Prifysgol Cymru. Gwasanaethodd y Sefydliad Cemegol fel arholwr allanol mewn cemeg amaethyddol, 1944-54. Bu f. 25 Chwef. 1962 a chladdwyd ef ym mynwent gyhoeddus Aberystwyth. Pr. ym Meh. 1929 â Dinah Myfanwy, merch James Evans, Mydroilyn, Llannarth, Cer. [Bu hi f. 15 Mawrth, ychydig wythnosau cyn bod yn gant oed ar 10 Ebr. 1987.]

Jnl. Roy. Inst. Chem., Gorff. 1962, 300; Ellis, *UCW*; gwybodaeth gan ei briod.

M.R.W.

DAVIES, TOM EIRUG ('Eirug'; 1892-1951), gweinidog (A), llenor a bardd; g. yn ffermdy Troed-y-rhiw, Gwernogle, Caerf., 23 Chwef. 1892, unig fab John a Mary Davies. Bu'n gweithio ar y fferm hyd nes yr oedd yn 18 oed, ac yna cymhellwyd ef i bregethu. Cafodd ei addysg yn ysgol gynradd Gwernogle, ysgol baratoi Tremle, Pencader, 1910-12, Coleg y Brifysgol a Choleg (A) Bala-Bangor, ym Mangor 1912-19. Graddiodd yn B.A. (anrh. athroniaeth) a B.D. Cyfeiriodd y Prifathro Thomas Rees ato fel 'un o'i fyfyrwyr disgleiriaf'. Derbyniodd radd M.A. yn 1931 am draethawd ar gyfraniad Gwilym Hiraethog i fywyd a llên ei gyfnod. Bu'n weinidog ar eglwysi Cwmllynfell, 1919-26, a Soar, Llanbedr Pont Steffan a Bethel, Parc-y-rhos, 1926-51. Cynhaliodd ddosbarthiadau tan adran allanol y Brifysgol a dôi amryw ato i'w dŷ (yng Nghwmllynfell yn arbennig) i'w paratoi at fynd i'r weinidogaeth. Pregethwr a bardd o ddawn arbennig ydoedd - prifardd y goron ddwywaith yn yr Eisteddfod Genedlaethol - yn Aberafan, 1932 (`A ddioddefws a orfu') a Chastell-nedd, 1934 (`Y gorwel') - ac enillodd amryw wobrwyon eraill (gw. rhagymadrodd `Diolchiadau' *Cerddi Eirug* (1966)). Bu'n feirniad droeon yn yr ŵyl, ac adnabyddid ef yng Ngorsedd y Beirdd fel `Eirug'.

Golygodd *Ffrwythau dethol* (Ben Davies, Pant-teg) a *Cofiant Thomas Rees* (ei hen brifathro ym Mala-Bangor). Cyhoeddodd hefyd *Hanes yr Eglwys yn oes y Testament Newydd* (1932), hanes Soar, Llanbedr (1931), a Bethel, Parc-y-Rhos (1940), a hanes capel Gwernogle (1949). Cyfrannodd erthyglau i'r *Geiriadur Beiblaidd* (1926) a phenodau ar Philip Pugh a'i ragflaenwyr yn *Y Cofiadur*, 1937, ac ar `Ffydd yr Annibynwyr' yn *Ffyrdd a ffydd* (1945). Golygodd *Y Dysgedydd* o 1943 i 1951, a'i gyfraniadau yn waith meddyliwr a llenor disglair wrth draethu ar bob rhyw faterion; am gyfnod bu ei nodiadau'n troi o gwmpas `Gwarnogau' - ei hen ardal yn sir Gâr. Casglwyd y rhain a'u cyhoeddi'n llyfr *Yr hen gwm* (1966), tan olygiaeth un o'i feibion, Alun Eirug Davies.

Pr. yn 1920 â Jennie Thomas (cyd-efrydydd ag ef ym Mangor), merch hynaf R.H. Thomas, gweinidog (MC) Llansannan, a chawsant 8 o blant. Cafodd Eirug a'i briod ill dau frwydr hir yn erbyn afiechyd yng nghanol eu dyddiau. Bu hi f. yn 1948, ac yntau ar 27 Medi 1951.

Gwybodaeth bersonol, a'r ffynonellau y cyfeiriwyd atynt.

G.Jo.

DAVIES, TREVOR OWEN (1895-1966), gweinidog (MC) a phrifathro Coleg Trefeca; g. 20 Tach. 1895 yng Nghae Adda, Llanwrin, Tfn., mab Owen Gruffydd Owen a Mary Winifred Davies, Cae Adda. Yr oedd ei dad yn frawd i Richard Owen, Mynydd Ednyfed (tad `Dame' Margaret LLOYD GEORGE; gw. isod). Addysgwyd ef yn ysgol y pentref, ysgol sir Machynlleth, Coleg y Brifysgol, Aberystwyth (lle graddiodd yn y clasuron) a Choleg Eglwys Crist, Rhydychen (lle graddiodd gydag anrhydedd mewn diwinyddiaeth). Cafodd radd B.Litt. am draethawd ar `The Augustinian doctrine of grace and free will'. Dechreuodd bregethu yn ei eglwys gartref cyn iddo raddio. Ord. ef yn 1925, a'n is ysgol y weinidogaethu ym Methel, Cilfynydd, Morg. (1925-26). Penodwyd ef yn is-athro yng Ngholeg Trefeca yn 1926, ac ar farwolaeth y Prifathro W.P. Jones (gw. isod) gwasanaethodd fel prifathro'r coleg hyd ei ymddeoliad yn 1964. Pr., yn 1933, Olwen Jane, merch Benjamin Phillips, gweinidog (MC) Merthyr Cynog, a bu iddynt un mab.

Yr oedd T.O. Davies yn ŵr blaenllaw yn ei gyfundeb ac ym mywyd cyhoeddus sir Frycheiniog. Ef oedd cadeirydd Bwrdd Colegau Unedig ei gyfundeb, ac etholwyd ef yn llywydd Sasiwn y Dwyrain yn 1964. Bu'n aelod o

Standing Joint Committee ac o bwyllgor addysg sir Frycheiniog, a dyrchafwyd ef yn ynad hedd yn 1950. Bu'n ddarlithydd am rai blynyddoedd mewn dosbarthiadau addysg bellach dan nawdd colegau Caerdydd, Aberystwyth a Phrifysgol Birmingham. Bu f. 10 Ebr. 1966, a chladdwyd ei weddillion ym mynwent Siloa, Merthyr Cynog.

Blwyddiadur MC, 1967, 259-60; gwybodaeth gan ei weddw; adnabyddiaeth bersonol.

G.M.R.

DAVIES, TUDOR (1892-1958), datganwr; g. 12 Tach. 1892 yn y Cymer, Porth, Rhondda, Morg., pumed mab David a Sarah Davies. Cyn cymryd at yrfa gerddorol bu'n gweithio yn y lofa ac yn ystod rhyfel 1914-18 fel peiriannydd yn y llynges. Addysgwyd ef yng Ngholeg y Brifysgol yng Nghaerdydd. Enillodd ysgoloriaeth yn y Coleg Cerdd Brenhinol yn Llundain, a bu'n canu opera a chyngherdda yn T.U.A., Canada ac Awstralia. Yn 1922 ymunodd â'r Cwmni Opera Cenedlaethol Prydeinig a pharhaodd gyda'r cwmni hwnnw weddill ei yrfa. Portreadodd Rudolfo gyda'r cwmni yn Llundain yn 1922, ac yn 1924 ef a ganai ran y prif gymeriad yn y perfformiad cyhoeddus cyntaf o *Hugh the drover* (Vaughan Williams) yn His Majesty's Theatre. Bu hefyd yn brif denor yn Sadler's Wells, 1931-41, a chyda chwmni opera Carl Rosa, 1941-6, ac fel aelod parhaol o'r cwmni yn Sadler's Wells ef a brotreadai'r prif gymeriad yn y perfformiad Saesneg cyntaf o *Don Carlos* (Verdi) yn 1938. Cafodd ei wahodd i ganu ymhob un o'r prif wyliau cerddorol ym Mhrydain ac yn T.U.A. Yr oedd yn berchen llais ffres a chynnes, a chanai bob amser gydag urddas ac argyhoeddiad. Bu'n recordio rhwng 1925-30, ac y mae'r rhan o *The dream of Gerontius* (Elgar) a recordiwyd yn eglwys gadeiriol Henffordd yn 1927, gyda'r cyfansoddwr yn arwain, yn enghraifft nodedig o'i arddull. Pr. y soprano Ruth Packer. Bu f. 2 Ebr. 1958.

Www; Welsh music, 3, (1970), 34-5; *Ford Gron*, Rhag. 1934.

H.W.

DAVIES, WILFRED MITFORD (1895-1966), arlunydd; g. 23 Chwef. 1895, ym Mhorthaethwy, Môn, ail fab Robert ac Elizabeth Davies. Symudodd y teulu yn fuan i'r Star, rhwng Llanfair-pwll a'r Gaerwen, ac yno y'i magwyd. Cafodd ei addysg gynnar yn ysgol elfennol Llanfair-pwll ac ysgol y sir, Llangefni. Rhoddodd ei fryd ar fod yn bensaer, ond dryswyd ei obeithion gan y Rhyfel Byd I. Wedi gadael y fyddin, aeth i ysgol gelfyddyd Lerpwl am bedair bl. cyn dechrau gwaith fel arlunydd masnachol yn y ddinas. Aeth yn ôl i'r Star ar farwolaeth ei dad, a byw a gweithio yno. Tua'r adeg yma - 1923-24 - gofynnodd Ifan ab Owen Edwards iddo gyfrannu lluniau i *Cymru'r plant*, ac yr oedd cartŵn `Toodles a Twm y gath', a ddaeth yn boblogaidd iawn wedyn, ymysg ei gynigion cyntaf i'r misolyn. Dyma ddechrau rhagor na deugain ml. o waith i Urdd Gobaith Cymru.

Bu'n gweithio'n helaeth i'r gweisg Cymraeg, lluniau yng nghyfrolau Daniel Owen, Meuryn, E. Tegla Davies, John Ellis Williams, ymysg llawer eraill. Cafwyd argraffiad Llydaweg o *Troiou Toudels ha Tom e gaz* gan Wasg Ronan, Pleiber-Krist, Llydaw yn 1936.

Yr oedd hefyd yn arlunydd olew a dyfrliw, yn arbenigo mewn golygfeydd o Fôn ac Eryri, a gwelir ei waith mewn cartrefi ledled Cymru. Bu'n gartwnydd i bapurau newydd a chylchgronau Cymraeg.

Yn 1925 pr. Ellen Rowlands, merch Elias a Margaret Rowlands, Lerpwl, a chawsant un ferch, Margaret. Bu f. 19 Mawrth 1966, ac fe'i claddwyd ym mynwent tref Llangefni.

Adnabyddiaeth bersonol; [W. *Mitford Davies*, cyflwyniad i arddangosfa Gwasanaeth Llyfrgell Gwynedd, 1980].

M.M.W.

DAVIES, WILLIAM (1899-1968), botanegydd ac arbenigwr mewn gwyddor tir glas; g. 20 Ebr. 1899 yn Norman Road, Llundain, yn fab hynaf William a Margaret Davies, dau Gymro o wehelyth amaethyddol gogledd Ceredigion. Cafodd ei addysg yn ysgol Sloane, Llundain, ac ar ôl gwasanaethu gyda'r fyddin yn 1917-18 aeth yn fyfyriwr i Goleg Prifysgol Cymru, Aberystwyth, ac ennill gradd B.Sc. yn 1923 gyda anrhydedd yn y dosbarth cyntaf mewn botaneg. Fe'i penodwyd ar staff Bridfa Blanhigion Cymru y flwyddyn honno, a dyna ddechrau'r gyfathrach hir a chynhyrchiol rhyngddo ef ac R.G. Stapledon (gw. isod). Bu'n enetegydd planhigion yn Palmerston North, Seland Newydd, 1929-31, a bu ei waith yno yn sylfaen i'r dewis o drasau a ddatblygwyd ar gyfer tir glas yn y wlad honno. Ymwelodd ag Awstralia bryd hynny, a chafodd gyfle i dreulio blwyddyn yno yn 1932-33. Rhwng 1933 ac 1940 ef ydoedd pennaeth adran astudiaethau tir glas y Fridfa, ond ni chyfyngodd ei waith i arbrofion yn unig, eithr gwnaeth arolwg o dir glas a thir diffaith Cymru a'i gyhoeddi yn *A survey of the agricultural and waste lands of Wales* yn 1937, dan olygyddiaeth R.G. Stapledon a gyda chynhorthwy ariannol gan David Lloyd George (*Bywg*.2, 39-40). Rhwng Tach. 1936 a Maw. 1938 gwnaeth arolwg manwl o dir glas ynysoedd y Falklands a chyhoeddwyd ei adroddiad, *The grasslands of the Falkland Islands*, yn 1939. Yn ystod 1938 ac 1939 gwnaeth ef a'i gynorthwywyr arolwg o dir glas Lloegr a'i fapio'n ofalus. Defnyddiwyd yr arolwg hwn yn ganllaw yn y gwaith o aredig tir glas yn ystod Rhyfel Byd II ar gyfer codi mwy o ŷd a chnydau âr eraill. Bu'r arolwg hwn yn foddion i ddwysáu ei gred mewn aredig tir glas parhaol a'i ail hadu'n dir glas dros dro a fyddai'n fwy cynhyrchiol lawer. Dyma'r adeg y cyhoeddwyd *Ley farming* ar y cyd gydag R.G. Stapledon. Canlyniad arall i'r arolwg tir glas fu sefydlu Gorsaf Gwella Tir Glas yn 1940 yn ymyl Stratford-on-Avon, gydag R.G. Stapledon yn gyfarwyddwr a William Davies yn is-gyfarwyddwr. Fe'i penodwyd yn gyfarwyddwr ar ymddeoliad Stapledon yn 1945, a pharhaodd yn y swydd honno ar ôl i'r gwaith gael ei symud yn 1949 i ganolfan newydd gerllaw Hurley yn nyffryn Tafwys, sef Sefydliad Ymchwil Tir Glas, a bu yno tan iddo ymddeol yn 1964. Cyhoeddodd lawer iawn o ysgrifau ac erthyglau yn ei briod faes, ond ei gampwaith yw *The grass crop* (1952) - cyfrol sy'n crynhoi ei astudiaeth, ei fyfyrdod a'i ymgynghoriad ynglŷn â thir glas

ymhob rhan o'r byd yn ystod y chwarter canrif blaenorol. Teithiodd ymhell ac agos i gynghori llywodraethau a chymdeithasau rhyngwladol ar faterion ymchwil a datblygiad mewn tir glas, a bu ganddo ran flaenllaw yn sefydlu Cymdeithas Tir Glas Prydain (*British Grassland Society*) yn 1945, a bu'n llywydd arni ar ddau achlysur ac yn aelod wrth anrhydedd ohoni am oes. Enillodd raddau M.Sc. a D.Sc. Prifysgol Cymru a chafodd radd D.Sc. er anrh. gan Brifysgol Seland Newydd yn 1956. Fe'i hanrhydeddwyd â'r C.B.E. yn 1964, ac yr oedd yn gymrawd er anrh. o Gymdeithas Amaethyddol Frenhinol Lloegr, ac yn llywydd er anrh. am oes o Ffederasiwn Tir Glas Ewrob.

Pr., 1928, Alice Muriel Lewis a ganwyd iddynt un mab. Bu f. 28 Gorff. 1968, a chladdwyd ei lwch ym mynwent Llanfihangel Genau'r-glyn, Ceredigion.

Gwybodaeth bersonol; Www; *Jnl. Br. Grassld. Soc.*, 1968, 265-7.

LI.P.

DAVIES, WILLIAM ANTHONY (1886-1962), newyddiadurwr; g. ar Ddygwyl Dewi 1886 mewn bwthyn to gwellt a elwid Cwarter Coch ar ffordd y mynydd yng Nghwmgrennig, Glanaman, Caerf. Ef oedd y trydydd o wyth plentyn Daniel Davies, glöwr, o fferm Ysguborwen, Betws, a'i wraig a hanai o'r Bryn, Llanelli. Aeth William yn 13 oed i weithio gyda'i dad a'i frodyr yn nrifft Gelliceidrim. Dryswr yn dilyn haliers ydoedd am ryw bedwar mis, ond teimlai ei dad fod y bywyd hwnnw'n rhy arw iddo, a chafodd waith ar bympiau awyr y lefel. Ym Meh. 1900 wrth lanhau powdwr o gapiau dynameit yn ei gartref chwythwyd ei law chwith a bu'n rhaid ei thorri wrth yr arddwrn. Dallwyd ef gan y ffrwydriad ond daeth ei olwg yn ôl ymhen rhyw fis. Ar gyngor ei athro Ysgol Sul dysgodd law-fer Pitman a'i meistroli'n drylwyr. Ar hyd ei oes atynnid ef tuag at addysg academaidd a daeth darllen yn un o'i arferion. Yr oedd Charles Dickens a Conan Doyle ymhlith ei ffefrynnau a chofia'i blant am y sesiynau darllen a'u harweiniodd hwy i feysydd llên. Wedi dysgu llaw-fer ymunodd â staff y *South Wales Press* yn Llanelli. Yn 1903 dechreuodd gadw dyddiadur mewn llaw-fer, a glynodd wrth yr arfer. Ef oedd `Llyn y Fan' yng nghystadleuaeth y Fedal Ryddiaith yn Eist. Gen. Llanelli, 1962, gyda dyddiadur y cymeradwywyd ei gyhoeddi. Ymddangosodd detholiad o'r dyddiadur wedi ei olygu gan J. Ellis Williams o dan y teitl *Berw bywyd* yn 1968. Dinistriwyd y dyddiaduron gwreiddiol. Yn 1905 symudodd i Gaerdydd at y *South Wales Daily News*, a daeth yn is-olygydd gwleidyddol a gohebydd clonc i'r papur hwnnw. Yn 1919 ymunodd â staff y *Daily Sketch* yn Llundain ac yn 1923 aeth drosodd at y *Daily News* - y *News Chronicle*, yn ddiweddarach. Bu'n dal swyddi is-olygydd, prif is-olygydd, golygydd nos, a golygydd cynorthwyol i'r papur. Daeth ei golofn wythnosol `Llygad Llwchwr' yn boblogaidd iawn ac ynddi brigai ei gariad at Gymru, ei ddiwylliant a'i gwerin i'r wyneb. Tyfodd yn un o benaethiaid disgleiriaf Strŷd y Fflŷd, ond cadwodd ei radicaliaeth ddigymrodedd a'i anghydffurfiaeth gadarn drwy gydol ei oes. Dengys ei ysgrifau grafffter ei farn am bersonau a digwyddiadau. Yr oedd yn feddyliwr chwim ac yn amddiffynnydd glew i'r dyn cyffredin ac i fuddiannau Cymru. Un o'i fuddugoliaethau oedd atal lledaeniad fforestiaeth yn nyffryn Tywi. Bu'n amlwg ar feysydd yr Eist. Gen. am flynyddoedd, a derbyniwyd ef er anrh. i wisg wen Gorsedd y Beirdd ym Mhwllheli yn 1955. Bu'n dilyn ymgyrchoedd cenhadu Stephen a George Jeffreys yng Nghymru a Llundain. Fe'i bedyddiwyd yn Llanelli, ac yn Llundain addolai yn Nhabernacl Spurgeon. Bu'n gwneud gwaith cymdeithasol gyda Byddin yr Iachawdwriaeth am flynyddoedd yn Llundain.

Pr. yn 1909 Margaret, merch William Trefor Davies, gweinidog Soar (A), Llanelli, a bu iddynt fab a merch. Bu f. ei wraig yn 1953, ychydig wythnosau ar ôl iddynt symud, ar ei ymddeoliad ef, i Gaerdydd. Yno ymaelododd yng nghapel y Tabernacl, ac yn 1958 pr. un o aelodau'r eglwys, Eirene Hughes, gweddw T. Rowland Hughes (*Bywg*.2, 22-3). Wedi ymddeol bu'n ysgrifennu'n gyson am ysbaid i'r *Cymro* wrth yr enwau `Sguborwen' a `Llygad Llwchwr'. Bu f. ar Sul 4 Tach. 1962 yn ysbyty St. Winifred, Caerdydd, a chladdwyd ei lwch ym medd ei wraig gyntaf ym mynwent y Box, Llanelli.

Gwybodaeth bersonol; *West. Mail*, 6 Tach. 1962; *Cymro*, 8 Tach. 1962.

D.T.D.

DAVIES, WILLIAM DAVID [P.] (1897-1969), gweinidog (MC), athro ac awdur; g. 18 Ion. 1897 yng Nglynceiriog, Dinb., unig fab Isaac Davies, gweinidog (MC). Symudodd ei dad i Ryd-ddu, yna i Fryn-rhos, ac o'r diwedd i Fangor. Addysgwyd y mab yn ysgol sir Caernarfon ac ysgol Friars, Bangor. Cafodd ysgoloriaeth i Goleg Iesu, Rhydychen, ond torrodd y rhyfel ar draws ei efrydiau. Cofrestrodd ei hunan yn wrthwynebydd cydwybodol a bu'n gweithio ar y tir yn Llŷn. Dechreuodd bregethu y pryd hynny yn eglwys South Beach, Pwllheli. Dychwelodd i Rydychen wedi'r rhyfel, a chafodd yrfa ddisglair yno - graddio ddwywaith, a chael ail ddosbarth yn y clasuron, hanes ac athroniaeth, a gradd yn y dosbarth cyntaf mewn diwinyddiaeth. Cafodd radd B.D. am waith ymchwil - ef oedd yr ymneilltuwr cyntaf i ddod â gradd felly yn Rhydychen i Gymru. Daeth yn ysgolor o'i goleg a chynigiwyd cymrodoriaeth iddo a'i benodi'n athro diwinyddiaeth yn y Brifysgol. Ond gan fod ei fryd ar bregethu gyda'r Presbyteriaid ni allai gydymffurfio â'r amodau, sef ymaelodi yn Eglwys Loegr.

Ord. ef yn 1923, a bu'n gweinidogaethu yn eglwysi Shirland Rd., Llundain (1923-26), a Cathedral Rd., Caerdydd (1926-28). Pr., yn 1925, Margaret Evelyn Palmer, a ganwyd un mab o'r briodas. Penodwyd ef yn 1928 yn athro hanes crefyddau ac athroniaeth crefydd yn y Coleg Diwinyddol, Aberystwyth, ond ymddiswyddodd yn 1933 o ganlyniad i helynt blin. Yr oedd yn amlwg fod rhyw amhariad ar ei feddwl, a phersonoliaeth hollt ydoedd yn ystod gweddill ei oes. Crwydrodd o le i le, a bu'n trigiannu yng Nghastell-nedd ac ym Machynlleth. Bu'n byw mewn un neu ddwy o ardaloedd eraill fel aelod o staff *Y Cymro*; bu'n gofalu (am ychydig fisoedd) am eglwysi gofalaeth Llangadfan ym Maldwyn, eithr

profedigaethus oedd ei helynt yno. Symudodd, o'r diwedd, i Landrindod, a chael cyfle gan eglwys Ithon Rd. i'w adfeddiannu ei hunan; yno y bu f. 7 Gorff. 1969. Casglodd ei ffrindiau a'i edmygwyr swm o arian i godi cofadail ar ei feddrod.

Yr oedd W.D. Davies yn bersonoliaeth hoffus, yn ysgolhaig o'r radd flaenaf, ac yn bregethwr ar ei ben ei hun. Yr oedd ganddo gymwysterau arbennig ar gyfer gofynion blynyddoedd canol y ganrif hon. Disgleiriodd hefyd fel awdur a allai dynnu'n rhwydd o holl ffynhonnau dysg a llên. Cyhoeddodd rai llyfrau ar bynciau crefyddol, megis *Cristnogaeth a meddwl yr oes* (1932), *Datblygiad Duw* (1934), a llawlyfr treiddgar a darllenadwy ar yr Epistol at yr Effesiaid (1933). Yn ystod ei gyfnod `crwydrol' ymddiddorodd yn yr ysgrif a barddoni - athro'r pryd y dechreuodd alw'i hunan yn W.D.P. Davies, ond ni wyddai neb beth oedd y `P' hwnnw! [Dywedai ef mai sefyll am `Pechadur' yr oedd y `P', ond hwyarch mai cyfenw morwynol ei wraig oedd y ffynhonnell.] Cyhoeddodd *Y diafol i dalu* (1948), a *Tannau telyn crwydrol* (1953). Colled anaele i Fethodistiaeth Galfinaidd, ac i Gymru'n gyffredinol, fu'r ddeuoliaeth a wnaeth y fath chwalfa ar ei bersonoliaeth.

Blwyddiadur MC, 1970, 277; adnabyddiaeth bersonol.

G.M.R.

DAVIES, WILLIAM HUBERT (1893-1965), cerddor; g. 24 Mai 1893 yn Abersychan, Myn., ac addysgwyd ef yn ysgol ramadeg Gorllewin Mynwy, Pontypŵl. Yn bymtheg oed enillodd ysgoloriaeth agored Sainton i astudio'r ffidil yn yr Academi Gerdd Frenhinol; bu'n ddisgybl i Hans Wessely ac yn Dresden i Leopold Auer. O 1919 i 1923 bu'n aelod o'r triawd offerynnol a sefydlwyd gan Henry Walford Davies (*Bywg*.2, 9), yng Ngholeg Prifysgol Cymru, Aberystwyth, ac yn 1923 ef oedd blaenwr y Gerddorfa Simffoni Gymreig. Clywodd Henry Wood ef a'i berswadio i ymuno â Cherddorfa Neuadd y Frenhines yn Llundain. Rhwng 1924 ac 1934 bu'n chwarae yno, yn y Tŷ Opera Brenhinol, Covent Garden, a chyda Cherddorfa Simffoni Llundain. O 1927 bu hefyd yn athro ffidil a fiola, ac yn aelod o'r triawd offerynnol yng Ngholeg y Brifysgol yng Nghaerdydd. Dychwelodd yn 1934 i Aberystwyth i ddysgu yn y Coleg yno ac i flaenu pedwarawd offerynnol y Coleg. Yn 1950 penodwyd ef yn diwtor ffidil, cyfansoddi a cherddorfa yng Ngholeg Cerdd a Drama Caerdydd. Cyfansoddodd yn helaeth, yn ganeuon a gweithiau corawl ac offerynnol, gan gynnwys yn 1945 waith comisiwn i Gerddorfa Simffoni Düsseldorf. Pr. Hannah May Reynolds, a bu iddynt ddau fab. Bu f. yng Nghaerdydd 27 Hyd. 1965.

West. Mail, 29 Hyd. 1965; Robert Smith (cynullydd), *Seventh catalogue of contemporary Welsh music* (1981).

Rh.G.

DAVIES, Syr WILLIAM LLEWELYN (1887-1952), ysgolfeistr a llyfrgellydd; g. 11 Hyd. 1887, yn Nhŷ'r Ysgol, Plas Gwyn, ger Pwllheli, Caern., yn drydydd plentyn a mab ieuangaf William Davies a Jane (g. Evans) ei wraig, y ddau yn enedigol o Lanafan yng Ngheredigion. Buasai'r tad yn giper ar stad Trawscoed cyn symud i gyffelyb swydd ar stad Broom Hall. Pan oedd y mab yn 5 ml. oed aeth y tad i wasanaeth Syr Osmond Williams, Castell Deudraeth, ac ymgartrefodd y teulu ym Minffordd, Penrhyndeudraeth. Cafodd William ei addysg yn ysgol sir Porthmadog o 1900 i 1903 ac yng nghanolfan disgybl-athrawon Penrhyndeudraeth, tra oedd yn ddisgybl-athro yn ysgol elfennol y Penrhyn, o 1903 i 1906. Aeth wedyn i Goleg Prifysgol Cymru, Aberystwyth, a graddio yn B.A. yn 1909 gydag anrhydedd ail ddosbarth mewn Cymraeg. O Hyd. 1909 i Chwef. 1910 bu'n athro cynorthwyol yn ysgolion gramadeg y Bermo a Dolgellau cyn cael swydd athro cynorthwyol trwyddedig (cawsai dystysgrif y Bwrdd Addysg yn 1909) yn ysgol y bechgyn ym Maenofferen. Yn 1912 cafodd radd M.A. am draethawd ar `Phylipiaid Ardudwy: with the poems of Siôn Phylip in the Cardiff Free Library collection', a symudodd i Gaerdydd i fod yn athro cylchynol Cymraeg mewn ysgolion ac ysgolion nos. Yn 1914-17 yr oedd yn athro cynorthwyol yn ysgol uwchradd Canton, ac o 1914 i 1920 bu'n arholwr cynorthwyol mewn Cymraeg i Fwrdd Canol Cymru. Am ysbaid yn 1916 bu'n ddarlithydd cynorthwyol mewn Celteg yng Ngholeg y Brifysgol yng Nghaerdydd. Yn y cyfnod hwn bu'n cydweithio ag E.T. Griffiths (gw. isod) ar lyfrau dysgu Cymraeg: *A junior Welsh course for infants and junior classes in elementary schools* (1914) a *The tutorial Welsh course* mewn 2 ran (1914, gydag adargraffiadau tan 1926). Yn 1917 ymunodd â'r Royal Garrison Artillery, a chafodd gomisiwn yn y gwasanaeth addysgol yn nes ymlaen.

Ym mis Medi 1919 penodwyd ef yn llyfrgellydd cynorthwyol yn Llyfrgell Genedlaethol Cymru, ac yno y bu hyd derfyn ei oes. Yn 1930, etholwyd ef yn brif lyfrgellydd ar ymddeoliad Syr John Ballinger (*Bywg.*, 21). Ymroes i gasglu a diogelu llawysgrifau a chofysgrifau a oedd ar wasgar yng Nghymru, a thu allan iddi, ac yn y cyfnod hwnnw o ddirwasgiad economaidd, a thrwy gydol Rhyfel Byd II, a oedd mewn perygl mawr rhwng chwalu ystadau, cau tai pendefigion, a'u meddiannu gan awdurdodau milwrol, a dinistr o'r awyr. Cadwodd y Llyfrgell mewn cyswllt agos â sefydliadau a chyrff gyda chyffelyb amcanion drwy ei aelodaeth o'r *Historical MSS Commission, Society of Antiquaries*, pwyllgor gwaith y *Council for the Preservation of Business Archives* a'r *British Records Association* yr oedd ef, fel cynrychiolydd diddordebau Cymru, yn un o'i is-lywyddion. Fel prif weinyddwr Ll.G.C. yr oedd yn gyfrifol am drefnu benthyg llyfrau i ddosbarthiadau oedolion drwy Gymru gyfan, am weithredu Cynllun Taleithiol Llyfrgelloedd Cymru a Mynwy mewn un sir ar ddeg, ac am ddewis, sicrhau a dosbarthu llyfrau i sanatoria Cymru. Yn ystod Rhyfel Byd II sefydlodd bwyllgor i gyflenwi llyfrau i fechgyn a merched yn y lluoedd. Rhoes loches yn y Llyfrgell i drysorau llyfrgelloedd ac amgueddfeydd o ardaloedd agored i ymosodiadau o'r awyr. Cymerodd fantais ar bob cyfle drwy ddarlithiau, sgyrsiau radio, a chyhoeddiadau i ddwyn y Llyfrgell yn nes at bobl Cymru. Yn 1937 cyhoeddodd *The National Library of Wales: a survey of its history, its contents, and its*

activities, a dwy flynedd wedyn sefydlodd *Cylchgrawn Llyfrgell Genedlaethol Cymru*, a pharhau i'w olygu am 14 bl. Bu'n olygydd mygedol y *Jnl. of the Welsh Bibliographical Soc.*, 1932-49, *Cardiganshire Antiquarian Society Transactions* (a alwyd *Ceredigion* yn 1950), hyd 1951, a *Cylchgrawn Cymdeithas Hanes a Chofnodion Meirionnydd,* 1949-51. Yr oedd yn gyd-olygydd y *Bywgraffiadur Cymreig*, 1953. Cyhoeddodd lawer o erthyglau llyfryddol a hanesyddol i gyfnodolion, ac yr oedd yn aelod o lawer o gyrff academaidd a diwylliannol. Urddwyd ef yn farchog yn 1944, a rhoes Prifysgol Cymru radd LL.D. er anrh. iddo yn 1951. Yn 1952 ef oedd uchel siryf Meirionnydd.

Pr. yn 1914 â Gwen, merch Dewi Llewelyn, groser a phobydd ym Mhontypridd, ac ychwanegodd Llewelyn at ei enw. Bu iddynt un ferch. Bu f. yn ei gartref, Sherborne House, Aberystwyth, 11 Tach. 1952, a gwasgarwyd ei lwch ar erddi'r Llyfrgell Genedlaethol.

Times, 12 Tach. 1952; *Jnl. W.B.S.*, 7 (1953); *Trans. Cymm.*, 1953; gwybodaeth bersonol.

G.T.

DEAKIN, ARTHUR (1890-1955), arweinydd undeb llafur; g. 11 Tach. 1890 yn Sutton Coldfield, swydd Warwick, yn fab i grydd. Bu f. ei dad pan oedd ef yn blentyn, ailbr. ei fam a symudodd y teulu i fyw ym Merthyr Tudful. Yn 1904 dechreuodd weithio yng ngwaith dur Guest, Keen a Nettlefolds ym Nowlais. Daeth o dan ddylanwad Sosialaeth ac yn enwedig Keir Hardie a arferai annerch cyfarfodydd wrth glwydi'r ffatri. Er iddo weithio oriau meithion, darllenai'n eang a mynychai ddosbarthiadau nos. Yn 1919 fe'i penodwyd yn swyddog o'r *Dock, Wharf, Riverside and General Workers' Union*, a ddaeth yn ddiweddarach yn *Transport and General Workers' Union*, a'i bencadlys yn Shotton, Ffl. Yr oedd yn aelod o gyngor sir Fflint am 15 ml., daeth yn henadur o'r cyngor a bu'n gadeirydd arno. Gwasanaethodd hefyd fel ynad heddwch. Dewiswyd ef yn ysgrifennydd cenedlaethol y *General Workers' Group* yn 1932, ac yn 1935 daeth yn gynorthwywr personol Ernest Bevin, ysgrifennydd cyffredinol y T.G.W.U. Pan ddaeth Bevin yn aelod o'r cabinet yn 1940, Deakin i bob pwrpas a gymerodd ei le o fewn yr undeb. Etholwyd ef yn ysgrifennydd cyffredinol ei hun yn 1945 a bu yn y swydd am 10 ml. Yr oedd yn ddylanwadol hefyd o fewn cyngor cyffredinol Cyngres yr Undebau Llafur a bu'n gadeirydd ar y Gyngres yn 1951-52. Daliodd nifer fawr o swyddi ar bwyllgorau a chyrff cyhoeddus ac yr oedd yn un o gyfarwyddwyr y *Daily Herald*. Derbyniodd y C.B.E. yn 1943, daeth yn C.H. yn 1949 a dewiswyd ef yn aelod o'r Cyfrin Gyngor yn 1954. Yr oedd yn gymeriad cryf a chadarn a chanddo ddylanwad nerthol o fewn Transport House. Eto yr oedd yn gymedrol, ac ymladdodd yn ddygn yn erbyn y Comiwnyddion a'r rhai eithafol o fewn y Blaid Lafur. Bu f. 1 Mai 1955 yn Ysbyty Brenhinol Leicester chwe mis cyn cyrraedd oed ymddeol.

Www; Times, 2 Mai 1955; *West. Mail*, 3 Gorff. 1940, 24 Tach. 1945 a 2 Mai 1955; *WWP*.

J.G.J.

DEWI EMRYS - gw. JAMES, DAVID EMRYS
isod.

DEWI MAI O FEIRION - gw. ROBERTS, DAVID
JOHN isod.

DINEFWR, 7fed ac 8fed BARWN - gw. o dan
RHYS, WALTER FITZURYAN isod.

DIWYGIWR, Y - gw. ROBERTS, EVAN JOHN
isod.

DOFWY - gw. JONES, RICHARD isod.

DUNRAVEN, 5ed IARLL - gw. WYNDHAM-
QUIN, WINDHAM HENRY isod.

DYFNALLT - gw. OWEN, JOHN DYFNALLT
isod.

E

'**E.O.J.**' - gw. JONES, EDWARD OWEN isod.

EAMES, WILLIAM (1874-1958), newydd-iadurwr; g. ym Mhrestatyn, Ffl., 1874, yn fab i Griffith Eames a'i wraig Margaret (g. Dowell) o Brestatyn. Saer oedd y tad a fwriodd ei brentisiaeth yn Lerpwl wedi cyfnod ar y tir yn ei fro enedigol yn sir Fôn. Ymsefydlodd yn Barrow-in-Furness ac yno fel cydgantorion yng nghôr Peter Edwards, 'Pedr Alaw' (*Bywg.*, 180) y cyfarfu'r ddau. Mynnodd y fam ddychwelyd i Brestatyn er mwyn geni'r plentyn yng Nghymru, ond yn Barrow y magwyd ef am ddwy flynedd. Yna symudodd y teulu i Faes-y-Groes, Prestatyn, ac yn ysgol yr eglwys y cafodd William Eames ei addysg nes ei fod yn 12 oed a mynd i weithio gyda'i dad, ond pan oedd yn 17 oed aeth yn ddisgybl-athro yn ysgol Frytanaidd newydd Prestatyn. Ym mis Hyd. 1894 yr oedd yn un o fyfyrwyr cyntaf adran addysg Coleg y Brifysgol ym Mangor, a bu yno am ddwy fl. Ar ddiwedd ei gwrs cymerodd swydd athro cynorthwyol mewn ysgol Wesleaidd yn Dartford, Caint, lle y treuliodd ddwy fl., a dechrau ysgrifennu i'r papurau - *Illustrated Bits* a *Sketchy Bits* ac i *Young Wales* John Hugh Edwards (*Bywg.* 2, 13). Symudodd i ysgol yn Surbiton ac ar ôl dwy flynedd derbyniodd, yn 1900, swydd yn ysgol fwrdd Caernarfon. Yno dechreuodd ddefnyddio Cymraeg yn y gwersi yn groes i'r traddodiad a chael cefnogaeth Arolygwr ei Mawrhydi. Yng Nghaernarfon daeth i gysylltiad agos â hoelion wyth newyddiaduraeth Gymraeg, e.e. R. Gwyneddon Davies (*Bywg.*, 125, o dan John Davies, 'Gwyneddon'), Beriah Gwynfe Evans (*Bywg.*, 205), Daniel Rees (*Bywg.*, 774), T. Gwynn Jones (*Bywg.*2, 33-4), a John R. Lloyd Hughes, y cartwnydd (ei frawd-yng-nghyfraith yn ddiweddarach). Ac yntau wedi ymddiddori mewn ysgrifennu i'r wasg nid rhyfedd yn awyrgylch Caernarfon iddo gael ei atynnu gan newyddiaduraeth. Dewisodd Ab Gwyneddon ef i ysgrifennu erthygl flaen a nodiadau'r wythnos i'r *North Wales Observer* yn ei le tra byddai ef yn treulio tri mis yn America yn 1902. Ym mis Medi y flwyddyn honno ffarweliodd â'r ysgol i ddilyn 'Eifionydd' (John Thomas, 1848-1922, *Bywg.*, 896) fel golygydd *Y Genedl*, a chadwodd y gadair tan ddiwedd 1907, pryd y cafodd ei ddewis yn un o isolygyddion i'r *Manchester Guardian* a dechrau ar ei waith ym Manceinion ym mis Ion. 1908. Yn 1916 penodwyd ef yn ysgrifennydd ariannol i'r Manchester Stock Exchange, ond cadwodd gysylltiad â'r *Guardian*. Yn 1919 cafodd ei wneud yn ysgrifennydd yr Exchange. Yn 1920 penderfynodd ef a meibion C.P. Scott sefydlu wythnosolyn masnachol - y *Manchester Guardian Commercial Supplement* a ymddangosodd ym mis Meh. y fl. honno, a throi'n llwyddiant diamheuol gyda'i atodiadau a ddaeth yn boblogaidd ym myd masnach, a pharhau tan 1939. Yn yr wythnosolyn hwn y rhoddwyd hysbysrwydd i syniad Charles Tonge o osod llinellau gwyn i reoli trafnidiaeth ar y ffordd. Yn 1931 dychwelodd i Gymru ac ymsefydlu ym Mhrestatyn a dechrau darlledu o

stiwdio Bangor. Yn 1940 penodwyd ef gan Syr John Reith yn swyddog y wasg i'r Weinyddiaeth Hysbysrwydd, a symudodd i Gaerdydd lle y daeth yn gyfeillgar â D.T. Davies a Chaleb Rees (gw. isod), arolygwyr ysgolion, a darlledu'n rheolaidd o Gaerdydd. Yn 1947 gwnaed ef yn M.B.E.

Pr., 25 Gorff. 1902, â Jane Myfanwy Hughes (chwaer Howel Harris Hughes; gw. isod), awdur *Llyfr prydiau bwyd* (1932), a hi oedd 'Megan Ellis', golygydd tudalennau'r merched yn y *Ford Gron*. Clywyd hithau ar y radio o Fangor a Chaerdydd hefyd. Yr oeddynt yn gydawduron y nofel *Melin y ddôl* (1948). Bu f. William Eames ym Mae Colwyn 29 Medi 1958. Bu ei wraig f. yng Nghaerdydd 23 Meh. 1955.

W.W.P.; Genh. 10-15, 1959-65; *Prestatyn Weekly*, 4 Hyd., 1958; OPCS marwolaethau Hyd.-Rhag. 1958.

E.D.J.

EDWARDS, CHARLES ALFRED (1882-1960), metelegydd a phrifathro Coleg y Brifysgol, Abertawe; g. 23 Mawrth 1882, mab Samuel ac Elizabeth Edwards, Kitchener, Ontario, Canada. Symudodd y teulu i sir Gaerhirfryn yn 1884. Prentisiwyd ef yn 1898 yn ffowndri gweithiau rheilffyrdd siroedd Caerhirfryn ac Efrog. Cymaint oedd ei ddiddordeb ym mhriodoleddau metelau ac aloion fel y penodwyd ef yn gynorthwywr yn adran feteleg y Labordy Ffisegol Cenedlaethol yn 1905, lle y bu'n cydweithio â'r Dr. H.C.H. Carpenter ar adroddiad ar yr aloion alwminiwm-copr yn 1907. O hynny hyd 1910 bu'n ddarlithydd mewn meteleg ym Mhrifysgol Manceinion, ac am y 4 bl. nesaf bu'n fetelegydd i gwmnïoedd Bolckow Vaughan a Dorman Long ym Middlesborough. Cyhoeddodd amryw bapurau ar drin dur gyda gwres a dyfarnwyd iddo radd M.Sc. Yr oedd o flaen ei oes gydag argymell ychwanegu ocsigen at yr awyr a chwythid i mewn i'r ffwrneisi blast, arfer a ddaeth yn gyffredin hanner canrif yn ddiweddarach. Wedi cyhoeddi rhagor o ganlyniadau ymchwil dyfarnwyd iddo radd D.Sc. yn 1913. Pr. Florence Edith Roberts yn 1908 ac yn 1913 ganwyd eu mab. Yn 1914 penodwyd ef i gadair meteleg Prifysgol Manceinion, lle y llwyddodd i gyfuno gwaith i'r llywodraeth ar ddadansoddi a thrin dur gyda gwres a datblygu ysgol anrhydedd mewn meteleg yn y brifysgol.

Yn 1920 fe'i penodwyd yn bennaeth adran meteleg ac yn ddirprwy-brifathro coleg newydd Prifysgol Cymru yn Abertawe. Dynion ieuainc wedi bod mewn gwasanaeth milwrol ac yn hŷn nag arferol oedd y myfyrwyr cyntaf, ond, gyda chymorth tri chydweithiwr a ddaeth gydag ef o Fanceinion, perswadiwyd hwynt i ymgymryd ag astudiaeth drylwyr a rhai ohonynt yn ddiweddarach i gymryd at waith ymchwil. Gyda phrofiad blaenorol yr athro mewn diwydiant, a'i ddiddordeb dwfn mewn cymhwyso gwyddoniaeth, datblygwyd cydweithrediad cyffredinol a bywiog gyda diwydiannau lleol, yn enwedig dur a phlatiau tun, a arweiniodd i sefydlu grŵp ymchwil gyda chymorth y *South Wales Siemens Assocn.*

Esgorodd hyn ar gyhoeddi llawer cyfraniad ar gynhyrchu llafnau dur a phlatiau tun, yn cynnwys gwaith terfynol ar gyfansoddiad ingotau dur a dylanwad rholio oer trwm ar natur y llafnau gorffenedig.

Etholwyd ef yn brifathro'r coleg yn 1926, ond cadwodd y gadair meteleg a chael pleser mawr mewn trafod, dysgu, ymchwilio, a thraddodi darlithiau a chyhoeddi papurau fel ymryddhad oddi wrth ei ymdrechion grymus i hyrwyddo buddiannau'r coleg. Pleser mawr i gylch eang o'i gyfeillion diwydiannol ac academaidd oedd ei ethol yn F.R.S. yn 1930. Yr oedd ei ddarlithiau yn y 30au cynnar ar adeilaeth aloion eto'n enghraifft o'i allu i gadw ar y blaen i syniadau cyfoes ar bwnc pwysig. Rhoes Rhyfel Byd II ben ar y cynllun mawr i amnewid yr adeiladau dros dro a godwyd yn 1921 y buasai ef mor ddygn ei ymdrech drosto. Mewn cyfnod anodd, a barhaodd bron hyd ei ymddeoliad yn 1947, bu ei arweiniad a'i gymorth sylweddol i roi'r coleg mewn sefyllfa ffafriol i fanteisio ar bob cyfle diweddarach i ddatblygu.

Cadwodd ei ddiddordeb mewn meteleg hyd yn oed wedi ymddeol a bu am flynyddoedd yn ymgynghorwr i waith dur mawr Guest, Keen & Nettlefolds. Yr oedd ei bersonoliaeth encilgar a'i betruster i ddatgan ei farn mewn gwrthgyferbyniad llwyr i dystiolaeth ei ddatblygiad, drwy ymdrech bersonol, o fod yn brentis i gyrraedd safon academaidd uchel a chael anrhydeddau uchaf ei alwedigaeth. Gŵr rhadlon ac urddasol ydoedd, a fedrai ennyn brwdfrydedd a chyfeillgarwch parhaol. Teimlwyd ei golled gan lawer pan fu f. 29 Mawrth 1960.

Biog. Memoirs Fellows R.S.

D.W.H.

EDWARDS, FANNY WINIFRED (1876-1959), athrawes, llenor plant a dramodydd; g. 21 Chwef. 1876 ym Mhenrhyndeudraeth, Meir., yn chwaer i'r bardd Gwilym Deudraeth (*Bywg.*, 188) a'r ieuengaf o'r deuddeg plentyn a aned i William Edwards, *master mariner*, a'i wraig Jane (g. Roberts). Addysgwyd hi yn ysgol elfennol Penrhyndeudraeth lle y bu wedyn fel disgybl-athrawes ac yna'n athrawes hyd nes iddi ymddeol fis Rhag. 1944 ar ôl cyfnod o dros hanner canrif o wasanaeth.

Sylweddolodd o'i dyddiau cynnar fel athrawes fod prinder dybryd o lenyddiaeth addas yn y Gymraeg ar gyfer plant, a hyn a barodd iddi gychwyn ysgrifennu storïau byrion i'w darllen i'w disgyblion. Digwyddodd (Syr) O.M. Edwards (*Bywg.*, 179-80) ei chlywed wrth ei gwaith pan oedd ar ymweliad â'r ysgol a mynnodd ganddi gyhoeddi'r storïau hyn. Yr anogaeth hon a esgorodd ar ei gyrfa lwyddiannus iawn fel llenor plant - gyrfa a barhaodd yn ddi-fwlch am yn agos i 60 ml. Cyhoeddodd gyfanswm o dros 150 o storïau yn *Cymru'r Plant* yn unig yn gyson o 1902 ymlaen. (Ymddangosodd ei dwy nofel fer, *Cit* (1908) a *Dros y gamfa* (1926), yn wreiddiol fel storïau-cyfres yn y misolyn hwnnw). Cyfrannodd hefyd i *Cymru* (O.M.E.), *Y Drysorfa, Y Winllan* a chyhoeddiadau enwadol eraill. Cyhoeddodd bum llyfryn: *Dadleuon buddugol* (1925); *Adroddiadau i fabanod* (1934); *Alsi a'r Tylwyth Teg a storïau eraill* (1951); *Ding Dong Ding - chwaraeon ac adroddiadau i blant* (1951) a *Siani*

Lwyd - chwaraeon ac adroddiadau i blant (1951). Meddai ar ddawn naturiol y gwir storïwr ac yn ddi-ddadl llanwodd ei llu cyhoeddiadau fwlch mawr ym myd ysgrifennu yn Gymraeg ar gyfer plant am flynyddoedd lawer. Cyhoeddodd hefyd 17 o ddramâu byr, un act, y mwyafrif ohonynt ar gyfer plant: *Tŷ Anti Melvina* (1931); *Drama Meredydd* (1931); *Neli a'i thegannau* (1931); *Y Te parti* (1931); *Dewis het* (1932; cyfieithwyd i'r Saesneg gan Margaret Rosser, 1951); *Gwarchod* (1932); *Y Darlun* (1933); *Ail feddwl* (1935); *Y Bastai* (1936); *Cofio doe* (1942); *Y Spectol* (1942); *Y Newydd* (1943); *Tynnu llun* (1945); *Chwarae teg* (1947); *Cyllell boced Tomi* (d.d); *Y Tecell copr* (1950); *Bocs tin* (1950). Enillodd ddwywaith yn yr Eist. Gen. a bu'n feirniad ei hunan yn Eist. Gen. Dolgellau, 1949. Cynhwysodd T.H. Parry-Williams stori o'i heiddo yn ei gyfrol *Ystorïau heddiw* (arg. cyntaf 1938). Cyflwynwyd `Gwobr Goffa Syr O.M. Edwards' iddi yn Eist. Gen. Llanrwst, 1951, i gydnabod ei gwasanaeth nodedig a diflino i Urdd Gobaith Cymru a thros lenyddiaeth Gymraeg i blant. Rhoddodd wasanaeth ffyddlon yn yr un modd i eglwys Nasareth (MC), Penrhyndeudraeth, ac yn arbennig i'r Ysgol Sul yno ar hyd ei hoes. Bu'n weithgar hefyd gydag Undeb Dirwestol Merched Gogledd Cymru. Yr oedd yn aelod o gyngor Cymdeithas Hanes a Chofnodion Sir Feirionnydd hyd ei marwolaeth a chyhoeddodd yn ei *Cylchgrawn* (1951).

Ni bu'n briod. Bu f. yn Ffestiniog 16 Tach. 1959 a chladdwyd hi ym mynwent Nasareth, Penrhyndeudraeth.

Gwybodaeth gan ei nai, Trefor Edwards, Llundain; *Trys. Plant*, 90 (1951), 52-4; *Baner*, 3 Rhag. 1959, 26 Mawrth 1976; *Gol.*, 6 Ion. 1960; *Herald Cymraeg a'r Genedl*, 3, 10 Ebr. 1961.

A.Ll.H.

EDWARDS, GWILYM ARTHUR (1881-1963), gweinidog (MC), prifathro Coleg Diwinyddol Aberystwyth, ac awdur; g. 31 Mai 1881 yng Nghaernarfon, mab Owen Edwards, gweinidog (MC) brodor o Lanuwchllyn (cefnder Syr Owen M. Edwards), a Mary (g. Jones) ei briod. Ymfudodd y tad i Awstralia i gael adferiad iechyd, ond bu farw'i briod cyn iddi fynd â'i theulu i ymuno ag ef ym Melbourne. Magwyd y teulu - tri o fechgyn - gan ei rhieni hi yn Nolgellau. Addysgwyd Gwilym yn ysgol sir Dolgellau, a dechreuodd bregethu'n weddol ieuanc. Fe'i paratowyd ar gyfer y weinidogaeth yng Ngholeg y Brifysgol, Aberystwyth (lle graddiodd yn y celfyddydau), ac yng Ngholeg Iesu, Rhydychen (graddiodd yno hefyd). Ord. ef yn 1909, a bu'n gweinidogaethu yn Zion, Caerfyrddin (1908-11), Oswald Road., Croesoswallt (1911-17), City Rd., Caerlleon (1917-23), a'r Tabernacl, Bangor (1923-28). Penodwyd ef, yn 1929, yn athro yng Ngholeg y Bala, a bu'n cydweithio yno â'r Prifathro David Phillips hyd 1939. O 1939 hyd 1949 bu'n brifathro Coleg Diwinyddol Aberystwyth. Anrhydeddwyd ef yn 1946 â gradd D.D. gan Brifysgol Caeredin. Pr., 1917, Mary Nesta, merch Richard Hughes, milfeddyg, o Groesoswallt; ganwyd mab a dwy ferch o'r briodas. Wedi ymddeol dychwelodd i Groesoswallt, ac yno y bu f. 5 Hyd. 1963; claddwyd ei weddillion ym mynwent Llanycil.

Llanwodd le amlwg iawn ym mywyd ei gyfundeb. Bu'n llywydd Sasiwn y Dwyrain (1951), ac yn llywydd y Gymanfa Gyffredinol (1957). Traddododd y Ddarlith Davies yn 1933, ac fe'i cyhoeddwyd yn 1935 dan y teitl *Teyrnas Dduw yng ngoleuni syniadau apocalyptig y Beibl*. Yr oedd anian y llenor ynddo, ac ysgrifennodd lawer i *Cymru* ac i gylchgronau ei enwad. Cyhoeddodd, ymhlith pethau eraill, straeon i blant, sef *O froydd hud a hanes* (1921) a *Llyfr y misoedd* (1927). Cyhoeddodd hefyd *Y Beibl a'i gefndir* (1922), *Hanes gwareiddiad* (1927), *Y Beibl heddiw* (1932), *Athrofa'r Bala* (1937), *Yr Athrawiaeth Gristnogol* (1953). Nodweddid ei waith, fel pregethwr, athro ac awdur gan drefnusrwydd ac eglurder. Ymddiddorodd mewn addysg; bu'n olygydd llawlyfrau Ysgolion Sul ei gyfundeb am flynyddoedd. Ef hefyd oedd golygydd llenyddol Cymdeithas Addysg Grefyddol yng Nghymru, ac ef a ysgrifennodd *Maes llafur addysg grefyddol yn ysgolion Cymru* (1945-46). Ymddiddorodd hefyd yn Ysgol Gwasanaeth Cymdeithasol dros Gymru, ac ysgrifennodd un o lyfrynnau'r mudiad hwnnw, sef *Hamdden yr adolesent yng Nghymru* (1929). Cyhoeddodd Undeb Cynghrair y Cenhedloedd Unedig bamffledyn arall o'r eiddo, sef *Athrawon ysgol Sul a heddwch y byd* (1934). Yr oedd yn ysgolhaig a chanddo feddwl clir, analytig, a rhoddai bwys mawr ar fanylion.

WwW (1921), 107; *Blwyddiadur MC*, 1964, 276; William Morris (gol.), *Deg o enwogion* (1965), 77-84; adnabyddiaeth bersonol.

G.M.R.

EDWARDS, HUW THOMAS (1892-1970), arweinydd ym myd undebaeth a gwleidydd; g. 19 Tach. 1892 ym Mhen-y-ffridd, y Ro-wen, Dyffryn Conwy, Caern., yr ieuangaf o saith o blant Huw Edwards, tyddynnwr a chwarelwr. Ychydig o addysg ffurfiol a dderbyniodd, ond fe'i magwyd ar aelwyd ddiwylliedig a chrefyddol. Yn 1907, ac yntau'n 14 oed, dilynodd ei dad i weithio yn chwarel ithfaen Penmaen-mawr. Arferai gerdded i'w waith o lethrau Mynydd Tal-y-fan i Benmaen-mawr. Dangosodd rywfaint o ysbryd yr anturiaethwr pan redodd i ffwrdd i'r De i weithio ym mhyllau glo Cwm Rhondda. Yn Nhonypandy yr oedd yn ystod streic 1911. Arferai baffio'n lleol ar y Sadyrnau er mwyn ychwanegu at ei incwm pitw.

Cafodd ei niweidio'n ddrwg yn ystod Rhyfel Byd I, ond dychwelodd i weithio yn nglofeydd a chwareli ithfaen gogledd Cymru lle'r aeth ati i drefnu canghennau o'r T.G.W.U. a'r Blaid Lafur. Fe'i hetholwyd yn aelod o gyngor dinesig Penmaen-mawr a bu'n gadeirydd arno. Yn etholiad 1929 gwasanaethodd fel cynrychiolydd Thomas ap Rhys a safodd fel ymgeisydd Llafur yn erbyn D. Lloyd George (*Bywg*.2, 39-40) ym mwrdeistrefi Caernarfon. Tra oedd yn ddiwaith yn 1932 fe'i penodwyd yn swyddog undeb llawn amser pan olynodd Arthur Deakin (gw. uchod) fel ysgrifennydd Cylch Shotton o'r *Transport and General Workers' Union*. Gweithredodd fel ysgrifennydd Rhanbarth Gogledd Cymru ac Ellesmere Port o'r T.G.W.U., 1934-53. Fe'i dewiswyd yn ynad heddwch dros sir y Fflint.

Daeth yn ffigwr pwysig a dylanwadol ym mywyd cyhoeddus Cymru o gyfnod llywodraeth Attlee ymlaen. Ac yntau'n adnabyddus yn y gogledd a'r de, ac yn meddu ar brofiad eang o weithgareddau llywodraeth leol yng Nghymru, fe'i dewiswyd yn gadeirydd cyntaf Cyngor Ymgynghorol Cymru yn 1949. Yn ystod y 9 ml. y bu yn y swydd, cydweithiodd â Syr William Jones (gw. isod) i gynhyrchu adroddiadau pwysig ar ddatganoli ac ar ddiboblogi yn ardaloedd gwledig Cymru. Ymddiswyddodd o'r Cyngor yn 1958 fel protest yn erbyn methiant llywodraeth Macmillan i fabwysiadu argymhellion y Cyngor ynglŷn â phenodiad Ysgrifennydd Gwladol i Gymru a newidiadau gweinyddol eraill. Bu hefyd yn gadeirydd Bwrdd Croeso Cymru am 15 ml. (a bu'n bennaeth ar ddirprwyaeth i Rwsia), Pwyllgor Addysg sir y Fflint a Bwrdd Ysbyty Clwyd a Glannau Dyfrdwy. Yr oedd yn aelod o fwrdd cyfarwyddwyr *Television Wales and the West* ac o Gyngor Cenedlaethol Darlledu y B.B.C., o Orsedd y Beirdd (ei enw barddol oedd `Huw Pen Ffridd') ac o gyngor yr Eist. Gen., o Fwrdd Nwy Cymru ac o'r Bwrdd Cynhorthwy Cenedlaethol. Yr oedd yn un o gyfarwyddwyr Gwasg Gee, Dinbych, ac yn is-lywydd Anrh. Gymd. y Cymm. Disgrifiwyd ef fel `Prif Weinidog answyddogol Cymru'. Ef oedd perchennog *Y Faner* am ychydig flynyddoedd ar ôl 1956 yn ystod cyfnod tyngedfennol yn hanes y papur. Buddsoddodd arian personol ynddo ac ymladdodd drosto mewn cylchoedd dylanwadol gan sicrhau ei ddyfodol nes ei drosglwyddo i ddwylo Gwasg y Sir, y Bala.

Yr oedd yn Sosialydd pybyr ac yn aelod o'r Blaid Lafur ar hyd ei oes hyd fis Medi 1959 pan ymunodd â Phlaid Cymru, ond dychwelodd i'w hen blaid yn 1965. Bu'n llywydd Cymdeithas yr Iaith Gymraeg. Gwasanaethodd fel cadeirydd Plaid Lafur sir y Fflint a chadeirydd Ffederasiwn Llafur Gogledd Cymru am flynyddoedd. Eto llwyddai i ennill parch a hyder rhai a safai i'r dde yn y sbectrwm gwleidyddol. Ceisiwyd droeon ei berswadio i sefyll fel ymgeisydd seneddol ar ran y Blaid Lafur, ond gwrthod a wnaeth yn ddi-ffael.

Ymddiddorai mewn barddoniaeth a rhyddiaith. Cyhoeddodd ddwy gyfrol o hunangofiant *Dros y tresi* (1956) a *Troi'r drol* (1963), ac fe'u cyfieithwyd i'r Saesneg - *It was my privilege* (1962) a *Hewn from the rock* (1967). Golygodd *Ar y cyd: cerddi gan Huw T. Edwards, Mathonwy Hughes, Gwilym R. Jones a Rhydwen Williams* (1962).

Anrhydeddwyd ef gan Orsedd y Beirdd a chan Brifysgol Cymru (LL.D., er anrh., 1957), ond ni wnaeth dderbyn yr M.B.E. a gwrthododd wahoddiad i'w urddo'n farchog yn ystod arwisgo'r Tywysog yng Nghaernarfon, Gorff. 1969.

Bu f. ei briod Margaret fis Meh. 1966, a threuliodd ddiwedd ei oes ar aelwyd ei ferch yn Sychdyn. Bu f. 9 Tach. 1970 yn ysbyty Abergele, a llosgwyd ei weddillion yn amlosgfa Pentrebychan, Wrecsam. Rhoddwyd ei bapurau ar adnau yn y Llyfrgell Genedlaethol.

Alan Butt Philip, *The Welsh question: nationalism in Welsh politics, 1945-1970* (1975); H.T. Edwards, `Why I resigned', *Wales*, Tach. 1958, a'i hunangofiannau; *Times*, 11 Tach. 1970; *West. Mail*, 11, 13 a 16 Tach. 1970; *Liv. D.P.*, 10 Tach. 1970; *Baner*, 12 Tach. 1970; D. Ben Rees (gol.), *Cymry adnabyddus, 1952-1972* (1978); *idem*.

(gol.), *Arolwg 1970* (1971); *Portreadau'r Faner,* i, (1957), 19.

J.G.J.

EDWARDS, Syr IFAN ab OWEN (1895-1970), darlithydd, sylfaenydd Urdd Gobaith Cymru; g. 25 Gorff. 1895 yn Nhremaran, Llanuwchllyn, Meir., yn fab i Syr O.M. Edwards (*Bywg.*, 179) ac Ellen ei wraig, eithr yn Rhydychen y magwyd ef nes dychwelyd i Lanuwchllyn yn 1907. Aeth i ysgol ramadeg y Bala ac oddi yno i G.P.C., Aberystwyth (1912-15). Ar ôl bod trwy'r drin yn Ffrainc (1915-18) aeth i Goleg Lincoln, Rhydychen (1918-20) a graddio mewn hanes. Yn y cyfamser collodd ei rieni a llywiodd dymuniad olaf ei dad ar i Gymru gael gwell addysg ei gamre weddill ei oes. Dychwelodd i Gymru fel athro yn ysgol ramadeg Dolgellau cyn ei benodi'n diwtor rhan-amser yn Adran Efrydiau Allanol C.P.C., Aberystwyth (1921), darlithydd yn yr Adran Addysg (1933) a chyfarwyddwr Efrydiau Allanol (1946). Ymddeolodd ymhen dwy flynedd i roi ei amser yn llawn i Urdd Gobaith Cymru.

Wedi marw ei dad teimlodd fod rheidrwydd arno i gymryd at y gwaith o olygu *Cymru* (1920-27) a *Cymru'r Plant* (1920-50), gan gychwyn atodiad iddo - *Cronicl yr Urdd* (1928-33) - yn ogystal â chylchgrawn i ieuenctid, *Y Capten* (1931-32). Ei lythyr yn rhifyn Ion. 1922 o *Cymru'r Plant* oedd cychwyn Urdd Gobaith Cymru (Fach). Yr oedd yn weledydd a realydd; yn arweinydd a chanddo'r ddawn i ennill pob math o bobl i'w gefnogi a noddi ei gynlluniau blaengar ac uchelgeisiol. Cychwynnodd wersyll gwyliau yn Llanuwchllyn yn 1928; yn ddiweddarach cafwyd safleoedd mwy parhaol yn Llangrannog (1932) a Glan-llyn (1950). Cychwynnodd eist. flynyddol yr Urdd yn 1929; ei mabolgampau yn 1932; mordaith bleser yn 1933; gwersyll i ddysgwyr yr iaith a chynghrair pêldroed i chwarae am gwpan yr Urdd yn 1941; gwersyll cydwladol yn 1948; a gwersyll Celtaidd yn 1949. Yr un flwyddyn agorwyd Pantyfedwen yn Y Borth, Cer., fel canolfan breswyl i gynnal cyrsiau difyr ar bob math o bynciau y manteisiodd miloedd o ieuenctid ac oedolion arnynt. Derbyniai ddyfeisiadau newydd i'w defnyddio orau ag y medrai er lles Cymru. Tynnai luniau â'i gamera o weithgarwch yr Urdd a dangos sleidiau yn y pentrefi yn ystod y gaeaf; yn 1935, gyda chymorth J. Ellis Williams, gwnaeth y ffilm (rannol lwyddiannus) lafar Gymraeg gyntaf, *Y Chwarelwr,* ar gyfer sinema deithiol; a bu'n gyfarwyddwr cwmni Teledu Cymru a'r Gororau (*T.W.W.*), gan ddylanwadu o blaid y Gymraeg ar aelodau'r bwrdd. Trwy ei ymdrechion ef yr agorwyd yr Ysgol Gymraeg yn Aberystwyth yn 1939. Ar waethaf pob beirniadaeth ystyriai mai hon oedd y fenter fwyaf llwyddiannus a gwerthfawr y bu'n gysylltiedig â hi. Yn ogystal â'r cylchgronau a enwyd, golygodd *A catalogue of Star Chamber proceedings relating to Wales* (1929), a rydd ryw syniad o'r maes y buasai wedi dymuno gweithio ynddo pe na bai wedi ymdynghedu i roi o'i orau i'r Urdd. Yr oedd yn gyd-awdur *Llyfr y bobl bach* (1925) gydag E. Tegla Davies (gw. uchod); awdur *Yr Urdd 1922-43* (1943); hunangofiant bychan *Clych atgof* (1961); a nifer o erthyglau yn cynnwys 'The Welsh language, its modern history and its present-day problems' yn *Hesperia,* 1951, 39-57. Rhoddodd wasanaeth

arbennig i lu o sefydliadau cyhoeddus yng Nghymru a Llundain. Bu'n ynad hedd (1941-58) a gweithiodd yn galed gyda Mudiad Senedd i Gymru ar ddechrau'r 1950au. Urddwyd ef yn farchog yn 1947; yn 1956 cyflwynwyd iddo gan yr Urdd ddarlun olew ohono'i hun gan Alfred Janes, a medal aur gan Anrhydeddus Gymdeithas y Cymmrodorion; a LL.D. er anrh. gan Brifysgol Cymru yn 1959.

Pr., 18 Gorff. 1923, ag Eirys Mary Lloyd Phillips, Lerpwl, a chartrefu yn Neuadd Wen, Llanuwchllyn hyd 1930, ac yn Aberystwyth o hynny ymlaen. Ganed iddynt ddau fab, Owen a Prys. Bu f. yn ei gartref, Bryneithin, 23 Ion. 1970 a'i gladdu yn Llanuwchllyn.

Norah Isaac, *Ifan ab Owen Edwards, 1895-1970* (1972); *Cofio Syr Ifan* (1970); gw. Glyn Lewis Jones, *Llyfryddiaeth Ceredigion, 1600-1964* a'r *Atodiad 1964-1968* am ei lyfryddiaeth.

M.A.J.

EDWARDS, JOHN (1882-1960), gwleidydd a bargyfreithiwr; g. yn Llanbadarn Fawr, Cer., 28 Chwef. 1882, mab James Edwards, gweinidog (A) Soar, Llanbadarn, a Rachel (g. Jones) ei wraig. Symudodd y teulu i Gastell-nedd erbyn 7 Ion. 1883 pan ddechreuodd y tad fugeilio eglwys Soar yn y dref honno; addysgwyd ef yn yr ysgol Frytanaidd a'r ysgol sir yng Nghastell-nedd. Cafodd ysgoloriaeth i G.P.C. Aberystwyth, lle y cymerodd radd B.A. (Llund.) a bu'n athro ysgol yn Aberdâr am rai blynyddoedd.

Bu'n filwr yn Ffrainc gyda'r Ffiwsilwyr Brenhinol Cymreig a dyfarnwyd y D.S.O. iddo, cafodd reng is-gyrnol, a'i enwi ddwywaith mewn cadlythyrau. Bu'n chwarae rygbi dros Gymry Llundain a Middlesex. Etholwyd ef yn aelod seneddol (Rh.) dros Aberafon ym mis Rhag. 1918, ond collodd y sedd i Ramsay Macdonald yn 1921. Safodd fel ymgeisydd annibynnol dros Brifysgol Cymru yn 1923, ond George M.Ll. Davies a etholwyd (*Bywg.*2, 8). Galwyd ef i'r Bar yn Gray's Inn yn 1921. Ef oedd siryf Ceredigion yn 1942. Yr oedd ganddo ddiddordeb yn y ddrama Gymraeg a chyhoeddodd ddrama *Galw'r môr* (1923) yn ogystal â chofiant i'w dad, *Edwards Castellnedd* (1935), ac ysgrifau yn ymwneud â'i alwedigaeth yn yr *English and Empire Law Digest,* a chyfnodolion eraill.

Pr. yn Llundain 27 Hyd. 1932 Gweno Elin merch hynaf Joseph Davies Bryan (a Jane, g. Clayton), Alecsandria, yr Aifft, un o noddwyr mawr C.P.C. Aberystwyth (gw. o dan BRYAN, ROBERT, *Bywg.* 2, 69-70), a bu iddynt ddau fab a merch. Cartrefodd yn Llwyn, 11 West Road, Kingston Hill, Surrey a bu f. yn ysbyty Surbiton 23 Mai 1960. Claddwyd ei lwch yn Aberystwyth.

Www; Camb. News, 5 Medi 1975, colofn 'Will O'Whispers'; [gwybodaeth gan ei ferch Rachel Davies, Llangynwyd].

E.D.J.

EDWARDS, JOHN MENLOVE (1910-58), dringwr creigiau; g. 18 Meh. 1910 yn Crossens ger Southport, sir Gaerhirfryn, yr ieuengaf o bedwar plentyn y ficer. Credai fod y teulu Edwards wedi dod o Gymru ond ni wyddai pa bryd: yr oedd y taid hefyd yn offeiriad ac yn sosialydd arloesol. Addysgwyd Menlove yng Ngholeg Feetes cyn mynd i Brifysgol Lerpwl lle graddiodd yn feddyg yn 1933. Yno yn 1930 sefydlodd ef a'i frawd, Hewlett, Y Clwb Dringo Creigiau. Yn fuan daeth yn un o geffylau blaen ail oes aur dringo Eryri. Ef oedd arloeswr `tair craig' Bwlch Llanberis ac awdur llawlyfrau Clwb y Dringwyr ar Gwm Idwal (1936); Tryfan (1937) a'r Lliwedd (1939) ar y cyd â Wilfrid Noyce; a Chlogwyn Du'r Arddu (1942) ar y cyd â J.E.Q. Barford. Yn gryf eithriadol, ymorchestai hefyd fel nofiwr a rhwyfwr mentrus. Hoffai sialens `amgylchiadau gwael, craig wael a sgidiau gwael' ar ddringfeydd llaith fel rhai Clogwyn y Geifr. Nid ymddiddorodd yn yr Alpau. Mawrygir ei ysgrifau prin ar y profiad o ddringo a disgrifiadau cynnil ei lawlyfrau; nid yw ei ychydig gerddi cystal. Cynhwyswyd y rhan fwyaf o'i waith gorau yn y cyfrolau a enwir isod.

Er bod canmol arno fel seiciatrydd yn Lerpwl, rhwng haf 1941 a hydref 1942 ymneilltuodd i Hafod Owen, uwchben Nant Gwynant, er mwyn canolbwyntio ar ochr ddamcaniaethol ei waith. Dychwelodd i swyddi yn Llundain ond ni chymerwyd ei syniadau o ddifrif. Ac yntau yn wrthwynebydd cydwybodol, yn agnostig ac yn wrywgydiwr gwrthodedig, trodd ei unigrwydd yn baranoia ac ymddeolodd i fyw yn ymyl ei chwaer ger Caer-gaint yn 1944. Bu mewn ysbytai meddwl, gan gynnwys Dinbych (1949-50). Ar 2 Chwef. 1958 cymerodd ei fywyd ei hun trwy gymryd *potassium cyanide*. Gwasgarwyd ei lwch yn ymyl Hafod Owen. Yr oedd wedi ei ethol yn aelod er anrh. o Glwb y Dringwyr ac er bod un neu ddau o'i gyfoedion yn ddringwyr cystal os nad gwell nag ef, â Menlove Edwards yn anad neb y cysylltir naws y 1930au ar greigiau Eryri.

Geoffrey Sutton a Wilfrid Noyce, *Samson, the life and writings of Menlove Edwards* (arg. preifat, d.d.); Jim Perrin, *Menlove: the life of John Menlove Edwards* (1985); gwybodaeth gan Dr. Emyr Wyn Jones.

I.B.R.

EDWARDS, NESS (1897-1968), undebwr llafur ac aelod seneddol; g. 5 Ebr. 1897. Dechreuodd weithio yn y lofa pan oedd yn 13 ml. oed a phan oedd yn 18 ml. oed fe'i hetholwyd yn gadeirydd Cyfrinfa Glofa Vivian. Ymaelododd â'r Blaid Lafur Annibynnol yn 1915 a thrwy honno daeth i gysylltiad â'r *No Conscription Fellowship*; gwrthododd ymuno â'r lluoedd arfog ac o ganlyniad fe'i carcharwyd yn 1917. Aeth i Lundain i'r *Central Labour College* yn 1919 lle bu'n gyd-fyfyriwr ag Aneurin Bevan (gw. uchod) a James Griffiths. Fe'i penodwyd yn 1927 yn ysgrifennydd amser-llawn i Gyfrinfa Glofa Penallta ac yn 1932 yn gynyrchiolydd glowyr dwyrain Morgannwg. Yn 1938 daeth yn aelod o gyngor Ffederasiwn Glowyr Prydain Fawr, gan gynrychioli Ffederasiwn Glowyr Deheudir Cymru ar y corff hwnnw. Flwyddyn yn ddiweddarach, yn dilyn marwolaeth Morgan Jones, fe'i hetholwyd yn aelod seneddol Llafur Caerffili ac fe gadwodd ei afael ar y sedd yn yr etholiadau cyffredinol canlynol o 1945 i 1966, gan ennill ym mhob un ohonynt dros saith deg y cant o'r bleidlais. Bu'n wrthwynebydd tanbaid i ffasgiaeth: beirniadodd Gytundeb Munich yn hallt, trefnodd i lowyr gwrth-Natsïaidd o'r Sudetenland ffoi o'r Almaen yn 1939, ymwelodd â gwersyll Buchenwald yn 1945 a chynrychiolodd lowyr Prydain yn seremoni dadorchuddio'r gofeb i bentrefwyr Lidice yn Tsiecoslofacia. Fe'i hetholwyd yn ysgrifennydd grŵp seneddol y glowyr yn 1942 ac yn gadeirydd grŵp seneddol yr undebwyr llafur yn 1964.

Yn dilyn buddugoliaeth y Blaid Lafur yn 1945, cafodd swydd ysgrifennydd seneddol i'r Gweinidog Llafur. Y weinyddiaeth honno oedd â'r cyfrifoldeb o arolygu'r symudiad o'r lluoedd arfog i alwedigaethau sifil wedi'r rhyfel; cyflawnwyd hyn mewn modd llyfnach o lawer yn 1945-46 nag yn 1918-19 a pherthyn cryn dipyn o'r clod am hynny i Ness Edwards. Dyrchafwyd ef i'r Cyfrin Gyngor yn 1948. O 1950 i 1951 yr oedd yn Bost-feistr Cyffredinol ac yn y swydd honno bu'n gyfrifol am gyflwyno'r telegram cyfarchion. Yn wrthwynebydd i Gaitskell, ciliodd i'r meinciau cefn wedi i hwnnw ddod yn arweinydd y Blaid Lafur yn 1955, er iddo fod, ganol y pumdegau, ar flaen y gad yn gwrthwynebu cynlluniau'r llywodraeth Geidwadol i sefydlu teledu masnachol.

Bu, ar hyd y blynyddoedd, yn wladwr iawn o genedlaetholdeb Cymreig a chynrychiolai'r traddodiad o sosialaeth ryngwladol a feithrinwyd gan y *Central Labour College*. Eto i gyd yr oedd ganddo ddiddordeb byw mewn materion Cymreig - dadleuai'n frwd o blaid diwygio'r modd y trafodid y materion hynny yn y senedd. Ymfalchïai'n fawr yn nhraddodiadau diwydiannol a llafurol deheudir Cymru ac am flynyddoedd, ei lyfrau (*The industrial revolution in south Wales* (1924), *The history of the south Wales miners* (1926) a *The history of the South Wales Miners' Federation* (cyfrol 1, 1938; yr oedd proflenni'r ail gyfrol yn Llyfrgell Coleg Nuffield, Rhydychen, ond ni chafodd ei chyhoeddi)) oedd yr astudiaethau mwyaf hylaw ar y pynciau hynny. Bu f. 3 Mai 1968.

West. Mail, 4 Mai 1968; *Times*, 4 Mai 1968; H. Francis a D. Smith, *The Fed* (1980).

J.D.

EIRUG - gw. DAVIES, TOM EIRUG uchod.

ELFED - gw. LEWIS, HOWELL ELVET isod.

ELLIS, MEGAN - gw. o dan EAMES, WILLIAM uchod.

ELLIS, ROBERT MORTON STANLEY (1898-1966), gweinidog (MC) ac awdur; g. 11 Ebr. 1898 mewn bwthyn bychan ar lan y môr rhwng y Gronant a Phrestatyn, Ffl., mab John Edward ac Emma Ellis. Mudodd ei rieni i Birmingham, ac oddi yno i'r Wyddgrug, ac i Ddinbych, gan lanio yn y diwedd (1905) yng Nglanaman, Caerf. Gadawodd ysgol y Garnant pan oedd yn 12 ml. oed, a dechreuodd weithio mewn siop, yna mewn glofa ac wedi hynny mewn gwaith tun. Magwyd ef yn Annibynnwr, ond ymunodd â'r Methodistiaid Calfinaidd ym Methania, Glanaman, gan ddechrau pregethu yno. Addysgwyd ef ar gyfer y weinidogaeth yn ysgol ramadeg Castellnewydd Emlyn ac yng ngholegau'i gyfundeb yn Aberystwyth a'r Bala. Ord. ef yn 1925, a'r un flwyddyn pr. Martha Maud Davies o Frynmyrnach, Llanfyrnach,

Penf. Bu'n gweinidogaethu yn eglwysi Abermeurig a Bwlch-y-llan, Cer. (1925-27), Saron, Llanbadarn Fawr yn yr un sir (1927-30), a Chaersalem, Tŷ-croes, ger Rhydaman, (1930-66) - bu'n gofalu hefyd am dymor am eglwys Ebeneser, Llanedi. Yn ystod ei dymor yn Nhŷ-croes dilynodd gwrs yng Ngholeg y Brifysgol, Abertawe, gan raddio yn y celfyddydau. Etholwyd ef yn llywydd Sasiwn y De yn 1965.

Yr oedd Robert Ellis yn adnabyddus ledled Cymru fel pregethwr ac fel darlithydd yn arbennig. Darlithiai ar destunau megys 'Utgyrn Seion', 'Joseph Jenkins' a 'Philip Jones', ac yr oedd ganddo ddawn neilltuol i ddynwared ei arwyr. Am bregethwyr hefyd y mae ei lyfrau: *Living echoes* (1951), *Doniau a daniwyd* (1957), a *Lleisiau ddoe a heddiw* (1961). Yn 1963 cyhoeddodd hunangofiant difyr dan y teitl *Wrth gofio'r daith*. Bu f. 29 Tach. 1966, a chladdwyd ei weddillion ym mynwent Caersalem, Tŷ-croes.

Blwyddiadur MC, 1968, 279-80; *Wrth gofio'r daith*, passim; gwybodaeth gan ei weddw, ac adnabyddiaeth bersonol.

G.M.R.

ELLIS, THOMAS EVELYN SCOTT - gw. SCOTT-ELLIS, THOMAS EVELYN isod.

ELLIS, THOMAS IORWERTH (1899-1970), addysgydd ac awdur; g. 19 Rhag. 1899 yn Llundain, wyth mis wedi marw'i dad, T.E. Ellis, A.S. (*Bywg.*, 199). Ei fam oedd Annie, merch R.J. Davies (o dan DAVIES, ROBERT (1790-18410, *Bywg.*, 138), Cwrt-mawr, Llangeitho, Cer. Addysgwyd ef yn ysgol ramadeg Aberystwyth, ysgol ragbaratoawl Orley Farm, Harrow, ysgol Westminster (gydag Ysgoloriaeth Frenhinol), Coleg Prifysgol Cymru, Aberystwyth (gydag ysgoloriaeth agored yn y clasuron), Coleg Iesu, Rhydychen (gydag ysgoloriaeth Gymreig yn y clasuron). Graddiodd B.A. 1920, B.A. (Rhyd.) 1924, M.A. (Rhyd.) 1927, M.A. (Cymru) 1930. Gwasanaethodd yn y fyddin gyda'r Magnelwyr Brenhinol, 1918. Bu'n athro'r clasuron yn Ysgol Uwchradd y Bechgyn, Caerdydd, 1924-28; darlithydd yn y clasuron yng Ngholeg y Brifysgol, Abertawe, 1928-30; prifathro ysgol sir y Rhyl, 1930-40; darlithydd yn y clasuron, Coleg Dewi Sant, Llanbedr, 1940-41; darlithydd yn y clasuron, Coleg y Brifysgol, Aberystwyth, 1941-46. Ar ddechrau Rhyfel Byd II penodwyd ef yn ysgrifennydd mygedol Pwyllgor Diogelu Diwylliant Cymru, y mudiad a ddaeth yn 1941 yn Undeb Cymru Fydd. Parhaodd yn ysgrifennydd hyd 1967. Bu'n uchel siryf Ceredigion 1944-45. Yr oedd yn aelod o lys Prifysgol Cymru, o lys a chyngor Coleg y Brifysgol, Aberystwyth, ac o lys a chyngor Llyfrgell Genedlaethol Cymru. Bu'n warden Urdd y Graddedigion, 1943-47, yn aelod o Gorff Llywodraethol yr Eglwys yng Nghymru ac o'r Corff Cynrychioli. Bu'n drysorydd Cyngor Eglwysi Cymru, 1961-66, ac yn aelod o gyngor Anrh. Cymd. y Cymmr. Rhoes Prifysgol Cymru radd LL.D. er anrh. iddo yn 1967. Dyfarnwyd O.B.E. iddo yn 1968.

Yr hyn a ddaeth ag ef i amlygrwydd ym mywyd Cymru oedd ei ymroddiad gyda gwaith Undeb Cymru Fydd. Ef oedd yr arweinydd, yn ogystal â bod yn ysgrifennydd. Ymwelai'n fynych â Thŷ'r Cyffredin a cheisio cael yr aelodau Cymreig, o bob plaid, i warchod buddiannau Cymru. Teithiodd Gymru'n annerch cyfarfodydd i oleuo pobl ar faterion megis darlledu, teledu, addysg Gymraeg ac addrefnu llywodraeth leol. Ymwelai'n gyson â'r cymdeithasau Cymreig yn Lloegr, a chychwynnodd gyfnodolyn-cyswllt, *Yr Angor*, iddynt.

Golygodd dair cyfrol *The Letters of T.C. Edwards* (1952-53). Cyhoeddodd *Cofiant T.E. Ellis* (cyf. i, 1944; ii, 1948), *Cofiant J.H. Davies* (1963), *Cofiant Ellis Jones Griffith* (1969); ac *Ym mêr fy esgyrn* (1955), llyfr o erthyglau ar faterion Cymreig cyfoes. Cyhoeddodd *The Development of higher education in Wales* (1935) a phamffledyn *Blind guides?* (1942) o dan y ffugenw 'Timothy Stone', yn ymwneud â dyfodol Prifysgol Cymru. Yr oedd yn aelod o'r comisiwn a sefydlwyd yn 1960 i arolygu dyfodol gweinyddiad Prifysgol Cymru. Bu'n llywydd cymdeithas cyn-fyfyrwyr Coleg y Brifysgol, Aberystwyth, yn 1942.

Daeth o dan ddylanwad Mudiad Cristionogol y Myfyrwyr yn y coleg yn Aberystwyth, gweithredodd ar y pwyllgor canolog, a bu'n ysgrifennydd y Pwyllgor Cymreig, 1923-24. Bu'n aelod gweithgar o Urdd y Deyrnas, gan ysgrifennu erthyglau i'r *Efrydydd*. Yr oedd yn aelod o gyngor *The Institute of Christian Education* ac o adran Gymreig y Mudiad. Ym mis Awst 1921 aeth i wersyll cyntaf Mudiad Gwersyll Bechgyn Ysgol Cymru, a sefydlwyd ar linellau gwersylloedd Mudiad Cristionogol y Myfyrwyr. Yr oedd yn arweinydd wrth reddf; bu'n weithgar gyda'r Mudiad am flynyddoedd a chadwodd mewn cysylltiad ag ef ar hyd ei oes. Bu'n arwain bechgyn i'r Alban a'r cyfandir yn ogystal â Chymru. O'i brofiad helaeth yn teithio Cymru ar droed, ar feisigl ac mewn car modur y deilliodd ei ysgrifau taith, yn y *Ford gron*, i ddechrau, ac yna yn ei gyfrolau *Crwydro Ceredigion* (1952), *Crwydro Meirionnydd* (1954), *Crwydro Maldwyn* (1957), *Crwydro Mynwy* (1958), *Crwydro sir y Fflint* (1959), *Crwydro Llundain* (1971), a *Dilyn llwybrau* (1967).

Bu'n ddarlledwr cyson yn Gymraeg a Saesneg ac yn aelod o dîm Cymru *Round Britain Quiz* (B.B.C.) am 20 ml. Ysgrifennai ar gyfer y radio ar y teledu a chymryd rhan mewn cyfresi teledu a rhaglenni cyffredinol. Lluniwyd y gyfrol *Ateb parod* (1971) o gystadleuthau holi ar y teledu. Cwestiynau ar wybodaeth gyffredinol sydd yn *Canllawiau* (1942), a ymddangosodd gyntaf yn *Y Faner*. Yn ei ysgrif yn *Credaf* (gol. J.E. Meredith; 1943) mae'n egluro sut y troes o fod yn aelod gyda'r MC i fod yn Eglwyswr. Cafodd fedydd esgob yn Llanelwy ym mis Tach. 1936, a'r flwyddyn ddilynol trwyddedwyd ef yn ddarllenydd lleyg. Bu'n gyfrannwr cyson i'r *Llan* ac yn ysgrifennydd Cwmni'r Llan a'r Wasg Eglwysig am gyfnod. Ysgrifennai i'r *Haul* (dan yr enw 'Timothy Stone', gan amlaf), y *Llenor*, *Barn*, etc., a chyfrannodd lawer o ysgrifau i'r *Bywg*.

Pr., 20 Ebr. 1949, Mary Gwendoline Headley, a bu iddynt fab a merch. Bu f. yn ei gartref, 4 Laura Place, Aberystwyth, 20 Ebr. 1970, a'i gladdu ym mynwent Llanfair, Harlech.

Www; [*Portreadau'r Faner*, i (1957), 9; *Baner*, 30 Ebrill 1970; *Gol.*, 29 Ebrill. 1970; *Camb. News*, 29 Ebrill 1970]; llsgrau. ym meddiant yr awdur; adnabyddiaeth bersonol.

M.G.E.

EMANUEL, HYWEL DAVID (1921-70), llyfrgellydd ac ysgolhaig Lladin Canol; g. 14 Mai 1921 ym Mhorth Tywyn, Caerf., yn fab i William David Emanuel, ysgolfeistr, a'i wraig Margaret (g. James). Addysgwyd ef yn ysgol ramadeg y bechgyn, Llanelli, ac yna yng Ngholeg Prifysgol Cymru, Aberystwyth, lle y graddiodd gydag anrhydedd yn Lladin yn 1941. Wedi pum ml. o wasanaeth tramor yn y Llynges yn ystod y rhyfel, penodwyd ef yn 1947 yn geidwad cynorthwyol yn adran llsgrau. Ll.G.C. O 1955 i 1968 bu'n ddarlithydd, ac yna'n ddarlithydd hŷn, mewn Lladin Canol a phaleograffeg yn C.P.C., Aberystwyth. Yn 1968, penodwyd ef yn llyfrgellydd y coleg, swydd a ddaliai pan fu farw.

Enillodd radd M.A. Prifysgol Cymru yn 1950 am draethawd ar y testunau Lladin o fuchedd Sant Cadog, ac yn 1960 derbyniodd radd Ph.D. yr un brifysgol am astudiaeth o destunau Lladin cyfreithiau Hywel Dda. Wedi ymchwil pellach yn y maes hwn cyhoeddodd yn 1967 ei brif waith, sef y gyfrol *The Latin texts of the Welsh Laws*. Ymhlith ei gyhoeddiadau eraill mae ei bennod ar y cyfreithiau yn *Celtic studies in Wales* (1963), a chyfraniadau i amryw weithiau sy'n ymwneud ag agweddau ar astudiaethau o'r Oesoedd Canol. Cyhoeddodd hefyd erthyglau ar y cyfreithiau ac ar bynciau eraill yn ymwneud â'r Oesoedd Canol, a chyfrannodd yn helaeth i *Cylch*. *Ll.G.C.* Darllenwyd ei werthfawrogiad o A.W. Wade-Evans (gw. isod) i Anrhydeddus Gymdeithas y Cymmrodorion, a'i gyhoeddi yn *Trans. Cymm.*, 1965, 257-71.

Pr. yn 1947 Florence Mary Roberts o Borth Tywyn, a ganwyd iddynt fab a merch. Bu f. 20 Ebr. 1970, yn Aberystwyth.

Adnabyddiaeth bersonol.

M.H.D.

ERFYL FYCHAN - gw. JONES, ROBERT WILLIAM isod.

EVANS, ARTHUR WADE - gw. WADE-EVANS, ARTHUR WADE isod.

EVANS, DAVID (1886-1968), Athro prifysgol yn yr Almaeneg ac awdur; g. 18 Tach. 1886 yn ardal Blaen-ffos, Penf., yn fab i John Evans (bu f. 18 Ion. 1914 yn 81 ml. oed) ac Elizabeth ei wraig (bu f. 30 Ion. 1937 yn 86 ml. oed) o Fwlchnewydd, plwyf Castellan. Addysgwyd ef yn ysgol sir Aberteifi, lle'r oedd yr Almaeneg ar y pryd yn rhan amlwg o'r maes llafur, ac ar ôl cyfnod diffrwyth o ffermio gartref derbyniwyd ef yn 1907 i Goleg Prifysgol Cymru, Aberystwyth. Graddiodd gydag anrhydedd yn yr Almaeneg yn 1910, ac ar ben dwy fl. arall enillodd radd M.A. Symudodd wedyn yn *lektor* Saesneg yn ogystal â myfyriwr ym Mhrifysgol Berlin, a dod yn gydnabod yno i'r ysgolhaig Celteg Kuno Meyer. Yno yr oedd yn gweithio pan gyhoeddwyd Rhyfel Byd I yn 1914, ac yno y cadwyd ef am y pedair bl. nesaf yn un o ryw bum mil o garcharorion sifil ar safle moethus maes rasys ceffylau Ruhleben. Ei brif ddiddordeb yno oedd Ysgol y Gwersyll a gychwynnwyd yn gynnar yn 1915, lle bu'n bennaeth astudiaethau Celteg ac at hynny, er mawr ddifyrrwch iddo yn nes ymlaen, yn llywydd Cymdeithas y Gwyddelod. Un o'i ddisgyblion yno ar y dechrau a chynorthwyydd

wedi hynny oedd Ifor Leslie Evans (gw. isod) a benodwyd yn 1934 yn Brifathro Coleg y Brifysgol, Aberystwyth.

Am gwta tri mis ar ôl ei ryddhau bu'n athro ysgol yn Wrecsam ac yna'n ddarlithydd ym Mhrifysgol Birmingham, hyd nes ei benodi 24 Medi 1920 yn Ddarlithydd Annibynnol a Phennaeth Adran yn Aberystwyth. Er gwaethaf atgasedd y cyfnod at yr Almaen a'i phobl, llwyddodd ef i fagu adran arbennig o fywiog a daeth ei enw yn symbol mor gyfarwydd o'r bri newydd ar yr iaith nes cymell y coleg yn 1936 i sefydlu cadair yn y pwnc a'i ddyrchafu yntau yn Athro. Yn y swydd hon yr arhosodd hyd ei ymddeol yn 1952 a'i ddynodi yn Athro Emeritws.

Yn ogystal â chyfieithu *Detholiad o chwedlau Grimm* (1927) a *Detholiad o storïau Andersen* (1921, 1931) ynghyd â dramâu gan Herman Heijermans (*Ahasfer; Y Gobaith da*) ac Anatole France (*Y gŵr a briododd wraig fud*), cyfrannodd liaws o ysgrifau ar addysg, crefydd a phroblemau cyfoes a llenyddiaeth yr Almaen i gylchgronau Cymreig. Cyhoeddodd *A simplified German Grammar* (1948), *Gofyniadau ac atebion i Lythyr Cyntaf Paul at y Corinthiaid* (1926), ond ei gyhoeddiad pwysicaf a ddaeth ag ef i amlygrwydd cyffredinol oedd *Y wlad: ei bywyd, ei haddysg, a'i chrefydd* (1933), arolwg dreiddgar o werthoedd sylfaenol y bywyd cefngwlad (iddo ef cylch y Frenni Fawr) ac astudiaeth y bu galw am ail argraffiad ohoni cyn diwedd y flwyddyn, hynny'n rhannol oherwydd clodfori'r gwaith i'r entrychion gan David Lloyd George (*Bywg*.2, 39-40), yn ei araith yn Eist. Gen. Wrecsam.

Bu'n weithgar iawn yng Ngholeg Aberystwyth lle y bu'n bennaf gyfrifol am gychwyn y cynllun gofal meddygol cyntaf i fyfyrwyr i'w sefydlu yn holl brifysgolion Prydain Fawr. Bu'n llywydd Cymdeithas y Cynfyfyrwyr yn 1952, ac yn gynrychiolydd y Cyngor Prydeinig yn Aberystwyth am flynyddoedd lawer. Yr oedd yn Fedyddiwr cwbl ddigyfaddawd, ac yn aelod, diacon ac athro Ysgol Sul yn eglwys Bethel, Aberystwyth.

Pr., 30 Rhag. 1920, â Margaret James o Landeilo, ei thad yn Arolygydd Ysgolion Cynradd yn sir Gaerfyrddin a'i mam wedi bod yn aelod o 'Gôr Mawr' Griffith Rhys Jones (`Caradog'; *Bywg*., 437). Gwraig radd oedd ei briod hithau o Goleg Aberystwyth yn 1910, ac erbyn cwrdd â David Evans yn Birmingham wedi ei phenodi yn athrawes Ffrangeg yn ysgol ramadeg y merched, Halesowen. Yn ystod ei thymor hi yn Aberystwyth bu hi'n weithgar dros amryw o achosion da, e.e. Cyfeillion yr Ysbyty a'r R.S.P.C.A. Ganed o'r briodas ddau fab a merch. Bu ef f. 26 Hyd. 1968 yn Ysbyty Bron-glais yn y dre a'i gladdu ym mynwent ei fam-eglwys ym Mlaen-ffos. Bu hithau f. 29 Tach. 1973 yn 84 ml. oed yng nghartref ei merch yn Camberley a'i chladdu yn Aldershot.

Gŵr hoffus ei anian oedd David Evans, diysgog ei egwyddorion a llafar ei farn, ond heb fod ar brydiau'n gaeth i gonfensiwn. Gwir y dywedodd y Prifathro Thomas Parry ddydd ei angladd `in spite of the infinite variety of human nature, there will never be anybody exactly like David Evans'.

UCW Aberystwyth News Letter, 1969, 20-1 (teyrnged Thomas Parry); *UCW Old Students'*

Association. Annual, 1969, 13-15; *Times*, 31 Hyd. 1968; *Daily Telegraph*, 31 Hyd. 1968; *Camb. News*, 1, 8 Tach. 1968, 7 Rhag. 1973; *Ser. Cymru*, 10 Ion. 1969; *In Ruhleben camp* (wedyn *Ruhleben camp magazine*) a chopïau o brospectws Ysgol y Gwersyll, o lyfrgell David Evans, yn Ll.G.C.; llsgr. Ll.G.C. 19979 (llythyr D. Lloyd George); copi personol D.Ll.G. o *Y Wlad* gyda nodiadau, yn Ll.G.C.; *Dragon* (cylchgrawn C.P.C. Aberystwyth), 1929, 32-4, ac 1931, 10; gwybodaeth gan ei fab Roland D.W. Evans, Solihull, Birmingham, a'r Parch. William Jones, Blaen-ffos; adnabyddiaeth bersonol.

B.G.O.

EVANS, Syr (DAVID) EMRYS (1891-1966), addysgydd a chyfieithydd; g. 29 Mawrth 1891, mab T. Valentine Evans, gweinidog (B), Clydach, Morg. Cafodd ei addysg yn ysgol sir Ystalyfera, a Choleg Prifysgol Gogledd Cymru, Bangor, lle graddiodd gydag anrhydedd yn y dosbarth cyntaf mewn Lladin yn 1911 a Groeg yn 1912. Cafodd radd B.Litt. Rhydychen o Goleg Iesu, ac etholwyd ef yn gymrawd o Brifysgol Cymru. Bu'n athro yn ysgol uwchradd y Pentre, Cwm Rhondda, ac ysgol uwchradd Longton am ysbeidiau byrion. Yn 1919 penodwyd ef yn ddarlithydd cynorthwyol yn y clasuron yng Ngholeg y Brifysgol, Bangor, ac yn athro'r clasuron yng Ngholeg y Brifysgol, Abertawe, yn 1921. Yn 1927 dychwelodd i goleg Bangor fel prifathro, ac yno y bu nes ymddeol yn 1958. Gwasanaethodd fel is-ganghellor Prifysgol Cymru bedair gwaith - yn 1933-35, 1941-44, 1948-50, 1954-56. Bu'n gadeirydd y Cyngor Ymgynghorol ar Addysg (Cymru) 1944-46, a'r Cyngor Darlledu i Ysgolion (Cymru); yn ddirprwy-gadeirydd y Comisiwn ar Lywodraeth Leol yng Nghymru, 1959-62; yn aelod o Bwyllgor Ymgynghorol Cymreig yr Ymddiriedolaeth Genedlaethol ac o Bwyllgor Cymreig Cyngor y Celfyddydau. Yr oedd hefyd yn aelod o'r Comisiwn Brenhinol ar Addysg Brifysgol yn Dundee, 1951-52. Cafodd radd LL.D. er anrh. gan Brifysgol Cymru a Phrifysgol Lerpwl, a rhoed iddo ryddfreiniaeth dinas Bangor. Dyrchafwyd ef yn farchog yn 1952.

Cyhoeddodd Syr Emrys y llyfrau a ganlyn: *Amserau'r Testament Newydd* (1926), *Crefydd a chymdeithas* (1933), *Y clasuron yng Nghymru, darlith flynyddol y B.B.C.* (1952), a *The University of Wales, a historical sketch* (1953) ond ei gyfraniad pennaf oedd y gyfres o gyfieithiadau o weithiau Platon: *Amddiffyniad Socrates* (1936), *Phaedon* (1938), *Ewthaffron: Criton* (1943), *Gorgias* (1946) a *Y Wladwriaeth* (1956). Yr oedd Syr Emrys wedi darllen yn helaeth yn Gymraeg ac wedi ennill cryn feistrolaeth ar yr iaith. Byddai'n ysgrifennu'n goeth gan dueddu i ddefnyddio ffurfiau a chystrawennau henaidd, a thrwy hynny roi urddas ar ei arddull, ond yr oedd hynny'n gweddu i'r cyfieithiadau o'r Roeg, ac yn gweddu hefyd, yn ôl y safonau a dderbyniwyd ar y pryd, i'r cyfieithiadau o lyfrau'r Testament Newydd a gynhyrchwyd dan nawdd y brifysgol. Yr oedd Syr Emrys yn aelod o'r panel a oedd yn gyfrifol am Efengyl Mathew, Efengyl Luc a Llyfr yr Actau. Gwnaeth beth gwaith hefyd ar y cyfieithiad o'r Testament Newydd a gyhoeddwyd yn 1975. Fel gweinyddwr yr oedd ganddo ddawn i weithredu'n dawel ond yn gadarn.

Pr. G. Nesta Jones, Pontypridd, yn 1927, a bu iddynt fab a merch. Bu f. 20 Chwef. 1966.

Www; gwybodaeth bersonol.

T.P.

EVANS, DAVID JOHN (1884-1965), gweinidog (MC) ac awdur; g. 1 Gorff. 1884 ym Mronfelen, Capel Seion, Cer., mab John ac Ellen Evans. Addysgwyd ef yn ysgol elfennol Capel Seion, ysgol fwrdd Pen-llwyn, ysgol ramadeg Castellnewydd Emlyn, Coleg y Brifysgol, Aberystwyth (lle graddiodd yn y celfyddydau), a'r Coleg Diwinyddol, Aberystwyth (lle graddiodd mewn diwinyddiaeth). Ord. ef yn 1916, a bu'n weinidog ei fam-eglwys yng Nghapel Seion hyd ei farwolaeth. Pr., 1943, Mary Muriel Williams, Aberystwyth. Bu f. 1 Mai 1965. Daeth i amlygrwydd yn 1926 pan gyhoeddodd lawlyfr, *Prif gymeriadau'r Hen Destament*, a wrthodwyd gan ei Gyfundeb oherwydd ei olygiadau rhyddfrydol. Yn 1935 cyhoeddodd *Hanes Capel Seion*, cyfrol ddefnyddiol iawn ym maes hanes lleol.

WwFC (1951), 340; *WwW* (1937), 57; *Hanes Capel Seion*; gwybodaeth gan T.J. Davies, Caerdydd.

G.M.R.

EVANS, DAVID TECWYN (1876-1957), gweinidog (EF); g. 5 Rhag. 1876 yn Aberdeunant Uchaf, Llandecwyn, Meir., mab Evan a Catherine Evans. Cafodd ei addysg yn ysgol genedlaethol Llandecwyn, ysgol fwrdd Talsarnau (lle bu hefyd yn ddisgybl-athro), Coleg y Brifysgol, Bangor a choleg diwinyddol Didsbury, Manceinion. Dechreuodd bregethu y Sulgwyn 1894 yn 17 oed a daeth i sylw gwlad yn fuan, ac yn 1902 ar ddechrau ei yrfa bu ar daith bregethu yn America ac aeth yno wedyn yn 1913. Bu'n weinidog yn y lleoedd a ganlyn: Aberdyfi 1902, Llanddulas 1904, Y Felinheli 1907, Conwy 1910, Llanrwst 1911, Birkenhead 1914, Wrecsam 1919, Rhyl 1922, Bangor 1925, Llandudno 1928, Tre-garth 1931, Abergele 1936, Aberdyfi 1939. Yn 1941 aeth yn 'uwchrif' gan fyw yn y Rhyl. Yno y bu farw yn 80 oed 27 Hyd. 1957. Ei briod oedd Nanna Stirrup o Langefni a fu farw yn 1925. Enillodd radd M.A. Prifysgol Cymru yn 1927 am draethawd ar yr iaith Gymraeg a chafodd radd D.D. (Cymru) er anrh. yn 1951. Ef oedd llywydd y Gymanfa Gymreig yn 1929-30 ac o 1936 hyd 1941 bu'n gadeirydd ail dalaith gogledd Cymru.

Yr oedd 'Tecwyn' yn un o dywysogion mwyaf y pulpud yn ei gyfnod ac yn ei bregethu ceid cyfuniad rhyfedd o ysgolheictod, gwres a dawn llefaru. Yr oedd hefyd yn ddarlithydd poblogaidd ar destunau fel 'Llyfr Job', 'Llyfr Jona', 'Y Beibl Cymraeg', 'Ann Griffiths', 'Puleston Jones'. Cyhoeddwyd amryw o'r darlithiau hyn yn llyfrynnau. Yr oedd yn ddisgybl teyrngar iawn i John Morris-Jones (*Bywg.*, 1060-61) a gwnaeth lawer i boblogeiddio'r orgraff newydd mewn darlith a chylchgrawn a thrwy ei lyfr *Yr iaith Gymraeg: ei horgraff a'i chystrawen* (1911) a ail-argraffwyd droeon. Bu'n olygydd *Yr Eurgrawn* am ugain mlynedd (1931-51) a thrwy hwnnw hefyd dysgodd lawer i ysgrifennu Cymraeg cywir.

Lluniodd rai emynau (y mwyaf adnabyddus yw 'Duw a Thad yr holl genhedloedd') a chyfieithodd emynau a cherddi eraill a chyhoeddodd rai ohonynt yn *Bytheiad y nef a chaniadau eraill* (1927). Yr oedd yn gydolygydd *Llestri'r trysor* (1914), ac yn 1920 cyhoeddodd *Iesu hanes*, cyfieithiad o *Jesus of history* (T.R. Glover). Cyhoeddodd esboniad i'r Ysgol Sul ar I Corinthiaid (1926), casgliad o weddïau (1945), llawer o'i bregethau mewn cyfnodolion a llyfrau, a pheth o hanes ei fywyd yn *Atgofion cynnar* (1950).

Atgofion cynnar (1950); *Minutes of Methodist Conference*, 1958; *Eurgrawn*, gaeaf 1976 (rhifyn coffa).

G.R.T.

EVANS, EBENEZER GWYN (1898-1958), gweinidog (MC); g. 31 Mai 1898 yng Ngellilenor Fawr, Llangynwyd, Morg., mab ieuangaf Benjamin a Gwenllian Evans — y fam o gyff Dafydd Morris yr Hendre (1787-1858) (*Bywg.*, 619). Addysgwyd ef yn ysgol elfennol ac ysgol sir Maesteg, ac ar ôl dechrau gweithio ar fferm ei dad bu'n athro ysgol am dymor. Ymunodd â'r fyddin yn ystod Rhyfel Mawr I, ac ar ddiwedd y rhyfel aeth i Goleg y Brifysgol, Aberystwyth (lle graddiodd gydag anrhydedd mewn athroniaeth) a dechrau pregethu. Gorffennodd ei addysg yng ngholegau diwinyddol Aberystwyth a'r Bala. Ord. ef yn 1927, a bu'n gweinidogaethu yn Rock Ferry (1927-30), Cathedral Rd, Caerdydd (1931-36), Trinity, Abertawe (1936-39) a Charing Cross Rd., Llundain (1939-58). Pr., 1927, Enyd Jane Jones, merch Edward Jones ('Iorwerth Ddu'), Maesteg, a ganed dau fab o'r briodas. Bu f. 23 Gorff. 1958.

Yr oedd yn bregethwr coeth a grymus, yn Saesneg ac yn Gymraeg, ac o'r herwydd bu galw mawr am ei wasanaeth yn ne a gogledd Cymru. Bu'n gadeirydd Undeb Eglwysi Rhyddion Lloegr a Chymru (1957-58). Ysgrifennodd i'r *Goleuad* ac i'r *Drysorfa*, ac yn 1951 cyhoeddodd hanes eglwys Charing Cross Rd. dan y teitl *Y ganrif gyntaf*.

J.M. Jones, *Hanes Eglwys Tabor, Maesteg* (1940), 29; *Gol.*, 6 Awst 1959; *Blwyddiadur MC*, 1959, 263; *Drys.*, Ion. 1959; gwybodaeth gan ei fab, Hywel I. Evans, Penmaen-mawr; adnabyddiaeth bersonol.

G.M.R.

EVANS, ELLEN (1891-1953), prifathrawes Coleg Hyfforddi Morgannwg, y Barri; g. 10 Mawrth 1891 yn 17 Dorothy St., Gelli, Rhondda, Morg., yn ferch i John ac Ellen Evans a ymfudodd o Geredigion yn 1871. Cafodd ei haddysg yn ysgol uwchradd y Rhondda, a chanolfan disgybl-athrawon y Rhondda cyn mynd i G.P.C., Aberystwyth yn 1911 a graddio mewn Cymraeg yn 1914. Penodwyd hi'n ddarlithydd yng Ngholeg Hyfforddi Morgannwg yn y Barri yn 1915 a'i dyrchafu'n brifathrawes y coleg yn 1923. Cymerai ddiddordeb arbennig mewn defnyddio'r Gymraeg mewn ysgol a choleg, a bu ei llyfr *The teaching of Welsh* (1924) a oedd yn seiliedig ar destun ei thraethawd gradd M.A., ei *Llawlyfr i athrawon* (1926) a *Cynllun Cymraeg* (1927) o fudd mawr i athrawon yn nyddiau cynnar Cymreigio gwersi yn yr ysgolion. I gwrdd â'r angen am ddeunydd darllen i'r plant cyhoeddodd *Y Mabinogion i'r plant*, 4 cyfrol (1924), *Hwiangerddi Rhiannon* (1926) a chyfrol ar leoedd hanesyddol Morgannwg, *Y Wen fro* (1931).

Bu'n aelod o nifer o gyrff cyhoeddus. Hi oedd yr unig ferch ar y Pwyllgor Adrannol ar Addysg, 1925-27, a'r wraig gyntaf i'w hethol ar lys yr Ysgol Feddygol (bellach Coleg Meddygol Prifysgol Cymru). Bu ar bwyllgor gwaith Coleg Harlech o'r dechreuad yn 1927, yn is-lywydd yn ddiweddarach ar lysoedd colegau Prifysgol Cymru yn Aberystwyth a Chaerdydd, ac is-lywydd Urdd Gobaith Cymru. Hi oedd cadeirydd cyntaf cangen Cymru o Gymdeithas Ysgolion Meithrin. Yr oedd yn frwd dros sefydlu ysgolion Cymraeg a thros y diwylliant Cymreig yn gyffredinol a galwyd am ei gwasanaeth fel darlithydd, beirniad eisteddfod a darlledydd. Gyda chymorth Cymreigesau brwd cafodd ddylanwad mawr ar filoedd o fyfyrwyr y coleg yn y Barri a derbyniodd yr anrhydedd o C.B.E. yn 1948. Bu f. 26 Medi 1953 gan adael tair chwaer.

Gymraes, 38, 41-4; *Www*; *West. Mail*, 28 Medi 1953.

E.D.J.

EVANS, ERNEST (1885-1965), barnwr llysoedd sir, A.S.; g. yn Aberystwyth, Cer., 17 Mai 1885, mab Evan Evans, clerc cyngor sir Aberteifi, a'i wraig, Annie (g. Davies). Cafodd ei addysg yng Ngholeg Llanymddyfri, C.P.C., Aberystwyth (c. 1902-05), Neuadd y Drindod, Caergrawnt (LL.B.), lle y bu'n llywydd yr Undeb yn 1909, galwyd ef i'r Bar yn 1910, a bu'n gweithredu yn Llundain ac ar gylchdaith De Cymru. Gwasanaethodd yn Ffrainc yn Rhyfel Byd I gyda'r R.A.S.C. a chyrraedd rheng capten. O Dach. 1918 i Rag. 1920 bu'n ysgrifennydd preifat i David Lloyd George (*Bywg.*2, 39). Yn 1921 wedi dyrchafu M.L. Vaughan Davies i Dŷ'r Arglwyddi fel yr Arglwydd Ystwyth o Dan-y-bwlch, Tori rhonc a fu'n A.S. dros sir Aberteifi fel Rhyddfrydwr o 1895, cafodd gefnogaeth Lloyd George i ymladd is-etholiad am sedd y sir yn erbyn William Llewelyn Williams (*Bywg.*, 1020), dewis-ddyn Rhyddfrydwyr traddodiadol y sir. Wedi brwydr ffyrnig, a rwygodd rengoedd Rhyddfrydwyr sir Aberteifi am flynyddoedd, enillwyd y sedd gan Ernest Evans. Yn etholiad cyffredinol 1922 aeth ei fwyafrif i lawr i 515 mewn gornest yn erbyn Rhys Hopkin Morris (gw. isod) dros y Rhyddfrydwyr Annibynnol. Yn etholiad cyffredinol 1923 collodd y sedd i Rhys Hopkin Morris mewn gornest dri chornel, gyda Iarll Lisburne yn ymladd dros y Ceidwadwyr. Yn 1924 enillodd sedd Prifysgol Cymru yn erbyn George M.Ll. Davies (*Bywg.* 2, 8), yr ymgeisydd Llafur, ac fe'i daliodd hyd 1942. Gwnaethpwyd ef yn K.C. yn 1937, a daliodd swydd barnwr llysoedd sir o 1942 i 1957, pan ymddeolodd. Bu'n aelod o gyngor Ll.G.C. ac yn is-lywydd Anrh. Gymd. y Cymm. Cyfraith amaethyddol oedd ei brif bwnc. Cyhoeddodd gyda Clement Edward Davies *An epitome of agricultural law* (1911), ac ef ei hun *Elements of the law relating to vendors and purchasers* (1915), ac *Agricultural holdings and small holdings Act*.

Pr., yn 1925, Constance Anne, merch Thomas Lloyd, dilledydd, Hadley Wood a'i mam erbyn hynny yn weddw ac yn briod â J.T. Lewis, Llundain a Llannarth, Cer. Bu iddynt dri mab. Bu f., 18 Ion. 1965, yn ei gartref, Traeth-gwyn, Ffordd Tymawr, Deganwy, Caern.

Www; *Camb. News*, 22 Ion. 1965; *Times*, 19 Ion. 1965.

E.D.J.

EVANS, EVAN (1882-1965), gŵr busnes; g. 8 Tach. 1882 yng Nglanyrafon, Betws Leucu, Cer., yn fab i David ac Elizabeth (g. Davies) Evans. Dim ond naw oed ydoedd pan adawodd yr ysgol yn Llangeitho. Yn 15 oed aeth i weithio yn siop laeth cefnder iddo yn Marylebone heb fawr ddim Saesneg, ond mynychodd ysgol nos yn Llundain i ddysgu'r iaith. Yn ugain oed yr oedd yn berchen ei siop laeth ei hun cyn prynu fferm, a throi at gadw gwesty, busnes gwerthu ceir, a sefydlu cwmni twristiaeth Evan Evans Tours Ltd. ac iddo gysylltiadau bydeang. Cymerai ddiddordeb ym mywyd cyhoeddus Bwrdeistref S. Pancras fel cynghorydd 1922-59 a henadur 1935-45, maer 1939-41, dirprwy faer am 5 ml., ac ynad heddwch. Gweithiodd yn ddygn i roi lloches i'r rhai a gollodd eu cartrefi trwy gyrchoedd awyr 1940. Bu'n aelod o gyngor sir Llundain 1931-34 a gwnaed ef yn rhyddfreiniwr Dinas Llundain yn 1946. Ac yntau'n flaenor er 1932, gwasanaethodd Eglwys Jewin (MC) fel ysgrifennydd o 1938 hyd ei farw, a bu'n llywydd Cymdeithasfa'r De, 1961-62. Cyfrannodd at gyhoeddi cyfrol Tom Beynon (gw. uchod) ar Howel Harris yn Llundain. Urddwyd ef i wisg werdd Gorsedd y Beirdd wrth yr enw Ifan Gwynfil yn Eist. Gen. Abertawe, 1964. Pr. Nancy Meurig Davies yng Nghapel Jewin, 19 Chwef. 1936, a bu iddynt un mab. Bu f. yn ei gartref yn Guildford Street, 24 Gorff. 1965, a chladdwyd ef ym mynwent Capel Gwynfil, Llangeitho.

Gwybodaeth gan y mab, Dafydd Gwyn Evans; *WWP*; gw. hefyd *Camden and St. Pancras Chronicle*, 30 Gorff. 1965.

M.A.J.

EVANS, GRIFFITH IFOR (1889-1966), llawfeddyg ac arloeswr y Weinidogaeth Iacháu yng Nghymru; g. 14 Chwef. 1889 yn fab i G.T. Evans, rheolwr banc, Bryn Estyn, y Rhyl, Ffl. Addysgwyd ef yn Ysgol Rhuthun ac yn Rhydychen, yng Ngholeg Lincoln i ddechrau yn darllen hanes ac economeg, ac wedyn yng Ngholeg Magdalen yn paratoi ar gyfer cwrs meddygol yn Ysbyty San Siôr, Llundain. Cafodd yrfa ddisglair iawn fel efrydydd ac enillodd nifer o'r prif wobrau. Graddiodd yn feddyg yn 1916. Ar ôl 3 bl. yn y fyddin gyda'r R.A.M.C. enillodd M.A., D.M. yn 1919 a'r F.R.C.S. yn 1921.

Gyda record o'r safon yna mae'n syndod braidd na cheisiodd am swydd fel ymgynghorydd yn un o ysbytai Llundain. Fodd bynnag, daeth i Gaernarfon at Dr. Lloyd Roberts yn 1926 yn feddyg teulu yn 37 Castle Square. Yn 1931 dyfarnwyd iddo fedal aur yr *Hunterian Society* am waith ymchwil ar agweddau teuluol un o'r afiechydon gwenerol. Apwyntiwyd ef yn llawfeddyg i Ysbyty Môn ac Arfon, ond ymddeolodd o'r swydd honno ymhen ychydig flynyddoedd. Aflwyddiannus fu ei gais i fynd yn ôl ar y staff fel ffisigwr.

Yn ystod y cyfnod hwn bu'n weithgar mewn llawer cyfeiriad ar wahân i'w bractis. Yr oedd yn gantwr da, yn flaenor yng nghapel Engedi (MC) ac yn bregethwr lleyg. Yn 1942-43 ef oedd llywydd Cangen Gogledd Cymru o'r B.M.A., ac uchel siryf sir Gaernarfon. Yr oedd yn ŵr o ddiwylliant eang ac ymddiddorai mewn athroniaeth a diwinyddiaeth yn ogystal â'r gwyddorau. Fel yr âi'r blynyddoedd heibio

trodd Griffith Evans fwyfwy at y ffiniau rhwng y disgyblaethau hyn a meddygaeth bur. Ymhen amser sefydlodd, gyda chymorth nifer o gyfeillion, Ganolfan y Weinidogaeth Iacháu yng Nghaernarfon, a dewiswyd ef yn llywydd cyntaf Pwyllgor Iacháu ei enwad. Oddi yno ymestynnodd ei ddiddordeb i gefnogaeth ymarferol o'r *London Healing Mission*, i'r graddau iddo symud i fyw i Melbury Road, Kensington, ac ymaelodi yn eglwys Charing Cross (MC) yn 1958.

Erbyn hyn yr oedd ei gysylltiadau agos â'r mudiad Iacháu trwy Ffydd wedi gwanhau'n sylweddol ei berthynas â meddygaeth uniongred yn ystyr gyffredin y gair. Yn y weinidogaeth iacháu y parhaodd ei ddiddordeb, ac yn y maes hwn y canolbwyntiodd ei astudiaethau damcaniaethol. Trwythodd ei feddwl trwy ddarllen ar raddfa eang, ac ysgrifennodd yn bur helaeth, yn Saesneg gan mwyaf, mewn ymgais i ddistyllu syniadau arbenigwyr cyfoes yn y maes. Ond mae'n rhaid cyfaddef fod yr elfen o niwlogrwydd ac amhendantrwydd yn ei ysgrifau yn eu gwneud bron yn anneelladwy i feddygon a lleygwyr. Nid oes amheuaeth am onestrwydd ei gred yng ngwerth y canolfannau iechyd, nac yn nhrylwyredd ei ymchwil yn y maes, ond prin y gellir haeru iddo drosglwyddo ei frwdfrydedd i'w frodyr proffesiynol, ac nid ar eu ceidwadaeth gynhenid hwy yr oedd y cwbl o'r bai am hynny. Sylfaen ei waith yn y maes hwn oedd sicrwydd ei argyhoeddiad fel Cristion, a'i ymwybyddiaeth o ddylanwad y meddwl a'r emosiwn ar iechyd 'cyflawn' yr unigolyn. Er holl ddisgleirdeb blynyddoedd cynnar ei yrfa fel meddyg, ni allai ddianc rhag elfennau mympwyol wrth ddadansoddi canlyniadau ei arbrofion, a phriodol yw nodi fod y duedd yma yn wybyddus i'w gyfoedion ymhell cyn iddo ddechrau ar ei waith gyda'r Weinidogaeth Iacháu.

Pr. â Dilys Eames o Fangor yn 1916. Ni bu iddynt blant. Bu f. 20 Medi 1966 yn Llundain a'i gladdu ym mynwent Llanbeblig, Caern.

Brit. Med. Jnl., 22 Hyd. 1966; *Lives Fellows Roy. Coll. Surg.* 1965-73; *Gol.,* 30 Tach. 1966; gwybodaeth bersonol.

E.W.J.

EVANS, Syr GUILDHAUME MYRDDIN - gw. MYRDDIN-EVANS, Syr GUILDHAUME isod.

EVANS, HORACE, y BARWN EVANS cyntaf o FFERTHYR TUDFUL (1903-63), meddyg; g. 1 Ion. 1903 ym Merthyr Tudful, Morg., yn fab hynaf i'r cerddor Harry Evans (*Bywg.,* 220) a'i wraig Edith Gwendolen (g. Rees). Yn fuan wedi ei eni symudodd y teulu i Ddowlais, lle'r oedd ei dad-cu yn fferyllydd, ac eilwaith i Lerpwl. Addysgwyd ef yng Ngholeg Lerpwl ac wedi marw ei dad yn ifanc yn 1914 bu yn Ysgol Gerdd y Guildhall am bedair bl. ac yn y *City of London School*. Ar feddygaeth yr oedd ei fryd a chafodd ysgoloriaeth wyddonol i Goleg Meddygol Ysbyty Llundain. Cafodd ei gymwysterau meddygol yn 1925, graddiodd mewn meddygaeth a llawfeddygaeth yn 1928, ac M.D. yn 1930 pryd y daeth yn aelod o Goleg Brenhinol y Ffisigwyr ac yn gymrawd yn 1938. Penodwyd ef yn gyfarwyddwr cynorthwyol yn yr uned feddygol yn 1933, ffisigwr cynorthwyol i Ysbyty Llundain yn Whitechapel yn 1936 a ffisigwr llawn yn 1947. Bu'n gweithio dan Arthur Ellis, yr hwn a'i hyfforddodd yn nisgyblaeth glinigol draddodiadol Lloegr, ac a ddaeth ag ef i amlygrwydd trwy ei ddewis yn feddyg tŷ yr uned feddygol. Wedi hynny penodwyd ef i swyddi ym maes llawfeddygaeth, bydwreigiaeth, patholeg ac anaesthetigion, gan fagu profiad helaeth ar gyfer gyrfa fel ffisigwr cyffredinol. Arbenigai mewn effeithiau pwysedd gwaed uchel a chlefydau'r arennau, gan wneud astudiaeth drylwyr o glefyd Bright. Cyfrannodd erthyglau ar y pwnc i gylchgronau meddygol a gwyddonol, ac ymhen blynyddoedd gwnaeth ddiweddariad awdurdodol i Frederick William Price (gol.) o'r adran ar glefydau'r arennau yn *Textbook of the practice of medicine* (8fed. argraffiad; 1950). Bu hefyd yn ffisigwr ymgynghorol i bum ysbyty arall ac i'r llynges. Ef a fu'n bennaf gyfrifol am symud y *Royal College of Physicians* o Sgwâr Trafalgar i Regent's Park, a denu cefnogaeth ariannol hael o'r *Wolfson Foundation* tuag at gost ei adeiladu.

Gwasanaethodd y teulu brenhinol fel meddyg i'r Frenhines Mary yn 1946, i George VI yn 1949 a'r Frenhines Elizabeth yn 1952 a derbyniwyd ef ganddynt fel cyfaill. Urddwyd ef yn farchog yn 1949, a'i ddyrchafu'n farwn yn 1957. Traddododd ddarlithoedd Croon yn 1955 a gwnaed ef yn gymrawd er anrh. Coleg Brenhinol y Llawfeddygon yn 1961. Cafodd radd D.Sc. er anrh. gan Brifysgol Cymru a derbyniodd ryddfraint ei dref enedigol ym mis Ebrill 1962. Nid oedd ganddo lawer o ddiddordeb mewn gweithgareddau awyr agored ac eithrio campau ceffylau yr oedd yn awdurdod arnynt, ac ymwelai'n aml â Monte Carlo.

Edrychid arno fel yr olaf o ffisigwyr cyffredinol yr oes gyda'i bwyslais ar yr angen am gael ffisigwyr personol gyda barn feirniadol wedi ei seilio ar brofiad cyffredinol eang. Credai'n gryf mewn trin y claf fel bod dynol. Creai ei bresenoldeb yn ystafell y claf a ward ysbyty argraff arbennig ar bawb a ddeuai i gysylltiad ag ef. Codai ei gydymdeimlad a'i ddealltwriaeth i raddau helaeth o'i brofiad teuluol.

Pr. yn 1929 â Helen Aldwyth, merch T.J.D. Davies, Abertawe, a bu iddynt ddwy ferch, ond collwyd yr ieuangaf mewn amgylchiadau trychinebus. Bu f. 26 Hyd. 1963 a'r Fonesig Evans ar 3 Rhag. 1963 wedi salwch blin.

Yr oedd Hubert John Evans (g. 1904), llysgennad i Nicaragua 1952-54, yn frawd iddo.

WWP; West. Mail, 20 Medi 1960, 28 Hyd. 1963; *Brit. Med. Jnl.*, 2 (1963), 1133-5; *DNB*; gw. *Munk's Roll to 1965* am gyfeiriadau pellach; *Statesman's yearbook for 1953, 1954* ac *1955*.

E.D.J.

EVANS, IFOR LESLIE (1897-1952), prifathro Coleg Prifysgol Cymru, Aberystwyth; g. 17 Ion. 1897, yn fab i William John Evans (*Bywg*.2, 16) o Aberdâr a Mary Elizabeth (g. Milligan) ei wraig. Addysgwyd ef yng Ngholeg Wycliffe, Stonehouse a bu'n astudio yn Ffrainc a'r Almaen lle, yn 1914, y cafodd ei garcharu yn Ruhleben hyd ddiwedd y rhyfel. Yno y dysgodd Gymraeg a newid ei enw bedydd Ivor i Ifor. Gweithiodd am gyfnod byr yn y fasnach

lo yn Abertawe cyn mynd i Goleg S. Ioan, Caergrawnt, lle y cafodd radd dosbarth cyntaf mewn economeg a hanes. Yno cafodd ysgoloriaeth Whewell mewn cyfraith rhyngwladol, a phenodwyd ef yn ddarlithydd ac yn Gymrawd Coleg S. Ioan (1923-34). Bu'n aelod o staff yr *Economist* am gyfnod a gwasanaethodd ar gomisiwn Cynghrair y Cenhedloedd i ymchwilio i sefyllfa economaidd Awstria. Teithiodd yn helaeth yn nwyrain Ewrob ac Affrica a chyhoeddi *The agrarian revolution in Rumania* (1924), *The British in tropical Africa* (1929), a *Native policy in Southern Africa* (1934).

Yn 1934 daeth yn brifathro C.P.C., Aberystwyth, lle yr amlygodd ddoniau creadigol nodedig ynghyd â mesur helaeth o ddoethineb. Llwyddodd i ddileu dyled sylweddol y coleg, denodd roddion gwerthfawr iddo a phrynodd eiddo yn ddoeth. Ef a fu'n bennaf gyfrifol am gynllunio'r datblygiadau tymor hir ar safle newydd y coleg ar dir Penglais ac am godi'r adeiladau cyntaf. Er na threuliai fawr o'i amser yng nghwmni myfyrwyr, hyrwyddai unrhyw gynllun a fyddai er eu lles, gan sefydlu cyfundrefn flaengar a alluogai'r awdurdodau a chorff y myfyrwyr i gydymgynghori. Cymerodd ddiddordeb dwfn yng ngwaith adran amaethyddol y coleg, gan gyhoeddi mewn cydweithrediad ag A.W. Ashby (gw. uchod) *The agriculture of Wales and Monmouthshire* (1944).

Rhoddodd wasanaeth nodedig i Brifysgol Cymru fel is-ganghellor (1937-39, 1946-48, 1950-52), cadeirydd Bwrdd y Wasg ac, yn arbennig felly am lawer blwyddyn, fel cadeirydd y pwyllgor ystadau, pryd y daeth symiau mawr a ddeilliodd o ddatgysylltiad yr Eglwys yng Nghymru yn rhydd i'w buddsoddi. Cymerodd ran flaenllaw mewn sefydlu Prifysgol Frenhinol Malta (a'i hanrhydeddodd â gradd D.Litt.) a hefyd yn natblygiad Coleg Prifysgol Ibadan.

Yr oedd yn ddyn awdurdodol, dewr, er weithiau'n ddidrugaredd, gyda phrofiad eang o'r byd a'i bethau a dealltwriaeth ddiwylliedig o bobloedd ac ieithoedd; cymerai ddiddordeb angerddol yn y diwylliant Cymreig. Cyhoeddodd nifer o gasgliadau a chyfieithiadau i'r Gymraeg o weithiau llenyddol, yn eu plith *Y Cybydd* (*L'Avare* Molière), *Chwedlau La Fontaine*, *Emynau o'r Almaen*, *Blodau hyfryd*, *Ffordd y Deyrnas* a *Mawl yr oesoedd* (casgliad o emynau Ewrob).

Ar 11 Tach. 1938 pr. Ruth Jolles o Hamburg a bu iddynt fab a merch. Bu f. 31 Mai 1952.

A.D.R., `Ifor Leslie Evans (1897-1952)', *Welsh Anvil*, 4, 9-12; *Www*; Ellis, *UCW*; *Camb. News*, 6 Meh. 1952.

E.L.El.

EVANS, JANET (c. 1894-1970), gohebydd a gwas sifil; g. yn Llundain c. 1894, yn ferch i Thomas John Evans (*Bywg*., 240) a Margaret (g. Davies), 82 Addington Mansions, Highbury, y ddau o Geredigion. Cafodd addysg breifat cyn mynd i'r *Central Foundation Girls' School*, a mynychu cyrsiau a gynhelid gan Brifysgol Llundain wedi hynny. Wedi dysgu llaw-fer a theipio daeth yn ysgrifennydd personol i gyfarwyddwr cwmni allforio *Amalgamated Anthracite Collieries Ltd.* yn Llundain. Er iddi gael ei magu yn Llundain, cymerai ddiddordeb mawr mewn popeth Cymreig a bu'n ohebydd ar faterion Cymreig i bapurau Llundain. Teithiodd lawer ar gyfandir Ewrob ac aeth i'r Amerig ddwywaith i ymweld â pherthnasau a darlithio i'r Cymry yno. Ar ddechrau Rhyfel Byd II gweithiodd gyda'r B.B.C. yn Evesham, yn gwrando ar ddarllediadau Saesneg o wledydd tramor. Teithiodd trwy lawer o Gymru wrth ei gwaith fel *Woman Power Officer* Cymru, 1942-45. Bu galw arni i ddarlithio i gymdeithasau, yn enwedig ar Gymry Llundain a'r Amerig, a darlledai'n fynych yng nghyfres `Gwraig y tŷ', `Woman's Hour', a rhaglenni radio eraill, c. 1947-54. Cymerodd ran amlwg ym mywyd cymdeithasol Cymry Llundain. Hi oedd y wraig gyntaf i fod yn gadeirydd Cymdeithas Cymry Llundain, a'r gyntaf i gael ei hethol yn aelod o gyngor Anrh. Gymd. y Cymmrodorion. Bu hefyd yn llywydd Cymdeithas Ceredigion Llundain a gwasanaethodd fel is-olygydd *Llawlyfr* y Gymdeithas, 1936-39 a golygydd am bum ml. pan ailgychwynnwyd y cylchgrawn yn 1952. Ar ôl ymddeol i Geredigion bu f. yn ferch weddw 11 Rhag. 1970 a chladdwyd ei lludw ym mynwent Capel Erw, Cellan.

Trans. Cymm., 1970, rhan i, 138-40; *Camb. News*, 25 Rhag. 1970; papurau Janet Evans yn Ll.G.C.

M.A.J.

EVANS, JOHN (1858-1963); gweinidog (A) ac athro yn y Coleg Coffa, Aberhonddu; g. 12 Mai 1858 yn Erwan Fach, Llangrannog, Cer., yn fab David ac Eleanor Evans. Ychydig o addysg ffurfiol a gafodd yn ei febyd ond gwyddys iddo gael ysbaid yn ysgol `Cranogwen' (*Bywg.*, 780) ym Mhontgarreg. Ar ôl etholiad cyffredinol 1868 trowyd ei deulu allan o'u cartref am fod y tad wedi pleidleisio i'r ymgeisydd Rhyddfrydol, a symudwyd i ffermdy Pant-teg yng nghyffiniau'r Ceinewydd. Pan oedd yn ddeuddeg oed derbyniwyd ef yn brentis gan siopwr yn Llangrannog. Wedi 3 bl. yno aeth i weithio mewn siop groser a dilledydd yng Nghendl, Gwent. Tuag 1877 penderfynodd ymgynnig i'r weinidogaeth a phregethodd am y tro cyntaf yng nghapel Maen-y-groes ger y Ceinewydd. Aeth i ysgol a gedwid gan C.H. Hughes yn festri capel Tywyn (A), Ceinewydd, ac yn 1881 ef oedd y cyntaf o'r ysgol honno i gael ei dderbyn i Brifysgol Llundain. Aeth i Goleg Newydd, Llundain, lle yr oedd Samuel Newth yn brifathro, i ymbaratoi ar gyfer y weinidogaeth, gan ennill gradd B.A. yn 1884 a'r A.T.S. yn 1886. Bu'n athro cynorthwyol yn ysgol Watcyn Wyn (*Bywg.*, 1011-12) yn Rhydaman nes cael ei wahodd i weinidogaethu yn eglwysi Castell Paen yn Rhos-goch, Maesd., yn 1887. Oddi yno symudodd i Aberhonddu i ofalu am eglwys Saesneg Glamorgan Street yn 1894. Ar ôl marwolaeth John Morris (*Bywg.*, 621-2), prifathro'r Coleg Coffa yn y dref honno, yn 1896, cafodd ei wahodd (ac yntau'n parhau i fugeilio'r eglwys) i ddarlithio ar yr Hebraeg am dipyn yno. Pan sefydlwyd y gyfadran ddiwinyddiaeth ym Mhrifysgol Cymru cafodd ei wahodd i ddarlithio ar hanes yr Eglwys am flwyddyn yn 1901 ac adnewyddwyd y gwahoddiad yn flynyddol nes ei benodi'n athro llawn yn 1905 a'i wneud yr un pryd yn ysgrifennydd ariannol y coleg (hyd 1942). Arhosodd yn ei gadair nes ymddeol yn 1943 a chael y teitl Athro Emeritus.

Derbyniodd ddulliau ysgolheictod modern wrth drin y Beibl a hanes Cristionogol. Gellir dirnad ei ryddfrydiaeth ddiwinyddol yn ei esboniad ar *Epistol Cyntaf Paul at y Corinthiaid* (1926). Cyfrannodd lith am Annibyniaeth yng nghyffiniau Castell Paen a'r Gelli at y gyfrol *The history of Congregationalism in Breconshire and Radnorshire* (gol. Joseph Jones; 1912) ac yr oedd ymhlith y cyfranwyr at *Llyfr Gwasanaeth* yr Annibynwyr (1926). Cyfrannai hefyd i *Y Tyst* ac *Y Dysgedydd*. Yr oedd yn gadeirydd bwrdd llywodraethwyr ysgol ramadeg Aberhonddu, 1921-31. Trwy ei ffydd dawel a mwynder ei bersonoliaeth cafodd ei ystyried yn `ŵr Duw' di-uchelgais a digenfigen y coleg. Gwyddai pawb am ei hoffter o Aberhonddu a Brycheiniog ac yn 1957 anrhydeddwyd ef â rhyddfreiniad y fwrdeistref. Pregethodd am y tro olaf yng nghapel Tredomen, ger Aberhonddu, 11 Tach. 1962. Yr oedd yn ddibriod. Bu f. ddydd Calan 1963 yn ei lety yn Aberhonddu, ei gartref am lawer o flynyddoedd. Ymhen ychydig fisoedd buasai wedi cyrraedd 105 oed. Claddwyd ef ar adeg o eira mawr ym mynwent gyhoeddus y dref.

Congl. Year Book, 1963-4; *Blwyddiadur A*, 1964; adroddiadau'r Coleg Coffa, 1896-7, 1901-6, 1942-3; Pennar Davies (gol.), *Athrawon ac Annibynwyr* (1971), 20-30; gwybodaeth gan D.W. Godfrey Evans, Llandysul, a Thomas Richards, Aberhonddu; adnabyddiaeth bersonol.

W.T.P.D.

EVANS, JOHN JAMES (1894-1965), athro ac awdur; g. 21 Ebr. 1894, yn Nhŷ Capel y Bryn (U), Cwrtnewydd, Cer., yn fab Enoch Evans, Bwlchyfadfa, Talgarreg, a Mary (g. Thomas) ei wraig. Hanai ei mam hi o Lanwenog, ond wedi colli ei gŵr yn ieuanc symudasai i fyw yn y tŷ capel. Bu dylanwad John Davies, gweinidog Capel y Bryn, yn fawr arno. Cafodd ei addysg yn ysgol gynradd y pentre y daethai David Rees Cledlyn Davies (gw. uchod) yn brifathro arni yn 1902. Yr oedd ef o'r un gwehelyth a mawr fu ei ddylanwad yntau ar ei ddisgybl. Peiriannydd mewn gwaith glo yn ardal Aberdâr oedd y tad a deuai adre bob mis i weld ei deulu. O ysgol sir Llandysul aeth y bachgen yn 1912 i Goleg y Brifysgol ym Mangor, lle y cafodd anrhydedd (dosbarth II) yn y Gymraeg yn 1915, a chymryd ei radd y flwyddyn ganlynol, ac M.A. yn 1926 am draethawd ar ddylanwad y Chwyldro Ffrengig ar lenyddiaeth Cymru. Cyhoeddwyd y gwaith gan Wasg y Brython yn 1928. Bu'n athro yn ysgolion Hendreforgan a Llwynypïa cyn gwasanaethu gyda'r Ffiwsilwyr Brenhinol Cymreig a bataliwn *Hood* R.N.D. yn ystod Rhyfel Byd I. Yn 1920 penodwyd ef yn athro Cymraeg yn ysgol sir Aber-gwaun, a bu yn y swydd honno nes ei benodi, yn 1935, yn brifathro ysgol sir Tyddewi. Fel athro yr oedd yn argyhoeddedig mai ar seiliau cynhenid iaith, llên, hanes a thraddodiadau cenedl yr oedd addysg ei phlant i'w gosod. Yr oedd rhuddin traddodiad undodaidd ardal Cwrtnewydd yng ngwead ei gymeriad, a meddai ar y ddawn i feithrin cymod a chodi pontydd mewn cymdeithas. Bu'n is-lywydd Undeb Cenedlaethol Athrawon Cymru, 1938-44. Wedi ymddeol, yn 1961, bu'n aelod o gyngor sir Penfro a thrwy hynny cafodd gyfle i frwydro dros le'r Gymraeg yn ysgolion y sir a thros sefydlu ysbyty yn Hwlffordd.

Ymddiddorodd yn yr Eist. Gen. ac ef oedd ysgrifennydd Pwyllgor Llên Eist. Aber-gwaun, 1936. Enillodd ei wobr gyntaf yn Eist. Gen. Pont-y-pŵl yn 1924 am lyfr darllen Cymraeg ar anifeiliaid ac adar gyda dyfyniadau o weithiau'r beirdd. Yn 1928 yn Eist. Gen. Treorci cafodd wobr am draethawd ar `Morgan Rhys a'i amserau'. Cyhoeddwyd hwn gan Wasg Prifysgol Cymru yn 1935. Gwobrwywyd ef hefyd am lawlyfrau ar idiomau Cymraeg ac ar y cynganeddion yn Eist. Gen. Caerdydd yn 1938. Cyhoeddwyd *Llawlyfr y cynganeddion* gan yr un wasg yn 1939 a thrachefn yn 1951. Llyfrau eraill ganddo oedd *Cymry enwog y ddeunawfed ganrif* (1937), *Gramadeg Cymraeg* (1946 ac 1960), *Dewi Sant a'i amserau* (1963), a *Diarhebion Cymraeg* (1965). Cyfrannodd nifer o erthyglau i'r *Ymofynydd*.

Pr., 2 Ion. 1923, Eleanor, merch T. Jones Davies, gweinidog (MC) Ffynnon Taf, yng nghapel Pembroke Terrace, Caerdydd, a bu iddynt fab a merch. Bu f. yn ysbyty Hwlffordd, 30 Rhag. 1965, a chladdwyd ef ym mynwent Tyddewi.

WWP; gwybodaeth gan ei ferch.

E.D.J.

EVANS, JOHN RICHARDS (1882-1969), gweinidog (MC) ac awdur; g. 10 Ion. 1882 yn Manchester House, Pen-y-graig, Cwm Rhondda, Morg., mab William a Margaret Evans. Addysgwyd ef yn ysgol uwchradd Caerdydd, ysgol ganolradd y Porth, ac, ar ôl dechrau pregethu, yng Ngholeg y Brifysgol, Caerdydd (lle graddiodd yn y celfyddydau), a cholegau diwinyddol Trefeca ac Aberystwyth (lle graddiodd mewn diwinyddiaeth). Ord. ef yn 1909, a bu'n gweinidogaethu yn y Bwlch, Brych. (1906-10), a Bethlehem, Aberpennar, Morg. (1914-39). Ymddeolodd o ofal bugeiliol yn 1939, ac yng Nghaerdydd y bu ei gartref hyd ddiwedd ei oes. Pr., 1941, Anne May Thomas.

Yr oedd J.R. Evans, yn ei ddydd, yn un o brif arweinwyr y MC. Bu'n llywydd Sasiwn y De (1952), ac yn llywydd y Gymanfa Gyffredinol (1955). Ef, a'r esgob Havard (gw. isod), oedd llywyddion cyntaf Cyngor Eglwysi Cymru; bu'n cynrychioli eglwysi Cymru yng nghynhadledd gyntaf Cyngor Eglwysi'r Byd. Ef hefyd oedd cynrychiolydd ei gyfundeb ar y *Presbyterian Alliance*. Traddododd y Ddarlith Davies yn 1938, ac fe'i cyhoeddwyd yn 1941 dan y teitl *Cristnogaeth a'r bywyd da*. Cyn hynny, yn 1923, cyhoeddodd werslyfr defnyddiol, *Y Proffwydi a'u cenadwri*. Ysgrifennodd lawer i'r *Goleuad*, *Y Drysorfa*, a'r *Traethodydd* - bu'n un o olygyddion yr olaf o 1952 hyd ei farwolaeth. Bu f. 10 Chwef. 1969, a chladdwyd ei weddillion ym medd y teulu yn Nhrealaw, Cwm Rhondda.

Traeth., 1969, 134-36; *Blwyddiadur MC*, 1970, 279-80; gwybodaeth gan ei weddw (trwy law M.R. Mainwaring, Caerdydd); adnabyddiaeth bersonol.

G.M.R.

EVANS, JOHN SILAS (1864-1953), offeiriad a seryddwr; g. 11 Mawrth 1864, mab Evan Evans, Blaen-llan, Pencarreg, Caerf. Cafodd ei addysg yn yr ysgol leol, ysgol Alcwyn C. Evans (*Bywg.*, 204) yng Nghaerfyrddin, hen ysgol ramadeg Llanbedr Pont Steffan, a Choleg Dewi Sant, Llanbedr, gan ddal ysgoloriaethau Phillips a Treharne yn y coleg hwnnw. Graddiodd yn B.A. gydag anrhydedd mewn diwinyddiaeth yn 1885, a chipio gwobrau Cymraeg a gwyddoniaeth. Bu'n athro am flwyddyn mewn coleg yn Coventry. Ord. ef yn ddiacon yn Llanelwy yn 1887, ac yn offeiriad yn 1888. Bu'n gurad Diserth, 1887-90, Rhos-ddu, 1890-95, ficer Llanelwy a ficer corawl yn yr eglwys gadeiriol, 1895-1901, ficer y Gyffylliog, 1901-09, a Llanrhaeadr-ym-Mochnant gyda Llanarmon Mynydd Mawr, 1909-38. Yr oedd yn broctor o gonfocasiwn Caer-gaint, 1917-20, ac yn ganon eglwys gadeiriol Llanelwy, 1928. Yn 1923 etholwyd ef yn gymrawd y Gymdeithas Seryddol Frenhinol; yr oedd yn aelod o'r Gymdeithas Seryddol Brytanaidd, ac yn aelod o gyngor Coleg Dewi Sant, 1927-39.

Cyhoeddodd *Seryddiaeth a seryddwyr* (1923); *Marvels of the sky* (1931); *Ad astra* (1930); *Hanes plwyf Llanrhaeadr ym Mochnant* (1940); a *Myfyrion min yr hwyr* (1949).

Yr oedd galw mawr arno fel pregethwr arbennig a phregethodd yn eglwys gadeiriol Henffordd, Gŵyl Ddewi, 1925, a St. Paul, Llundain, 1939. Meddai ar gof eithriadol a gallai fynd trwy wasanaethau'r eglwys bron ar dafod leferydd heb gymorth llyfr gwasanaeth. Yr oedd yn awdurdod ar seryddiaeth, darlithiai'n gyson ar y pwnc, a pheintiodd nenfwd corff eglwys Llanrhaeadr-ym-Mochnant gyda'r sêr a'r planedau ar gefndir glas. Cymerai ddiddordeb mawr mewn llên gwerin a hanes lleol. Hen lanc ydoedd. Pan ymddeolodd yn 1938 aeth i fyw i Aberystwyth er mwyn bod yng nghyrraedd y Llyfrgell Genedlaethol. Rhoes yr enw *Ad astra* ar ei dŷ. Ysgrifennodd hanes plwyf Pencarreg wedi iddo ddychwelyd i'w hen gartref yn y plwyf, lle y bu f. 19 Ebr. 1953. Claddwyd ef ym mynwent eglwys Pencarreg.

Official handbook of the Church in Wales, 1939, a swyddfa'r eglwys yn 39 Cathedral Rd., Caerdydd; *Hanes Plwyf Llanrhaeadr ym Mochnant*; *Llan*, 24 Ebr. 1953; *Welsh Gaz.*, 23 Ebr. 1953.

M.G.E.

EVANS, JOHN VICTOR (1895-1957), bargyfreithiwr, g. 7 Hyd. 1895, yng Nghwmdâr, Aberdâr, Morg., mab Henry Howard Evans (rheolwr cyffredinol glofeydd Y Cambrian a lleygwr amlwg gyda'r Bedyddwyr) a Mary Ann Evans ei wraig, a fu f. ychydig ar ôl geni ei hunig blentyn. Addysgwyd ef mewn ysgol elfennol yng Nghwmdâr a Choleg Crist, Aberhonddu. Yn Rhyfel Byd I bu'n gwasanaethu yn y fyddin yn yr Aifft, Ffrainc, a Phalesteina. Wedi dychwelyd ymaelododd yng Ngholeg Crist, Rhydychen, ac astudio hanes a graddio yn yr ail ddosbarth yn 1922. Disgleiriodd yng nghymdeithas ddadlau'r Undeb yn Rhydychen, ac etholwyd ef yn olynol yn ysgrifennydd, llyfrgellydd iau, a llywydd (yn 1922). Bu hefyd yn llywydd Cymd. Dafydd ap Gwilym. Galwyd ef i'r bar yn 1924. Yr oedd yn areithiwr huawdl, ac yn etholiad 1929 bu'n ymgeisydd Rhyddfrydol dros Bontypridd, a dod yn ail o dri gan gasglu 37% o'r bleidlais. Gwnaeth ymgais arall i fynd i'r senedd mewn is-etholiad ym Merthyr Tudful yn 1934, pryd y daeth yn ail i S.O. Davies, o bedwar o ymgeiswyr, gyda phleidlais o dros ddeng mil.

Yn 1930 penodwyd ef yn ddarlithydd yn adran y gyfraith yng Ngholeg y Brifysgol yn Aberystwyth, ond ymddeolodd yn 1935 i ail-gydio yn ei alwedigaeth fel bargyfreithiwr. Yr oedd ganddo argyhoeddiadau crefyddol cryf a chydwybod gymdeithasol, a theimlai awydd i wneud rhywbeth i liniaru cyni'r di-waith yn y de, ac yn 1936 derbyniodd swydd warden sefydliad addysgol Aberdâr, Coleg Gwerin Cynon, dan nawdd y Cyngor Gwasanaeth Cymdeithasol. Pr. yn Ebr. 1927 Katherine Mary, merch Henry Dawson, Streatham, Llundain. Ganwyd iddynt un plentyn a fu f. yn ddisymwth yn 1938. Buasai'n hapus iawn yn ei waith yn Aberdâr, ond bu colli ei fab yn ergyd drom iddo. Ymddeolodd yn 1939 a dychwelodd i Lundain, a derbyn swydd yn y weinyddiaeth *Economic Warfare*. Parhaodd yn y gwasanaeth sifil ar ôl y rhyfel, a gorffen ei yrfa yn y weinyddiaeth Gyflenwi. Bu f. yn ei gartref yn Dulwich Village, 15 Mai 1957.

Mae'n wir na chyflawnodd, ar lawer ystyr, ei addewid gynnar. Yr oedd hynny i'w briodoli i raddau helaeth i freuder ei iechyd mewn canlyniad i'w glwyfau yn y rhyfel. Gordrethodd ei hunan drwy geisio cyflawni mewn gwleidyddiaeth a'r gyfraith fwy nag a allai ei gorff ei ddal.

B.B. Thomas, *Ddinas*, Gorff. 1957; *Aberdare Leader*, 8 Chwef. 1936; *WWP*.

W.T.M.

EVANS, RICHARD THOMAS (1892-1962), gweinidog a gweinyddwr (B); g. 8 Hyd. 1892 ym Mhen-y-graig, Cwm Rhondda, Morg., yn fab i David a Mary Evans (lladdwyd y tad mewn damwain yng nglofa Abercynon yn 1924). Yr oedd y tad yn Fedyddiwr amlwg yn ei ardal, yn arbennig wedi symud i fyw i Abercynon, a bu'n ddiacon yno yn eglwys Calfaria ac yn frwd ei gefnogaeth i'r ymgyrch yn ail ddegawd y ganrif i sefydlu Cronfa Gynhaliol yr enwad. Aelod gyda'r Wesleaid oedd y fam, yn chwaer i weinidog yn y cyfundeb hwnnw, John Edward Thomas (1875-1959). Bedyddiwyd ef yn ifanc ym Methlehem, Trealaw, ond yng Nghalfaria, Abercynon, y codwyd ef i bregethu. Yn Nhrealaw hefyd y derbyniodd ei addysg gynnar, ac wedi hynny yn ysgolion uwchradd y Porth ac Aberpennar, a bu'n ddisgybl-athro ac athro am gyfnod yn Abercynon cyn ei dderbyn yn 1914 yn fyfyriwr yng Ngholeg y Brifysgol a choleg y Bedyddwyr, Bangor. Oherwydd y gwendid corff a'i poenai ar hyd ei oes, nid yw'n debyg y buasid wedi galw am unrhyw fath o wasanaeth milwrol ganddo yn ystod Rhyfel Byd I, ond gan gryfed ei safiad heddychol mynnodd gefnu ar Fangor i'w ordeinio 23 Mai 1917 yn Ainon a'r Tabernacl, Bodedern. Dychwelodd i'r coleg yn y fl. 1919-20 i orffen ei radd B.A. a sefydlwyd ef wedyn yn ei dro 23 Meh. 1920 ym Mhorthmadog, 14 Meh. 1922 yn Nhrefdraeth, Penf., a 26 Mai 1927 yn Rhydaman. Ymhen saith ml. dewiswyd ef yn ysgrifennydd Undeb Bedyddwyr Cymru, a chyflwynwyd ef i'w swydd yn ystod y gynhadledd flynyddol ym Methesda,

Abertawe, 3 Medi 1934. Ymddeolodd ddydd Llun y Pasg 7 Ebr. 1958, ac fel teyrnged i'w wasanaeth fe'i codwyd yn llywydd Adrannau Cymraeg a Saesneg Undeb Bedyddwyr Cymru am y fl. 1958-59 (eithr heb alw arno i draddodi anerchiad), a'i dystebu'n hael mewn cyfarfod cyhoeddus yn Abertawe 5 Rhag. 1958. Parhaodd i fyw yn Abertawe, ac yn ei gartref yno yn 11 Gower Road, Sgeti, y bu f. 13 Meh. 1962. Claddwyd ef, yn ôl ei ddymuniad ei hun, yn breifat. Er gwaethaf pyliau parhaus o afiechyd, llwyddodd i arwain Bedyddwyr Cymru yn ddiogel drwy gyfnod o gryn gyfnewid ac ad-drefnu, a bernir mai ei brif orchest oedd canoli gweithgareddau'r enwad dan yr unto yn y swyddfa newydd yn Nhŷ Ilston a agorwyd yn Abertawe yn 1940.

Pr. 28 Mawrth 1921 yn Seion, Glanconwy, Maria Myfanwy (g. 27 Meh. 1893), merch William Wallace Thomas (1832-1904), brodor o Bentrefoelas a gweinidog (A) ym Maes-glas, ger Treffynnon, o 1873 hyd ei ymddeol i Lanconwy yn 1885. Ei chymwynas bennaf hi oedd arwain Mudiad Chwiorydd y Bedyddwyr i sefydlu cartref henoed yr enwad yn Nglyn Nest, Castellnewydd Emlyn, ac yr oedd yn briodol mai hi a wahoddwyd i'w agor yn swyddogol 26 Medi 1970, ac mai yno y treuliodd y deunaw mis olaf o'i hoes, o Fedi 1978 hyd ei marw yn ysbyty Glangwili ddydd Llun 4 Chwef. 1980. Amlosgwyd ei gweddillion ym Mharc-gwyn, Arberth, 11 Chwef. canlynol. Ganed o'r briodas, 16 Mai 1934, un mab.

Ser. Cymru, 15 Meh. 1917, 30 Gorff. 1920, 12 Mai, 28 Gorff. 1922, 20 Mai, 10 Meh. 1927, 14 Tach. 1934, 20 Meh., 4 Gorff., 5 Rhag. 1958, 22, 29 Meh., 13 Gorff. 1962, 9 Hyd. 1970, 7 Mawrth 1980; *Seren yr Ysgol Sul*, 1932, 2-6, 1934, 220; *Arweinydd Newydd*, 1935, 129-31; *Ser. G.*, 1962, 94, 1966, 47-8; *Bapt. Times*, 21 Meh. 1962; *Bapt. Hdbk.*, 1963, 361; *Dyddiadur a Llawlyfr Bed.*, 1963, 116-17; Gwilym Owen, *Da Was* (1966), 53-5; *Congl. Year Book*, 1905, 189; *WWP*; gwybodaeth gan ei weddw a chan Eilwen Jenkins, Capel Iwan.

B.G.O.

EVANS, ROBERT (`Cybi'; 1871-1956) bardd, llenor a llyfrwerthwr; g. 27 Tach. 1871 yn Elusendy, Llangybi, Caern., yn fab i Thomas a Mary (g. Roberts) Evans (gwas fferm oedd y tad) a bu iddynt saith o blant. Addysgwyd ef yn ysgol y cyngor, Llangybi, ac wedi bod yn gweini ffermydd Eifionydd bu yn llythyrgludydd yn yr ardal am y rhan fwyaf o'i oes. Un o'i gyd-bostmyn oedd William Hugh Williams, `Cae'r Go'. Yr oedd hefyd yn gwerthu `llyfrau o bob math, prin a gwerthfawr, hen a newydd', a chanddo stondin yn Neuadd y Farchnad, Pwllheli, bob dydd Mercher. Cynhyrchodd gryn lawer o farddoniaeth, yn neilltuol awdlau, marwnadau ac englynion mynwentol. Nid oes mynwent yn Eifionydd nad oes yno englyn neu doddaid o'i waith. Cyhoeddodd *Odlau Eifion* (1908), *Awdl `Bwlch Aberglaslyn'* (1910), a *Gwaith barddonol Cybi* (1912). Bu'n cystadlu llawer mewn eisteddfodau lleol, taleithiol a chenedlaethol, ac enillodd nifer o wobrau, yn gadeiriau a choronau. Ei arwyr oedd Beirdd Eifionydd a gwnaeth gymwynas fawr drwy gyhoeddi eu gwaith, sef *Lloffion yr ardd, barddoniaeth anghyhoeddedig Robert ap Gwilym Ddu* (1911), a *Beirdd gwerin Eifionydd a'u gwaith* (1914). Bu hefyd yn hanesydd lleol a chyhoeddodd *Ardal y cewri* (1907), *Cymeriadau hynod sir Gaernarfon* (1923), `Cae'r Go' William Hugh Williams, Yr Arloeswr Sol-ffa* (1935), a *John Jones (Myrddin Fardd)* (1945). Hefyd fe gyhoeddodd amryw lyfrynnau a phamffledau, fel *Neges y plant* (1909) a *Llawlyfr o farddoniaeth i blant* (1911). Yr oedd yn byw ym Mryn Eithin, Llangybi. Bu f. 16 Hyd. 1956 yn ysbyty Pwllheli a chladdwyd ef ym mynwent Capel Helyg, Llangybi.

Gwybodaeth gan Emrys Jones, Cricieth; ac adnabyddiaeth bersonol.

C.A.G.

EVANS, THOMAS (1897-1963), henadur, gweinyddwr ysbytai ac addysg; g. yn Nhwyn Carno, Rhymni, Myn., 9 Medi 1897, mab William Evans, glöwr, a Catherine, ei wraig. Brodor o Hirwaun, Aberdâr, oedd ei dad ond â'i wreiddiau yng Ngheredigion. Addysgwyd y mab yn ysgolion elfennol Rhymni, ond gadawodd yn 12 oed i weithio mewn gwaith priddfeini yn Rhymni. Ar ôl hynny treuliodd 14 bl. tan ddaear ym mhyllau glo Rhymni, Oakdale a Phengam. Pan dorrodd streic fawr 1926 prynodd fusnes llaeth ym Mhengam. Yn 1927 dechreuodd ar yrfa gyhoeddus drwy ennill sedd dros y Blaid Lafur ar gyngor dosbarth Gelli-gaer, a bu'n aelod ohono hyd ei ymddeoliad yn 1950. Bu'n arweinydd y grŵp Llafur am 15 ml. a bu'n gadeirydd ddwywaith. Yn 1928 daeth yn aelod o gyngor sir Morgannwg dros ward Hengoed. Cydnabuwyd ei fedr mewn materion ariannol yn fuan yno, ac yn 1939 fe'i hetholwyd yn gadeirydd pwyllgor cyllid y sir a'i ail-ethol 24 gwaith yn olynol am weddill ei oes, a daethpwyd i'w adnabod yn answyddogol fel `canghellor cyllid' y sir. Ef oedd cadeirydd y cyngor yn 1952-53, ac yn ystod y tymor cyflwynwyd anerchiad cyhoeddus iddo gan awdurdodau lleol Cymru i gydnabod ei wasanaeth hir a disglair i weinyddiaeth ei wlad.

Ni chyfyngodd ei hun i lywodraeth leol. Bu'n aelod a chadeirydd bwrdd llywodraethol Ysgol Lewis, Pengam, yn gadeirydd pwyllgor cyllid Prifysgol Cymru am dros 20 ml. ac yn aelod o gyngor Ysgol Feddygol Cymru. Cydnabu'r brifysgol ei wasanaeth i addysg yn 1958 gyda gradd LL.D., er anrh. Cafodd yrfa ddisglair hefyd fel gweinyddwr ysbytai. Yn 1948 etholwyd ef yn gadeirydd cyntaf pwyllgor rheoli ysbytai Rhymni a Sirhywi, ac yn 1955 yn gadeirydd bwrdd llywodraethwyr ysbytai unedig Caerdydd, yn cynnwys yr ysbyty hyfforddi. Adeg ei f. ef oedd is-gadeirydd Bwrdd Ysbytai Cymru, a buasai'n gadeirydd ei bwyllgor cyllid er 1952. Ef yn 1952 oedd cadeirydd diwethaf Cyngor Datblygu Diwydiant Cymru a Mynwy. Yr oedd yn aelod rhan-amser o Fwrdd Trydan de Cymru, a bu'n cynrychioli cyngor dosbarth Gelli-gaer ar fwrdd carthffosiaeth cwm Rhymni. Bu'n ynad heddwch oddi ar 1936. Urddwyd ef yn C.B.E. yn 1956.

Er gwaethaf galwadau llafurus ei fywyd cyhoeddus bu'n ffyddlon i wasanaethau ei gapel, Nasareth (MC), Glan-y-nant, Pengam, lle bu'n flaenor. Yr oedd ynddo ryw urddas cynhenid; yr oedd yn hollol ddidwyll ac yn Gristion o argyhoeddiad dwfn. Gellir honni'n ddiamau mai o'i ffydd Gristionogol y tarddai

prif symbyliad ei fywyd o wasanaeth i'w gyd-ddynion.

Pr. yn 1918 Miriam Davies, ysgolfeistres, Tredegyr Newydd, a fu f. o'i flaen yn 1953. Bu iddynt ddau fab a merch. Lladdwyd un o'r meibion, peilot ymladd yn y Llu Awyr, ar `D-day' yn 1944. Bu Thomas Evans f. 14 Ion. 1963.

West. Mail, S. Wales Argus, 15 Ion. 1963; *Rhymney Valley Express*, 19 a 26 Ion. 1963; *WWP*; a gwybodaeth gan ei ferch Nonn Evans.

W.T.M.

EVANS, THOMAS JOHN (1894-1965), swyddog mewn llywodraeth leol a gweinyddwr enwadol (B); g. 30 Maw. 1894 yng Nghaerfyrddin yn fab efaill i David Evans (bu f. 16 Awst 1926 yn 55 ml. oed), swyddog carchar, a Mary Ann Evans (g. Williams; bu f. 24 Rhag. 1895 yn 25 ml. oed). Tua thri mis wedi ei eni symudodd y teulu i Shepton Mallet, lle y derbyniasai ei dad swydd, ac wedi marw ei fam dychwelodd y mab i Gaerfyrddin i'w fagu gan ei fam-gu, Eliza Williams, ar yn aelwyd, ymhlith eraill, â'i ewythr David Evans Williams, M.A. (1876-1947), gweinidog (B) Salem, Blaenau. Bu'r ewythr yn drwm ei ddylanwad ar ei dwf, a braint y nai erbyn 1948, mewn cymwaith ag E.T. Samuel, oedd llunio cyfrol deyrnged iddo, *Through suffering to triumph*, yn coffáu ei fywyd cystuddiol. Derbyniodd ei addysg yn ysgol gyngor y bechgyn, Pentre-poeth, ac ar 17 Chwef. 1908 cychwynnodd ar ei waith oes yn adran gyllid addysg Swyddfa'r Sir yng Nghaerfyrddin, i ddechrau fel clerc iau ac o 5 Tach. 1924 ymlaen fel cyd-drysorydd y sir gyda chyfrifoldeb yn unig am addysg. Ymddeolodd 5 Ebr. 1958, flwyddyn ynghynt na phryd er mwyn hwyluso'r gwaith o gyfuno'r ddwy drysoryddiaeth. Pr., 22 Tach. 1923, yn y Tabernacl, Caerfyrddin, Margaret Gwendoline Hodges (27 Meh. 1894 - 22 Maw. 1951), cydnabod bore oes yn yr eglwys, a ganed iddynt un ferch. Ei deyrnged bersonol i'w wraig yw'r gyfrol fechan *Gwen - A tribute of love and remembrance* (1951) a gyhoeddwyd yn breifat ganddo.

Bu ar hyd ei oes yn nodedig o weithgar o blaid lliaws o achosion da yn nhref Caerfyrddin, ac yn ei eglwys, lle y bu'n ddiacon ac ysgrifennydd (1921-64). Yr oedd ei adroddiadau blynyddol yn batrwm o fanylder a phrydlondeb, ac un o'i gymwynasau pwysicaf oedd diogelu cofnodion yr eglwys a'u trosglwyddo ar adnau i Lyfrgell Genedlaethol Cymru (llsgrau. Ll.G.C. Adnau 746-71, 813-14, 817). Rhan o'r un gofal am ffynonellau hanes y Tabernacl oedd ei waith yn cyflwyno i'r Llyfrgell Genedlaethol ddyddiaduron dau o'r cyn-weinidogion, Hugh William Jones (`Yr Utgorn Arian'; *Bywg.*, 440) ac Evan Ungoed Thomas (llsgrau. Ll.G.C. 18996-9, Ll.G.C. Adnau 791-816, 827-66). Cyhoeddodd ffrwyth ei ymchwil ei hun droeon yn llenyddiaeth yr enwad, e.e. yn rhaglen cynhadledd flynyddol Undeb Bedyddwyr Cymru yn y Tabernacl yn 1937, ac yn ei gyfrol *Fragrant memories. The story of two ministries. The Rev. John Thomas (1875-1891). The Rev. Evan Ungoed Thomas (1892-1930)* (1941). Bu'n drysorydd y Gymanfa, 1939-55, ac o hynny ymlaen yn drysorydd yr Undeb; yn llywydd Urdd y Seren Fore, 1936-37; yn llywydd Undeb Bedyddwyr Ieuainc Cymru,

1952-58; yn llywydd y Gymanfa, 1951-2, a'i anerchiad o'r gadair ar y testun `Yng nghanol y blynyddoedd'; ac ym mis Tach. cyn ei f. yr oedd wedi ei godi'n is-lywydd adran Gymraeg yr Undeb, a'r gynhadledd flynyddol (cynhadledd dathlu'r canmlwyddiant) eisioes wedi ei gwahodd yn ôl i'w haelwyd gyntaf yng Nghaerfyrddin. Bu ar hyd y blynyddoedd yn frwd ei gefnogaeth i Gymdeithas Genhadol y Bedyddwyr, ac ef yn 1959 a fu'n gyfrifol am gasglu cyfran Cymru tuag at ysbyty goffa Thomas Lewis (*Bywg*.2, 128-9) yn Angola a threfnu cwrdd dathlu ei ganmlwyddiant yn ei hen gartref ym Mhontyfenni ger Hendy-gwyn. Y mae awgrym pendant o'i safbwynt radicalaidd ymneilltuol yn ei gyfrol deyrnged, *Syr Rhys Hopkin Morris ... The man and his character* (1958).

Diweddodd ei oes ar aelwyd ei ferch a'i fab-yng-nghyfraith yn Parson's Lodge, Clunderwen, ac yno y bu f. 9 Maw. 1965. Claddwyd ef 12 Maw. ym mynwent y Tabernacl. Yr oedd newydd orffen llunio'i hunangofiant, *Golden strands. Some memories along life's pilgrimage* (1965), a'r llawysgrif, yn ôl yr hanes, wedi cyrraedd yr argraffwyr fore'i farw.

Y ffynonellau a nodwyd uchod; *Seren yr Ysgol Sul*, 1936, 3-8, 1946, 2-5, 1948, 100-2, 1951, 151-2, 1952, 213-4; *Seren fach*, 1962, 70-2; *Ser. Cymru*, 27 Meh. 1958, 27 Mai 1960, 26 Ebr. 1963, 17 Ion. 1964, 19, 26 Maw., 3 Medi 1965; *Llythyr Cymanfa Caerfyrddin ac Aberteifi*, 1952, 4-18, 1965, 21-2; *Bapt. Times*, 13 Ion. 1955, 18 Maw. 1965; *Carm. Jnl.*, 12, 19 Maw. 1965; *Welshman*, 12, 19 Maw. 1965; *Ser. G.*, 1965, 36-8, 81; *Dyddiadur a llawlyfr Undeb Bed. Cymru*, 1966, 120-1.

                                                    B.G.O.

EVANS, WILLIAM (`Wil Ifan', 1883-1968), gweinidog (A. Saesneg), bardd a llenor yn Gymraeg a Saesneg; g. 22 Ebr. 1883 yng Nghwm-bach, Llanwinio, Caerf., mab Dan Evans, gweinidog (A) Hawen a Bryngwenith wedyn, a golygydd *Y Celt* am gyfnod, a Mary (g. Davies) o Gwm-bach, Llanwinio. Graddiodd (B.A., 1905) ym Mhrifysgol Cymru, a bu hefyd yng Ngholeg Manchester, Rhydychen. Gŵr galluog ydoedd, eithr nid awyddai am ddisgleirdeb addysg, ac er ei fod yn bregethwr coeth, efengylaidd, ni chwenychai fynd i `gyrddau mawr'. Yn wir, gwrthodai gyhoeddiadau felly, eithr yr oedd yn anwylyn pobl ei ofalaethau. Gwasanaethodd fel gweinidog (A) yn Nolgellau, 1906-09, Pen-y-bont ar Ogwr, 1909-17, Richmond Road, Caerdydd, 1917-25, a Phen-y-bont drachefn, 1925-49. Fe'i gwnaed yn *Pastor Emeritus* gan ei hen eglwys dros weddill ei oes. Pr. â Nesta Wyn, merch John a Catherine Edwards, Eirianfa, Dolgellau, 28 Rhag. 1910 a bu iddynt bedwar o blant. Bu ef f. 16 Gorff. 1968.

Ymddisgleiriodd fel un o feirdd a llenorion mwyaf amryddawn Cymru. Yr oedd yn ddramodydd, newyddiadurwr, darlledwr, darlithydd, bardd telynegol o'r awen wir yn Gymraeg a Saesneg; yr oedd hefyd yn arlunydd campus ac yn gerddor. Enillodd rai o brif wobrau eisteddfodau taleithiol Cymru a choron yr Eist. Gen. am bryddestau deirgwaith: Y Fenni, 1913 (`Ieuan Gwynedd'); Penbedw, 1917 (`Pwyll pendefig Dyfed'); a Phwllheli, 1925 am ei gân enwocaf, `Bro fy mebyd'. Beirniadodd droeon yn yr Eist. Gen. a bu'n Archdderwydd Cymru yng Ngorsedd y Beirdd, 1947-50. Yr oedd yn awdur toreithiog yn y Gymraeg a'r Saesneg. Ymysg ei gyhoeddiadau niferus ceir cyfrolau o gerddi: *Dros y nyth* (1913), *Plant y babell* (1922), *Haul a glaw* [1938], *O dydd i ddydd* (1927), *Y winllan las* (1936), *A quire of rhymes* (1943), *Unwaith eto* (1946), *Difyr a dwys* (1960); dramâu: *Etifedd Arberth* [1937]; ac ysgrifau: *Here and there* (1953), *Y filltir deg* (1954), *Colofnau Wil Ifan* (1962).

Gwybodaeth bersonol a chan ei fab, Elwyn Evans; [*Barn*, Eist., 1983].

                                                    G.Jo.

EVANS-JONES, CYNAN ALBERT - gw. JONES, Syr CYNAN ALBERT EVANS isod.

F

FAGAN, THOMAS WALLACE (1874-1951), cemegydd amaethyddol; g. 4 Chwef. 1874 yn Nhal-y-sarn, Arfon, yn fab James Wallace a Katherine Fagan. Cafodd ei addysg yn yr ysgol leol, ysgol Denstone, a Choleg Gonville a Caius, Caergrawnt, a graddiodd yn 1898. Bu am gyfnod byr yn athro cemeg yn ysgol uwchradd Abertyleri (ei olynydd yn y swydd honno oedd Thomas Jacob Thomas, `Sarnicol' (*Bywg*.2, 56)) ac yna aeth i astudio gyda'r athrawon Dobbie a Winter yng Ngholeg y Brifysgol, Bangor. Fe'i penodwyd yn ddarlithydd yng ngholeg amaethyddol Harper Adams, swydd Amwythig, yn 1904, ac ar ôl hynny bu'n ddarlithydd yn adran amaethyddol Prifysgol Caeredin. Yn 1919 fe'i hapwyntiwyd ar staff Coleg Prifysgol Cymru, Aberystwyth, fel cynghorwr mewn cemeg amaethyddol dan y Weinyddiaeth Amaethyddiaeth dros siroedd cylch y coleg. Daeth yn bennaeth adran cemeg amaethyddol y coleg yn 1924, yn olynydd i J. Jones Griffith. Fe'i dyrchafwyd yn Athro yn 1931 ac ymddeolodd o'r swydd honno yn 1939.

Mewn cydweithrediad â Bridfa Blanhigion Cymru yn ystod y cyfnod rhwng 1919 ac 1939 daeth Fagan ynglŷn â un o wyddonwyr penna'r deyrnas ynglŷn â chemeg glaswellt. Yr oedd yn arloeswr yn y maes hwn ac y mae ei erthyglau, a gyhoeddwyd gan mwyaf yn y *Welsh Jnl. of Agric.*, yn brawf o'i allu, ei ymroddiad a'i arweiniad fel gwyddonydd amaethyddol. Bu ei ddadansoddiadau manwl a chywir ef o werth amhrisiadwy i fridwyr planhigion, ac yn ôl R.G. Stapledon (gw. isod) fe osodod Fagan sylfaen sicr ar gyfer deall y ffactorau aneirif sy'n dylanwadu ar werth maethol y porfeydd a'r meillion a phlanhigion eraill mewn tir glas. Parhaodd yn ymchwiliwr diwyd hyd ddiwedd ei oes, ond ni chafodd y clod dyladwy am ei waith arloesol, a hynny, fe ddichon, am ei fod yn ŵr swil wrth natur ac yn amharod i seinio clodydd ei waith ymchwil ei hunan.

Pr. Helena Teresa Hughes, a bu iddynt un mab. Bu f. yn Aberystwyth, 10 Chwef. 1951, a'i gladdu ym mynwent y dref.

Gwybodaeth gan J.H.W. Fagan; *Jnl. Agric. Soc. UCW*, 1951; Richard Phillips, *Pob un â'i gŵys* (1970); adnabyddiaeth bersonol.

Ll.P.

FARR, HARRY (1874-1968), llyfrgellydd; g. yng Nghaerdydd, 11 Meh. 1874, mab William Farr, brodor o Gaersallog, a Martha Rebecca (g. Harris) ei wraig. Bu hi f. yn Rhag. 1875 ar enedigaeth efeilliaid a fu f. o fewn yr un mis. Ymddengys i'r tad wedyn fynd yn ddisgybl yn Ysgol Gwyddoniaeth a Chelf, Caerdydd. Yn ôl adroddiad blynyddol yr ysgol am 1880-81, yr oedd yn un o ddau fyfyriwr hŷn a benodwyd yn ddisgybl-athrawon, a'r tymor canlynol penodwyd ef yn athro celf. Addysgwyd y mab yng Nghaersallog. Ymunodd â staff Llyfrgell Rydd Caerdydd yn 1891. Yn 1896 dyrchafwyd ef yn bennaeth yr adran gyfeirio ac yn ddirprwy-lyfrgellydd yn 1901. Pan ymadawodd John Ballinger (*Bywg.*, 21) yn 1908 i fod yn Llyfrgellydd cyntaf Ll.G.C. Farr a gafodd ei le.

Yn ystod y 32 ml. y bu'n Llyfrgellydd Caerdydd parhaodd bolisïau goleuedig a blaengar ei ragflaenydd. Adeiladwyd dwy gangen newydd (Gabalfa 1928, a Threlái, helaethwyd 6 changen hŷn, darparwyd neuaddau i blant lle nad oedd un o'r blaen a sefydlwyd canolfannau darllen cyhoeddus mewn ysgolion yn Nhrelái, Llanisien, gogledd Llandaf a Rhymni at wasanaeth rhanbarthau a ddaeth dan awdurdod y ddinas wedi newid ffiniau. Yn 1925 darparwyd adran rhwymo papurau a chylchgronau a thrwsio ac adnewyddu llsgrau. a llyfrau prin yn y Llyfrgell Ganol. Erbyn 1940 yr oedd adran fenthyg y Llyfrgell Ganol wedi ei had-drefnu'n llwyr. Pan drosglwyddwyd i'r Amgueddfa Genedlaethol gasgliadau Amgueddfa Caerdydd a gedwid cyn hynny ar lawr uchaf y Llyfrgell Ganol penderfynwyd defnyddio'r gofod yn 1923 i sefydlu ystafell ymchwil at wasanaeth darllenwyr casgliadau enfawr y llyfrgell o lsgrau., dogfennau a llyfrau cynnar prin. Bu'r ddarpariaeth hon ynghyd ag adeiladu ystafell gadarn a diogel rhag tân yn symbyliad i Feistr y Rholiau yn 1931 gydnabod Llyfrgell Ganol Caerdydd yn ystorfa swyddogol i gofnodion hanesyddol. Yr un pryd gweithredwyd yn eiddgar y polisi o neilltuo rhan o'r gronfa lyfrau i brynu llsgrau., dogfennau, printiau, a llyfrau prin. Rhestrodd N.R. Ker yn ei *Medieval Manuscripts in British libraries* (1992) 32 eitem werthfawr a bwrcaswyd gan y llyfrgell rhwng 1920 ac 1936. Sicrhaodd Farr hefyd gymwynaswyr i roi eitemau neu gyfrannu arian i brynu casgliadau gwerthfawr. Felly y cafwyd llsgrau. Havod gydag arian a roddwyd gan Edgar Evans o Drelái yn 1918.

Farr a'i staff biau'r clod am drefnu Gwyliau Llyfrau Cymru a gynhelid yn neuadd y ddinas bob blwyddyn adeg Gŵyl Ddewi o 1930 i 1939. Arddangosid cynhyrchion cyhoeddwyr Cymreig a llyfrau a llsgrau. o gasgliadau Cymreig y llyfrgell yn ogystal ag eitemau gwerthfawr a fenthycid o lyfrgelloedd a chan gasglwyr preifat. Cymerid agwedd wahanol o fywyd a llên Cymru fel thema bob blwyddyn, a bu'r catalogau a ddarperid yn offeryn i ddwyn i sylw gyfoeth yr etifeddiaeth Gymreig.

Yn 1931 dechreuodd wasanaeth llyfrgell i ysbytai'r ddinas, a'r flwyddyn ddilynol daeth Cynllun Taleithiol Llyfrgelloedd Cymru i rym ond mynnodd pwyllgor taleithiol Morgannwg a Mynwy, yn groes i farn Farr a'i bwyllgor, gael sefydlu canolfan daleithiol dros sir Forgannwg a sir Fynwy yng Nghaerdydd, trefniant a feirniadwyd yn llym mewn adroddiadau diweddarach. Trefnodd Farr ddarlithiau cyhoeddus yn y Llyfrgell Ganol ac arddangosfeydd llyfrau, e.e. Beiblau yn 1911, llyfrau printiedig cynnar yn 1913, a gweithiau Shakespeare yn 1923. Cyhoeddwyd catalogau gwerthfawr i bob un ohonynt.

Yr oedd Harry Farr yn enw adnabyddus iawn ym myd llyfrgellyddiaeth. Daeth yn F.L.A. yn 1910 a gwasanaethodd ar gyngor Cymdeithas y Llyfrgelloedd. Cyhoeddodd nifer o erthyglau a phamffledi ar wahanol agweddau'r alwedigaeth, e.e. *Libraries in rural districts*,

1909, a *Library work with children*, 1910. Cydnabyddid ef yn llyfryddwr o fri ac yn awdurdod ar lyfrau printiedig cynnar, ar wahanol argraffiadau o weithiau Shakespeare, ac ar gynhyrchion gweisg preifat. Yr oedd ganddo feddwl craff a bywiog, ac nid ofnai arbrofi. Dyfeisiodd gyfundrefn ddegol a ddefnyddiwyd hyd yn ddiweddar yn y llyfrgell, ond yr oedd iddi anfanteision amlwg yn nyddiau catalogio canolog, a bu'n rhaid rhoi'r gorau iddi. Pan ymddeolodd yn 1940 cyfrifid gwasanaeth llyfrgelloedd cyhoeddus Caerdydd yn un o'r rhai gorau yn y deyrnas a'r Llyfrgell Ganol yn un o lyfrgelloedd bwrdeistrefol mawr Prydain. Defnyddiodd yr adran gyfeirio, a oedd ar agor bob nos tan naw o'r gloch, gan filoedd o ddarllenwyr y tu hwnt i derfynau'r ddinas, a diwallodd ei chasgliadau Cymreig ofynion myfyrwyr drwy Gymru gyfan.

Pr. yn 1913 ag Elsie Olive Davies, aelod o'i staff; bu hi f. o'i flaen; g. iddynt bump o blant, tri mab a dwy ferch. Bu f. 19 Ion. 1968.

WwW (1921); J. Brynmor Jones yn *Jnl.W.B.S.*, 10, 2; *Brief survey of the library movement in Cardiff*, 1932; gwybodaeth gan G.A.C. Dart, olynydd Farr, am William Farr, ac o deipysgrif o'i 'The history of the Cardiff libraries, 1860-1974', a chofnodion ei staff.

W.T.M.

FFRANCON-THOMAS, DAVID - gw. THOMAS, DAVID FFRANCON isod.

FFRANGCON-THOMAS, DAVID - gw. THOMAS, DAVID FFRANCON isod.

FINCH, Syr WILLIAM HENEAGE WYNNE - gw. WYNNE-FINCH, Syr WILLIAM HENEAGE isod.

FISHER, FRANCIS GEORGE (1909-70), dramodydd a chynhyrchydd drama; g. 26 Ion. 1909 yn Bargod, Morg. Cafodd ei addysg yn Ysgol Lewis, Pengam, ac yng Ngholeg y Brifysgol, Caerdydd, lle graddiodd mewn mathemateg. Am gyfnod byr bu'n athro mewn coleg cenhadol yng ngorllewin Affrica; yna o 1932 yn athro mathemateg (ac yn ddiweddarach yn ddirprwy-brifathro) yn ysgol ramadeg Llangefni hyd ei farw, 30 Ion. 1970.

Cyhoeddodd nofel, *One has been honest* (1930), a storïau yn *The Adelphi* ac yn *The Twentieth century* yn y tridegau; yna troes at y ddrama a pherfformiwyd *The disinherited* o'i waith yn Theatr Fach Abertawe yng Ngorff. 1939. Ymunodd â'r llynges adeg y rhyfel a thra oedd yn Ynys yr Iâ ymroes i ddysgu Cymraeg o lyfryn Caradar. O hyn allan ar gyfansoddi dramâu yn Gymraeg yr oedd ei fryd. Ysgrifennodd nifer o ddramâu byrion: *Y Lleoedd pell* (1945), *Y Blaidd-ddyn* (1945), *Awena* (1945), *Harri ddewr*, a *Morwyn y môr* (1952), a thair drama hir: *Catrin* (a enillodd iddo wobr am ddrama hir yn Eist. Gen. Dolgellau 1949), *Y Ferch a'r dewin* (1958) (a oedd yn gyd-fuddugol yn Eist. Gen. y Rhyl 1953), a *Merch yw Medusa* (1951). Cyfieithodd hefyd ddrama Andre Obey, *Noa* (1951). Eithr pennaf gyfraniad F.G. Fisher oedd mynnu cartref sefydlog i Gymdeithas Ddrama Llangefni, a thrwy hynny greu'r Theatr Fach a agorodd ym Mhencraig, Llangefni, ym Mai 1953. Yno cafodd fod yn gyfarwyddwr theatr a gwireddu ei freuddwyd

am theatr amatur yn cyflwyno dramâu yn gyson yn Gymraeg ac yn Saesneg yn ôl safonau cwbl broffesiynol.

Taliesin, Awst 1970; Llywelyn Jones, *Francis George Fisher, bardd a dramodydd* (1983).

B.L.J.

FITT, MARY - gw. FREEMAN, KATHLEEN isod.

FLEURE, HERBERT JOHN (1877-1969), daearyddwr; g. yn Guernsey, 6 Meh. 1877, yn fab i John Fleure (1803-90), cyfrifydd, a'i briod Marie (g. Le Rougetel). Yr oedd yn ddall mewn un llygad ac ni chaniatâi ei iechyd bregus iddo fynychu Ysgol Ganolradd y Taleithiau, Guernsey, 1885-91, ond yn ysbeidiol. Ar waethaf salwch parhaodd i astudio gartref trwy ddarllen a sylwi ar natur o'i gwmpas nes llwyddo i ymaelodi ym Mhrifysgol Llundain yn 1894 a chael gradd Intermediate B.Sc. yn 1897. Ym mis Medi 1897 enillodd ysgoloriaeth i Aberystwyth lle y daeth yn aelod sylfaenol Cyngor y Myfyrwyr, cyhoeddodd erthyglau yng ngylchgrawn y coleg a chafodd radd dosbarth cyntaf mewn swoleg yn 1901. Dyfarnwyd iddo gymrodoriaeth Prifysgol Cymru a'i galluogodd i fynd i Zürich, yr Yswisdir, i astudio bioleg y môr. Yno meistrolodd Almaeneg (yr oedd Ffrangeg eisioes yn ail iaith iddo) a chyhoeddi canlyniadau ei ymchwil a chael gradd D.Sc. (Cymru) am y gwaith. Dychwelodd i Aberystwyth yn 1904 yn ddarlithydd mewn swoleg, daeareg a botaneg. Ef oedd pennaeth yr adran swoleg 1908-10, pennaeth dros dro yr adran ddaeareg am ychydig, a'r athro swoleg o 1910 hyd 1917 pryd y penodwyd ef yn athro mewn anthropoleg a daearyddiaeth - yr unig un yn y deyrnas bryd hynny. Yn 1930 gadawodd Aberystwyth pan benodwyd ef yn athro cyntaf mewn daearyddiaeth ym Mhrifysgol Victoria, Manceinion.

Yn 1905 cychwynnodd astudiaeth anthropolegol o'r Cymry. Ymwelodd â phentrefi ymhob cwr o'r wlad gan ddarlithio a gwneud arolwg a mesuriadau. Cyflwynodd adroddiad o'i waith yn 1907 i Adran H (anthropoleg) Cymdeithas Prydain er Hyrwyddo Gwyddoniaeth, a chyhoeddodd (gyda T. Campbell James) adroddiad yn y cylchrawn *Man*, y cyntaf o tua 30 o'i erthyglau ar anthropoleg. Yn 1916 ysgrifennodd bapur arloesol ar ddosraniad daearyddol y dosbarthau anthropolegol yng Nghymru. Cyhoeddodd werslyfrau megis *Human geography in Western Europe* (1918), *Peoples of Europe* (1922), a *Races of England and Wales* (1923), a throswyd i nifer o ieithoedd ei bapur clasurol *Régions Humaines* a gyhoeddwyd ym Mharis. Rhwng 1927 ac 1956 bu H.J.E. Peake ac yntau'n gydawduron cyfres nodedig o 10 cyfrol - *The corridors of time* - ac yn y cyfamser cyhoeddodd *French life and its problems* (1942) a *A natural history of Man in Britain* (1951 ac 1959). Trwy gyfrwng y Gymdeithas Ddaearyddol y bu ef yn ysgrifennydd iddi ac yn olygydd ei chylchgrawn *Geography* am 30 ml., 1917-47, gweithiodd yn ddygn er hyrwyddo dysgu daearyddiaeth mewn ysgolion. Bu'n llywydd nifer o gyrff dysgedig, gan gynnwys Cymdeithas Archaeolegol Cymru yn 1924, ac anrhydeddwyd ef gan brifysgolion a chymdeithasau gwyddonol lle bynnag yr aeth; etholwyd ef yn F.R.S. yn 1936. Ond fel athro y cofid amdano yn bennaf. Ysgogai ei wrandawyr i feddwl drostynt eu hunain yn hytrach na'u llwytho â thoreth o ffeithiau.

Yn 1910 pr. â Hilda Mary Bishop o Guernsey, cynfyfyriwr o Goleg Prifysgol Cymru, Aberystwyth, a bu iddynt 3 o blant. Ar ei ymddeoliad yn 1944 symudodd i Lundain ac yn ddiweddarach i 66 West Drive, Cheam, Surrey, lle y bu f. 1 Gorff. 1969.

Biog. Memoirs Fellows R.S., 16, 253-70 (gw. 271-8 am ei lyfryddiaeth); *Www*.

M.A.J.

FOSTER, IVOR LLEWELYN (1870-1959), datganwr; g. yn Tramroad, Pontypridd, 1 Mawrth 1870, mab i Ebenezer Foster a Sarah (g. John) o Ben-y-graig, Rhondda, Morg. Gadawodd yr ysgol yn 12 oed, a phan oedd yn 16, ac mewn masnach gyda'i ewythr, William Richards, Dinas, Rhondda, y dechreuodd astudio hen nodiant yn ei oriau hamdden, a chystadlu mewn eisteddfodau. Enillodd ar ganu yn eisteddfod flynyddol y Porth yn 1892, 1893 ac 1894, a dwywaith ar yr unawd bariton yn yr Eist. Gen. (Caernarfon 1894 a Llanelli 1895). Yn dilyn ei lwyddiant yn Llanelli trefnodd rhai o'i gyfeillion yn y Rhondda gyngherddau i'w gynorthwyo i gael addysg gerddorol; aeth i'r Coleg Cerdd Brenhinol yn Llundain, ym mis Mai 1896, a bu yno am bedair bl. yn astudio gyda Henry Blower (llais), James Higgs (cynghanedd) a Villiers Stanford (opera). Enillodd dlws aur yn ystod ei flwyddyn gyntaf yn y coleg, a chyn terfyn ei gwrs yno dywedai Syr Hubert Parry mai ef oedd un o'r baritoniaid gorau a fu'n astudio yn y coleg. Portreadodd y cymeriad Don Pedro mewn perfformiadau o opera Stanford *Much ado about nothing* yn Covent Garden yn 1901. Yn ddiweddarach, bu'n canu yn y cyngherddau promenâd ac yng nghyngherddau baledi Boosey yn Llundain, ac ymddangosodd am 27 o dymhorau'n olynol yng nghyngherddau'r Royal Albert Hall. Canodd hefyd mewn gwyliau cerddorol, gan gynnwys gŵyl Caerdydd (deirgwaith), a recordiodd ganeuon Cymraeg ar label Winner. Ar ôl ymneilltuo o waith cyhoeddus ymsefydlodd fel athro canu.

Pr., 29 Mai 1897, â Mary Ann Jones, Tonypandy (bu hi f. 1971). Bu f. yn ei gartref ym Mhorth-cawl 29 Mawrth 1959, ac amlosgwyd ei gorff yn Llanisien, Caerdydd. Yn 1962 cyfrannodd ei deulu £300 er mwyn sefydlu gwobr goffa yn dwyn ei enw yn y cystadleuthau i fariton agored ac i fariton dan 25 oed yn yr Eist. Gen.

Www; Cerddor, Mai 1902; gwybodaeth gan ei fab, Rupert Foster, Porth-cawl.

H.W.

FOULKES, ANNIE (1877-1962), golygydd blodeugerdd; g. 24 Maw. 1877 yn Llanberis, Caern. Yr oedd ei thad Edward Foulkes (1850-1917), swyddog yn chwarel Dinorwig, yn ŵr o ddiwylliant llenyddol eang ac yn awdur nifer o ysgrifau yn y cyfnodolion Cymraeg ar lenorion Saesneg y 19 g.: y mae gan Robert Williams Parry (gw. isod) soned goffa iddo. Cafodd hi ei haddysg yn Ysgol Dr. Williams, Dolgellau, ac

yn y *Collège de Jeunes Filles* yn Saumur, Ffrainc, 1896-97. Bu'n athrawes Ffrangeg yn Bray, Co. Wicklow, 1897, yn ysgol sir Tregaron 1898-1905, ac yn ysgol sir y Barri 1905-18. Yn 1918 penodwyd hi'n Ysgrifennydd Gweithredol Bwrdd Penodiadau Prifysgol Cymru, yn olynydd i Robert Silyn Roberts (*Bywg.*, 824). Yn y Barri yr oedd hi'n aelod o gylch llengar a ymgasglodd o gwmpas Thomas Jones, C.H. (gw. isod), a Silyn - y criw a oedd tu ôl i'r *Welsh Outlook*. Awgrymodd Thomas Jones fod angen blodeugerdd o farddoniaeth Gymraeg ddiweddar ac y dylai Annie Foulkes ei golygu. Ymddangosodd y flodeugerdd yn 1918 dan y teitl *Telyn y dydd*, yn un o gyfrolau 'Cyfres yr Enfys'. Bu'n boblogaidd iawn, yn enwedig yn yr ysgolion - cyhoeddwyd pedwerydd argraffiad yn 1929. Bu Annie Foulkes f., yn ddibriod, yng Nghaernarfon 12 Tach. 1962 yn 85 oed.

Papurau Annie Foulkes a'i thad yn Llyfrgell Coleg Bangor (llsgrau. Bangor 16040-16410, 16590-16668); *Caerns. & Denb. Herald*, 16 a 23 Tach. 1962 (dan Gaernarfon).

B.L.J.

FOX, Syr CYRIL FRED (1882-1967), cyfarwyddwr Amgueddfa Genedlaethol Cymru, 1926-48; g. 1882 yn fab i C. Fred Fox, F.S.A., Bursledon, Hampshire, a'i wraig. Fe'i haddysgwyd yn *Christ's Hospital*, ysgol yn Horsham. Ar ôl gadael yr ysgol yn 16 ml. oed, aeth am hyfforddiant fel garddwr llysiau gan orffen yn Worthing, Sussex, lle y cyfarfu â Louis Cobbett, patholegydd ar staff y Comisiwn Brenhinol ar Dwbercwlosis, a'i perswadiodd i gymryd swydd clerc ar staff y comisiwn yn Stansted, Essex. Pan orffennodd y comisiwn ei waith, tuag 1912, sefydlodd rhai o'i aelodau orsaf ymchwil yng Nghaergrawnt gan apwyntio Fox i ofalu am ei gweinyddiaeth hyd nes i'r Weinyddiaeth Amaethyddiaeth gymryd meddiant ohoni. Yn awr heb waith, trefnodd rhai o'i gyfeillion yng Nghaergrawnt iddo gofrestru am gwrs gradd yng Ngholeg Magdalen, Caergrawnt, ond ar derfyn ei flwyddyn gyntaf yno, 'trwy gam academig deheuig a thra anghyffredin', ni chyflawnodd ei gwrs gradd eithr ei symud yn hytrach dan y teitl 'rhag-gymrawd' i wneuthur gwaith ymchwil yn yr un coleg gan gynorthwyo yn amgueddfa archaeoleg ac anthropoleg y brifysgol. Enillodd *The archaeology of the Cambridge region* (Caergrawnt, 1922) radd Ph.D. iddo.

Yn 1922, pan wnaethpwyd R.E. Mortimer Wheeler, ceidwad adran archaeoleg Amgueddfa Genedlaethol Cymru, Caerdydd, yn gyfarwyddwr yr amgueddfa honno, daeth ei hen swydd fel ceidwad yr adran archaeoleg yn wag. Er bod cryn bwyso am gael archaeolegydd 'o gefndir Cymreig' i lenwi'r swydd, argymhellodd Wheeler ddewis Fox ac ef a ddewiswyd. Yn 1926, pan ymadawodd Wheeler i gymryd swydd yn Llundain, dewiswyd Fox yn olynydd iddo eto fel cyfarwyddwr Amgueddfa Genedlaethol Cymru.

Yn ystod ei dymor fel cyfarwyddwr, parhaodd Fox i weithio yn y maes archaeolegol a chyhoeddodd yr Amgueddfa nifer o'i weithiau, yn eu plith *The personality of Britain* (1932), *A find of the early Iron Age, Anglesey*

(1946) a (gyda'r Arglwydd Raglan) *Monmouthshire houses* (1951-54). Gwnaeth arolwg hefyd o Glawdd Offa, a gyhoeddwyd mewn rhifynnau o *Arch. Camb.* Wedi ei ymddeoliad, cyhoeddodd yr Amgueddfa ei *Pattern and purpose: a study of early Celtic art in Britain* (1958). Derbyniodd lu o anrhydeddau; yn eu plith, ei urddo'n farchog (1935), F.B.A. (1940), gwobr G.T. Clark (1946), llywydd (1944-49) Cymdeithas Hynafiaethwyr Llundain a'i medalydd aur (1952), D. Litt. er anrh. Prifysgol Cymru (1947), llywydd y Gymdeithas Amgueddfeydd (1933-34), llywydd Cymdeithas Hynafiaethau Cymru (1933), cymrawd anrhydeddus Coleg Magdalen, Caer-grawnt (1953).

Bu'n br. ddwywaith: â (1) Olive Congreve-Pridgeon (bu f. 1932), cawsant ddwy ferch; (2) Aileen Mary Scott-Henderson, cawsant dri mab. Ar ôl ymddeol, trigai yng Nghaer-wysg, lle y bu f. 16 Ion. 1967.

Adnabyddiaeth bersonol; ysgrif gan Syr Mortimer Wheeler, `Homage to Sir Cyril Fox', 1-6, a llyfryddiaeth gyflawn, 502-12, yn y gyfrol deyrnged, *Culture and environment* (1963).

I.C.P.

FRANCIS, JOHN OSWALD (1882-1956), dramodydd; g. 7 Medi 1882 yn fab David Francis, Dowlais, Morg. a'i briod Dorothy (g. Evans). Yr oedd yn un o ddisgyblion cyntaf ysgol ganolradd Merthyr Tudful a graddiodd yn Aberystwyth a'r Sorbonne, cyn mynd yn athro i ysgol sir Glynebwy, ac wedyn i ysgol ramadeg Holborn, Llundain. Ar ôl bod yn y fyddin yn Rhyfel Byd I aeth i'r gwasanaeth sifil, yn swyddog yn y Mudiad Cynilo Cenedlaethol. Ymddeolodd c. 1953, wedi derbyn M.B.E. am ei waith. Ond am ei ran yn ailennyn diddordeb yn y ddrama yng Nghymru y cofir ef. Yr oedd y dramodwyr R.G. Berry (*Bywg*.2, 3) a David Thomas Davies (gw. uchod) yn gyfoedion iddo. Tuag 1910 dechreuodd ysgrifennu dramâu i gynfyfyrwyr Aberystwyth. Yr oedd *The Poacher*, a lwyfannwyd gyntaf yn Aberystwyth yn 1914, yn gampwaith a ddangosai ei feistrolaeth a'i gynildeb wrth greu cymeriadau cefn gwlad Cymru. Cafodd ei ddrama ysgafn *Birds of a feather* gyfnod nodedig o lwyddiannus ar lwyfan y *London Coliseum*, 1914-18, a pherfformiwyd hi mewn llawer rhan o'r byd hyd at ei farw. Drama hanesyddol oedd *Howell of Gwent* (1934) a berfformiwyd yng Nghymru a Llundain gan Gwmni Theatr Cenedlaethol Cymru. Un o'i weithiau gorau oedd *The dark little people* (1922). Ond ei waith gorau oll y mae'n debyg oedd ei ddrama hir mewn pedair act, *Change* (1913), a oedd yn ddrama rymus am fywyd mewn ardal ddiwydiannol yng Nghymru ac a enillodd iddo wobr Howard de Walden (gw. *Bywg*.2, 53-4 o dan SCOTT-ELLIS). Troswyd llawer o'i ddramâu i'r Gymraeg a dysgodd siarad yr iaith pan oedd yn ganol-oed. Cyhoeddwyd ei ysgrifau yn *The legend of Wales* (1924) ac ysgrifennodd fraslun o hanes C.P.C., Aberystwyth yn 1922. Yr oedd yn ddramodydd o fri a lwyddai i godi chwerthin a thynnu dagrau bob yn ail ond yr oedd yn wylaidd ynghylch ei ddoniau ei hunan ac ni pheidiai â synnu at y llwyddiant diamheuol a ddaeth i ran ei ddramâu un act ar lwyfannau Prydain.

Cafodd gan Brifysgol Cymru radd M.A. er anrh.

Pan oedd dros ei 70 ml. oed dysgodd lithrhedfan. Bu f. yn fab gweddw ar 1 Hyd. 1956 yn y Bwthyn, 13 Dingwall Gardens, Golders Green, Llundain, lle y trigai gydag un o'i chwiorydd.

WwW (1921); *Ddinas*, Tach. 1954, Tach. 1956; *Times*, 2 Hyd. 1956, 10; *Liv. D.P.*, 2 Hyd. 1956.

M.A.J.

FREEMAN, KATHLEEN ('Mary Fitt'; 1897-1959), clasurydd ac awdur; g. yng Nghaerdydd 22 Meh. 1897, unig blentyn Charles Henry Freeman, Birkenhead, a'i wraig Catharine (g. Mawdesley), Southport. Addysgwyd hi yn y *Canton High School for Girls* a Choleg Prifysgol De Cymru, Caerdydd, lle y graddiodd gyda B.A. yn y clasuron yn 1918, ac ennill M.A. yn 1922, a D.Litt. yn 1940. Apwyntiwyd hi yn ddarlithydd mewn Groeg yn yr un coleg yn 1919, a chyhoeddodd i ddechrau waith ymchwil clasurol a nifer o nofelau arbrofol. Bu bwlch pendant yn ei chyhoeddiadau rhwng 1929 ac 1936. Pan ailgydiodd mewn cyhoeddi gwaith sylweddol, yr oedd dan wasgfa rhyfel, a'i hegnïon eraill erbyn hyn wedi eu cyfeirio tuag at ysgrifennu dros 20 o nofelau datgelu rhwng 1941 ac 1958, a gyhoeddodd tan y ffugenw `Mary Fitt'. Yn ystod y rhyfel (1939-45) darlithiai ar ran y Weinyddiaeth Hysbysrwydd a chymerodd ran yng nghynllun addysgu'r lluoedd arfog yn ne Cymru. Ar galan Hyd. 1946, a hithau'n ddarlithydd uwch yn ei hadran, ymddiswyddodd i ymroi i deithio, i waith ymchwil, ac i ysgrifennu. Yn 1951 etholwyd hi'n gadeirydd y *Philosophical Society of Great Britain*, a'r un flwyddyn derbyniwyd hi i'r *Detection Club*, anrhydedd a fawr chwenychir gan ysgrifenwyr nofelau datgelu. Bu f. yn 61 oed, 21 Chwef. 1959, yn ei chartref yn Lark's Rise, Llaneirwg, Myn.

Fel Kathleen Freeman cyhoeddodd: *The work and life o Solon* (1926), *The intruder and other stories* (1926), *Martin Hanner: A comedy* (1926), *Quarrelling with Lois* (1928), *This love* (1929), *It has all happened before*, *What the Greeks thought of their Nazis* (1941), *Voices of freedom* (1943), *What they said at the time: a survey of the causes of the second World War* (1945), *The murder of Herodes and other trials from the Athenian law courts* (1946), *Ancilla to the pre-Socratic philosophers, a complete translation of the fragments in Diel's Fragmente der Vorsokratiker* (1946), *The Greek way: an anthology* (1947), sef cyfieithiadau o gerddi a rhyddiaith, *The Philoctetes of Sophocles: a modern version* (1948), *Greek city states* (1950), *God, man and the state: Greek concepts* (1952), *The paths of justice* (1954), *The Sophists* (1954) wedi ei gyfieithu o'r Eidaleg *I sofisti*, M. Untersteiner (1954), *T'other Miss Austen* (1956) ac *If any man build: the history of the Save the Children Fund* (1965) a ymddangosodd ar ôl ei marw.

Www; *West. Mail*, 23 Chwef. 1959; *Times*, 24 Chwef. 1959.

R.M.

G

GABE, RHYS THOMAS (REES THOMAS GAPE; 1880-1967), chwaraewr rygbi; g. 22 Meh. 1880 yn Llangennech, Caerf. Bu'n chwarae'n lleol cyn cynrychioli Llanelli am y tro cyntaf yn 17 oed. Enillodd y cyntaf o'i 24 o gapiau (1901-8) ar yr asgell yn erbyn Iwerddon ar 21 Maw. 1901. Fel canolwr y daeth i enwogrwydd. Meddai ar yr holl ddoniau; yn ddi-ildio'i amddiffyn, wrth ymosod rhedai'n syth a phenderfynol. Yn dwyllodrus, cadarn ac esgyrnog, yr oedd yn un o'r mwyaf anodd i'w ddaclo. Yn 1901 cychwynnodd ar gwrs i'w hyfforddi'n athro yng ngholeg Borough Road, Llundain, a chwaraeodd am gyfnod gyda'r Cymry yn Llundain. Ar ôl teithio i Awstralia gyda'r tîm Prydeinig yn 1904, dychwelodd i fod yn athro ysgol yng Nghaerdydd, a sgoriodd 51 cais mewn 115 gêm dros glwb y ddinas cyn rhoi'r gorau iddi yn 1908. Cyfrannodd yn allweddol at fuddugoliaeth hanesyddol Cymru (3-0) dros y Crysau Duon yn 1905, ac ynghyd ag Erith Gwyn Nicholls (*Bywg.*, 645), William ('Willie') Morris Llewellyn ac Edward ('E.T.') Morgan (Atod. isod) ffurfiodd y llinell dri chwarter ddisgleiriaf a gynrychiolodd Gymru erioed. Bu f. 15 Medi 1967 yng Nghaerdydd.

W. Thomas, *A century of Welsh rugby players* (1980); David Smith a Gareth Williams, *Fields of praise* (1980); *West. Mail* a *Times*, 18 Medi 1967.

G.W.W.

GARRO JONES, GEORGE MORGAN - gw. TREFGARNE, GEORGE MORGAN isod.

GEORGE (TEULU), Criccieth - gw. LLOYD GEORGE (TEULU) isod.

GEORGE, WILLIAM (1865-1967), cyfreithiwr a gŵr cyhoeddus; g. yn Highgate, Llanystumdwy, Caern., 23 Chwef. 1865 yn blentyn ifancaf William George, ysgolfeistr (bu f. 7 Meh. 1864) a'i wraig Elisabeth (g. Lloyd, 1828-1896), ac yn frawd i David Lloyd George (*Bywg.*2, 39-40), a Mary Elin. Bu ei dad farw cyn ei eni a bu dylanwad ei ewythr frawd ei fam, Richard Lloyd (1834-1917), yn ddylanwad llywodraethol yn ffurfiad ei gymeriad ac yn ei agwedd tuag at y byd a'i bethau. Addysgwyd ef yn ysgol genedlaethol Llanystumdwy ond gwrthrododd ei ewythr alw iddo fynd yn ddisgybl-athro. Symudodd y teulu i Griccieth yn 1880. Derbyniwyd William George i erthyglau yn 1882 a llwyddodd yn ei arholiad terfynol gyda'r anrhydedd ac yn bedwerydd yn y dosbarth cyntaf, cryn gamp i un na chawsai addysg coleg nac ysgol uwchradd. Ymunodd â'i frawd yn y busnes cyfreithwyr a sefydlwyd ganddo yn 1885 yng Nghriccieth a daeth y bartneriaeth Lloyd George & George i'r amlwg pan enillwyd achos 'Mynwent Llanfrothen' yn y Llys Apêl, 15 Rhag. 1888. Pan etholwyd David Lloyd George i'r senedd yn 1890 ni thelid cyflog i aelodau seneddol a chydsyniodd William i'w frawd ymroi bron yn llwyr i'w weithgarwch gwleidyddol gan dynnu incwm o'r bartneriaeth am flynyddoedd lawer. William hefyd a sefydlodd gartref i'w fam, ewythr Richard, ei chwaer ac ef ei hun gan roi heibio dros dro bob syniad am briodi er mwyn cyflawni'r cyfrifoldebau hyn. Terfynwyd dibyniaeth David ar y bartneriaeth pan benodwyd ef yn Llywydd y Bwrdd Masnach, Rhag. 1905, a rhyddhawyd William i roi rhagor o'i amser i waith cyhoeddus.

Etholwyd ef gyntaf i gyngor sir Caernarfon yn 1907 a bu'n aelod hyd 1967, ac yn gadeirydd yn 1911. Bu'n gadeirydd pwyllgor addysg y sir 1916-48, ac fel cadeirydd Bwrdd Canol Cymru ac arweinydd ym myd addysg Cymru cafodd gyfle i roi mewn gweithrediad rai o'r polisïau y credai ynddynt er mwyn ceisio diogelu iaith a chrefydd Cymru. Yr oedd o flaen ei oes yn sicrhau safle'r Gymraeg mewn deddfwriaeth a gweinyddiaeth gyhoeddus, a chyfieithodd Ddeddf Yswiriol 1911 i'r Gymraeg a'i chyhoeddi'n llyfryn gydag atodiad o restr o dermau cyfraith Cymraeg. Bu'n gadeirydd Undeb Cenedlaethol y Cymdeithasau Cymraeg a sefydlwyd yn 1913, ac yn ystod ei gadeiryddiaeth y trefnwyd y ddeiseb genedlaethol (1938) i geisio sicrhau statws briodol i'r iaith yn y llysoedd, ymgyrch a arweiniodd at y *Welsh Courts Act* 1942. Gwnaeth lawer i hybu cydweithio rhwng cynghorau sir Cymru, yn arbennig mewn addysg, a chredai'n gryf mewn sefydlu cyngor addysg cenedlaethol dros Gymru. Yr oedd yn aelod o'r ddirprwyaeth a ymwelodd â'r Gweinidog Addysg i geisio cefnogaeth i'r polisi yn 1920. Ef hefyd, fel Cadeirydd y Bwrdd Canol, a gyflwynodd yr awgrym fod dau ddisgybl ysgol uwchradd o bob sir yn treulio wythnos yn yr Eist. Gen. yn westeion cronfa a godwyd wrth werthu swyddfeydd y Bwrdd Canol yn 1944.

Bu'n gyfreithiwr myg. llys a chyngor yr Eist. Gen. o 1937 hyd 1956, gweithiodd yn ddygn i uno Gorsedd y Beirdd a Chymdeithas yr Eisteddfod ac etholwyd ef yn Gymrawd yn 1956. Cyhoeddodd hefyd ddeunydd i blant, *Llyfr y cyfarfod plant* (1908). Derbyniodd radd LL.D. er anrh. Prifysgol Cymru yn 1947 a chyflwynwyd cyfarchiad ar femrwn iddo gan yr Eisteddfod Genedlaethol ar ei ben-blwydd yn gant. Bu'n aelod yn eglwys Pen-y-maes (B.Alb., Disgyblion Crist) a Berea (B) Criccieth, a chyflwynwyd iddo fedal Gee.

Fe'i breintiwyd ag ymennydd o'r radd flaenaf ac â dawn i'w fynegi'n hun yn gryno a dibetrus. Heb ei hunanymwadiad a'i fedr fel cyfreithiwr anodd dirnad sut y gallasai David Lloyd George fod wedi datblygu'n wleidydd proffesiynol mor gynnar yn ei yrfa. Dengys y llythyrau rhyngddynt fod David yn rhoi pwys mawr ar farn William ar bynciau'r dydd ac adlewyrchir y farn honno yn ei areithiau. Cyhoeddodd *My Brother and I* (1958), *Atgof a myfyr* (1948) a *Richard Lloyd* (1934). Pr. Anita Williams o Abergwaun yn 1910; bu hi f. 1943. Bu iddynt feibionefeillion, bu farw un yn ei fabandod. Bu f. yng Nghriccieth 25 Ion. 1967 a chladdwyd ef ym mynwent gyhoeddus Criccieth.

Y ffynonellau a enwyd; W.R.P. George, *The making of Lloyd George* (1976); papurau William George yn Ll.G.C; gwybodaeth bersonol.

W.R.P.G.

GITTINS, CHARLES EDWARD (1908-70), addysgydd; g. yn Rhostyllen ger Wrecsam, Dinb., 24 Ion. 1908, yn fab i Charles Thomas a Frances (g. Rabbit) Gittins. Addysgwyd ef yn ysgol y bechgyn Bersham, Wrecsam, Ysgol Sir Grove Park, Wrecsam, 1920-25, a Choleg Prifysgol Cymru, 1925-31. Fe'i bwriodd ei hun i ganol bywyd y coleg yn ei holl agweddau, bu'n llywydd y Gymdeithas Ddadlau ac yn llywydd Cyngor y Myfyrwyr. Graddiodd yn 1928 gyda dosbarth I disglair mewn hanes, yna cymerodd gwrs hyfforddiant ar gyfer addysg uwchradd a chael diploma'r Brifysgol mewn addysg yn 1929. O hynny hyd 1931, bu'n dal ysgoloriaeth Eyton Williams i raddedigion a gwneud ymchwil a arweiniodd yn 1935 i radd M.A. am draethawd ar Condorcet fel addysgydd. Yn ystod y cyfnod hwn cynrychiolodd Gymru deirgwaith yn yr Ysgol i Raddedigion yng Ngenefa.

Yng ngogledd ddwyrain Lloegr y bwriodd ei brentisiaeth mewn dysgu a gweinyddu, rhwng 1932 ac 1945, fel athro hanes yn ysgol ramadeg y Brenin Iago yn Bishop Auckland, 1932-38, dirprwy-brifathro'r ysgol yn 1937, swyddog cynorthwyol dros addysg uwchradd sir Durham yn 1938, a dirprwy gyfarwyddwr addysg West Riding, sir Efrog yn 1942. Fel tiwtor o dan Brifysgol Durham cafodd brofiad o addysg allanol prifysgol a dosbarthiadau Addysg y Gweithwyr.

Dychwelodd i Gymru yn 1945 i fod yn gyfarwyddwr addysg sir Fynwy, ac o hynny hyd derfyn ei oes cyflwynodd ei hyfforddiant academaidd cyfoethog, ei brofiad ymarferol, a'i ynni anghyffredin i wasanaeth addysg a bywyd cyhoeddus Cymru. O 1956 i 1970 cafodd faes eangach i'w allu fel arweinydd, ac i'w ddylanwad, fel Athro Addysg a deon y gyfadran addysg, yng Ngholeg y Brifysgol, Abertawe. Amlinellodd ei ddelfryd o addysg yn ei ddarlith agoriadol yn 1957. Pwysleisiodd yr angen am gydweithrediad rhieni, athrawon a disgyblion i ffurfio cymunedau addysgol naturiol o'r ysgol feithrin i'r brifysgol. Datblygodd ac ehangodd y gyfadran yn gyflym o dan ei arweiniad a'i ysbrydiaeth. O 1966 i 1970 bu'n is-brifathro'r coleg, ac er mwyn canoli ei ynni ar gyfrifoldebau'r swydd honno rhoes i fyny, dros y ddwy fl. olaf, benaethiaeth yr adran addysg. Enillodd ei ddawn i drin pobl a'i ddoethineb yng ngweinyddiad y coleg edmygedd a chydweithrediad hapus myfyrwyr ac athrawon.

Ni chyfyngodd ei weithgarwch i derfynau campws y coleg, ond bu'n weithgar ar bwyllgorau cenedlaethol ar weithgareddau ieuenctid a gwasanaethau cyflogi pobl ieuainc. Yr oedd yn aelod gweithgar o'r Cydbwyllgor Addysg Gymreig, pwyllgor gwaith y Sefydliad Cenedlaethol dros Ymchwil Addysgol, llywodraethwr y Coleg Cenedlaethol i Hyfforddi Arweinwyr Ieuenctid, cadeirydd y Pwyllgor Statud ar Gyflogi Ieuenctid, trysorydd Cynhadledd Sefydlog Astudiaethau Addysg, aelod o'r Comisiwn Llywodraeth Leol ar Ffiniau yng Nghymru o dan gadeiryddiaeth Syr Guildhaume Myrddin-Evans (gw. isod), aelod o Bwyllgor Orielau Celf Abertawe, aelod o Gyngor Cynghori'r Teledu Annibynnol ar Addysg, y Cyngor Darlledu i Ysgolion, Pwyllgor Cymreig Cyngor y Celfyddydau, a nifer o gyrff eraill. Bu'n arholydd allanol mewn addysg i nifer o brifysgolion Lloegr. Cyhoeddwyd ei ddarlith agoriadol, *Educational Opportunity* (1957); golygodd *Pioneers of Welsh education* (1954).

Ef oedd cadeirydd y Cyngor Canol ar Addysg (Cymru) a gomisiynwyd yn 1963 gan Syr Edward Boyle i fwrw golwg dros holl faes addysg elfennol yng Nghymru (ac ar yr un pryd yr oedd yn aelod o'r Cyngor cyfochrog o dan yr arglwydd Plowden yn Lloegr). Cyhoeddwyd adroddiad swmpus y Cyngor hwnnw yn Saesneg a Chymraeg mewn cyfrolau ar wahân. Teitl y fersiwn Gymraeg yw *Addysg Gynradd Cymru* (H.M.S.O., 1967), ond fel Adroddiad Gittins yr adweinir ef, ac y mae ei ddelw ef yn drwm ar y ddogfen bwysig hon yn hanes addysg Gymraeg sy'n cymeradwyo egwyddor cyfundrefn addysg ddwyieithog lwyr yn ysgolion Cymru ar yr ystyriaeth fod yr iaith Gymraeg yn allweddol bwysig yn y traddodiad hanesyddol Cymreig. Rhoddai bwys ar werth iaith aelwyd a chalon mewn addysg, a chredai'n ddiysgog yn yr egwyddor a ddysgodd yn ei ymchwil gynnar ar Condorcet fod addysg yn angenrheidiol i bawb a bod ar gymdeithas gyfrifoldeb i'w hestyn yn gyfartal i'w holl aelodau. Mynnai Gittins fod y diwylliant Cymraeg yn etifeddiaeth i holl blant Cymru a bod galw am addysg ddwyieithog lwyr i sicrhau fod yr etifeddiaeth yn eiddo iddynt oll. 'Adroddiad Gittins' yw coron ei weithgarwch. Anrhydeddwyd ef drwy ei wneud yn C.B.E. yn 1968.

Pr., 28 Rhag. 1934, Margaret Anne, merch John ac Eliza Mary (g. Wheale) Lloyd yn eglwys Llanfaredd, Maesd. Bu iddynt fab a merch. Bu f. o ganlyniad i ddamwain ar fordaith bysgota ym Mae Oxwich ar 6 Awst 1970, ac ar ôl gwasanaeth yn Eglwys Llandeilo Ferwallt yng Ngŵyr amlosgwyd ei weddillion.

Gwybodaeth gan ei weddw; *West. Mail*, 7 Awst 1970; *Times*, 7 a 14 Awst 1970.

E.D.J.

GLAN RHYDDALLT - gw. LLOYD, ISAAC SAMUEL isod.

GLANBERACH - gw. MORGAN, JOHN JENKYN (1875-1961) isod.

GLYNNE, WALTER - gw. WALTERS, THOMAS GLYN isod.

GORE, WILLIAM GEORGE ARTHUR ORMSBY - gw. ORMSBY-GORE, WILLIAM GEORGE ARTHUR isod.

GREENLY, EDWARD (1861-1951), daearegwr; g. 3 Rhag. 1861 ym Mryste, yn f. Charles H. Greenly a'i wraig Harriet. Wedi'i addysgu yn *Clifton College*, Bryste, bu am gyfnod yn glerc trwyddedig mewn swyddfa cyfreithiwr yn Llundain, ond ymadawodd er mwyn cael astudio yng Ngholeg y Brifysgol, Llundain. Ymunodd â'r Arolwg Ddaearegol (Yr Alban) yn 1889 ond yn 1895 ymddiswyddodd a dechrau ar dasg a osododd iddo ef ei hun, sef ymgymryd yn annibynnol ag arolwg ddaearegol newydd o Ynys Môn. Pr. Annie Barnard yn 1891 (bu hi f. yn 1927) a buont yn cydweithio ar y dasg hon nes ei chwblhau yn 1910. Cyhoeddwyd *The geology of Anglesey*, 2 gyf., yn 1919 a'r map 1 mod. yn 1920. Estynnwyd y gwaith ar ôl hynny i Arfon. Cyhoeddodd (gyda Howel Williams) *Methods of geological surveying* (1930) ac ymddangosodd ei hunan-gofiant, *A hand through time*, yn 1938. Dyfarnwyd iddo fedal Lyell y Gym. Ddaearegol yn 1920, a medal Cym. Ddaearegol Lerpwl yn 1933. Cafodd radd D.Sc. er anrh. Prifysgol Cymru yn 1920. Bu f. ym Mangor 4 Maw. 1951.

Www; Nature, 167, 545-6.

B.F.R.

GRIFFITH, GRACE WYNNE (1888-1963), nofelydd; g. yn Chwef. 1888 yn Niwbwrch, Môn, merch y Capten W.G. Roberts. Chwaer iddi oedd Elizabeth Ann Williams, awdur *Hanes Môn yn y bedwaredd ganrif ar bymtheg* (1927). Addysgwyd hi yn ysgol sir Caernarfon. Bu'n nyrsio yn Lerpwl ym mlynyddoedd cynnar y ganrif bresennol, ac yno y cyfarfu â Griffith Wynne Griffith (gw. isod), Lerpwl; pr. hwy yn 1914. Bu f. 1 Mai 1963. Daeth i amlygrwydd yn 1934 pan ddaeth yn gydradd â Kate Roberts yn Eist. Gen. Castell-nedd yng nghystadleuaeth y nofel. Cyhoeddwyd ei nofel yn 1935 dan y teitl *Creigiau Milgwyn*; nofel Kate Roberts oedd *Traed mewn cyffion*. Adolygwyd *Creigiau Milgwyn* gan yr Athro T.J. Morgan; darniwyd y nofel yn drwyadl a chondemnnwyd y beirniad (Dr. Tom Richards, gw. isod) yn chwyrn am ei gwobrwyo.

Llenor, 1936, 48-55; Dafydd Jenkins, *Y Nofel* (1948), 23; gwybodaeth gan ei mab, Huw Wynne Griffith.

G.M.R.

GRIFFITH, GRIFFITH WYNNE (1883-1967), gweinidog (MC) ac awdur; g. 4 Chwef. 1883 ym Mrynteci, Llandyfrydog, Môn, mab John a Judith Griffith. Bu'n gweithio ar fferm ei dad pan oedd yn ieuanc, ond yn ddeunaw oed aeth i ysgol Cynffig Davies (*Bywg.*, 113) ym Mhorthaethwy, â'i wyneb ar y weinidogaeth. Derbyniwyd ef yn bregethwr gan gwrdd misol Môn yn 1903. Addysgwyd ef yng Ngholeg y Brifysgol, Bangor (lle graddiodd mewn athroniaeth), ac yng ngholeg diwinyddol y Bala (lle graddiodd mewn diwinyddiaeth). Bu hefyd am dymor (1909) yng Ngholeg Iesu, Rhydychen. Ord. ef yn 1911, a bu'n weinidogaethu ym Mryn-du, Môn (1910-13), Douglas Rd., Lerpwl (1913-23), Y Tabernacl, Porthmadog (1923-29), a'r Tabernacl, Bangor (1929-46). Pr., 1914, Grace Roberts (gw. uchod) o'r Dwyran, Môn; ganwyd iddynt ddau fab ac un ferch. Wedi ymddeol bu'n byw yn Llanfair Pwllgwyngyll. Bu f. 2 Chwef. 1967 yng nghartref ei fab, Huw Wynne Griffith, gweinidog (MC), Aberystwyth, a chladdwyd ei weddillion ym mynwent capel y Dwyran, Môn.

Yr oedd yn bregethwr coeth a grymus yn ei ddydd, a datblygodd yn un o arweinyddion ei Gyfundeb. Bu'n llywydd Sasiwn y Gogledd (1952), ac yn llywydd y Gymanfa Gyffredinol (1959). Traddododd y Ddarlith Davies yn 1942, a gyhoeddwyd dan y teitl *Datguddiad a datblygiad* (1946). Ef oedd prif olygydd *Y Cyfarwyddwr* (1929-30), a bu'n un o is-olygyddion yr un cylchgrawn, 1931-44. Bu hefyd yn olygydd *Y Goleuad* (1949-57). Ef oedd ysgrifennydd y pwyllgor a baratôdd `Y Gyffes Fer', a'r *Llyfr gwasanaeth* (1958). Bu'n aelod o

bwyllgor y cyfieithiad newydd o'r Beibl, cyngor a llys Coleg y Brifysgol, Bangor. Cyfrannodd ysgrifau i'r *Geiriadur Beiblaidd* (1926), ac i'r *Bywg.* Yr oedd ynddo anian llenor, a chyhoeddodd ddwy nofel, sef *Helynt Coed y Gell* (1928) a *Helynt Ynys Gain* (1939). Cyhoeddodd nifer o lyfrau eraill: *Paul y cenhadwr* (1925), *Rhai o gymeriadau'r Hen Destament* (1927), *Y Groes* (1943), *The wonderful life* (1941), cyfrol o bregethau, *Ffynnon Bethlehem* (1948), a *Cofiant cenhades (Helen Rowlands)* (1961). Yn ei flynyddoedd olaf cyfansoddodd a throsodd gryn lawer o emynau - cyhoeddodd gasgliad ohonynt dan y teitl *Odlau'r Efengyl* (1959). Ymddangosodd penodau o'i atgofion yn *Y Goleuad*, ac ym mlwyddyn ei farwolaeth cyhoeddwyd y rheini dan y teitl *Cofio'r blynyddoedd*. Rhwng popeth a'i gilydd bu'n rhyfeddol o brysur, a cheid graen bob amser ar ei gynhyrchion fel pregethwr ac awdur.

Cofio'r blynyddoedd (1967), *passim*; *Blwyddiadur MC*, 1968, 280-1; gwybodaeth gan ei fab, Huw Wynne Griffith.

G.M.R.

GRIFFITH, ROBERT DAVID (1877-1958), cerddor a hanesydd canu cynulleidfaol Cymru; g. 19 Mai 1877 yng Nghwm-y-glo, Caern., o gyff cerddorol, yn fab i Richard Griffith, chwarelwr llechi, a Jane (g. Williams) ei wraig. Yr oedd ei fam yn gyfnither i David Roberts (`Alawydd'; *Bywg.*, 808) ac i John Williams (`Gorfyniawc o Arfon'; *Bywg.*, 990). Ar ôl symud i fyw i Fynydd Llandygái yn 1885, dychwelodd y teulu i Fethesda yn 1890, lle y bu yntau'n gweithio yn chwarel y Penrhyn. Yn ddiweddarach bu am gyfnod yn glerc mewn swyddfa, ac yna, hyd nes iddo ymddeol, yn drafaeliwr masnach. Symudodd i fyw i Hen Golwyn yn 1928, lle y cartrefodd am weddill ei oes.

Ni chafodd ddiwrnod o addysg uwchradd, ond trwy ei ddiwyllio'i hun datblygodd yn gerddor medrus ac yn ymchwilydd diwyd a llwyddiannus. Yn 1909 ffurfiodd gôr o 80 o leisiau ym Methesda i berfformio rhai o'r prif oratorïau gyda chyfeiliant cerddorfa, ac yn 1921 ffurfiwyd Cymdeithas Gorawl Bethesda o dan ei arweiniad. Ar ôl symud i Hen Golwyn ef a arweiniai Gymdeithas Gorawl Colwyn a'r Cylch (1929-36). Ymddiddorai hefyd mewn cerddoriaeth gerddorfaol; bu'n aelod selog o gerddorfa Roland Rogers (*Bywg.*, 835), ac yn weithgar gyda Cherddorfa Gwynedd a Cherddorfa Ieuenctid Morfa Rhianedd.

Am gyfnod maith bu galw am ei wasanaeth fel beirniad, arweinydd cymanfa a darlithydd ar destunau cerddorol. Cyfrannai hefyd yn gyson i'r *Traethodydd*, *Y Goleuad* a'r *Drysorfa*, ac ef yw awdur y mwyafrif o'r ysgrifau yn ymwneud â cherddorion Cymru a geir yn *Y Bywg.* Dewiswyd ef yn olygydd cerddorol *Trysorfa'r Plant* ar ôl marw J.T. Rees (*Bywg.*2, 48), ac yn 1951 yn gadeirydd Cymdeithas Alawon Gwerin Cymru. Ef a fu'n bennaf gyfrifol am gael `Detholiad' blynyddol o donau ar gyfer cymanfaoedd canu y Methodistiaid Calfinaidd, a gwasanaethodd fel ysgrifennydd pwyllgor mawl y Cyfundeb o'i ddechreuad hyd at 1958. Ni chyfansoddodd ryw lawer, ar wahân i'r unawd `Y Sipsi', ac ychydig o ddarnau cysegredig ar gyfer plant.

Dechreuodd chwilio ac ysgrifennu hanes canu cynulleidfaol y genedl tuag 1920, a chyfrannu ysgrifau dan y teitl `Hanes dechrau canu cynulleidfaol Cymru' i'r *Cerddor*, gan gychwyn gyda rhifyn Gorff. 1931. Ar apêl John Lloyd Williams (*Bywg*.2, 62) aeth ymlaen a gorffen yr ymchwil, a ffrwyth y llafur hwnnw a geir yn y gyfrol *Hanes canu cynulleidfaol Cymru* (1948). Yn 1952 cyflwynodd Prifysgol Cymru radd M.A. er anrh. iddo. Bu f. yn ei gartref yn Hen Golwyn, 21 Hyd. 1958, a'i gladdu ym mynwent Bron-y-nant, Bae Colwyn. Diogelwyd rhai o'i lawysgrifau yn llyfrgell Coleg y Gogledd ym Mangor.

Cerddor, Awst 1920; *Trys. plant*, Chwef. 1942; J. Sutcliffe Smith, *Impressions of music in Wales* (1948), 47-49; *Baner*, 6 Tach. 1958.

H.W.

GRIFFITH-JONES, WILLIAM (1895-1961), gweinidog (A) a gweinyddwr; g. yn Neiniolen, Caern., 2 Tach. 1895, yn fab i David a Mary Jones, aelodau o gapel Ebeneser (A). Yn ei ieuenctid dylanwadwyd yn drwm arno gan weinidogion yr eglwys honno, J. Dyfnallt Owen (gw. isod) ac E. Wyn Jones. Pan symudodd y teulu i Lerpwl, ymunodd ef ag eglwys Saesneg Great George St. Yn ystod Rhyfel Byd I treuliodd ddwy flynedd a hanner yn Salonica, 1916-19. Wedi hynny dechreuodd bregethu a bu'n fyfyriwr ym Mhrifysgol Manceinion a choleg diwinyddol sir Gaerhirfryn, 1919-24. Ord. ef yn eglwys Freemantle, Southampton ym mis Gorff. 1924. Bu yno hyd 1936 yn weithgar iawn gyda'r Eglwysi Rhyddion ac yn ysgrifennu i'r wasg ar ben ei waith yn ei eglwys. O 1936-51 bu'n weinidog ar eglwys newydd Emmanuel, West Wickham, ac yn y cyfnod hwnnw daeth i amlygrwydd yn Undeb Cynulleidfaol Lloegr a Chymru ac ar Fwrdd y *London Missionary Society*. Etholwyd ef i gadair Undeb Cynulleidfaol Llundain yn 1949. O 1951-61 bu'n gymedrolwr eglwysi Cynulleidfaol Cymru a daeth i gysylltiad agos â mudiadau crefyddol yng Nghymru. Yr un pryd ef oedd cadeirydd pwyllgor cynnal y weinidogaeth o dan yr Undeb Saesneg yn Lloegr. Etholwyd ef yn gadeirydd yr Undeb Saesneg yn 1958, y trydydd Cymro yn gwasanaethu yng Nghymru i'w anrhydeddu felly, a thraddododd araith ar `The Churches - their witness in the community'. Bu'n llywio'r trafodaethau a arweiniodd at uno Coleg Coffa Aberhonddu ac adran Annibynnol y Coleg Presbyteraidd, Caerfyrddin, ac ef oedd cadeirydd cyntaf y Coleg Coffa yn Abertawe.

Gŵr byr o gorffolaeth gyda meddwl byw a diddordebau eang ydoedd. Yr oedd yn bregethwr cryf, yn drefnydd gofalus, ac yn gadeirydd meistrolgar. Pr. Annie Kathleen Speakman, 10 Medi 1925, a bu iddynt fab a merch. Bu f. 10 Gorff. 1961 ar ôl bl. o waeledd.

Www; Blwyddiadur A, 1962.

E.D.J.

GRIFFITHS, DAVID REES (`Amanwy'; 1882-1953), bardd ac ysgrifwr; g. 6 Tach. 1882 yn Efail y Betws, ger Rhydaman, Caerf., mab William a Margaret Griffiths (g. Morris). Brawd iddo oedd y Gwir Anrh. James Griffiths. Addysgwyd ef yn ysgol y cyngor, Betws, ac aeth i weithio i'r lofa pan oedd yn 12 ml. oed. Anafwyd ef yn dost mewn tanchwa yng nglofa Pantyffynnon, a lladdwyd brawd iddo yr un adeg. Ar ôl y danchwa dechreuodd ymhyfrydu mewn llenyddiaeth, gan gystadlu ym mân eisteddfodau'r ardal. Bardd aml ei gadeiriau ydoedd, a barnai Cynan mai ei bryddest ef oedd yr orau am goron Eist. Gen. Aberafan yn 1932 - cyhoeddwyd hi, gydag awdl ailorau Thomas Parry, yn *Cerddi'r lleiafrif*. Enillodd ar y soned yn Eist. Gen. Castell-nedd yn 1934. Cyhoeddwyd ei farddoniaeth gynnar yn *Ambell gainc* (1919), ac ef a olygodd *O lwch y lofa* (1924), `Cyfrol o ganu gan chwech o lowyr sir Gâr'.

Cefnodd ar y lofa yn 1927, a chafodd waith fel gofalydd ysgol sir Rhydaman, gan ddylanwadu yno ar nifer o blant llengar yr ysgol. Ef oedd gofalydd y `Golofn Gymraeg' yn yr *Amman Valley Chronicle* am flynyddoedd lawer, a chyfrannodd lawer iddi ar faterion lleol. Bu'n golofnydd hefyd yn *Y Cymro* - `O gwm i gwm' - am rai blynyddoedd. Etholwyd ef yn ddiacon yn eglwys Annibynnol Gellimanwydd, a chyhoeddodd deyrnged i'w hen weinidog (Parch. Isaac Cynwyd Evans) dan y teitl *Gweinidog fy ieuenctid* (1945). Darlledodd lawer ar y radio o bryd i'w gilydd, a chymerodd ran flaenllaw yn y ffilm *David*, sy'n bortread o ramant ei fywyd. Cyhoeddwyd ei weithiau prydyddol - yn bryddestau, caneuon, sonedau ac emynau - dan y teitl *Caneuon Amanwy* (1956) a olygwyd gan Gomer M. Roberts. Cyhoeddwyd rhai o'i emynau yn *Y Caniedydd* (1960). Pr. (1) â Margaret Morgan o Ben-y-groes; (2) â Mary Davies o'r Crwys ger Abertawe. Ei fab o'r briodas gyntaf oedd Gwilym, a fu â'i fryd ar weinidogaeth yn yr Eglwys yng Nghymru, ond bu f. cyn sylweddoli'i fwriad. Aeth ei dad ag ef i Dde Affrica yn 1929 eithr ni chafodd adferiad. Ganwyd dwy ferch o'r ail briodas. Bu f. 27 Rhag. 1953 yn Ysbyty Middlesex, Llundain,a chladdwyd ei weddillion ym mynwent Gellimanwydd, Rhydaman. Yr oedd `Amanwy' yn enghraifft wych o ddiwylliant gwerin ardal y glo carreg yn sir Gaerfyrddin yn hanner cyntaf y ganrif hon.

`Camre'i yrfa' yn *Caneuon Amanwy* (1956); *Genh.*, 1954, 88-93; adnabyddiaeth bersonol.

G.M.R.

GRIFFITHS, EVAN THOMAS (1886-1967), athro, ysgolhaig a llenor; g. 20 Chwef. 1886, yn Llanafan, Cer., yn fab i David ac Anne Griffiths a bedyddiwyd ef yn eglwys plwyf Llanafan, 11 Mawrth. Cafodd ei addysg gynnar yn ysgol elfennol Llanafan a cheir ei enw ar lyfrau'r ysgol fel athro-ddisgybl, 1902-04, ac fel cyn-athro-ddisgybl yn 1905. Ym mis Meh. 1904 eisteddodd arholiad `matriculation' Prifysgol Llundain a llwyddo. Ym mis Medi 1905 aeth i Goleg Prifysgol Cymru, Aberystwyth. Nodir iddo gael anrheg o lyfrau gan athrawon a disgyblion ysgol Llanafan ar ei ymadawiad. Graddiodd gydag anrhydedd yn y dosbarth cyntaf mewn Ffrangeg yn 1909 ac yn 1914 dyfarnwyd iddo radd M.A. Prifysgol Cymru am draethawd yn ymdrin â thestunau'n perthyn i'r `Map-cycle in Italy and especially of the Chantari di Lancilotto, with a short introduction on the history of the Arthurian tradition in Italy'. Bu'n astudio hefyd mewn gwahanol sefydliadau ar y cyfandir. Yn ystod ei yrfa broffesiynol bu yn olynol yn athro ysgol yn Llundain, yn ddarlithydd ym Mhrifysgol Manceinion, yn athro ysgol yng Nghasnewydd-ar-Wysg, yn brifathro ysgol sir Llanfyllin, yn brifathro ysgol y Barri. Ymddeolodd yn 1948. Yn ystod ei ymddeoliad aeth allan am gyfnod i Awstralia ac enillodd radd D.Litt. Prifysgol Melbourne. Dychwelodd i Gymru a chartrefu yn gyntaf yn Aberaeron ac yna yn Llandre ger Aberystwyth. Bu f. yn ysbyty Bronglais, Aberystwyth, 6 Tach. 1967.

Cyhoeddodd ddau waith ysgolheigaidd a oedd yn adlewyrchu ei ddiddordeb mewn Ffrangeg ac Eidaleg, sef, *Oeuvres Poétiques de Jean de Lingendes* (Paris, 1916), a *Li Chantari di Lancilotto* (Rhydychen, 1924). Cyhoeddodd hefyd rai cyfrolau yn cynnwys ymarferiadau mewn Ffrangeg ar gyfer myfyrwyr. Ar y cyd gyda William Ll. Davies (gw. uchod) cyhoeddodd *The Tutorial Welsh Course, Parts I and II* (nifer o argraffiadau o 1914 ymlaen). Ond hwyrach mai am ei drosiadau a'i gyfieithiadau o'r ieithoedd Romawns i'r Gymraeg y cofir ef yn bennaf. Ymhlith y rhain ceir *Yr Hogyn pren neu helyntion Pinocio* (o'r Eidaleg, 1938), *Cerddi'r Trwbadŵr* (1954), *Calon* (o'r Eidaleg, 1959), *Platero a minnau* (o'r Sbaeneg gyda T. Ifor Rees, 1961), *Atgofion dyddiau ysgol* (o'r Eidaleg, 1965), *Cerddi estron* (o amryfal ieithoedd, 1966), *Y Sgarff felen a storïau eraill* (o'r Eidaleg, 1966), a *Y Diriogaeth goll* (o'r Ffrangeg, 1969). Cyhoeddodd hefyd gyfrol o *Storïau glannau Ystwyth* (1957). Ceir ychydig o'i waith mewn teipysgrif a llawysgrif yn Ll.G.C.

Cofrestri plwyf Llanafan; cofrestri ysgol elfennol Llanafan; cofrestri marwolaeth Dosbarth Gogledd Ceredigion; *Calendr Prifysgol Cymru* (amryw flynyddoedd); catalog y llyfrau printiedig Ll.G.C.; Glyn Lewis Jones, *Llyfryddiaeth Ceredigion, 1600-1964* (1967); idem. *Llyfryddiaeth Ceredigion, 1964-68* (1970); *Camb. News*, 11 Tach. 1967; llsgr. LlGC 21689.

G.M.G.

GRIFFITHS, EZER (1888-1962), ffisegydd; g. yn Aberdâr, Morg., yn un o naw plentyn a'r hynaf o chwe mab Abraham Lincoln Griffiths a'i wraig Anne, 28 Tach. 1888. Addysgwyd ef yn ysgol uwchradd Aberdâr, a Choleg Prifysgol Deheudir Cymru, Caerdydd, lle y graddiodd yn B.Sc. gyda dosbarth cyntaf mewn ffiseg ac ennill ysgoloriaeth ymchwil ac yn ddiweddarach gymrodoriaeth Prifysgol Cymru a gradd D.Sc. Yn 1915 ymunodd â'r *National Physical Laboratory* yn Teddington lle y treuliodd weddill ei oes yn ymgodymu â phroblemau gwres. Daeth yn un o'r prif awdurdodau ar ynysiad gwres, anweddiad, a materion cysylltiol a fu'n gyfraniad gwerthfawr i fyd diwydiant. Yn 1923 yr oedd yn un o dîm a ddanfonwyd i Awstralia i astudio problem cludo afalau drwy wres y trofannau i Brydain. Saith ml. yn ddiweddarach aeth i Seland Newydd i ddelio â phroblemau allforio cig oen i'r wlad hon. Bu hefyd yn astudio problemau ynglŷn â'r cymylau tarth a ffurfir yn sgîl awyrennau, a bu'n ymchwilio i'r ffyrdd gorau i addasu tanciau at wasanaeth yng ngwres anialwch Libya yn ystod Rhyfel Byd II. Dyfarnwyd medal Moulton iddo ef ac R.W. Powell am eu cywaith ar

anweddiad dŵr oddi ar arwynebau. Etholwyd ef yn F.R.S. yn 1926 a chafodd yr O.B.E. yn 1950. Ymddeolodd o'i swydd fel Prif Swyddog Gwyddonol hynaf adran ffiseg y Labordy Ffisegol Cenedlaethol yn 1953.

Bu f. yn ddibriod yn Teddington, 14 Chwef. 1962. Cyhoeddodd lyfrau - *Methods of measuring temperatures* (1918, ail arg. 1925, 3ydd arg. 1947), *Pyrometers* (1926), a *Refrigeration principles and practice* (1951) - a llu o bapurau technegol yn ei faes.

Brodyr iddo oedd Edgar A. Griffiths, ffisegydd i lywodraeth De Affrig, Jenkin Arthur Griffiths, gol. *Colliery Guardian*, a Roosevelt Griffiths, darlithydd mewn meteleg, Coleg y Brifysgol, Abertawe.

Biog. Memoirs Fellow R.S., 8; *WwW* (1937).

E.D.J.

GRIFFITHS, IEUAN - gw. WILLIAMS, DAVID MATTHEW isod.

GRIFFITHS, WILLIAM (1898-1962), llyfrwerthwr; g. 6 Meh. 1898 yn Evanstown, Y Gilfach-goch, Morg., yn fab i Joseph Griffiths a'i wraig Margaret Ann (g. Williams). Cafodd ei addysg gynnar yn ysgol elfennol Abercerdin, Evanstown, 1903-11. Bu'n gweithio am rai bl. fel glöwr ac yna aeth i fyw yn Llundain. Ymddiddorai mewn cerddoriaeth a bu'n ddisgybl yn Ysgol Gerdd y Guildhall, a chael hyfforddiant ar y ffidil gan athrawon fel Jeffrey Pulver a Harold Fairhurst. Yr oedd yn chwaraewr medrus a bu'n chwarae'n broffesiynol hyd tuag 1931. Yna ymunodd â Chwmni Foyle, y llyfrwerthwyr, Heol Charing Cross, a bu'n gyfrifol am adran Gymreig y cwmni am rai blynyddoedd, a bu am bedair bl. ar ddeg. Yn 1946 cymerodd at siop yn Cecil Court (Leicester Square) lle y sefydlodd, gyda'i dri brawd, fusnes llyfrau Cymreig, menter llwyddiannus a wnaeth y siop yn gyrchfan boblogaidd i Gymry Llundain, ac yn adnabyddus i ysgolheigion Celtaidd ac ymwelwyr eraill o wahanol rannau o'r byd. Yr oedd yn ŵr adnabyddus ac amlwg ymhlith Cymry'r brifddinas. Gwasanaethodd fel cadeirydd Cyngor Cymdeithas Cymry Llundain, a chadeirydd Cylch Llenyddol y gymdeithas honno. Bu'n golygu *Y Ddinas* o Dach. 1956 i Chwef. 1959. Bu'n aelod o Gyngor Anrh. Gymd. y Cymmrodorion am flynyddoedd ac etholwyd ef yn aelod o Orsedd y Beirdd wrth yr enw `Gwilym Cerdin'. Pr. Winifred Irene, merch John Kent, a'i wraig Sara (g. Rogers) yn eglwys blwyf Mentmore, swydd Buckingham 23 Medi 1933, a bu iddynt un ferch. Bu f. 8 Hyd. 1962 mewn ysbyty yn Llundain.

Gwybodaeth gan ei frawd Arthur; *Cymro*, 23 Gorff. 1948; *West. Mail*, 9 Hyd. 1962; *London Welshman*, Tach. 1962; *Trans. Cymm*, 1963, 146-7; *Ddinas*, passim yng nghyfnod ei olygyddiaeth; *WWP*.

G.M.G.

GRUFFYDD, WILLIAM JOHN (1881-1954), ysgolhaig, bardd, beirniad a golygydd; g. yng Nghorffwysfa, Bethel, Caern., 14 Chwef. 1881, mab John a Jane Elisabeth Griffith. Addysgwyd ef yn ysgol elfennol Bethel ac ysgol sir Caernarfon, lle'r oedd yn un o'r to cyntaf o ddisgyblion pan agorwyd yr ysgol yn 1894. Yn 1899 derbyniwyd ef i Goleg Iesu, Rhydychen, a graddiodd mewn llenyddiaeth Saesneg. Yn 1904 penodwyd ef yn athro yn ysgol ramadeg Beaumaris, ac yn 1906 yn ddarlithydd yn yr adran Gelteg o dan yr Athro Thomas Powel (*Bywg.*, 726) yng Ngholeg y Brifysgol, Caerdydd. Treuliodd y blynyddoedd 1915-18 yn swyddog yn y llynges, a phan ryddhawyd ef, penodwyd ef yn Athro i ddilyn Powel, gan iddo ef ymddeol yn 1918. Parhaodd yn y swydd nes iddo yntau ymddeol yn 1946. Safodd fel ymgeisydd am sedd Prifysgol Cymru yn y Senedd dan nawdd y Rhyddfrydwyr yn 1943 yn erbyn Saunders Lewis, ymgeisydd Plaid Genedlaethol Cymru (fel y gelwid hi y pryd hwnnw) er ei fod ef ei hun yn aelod amlwg o'r blaid honno, ac etholwyd ef. Etholwyd ef eilwaith yn 1945, a pharhaodd yn aelod nes diddymu seddau'r prifysgolion yn 1950.

Prif faes Gruffydd fel ysgolhaig oedd Pedair Cainc y Mabinogi. Mor gynnar ag 1914 cyhoeddodd erthygl sylweddol yn Nhrafodion y Cymmrodorion o dan y teitl 'The Mabinogion'. Yna yn 1928 daeth ei brif gyfraniad, sef *Math vab Mathonwy*, ymdriniaeth â'r bedwaredd gainc, ac wedi egwyl go hir, *Rhiannon* yn 1953, trafodaeth ar y gainc gyntaf a'r drydedd. Yr amcan oedd dadansoddi'r chwedlau, a dangos pa elfennau cyntefig sydd ynddynt a sut yr asiwyd hwy ynghyd i wneud un cyfanwaith.

Agwedd arall ar ei ysgolheictod oedd ei lyfrau ar hanes llenyddiaeth Gymraeg. Y cyntaf oedd *Llenyddiaeth Cymru o 1450 hyd 1600* (1922), sef, er gwaetha'r teitl, trafodaeth ar farddoniaeth gaeth y cyfnod yn unig. Yr ail oedd *Llenyddiaeth Cymru, rhyddiaith o 1540 hyd 1660* (1926). Er addo 'cyfres o gyfrolau ar Lenyddiaeth Cymru', ni chaed ond y ddwy hyn, ond buont yn dra defnyddiol mewn ysgol a choleg. Rhan o'r un diddordeb oedd golygu adargr. (1929) o *Perl mewn adfyd* Huw Lewys (1595), a'r llyfryn dwyieithog ar Ddafydd ap Gwilym (1935). Cymwynas arall Gruffydd mewn perthynas ag astudio llenyddiaeth Gymraeg oedd paratoi detholiadau o gerddi. Y cyntaf oedd *Cywyddau Goronwy Owen* (1907). Casgliad oedd *Y Flodeugerdd newydd* (1909), o gywyddau beirdd yr uchelwyr - llyfr i'w ddefnyddio mewn dosbarth yn hytrach na gwaith ysgolheigaidd fanwl. Yna caed *Blodeuglwm o englynion* [1920], gyda rhagymadrodd yn egluro damcaniaeth John Rhys mai o'r cwpled elegeiog Lladin y tarddodd yr englyn unodl union (yn groes i farn J. Morris-Jones yn *Cerdd Dafod*). Yn 1931 ymddangosodd *Y Flodeugerdd Gymraeg*, sef detholiad o gerddi rhydd o'r cyfnod rhwng yr 17 g. a'r 20 g. Y mae'r rhagymadrodd yn ddiddorol am ei fod yn egluro cryn lawer ar syniad y golygydd am hanfod barddoniaeth. Cyhoeddwyd dwy ddarlith ganddo ar ffurf pamffledi - *Ceiriog* (1939) ac *Islwyn* (1942).

Yr oedd Gruffydd y bardd yn fwy adnabyddus i'w gydwladwyr na Gruffydd yr ysgolhaig. Cynigiodd am y goron yn Eist. Gen. Bangor yn 1902 ar y testun 'Trystan ac Esyllt', pan enillodd Silyn Roberts (*Bywg.*, 824). Ond ef a enillodd yn Llundain yn 1909 ar 'Yr Arglwydd Rhys'. Cyhoeddodd gerddi serch yn y cylchgrawn *Cymru* yn 1900 pan oedd yn fyfyriwr yn Rhydychen, ac yn yr un flwyddyn cyhoeddodd ef a Silyn Roberts gasgliad o'u cerddi dan y teitl *Telynegion*. Ymddangosodd

Caneuon a cherddi, sef casgliad o'i gerddi ef ei hun, yn 1906. Ni chaed dim wedyn hyd 1923, pan gyhoeddwyd *Ynys yr hud a chaneuon eraill*, ac y mae yn y gyfrol honno gerddi a luniwyd rhwng 1900 ac 1922. Yn 1932 cyhoeddwyd *Caniadau* gan Wasg Gregynog, detholiad o'r cerddi yr oedd yr awdur yn barod i'w harddel. Y mae barddoniaeth Gruffydd yn amrywio'n rhyfedd o ran arddull a safon. Siwgwraidd ac ansoddeiriog yw'r cerddi cynnar, ac ynddynt aml adlais (a rhai cyfieithiadau) o delynegion Heine ac o farddoniaeth ramantaidd Saesneg dechrau'r ganrif o'r blaen. Ac eto fe geir ymysg hyn i gyd rai cerddi syml iawn eu mynegiant fel 'Cerdd yr hen chwarelwr'. Ceir hefyd rai darnau o feirniadaeth gymdeithasol ystrydebol ac arwynebol fel 'Y Pharisead' a 'Sïonyn'. Yn ddiweddarach caed agwedd fwy goddefgar ac arddull fwy uniongyrchol, fel yn 'Gwladys Rhys' a 'Thomas Morgan yr Ironmonger'. Ond yr hyn sy'n rhyfedd yw fod y bardd wedi cynnwys rhai o gerddi'r hiraeth melys a cherddi'r ymosod sur yn ei bigion terfynol yng nghyfrol Gwasg Gregynog yn 1932. Y mae ei gerddi gorau yn gyfraniad gwerthfawr i farddoniaeth Gymraeg, ac y mae'r gerdd hir 'Ynys yr hud' yn un o gerddi rhagoraf adfywiad yr 20 g.

Y mae camp arbennig ar ryddiaith Gruffydd. Nid oes yn ei arddull ddim o'r gorymdrech na'r ffug hynafiaeth a welir yng ngwaith rhai o lenorion y deffroad yn hanner cyntaf y ganrif, ond er hynny y mae'n ysgrifennu gyda graen bwriadus. Ei waith rhagoraf yw *Hen atgofion*. Cyhoeddwyd y rhain i gychwyn yn *Y Llenor* rhwng 1930 ac 1935, ac yn llyfr yn 1936. Ymddangosodd pedair pennod ychwanegol yn *Y Llenor* rhwng 1936 ac 1941, a dyna'r cwbl, yn anffodus. Ceir yn yr atgofion ddrych o bersonoliaeth yr awdur ei hun, o'r fro lle magwyd ef, ac o genedl y Cymry mewn cyfnod pwysig yn ei hanes, a'r cyfan wedi ei draethu â llawer o hiwmor a chraffter treiddgar. Yn ei *Cofiant* i O.M. Edwards (1937) cafodd Gruffydd berson a chefndir a chyfnod yr oedd yn eu llwyr adnabod, ac y mae llawer o'r un nodweddion ar y gwaith hwn ag sydd ar *Hen atgofion*.

Yn 1922 cychwynnwyd *Y Llenor* fel cylchgrawn chwarterol, a Gruffydd yn olygydd, a'i enw ef yn unig a welir yn y swydd hyd 1945, pryd yr oedd T.J. Morgan yn gydolygydd o 1946 hyd y diwedd yn 1951. Bu'r *Llenor* yn gyfrwng i gyhoeddi gweithiau'r prif feirdd a llenorion mewn cyfnod coeth a thoreithiog yn hanes llenyddiaeth Gymraeg. Cyfrannodd y golygydd ei hun gryn lawer iddo, erthyglau o feirniadaeth lenyddol a rhai traethiadau dychanus ar agweddau ar fywyd y genedl. Yn 1926 dechreuodd ei 'Nodiadau'r Golygydd', a chafodd gyfle i draethu ei farn ar bynciau o bob math yr oedd ef yn teimlo'n gryf arnynt, ac i gyfiawnhau ei ddisgrifiad ohono'i hun fel 'prif gythraul y cyhoedd yng Nghymru'. Ymysg y pynciau a drafodid yr oedd pob agwedd ar safle'r iaith, crefydd, Seisnigrwydd rhai dosbarthiadau yn y gymdeithas Gymreig, gwendidau darlledu, llygredd yn y bywyd cyhoeddus, llosgi'r ysgol fomio, addysg ar bob lefel, ac yn arbennig yr Eist. Gen. Dro ar ôl tro bu'r golygydd yn cwyno bod pwyllgorau lleol yr Eisteddfod yn bwnglera, fod gwŷr di-Gymraeg a dihaeddiant yn cael eu hanrhydeddu a bod gormod o ddefnyddio'r iaith Saesneg ar y llwyfan. Pan ddechreuwyd diwygio'r Eisteddfod yn 1935 drwy lunio cyfansoddiad newydd a dwyn y Llys a'r Cyngor i fod, yr oedd Gruffydd yn un o'r cynrychiolwyr a fu'n gwneud y gwaith, ac o hynny ymlaen bu iddo gyswllt agos â'r Eisteddfod, nid yn unig fel beirniad (ar y bryddest y rhan amlaf) ond hefyd fel aelod o'r Cyngor ac fel llywydd y Llys o 1945 hyd ei farw.

Ysgrifennodd Gruffydd dair drama - *Beddau'r proffwydi*, a berfformiwyd gyntaf gan aelodau o goleg Caerdydd yn 1913, *Dyrchafiad arall i Gymro* (1914), a *Dros y dŵr* (1928). Cyhoeddwyd ei gyfieithiad o *Antigone* Sophocles yn 1950. Gwelir ei lyfryddiaeth gyflawn yn *Jnl. W.B.S.*, 8, 208-219; 9, 53-4.

Dyfarnwyd iddo ddoethuriaeth er anrh. gan Brifysgol Rennes (1946) a Phrifysgol Cymru (1947), a derbyniodd fedal Anrhyd. Gymd. y Cymmrodorion (1946). Bu'n fawr ei ddylanwad mewn amryw gylchoedd yng Nghymru hyd ddiwedd ei oes, er bod ei syniadau yn fynych iawn yn destun dadl ac anghytundeb. Un rheswm am hynny oedd ei ddull difloesgni o ddweud ei feddwl, a rheswm arall oedd annibyniaeth y meddwl hwnnw, ac yn wir ei anghysondeb rai gweithiau. Ond yr oedd yn rhyfeddol o gyson yn ei wrthwynebiad i

anghyfiawnder neu anonestrwydd, a hynny oedd un rheswm am barch dwfn ei gyfeillion, a phawb a'i hadnabu, tuag ato.

Yn 1909 pr. Gwenda, merch John Evans, gweinidog Aber-carn. Ymwahanasant rai blynyddoedd cyn diwedd eu hoes. Bu iddynt un mab. Bu Gruffydd f. 29 Medi 1954.

Llenor, cyfrol goffa'r Golygydd, 1955; [T. Robin Chapman, *W.J. Gruffydd*, 1992; Geraint Bowen, *W.J. Gruffydd*, cyfres Bro a Bywyd, 1994].

T.P.

GWAENYSGOR, BARWN 1af - gw. MACDONALD, GORDON isod.

GWENALLT - gw. JONES, DAVID JAMES isod.

GWILYM AMAN - gw. JONES, GWILYM RICHARD isod.

GWILYM RHONDDA - gw. THOMAS, WILLIAM PHILLIP isod.

GWYNDAF - gw. DAVIES, GRIFFITH uchod.

GWYNNE, LLEWELLYN HENRY (1863 - 1957) - gw. Gwynne (Teulu), Cilfái yn yr Atod. isod.

H

HALL, GEORGE HENRY (1881-1965), yr Is-iarll Hall o Gwm Cynon cyntaf, gwleidydd; g. 31 Rhag. 1881 ym Mhenrhiwceibr, Aberpennar, Morg., mab George Hall, glöwr (m. 1889) brodor o Marshfield, swydd Gaerloyw, ac Ann Guard ei wraig (m. 1928) a ddaeth o Midsomer Norton ger Radstock, Gwlad-yr-Haf. Addysgwyd ef yn ysgol elfennol Penrhiwceibr, ond bu raid iddo ymadael â'r ysgol yn 12 oed i weithio yng nglofa Penrhiwceibr er mwyn helpu'i fam weddw a adawyd gyda theulu niferus i'w gynnal. Dyna'r unig addysg ffurfiol a gafodd, ond manteisiodd ar ddamwain a gafodd yn y gwaith, a'i cadwodd gartref am ysbaid hir, i ddarllen yn helaeth, ac i'w addysgu'i hun. Gweithiodd wrth y ffas tan 1911, pryd y penodwyd ef yn bwyswr ar ran y gweithwyr ac yn gynrychiolydd lleol i'r *South Wales Miners' Federation*. Yn 1908 enillasai sedd ar gyngor dosbarth Aberpennar, yr aelod Llafur cyntaf i gynrychioli ward Penrhiwceibr. Bu'n aelod o'r cyngor am 18 ml. gan fod yn gadeirydd iddo ac i'r pwyllgor addysg. Yn etholiad cyffredinol 1922 etholwyd ef yn A.S. dros ddosbarth Aberdâr o fwrdeistrefi Merthyr, gan drechu C.B. Stanton (*Bywg.*2, 54) y cyn-aelod. Cadwodd y sedd gyda mwyafrifoedd mawr (ddwywaith yn ddi-wrthwynebiad) hyd ei godi i Dŷ'r Arglwyddi yn 1946. Cafodd swydd Arglwydd Sifil y Morlys yn 1929. Datblygodd yn sylweddol fel gwleidydd rhwng 1931 ac 1935. Cyn hynny arbenigai ar y diwydiant glo, pwnc yr oedd yn feistr arno, ond, oblegid colledion trychinebus y Blaid Lafur yn etholiad 1931, bu raid iddo siarad o'r fainc flaen mewn dadleuon ar amryfal bynciau a oedd gynt y tu allan i faes ei ddiddordeb. Yr oedd yn siaradwr grymus y tu allan i'r Tŷ, a chofir yn hir am ei frwydr galed yn ne Cymru yn erbyn rheolau'r prawf moddion yn 1934-35. Yn 1940 etholwyd ef yn arweinydd y blaid seneddol Gymreig, ond ymddiswyddodd pan benodwyd ef yn Is-ysgrifennydd Gwladol dros y Trefedigaethau yn llywodraeth Winston Churchill ym mis Mai 1940. Dyrchafwyd ef yn P.C. yn 1942. Bu'n ysgrifennydd ariannol y Morlys, 1942-43, ac yn Is-ysgrifennydd Seneddol dros Faterion Tramor o dan Anthony Eden, 1943-45. Pan ffurfiwyd y llywodraeth Lafur yng Ngorff. 1945 enwyd ef yn Ysgrifennydd gwladol dros y Trefedigaethau nes ei benodi'n Brif Arglwydd y Morlys yn Hyd. 1946. Yr oedd yn hoff iawn o'r llynges ac yr oedd yn hapus yn y swydd, ond oherwydd ei fod yn heneiddio a'i iechyd yn fregus penderfynodd ymddeol ym Mai 1951. Bu'n ddirprwy-arweinydd yr arglwyddi Llafur hyd ddiwedd 1953, pan, i bob pwrpas, y daeth ei yrfa wleidyddol i ben.

Bu'n aelod arddderchog dros ei etholaeth. Yr oedd yn barod iawn ei gymwynas, yn gwrtais ac yn hawdd mynd ato. Gwnâi ei orau glas bob amser i amddiffyn ac achub cam ei etholwyr. Cofiai pobl Aberdâr yn ddiolchgar iawn am ei ymdrechion i ddenu diwydiannau newydd i'r ardal yn nyddiau du'r dirwasgiad. Yn 1937 darbwyllodd gwmni newydd *Aberdare Cables* i sefydlu ei ffatri yn Aberdâr a gwahoddwyd ef yn y diwedd i fod yn un o'r cyfarwyddwyr.

Diolch yn bennaf i'w ymdrechion ef sefydlwyd ffatrïoedd *Royal Ordnance* yn Robertstown (Tresalem) a'r Rhigos yn 1940, ac yn 1945 daeth Cwmni Masnachol Hirwaun i fod. Yn sgîl y datblygiadau hyn daeth Aberdâr yn ganolfan diwydiannau ysgeifn, bendith amhrisiadwy i dref a ddibynasai'n ormodol ar lo yn y gorffennol.

Cafodd raddau anrhyd. LL.D. gan Brifysgolion Birmingham yn 1945 (o law Anthony Eden, y Canghellor) a Chymru yn 1946. Bu'n aelod ffyddlon o'r Eglwys yng Nghymru drwy gydol ei oes, ac etholwyd ef ar ei Bwrdd Llywodraethol.

Bu'n briod ddwywaith, (1) â Margaret merch William Jones, Ynys-y-bŵl, 12 Hyd. 1910. Bu hi f. 24 Gorff. 1941. O'r briodas hon yr oedd dau fab; olynodd y naill ei dad yn Is-iarll a lladdwyd y llall, is-lifftenant yn y llynges, 11 Mai 1942; (2) ag Alice Martha, merch Ben Walker o Brinklow, Rugby, yn 1964. Yr oedd hi'n aelod o gyngor sir Caerlŷr. Bu ef f. yn ysbyty Caerlŷr, 8 Tach. 1965.

Aberdare Leader, 13 a 20 Tach. 1965; *Times*, 9 Tach; *Www*; Burke; *WWP*.

W.T.M.

HAMER, Syr GEORGE FREDERICK (1885-1965), diwydiannwr a gŵr cyhoeddus; g. 19 Mawrth 1885, yn fab i Edward a Martha (g. Matthews) Hamer, Summerfield Park, Llanidloes, Tfn. Cafodd ei addysg yn ysgol ramadeg y dref honno, ac yn 1902 ymunodd â staff ffyrm ei dad, Edward Hamer a'i Gwmni, amaethwyr ar raddfa helaeth ac arloeswyr ym masnach cig oen Cymreig a gyflenwodd ofynion y teulu brenhinol dros 3 theyrnasiad. Yn 1919 daeth George yn unig berchen ffyrm o wneuthurwyr lledr ar enw'i frawd T. Pryce Hamer, a laddwyd yn Ffrainc yn Rhyfel Byd I. Pan drowyd y ffyrm yn gwmni cyfyngedig yn 1946 ef oedd cadeirydd a cyfarwyddwr, ond pan gyfunwyd â ffyrm arall ym Meh. 1954 ymddeolodd o'r gadair a pharhau'n gyfarwyddwr. Dechreuodd ar yrfa gyhoeddus yn 1919 pan etholwyd ef ar gyngor bwrdeistref Llanidloes. Bu'n aelod tan 1954, a bu'n faer un ar ddeg o weithiau, codwyd ef yn henadur yn 1932 a chafodd ryddfraint y fwrdeistref yn 1948. Etholwyd ar gyngor sir Drefaldwyn yn 1929, yn henadur yn 1949, a bu'n gadeirydd yn 1951-54 ac 1956-58. Ef oedd cadeirydd pwyllgor addysg y sir, 1947-51. Bu'n ynad heddwch o 1932, a bu'n gadeirydd mainc Llanidloes a phwyllgor ynadon y sir. Ef oedd uchel siryf Maldwyn yn 1949. O'r tu allan i'r sir bu'n aelod o Gyngor Cymru, 1949-54, ac 1956-59, Cyngor Ymgynghorol Canolog Addysg Cymru, 1945-49, Cyngor Ymgynghorol B.B.C. (Cymru), 1946-49, a'r Cyd-bwyllgor Addysg Cymreig. Bu'n gadeirydd Cyngor Ymgynghorol Bwrdd Nwy Cymru ac yn aelod o'r Bwrdd Nwy, 1955-58. Bu'n llywydd Urdd S. Ioan, Cymdeithas Sgowtiaid, a Chymdeithas Caeau Chwarae sir Drefaldwyn. Bu'n aelod o lysoedd holl golegau Prifysgol Cymru ac o lys y Brifysgol ei hun, llys a chyngor A.G.C. a llys Ll.G.C., Cyngor Datblygu Gogledd Cymru, Awdurdod Heddlu Canolbarth Cymru (is-gadeirydd hefyd),

Cymdeithas Ddiwydiannol Cymru (is-lywydd hefyd), a phwyllgor cyffredinol Cyngor Diogelu Cymru Wledig. Ef oedd cadeirydd Clwb Bechgyn Llanidloes o'i ddechreuad yn 1937. Ymdaflodd yn llwyr i fywyd ei gymuned yn ei holl agweddau, ond fe ddichon mai ei gyfraniad mwyaf arwyddocaol oedd yr arweiniad cadarn a galluog a roes i'r gwasanaeth addysg yng ngweithrediad Deddf Addysg Butler yn 1944. Deilliai ysbrydoliaeth ei athroniaeth addysg i'r 20fed g. oddi wrth y ddau aelod seneddol Rhyddfrydol dros sir Drefaldwyn a chwaraeodd ran arwyddocaol yn natblygiad addysg ganol ac uwch yng Nghymru yn y 19eg g. - yr Arglwydd Stuart Rendel (*Bywg.*, 785) ac A.C. Humphreys Owen (*Bywg.*, 376).

Pr. Sybil Dorothy Vaughan Owen (uchel siryf Maldwyn, 1958), trydedd ferch Dr. John Vaughan ac Emma Wigley (g. Davies) Owen yn eglwys Llanidloes 1 Gorff. 1920. Bu iddynt un ferch, Shirley Margaret Wynn, yr Arglwyddes Hooson. Bu Syr George f. ar 3 Chwef. 1965 a chladdwyd ef yn Llanidloes.

Gwybodaeth bersonol.

J.A.D.

HANSON, CARL AUGUST (1872-1961), pennaeth cyntaf adran rhwymo Llyfrgell Genedlaethol Cymru; g. yn 1872 yn Oslo, Norwy. Tuag 1898 daeth i Lundain i ddilyn ei grefft fel rhwymwr llyfrau gyda J. Zaehnsdorf yn Shaftesbury Avenue. Ymhen tair bl. symudodd at gwmni enwog Riviere yn Regent Street lle y treuliodd ddeng ml. yn gloywi ei ddawn a'i brofiad ym maes atgyweirio llyfrau prin a llawysgrifau. Yn ystod y cyfnod hwn pr. Edith Gwynne (1871-1950), a chawsant bedwar o blant. Yn niwedd 1911, allan o dri ymgeisydd profiadol, fe'i penodwyd ef i drwsio ac ail-rwymo yn arbennig gasgliadau Peniarth a Llansteffan o lawysgrifau a llyfrau prin a gyflwynwyd gan Syr John Williams (*Bywg.*, 991-2) yn sail i'r Llyfrgell Genedlaethol newydd. Gan mor frau oedd llawer ohonynt, datblygodd Hanson ddull chwyldroadol o hollti tudalen o bapur a wnaed â llaw, a'i chyfannu drwy bastio'r ddau hanner trwch wrth dudalen o bapur glân. Felly yr achubodd ef (a chydag amser ei staff hefyd), filoedd lawer o lawysgrifau a llyfrau prin a gwerthfawr fel y gallai ysgolheigion ymchwil eu trafod heb eu niweidio ymhellach, a thrwy hynny gwelwyd cyhoeddi cyfresi o destunau llenyddol cyflawn a safonol a fu'n anhepgor i ddatblygiad ysgolheictod Cymraeg diweddar. Cydnabu Prifysgol Cymru ei gyfraniad unigryw yn 1955 pan gyflwynwyd iddo radd M.A. er anrh.

O ddyddiau'i lencyndod yn Llundain bu Hanson yn undebwr llafur brwd ac o fewn llai na blwyddyn wedi iddo gyrraedd Aberystwyth fe'i hetholwyd yn is-gadeirydd Cyngor Undebau Llafur Gogledd Ceredigion y bu'n gymorth i'w sefydlu. Ar ddiwedd Rhyfel Byd I ffurfiodd ef a'i gyfeillion gangen leol o'r Blaid Lafur, ac agor y siop fwyd gyntaf o dan nawdd y Mudiad Cydweithredol yn y dref. Cychwynnodd yn y Llyfrgell Genedlaethol ar 1 Ion. 1912 a daliodd ati i weithio tan 30 Meh. 1959 ac yntau'n 87 oed! Bu f. 26 Medi 1961 a chladdwyd ef ym mynwent Eglwys Llangorwen, Clarach.

Gwybodaeth bersonol.

D.J.

HARKER, EDWARD ('Isnant'; 1866-1969), chwarelwr, bardd a phregethwr (A); g. 9 Gorff. 1866, yn Nant-isaf (y lle y cymerodd ei enw barddol oddi wrtho), Bwlch-nant-yr-heyrn, uwchlaw Llanrwst, Dinb., y pumed o naw plentyn (5 merch a 4 mab) John a Sarah Ann Harker. Ymfudasai ei hendaid, James Harker, o sir Gaerhirfryn i weithio yng ngwaith plwm y Nant yng nghanol y 18fed g., ond yng Nghernyw y preswyliai'r teulu'n wreiddiol. Rhyw dair wythnos o addysg ffurfiol a gafodd Isnant, yn ysgol Frytanaidd Llanrwst, cyn mynd i'r gwaith plwm yn naw oed. Ymddiddorai ei dad mewn prydyddu ac yr oedd yn gymydog a chyfaill i'r bardd-deiliwr Trebor Mai (Robert Williams, *Bywg.*, 1004) a hwnnw, meddir, a wnaeth ei siwt gyntaf i Isnant. Gan nad oedd ond 11 oed pan fu f. Trebor Mai, nid yw'n debyg iddo gael dylanwad mawr ar y llanc. Newydd sefydlu Gorsedd Geirionydd a chynnal cyfres o arwestau ac eisteddfodau blynyddol ar lan Llyn Geirionydd yr oedd Gwilym Cowlyd (William John Roberts, *Bywg.*, 831) ac yn awyrgylch y rheini y cymerodd y llanc o ddifri at y cynganeddion, meistroli *Ysgol farddol* Dafydd Morganwg (David Watkin Jones, *Bywg.*, 427-8), a chystadlu yn yr eisteddfodau.

Wedi gadael gwaith y Nant bu am 15 ml. yn gweithio yn chwarel y Graig Ddu, Blaenau Ffestiniog, a 15 ml. arall ar stad Gwydir. Wedi hynny bu'n gweithio yn chwarel Cae Coch, Trefriw. Ymddeolodd yn 1933. Cyfansoddodd lawer iawn o englynion, awdlau, cywyddau a phryddestau, gan ennill llu o wobrwyon, 3 cadair, coron, a medal aur, mewn eisteddfodau.

Cyfrannai'n gyson i golofn farddol *Y Tyst* a'r cylchgronau Cymraeg. Ceir emyn o'i waith yn *Llawlyfr Moliant* (B). Bu'n ddiacon yn eglwys (A) Ebeneser, Llanrwst, ac, wedi cau honno, yn Ebeneser, Trefriw. I ddathlu ei ganfed pen-blwydd yn 1966 cyhoeddodd eglwys Ebeneser, Trefriw, gyfrol o'i waith o dan y teitl *Canmlwydd Isnant*. Bu'n bregethwr cynorthwyol cydnabyddedig yng nghyfundeb Gogledd Arfon am flynyddoedd gan roi gwasanaeth cymeradwy i eglwysi Dyffryn Conwy.

Pr. Jennie McGreggor tuag 1910, a gwnaethant eu cartref yn y Tŷ Mawn rhwng Trefriw a Llanrwst. Merch i goediwr ar stad Gwydir oedd hi, a bu f. yn 1933. Tuag 1950 symudodd Isnant i fyw at ei nith yn Llanrwst. Yn ei flynyddoedd olaf collodd ei olwg, ond gyda'i gof eithriadol llwyddodd i arddywedyd ei gerddi i'w gyd-ddiacon, Gwilym Roberts, eu hysgrifennu. Adroddodd ei gywydd i Ddyffryn Conwy i'w nith, Daisy Roberts, a'i gŵr, pan oedd yn 98 oed. Ymfudasai dau o'i frodyr i chwilio am aur yn Denver, Colorado. Bu f. 15 Mawrth 1969, a chladdwyd ef ym mynwent gyhoeddus Trefriw.

Gwybodaeth gan ei nith, Daisy J. Roberts; *Tyst*, 24 Ebr. 1969, a'r *Genh.*, 1969.

E.D.J.

HARLECH, 4ydd. BARWN - gw. ORMSBY-GORE, WILLIAM GEORGE ARTHUR isod.

HARRIS, WILLIAM HENRY (1884-1956), offeiriad ac Athro Cymraeg Coleg Dewi Sant, Llanbedr Pont Steffan, Cer.; g. 28 Ebr. 1884 ym

Mhantysgallog, Dowlais, Morg., mab John ac Anne Harris. Cafodd ei addysg yn ysgol sir Merthyr Tudful, a Choleg Dewi Sant, Llanbedr, lle'r enillodd ysgoloriaeth Traherne a dyfod yn brif fyfyriwr yn ogystal ag ennill gwobrau Creaton am draethodau Cymraeg a Saesneg. Graddiodd gydag anrhydedd dosbarth I yn Gymraeg, 1910, ac aeth i Goleg Iesu, Rhydychen gydag ysgoloriaeth ymchwil Meyrick; enillodd radd B.Litt. 1913 a chafodd ysgoloriaeth Powis. Yn yr un flwyddyn, enillodd radd anrhydedd dosbarth II mewn diwinyddiaeth. Cymerodd radd B.A. yn 1914 ac M.A. yn 1916. Cafodd ei ordeinio'n ddiacon yn 1913 a mynd yn gurad i Ystradgynlais. Ord. yn offeiriad yn 1914. Symudodd i Abertawe yn 1917 yn offeiriad cynorthwyol Eglwys Crist, ac i eglwys yr Holl Saint, Ystumllwynarth yn 1918. Yn 1919 penodwyd ef yn ddarlithydd mewn diwinyddiaeth yng Ngholeg Dewi Sant, Llanbedr, a pharhaodd yn y swydd nes ei godi'n Athro diwinyddiaeth yn 1940. Penodwyd ef yn bencantor yn 1933, yn ganon Tyddewi yn 1937 ac yn drysorydd yn 1948. Ei benodiad yn Athro Cymraeg y coleg yn 1941 a roes fwyaf o fwynhad iddo. Mae lle i gredu iddo gael ei siomi o beidio â chael y gadair yn gynharach yn ei yrfa.

Yr oedd yn un o syflaenwyr Cymdeithas Dewi Sant, a gychwynnwyd i feithrin a chadarnhau catholigrwydd yr Eglwys yng Nghymru. Credai'n ddiysgog yn y ffydd gatholig a'r offeiriadaeth gysegredig, ac ni allai oddef unrhyw wrthwynebiad i'w safbwynt. Daeth cylchgrawn y gymdeithas St. David's Chronicle yn fwy adnabyddus fel Y Ffydd yng Nghymru; The Faith in Wales. Yn 1931 cyhoeddodd bamffledi ceiniog ar Yr Eglwys Gatholig a Gweinidogaeth yr Eglwys. Cyhoeddwyd ei esboniadau ar y Proffwydi Lleiaf gan yr S.P.C.K. dros Undeb Ysgolion Sul esgobaethau Cymru rhwng 1919 ac 1924. Ysgrifennodd ar y Gwyrthiau yn y Geiriadur Beiblaidd (1926).

Yr oedd yn dra gwybodus mewn cerddoriaeth eglwysig, a bu'n aelod o bwyllgor Emynau'r Eglwys (1941 ac 1951) o'r cychwyn yn 1934, ac yn ysgrifennydd o 1937 ymlaen. Cynnwys y gyfrol ei gyfieithiadau o emynau Lladin a Groeg, yn ogystal ag o'r Saesneg. Y mae ganddo un emyn gwreiddiol, rhif 246. Achosodd y llyfr hwn gryn anghydfod oherwydd ei ogwydd eithafol gatholig.

Yr oedd yn aelod o'r Comisiwn Litwrgïaidd a sefydlwyd i ddiwygio'r Llyfr Gweddi Gyffredin; yn rheolwr Cwmni'r Llan a'r Wasg Eglwysig ac yn aelod o bwyllgor Gwasg y Dalaith. Cyfieithodd The Office of Compline i'r Gymraeg, fel Cwmplin; Gwasanaeth diwedydd (1941).

`Arthan' oedd ei enw barddol yng Ngorsedd y Beirdd. Cymerai ddiddordeb ymarferol mewn Esperanto, fel iaith i Gynghrair y Cenhedloedd, a chychwynnodd ddosbarth i'w dysgu yn y coleg yn 1920. Yn 1956, wedi ei farw, cyhoeddwyd ei argraffiad diwygiedig o Agoriad neu allwedd i'r iaith gyd-genedlaethol Esperanto gan G. Griffiths. Cyfrannodd aelodau cymdeithas Gymraeg Coleg Dewi Sant tuag at y gost o'i gyhoeddi.

Yr oedd yn bregethwr cymeradwy, yn denu cynulleidfaoedd i Dyddewi yn ystod ei dymor yno fel canon. Bu'n bregethwr arbennig

ddwywaith yn ngŵyl Gymraeg S. Paul, Llundain. Gŵr gwelw, afiach yr olwg, ydoedd a'i lygaid yn wanllyd. Eto, ysgrifennai'n helaeth i'r cyfnodolion a'r wasg eglwysig. Ar wahân i'w ddaliadau crefyddol anghymodlon, yr oedd yn ŵr cwrtais a charedig, yn meddu ar hiwmor annisgwyl. Pr. yn 1924 â Dorothy Clough [bu f. 22 Medi 1980] a bu ganddynt ddwy ferch. Bu f. mewn ysbyty yn Llundain, 23 Ion. 1956, yn 72 mlwydd oed, a chladdwyd ef ym mynwent Ruislip, Middlesex.

Llan, 2 Chwef. 1956; Church Times, 27 Ion. 1956; Welsh Church Year Book, 1929; WwW (1933); Emynau'r Eglwys, 1951.

M.G.E.

HAVARD, WILLIAM THOMAS (1889-1956), esgob; g. 23 Hyd. 1889 yn Neuadd, Defynnog, Brych., 3ydd mab William Havard, diacon yn y Tabernacl (A), Defynnog, a Gwen ei wraig. Cafodd ei addysg yn ysgol sir Aberhonddu; Coleg Prifysgol Cymru, Aberystwyth (graddiodd yn B.A. gydag anrhydedd 3ydd dosbarth mewn hanes yn 1912); Coleg S. Mihangel, Llandaf; Coleg Iesu, Rhydychen (M.A.) 1921. Urddwyd ef yn ddiacon gan John Owen (Bywg., 672-3) esgob Tyddewi, yn 1913, ac yn offeiriad yn 1914. Bu'n gurad Llanelli, 1913-15. Rhwng 1915 ac 1919 bu'n gaplan yn y lluoedd arfog. Enwyd ef mewn cadlythyrau, 1916, a dyfarnwyd iddo'r M.C., 1917. Bu'n gaplan Coleg Iesu, Rhydychen, 1919-21, curad Aberhonddu, 1921-22, ficer St. Paul-at-Hook, 1922-24, ficer St. Luke, Battersea, 1924-28, ficer Santes Fair, Abertawe, 1928-34, canon yng nghadeirlan Aberhonddu, dwyrain Gŵyr, 1930-34. Cysegrwyd ef yn Esgob Llanelwy, Medi 1934, wedi i A.G. Edwards (Bywg., 171) ymddeol. Ar ôl 16eg ml. yno penodwyd ef yn 1950 yn Esgob Tyddewi. Bu f. 17 Awst 1956. Claddwyd ef yn Aberhonddu.

Bu'n bregethwr dethol prifysgol S. Andrew, 1943, Caergrawnt, 1946, ac yn 1951 bu'n ymwelydd-ddarlithydd ym Mhrifysgol Yale. Bu'n gadeirydd cyngor addysg yr Eglwys yng Nghymru, ac yn ymwelydd i Goleg Dewi Sant, Coleg Llanymddyfri, Coleg y Drindod, Caerfyrddin a Choleg S. Ioan, Ystrad Meurig. Cymerodd ran flaenllaw ym mudiad addysg grefyddol yn yr ysgolion. Gweithiodd i geisio gwell cydweithrediad rhwng yr Eglwys yng Nghymru a'r Anghydffurfwyr. Magwyd ef yn Annibynnwr a bu'n aelod yng nghapel yr Annibynwyr yn Baker Street, Aberystwyth, o 1908 i 1911, ac wedi graddio yng Ngholeg y Brifysgol yr ymunodd â'r eglwys esgobol. Yr oedd yn bregethwr grymus yn Gymraeg a Saesneg, a gwahoddwyd ef yn aml i bregethu yn y gwasanaethau yr arferid eu darlledu y Sul o flaen yr Eist. Gen.

Enillodd fri fel chwaraewr rygbi yn Aberystwyth a chafodd ei gap am chwarae dros Gymru yn erbyn Seland Newydd yn 1919. Enillasai ei `las' am chwarae rygbi yn Rhydychen.

Pr. yn 1922 â Florence Aimée Holmes, merch Joseph Holmes, Pen-y-fai, Llanelli, a bu iddynt 2 fab a 2 ferch.

Www; Haul, Hyd. 1956; Carm. Jnl., 24 Awst 1956; gwybodaeth gan y teulu.

M.G.E.

HAYCOCK, (BLODWEN) MYFANWY (1913-63), artist ac awdur; g. yng Nglyndŵr, Mount Pleasant, Pontnewynydd, Myn., 23 Mawrth 1913, yr ieuangaf o dair merch James David Haycock, glöwr (a adweinid yn lleol fel Jim Pearce) ac Alice Maud (g. Perry), y ddau'n enedigol o Fyn. Addysgwyd hi yn ysgol elfennol Cwm-ffrwd-oer, ysgol ramadeg merched Pont-y-pŵl, Coleg Technegol Caerdydd (y coleg celf yn ddiweddarach). Ymwrthododd â gyrfa fel athrawes celf a chymerodd at newyddiaduraeth rydd ar gyfrif ei medr fel darlunydd mewn du a gwyn, a'i llwyddiant gyda thelyneg Saesneg yn Eist. Gen. Aberafan yn 1932, dan feirniadaeth W.H. Davies (*Bywg.*, 150). O'r fl. 1936 ymddangosodd ei cherddi a'i storïau, wedi eu darlunio gyda dyluniadau sgrafwrdd yn y *Western Mail* a phapurau a chylchgronau eraill. Pan dorrodd Rhyfel Byd II allan aeth yn glerc cyflogau mewn ffatri cad-ddarpar, yna'n eu tro yn swyddog lles cynorthwyol mewn ffatri mewn ardal slymiau yng Nghaerdydd, athrawes, a swyddog hysbysrwydd i'r *Institute of Agriculture* ym Mrynbuga. Yn 1943 ymunodd â'r B.B.C. yn Llundain: darlledwyd dwy o'i dramâu radio a darllenwyd ei cherddi ar yr awyr. Wedi gadael y B.B.C. yn 1945 bu'n llwyddiannus mewn newyddiaduraeth yn Llundain, gan ysgrifennu erthyglau a cherddi, darlunio llyfrau, cynllunio cardiau Nadolig, a dod yn aelod o gyngor y *Society of Women Journalists*. Yng Ngorff. 1947 pr. Arthur Merion Williams o'r Borth (anaesthetigydd ymgynghorol i ysbyty sir Redhill a grŵp ysbytai dwyrain Surrey) yng nghapel Presbyteraidd Llanofer, a byw wedyn yn Buckland, ger Reigate, lle y magodd eu tri phlentyn. Ar waethaf afiechyd cynyddol parhaodd i ysgrifennu a darllen ei cherddi yn aml ar y teledu. Bu f. 9 Tach. 1963. Ei phedair cyfrol cyhoeddedig oedd: *Fantasy and other poems* (1937), *Poems* (1944), *More poems* (1945) ac wedi ei marw, *Mountain over Paddington* (1964). Yr oedd yn fardd argraffiaethol rhugl, `her imagery often touched with elfin whimsicality' meddai A.G. Prys-Jones, a defnyddiai ffurfiau traddodiadol gydag effaith sydd ar dro'n adleisio W.H. Davies. Galwodd Wil Ifan hi'n `ail lais Gwent' yn 1940.

W.J. Townsend Collins, *Monmouthshire writers* (1945); *Some contemporary Anglo-Welsh writers*, Llyfrgell Dinas Caerdydd (1941); *West. Mail*, 14 Tach. 1963; gwybodaeth gan Miss Gwladys Haycock.

R.M.

HELEN o FÔN - gw. ROWLANDS, JANE HELEN isod.

HEMP, WILFRID JAMES (1882-1962), hynafiaethydd; g. 27 Ebr. 1882 yn Richmond, Surrey, unig blentyn James Kynnerly Hemp a'i wraig Alice Challoner (g. Smith). Pr. ei chwaer hi â J. Lloyd-Jones, rheithor Cricieth 1883-1922, a thrwy hynny cafodd Hemp gysylltiad â gogledd Cymru, a threuliodd ei wyliau haf yns sir Gaern. Addysgwyd ef yn ysgol Highgate, Llundain, a'i benodiad cyntaf oedd yn y *Principal Probate Registry*, yn Somerset House. Ei ddiddordebau pennaf oedd hanes, achyddiaeth a herodraeth; fe'i hetholwyd yn F.S.A. yn 1913, a'r un flwyddyn ymunodd â'r Weinyddiaeth Gweithiau Cyhoeddus fel arolygwr Henebion Cymru ac ysgrifennydd y Bwrdd Henebion. Ar ôl gwasanaeth byr yn y fyddin yn ystod Rhyfel Byd I, ymddiriedwyd iddo'r gwaith pwysig o arolygu atgyweirio cestyll gogledd Cymru - Beaumaris, Caernarfon, Harlech, Dinbych ac Ewlo; cloddio ac atgyweirio beddau megalithig yr oes Neolithig - Capel Garmon, Clwyd; Bryn Celli Ddu a Bryn yr Hen Bobl, Môn. Ar yr un pryd ysgrifennai adroddiadau a chyfarwyddiaduron ar y rhain ac ar lawer testun arall. Yn 1928 fe'i penodwyd trwy Warant Frenhinol yn ysgrifennydd y Comisiwn Brenhinol ar Henebion Cymru a Mynwy, a gyhoeddodd gyfrol ar henebion Môn yn 1937. Gohiriwyd y gwaith ar gyfrol sir Gaernarfon oherwydd Rhyfel Byd II, ac ymddeolodd Hemp yn 1946. Ymunodd â Chymdeithas Hynafiaethau Cymru yn 1911 a bu'n llywydd arni 1955-56. Ysgrifennodd lawer o erthyglau i *Arch. Camb.* (y mae rhestr o dros gant yn y Mynegai) ac i gyhoeddiadau eraill. Gwasanaethodd ar lu o bwyllgorau yng Nghymru. Cafodd radd M.A. er anrh. gan Brifysgol Cymru yn 1932. Yr oedd yn awdurdod ar herodraeth Gymreig, ac un o'r nifer bychan o hynafiaethwyr a osododd astudiaeth gynhanesyddol Cymru ar sylfaen ddilys yn rhan gyntaf yr ugeinfed ganrif. Pr., 1934, Dulcia, merch Richard Assheton. Yn 1939 aeth i fyw i Gricieth, ac yno y bu f. 14 Ebr. 1962.

Gwybodaeth bersonol.

C.A.G.

HENEAGE, ALGERNON WALKER - gw. WALKER-HENEAGE-VIVIAN, ALGERNON isod.

HOOSON, JOHN (1883-1969), athro, ysgolhaig a brogarwr; g. yn 1883 yn ffermdy'r Nant, Bro Hiraethog, Dinb., yn fab i Thomas Hooson a'i wraig Marged. Symudodd y teulu i Ddyffryn Maelor, Saron ac wedyn i'r Colomendy a'r Graig ger Dinbych. Addysgwyd John Hooson yn ysgol Prion ac wedyn yn ysgol sir, Dinbych. Aeth adre i weithio ar y fferm ond collodd ei iechyd. Aeth yn ôl i'r ysgol ac yn 1903 enillodd ysgoloriaeth i Goleg Prifysgol Gogledd Cymru, Bangor, a graddiodd gydag anrhydedd mewn Lladin (1906) a Ffrangeg (1907). Yn ddiweddarach enillodd radd M.A. Prifysgol Cymru. Aeth ymlaen i astudio yn y Sorbonne ac ym Mhrifysgol Berlin a theithiodd lawer ar y cyfandir. Treuliodd ei holl yrfa broffesiynol yn dysgu Ffrangeg, Almaeneg ac Eidaleg - yn Ysgol Taunton, Gwlad-yr-Haf am wyth ml. ac wedyn yn ysgol City of Westminster am dros ddeng ml. ar hugain. Ond bywyd a diwylliant Cymru oedd ei brif ddiddordeb, yn enwedig bywyd cymdeithasol ac economaidd Bro Hiraethog a Dyffryn Clwyd. Yr oedd yn awdurdod ar enwau lleoedd yr ardaloedd hyn ac ar eu henwogion - fel teulu Myddleton, Galch Hill, Dinbych, teulu'r Salsbrïaid, Emrys ap Iwan, Thomas Jones, Thomas Gee o Ddinbych ac Owain Myfyr, yn ogystal â chysylltiadau llenorion Saesneg, fel Dr. Johnson, â Dyffryn Clwyd. Bu'n fynych yn darlithio yn Gymraeg ac yn Saesneg ar destunau o'r fath yng Nghanolfan y Cymry, Llundain, yng nghapeli Llundain ac mewn cymdeithasau yn Hiraethog ac yn Nyffryn Clwyd. Cyfrannodd erthyglau ar ei hoff bynciau i gylchgronau fel *Y Ddinas*, *Y Drysorfa*, *Y Traethodydd*, *The London Welshman* ac i bapurau lleol yng Nghymru. Bu'n amlwg ym mywyd crefyddol Cymry Llundain ac yr oedd yn flaenor yn Eglwys Bresbyteraidd Cymru, Clapham Junction, am gyfnod maith. Pr. â Gwen Storey o'r Wynnstay, Dinbych, a bu iddynt un ferch. Bu f. 19 Gorff. 1969 yn Llundain.

Gwybodaeth bersonol.

H.E.H.

HOWELL, THOMAS FRANCIS (1864-1953), gŵr busnes a bargyfreithiwr; g. yn Llundain 22 Hyd. 1864 yn fab i James Howell a Fanny (g. Davies Logan), yn ddiweddarach o Gaerdydd. Addysgwyd ef yng Nghaerdydd, a Choleg Sant Ioan, Caergrawnt (1883-87), lle y cafodd raddau yn y clasuron a'r gyfraith. Yr oedd cerddoriaeth yn un o'i ddiddordebau pennaf o'i febyd, ac astudiodd y piano, sielo, canu a llefaru yn Ysgol Gerdd y Guildhall gyda'r bwriad o ddilyn gyrfa gerddorol. Modd bynnag, y gyfraith a orfu, a galwyd ef i'r bar yn y Deml Fewnol (1889) a gweithiodd am gyfnod ar Gylchdaith De Cymru. Ar farwolaeth ei dad yn 1909 cymerodd at redeg busnes y teulu fel rheolwr y siop yng Nghaerdydd a sefydlwyd gan ei dad, ac o dan ei gyfarwyddyd datblygodd y busnes nes dod yn adnabyddus trwy dde Cymru a thu hwnt. Daeth ef yn un o ddynion busnes mwyaf amlwg a llwyddiannus Cymru yn hanner cyntaf yr ugeinfed ganrif ac ymddeolodd yn 1950. Yn 1913 derbyniwyd ef i *Livery of the Drapers' Company*, ac ef oedd Meistr y Cwmni yn 1940. Yn ystod Rhyfel Byd I gweithiai yn Adran Contractau'r Morlys gan gynrychioli'r adran yng Nghaerdydd yn 1918. Bu'n ynad heddwch dros Gaerdydd er 1935, ac ymgymerodd â nifer o ddiddordebau allanol eraill, megis bod yn rheolwr Ysgol Howell, Dinbych, ac ymddiriedolwr Oriel Gelfyddyd Whitechapel. Parhaodd i fod yn weithgar mewn cylchoedd cerddorol, gan wasanaethu ar nifer o bwyllgorau Eist. Gen. Llundain yn 1909, ac ar amryw bwyllgorau Gŵyl Gerdd Dairblynyddol Caerdydd. Pr., 1904, Edith Mary Millard a bu iddynt dri o blant. Bu f. mewn cartref i gleifion yng Nghaerdydd, 16 Tach. 1953.

WwW (1933); *West. Mail*, 17 Tach. 1953.

D.G.R.

HOWELLS, ELISEUS (1893-1969), gweinidog (MC) ac awdur; unig blentyn Eliseus a Jane Howells o ardal Cefn Cribwr, Morg. Lladdwyd y tad yn nhanchwa glofa Slip Parc Tir Gwnter, Cefn Cribwr, yn Awst 1892, a g. yntau 8 Ion. 1893 yn Augusta St., Ton Pentre, Cwm Rhondda, cartref William Howells, ei ewythr. Magwyd ef gan ei ewythr a'i fodryb. Addysgwyd ef yn ysgol elfennol ac yn ysgol ganolradd Ton Pentre. Bu hefyd yn y Porth, Rhondda, i'w gymhwyso'i hun at gadw busnes. Dechreuodd bregethu yn eglwys Jerusalem, Ton, yn 1912, ac aeth i Goleg Trefeca yr un flwyddyn. Torrwyd ar ei gwrs gan Ryfel Byd I, a bu'n gwasanaethu gyda chwmni Cymreig yr R.A.M.C. yn Ffrainc; cafodd niwed i'w ysgyfaint y pryd hynny gan nwy gwenwynllyd. Dychwelodd i Drefeca wedi'r rhyfel, a gorffennodd ei gwrs addysgol yng Ngholeg Diwinyddol Aberystwyth. Ord. ef yn 1921, a bu'n gweinidogaethu ym Mlaengarw, Morg. (1921-28), Eglwys Gymraeg Henffordd (1928-31), a Lewisham, Llundain (1931-46). Chwalwyd ei gartref a chollodd ei lyfrgell a'i bapurau yn un o ymosodiadau'r gelyn, a galwyd ef i Hermon, Pen-y-bont ar Ogwr, Morg., a gwasanaethu yno o 1946 hyd ei farwolaeth (ynghyd â Soar, Ewenni, o 1960 ymlaen). Pr., 1922, Muriel, merch William Marwood, gweinidog Gelli Gandryll, a ganwyd dau fab o'r briodas. Bu f. 16 Awst 1969 a chladdwyd ei weddillion ym mynwent gyhoeddus Pen-y-bont.

Yr oedd yn hynod o ran ei berson, yn ŵr tal esgyrnog dros chwe throedfedd, wyneb garw rhychiog, a llais dwfn i'w ryfeddu. Bu'n bregethwr gwreiddiol a thra derbyniol; traddodai yn nhafodiaith bersain bro Morgannwg, a bu galw mawr am ei wasanaeth drwy Gymru benbwygilydd. Deuai â `Mr. Matthews' Ewenni o hyd i'w bregethau, a bu'n darlithio arno hefyd. Bu'n llywydd Sasiwn y De (1959), ac yn llywydd y Gymanfa Gyffredinol (1963). Traddododd ddarlith goffa Dr. John Williams, Brynsiencyn, ac fe'i cyhoeddwyd gan William Morris (gol.), *Pregethu* (1969). Ysgrifennodd lawer i'r *Goleuad*, *Y Traethodydd*, *Cylch. Cymd. Hanes MC*, ac i'r *Drysorfa* - bu'n olygydd yr olaf, 1959-63. Cyhoeddodd lyfryn Saesneg ar hanes Eglwys Hermon, Pen-y-bont, yn 1949. Ymddiddorodd am flynyddoedd yn hynafiaid a disgynyddion Howel ac Ann Harris (*Bywg.*, 319) o Drefeca, a cheir ffrwyth ei lafur yn Llsgr. 20496C, Ll.G.C.

Gol., 27 Awst a 10 Medi 1969; *Blwyddiadur MC*, 1970, 280-1; gwybodaeth gan ei weddw (trwy law J.W. Morris, Pen-y-bont) ac adnabyddiaeth a gwybodaeth bersonol.

G.M.R.

HOWELLS, GEORGE (1871-1955), prifathro coleg Serampore, India; g. 11 Mai 1871 am fferm Llandafal, Cwm, Myn., yn fab George William a Jane Howells. Aeth i ysgol fwrdd y Cwm ac i ysgol ramadeg Pengam. Enillodd ysgoloriaeth Ward i Goleg y Bedyddwyr, Regent's Park, Llundain. Graddiodd ym Mhrifysgol Llundain a pharhau ei astudiaethau yng Ngholeg Mansfield a Choleg Iesu, Rhydychen; Coleg Crist, Caergrawnt; ac ym Mhrifysgol Tübingen. Derbyniodd radd mewn pedair prifysgol, a gradd er anrh. gan Brifysgolion S. Andrew, yr Alban; Serampore, India; a Chymru.

Aeth i'r India yn 1895 i ofalu am lenyddiaeth ac addysg yno o dan nawdd Cymdeithas Genhadol y Bedyddwyr. Yn 1907 penodwyd ef yn brifathro coleg Serampore, a bu yno am chwarter canrif. Ailosododd y coleg ar sylfeini rhyddfrydol William Carey, a glynu wrth ei ddelfrydau uchel. Bu'n gymrawd ac arholwr Prifysgol Calcutta (1913-29), ac yn aelod o gyngor deddfwriaethol Bengal yn 1918. Dychwelodd yn 1932 i fod yn ddarlithydd Hebraeg yng ngholeg Rawdon (B), lle y bu nes ymddeol yn 1935. Aeth i fyw i Gas-bach (Castleton), ger Caerdydd hyd nes y bu f. 7 Tach. 1955.

Cyhoeddodd gyfres o ddarlithoedd a roddodd ym Mhrifysgol Llundain yn 1909 yn *The soul of India* (1913). Golygodd *The story of Serampore* (1927), ac ysgrifennu'r rhan helaethaf ohono. Ysgrifennodd lawer o erthyglau ar addysg a diwinyddiaeth i gyfnodolion India.

Gwybodaeth bersonol; *Www.*

Em.D.

HUDSON-WILLIAMS, THOMAS (1873-1961), ysgolhaig a chyfieithydd; g. 4 Chwef. 1873, yn fab i R. Williams, Caernarfon. Addysgwyd ef yn ysgol Friars, Bangor, Coleg y Brifysgol, Bangor, a Phrifysgol Greifswald. Cymerodd radd Prifysgol Llundain yn y clasuron, Ffrangeg a Chelteg yn 1894, a D.Lit. yr un brifysgol yn 1911. Penodwyd ef yn ddarlithydd cynorthwyol mewn Ffrangeg ac Almaeneg yng Ngholeg y Brifysgol, Bangor, yn 1896, ac yn y clasuron yn 1900. Yn 1904 penodwyd ef yn Athro Groeg, a bu yn y swydd nes ymddeol yn 1940.

Profir ei ddiddordeb yn yr ieithoedd Celtaidd gan erthygl yn *Zeitschrift für celtische Philologie*, 1898, `Cairdius Aenias ocus Didaine (The love of Aeneas and Dido)', testun Gwyddelig o lsgr. Ballymote, gyda chyfieithiad a geirfa. Ar ôl ymroi i'r iaith Roeg cyhoeddodd *The Elegies of Theognis* (1910), ac *Early Greek elegy* (1926), ac yn Gymraeg *Groeg y Testament Newydd* (1927) a *Y Groegiaid gynt* (1932). Yr oedd ei wybodaeth o bynciau ieithyddol yn eang, fel y dengys dau lyfr arall o'i waith, sef *A short introduction to the study of comparative grammar* (1935) a *A short grammar of Old Persian* (1936). Ar ôl ymddeol aeth ati i ddysgu Rwseg, a chyfieithodd nifer o glasuron yr iaith honno i'r Gymraeg, ac yn eu mysg *Storïau o'r Rwseg* (1942), *Carcharor y Cawcaswws*, Tolstoi (1943), *Cerddi o'r Rwseg* (1945), *Merch y capten*, Pwshcin (1947). Cyhoeddwyd dau gyfieithiad arall ar ôl ei farw: *Pedair drama fer o'r Rwseg* (1964) a *Y tadau a'r plant*, Twrgenieff (1964). Cyhoeddodd nifer helaeth o ysgrifau ar lenyddiaethau tramor a chyfieithiadau mewn pob math o gylchgronau a newyddiaduron yng Nghymru. Ceir rhestr o'i weithiau yn *Jnl. W.B.S.*, 9, 211-8.

Pr. yn 1905 Gwladys, merch W. Prichard Williams (*Bywg.*, 1020), a bu iddynt ferch a dau fab. Bu f. 12 Ebr. 1961.

Www; gwybodaeth bersonol.

T.P.

HUGHES, ARTHUR (1878-1965), llenor; g. 2 Ion. 1878 ym Mryn Melyn, ger Harlech, Meir., yn fab i John Hughes Jones, meddyg yn Clwt y Bont, Caern., a roes heibio'r cyfenw `Jones'. Ei fam oedd Annie Harriet Hughes, (Gwyneth Vaughan, y nofelydd, *Bywg.*, 350). Bu'n `ysgolor Cymraeg' yng Ngholeg Dewi Sant, Llanbedr Pont Steffan, ac enillodd radd yno. Ef oedd golygydd dwy gyfrol a fu'n werthfawr iawn i efrydwyr, sef *Cywyddau Cymru* (1908) a *Gemau'r Gogynfeirdd* (1910). Cyhoeddwyd ei gyfieithiad o un o weithiau Drummond, *Y Ddinas heb ynddi deml* (1904). Hon oedd yr ail gyfrol o weithiau Drummond a olygwyd gan Gwyneth Vaughan.

Bu f. ei fam yn 1910, a'r flwyddyn ddilynol ymfudodd i'r Wladfa ym Mhatagonia dan nawdd Eluned Morgan, a hynny yn bennaf oherwydd dioddef o afiechyd ar y nerfau. Cafodd gartref am amser maith ar aelwyd Barbara Llwyd (Mrs. J.O. Evans). Yna bu'n cadw `batch', sef bwthyn gŵr dibriod, nes iddo ar 10

Ion. 1918 briodi gwraig weddw, y Fones H.M. Durrouzet, merch Erw Fair ac ŵyres i'r Br. W.E. Williams, sefydlydd ardal Treorci yn Nyffryn Camwy. Bu iddynt dair merch, dwy yn feirdd da, ac un o'r rhain, Irma, yn gadeirfardd eist. y Wladfa ac yn olygydd *Y Drafod*.

Pan aeth yn drwm ei glyw, ciliodd o fywyd cyhoeddus, gan fyw yn feudwyaidd ymysg ei lyfrau. Bu ei ddylanwad yn fawr ar feddwl a diwylliant Cymraeg a Wladfa, fel ysgolhaig, llenor, bardd a thelynor, ond ei gyfraniad pennaf oedd fel beirniad llenyddol. Bu f. 25 Meh. 1965.

Gwybodaeth bersonol; [*Taliesin*, 38, 6-23].

R.B.W.

HUGHES, DAVID ROWLAND (`Myfyr Eifion'; 1874-1953), ysgrifennydd yr Eist. Gen.; g. 9 Medi 1874 ym Maesglas, Treffynnon, Ffl., yn fab i'r gorsaf-feistr William Hughes ac Elizabeth ei wraig. Addysgwyd ef yn ysgolion elfennol Porthmadog a Bangor; ysgol gogledd Llandudno (1888-91); a cholegau Prifysgol Cymru ym Mangor (1891-92) ac yn Aberystwyth, ond bu'n rhaid iddo adael yn gynnar i ennill ei damaid. Dychwelodd i'w hen ysgol yn Llandudno fel athro am flwyddyn cyn troi i fyd busnes. Aeth i Lundain yn 1894 ac yno y bu am 45 ml. hyd nes iddo ymddeol o'i waith fel uchel-swyddog gyda chwmni *United Dairies* a symud i Hen Golwyn.

Bu'n aelod blaenllaw ym mhob agwedd ar fywyd ymhlith Cymry Llundain gan fod yn gydysgrifennydd Eist. Gen. Llundain yn 1909 ac yn ysgrifennydd Eglwys Falmouth Rd. (MC). Gweithiodd yn galed dros Urdd Gobaith Cymru yn y ddinas a rhoddai sgyrsiau ar y radio a darlithiau poblogaidd. Golygodd (1920-39) *Our Notebook*, sef cylchgrawn staff *United Dairies* a bu'n gyd-olygydd (1926-38) cylchgrawn Cymry Llundain, *Y Ddolen*, gyda John Williams (1872-1944; gw. yr atodiad isod), gan ysgrifennu iddo o dan yr enwau `Tafwys', `A wayfarer', a `Hafren'. Wedi dychwelyd i Gymru etholwyd ef yn drysorydd (1941) a llywydd (1944-45) Undeb Cymru Fydd ac ef oedd un o brif arloeswyr a sylfaenwyr Cymdeithas Hanes Sir Gaernarfon yn 1925 ac un sir Ddinbych yn 1950. Ond ei brif gyfraniad i Gymru oedd fel ysgrifennydd Cymdeithas yr Eist. Gen. yn 1935-36, a chyd-ysgrifennydd gyda Chynan (gw. Cynan Evans Jones isod) wedi uno'r gymdeithas â Gorsedd y Beirdd yn 1937, hyd 1947. Ei waith di-ildio ef a sicrhaodd barhad yr Eist. trwy gydol dyddiau anodd y rhyfel. Ef hefyd a sicrhaodd, ar waethaf prinder papur, gyhoeddi'r misolyn *Cofion Cymru* (1941-46), a'r chwe `llyfr anrheg' (1943-46) a ddosbarthwyd yn rhad i'r Cymry yn y lluoedd arfog, ac a werthfawrogwyd yn fawr ganddynt (gw. llsgrau. D.R. Hughes yn Ll.G.C.). Yn 1943 derbyniodd radd M.A. er anrh. gan Brifysgol Cymru am y gwaith hyn.

Pr., 4 Ebr. 1903, â Maggie Ellis, Llundain, a bu iddynt dair merch. Bu f. 29 Awst 1953 a'i gladdu ym mynwent Bron-y-nant.

D.R. Hughes, *Yma ac Acw* (1944); E.H. Griffiths, *Bywyd a gwaith D.R. Hughes* (1965); *WWP.*

M.A.J.

HUGHES, EDWARD DAVID (1906-63), gwyddonydd ac Athro cemeg Coleg Prifysgol

Llundain; g. yn fferm Ynysgain Bach ger Llanystumdwy, Caern., 18 Meh. 1906 yn fab ieuangaf o naw o blant i Huw ac Ann Hughes a ddaeth yn wreiddiol o Landecwyn, Meir. Addysgwyd ef yn ysgol gynradd Llanystumdwy ac ysgol sir Porthmadog. Bu'n ffodus iawn i gael athro gwyddoniaeth arbennig yn W.J. Hughes ac o'r herwydd sicrhaodd le iddo'i hun yng Ngholeg y Brifysgol, Bangor, i astudio o dan yr Athro Kennedy Orton. Yn 1927 enillodd radd B.Sc. gydag anrhydedd yn y dosbarth cyntaf mewn cemeg. Yn ystod 1927-28, hyfforddwyd ef yn athro a'r flwyddyn ddilynol dychwelodd i'w hen adran i wneud gwaith ymchwil. Cwblhaodd ei radd Ph.D. yn 1930 ac enillodd M.Sc. Prifysgol Llundain yn 1932 a D.Sc. Llundain yn 1936. Yn yr un flwyddyn fe'i gwobrwywyd â Medal Meldola Sefydliad Brenhinol Cemeg a'i ethol hefyd yn gymrawd coffa Ramsay. Ef a benodwyd i draddodi darlith Tilden y Gymdeithas Gemegol yn 1945.

Pan dorrodd Rhyfel Byd II, symudwyd ei adran i golegau prifysgol Aberystwyth a Bangor ac ef oedd bennaf gyfrifol amdani yno. Felly yn 1943 fe'i penodwyd yn Athro cemeg Coleg y Brifysgol Bangor a bu'n ddeon y cyfadran wyddoniaeth yno, 1946-48. Dychwelodd yn 1948 yn Athro cemeg Coleg Prifysgol Llundain a dyrchafwyd ef yn 1961 yn bennaeth yr adran gemeg a oedd ar y pryd yn cynnwys pum athro. Yn 1949 etholwyd ef yn gymrawd o'r Gymdeithas Frenhinol (F.R.S.). Edward David Hughes oedd y cyntaf yn y wlad i gynhyrchu a defnyddio hydrogen trwm, a llwyddodd gyda chymorth I. Dostrovsky a D.R. Llewellyn i adeiladu cyfarpar i wahanu isotopau ocsigen ar raddfa eang.

Bu'n dal nifer o swyddi yn ystod ei gyfnod yn Llundain. Ef oedd ysgrifennydd mygedol y Gymdeithas Gemegol, o 1950 i 1956; ac is-lywydd 1956-59; ysgrifennydd mygedol y Cyngor Cemegol 1953-55; cadeirydd Bwrdd Astudiaethau Cemeg a Diwydiannau Cemegol Prifysgol Llundain 1955-60; aelod o gyngor Sefydliad Brenhinol Cemeg 1961 hyd ei farwolaeth; llywodraethwr Polytechnig y Gogledd 1950-60; ysgrifennydd mygedol Ymddiriedolaeth Ysgoloriaethau Coffa Ramsay 1949-61 a chadeirydd y Cyngor Ymgynghorol 1961. Bu hefyd yn ddeon cyfadran wyddoniaeth Coleg y Brifysgol, Llundain, 1958-61. Ysgrifennodd dros 200 o erthyglau a phapurau gwyddonol ac ymddangosodd y rhan fwyaf ohonynt yn *Jnl. Chem. Soc.*

Yn 1934 pr. Ray Fortune Christina, merch Llewellyn Davies, Aberhonddu, a bu iddynt un ferch. Wedi salwch byr, bu f. yn ysbyty Coleg y Brifysgol, Llundain, 30 Meh. 1963.

Www; Chemistry and industry, 18 Ion. 1964, 96-8; *Nature*, 200, 5 Hyd. 1963, 19-20; *Eurgrawn*, 168, (1976), 16-19; *Biog. Memoirs Fellows R.S.*, 10, Tach. 1964, 147-82; *Gwyddonydd*, 1 (1963).

M.R.W.

HUGHES, EDWARD ERNEST (1877-1953), Athro hanes cyntaf Coleg y Brifysgol, Abertawe, a dolen gyswllt nodedig rhwng y brifysgol a'r werin; g. 7 Chwef. 1877 yn Nhywyn, Meir., yn un o wyth o blant Owen a Catherine Hughes, ei dad yn blismon a orffennodd ei yrfa yn is-brif gwnstabl ei sir.

Mewn canlyniad i ddamwain pan oedd yn blentyn collodd Ernest Hughes olwg un llygad yn llwyr ac amharwyd ar y llall, anfanteision a orchfygodd i raddau helaeth trwy ddatblygu ei gof a'i glyw. Aeth i ysgol ramadeg y Bala, gan aros yn nhŷ'r prifathro J.C. Evans, gŵr ac ysgol y cydnabyddai ddyled fawr iddynt. Yn 1895 aeth oddi yno i Goleg Prifysgol Cymru, Aberystwyth, a graddio gydag anrhydedd dosb. I mewn hanes yn 1898. Oddi yno aeth i Goleg Iesu, Rhydychen, a graddio yn yr ail ddosbarth mewn hanes modern yn 1902. Soniai lawer am garedigrwydd Syr John Rhŷs (*Bywg.*, 793) wrtho ac am hwyl Cymdeithas Dafydd ap Gwilym.

Gyda'i benodiad i ddysgu hanes yn ysgol ganolradd y bechgyn, Llanelli, dechreuodd ei gysylltiad â de Cymru, lle'r oedd i ymgartrefu weddill ei oes. Yn 1905 symudodd i ddarlithio yn adran hanes Coleg y Brifysgol, Caerdydd, a gweithredu fel athro yn ystod afiechyd hir yr Athro Bruce. Yn y blynyddoedd hyn cyn bod adran allanol gan y coleg, dechreuodd ddarlithio o dan Fudiad Addysg y Gweithwyr (W.E.A.), yn ardaloedd poblog Morgannwg a Mynwy. Hanes Cymru oedd ei hoff destun, er mwyn rhoi syniad am orffennol eu gwlad i weithwyr diwylliedig na chlywodd nemor gyfeiriad ati yn yr ysgol ddyddiol. Ers dyddiau ysgol, yn ôl R.T. Jenkins (gw. isod), cydymaith iddo yno, meddai ar ddawn y `cyfarwydd' i adrodd a brodio stori, a chan fod deunydd ei ddarlithiau o reidrwydd ar ei gof yn hytrach nag ar bapur, yr oedd ei ddull o ddarlithio yn ddigon agos i arddull y pulpud i ennill derbyniad deallus ei gynulleidfa. Ym marn R.T. Jenkins gwnaeth fwy na neb er Syr O.M. Edwards (*Bywg.*, 179-80) i boblogeiddio'r astudiaeth o hanes Cymru.

Yn 1920 pan sefydlwyd Coleg y Brifysgol, Abertawe, perswadiwyd ef gan y prifathro newydd, Franklin Sibly (gw. Atod. isod) i fynd gydag ef fel Cymro a ddeallai anghenion coleg mewn ardal a oedd yn Gymreig yn ogystal a diwydiannol. Am rai blynyddoedd Ernest Hughes oedd yr unig ddarlithydd yn adran y celfyddydau yno, ond ei brif waith ar y cychwyn oedd dwyn y coleg newydd i sylw'r cyhoedd a sicrhau cefnogaeth iddo. Ei ffordd o wneud hyn, fel yng Nghaerdydd, oedd trwy ddarlithio ar hyd a lled yr ardaloedd yr oedd y coleg i'w gwasanaethu ar hanes Cymru, gan ddangos lle'r Brifysgol yn natblygiad hanesyddol y wlad. Rhoddodd yr elw o'r darlithiau hyn i'r gronfa i sefydlu llyfrgell i'r coleg.

Parhaodd i ddarlithio, yn Gymraeg a Saesneg, i ddosbarthiadau allanol a chymdeithasau diwylliannol ar ôl sefydlu cadair hanes braidd yn hwyrfrydig, yn 1926 - darlithydd annibynnol ydoedd hyd hynny. Ni phallodd ei sêl dros hanes Cymru chwaith. Drwy gydol ei gyfnod fel Athro hanes yn Abertawe mynnai fod pob myfyriwr yn ei adran yn dilyn cwrs yn hanes Cymru. Gymaint oedd ei barch i'r safonau academaidd uchaf fel na ddarlithiai ei hun ar y pwnc yn y coleg ond ei ymddiried i Glyn Roberts (gw. isod), a oedd â'r cymwysterau ymchwil nad oedd yn bosibl iddo ef â'i olwg pŵl yn gwaethygu. Cadwodd ef at ei briod faes sef hanes cyfansoddiadol Lloegr yn yr Oesoedd Canol. Paratoai'r darlithiau manwl hynny gyda chymorth ei wraig a ddarllenai drosto ac iddo. Ond darlithiai i fyfyrwyr y flwyddyn gyntaf, - ar Ewrop wedi cwymp Rhufain, - gyda'r un afiaith ag y darlithiai i'w ddosbarthiadau allanol. Erys llawer o'r brawddegau lliwgar, yn yr ynganiad croyw a'r llais melodaidd, ar gof cenedlaethau o'r myfyrwyr hynny.

Naturiol i un â'r doniau hyn oedd ymhyfrydu ym myd y ddrama. Bu'n gadeirydd Cwmni Drama Abertawe am lawer blwyddyn, gan actio ei hun, a chynhyrchu. Bu'n arweinydd mudiad Undeb y Ddrama Gymreig. Noddai gerddoriaeth hefyd. Bu'n gadeirydd cymdeithas gerddorol Orpheus Abertawe am flynyddoedd, ac yr oedd ei hunan yn ddatgeinydd alawon gwerin medrus. Yr oedd yn ffigwr amlwg yng nghynghorau'r Eist. Gen. yn ogystal ag yn feirniad dramâu'r ŵyl am lawer blwyddyn. Dygai fawr sêl dros undod Prifysgol Cymru a gwasanaethai'n gyson ar ei phwyllgorau. Gweithiodd dros Undeb Cymru Fydd yn ystod anawsterau'r rhyfel ac wedi hynny. Yr oedd yn aelod o lys llywodraethwyr Ll.G.C. Llywyddodd gangen Abertawe a Llanelli o'r *Historical Association*, gan feithrin y cysylltiad rhwng dysgu hanes yn yr ysgolion ac yn ei goleg.

Er na fedrodd ysgrifennu fawr ei hunan bu'n ddiwyd i annog eraill. Ef a gasglai'r deunydd i *Beirniad* Syr John Morris-Jones yn ogystal â gofalu am yr ochr ariannol.

Pan agorwyd stiwdio yn Abertawe gan y B.B.C. derbyniodd sialens cyfrwng newydd i hybu diwylliant Cymru. Dechreuodd trwy ddarlledu yn Saesneg i ysgolion Cymru, ond pan gafwyd yr `Egwyl Gymraeg' ef a fyddai'n trafod `Pynciau'r dydd yng Nghymru' am rai blynyddoedd. Nid esgeulusodd y cyfryngau traddodiadol. Yn Fethodist selog yr oedd yn athro Ysgol Sul penigamp a ddenodd i'w ddosbarth yn y Trinity (MC), Abertawe ddynion o bob oed ac enwad. Parhaodd ei weithgarwch gyda'r mudiadau diwylliannol hyn ar ôl iddo ymddeol o'i gadair yn 1944, a daliodd i ddarlithio i ddosbarthiadau allanol bron hyd y diwedd.

Pr. (1) yn 1907 â Sarah Agnes, merch William Thomas (y glo), Aberystwyth. Bu hi f. yn 1918 gan adael dwy ferch; (2) yn 1920 â Sarah (Sally), merch y Parch. Thomas Evans, y Fenni, a'i goroesodd hyd 1967. Bu iddynt ddau fab. Bu ef f. 23 Rhag. 1953 yn Abertawe a'i gladdu ym mynwent plwyf Llanycil.

Sally Hughes, *Ernest Hughes* (arg. preifat; 1967); R.T. Jenkins, `Professor Ernest Hughes', *Jnl. W.B.S.*, Gorff. 1954, 8, 4-8; R.T. Jenkins, *Edrych yn ôl* (1968); O. Llew Owain, *Hanes y ddrama yng Nghymru 1850-1943* (1948); gwybodaeth gan ei fab, Owen Hughes, Aberystwyth; adnabyddiaeth bersonol.

M.H.J.

HUGHES, EMRYS DANIEL (1894-1969), gwleidydd, newyddiadurwr ac awdur; g. 10 Gorff. 1894, yn fab i J.R. Hughes, 94 Henry Street, Tonypandy, Morg., gweinidog (MC), ac Annie (g. Williams) ei wraig. Addysgwyd ef yn ysgol y cyngor, Abercynon, Morg., ysgol uwchradd Aberpennar, a choleg addysg dinas Leeds. Fel athro ysgol a newyddiadurwr ym Mhontypridd a'r Rhondda, daeth yn aelod brwd o'r Blaid Lafur a bu cysylltiad agos rhyngddo a Keir Hardie, A.S. Safodd yn aflwyddiannus fel ymgeisydd Llafur yn

etholaeth Bosworth, swydd Gaerlŷr, yn etholiad cyffredinol 1923. Rhwng 1931 ac 1946 bu'n olygydd *Forward*, papur newydd y mudiad Sosialaidd yn yr Alban. Magodd brofiad eang o weithgareddau llywodraeth leol, profiad a fu o fudd mawr iddo pan gafodd ei ethol yn aelod seneddol (Ll) dros etholaeth de Ayrshire mewn is-etholiad yn Chwef. 1946. Parhaodd i gynrychioli'r etholaeth hon yn y senedd hyd at ei farw. Aeth ati i olygu argraffiad Albanaidd o *Tribune* ar ôl Rhyfel Byd I. Drwy gydol ei yrfa safai ar asgell chwith y Blaid Lafur, arhosodd ar feinciau cefn Tŷ'r Cyffredin, ac ystyrid ef yn wrthryfelwr tanbaid. Fe'i hamddifadwyd o chwip y Blaid Lafur rhwng Tach. 1954 ac Ebr. 1955 ar ôl iddo bleidleisio yn erbyn parodrwydd y Ceidwadwyr i dderbyn ailarfogi yn yr Almaen yn hytrach nag ymatal rhag pleidleisio yn unol â chyfarwyddiadau'r Blaid Lafur. Collodd chwip y Blaid Lafur eto rhwng Mawrth 1961 a Mai 1963 pan ddewisodd bleidleisio yn erbyn amcangyfrifon y lluoedd arfog. Yr oedd yn heddychwr selog, a threuliodd flwyddyn o Ryfel Byd I yng ngharchar Caernarfon. Yr oedd yn ymwelydd cyson â Moscow, yn gyfaill agos i'r bardd Samuel Marshak, a gwrthwynebodd weithgareddau NATO yn ddi-ffael.

Cyhoeddodd nifer fawr o gofiannau a gweithiau eraill, ac yn eu plith *Keir Hardie* (1950; arg. newydd 1957), cyfrol a roes bleser arbennig iddo, *Winston Churchill in war and peace* (1950) a *Winston Churchill: the British bulldog* (1955), astudiaethau a amlygodd atgasedd tuag at eu gwrthrych ar ran eu hawdur. Ef hefyd a luniodd *Pilgrim's progress in Russia* (1957), *Macmillan: portrait of a politician* (1962), *Sir Alec Douglas-Home* (1964), *Parliament and mumbo jumbo* (1966), *The prince, the crown and the cash* (1969), a *Sidney Silverman: rebel in Parliament* (1970), cyfrol a ymddangosodd ar ôl marwolaeth ei hawdur. Yr oedd bob amser yn barod i ddefnyddio'i ddoniau llenyddol er budd y Blaid Lafur a chyhoeddodd amryw lyfrynnau Sosialaidd a gwrthryfel.

Pr. (1) yn 1924 Nan, merch Keir Hardie. Rhannai hi ei syniadau gwleidyddol a'i ddelfrydau, a bu ei m. hi yn 1947 yn ergyd drom iddo na chafodd erioed y gorau arni. Pr. (2) yn 1949 Martha, merch P.M. Cleland, ysgolfeistr yn Glasgow. Cartrefodd yn Lochnorris, Cumnock, swydd Ayr, a bu ef f. 18 Hyd. 1969 ac yntau'n dal yn aelod o Dŷ'r Cyffredin. Llosgwyd ei weddillion yn Amlosgfa Masonhill. Rhoddwyd ei bapurau ar adnau yn Llyfrgell Genedlaethol yr Alban.

Www; *Dod's Parliamentary Companion*; William Knox (gol.), *Scottish Labour leaders, 1918-39: a biographical dictionary* (1984); *Times*, *Guardian*, a'r *Glasgow Herald*, 20 Hyd. 1969; *WWP*; OPCS 1911; gwybodaeth gan Mrs. Beryl H. Griffiths.

J.G.J.

HUGHES, GARFIELD HOPKIN (1912-69), darlithydd prifysgol ac ysgolhaig Cymraeg; g. 13 Rhag. 1912 yn yr Hendy, Pontarddulais, Morg., yn fab John a Rachel Hughes. Addysgwyd ef yn ysgol y cyngor, yr Hendy, ac ysgol ramadeg Llanelli. Aeth i G.P.C., Aberystwyth, yn 1932, ac wedi ennill ysgoloriaeth Cynddelw yn 1934, graddiodd gydag anrhydedd yn y dosb. I yn y Gymraeg yn

1935, ac yn y dosb. II, i, yn Saesneg yn 1936. Wedi bl. o hyfforddiant fel athro ysgol, penodwyd ef i staff yr adran Gymraeg yn Aberystwyth yn `fyfyriwr-gynorthwywr' yn 1937; dyrchafwyd ef yn ddarlithydd cynorthwyol yn 1940, darlithydd yn 1947, uwch-ddarlithydd yn 1960, ac yn ddarllenydd yn 1968. Yr oedd yn bennaeth gweithredol yr adran Gymraeg, 1968-69. Enillodd radd M.A. Prifysgol Cymru yn 1939 am draethawd ar `Bywyd a gwaith Iaco ap Dewi'. Bu'n aelod o bwyllgor iaith a llên Bwrdd Gwybodau Celtaidd Prifysgol Cymru, cyngor Cymdeithas Lyfryddol Cymru, pwyllgor Emynau'r Eglwys Fethodistaidd, ac o Gymdeithas Hanes yr Eglwys Fethodistaidd. Pr. Kathleen Jones yn 1952, a bu iddynt un ferch. Bu f. yn ysbyty Brompton, Llundain, 16 Medi 1969, a chladdwyd ef ym mynwent Aberystwyth.

Dysg a diwylliant hen siroedd Caerfyrddin ac Aberteifi oedd meysydd cyntaf ei astudiaeth, fel y dengys ei gyhoeddiadau cynharaf, sef *Iaco ap Dewi, 1648-1722* (1953); `Ben Simon', *Cylch. Ll.G.C.*, 5; `Halsingod Dyffryn Teifi', *Eurgrawn*, 1941. Yr oedd yn ŵr o ddiwylliant eang a osodai bwyslais ar gyd-destun hanesyddol a llenyddol y llyfrau a'r cyfnodau a astudiai. Tynnai ar ei wybodaeth helaeth o lenyddiaeth Saesneg wrth drafod llên Cymru, fel y gwelir yn arbennig yn y nifer o adolygiadau sydd ganddo yn *The Welsh Review, Y Traethodydd, Y Llenor* a *Llên Cymru*. Ond er bod ganddo gryn ddiddordeb yng ngwaith y Gogynfeirdd a'r Chwedl Arthuraidd (pynciau y darlithiai arnynt), hanes rhyddiaith Gymraeg o'r Dadeni hyd y 18fed. g., gyda sylw arbennig i'r 17fed. g., oedd ei brif faes ymchwil. Cyhoeddodd *Rhagymadroddion 1547-1659* (1951); golygiad o Theophilus Evans, *Drych y prif oesoedd, 1716* (1961); *Theophilus Evans a Drych y prif oesoedd* (1963); *Gweithiau William Williams, Pantycelyn*, II, rhyddiaith (1967); a nifer helaeth o erthyglau yn ogystal â nifer o gyfraniadau i *Y Bywgraffiadur Cymreig hyd 1940*. Prif ddiddordebau ymchwil eraill oedd hanes y Methodistiaid Wesleaidd Cymraeg ac emynyddiaeth gynnar Gymraeg. Nodweddid ei holl waith gan y darllen eang y soniwyd amdano eisoes, ynghyd â chraffter beirniadol a sicrwydd barn.

Gwybodaeth gan ei weddw; gwybodaeth bersonol.

B.F.R.

HUGHES, HOWEL HARRIS (1873-1956), gweinidog (MC), prifathro'r Coleg Diwinyddol, Aberystwyth; g. 7 Medi 1873, ym Mryn-teg, Llanfair Mathafarn Eithaf, Môn, mab J. Richard Hughes, gweinidog (MC), a Jane ei briod. Addysgwyd yn yr ysgol ramadeg Biwmares, Coleg y Brifysgol, Bangor (lle graddiodd yn y celfyddydau), a Choleg Diwinyddol y Bala (lle graddiodd mewn diwinyddiaeth - un o'r ddau gyntaf a gafodd radd B.D. Cymru). Ord. ef yn 1901, a bu'n gweinidogaethu ym Mhenmachno (1901-03), Maenofferen, Blaenau Ffestiniog (1903-07), Moriah, Caernarfon (1907-09), a Princes Rd., Lerpwl (1909-27). Yn 1927 penodwyd ef yn brifathro'r Coleg Diwinyddol, Aberystwyth, a bu yn y swydd honno hyd 1939. Wedi ymddeol symudodd i gylch Lerpwl gan gymryd gofal eglwys Gymraeg Southport am gyfnod (1939-50). Pr., 1912, Margaret Ellen, merch Griffith Roberts (`Gwrtheyrn', *Bywg.*,

811), Y Bala; ganwyd iddynt dri o feibion. Dioddefodd gryn lesgedd yn ei flynyddoedd olaf, a bu f. 23 Tach. 1956.

Yr oedd yn bregethwr grymus a dylanwadol yn ei ddydd, a chofid yn hir am ambell oedfa dan ei weinidogaeth mewn cymanfa a sasiwn. Datblygodd yn ŵr o ddylanwad yn ei Gyfundeb. Bu'n llywydd Sasiwn y Gogledd (1943), ac yn llywydd y Gymanfa Gyffredinol yn ystod Rhyfel Byd II, 1939-41. Ef oedd ysgrifennydd y pwyllgor ar yr athrawiaeth i'r Comisiwn Ad-drefnu ar ôl Rhyfel Byd I, ac ef oedd un o'r pedwar a luniodd y `Datganiad byr ar ffydd a buchedd Eglwys Bresbyteraidd Cymru'. Cyfrifid ei *Esboniad ar lyfr Amos* (1924) yn un o'r goreuon o'r gyfres a gyhoeddwyd gan y Cyfundeb. Gŵr addfwyn a graslon oedd Howel Harris Hughes, a chofid amdano gan ei wrandawyr a'i ddisgyblion fel sant a phroffwyd.

WwW (1921), 195; *Blwyddiadur MC*, 1958, 247-8; William Morris (gol.), *Deg o enwogion* (1965), 47-50; R.H. Evans, *Datganiad byr ar ffydd a buchedd* (1971), 40-3; adnabyddiaeth bersonol.

G.M.R.

HUGHES, HYWEL STANFORD (1886-1970), ranshwr, cymwynaswr a chenedlaetholwr; g. 24 Ebr. 1886, yn yr Wyddgrug, Ffl., plentyn ieuangaf ac unig fab Owen Hughes, gweinidog (EF), a'i wraig, Elizabeth. Daeth ei chwiorydd yn flaenllaw ym mudiad y swffragetiaid, yn enwedig Vyrnwy a fu'n amlwg fel newyddiadurwraig a cholofnydd i'r *Daily Mail* dan yr enw Anne Temple. Bu hi fel ei chwiorydd, Morfudd a Blodwen, yn gyfeillgar â Mrs. Pankhurst. Cyfnither iddynt oedd Sarah Pugh Jones, hanesydd lleol adnabyddus a llyfrgellydd tref Llangollen. Addysgwyd Hywel yn ysgolion Grove Park, Wrecsam, a Kingswood, Caerfaddon, sefydliad Wesleaidd. Wedi gadael yr ysgol bu'n brentis i filfeddyg yn Llangollen, nes hwylio, yn 1907, am Bogota, Colombia, i ymuno â dau ewythr, Ifor ac R.J. Jones, a oedd yn y fasnach mewnforio. Dangosodd Hywel grafter masnachol anghyffredin ac ym mhen amser daeth yn berchennog 27,000 erw o dir yn rhanbarth Honda i'w datblygu'n fagwrfa anifeiliaid. Estynnodd ei ddiddordeb i faes allforio coffi a sefydlodd swyddfeydd yn Efrog Newydd a mannau eraill, ond pan ddaeth y dirwasgiad economaidd byd-eang yn 1929-33 chwalwyd ei deyrnas. Byddai dynion gwannach wedi anobeithio am adferiad, ond drwy benderfyniad unigryw, arweinyddiaeth brofedig, a gallu trefniadol tu hwnt i'r cyffredin, lledodd ei ddiddordebau i feysydd peiriannau amaethyddol, olew, a magu gwartheg. Er iddo ef gefnu ar allforio coffi parhaodd llawer o'i gynweithwyr i ddal swyddi allweddol ym masnach goffi Colombia. Llwyddodd ef i wella a datblygu dulliau magu anifeiliaid ac ychwanegwyd ail ransh, Poponte, at ei eiddo cynyddol.

Yn 1924, pr. Olwen Margaret Williams yng nghapel Mile End, Llundain, a Thomas Charles Williams (*Bywg.*, 1010) yn gweinyddu. G. hi yn Llundain yn ferch i Owen Williams, Gwalchmai, Môn, dilledydd llwyddiannus yn Llundain a fu'n uchel siryf i sir. Yr oedd hi'n nith i Syr Vincent Evans (*Bywg.*, 217-8),

Parhaodd eu plant i ffermio yn Colombia. Ni cheisiodd Hywel Hughes ddinasyddiaeth y wlad honno, ond dewis bob amser bwysleisio'i genedligrwydd Cymreig. Yr oedd yn aelod brwdfrydig o Blaid Cymru ac yn gymwynaswr hael iddi. Bu'n gefnogol i Urdd Gobaith Cymru a chaniataodd iddi gynnal ei gwersyll cyntaf yn 1929 ar barc Plas Tŷ'n-dŵr, ei gartref ger Llangollen. Yn 1931 daeth yn llywydd gwersylloedd yr Urdd ac yn 1932 etholwyd ef yn is-lywydd y Cwmni. Yr oedd yn aelod o Anrh. Gymd. y Cymm., ac yn Eist. Gen. Glyn Ebwy ef oedd arweinydd y Cymry ar wasgar. Yr oedd yn is-lywydd cymanfa ganu America yng Nghaerdydd yn 1969. Cydnabu Gorsedd y Beirdd ei gymwynasau a'i deyrngarwch i Gymru drwy ei dderbyn i Urdd Derwydd fel `Don Hywel'. Oherwydd ei bersonoliaeth, ei rwyddineb mewn Sbaeneg, a'i enw da diamheuol daeth i gyswllt â nifer o lywyddion a seneddwyr blaenllaw Colombia.

Yn 1955 prynodd Drws-y-coed, Porthaethwy, Môn, a daeth y plas yn ganolfan ddiwylliannol a chymdeithasol boblogaidd i Gymry o bob cwr o'r wlad ac o'r tu allan iddi. Edmygai'n fawr fywyd a gwaith Syr O.M. Edwards (*Bywg.*, 179-80). Ymlynai wrth ei ffydd Gristionogol ac ni adawodd heibio'i egwyddorion anghydffurfiol. Gellir crynhoi ei ddyheadau fel hyn: codi safon bridio anifeiliaid yn gyffredinol, a cheisio annibyniaeth i Gymru. Bu f. 19 Maw. 1970 yn Bogota a chladdwyd ef yno.

Gwybodaeth gan Mrs. Olwen Hughes a Mr. Rolant Hywel Hughes; R.E. Griffith, *Urdd Gobaith Cymru*, 1 (1971).

G.A.J.

HUGHES, JANE MYFANWY - gw. o dan EAMES, WILLIAM uchod.

HUGHES, JOHN (1896-1968), cerddor; g. 16 Tach. 1896, yn 6 Broad Street, Rhosllannerchrugog, Dinb., yn un o naw plentyn William Hughes a'i wraig Catherine. Addysgwyd ef yn ysgol y Grango, Rhosllannerchrugog; gadawodd yr ysgol i dreulio wyth ml. yng nglofa'r Hafod, ger ei gartref. Ymgollai mewn cerddoriaeth yn ieuanc, a bu'n arwain corau yn y Rhos, gan astudio cynghanedd a gwrthbwynt gyda'r Dr. J.C. Bridge, organydd eglwys gadeiriol Caer. Aeth i Goleg y Brifysgol, Aberystwyth, yn 1921, ac ar ôl graddio mewn cerddoriaeth yn 1924 arhosodd yno am flwyddyn yn ychwanegol i astudio llenyddiaeth Gymraeg gyda Thomas Gwynn Jones (*Bywg*.2, 33-4). Bu'n llywydd Cymdeithas Geltaidd y coleg. Bu'n organydd a chôr-feistr eglwys Noddfa (B), Treorci, 1925-42, ac yna fe'i penodwyd yn drefnydd cerdd sir Feirionnydd, ac ymgartrefodd yn Nolgellau. Ef oedd y cyntaf i'w benodi'n drefnydd cerdd llawn-amser gan awdurdod addysg yng Nghymru.

Erbyn iddo ymddeol yn 1961 daethai i gryn amlygrwydd fel arweinydd, beirniad a darlithydd. Llwyddodd i godi corau ymhob rhan o sir Feirionnydd, a threfnodd nifer o wyliau cerddorol llwyddiannus yn y sir. Arweiniodd 50 o berfformiadau o 20 o wahanol weithiau corawl rhwng 1942 ac 1961, ac oherwydd y gweithgarwch hwnnw y penderfynwyd sefydlu Gŵyl Gerdd Dyfrdwy a

Chlwyd yng Nghorwen (1955), - gŵyl y bu ef yn gwasanaethu fel côr-feistr iddi am yr wyth ml. cyntaf. Bu'n weithgar hefyd gyda'r eisteddfod; gofalai am yr ochr gerddorol yn Eist. Gen. Dolgellau (1949), ac ef oedd yn gyfrifol am baratoi corau'r Eist. ym Mae Colwyn (1947), Llanrwst (1951), Dyffryn Maelor (1961) a Llandudno (1963). Gwasanaethodd hefyd fel beirniad, ac yn ystod blynyddoedd olaf ei oes bu'n golygu'r trosiadau Cymraeg yn adran gerddoriaeth y brifwyl.

Yr oedd yn Fedyddiwr selog, ac etholwyd ef yn llywydd Undeb Bedyddwyr Cymru, 1963-64. Cymerai ddiddordeb arbennig ym mawl yr eglwys, ac ystyrid ef yn gryn awdurdod ar hanes cerddoriaeth eglwysig. Golygodd *Llawlyfr moliant newydd* (1955) a *Mawl yr ifanc* (1968), ac yr oedd yn aelod o fwrdd golygyddol y *Baptist hymn book* (1962). Golygodd hefyd y gerddoriaeth yn *Llyfr gweddi a mawl i ysgolion* (1958) i bwyllgorau addysg siroedd Caernarfon, Meirionnydd a Cheredigion. Cynhwyswyd amryw o'i donau gwreiddiol a'i drefniadau o emyn-donau a charolau yn *Rhaglen goffa John Hughes, 1896-1968*, sy'n rhoi cip ar aml arweddau ei yrfa fel cerddor, golygydd, chwilotwr ac ysgolhaig.

Nid oedd yn gyfansoddwr toreithiog, er iddo ysgrifennu rhai tonau cynulleidfaol, megis `Maelor' ac `Arwelfa' a ddaeth yn wir boblogaidd. Amlygodd ei wir ddawn gerddorol fel arweinydd ac fel hyfforddwr corau. Bu f. mewn ysbyty yng Nghaerdydd, 14 Tach. 1968, a'i gladdu ym mynwent Rhosllannerchrugog.

H.J. Hughes (gol.), *Gŵr wrth gerdd; John Hughes, 1896-1968* (1973); *Welsh music*, 3 (1969); *Cymro*, 1 Meh. 1961 a 21 Tach. 1968; gwybodaeth gan ei frawd, Arwel Hughes, Caerdydd.

H.W.

HUGHES, JOHN EDWARD (1879-1959), gweinidog (MC) ac awdur; g. 8 Meh. 1879 yn y Gronglwyd, Cerrigydrudion, Dinb., mab John a Jane Hughes. Addysgwyd ef yn ysgol y pentref, ysgol ramadeg y Bala, Coleg y Brifysgol, Aberystwyth (lle graddiodd yn y celfyddydau), a Choleg Diwinyddol y Bala (lle graddiodd mewn diwinyddiaeth). Ei gydletywr yn Aberystwyth oedd ei gyfyrder, R.T. Jenkins (gw. isod) - wedi hynny ei gyd-frawd-yng-nghyfraith. Dechreuasai bregethu yn 1899, ac ord. ef yn 1907. Bu'n gweinidogaethu yn Engedi, Ffestiniog (1906-12), ac yn Horeb, Brynsiencyn a Phreswylfa, Llanddaniel, Môn (1913). Pr. (1), 1907, Ada Davies, Aberystwyth, a fu f. ymhen ychydig flynyddoedd; pr. (2), 1920, Mary Jones o Borth Amlwch; ganwyd un mab o'r briodas gyntaf, a thri mab o'r ail briodas. Bu f. 10 Ebr. 1959 yn ysbyty Anfield, Lerpwl, a chladdwyd ei weddillion ym mynwent Llanidan.

Yr oedd J.E. Hughes yn ddiwinydd go graff. Ei ysgrifau ar `Berson Crist' yn *Y Traethodydd* a dynnodd sylw'r Dr. John Williams, Brynsiencyn, ato ac ef a anogodd eglwys Brynsiencyn i roi galwad iddo. Yn ogystal ag ysgrifennu i'r *Traethodydd*, *Y Drysorfa*, a'r *Goleuad*, cyhoeddodd esboniad ar Efengyl Mathew yn ddwy gyfrol (1937-38). Golygodd hefyd *Hanes dechreuad a chynnydd Methodistiaeth ym Mrynsiencyn* (1924). Yr oedd yn bregethwr praff a sylweddol. Ymroes i wasanaethu'i Gyfundeb mewn llawer cylch, a bu'n llywydd Sasiwn y Gogledd yn 1957.

H. Ellis, *Hanes Meth. gorll. Meir.*, 3 (1928), 93 a 97; R.T. Jenkins, *Edrych yn ôl* (1968), 15; *Gol.*, 15, 22 a 29 Ebr. 1959; *Blwyddiadur MC*, 1960, 267-8; H.Ll. Williams (gol.), *Braslun o hanes Meth. Môn* (1977), 224-6; gwybodaeth gan ei fab, Medwyn Hughes, Llandegfan.

G.M.R.

HUGHES, (ROBERTS), MARGARET (`Leila Megáne', 1891-1960), cantores; g. Bethesda, Caern., 5 Ebr. 1891, yn un o ddeg plentyn Thomas Jones, aelod o heddlu Arfon, a Jane Phillip (g. Owen) ei wraig. Symudodd y teulu i Bwllheli yn 1894, ac yno y magwyd y gantores. Collodd ei mam pan oedd yn 7 oed, ac aberthodd ei thad lawer er mwyn rhoi addysg gerddorol iddi. Astudiodd ganu am gyfnod gyda John Williams, arweinydd Cymdeithas Gorawl Caernarfon, a'r unawd gyntaf iddi ei chanu'n gyhoeddus oedd `Gwlad y delyn' (John Henry) yn 1907. Yn fuan ar ôl hynny derbyniodd ei hymrwymiad cyntaf i ganu mewn cyngerdd yn Aber-soch, a chael cydnabyddiaeth o bymtheg swllt. Un o'r rhai a'i clywodd yn canu yn y cyngerdd hwnnw oedd Harry Evans (*Bywg.*, 220), a broffwydodd y deuai'n gantores enwog os câi ei hanfon i astudio canu at athro cymwys.

Yn Eist. Môn ym Miwmares yn 1910, cystadlodd am y tro cyntaf, a chael y wobr yno am ganu `Gwraig y pysgotwr' (Eurgain), gyda Thomas Price (1857-1925; *Bywg.*, 746) a T. Osborne Roberts (*Bywg.*2, 50-1) yn beirniadu. Yn 1910 hefyd (gyda thros 50 yn cystadlu) enillodd ar yr unawd contralto agored yn Eist. Gen. Bae Colwyn, a chael cryn ganmoliaeth gan David Evans (*Bywg.*2, 13) y beirniad. Yn fuan ar ôl hynny fe'i dygwyd i sylw George Power (athro canu llwyddiannus yn Llundain) gan Mrs. Ernest Taylor, a'i clywsai'n canu yn Llanbedrog, ac aeth i astudio i'r Academi Gerdd Frenhinol. Yn Llundain (dan yr enw Megan Jones) daeth i amlygrwydd mewn cyngherddau baledi, a chafodd gynorthwy gan David Lloyd George, ac eraill, i astudio ymhellach am chwe bl. yn Paris gyda'r datganwr enwog Jean de Reszke, a fuasai'n ddisgybl i Cotagni yn Turin. Ar ôl mabwysiadu'r enw Leila Megáne (ar awgrym de Reszke) derbyniodd ei hymrwymiad proffesiynol cyntaf, sef cytundeb dwy fl. i ganu Massenet yn yr Opera Comique, Paris. (Y mae'r wisg y canai ynddi yn opera Paris yn yr Amgueddfa Werin yn Sain Ffagan.) Yr oedd yn Ffrainc ar ddechrau Rhyfel Byd I, a threuliodd gyfnod yn difyrru milwyr clwyfedig, a thynnu sylw gwleidyddion amlwg, yn eu plith yr Arglwydd Balfour, Bonar Law a Winston Churchill.

Yn dilyn ysbeidiau o ganu mewn gwahanol dai opera yn Ffrainc ac ym Monte Carlo, derbyniodd yn 1919 ymrwymiad pum ml. i ganu yn Covent Garden, lle y gwnaeth ei hymddangosiad cyntaf yn *Therèse* (Massenet) ym mis Mai y flwyddyn honno, gyda Lloyd George a Melba, y gantores enwog, yn y gynulleidfa yn gwrando arni. Yn 1920, canodd am y tro cyntaf yn un o gyngherddau'r Aeolian Hall, ac am wyth ml. bu'n canu'n rheolaidd yn y Queen's Hall dan gyfarwyddyd Henry Wood. Ar ôl taith lwyddiannus yn Ewrop, a chanu yn La Scala Milan, ac ym Moscow, derbyniodd yn 1923 wahoddiad i ganu yn y Metropolitan Opera House, Efrog Newydd. Pr. (1) yn Efrog Newydd, 21 Maw. 1924, â T. Osborne Roberts a fuasai'n cyfeilio iddi mewn cyngherddau gartref ac mewn gwledydd tramor, ac yn ddiweddarach gwnaeth y ddau eu cartref ym Mhentrefoelas. Bu'n gyfrifol am boblogeiddio amryw o ganeuon a ysgrifennodd ei phriod, yn eu plith `Y Nefoedd', `Cymru annwyl' a `Pistyll y llan'. Cefnodd ar ganu cyhoeddus yn 1939.

[annotated in margin: bu farw 1948]

Yr oedd yn berchen llais contralto aeddfed a chyfoethog, gyda llawer o gynhesrwydd yn nodweddu ei datganu. Ymhlith yr eitemau a recordiodd rhwng tuag 1920 ac 1925 y mae detholion o opera Ffrengig (yn cael eu canu yn Ffrangeg), gweithiau gan Handel, caneuon Cymraeg, a *Sea pictures* (Elgar), gyda'r cyfansoddwr ei hun yn arwain y perfformiad.

Pr. (2), 6 Hyd. 1951 yn Llanrwst â William John Hughes, Éfailnewydd, un o'i chyfoedion, a gŵr a fu'n cyngherdda llawer gyda hi cyn iddi fynd i'r Academi Gerdd Frenhinol. Yn Eist. Gen. Pwllheli, 1956, sefydlwyd ysgoloriaeth yn dwyn ei henw i gynorthwyo cantorion ieuanc Cymreig yn yr Academi Gerdd Frenhinol. Bu f. yn sydyn yn ei chartref, Melin Rhyd-hir, Éfailnewydd, ger Pwllheli, 2 Ion. 1960, a'i chladdu ym Mhenrhos, Pwllheli,

`A Springtime of song' (ei hunangofiant mewn teipysgrif, dyddiedig 24 Ion. 1934, a oedd ym meddiant Mrs. W.O. Jones, Treffynnon, yn 1960); *Liv. D.P.*, 8 Hyd. 1951 a 4 Ion. 1960; *Welsh Music*, 3, rhif 8 (1970), 35; gwybodaeth gan ei merch, Effie Isaura Osborne-Hughes, Pwllheli; Megan Lloyd Ellis, *Hyfrydlais Leila Megáne* (1979).

H.W.

HUGHES, MARY ANNE - gw. MARY ANNE LEWIS o dan LEWIS (TEULU) isod.

HUGHES, RICHARD SAMUEL (1888-1952), gweinidog (MC) ac athro; g. 18 Meh. 1888, yn Nhanycelyn, Rhostryfan, Caern., mab Samuel a Mary Hughes. Ar ôl y cwrs arferol yn ysgol elfennol ei bentref bu am rai blynyddoedd yn gweithio mewn masnachdy, ac oddi yno aeth i ysgol Clynnog â'i fryd ar y weinidogaeth. Enillodd ysgoloriaeth i Goleg y Brifysgol, Aberystwyth (lle graddiodd yn y celfyddydau), a graddiodd mewn diwinyddiaeth yn y Coleg Diwinyddol, Aberystwyth. Ord. ef yn 1918, gweinidogaethodd yng Nghalfaria, Porth, Morg. (1918-22), Fourcrosses, Llŷn (1922-24), a'r Garreg-ddu, Blaenau Ffestiniog (1924-30). Galwyd ef yn 1930 i Goleg Clwyd, Rhyl, a bu yno hyd ei farwolaeth, yn athro i gychwyn (dan y Parch R. Dewi Williams, gw. isod), ac am 13 bl. yn brifathro. Cafodd gryn ddylanwad ar fwy nag un to o fyfyrwyr a fu tan ei ofal yno. Yn 1919 pr. Jane Morris Jones, merch William Morris Jones (cadeirydd cyngor sir Arfon yn ei ddydd); ganwyd mab a merch o'r briodas. Bu f. 16 Ebr. 1952. Cyfrifid ef yn bregethwr praff, o anian broffwydol. Ymhyfrydodd mewn beirniadaeth ysgrythurol a phynciau diwinyddol. Cyhoeddwyd gwerslyfr o'r eiddo ar Efengyl Mathew yn 1937.

Gol., 23 Ebr. a 7 Mai 1952; *Blwyddiadur MC*, 1953, 228; gwybodaeth gan ei fab, yr Athro Meredydd G. Hughes, Birmingham.

G.M.R.

HUGHES, ROBERT RICHARD (1871-1957), gweinidog (MC) ac awdur; g. 2 Ion. 1871 ym Mhont Myfyrian, bwthyn ar ymyl y rheilffordd nid nepell o Frynsiencyn a'r Gaerwen, Môn, mab Thomas a Margaret Hughes. Cafodd addysg yn ysgol Frytanaidd Llanidan; ysgol St. John, Porthaethwy; *High School* Croesoswallt; Coleg y Gogledd, Bangor (lle cafodd radd B.A. Prifysgol Llundain); a Choleg y Bala. Magwyd ef yn eglwys Brynsiencyn dan weinidogaeth John Williams (*Bywg.*, 992); a phan alwyd y gŵr hwnnw i Lerpwl yn 1896 galwyd yntau yn olynydd iddo am dymor byr (1896-97). Ord. ef yn 1898, a bu'n gweinidogaethu yn Ebeneser, Kingsland, Caergybi (1898-1913), Chatham St., Lerpwl (1913-22), a Niwbwrch (1922-47). Pr., 1897, Margaret Ann Lewis, Bootle; ganwyd iddynt fab a merch. Cartrefodd yng Nghaergybi ar ôl ymddeol, ac yno y bu f. 23 Medi 1951. Claddwyd ef ym mynwent Maeshyfryd, Caergybi.

Yr oedd yn ŵr o ddylanwad yn ei-Gyfundeb. Bu'n llywydd Sasiwn y Gogledd (1940), ac yn llywydd y Gymanfa Gyffredinol (1946). Bu'n aelod blaenllaw o Gomisiwn Ad-drefnu'r Cyfundeb, ac yn un o'r pedwar a luniodd 'Datganiad byr ar ffydd a buchedd' yn 1921. Bu'n gydolygydd *Y Llusern* am rai blynyddoedd, ac yn olygydd *Y Goleuad* yn 1931. Cyfrannodd ysgrifau i'r *Goleuad* ac i gylchgronau'i enwad. Cyhoeddodd gofiant safonol i'w hen weinidog, John Williams, Brynsiencyn, yn 1929. Traddododd y Ddarlith Davies yn 1931, 'Ymholiad i gred dyn yn ei anfarwoldeb', ac fe'i cyhoeddodd yn 1939 dan y teitl *Dyn a'i dynged*.

Trys. Plant, 1931, 141-43; *WwW* (1921), 198; *Blwyddiadur MC*, 1958, 249; W. Morris (gol.), *Deg o enwogion* (1965), 41-6; R.H. Evans, *Datganiad byr ar ffydd a buchedd* (1971), *passim*.

G.M.R.

HUGHES, WILLIAM ROGER (1898-1958), offeiriad a bardd; g. 27 Mai 1898, mab John ac Ann Hughes, Sain-y-gog, Llangristiolus, Môn. Yn fachgen ifanc bu'n gweithio yn Lerpwl, ac bu yn Ffrainc a'r Aifft gyda'r fyddin yn ystod Rhyfel Byd I. Aeth i Goleg y Brifysgol, Bangor, yn 1922, a graddio yn 1925. Yn yr un flwyddyn aeth yn gurad yn yr Wyddgrug, ac yn 1929 yn Nhreffynnon. Penodwyd ef i fywoliaeth Llwydiarth, Tfn., yn 1930, ac i ficeriaeth Bryneglwys yn Iâl yn 1933, ac yno y bu hyd ddiwedd ei oes. Bu'n ddeon gwlad Edeirnion ac yn ganon trigiannol Llanelwy. Ef oedd golygydd *Yr Haul* o 1930 hyd 1938. Bu'n amlwg yn ei ardal fel cynghorwr dosbarth ac arweinydd côr. Fel bardd enillodd gadair Eist. Powys yn 1930, a daeth yn uchel rai gweithiau yng nghystadleuaeth y gadair yn yr Eist. Gen. Bu am rai blynyddoedd yn dderwydd gweinyddol Gorsedd Powys. Cyhoeddodd gasgliad bychan o'i farddoniaeth yn 1932 dan y teitl *Cerddi offeiriad*, yn cynnwys awdl a phryddest eisteddfodol a nifer o delynegion mwy gwrthrychol na llawer o gerddi cyffredin y cyfnod. Bu f. 5 Ebr. 1958. Pr. yn 1929 Mabel Mansbridge o Wernmynydd ger yr Wyddgrug, a bu iddynt ddau fab a dwy ferch.

Haul a'r Gangell, gaeaf 1958; gwybodaeth bersonol.

T.P.

HUMPHREYS, EDWARD MORGAN (1882-1955), newyddiadurwr, llenor a darlledwr; g. 14 Mai 1882 yn Nyffryn Ardudwy, Meir., mab hynaf John ac Elizabeth Humphreys. Enwau ei frodyr oedd Humphrey Llewelyn a John Gwilym. Yr oedd ei fam yn nith i Edward Morgan (1817-71; *Bywg.*, 604), Dyffryn, pregethwr (MC) ac ysgrifennwr gwreiddiol, ac yn gyfnither i R.H.Morgan (*Bywg.*, 611), Porthaethwy, arloeswr llaw-fer yn Gymraeg. Hen daid iddo oedd Richard Humphreys (*Bywg.*,375), pregethwr (MC) ffraeth, dirwestwr ac arloeswr addysg. Addysgwyd E.M.H. yn ysgolion sir y Bermo a Phorthmadog. Rhoes ei fryd ar fod yn gyfreithiwr a chychwynnodd ar yrfa felly ym Mhorthmadog ond oherwydd cyflwr ei iechyd rhoes y gorau iddi a dychwelyd adref i'r Faeldref, Dyffryn Ardudwy, lle'r oedd ei dad yn amaethu. Symudodd y teulu i Lerpwl. Yno y dechreuodd y mab ysgrifennu ac ymddiddori mewn newyddiaduraeth. Ymunodd â'r *Barmouth Advertiser* yn 1904 fel gohebydd. Wedi cyfnod byr ar staff un o bapurau Runcorn cafodd brofiad o ddilyn cyfarfodydd Evan Roberts y Diwygiwr (gw. isod) fel gohebydd y *Liverpool Courier*. Ymddangosodd ei argraffiadau hefyd yn *Y Genedl Gymreig*. Daeth yn gyfeillgar â'r efengylydd ond ni ddwysbigwyd ef gan wres y diwygiad. Buasai hefyd yn ohebydd Bangor i'r *North Wales Observer* o dan olygyddiaeth William Eames. Pan ymunodd Eames (gw. uchod) â staff is-olygyddol y *Manchester Guardian* yn 1908 gwahoddwyd E.M.H. i'r swyddfa yng Nghaernarfon a daeth yn olygydd *Y Genedl Gymreig* a'r newyddiadur Saesneg. Dyma'r adeg y daeth yn gyfaill i T. Gwynn Jones (*Bywg.*2, 33-4) a weithiai ar y pryd yn yr un swyddfa. Ysgrifennodd gryn dipyn o farddoniaeth Saesneg (gan gynnwys sonedau) ac ambell gerdd yn Gymraeg. Ym mis Ion. 1908 etholwyd ef yn llywydd Cymdeithas Fabian Caernarfon. Cafodd gyfnod byr fel golygydd *Cymru* ac ar ddau achlysur eisteddai yng nghadair olygyddol *Y Goleuad*. Dychwelodd at *Y Genedl* yn 1918 gan barhau'r cysylltiad hyd 1930 pan ymddiswyddodd a mynd yn ysgrifennwr annibynnol. Cyfrannodd erthyglau rheolaidd i'r *Liverpool Daily Post* o dan y ffugenw 'Celt' o 1919 ac yn 1927 daeth yn ohebydd arbennig y *Manchester Guardian* gan gyfrannu'n ddi-fwlch adroddiadau am yr Eist. Gen. a materion eraill yn ymwneud â Chymru. Yr oedd yn eisteddfodwr selog ac ni chollodd yr un brifwyl rhwng 1919 ac 1953. Buan yr enillodd ei blwyf fel darlledwr ar bwys ei ddawn ymadrodd a'i lais soniarus. Er gwaethaf iechyd bregus yr oedd yn weithiwr diwyd a threfnus a chyfrannodd nifer o erthyglau i'r *Bywg*. Ef a ddarganfu ddawn storïol W.J. Griffith, Henllys Fawr (*Bywg.*, 282-3). Rhwng 1939 ac 1949 bu'n swyddog gweinyddol cynorthwyol gyda'r Pwyllgor Amaethyddol yn sir Gaernarfon. Yn ei oriau hamdden fe barhâi i lenydda a darlithio. Bu'n diwtor Addysg y Gweithwyr. Derbyniodd radd M.A. (Cymru) er anrh. yn 1927 a'r O.B.E. yn 1953. Yr oedd yn un o is-lywyddion Anrh. Gymd. y Cymm., yn aelod o banel Cymru o'r Cyngor Prydeinig ac o'r *Royal Cambrian Academy of Art*. Nid oedd yn amlwg yng nghylchoedd cyfundebol Eglwys Bresbyteraidd Cymru ond fe roddai bwys mawr ar urddas y pulpud a chas ganddo oedd anhrefnusrwydd. Yn Engedi, Caernarfon, yr oedd yn aelod, a daeth yn ffigur adnabyddus yn y dref oherwydd yr olwg urddasol a oedd arno. Yr oedd yn gwmnïwr diddan ac yn ddarllenwr eang. Pr. Annie Evans, merch E.J. Evans, cynweinidog eglwys Bresbyteraidd Gymraeg Walton Park, Lerpwl. Ni bu ganddynt blant. Enillodd gyfeillgarwch rhai o flaenorwyr y genedl ac yr oedd gan D. Lloyd George (*Bywg*.2, 39-40) feddwl uchel o'i farn. Mwynhaodd R.T. Jenkins (gw. isod) `chwarter canrif o gyfeillgarwch pur' ag ef.

Yr oedd yn un o arloeswyr y nofel ddirgelwch yn y Gymraeg a meddai ar y ddawn i lunio erthyglau bywgraffiadol craff. Cyhoeddodd *Dirgelwch yr anialwch* (1911), *Rhwng rhyfeloedd* (d.d.); *Yr etifedd coll* (d.d.); *Y llaw gudd* (1924); *Cymru a'r wasg* (1924); *Dirgelwch Gallt y Ffrwd* (1938); *Detholiad o lythyrau'r hen ffarmwr* (1939); *D. Lloyd George* (1943); *Ceulan y Llyn du* (1944); *Y wasg yng Nghymru* (1945); *Gwŷr enwog gynt*, 1 (1950); *Profiadau golygydd* (1950); *Gwŷr enwog gynt*, 2 (1953); a *Gorse glen* (cyf. o *Cwm Eithin* Hugh Evans, 1948). Gŵr annibynnol ydoedd a brwydr ddiorffwys ag afiechyd fu ei fywyd. Ysgrifennai'n gyflym a chryno yn Gymraeg a Saesneg. Fel y sylwodd John Eilian amdano, `cariad cywir cynnes at y wlad hen y gallai ei synhwyrau ei hamgyffred - cyffro Eryri, hedd Meirionnnydd a sŵn y gorllewinfôr', dyna oedd gwladgarwch iddo. Bu f. 11 Meh. 1955 yng Nghaernarfon. Un arall o'i gyfeillion a weinyddai yn ei gynhebrwng, sef D. Tecwyn Evans (gw. uchod). Claddwyd ei weddillion ym mynwent y dref.

Genedl, 23 Mai 1905, 21 Ion. 1908, 19 Ion. a 9 Chwef. 1925; *Baner*, 15 Meh. 1955; *Cymro*, 16 Meh. 1955; *Herald Cymr.*, 13 Meh. 1955; *Times*, *Man. G.*, *Liv. D.P.*; *Traeth.*, Hyd. 1955; *Genh.*, 1954-5, 1962-3; *Llenor*, 10, 1931; llsgrau. E. Morgan Humphreys yng Ngholeg y Brifysgol, Bangor, rhifau 15747-65; gwybodaeth gan R. Maldwyn Thomas.

G.A.J.

HUMPHREYS, EDWARD OWEN (1899-1959), addysgwr; g. 2 Tach. 1899 yn yr Hendre, Cefnddwysarn, Meir. Cafodd ei addysg yn ysgol y Sarnau, ysgol ramadeg y Bala a Choleg y Brifysgol, Bangor, lle graddiodd mewn cemeg a gwyddor gwlad yn 1922. O 1923-28 bu'n athro yn ysgol gynradd Banks Rd. ac yn ysgol uwchradd a sefydliad technegol Lister Drive yn Lerpwl. Enillodd radd M.A. Lerpwl yn 1930 am draethawd ar ddylanwad cymdeithasegol ar blant ysgol. Yn 1928 daeth yn ddarlithydd i'r Coleg Normal ym Mangor, yn gyfrifol yn bennaf am ddysgu gwyddor gwlad, ac yna yn 1935 fe'i penodwyd yn gyfarwyddwr addysg Môn.

Ym Môn aeth ati i wireddu ei ddelfrydau. Credai'n ffyrnig i Gymru golli cyfle euraid yn sgil Deddf Addysg Ganolraddol a Thechnegol Cymru 1889 i sefydlu cyfundrefn o ysgolion canol a oedd yn cyflawni anghenion pob plentyn ac yn adlewyrchu bywyd y gymdeithas gyfan, bodlonwyd ar ddynwared ysgolion gramadeg Lloegr a darparu ar gyfer yr ychydig. Ym Môn mynnai E.O.H. gychwyn o newydd, ar sail Deddf 1889. Yn 1936 cafodd gan bwyllgor addysg y sir ddatgan o blaid egwyddor ysgolion uwchradd amlochrog ar gyfer pob plentyn. Y cam nesaf oedd darbwyllo'r awdurdodau i ganiatáu ei gweithredu. Pan basiwyd Deddf Addysg Butler yn 1944 gwelodd ei gyfle ac aildrefnwyd addysg uwchradd ym Môn mewn pedair ysgol gyfun - y sir gyntaf i wneud hynny. (Gw. ysgrif ganddo ar `Chwyldro addysg Môn' yn y cylchgrawn *Môn*, Awst 1957). Am iddo fynnu gwireddu ei weledigaeth fe'i hystyrir `yn grëwr yr ysgol gyfun'.

Bu'n un o gyd-olygyddion *Môn* ac yn gefnogwr selog i Gyngor Gwlad Môn, Cymdeithas Eist. Môn, a'r Eist. Gen.

Bu f. 11 Mai 1959, gan adael gweddw, dau fab a dwy ferch, ac fe'i claddwyd yn Llangristiolus.

Ben Bowen Thomas, `E.O. Humphreys - the man who created comprehensives', *Education*, 13 Meh. 1975, 658; Percy O. Jones, *Môn*, Hyd. 1960.

B.L.J.

HUW MENAI - gw. WILLIAMS, HUW OWEN isod.

I-J

ISFOEL - gw. JONES (TEULU), Cilie, DAVID isod.

ISNANT - gw. HARKER, EDWARD uchod.

JACOB, HENRY THOMAS (1864-1957), gweinidog (A), darlithydd, llenor a bardd; g. yn Nhreorci, Cwm Rhondda, Morg., 14 Rhag. 1864, yn ail o ddeg o blant Thomas Jacob y gof ac Ann (g. Harries) ei wraig. Codwyd ef i bregethu yn eglwys Bethania, ac aeth yn 1885 i ysgol Watcyn Wyn (*Bywg.*, 1011-2) yn Rhydaman i baratoi at gael mynd i Lancashire College, Manceinion. Pr. ar 20 Awst 1890 â Margaret Ellen Evans o Landeilo, a chawsant bump o blant, dwy ferch a thri mab. Bu'n weinidog ym Methel, Trecynon, Aberdâr, 1889-98, Peniel ger Caerfyrddin, 1898-1912, a'r Tabernacl, Abergwaun, 1912-34. Yr oedd yn bregethwr efengylaidd ei duedd, a'i ffraethineb ddarluniadol yn hoelio sylw ac yn grymuso'i genadwri. Bu'n barddoni cryn dipyn yn ei gyfnod cynnar, ac yn ysbeidiol wedyn drwy'r blynyddoedd. Yr oedd mewn cymaint bri fel darlithydd ag oedd fel pregethwr; yr oedd yn gampwr ar bortreadu hen gymeriadau, ac enynnai ddiddordeb ac edmygedd drwy'r wlad oll. Ymhlith ei ddarlithiau yr oedd 'Stori 'nhad', 'Yr hen goliar'. 'Yr hen godwr canu', 'Hen gymeriadau', 'General Booth', 'Gwlad y dyn du'. Ei ddiddordeb yng ngwaith cenhadol yr eglwys, a'i wasanaeth iddo, oedd yn gyfrifol am y ddau lyfr hyn a ysgrifennodd *Dilyn y wawr*, *Cofiant Hopcyn Rees*. Cyhoeddodd hefyd: *Caneuon y bwthyn*, *Hanes eglwys y Tabernacl*, *Abergwaun* (1945), dau lyfryn o gatecismau ar gân i blant, ac *Atgofion H. T. Jacob* (1960). Bu ar daith yn Ne Affrica yn 1922-23, a chyfarfod y pennaeth Khama, a phregethu o'i flaen. Etholwyd ef yn is-gadeirydd Undeb yr Annibynwyr yn 1931 ond bu rhaid iddo gychwyn blwyddyn ei gadeiryddiaeth yn Ion. 1932 i orffen tymor Peter Price (gw. Atodiad isod). Bu f. ei briod yn 1950, ac yntau ar 18 Mai 1957, a chladdwyd ef ym mynwent y Tabernacl, Abergwaun.

Atgofion H. T. Jacob (1960)

G.Jo.

JAMES, DAVID EMRYS ('Dewi Emrys'; 1881-1952), gweinidog (A), llenor a bardd; g. 26 Mai 1881 ym Majorca House, Ceinewydd, Cer., yn fab i Thomas Emrys James, gweinidog (A) yn Llandudno ar y prŷd, a Mary Ellen (g. Jones), ei wraig, merch i gapten llong. Daeth y fam yn ôl i'r Cei i eni'r plentyn, a alwyd i ddechrau David Edward, ond mabwysiadwyd Emrys yn ddiweddarach. Pan oedd yn saith oed cafodd ei dad alwad i fugeilio eglwys Rhosycaerau, ger Abergwaun, ac yno y treuliodd ei blentyndod. Cafodd ei addysg gynnar yn ysgol Henner, plwy Llanwnda, ysgol baratoi W. S. Jenkins, ac ysgol uwchradd Abergwaun. Aeth i'w brentisio'n gysodydd a newyddiadurwr i swyddfa'r *County Echo* yn Abergwaun. Yn 1896 symudodd y teulu i Gaerfyrddin, a chafodd yntau gyfle i orffen ei brentisiaeth ar y

Carmarthen Journal. Rhoes y golygydd, Henry Tobit Evans (*Bywg.*, 221-2), bob cefnogaeth iddo i barhau i lenydda ac adrodd ar lwyfannau fel y gwnaethai ar yr ieuanc. Gwnaed ef yn is-olygydd ac yn olygydd colofn Gymraeg y *Journal* cyn ei fod yn 20 oed, a chafodd ei ryddhau i fynd yn fyfyriwr rhan amser yn ysgol yr Hen Goleg o dan Joseph Harry (gw. yr Atodiad isod). Yn y cyfnod hwn y dechreuodd bregethu. Derbyniwyd ef i'r Coleg Presbyteraidd yn 1903. Bu am ychydig yn Eglwys Rydd y Cymry yn Lerpwl a sefydlwyd gan William Owen Jones (*Bywg.*, 497-8), cyn derbyn galwad i Fryn Seion, Dowlais, yn 1907. Oddi yno, yn 1908, aeth i eglwys Saesneg Buckley, sir y Fflint. Ym mis Gorff. y flwyddyn honno pr. â Cissie Jenkins yng nghapel (A) Saesneg Caerfyrddin. Yn 1911 symudodd eto i eglwys Saesneg Gelliwastad, Pontypridd. Yr oedd yn un o bregethwyr huotlaf Cymru cyn Rhyfel Byd I; yna yn 1915 aeth i Loegr yn weinidog ar eglwys Finsbury Park yn Llundain, gan aros yno tan 1917. Ymunodd â'r fyddin ac erbyn 1918 diflannodd ei enw o'r *Congr. Yr. Bk*.

Aeth yn ddiofal yn ei berthynas â phobl, ac â'i eglwys, a threuliodd flynyddoedd fel pe'n ddiangor ac wedi ymwahanu oddi wrth ei deulu, - gwraig a dau fab. Ymsefydlodd drachefn yn 1940-41 gyda'i ferch, Dwynwen, yn 'Y bwthyn', Talgarreg, Cer. gan ymaelodi ym Mhisgah a phregethu'n achlysurol yn y cylchoedd cyfagos, ac yno y bu weddill ei oes.

Bu'n cynnal dosbarthiadau llenyddiaeth a barddoniaeth Gymraeg yma a thraw tan fudiad addysg oedolion, a bu'r 'Bwthyn' yn gyrchfan beirdd a llenorion. Yr oedd yn un o feistri cerdd dafod gan ennill ymysg gwobrau lawer yn yr Eist. Gen., y goron yn Abertawe, 1926 ('Rhigymau'r ffordd fawr'), a'r gadair bedair gwaith - Lerpwl, 1929 ('Dafydd ap Gwilym'), Llanelli, 1930 ('Y Galilead'), Bangor, 1943 ('Cymylau amser'), a Phen-y-bont ar Ogwr, 1948 ('Yr alltud'). Bu'n olygydd 'Pabell Awen' *Y Cymro* o 1936 i 1952.

Bu f. yn ysbyty Aberystwyth ar 20 Medi 1952, a chladdwyd ef ym mynwent Pisgah, Talgarreg. Codwyd maen coffa hefyd uwchlaw clogwyni Pwllderi, gogledd Penfro.

Cyhoeddwyd llawer o'i waith: *Rhigymau'r ffordd fawr*, (1926), *Rhymes of the road*, (1928), *Y cwm unig a chaniadau eraill*, (1930), *Ysgrifau* (1937), *Odl a chynghanedd* (gwerslyfr ar gerdd dafod, 1938), *Beirdd y Babell* (gol.), (1939), *Cerddi'r bwthyn*, (1948), a llyfrynnau barddoniaeth: *Y gwron di-enw* (pryddest Eist. Môn), (1922), *Y gân ni chanwyd* (pryddest ail-orau Lerpwl), (1929), *Atgof* (pryddest ail-orau Pontypŵl), (1924), *Daniel Owen* (awdl Eist. Llundain), (1936).

Eluned Phillips, *Dewi Emrys* (1971); [T. Llew Jones, *Dewi Emrys* (1981)].

G.Jo.

JAMES, Syr DAVID JOHN (1887-1967), gŵr busnes a dyngarwr: g. ef 13 Mai 1887 yn Llundain yn un o ddau o feibion i Cathryn (g. Thomas) a John James. Dychwelodd y teulu i'r hen gartref ym Mhantyfedwen, Pont-rhydfendigaid, Cer., pan oedd y ddau fachgen yn ifanc. Yn 1903 aeth i goleg S. Ioan, Ystrad Meurig, ar gyfer paratoi i fynd i'r weinidogaeth ond bu yno am ddymor yn unig. Dychwelodd i Lundain i ofalu am fusnes laeth y teulu a threuliodd weddill ei fywyd yno ac yn Barcombe yn swydd Sussex. Pr. â Grace Lily Stevens, 24 Ebr. 1924. Er iddo barhau â diddordebau busnes yn y diwydiannau llaeth a phrynu gwenith cofir ef yn arbennig yn berchen tair ar ddeg o sinemâu yn Llundain. Adeiladodd y gyntaf o *super-cinemas* Llundain a'i hagor yn 1920, sef y Palladium, Palmer's Green. Yn y 1930au gwerthodd bob un ohonynt, ac eithrio Stiwdio 1 a 2, lle y bu Cymry Llundain yn cwrdd am gyfnod. Bu'n gadeirydd tri o gwmnïoedd cyn ymddeol yn 1957.

Yn ystod ei fywyd rhoddodd symiau sylweddol i'r enwadau Anghydffurfiol ac i'r Eglwys yng Nghymru i wella cyflogau a phensiynau gweinidogion, i Goleg Dewi Sant, Llanbedr Pont Steffan, i bentref Pontrhydfendigaid ac i lu o achosion eraill. Sefydlodd Ymddiriedolaeth Pantyfedwen yn 1952 a gweinyddwyd hi o Lundain. Ei phwrpas oedd hybu achosion crefyddol, addysgiadol ac elusennol yng Nghymru. Diddymwyd hon yn 1957 pan sefydlodd Ymddiriedolaeth Cathryn a'r Fonesig Grace James (a enwyd ar ôl ei fam a'i wraig). Yn 1967 sefydlodd ail Ymddiriedolaeth yn enw John (ei dad) a Rhys Thomas James (ei frawd a fu f. yn ifanc). Ddiwedd y 1950au sefydlwyd Eisteddfodau Pantyfedwen ym Mhontrhydfendigaid (Eisteddfod Teulu James), Aberteifi (Eisteddfod Coffa John James) a Llanbedr Pont Steffan (Eisteddfod Rhys Thomas James). Prif nod Syr D. J. James oedd rhoi cyfle i unigolion i gystadlu mewn eisteddfodau lle'r oedd y safon rhwng yr eisteddfodau lleol a'r genedlaethol. Bu'n ymwneud â symud gweinyddiaethau yr ymddiriedolaethau i Aberystwyth ond bu f. cyn agor y swyddfeydd yno'n swyddogol yn 1968.

Derbyniodd radd LL.D. er anrh. gan Brifysgol Cymru yn 1957, cafodd ei urddo'n farchog yn 1959, derbyniwyd ef i Urdd Wen Gorsedd y Beirdd yn 1965 a'r un flwyddyn cyflwynwyd rhyddfraint bwrdeistref Aberystwyth iddo.

Bu f. ei wraig 20 Chwef. 1963 ac yntau 7 Maw. 1967 a chladdwyd hwy ym mynwent Ystrad Fflur.

Papurau Syr D. J. James ac adroddiadau am ei fywyd a'i waith.

R.H.M.

JEFFREYS-JONES, THOMAS IEUAN (1909-67), ysgolhaig, darlithydd, a phennaeth Coleg Harlech; g. 27 Meh. 1909, yn Rhymni, Myn., yn fab David Jones, 'Twynog', a'i wraig Myfanwy. Derbyniodd ei addysg elfennol yn Ystradmynach lle'r oedd ei dad yn ysgolfeistr. Oddi yno aeth i Ysgol Lewis, Pengam, a chwedyn (1928) i Goleg Prifysgol Deau Cymru a Mynwy yng Nghaerdydd. Graddiodd yn 1931 gyda anrhydedd dosbarth cyntaf mewn Economeg a thrachefn yn 1933 gyda anrhydedd (ail ddosbarth, adran gyntaf) mewn Hanes. Yn ystod ei yrfa yn y coleg enillodd wobrau Cobden a Gladstone ac ysgoloriaeth ymchwil a ddefnyddiodd i astudio amaethyddiaeth yng Nghymru yn yr unfed a'r ail ganrif ar bymtheg. Enillodd radd M.A. am ei draethawd ymchwil ('The enclosure movement in South Wales during the Tudor and early Stuart periods'), 1936, a chyhoeddodd adran ohono yn *Harlech Studies* (1938). Yn 1935 fe'i hapwyntiwyd yn diwtor yng Ngholeg Harlech i ddarlithio ar hanes, gwleidyddiaeth ac economeg. Pan gaeodd y coleg oherwydd y Rhyfel yn 1940 bu am flwyddyn yn athro hanes yn Ysgol Lewis, Pengam, ac yna apwyntiwyd ef ar staff Adran Efrydiau Allanol, Aberystwyth, i gymryd gofal o ddosbarthiadau yn sir Gaerfyrddin. Yn 1948 gwahoddwyd ef yn ôl i Goleg Harlech a oedd wedi ailagor yn 1946, yn diwtor hynaf, ac yna fe'i dyrchafwyd yn Warden y coleg yn 1960. Cafodd gymrodoriaeth Leverhulme yn 1958 a dychwelodd at ei brif bwnc ymchwil, sef hanes amaethyddiaeth yng Nghymru. Gwelwyd ffrwyth ei ymchwil mewn nifer o erthyglau mewn cylchgronau, ond yn y cyfamser yr oedd wedi bod yn ddiwyd yn cynhyrchu dau lyfr yn casglu defnyddiau crai i'r hanesydd, sef *Exchequer proceedings concerning Wales in tempore James I* (1955) ac *Acts of Parliament concerning Wales, 1714-1901* (1959), y ddau gan Wasg Prifysgol Cymru. Yr oedd addysg oedolion yn agos iawn at ei galon a llwyddodd i ddatblygu'r addysg a gyfrennid yng Ngholeg Harlech drwy ei gwneud yn bosibl i fyfyrwyr mewnol gymryd arholiad am ddiploma Prifysgol Cymru mewn astudiaethau cyffredinol, drwy gychwyn cwrs drwy'r post ar gyfer dysgwyr Cymraeg, a thrwy gynllunio bloc newydd o adeiladau a chael yr arian ar ei gyfer. Yr oedd yn ynad heddwch ac yn aelod o amryw gyrff cyhoeddus ond dau angerdd ei fywyd oedd hanes Cymru ac addysg oedolion. Bu f. 14 Ion. 1967. Yr oedd wedi priodi Nancy Watkins yn 1938 a chawsant un mab.

Gwybodaeth gan y teulu.

J.E.C.W.

JENKIN, THOMAS JAMES (1885-1965), bridiwr planhigion ac Athro Botaneg Amaethyddol; g. 8 Ion. 1885 yn Budloy, Maenclochog, Penf., yn fab ieuangaf David a Sarah Alice Jenkin. Ar ôl gadael ysgol elfennol Garnrochor gweithiodd ar y fferm gyda'i rieni a'i frawd. Aeth i Goleg Prifysgol Cymru, Aberystwyth, yn Hyd. 1907 i ddilyn cwrs byr mewn amaethyddiaeth (un tymor), ac aeth yn ei ôl i ddilyn cwrs parhad mewn amaethyddiaeth (dau ddymor) 1908-1909. Aeth i ysgol yr Hen Goleg, Caerfyrddin, yn 1909 i astudio ar gyfer *matriculation* y brifysgol, ac yn ôl i'r coleg yn Aberystwyth yn 1910, ac ennill gradd B.Sc. yn 1914 gydag anrhydedd yn y dosbarth cyntaf mewn botaneg. Bu'n drefnydd amaethyddiaeth ym Mrycheiniog a Maesyfed, 1914-15, ac yn gynghorydd mewn botaneg amaethyddol dan y Bwrdd Amaethyddiaeth a Physgodfeydd yn siroedd cylch Coleg Prifysgol Gogledd Cymru, Bangor, 1915-19, ac yn siroedd cylch y coleg yn Aberystwyth, 1919-20. Ymunodd â staff Bridfa Blanhigion Cymru yn 1920, a bu'n brif swyddog ymchwil tan ei ddyrchafu'n is-gyfarwyddwr yn 1940 ac yn gyfarwyddwr ac yn Athro Botaneg Amaethyddol, 1942-50. Cydnabyddir ef yn arloeswr mewn bridio trasau newydd a rhagorach o borfeydd amaethyddol a chafodd y technegau a ddatblygwyd ganddo eu mabwysiadu ledled y byd. Ceir yn ei draethawd anrhydedd yn 1914 y cyfeiriad ysgrifenedig cyntaf at yr angen i sefydlu bridfa blanhigion swyddogol, a bu ei ysgrif, ar y cyd gydag R.G. Stapledon (gw. isod) yn y *J. Agric. Sci.*, 8 (1916), ar borfeydd cynhenid yn sylfaen i lawer o'r gwaith a gyflawnwyd ar ôl sefydlu Bridfa Blanhigion Cymru yn 1919. Yn ogystal â'i wybodaeth ymarferol o amaethyddiaeth fel ffermwr ac fel cynghorydd amaethyddol, yr oedd ganddo 'lygad' eithriadol i ganfod nodweddion gwyrddlesni a chynnyrch a pharhad mewn porfeydd cynhenid. Yr oedd ei ddawn fel gwyddonydd a'i ymroddiad fel ymchwiliwr yn ei alluogi i groesi'r gwahanol blanhigion a ddewiswyd ganddo ac i ddethol ymhlith yr epil ac i ddatblygu trasau rhagorach ar gyfer sefydlu tir glas newydd cynhyrchiol a pharhaol. Un enghraifft o hyn yw ei rygwellt parhaol S.23 a roddodd gyfraniad amhrisiadwy i'r gwaith o ail-hadu tir glas cynhyrchiol ar lawr gwlad, y ffriddoedd a'r bryndir o'r tridegau ymlaen. At hyn, erys ei ymchwiliadau sylfaenol i'r berthynas oddi mewn i rywogaethau a rhwng rhywogaethau y porfeydd, megis *Lolium*, *Festuca* a *Phallaris*, yn batrwm o ymroddiad gwyddonol manwl gydag ond y lleiafswm o'r cyfarpar a'r adnoddau a ddaeth i law y bridiwr planhigion yn ail hanner yr ugeinfed g. Ar ôl ymddeol yn 1950 aeth ati i gyhoeddi llawer o ffrwyth ei ymchwiliadau lluosog mewn geneteg porfeydd. Cyhoeddodd amryw erthyglau yn y maes hwn yn y *Journal of Genetics* ac mewn cylchgronau gwyddonol eraill, ynghyd â'r gwaith a gyhoeddwyd ganddo ym mwletinau'r Fridfa. Cafwyd ganddo erthyglau gwerthfawr yn Gymraeg yn *Gwyddor Gwlad*, ac yng nghylchgrawn cymdeithas amaethyddol y coleg yn Aberystwyth, ac y mae ei stori fer 'Cawl' yn *y Wawr*, cylchgrawn Cymraeg coleg Aberystwyth yn 1917 yn drysorfa o dafodiaith sir Benfro. Bu'n gyfarwyddwr cynghorol Biwro Amaethyddol y Gymanwlad mewn Tir Glas a Chnydau'r Maes o 1942 i 1950, a rhoddodd wasanaeth gwerthfawr ar gyngor a pwyllgorau'r Sefydliad Cenedlaethol mewn Botaneg Amaethyddol yng Nghaergrawnt. Bu'n llywydd Cymdeithas y Gwartheg Duon Cymreig, 1950-51, ac iddo ef y dyfarnwyd am y tro cyntaf fedal aur Cymdeithas Amaethyddol Frenhinol Cymru. Enillodd radd M.Sc. a D.Sc. o Brifysgol Cymru, fe'i hanrhydeddwyd â'r C.B.E. yn 1950, ac fe'i gwnaed er anrhydedd o Gymdeithas Hadau Sweden yn 1961.

Pr., 1919, Kate Laura Griffiths a ganwyd iddynt ddau fab. Bu f. 7 Tach. 1965, yn Aberystwyth a chladdwyd ef ym mynwent y dref.

Gwybodaeth bersonol; *Adroddiad Blynyddol Bridfa Blanhigion Cymru am 1965; Www*.

Ll.P.

JENKINS, ALBERT EDWARD (1895-1953), chwaraewr rygbi; g. 11 Maw. 1895 yn Llanelli, Caerf., a daeth yn eilun i'r dref. Blodeuodd ei alluoedd ar y cae rygbi pan chwaraeai fel cefnwr dros y '38th Division' yn ystod Rhyfel Byd I. Fel canolwr y daeth i amlygrwydd dros glwb Llanelli. Yn ystod yr 1920au Llanelli oedd clwb mwyaf llwyddiannus y cyfnod, gyda gwŷr fel

Dai John, Ernie Finch ac Ifor Jones yn ei rengoedd, ond 'Albert' a'u hysbrydolodd. Er nad oedd yn dal (5 troedfedd 8 modfedd) pwysai dros ddeuddeg stôn a hanner. Meddai ar gyflymder sydyn, tacl nerthol, a chic fel mul o'r llaw ac o'r llawr. Gallai amseru ei bas i'w asgellwr yn berffaith. Ni bu erioed yn hunanol ond gallai newid cwrs gêm ar ei ben ei hun. Enillodd 14 o gapiau dros Gymru rhwng 1920 ac 1928. Ffolineb dewiswyr y cyfnod oedd yn gyfrifol am ei fethiant i ennill llawer mwy. Tybid yn gyffredinol, ar y pryd ac ers hynny, mai ef oedd un o'r canolwyr gorau a gafodd Cymru erioed. Capteiniodd Gymru ar ei ymddangosiad rhyngwladol olaf, yn 33 oed yn erbyn Iwerddon yn 1928. Gwrthododd fwy nag un cynnig i ymuno â rygbi'r gynghrair. Bu f. 7 Hyd. 1953, ac anrhydeddwyd ef ag angladd dinesig gan fwrdeistref Llanelli.

J.B.G. Thomas, *Great rugger players* (1955); David Smith a Gareth Williams, *Fields of praise* (1980); *Llanelli Mercury*, 8 Hyd. 1953.

G.W.W.

JENKINS, DAVID LLOYD (1896-1966), llenor, prifardd, ac ysgolfeistr; g. 20 Tach. 1896 yn y Foelallt, Llanddewibrefi. Cer., yn fab i William a Betha (g. Lloyd) Jenkins. Yr oedd y tad yn swyddog presenoldeb plant ysgol. Cafodd y mab ei addysg yn ysgol gynradd y pentre cyn mynd ym mis Medi 1909 i ysgol sir Tregaron. Oddi yno, aeth yn 1915 i Goleg Prifysgol Cymru, Aberystwyth, a graddio yn 1918 gydag anrhydedd dosbarth II mewn Cymraeg ac athroniaeth yn brif bwnc atodol. Dyfarnwyd iddo ysgoloriaeth ymchwil a arweiniodd i radd M.A. ar ddatblygiad cany rhydd yr unfed a'r ail g. ar bymtheg, ac ysgoloriaeth Meyrick yng Ngholeg Iesu, Rhydychen, yn 1921, ond ni chymerodd radd yno. Yr oedd yn un o ddarlithwyr Ysgol Haf y Barri yn 1922. Bu'n athro yn ysgol elfennol Lledrod cyn cael ei benodi'n athro Saesneg yn ei hen ysgol yn Nhregaron yn 1924; yno y bu weddill ei gyfnod gweithio, gan fod yn brifathro o 1945 nes ymddeol yn 1961. Enynnodd gariad at lenyddiaeth Saesneg a Chymraeg yn ei ddisgyblion drwy ei ddiwylliant a'i bersonoliaeth fonheddig.

Ymddiddorodd yn gynnar mewn barddoniaeth Gymraeg, caeth a rhydd, ac yr oedd yn feistr ar y cynghanedd. Yn ei ddyddiau coleg cyfrannodd delynegion ac ysgrifau i *Cymru* a'r *Dragon*, a hefyd ystorïau byrion ac ysgrifau i'r *Welsh Outlook*, *Y Ford Gron*, a *Chylchgrawn Cymdeithas Ceredigion Llundain*. Cafodd wobrwyon am ysgrifau yn yr Eist. Gen. yn 1942 ac 1943. Daeth yn agos at gael y gadair cyn iddo, yn 1944, ei hennill gyda'i awdl ar 'Ofn' yn Llandybïe. Cyfieithodd eiriau ar gyfer gerddoriaeth, e.e. *Prifwyl Pan*, 1925, 'Cwsg, cwsg, dlysaf un' (Blake), 1927, a 'Teg ei gwedd' o *Alcina* Handel. Gydag S.M. Powell cyfansoddodd y libreto i'r *Trwbadwr*, y gerddoriaeth gan J.T. Rees (*Bywg.2*, 48), 1929. Bu'n arholwr i Orsedd y Beirdd ac yr oedd yn aelod wrth yr enw 'Moelallt'.

Yn wyneb y diddordeb mewn drama yn ysgol sir Tregaron, nid yw'n syndod iddo gyhoeddi *Y Trysor cudd: drama fer yn nhafodiaith canolbarth Ceredigion*, 1921, *Ffortiynau*, comedi seml un act a berfformiwyd yn 1937 gan gwmni drama'r ysgol, a *Gwanwyn, neu yr hen ŵr yn mynd i ffwrdd*, cyfieithiad o ddrama un act gan T.C. Murray. Yn 1948 cyhoeddodd gyfrol o'i gerddi syml i blant, *Awelon y bore* (Gwasg y Druid). Ei brif waith yw *Cerddi Rhydd Cynnar (detholiad o farddoniaeth rydd Cymru'r XVIeg ganrif a dechrau'r XVIIeg)*, 1931, sydd yn llyfr digon prin. Seiliwyd hwn ar ei waith ymchwil yn y 1920au cynnar, a gresyn na adawodd pwysau gwaith ysgol iddo gyhoeddi rhagor o'i waith ysgolheigaidd.

Yn ei wleidyddiaeth yr oedd yn Rhyddfrydwr radicalaidd, yn llywydd ei blaid yn y sir am gyfnod, ac yn areithydd ar lwyfannau etholiad. Yr oedd yn flaenor yng nghapel Bwlch-gwynt (MC), yn godwr canu a byddai'n pregethu ar dro. Cynhwysir dau o'i emynau yn *Llyfr Gwasanaeth* yr ysgol - emyn yr ysgol ac emyn Gŵyl Ddewi.

Pr., 29 Rhag. 1929, Arianwen Elizabeth Ann (Ane), merch hynaf Gruffydd Thomas Lewis, prifathro'r ysgol, a bu iddynt un ferch. Bu f. 5 Awst 1966.

Gwybodaeth gan ei ferch, Bethan Bennett; Glyn Lewis Jones, *Llyfryddiaeth Ceredigion*, II, 521-2; *Barn*, 55 (1967), 172-3.

E.D.J.

JENKINS, EVAN (1895-1959), bardd; g. 2 Mai 1895, yr ieuangaf o 8 o blant Tomos a Marged Jenkins, Tynewydd, Ffair-rhos, Cer. Mwynwr oedd ei dad a gerddai'n ôl a blaen i fwynfeydd plwm y fro, gan amaethu ei ddyddyn yn ei oriau hamdden. Addysgwyd Evan yn ysgol elfennol Pontrhydfendigaid, lle y derbyniwyd ef yn 1901. Yn Hyd. 1909 aeth i ysgol uwchradd Tregaron, ond ni chofnodir amser ei ymadawiad. Methodd basio'r arholiad meddygol i fynd i'r fyddin yng nghyfnod Rhyfel Byd I ac ymddengys iddo fod yn gweithio mewn ffatri cad-ddarpar. Aeth i Goleg y Brifysgol yn Aberystwyth yn 1919 a graddiodd yn B.A. yn 1921. Cofnodir yn *Cofiant Idwal Jones* gan D. Gwenallt Jones (gw. JONES DAVID JAMES isod) iddo, gyda Philip Beddoe Jones, gyfansoddi cywyddau ymryson pan oeddynt yn aelodau o ddosbarth T. Gwynn Jones (*Bywg*.2, 33-4). Bu'n dysgu am gyfnod yn ysgolion Taliesin a Llanfihangel-y-Creuddyn. Bregus oedd ei iechyd, ac nid oedd gwaith ysgol yn dygymod ag ef. Felly cymerodd swydd ysgrifennydd Undeb Cymdeithasau Cyfeillgar Ceredigion yn 1924, a daliodd hi tan 1948.

Ef oedd prif symbylydd yr egni barddol yn ardal Ffair-rhos. Yr oedd yn aelod o ddim ymryson beirdd Ceredigion. Enillodd gadair Eist. y De, Treorci, ddwywaith, coron Eist. Môn, a gwobrau am delynegion, englyn, soned a chywydd yn yr Eist. Gen. Pan briododd ei chwaer olaf o'r hen gartre aeth i fyw gyda hi a'i phriod yn Ffynon Fawr. Rhyw flwyddyn cyn ei farw symudodd eto i gartref ei ddwy chwaer ym Minawel, ac yno, ar 2 Tach. 1959, y bu farw. Claddwyd ef ym medd ei frawd John yn Ystrad Fflur. Cyhoeddwyd ei gasgliad buddugol o delynegion yng nghyfrol *Barddoniaeth a beirniadaethau Eist. Gen. Caerdydd, 1938*, 108-18. Golygwyd a threfnwyd detholiad o'i ganeuon gan T. Llew Jones dan y teitl *Cerddi Ffair Rhos* (1959).

Gwybodaeth bersonol.

Da.Jo.

JENKINS, JOSEPH (1886-1962), gweinidog (EF) ac awdur; g. 4 Tach. 1886 yn Tŷ Newydd, Pontrhydygroes, Cer., ei dad yn gefnder i'r gweinidog arall o'r un enw (*Bywg*., 411). Addysgwyd ef yn ysgol Ysbyty Ystwyth a dechreuodd weithio yn 13 oed yn un o weithfeydd mwyn plwm yr ardal. Cafodd gyfnod pellach o addysg yn ysgol y Gwynfryn, Rhydaman, cyn mynd yn was cylchdaith i Landeilo. Ar ôl ei dderbyn i'r weinidogaeth treuliodd flwyddyn yn Aberaeron a chyfnod yng ngholeg Handsworth, Birmingham. Gwasanaethodd yn y cylchdeithiau canlynol: Llanbedr Pont Steffan, Llandeilo, Machynlleth (dau gyfnod), Tredegar, Aberystwyth, Biwmares, Caernarfon, Pwllheli, Blaenau Ffestiniog. Aeth yn uwchrif yn 1959. Rhwng 1926 ac 1952 cyhoeddodd 14 o lyfrau storïau i blant, rhai fel *Robin y pysgotwr, Siencyn Tanrallt, Straeon athro, Bechgyn y bryniau*, etc. a fu'n boblogaidd iawn. Cyhoeddodd bump o ddramâu a bu mynd mawr ar rai ohonynt fel *Dal y lleidr* a *Dan gwmwl*. Cyhoeddodd werslyfr *Hanes yr Efengylau* yn 1931. Golygodd *Y Winllan* 1948-53 a bu'n Llywydd y Gymanfa 1951. Yr oedd yn aelod anrhydeddus o Orsedd y Beirdd a derbyniodd wobr goffa Syr O.M. Edwards yn 1947 am ei gyfraniad i lenyddiaeth. Cyfrannodd lawer i'r cylchgronau. Pr. Mary Catherine Williams, Dafen, a bu iddynt fab a merch. Bu f. 21 Ebr. 1962.

Minutes of Methodist Conference, 1962, 213; [Mairwen a Gwynn Jones, *Dewiniaid Difyr* (1983)].

G.R.T.

JENKINS, ROBERT THOMAS (1881-1969), hanesydd, llenor a golygydd y *Bywgraffiadur Cymreig* a'r *Dictionary of Welsh Biography*; g. 31 Awst 1881 yn Lerpwl, yn fab i Robert Jenkins a Margaret (g. Thomas). Symudodd y teulu i Fangor pan benodwyd ei dad yn glerc i William Cadwaladr Davies, cofrestrydd y coleg newydd (*Bywg*., 149), ond wedi marwolaeth gynnar ei rieni (ei fam yn 1887 a'i dad yn 1888) magwyd ef gan deulu ei fam yn y Bala a theimlai bob amser ddyled ddofn i'w nain, Margaret, ac i'w gŵr, William Dafis 'y Glo'. Dylanwadodd tref y Bala'n drwm arno, ei chreffftwyr a'r atgof am drigolion hynod, ei diwylliant Cymreig, cyhyrog, yr hen ysgol ramadeg a'r colegau diwinyddol, a naturiol iddo ymffrostio droeon mai Thomas Charles Edwards (*Bywg*., 184-5) a'i bedyddiodd. Gwreiddiwyd ef yn drwyadl gadarn mewn Lladin gan John Cadwalader Evans, prifathro'r ysgol ramadeg, ac yn 1898 enillodd ysgoloriaeth i Aberystwyth, lle y canolbwyntiodd ar Saesneg o dan Charles Harold Herford, a daniodd ddiddordeb parhaol ynddo yn hanes syniadaeth a llenyddiaeth y ddeunawfed g. Graddiodd yn y dosbarth cyntaf yn 1901. Tueddai i fod yn llawdrwm ar Aberystwyth am weddill ei ddyddiau ac ymadawodd yn llawen i Gaergrawnt (lle cafodd *sizarship* yng Ngholeg y Drindod). Ond oherwydd cyfyngder ariannol nid oedd yn ddedwydd iawn yno ychwaith a Rhydychen a'i denai fwyfwy ym mlynyddoedd ei aeddfedrwydd. Er iddo astudio hanes yn ogystal â Saesneg yng Nghaergrawnt, ar ieitheg y rhoddodd ei fryd ac wedi'r arholiadau anogwyd ef yn gryf i astudio'r pwnc yn yr

Almaen. Nid oedd arian ar gael a bu'n rhaid chwilio am swydd. Ar y cychwyn, am fod peth nam ar ei leferydd, petrusodd rhag ei gynnig ei hun fel athro ysgol, ond dyma'r alwedigaeth a ddilynodd yn eithriadol lwyddiannus o 1904 hyd 1930; yn Llandysul (am rai misoedd), yn Aberhonddu o 1904 hyd 1917, ac wedyn yn y City of Cardiff High School for Boys. Ni chollodd ei gariad cynnar tuag at y clasuron a llên Lloegr a Ffrainc, eithr yn Aberhonddu ymroes o ddifrif am rai blynyddoedd i ymchwilio i ddechreuadau ffiwdaliaeth, gan gymryd gradd LL.B. Caergrawnt i ymgynefino â'r Gyfraith Rufeinig, ac er iddo gefnu ar y pwnc hwn fel maes ymchwil yr oedd yr wybodaeth a gasglodd yn gynhysgaeth amhrisiadwy iddo, a hanes bellach a enynnodd ei brif sylw. Yn 1916 cyhoeddwyd ei ysgrif gyntaf yn Y Beirniad ar gyfnod y Tuduriaid yng Nghymru (hon yw'r ysgrif agoriadol yn Yr Apêl at hanes), ac o 1922 ymlaen cyfrannodd yn ddi-fwlch i'r Llenor hyd 1951. Cyfnod arbennig o ffrwythlon ydoedd y blynyddoedd yng Nghaerdydd. Yn 1928 ymddangosodd Hanes Cymru yn y ddeunawfed ganrif (i gyfres y Brifysgol a'r Werin), a enillodd iddo le sicr ymhlith haneswyr Cymru, ac yn 1930 Yr Apêl at hanes, Ffrainc a'i phobl a Gruffydd Jones, Llanddowror. Yn 1930 hefyd y penodwyd ef yn ddarlithydd annibynnol yn adran newydd Hanes Cymru ym Mangor, er na chafodd ei ddyrchafu'n Athro hyd 1945, dair blynedd cyn iddo ymddeol. Ym Mangor braint fawr iddo ydoedd dod i gyfathrach agos â Syr John Edward Lloyd (Bywg. 2, 40-42) a chafodd fwynhad dihysbydd yng nghwmni'r cymrodyr dethol, disglair a gyfarfu'n rheolaidd i ymgomio'n fywiog ddireidus yn ystafell Syr Ifor Williams (gw. isod).

Penodwyd ef yn 1937 yn olygydd adran hanes a chyfraith Bwletin Bwrdd y Gwybodau Celtaidd, yn 1938 yn olygydd cynorthwyol Y Bywgraffiadur Cymreig ac ar farwolaeth Syr J. E. Lloyd yn 1947 yn gyd-olygydd â Syr William Llewelyn Davies (gw. uchod). Cyhoeddwyd y gwaith ar y cychwyn yn Gymraeg yn 1953 a phan ymddangosodd y fersiwn Saesneg yn 1959, gan gynnwys llu o gywiriadau ac ychwanegiadau, ef oedd yr unig olygydd. Eisoes cyflawnodd gymwynas sylweddol ag Anrh. Gymd. y Cymmr. a noddodd yr anturiaeth, oblegid, gyda Helen Ramage, paratôdd A History of the Honourable Society of Cymmrodorion i ddathlu'r dau ganmlwyddiant yn 1951. Bu'n Warden Urdd Graddedigion Prifysgol Cymru o 1940 hyd 1943 ac yn aelod o gynghorau'r Llyfrgell a'r Amgueddfa Genedlaethol. Dyfarnwyd iddo radd D.Litt. Prifysgol Cymru yn 1939 a LL.D. honoris causa (Cymru) yn 1956. Yn 1953 anrhydeddwyd ef â Medal Aur Anrhydeddus Gymd. y Cymmr. ac â'r C.B.E. yn 1956.

Gŵr amlochrog ydoedd R.T. Jenkins a'i ddiddordebau'n ymestyn i amryfal gyfeiriadau, gan gynnwys diwinyddiaeth a phensaernïaeth. Yr oedd Ffrainc bob amser yn agos iawn at ei galon ac mor gynnar ag 1922, mewn erthygl yn Y Llenor, cyfeiriodd sylw ei gyd-Gymry at ysgrifenwyr yr adwaith Catholig yn Ffrainc. Tramwyodd dir Ffrainc droeon ac ymserchodd yn ei dyffrynnoedd ffrwythlon a'i threfi bychain castellog, yn enwedig yn yr ardaloedd lle ceid olion amlycaf gwareiddiad Rhufain a'r Oesoedd Canol. Ond prin iawn ydoedd ei

ddiddordeb yn Llydaw ac ystyriai syniadau Pan-Geltaidd yn ffug. Erys Ffrainc a'i phobl yn rhagymadrodd tra darllenadwy i'r Cymro Cymraeg a fyn ddeall seiliau gwareiddiad Ffrainc. Yr oedd ganddo gof anghyffredin ('glydiog', meddai ef ei hun) ond nis traflyncwyd gan yr wybodaeth fanwl a oedd ar flaenau ei fysedd. Yn wir, nid oedd yn or-hoff o aparatws ffurfiol dysg, oherwydd anelai yn ei lyfrau at gylch ehangach o ddarllenwyr na mintai o ysgolheigion ac yr oedd yn amharod i fyddaru'r darllenydd cyffredin, deallus â gormod o'r troednodiadau hynny sy'n ganllawiau i ysgolheigion eraill. Ar y cyfan, eithriad yn hyn o beth yw The Moravian brethren in north Wales (1938), ond sydd eto'n llyfr pur ddarllenadwy. Ei brif amcan ydoedd darganfod y dyn unigol yn ei gefndir a chloriannu'r syniadau a'r cymhellion a'i hysgogodd i weithredu fel y gwnaeth mewn hindda ac mewn adfyd. Cywasgai ei sylwadau treiddgar i baragraffau byr lle byddai eraill yn amlhau geiriau am dudalennau lawer. (Ystyrier, er enghraifft, ei ymdriniaeth o geidwadaeth yn Hanes Cymru yn y bedwaredd ganrif ar bymtheg (1933), tt. 29-32, neu o'r gwahaniaeth rhwng yr hen Sentars a'r Methodistiaid yn Yng nghysgod Trefeca (1968), tt. 22 ymlaen.) Fel Syr J. E. Lloyd, a edmygai gymaint, yr oedd ganddo wybodaeth drylwyr o dir a daear Cymru, ac ar droed, mewn bws neu gar cyfaill mesurai fesul pibellaid y teithiau a roes sylfaen mor gadarn i'w astudiaethau hanesyddol. Ac er mai ar gyfer plant yr ysgrifennwyd Y ffordd yng Nghymru (1933) anodd cael gwell rhagymadrodd i hanes Cymru. Llwyddodd i gyflwyno rhin a sawr y canrifoedd, ond ei briod faes oedd y ddeunawfed g., a Methodistiaeth yn arbennig. Yr oedd yn ddigon agos at y rhyferthwy hwnnw i amgyffred y grymusterau tanllyd a ryddhawyd gan un diwygiad ar ôl y llall ac eto'n ddigon diduedd a chadarn ei farn i ymwrthod â'r hen ragfarnau enwadol a wenwynodd hanes crefydd yng Nghymru hyd ei ddyddiau ef. Nid rhyfed mai'r Methodist hwn a ddewiswyd i ysgrifennu'r llyfr rhagorol, Hanes cynulleidfa hen gapel Llanuwchllyn (1937). Cymharwyd ef â Macaulay, J. R. Green a Maitland, ac er fod llygedyn o wir yn mhob un o'r cymariaethau hyn, ei ddelfryd ei hun oedd G. M. Trevelyan. Eithr yn y bôn yr oedd yn unigryw ac yng Nghymru ni chafwyd ei hafal. Na ddibrisier ychwaith ei waith, ynghyd â William Rees (ei gyn-ddisgybl yn Aberhonddu), yn paratoi The bibliography of the history of Wales (1931), nac ar unrhyw gyfrif ei ymroddiad diarbed i'r Bywgraffiadur. Yn ogystal â'r dyletswyddau golygyddol cyfrannodd oddeutu chwe chant o erthyglau, ac mae'r gyfrol Gymraeg a'r un Saesneg yn llusern i'n traed.

Ymddangosodd nifer o ysgrifau yn Casglu ffyrdd (1956), Ymyl y ddalen (1957), Yng nghysgod Trefeca (1968) a Cyfoedion (1974). Dichon mai'r ysgrif ydoedd y ffurf lenyddol a garai fwyaf, a hwyrach fod ei ddull ymgomiol, y cromfachau a'r italeiddio'n gweddu'n fwy priodol i'r ysgrif nag i ffurfiau llenyddol eraill. Yn ystod Rhyfel Byd II argyhoeddwyd ef mai ei ddyletswydd ydoedd darparu llafarwydd ysgafn ar gyfer y cyhoedd yn hytrach nag astudiaethau ysgolheigaidd. Cydweithredodd yn hapus iawn â D. R. Hughes (gw. uchod) ac eraill i baratoi misolyn, Cofion Cymru, a ddosbarthwyd yn rhad i Gymry Cymraeg a wasanaethai yn y lluoedd arfog lledled y byd er mwyn iddynt gadw cysylltiad â Chymru a'u treftadaeth. Credai iddo gyfrannu i bob cyfrol o'r *Cofion*, ac ymddangosodd ei straeon byrion o dan yr enw Idris Thomas, yr enw a fabwysiadodd hefyd i guddio'i awduraeth o *Ffynhonnau Elim* (Llyfrau'r Dryw, 1945), lle mae'r ymddiddan yn nhafodiaith y de. Ei nofel arall ydoedd y campwaith godidog, *Orinda* (1943), sy'n ail-greu awyrgylch cythryblus y Werinlywodraeth a'r Adferiad a'u heffaith ar gymrawd o Goleg yr Iesu. Ychydig cyn ei farw, ymddangosodd cyfrol o'i atgofion hyd 1930, *Edrych yn ôl* (1968), ond odid yr hunangofiant difyrraf a luniwyd erioed yn Gymraeg. Fel athro ysgol a darlithydd yr oedd yn ddigyffelyb; ohono ffrydiai 'dysg yn gymysg a hiwmor' ac enillodd serch ei fyfyrwyr, 'fy nghyfeillion iau'. Ym Mangor y treuliodd y rhan helaethaf o'i fywyd; yno y gorffennodd ei 'berffaith fyfyrdod' ac yno y mae'r atgof amdano bereiddiaf. Bu f. 11 Tach. 1969 a chladdwyd ei weddillion ym mynwent Bangor. Fel canlyniad i apêl genedlaethol, sefydlwyd Darlith goffa R. T. Jenkins yn y coleg yn 1972.

Pr. ddwywaith, yn 1907 â Mary Davies, Aberystwyth (a fu f. yn 1946) ac yn 1947 â Myfanwy Wyn Williams, Aberdâr.

Alun Llywelyn-Williams, *R. T. Jenkins* (1977) a'r ffynonellau a restrir yno; G. Nuttall, *Traf. Cymmr.*, 1977, 181-194; gwybodaeth bersonol.

J.G.W.

JENKINS, THOMAS DAVID SLINGSBY - gw. SLINGSBY-JENKINS, THOMAS DAVID isod.

JENKINS, Syr WILLIAM ALBERT (1878-1968), brocer llongau a gwleidydd; g. yn Abertawe, Morg., 9 Medi 1878, yn fab i Daniel ac Elizabeth Ann Jenkins. Pr., 1906, â Beatrice (bu f. 1967), merch Frederick ac Elizabeth Tyler, Pirbright, Surrey. Daeth yn amlwg yn y gwaith glo yng Nghymru fel pennaeth William A. Jenkins a'r Cwmni, *Wholesale Coal and Coke Factors*, a hefyd fel brocer llongau. Cydnabyddwyd mewn llawer o wledydd Ewropeaidd ei weithgarwch masnachol a'i gyfraniad i fudiadau elusennol a sefydliadau cenedlaethol a rhyngwladol. Ni ddatblygodd ei ddiddordebau politicaidd hyd ar ôl Rhyfel Byd I pryd yr etholwyd ef yn A.S. (Rh. Cenedlaethol) dros Frycheiniog a Maesyfed yn 1922. Collodd ei sedd yn etholiad cyffredinol 1924 ac wedi hynny trodd ei sylw at lywodraeth leol. Yn 1927 etholwyd ef yn aelod o Gyngor Bwrdeistref Abertawe a gwasanaethodd yno hyd 1954, gan fod yn faer Abertawe 1947-49. Bu'n llywydd ac ymddiriedolwr Banc Cynilo De Cymru ac yn 1949 etholwyd ef yn llywydd Cymdeithas Amaethyddol Frenhinol Cymru. Bu'n llywydd Cenhadaeth Abertawe a Chanolbarth Cymru i'r Mud a Byddar, Cymdeithas Ranbarthol y Mud a Byddar dros Gymru a Chlwb Busnes Abertawe. Urddwyd ef yn farchog yn 1938 a chydnabyddwyd ei gysylltiad agos ag Urdd S. Ioan trwy ei benodi'n llywydd Cyngor Abertawe o Urdd S. Ioan, F.I.C.S., a'i urddo'n Farchog S. Ioan. Gwnaed ef yn Farchog Dosbarth 1 Urdd Dannebrog (Denmarc) yn 1933; derbyniodd Groes Aur Urdd Brenhinol

Sior I (Gwlad Groeg) yn 1938, a dyfarnwyd iddo Urdd *Chevalier de la Légion d'Honneur* gan Ffrainc yn 1949. Bu f. 23 Hyd. 1968.

Www.

D.G.R.

JOHN, AUGUSTUS EDWIN (1878-1961), arlunydd; g. 4 Ion. 1878, trydydd plentyn Edwin William John a'i wraig Augusta (g. Smith); brawd iau Gwendolen Mary John (gw. yr Atod. isod). Symudodd y teulu o Hwlffordd, Penf., i Ddinbych-y-pysgod wedi marwolaeth y fam yn 1884. Cafodd Augustus John ei addysg gynnar yn Ninbych-y-pysgod a Clifton, cyn mynd i Lundain yn 1894 i astudio celf am bedair bl. yn y Slade, dan oruchwyliaeth Henry Tonks a Frederick Brown. Yn fuan gwnaeth enw iddo'i hun fel arlunydd ac fel cymeriad bohemaidd. Trwy ei chwaer Gwen, a'i dilynodd i'r Slade yn 1895, daeth i adnabod grŵp o ferched disglair y coleg, gan gynnwys Ursula Tyrwhitt, y bu mewn cariad â hi am gyfnod, ac Ida Nettleship, a br. yn 1901. Yn fuan wedyn penodwyd ef i ddysgu arlunio ym Mhrifysgol Lerpwl, ac yno y ganed eu mab cyntaf, David, yn 1902. Yno hefyd y cyfarfu â John Sampson, llyfrgellydd y Brifysgol, ac awdurdod ar y sipsiwn. Dysgodd yr iaith Romani i'r arlunydd, ac yn ystod y blynyddoedd dilynol aeth yntau a'i deulu yn aml i rodio Cymru a Lloegr fel sipsiwn mewn carafan, yr hyn a ysbrydolodd nifer o'i luniau cyn Rhyfel Byd I.

Yn yr hydref, 1902, cyfarfu â Dorothy McNeill, un arall o gyfeillion Gwen John. Galwai ef hi Dorelia, enw sipsi, a hi fu ei brif fodel a'i ysbrydoliaeth am weddill ei oes. Dychwelodd Dorelia o daith ar y Cyfandir gyda Gwen John i roi cynnig byrhoedlog ar *ménage-à-trois* yn Essex, cyn i Ida a Dorelia fudo i Baris gyda'u plant; ymwelai Augustus John â hwy yno o bryd i'w gilydd. Wedi marwolaeth Ida yn 1907, yn dilyn genedigaeth ei phumed plentyn, daeth Dorelia yn wraig i Augustus ymhob dim ond enw. O 1911 ymlaen bu'r teulu'n byw yn Alderney Manor, Dorset, ond yn 1927 ymsefydlasant yn Fryern Court, Hampshire, er y treuliai'r arlunydd lawer o amser yn ei stiwdio yn Llundain. Bu f. yn Fryern Court, 31 Hyd. 1961.

Lluniadau rhagorol, yn enwedig o'i gyfoedion megis ei ddwy wraig a'i chwaer, sydd yn nodweddu cyfnod cynnar ei yrfa, ynghyd â phortreadau olew dan ddylanwad yr Hen Feistri; arbrofodd hefyd gyda chyfres o ysgythriadau. Yn ystod ei ymweliadau â gogledd Cymru rhwng 1910 ac 1913, yng nghwmni'r arlunydd o Gymro, James Dickson Innes (*Bywg.* 2, 107), daeth ei ddawn ym maes y tirlun i'r amlwg yn ogystal â dull mwy modern, argraffiadol o baentio, agwedd a welir hefyd yn y lluniau olew a dynnodd yn ne Ffrainc, lle y treuliodd gyfnodau hir yn yr 1920au. Ar ôl Rhyfel Byd I, pryd y bu am ysbaid yn Ffrainc fel arlunydd rhyfel i lywodraeth Canada, daeth Augustus John mor llwyddiannus fel paentiwr portreadau fel y rhwystrwyd datblygiad ei ddiddordebau artistig personol. Gadawodd nifer o luniau mawr dychmygus o grwpiau o ffigurau yn anorffenedig fel canlyniad. Etholwyd ef yn aelod cyflawn o'r Academi Frenhinol yn 1928, ymddiswyddodd yn 1938, ond fe'i hail-etholwyd yn 1940. Derbyniodd yr

O.M. yn 1942 am ei wasanaeth i gelfyddyd. Er nad ymgartrefodd yng Nghymru ar ôl 1894, yr oedd ei gariad at ei wlad enedigol yn ddiysgog, a bu'n gefnogol i'r Eist. Gen. ac Academi Frenhinol Cambria. Cedwir casgliad pwysig o'i luniau yn Amgueddfa Genedlaethol Cymru yng Nghaerdydd, a'i bapurau personol yn Llyfrgell Genedlaethol Cymru, Aberystwyth.

Michael Holroyd, *Augustus John: a biography* (1974); Malcolm Easton & Michael Holroyd, *The art of Augustus John* (1974); Augustus John, *Chiaroscuro* (1952), *Finishing touches* (1964); Eric Rowan, *Some miraculous promised land: J. D. Innes, Augustus John and Derwent Lees in north Wales, 1910-13* (1982).

C.Ll.-M.

JOHN, WALTER PHILLIPS (1910-67), gweinidog (B); g. 31 Ion. 1910 yn y Gilfach, ger Bargod, Morg., yr ail o bum plentyn D. R. John, gweinidog (B) a'i briod, Susannah Mary (g. Rees), y ddau o ardal Pen-y-groes ger Rhydaman, Caerf. Bu'r tad yn weinidog eglwysi yn y Bargod, Porth (Rhondda), Abercynon ac eglwys hynafol Rhydwilym. Addysgwyd Walter P. John yn ysgol ramadeg, Aberpennar, coleg y Bedyddwyr a Choleg y Brifysgol, Caerdydd (1928-34), gan raddio yn y celfyddydau a diwinyddiaeth. Tra oedd yn yr ysgol ramadeg ef ac R. E. Griffith a sefydlodd y gangen gyntaf o Urdd Gobaith Cymru yn ne Cymru, yn Abercynon.

Cychwynnodd ei weinidogaeth yn y Tabernacl, Pontarddulais, ym Medi 1934 ac yn Hyd. 1938 symudodd i ofalu am eglwys Castle Street, Llundain. Bu yno hyd ei f. ar 15 Mawrth 1967. Ymbriododd â Nansi, unig blentyn Morgan A. Jones, gweinidog (B) yn Hendygwyn ar Daf ac wyres Daniel Jones, eon i ragflaenydd. Daeth Walter P. John i amlygrwydd yn bur gynnar yn ei yrfa fel pregethwr diwylliedig a choeth a galw mawr am ei wasanaeth yng ngwyliau pregethu ei enwad ei hun ac enwadau eraill yng Nghymru a Lloegr. Meistrolodd hefyd gelfyddyd darlledu. Yr oedd yn rhyddfrydol ei safbwynt ac yn fawr ei sêl dros gyd-ddeall a chydweithrediad rhwng y cyrff crefyddol yng Nghymru. Bu'n gyd-awdur (â Gwilym T. Hughes) *Hanes Castle Street a'r Bedyddwyr Cymraeg yn Llundain* (1959), ac wedi ei f. casglwyd rhai o'i bregethau a'i ysgrifau yn gyfrol, *Rhwydwaith Duw* (1969).

Llawlyfr Bed., 1968; teyrnged gan Syr Ben Bowen Thomas yn *Rhwydwaith Duw;* adnabyddiaeth bersonol.

M.J.W.

JOHN, Syr WILLIAM GOSCOMBE (1860-1952), cerflunydd; g. yng Nghaerdydd 21 Chwef. 1860, yn fab i Thomas John, Llantriddyd, Morg., ac Elizabeth (g. Smith) o Randwick, swydd Gaerloyw. Cerfiwr pren 3ydd Ardalydd Bute (*Bywg.,* 54) oedd ei dad a dechreuodd William ei gynorthwyo gyda'r gwaith cerfio yng nghastell Caerdydd yn 1874. Mynychodd Ysgol Gelf Caerdydd 1871-1881 a dysgodd anatomi o 1876 ymlaen gan James Philpotts, paentiwr cerbydau lleol. Bu John o dan ddylanwad yr amrywiol grefftwyr ardderchog a weithiai yng Nghaerdydd bryd hynny a chadwodd ei ddiddordeb mewn gweithiau llaw Cymreig. Yn 1913 awgrymodd y dylai Amgueddfa Genedlaethol Cymru gasglu gweithiau celf a chrefftau'r werin. Aeth i Lundain yn 1881 i weithio o dan Thomas Nicolls hyd 1886. Astudiodd yn Ysgol Gelfyddyd Lambeth cyn mynd i ysgol yr Academi Frenhinol yn 1884. Arddangoswyd ei waith yn flynyddol yn yr Academi Frenhinol rhwng 1886 ac 1948. Enillodd fedal aur yn 1889 a'i galluogodd i deithio am gyfnod hir yn Ewrob a gogledd Affrica (*c.* 1890-91). Arhosodd ym Mharis yn 1891 lle bu'n astudio yn stiwdio August Rodin. Anrhydeddwyd ef gan Salon Paris pan roddwyd iddo fedalau aur yn 1892 ac 1901. Yn 1899 daeth yn A.R.A. a R.A. yn 1909. Pr. â Martha Weiss yn 1891 a bu iddynt un ferch.

Ar ôl dychwelyd i Lundain ni fu John fawr o dro cyn dod yn ffigur o bwys yn y Mudiad Cerflunio Newydd. Daeth yn gerflunydd cenedlaethol a rhyng-genedlaethol enwog a gyflawnodd lawer o weithiau comisiwn pwysig. Derbyniodd LL.D. er anrh. gan Brifysgol Cymru, medal y Cymmrodorion, H.A.R.I.B.A. ac yr oedd yn aelod o amryw academïau Ewropeaidd. Ymhlith y gweithiau comisiwn pwysig Cymreig yr oedd addurn i allor eglwys S. Ioan, Caerdydd, a orffennwyd ym mis Hyd. 1891. Yn 1892 archebodd 3ydd Ardalydd Bute 'Ioan Fedyddiwr' ar gyfer Regent's Park, a gorffennwyd ef yn 1894. Cynlluniwyd y Corn hirlas i'r Eisteddfod Genedlaethol yn 1898. Diau mai ei ddau waith Cymreig pwysicaf oedd regalia a medalau arwisgo Tywysog Cymru yn 1911, a'r sêl, trywel, gordd a lefel i osod sylfaen Amgueddfa Genedlaethol Cymru. Gwnaed ef yn farchog yn 1911 ac yn 1913-16 cafodd yr anrhydedd pennaf fel cerfluniwr Cymreig pan gomisiynwyd ef i wneud cerflun Dewi Sant i Neuadd y Ddinas, Caerdydd. Adlewyrchir ei angerdd a'i ynni yn ei arddull rwydd, ddisglair. Gallai amrywio arddull ei gynlluniau ar gyfer portreadau, ffigurau ac arwyddluniau o ramantiaeth dull Rodin, clasuriaeth ofalus a Newydd-faróc i arddull y Newydd-gothig ac Adfywiad Celtaidd. Yr oedd yn artist gwirioneddol genedlaethol a fanteisiodd ar y cyfle i greu arddull a naws addas i'r ddinas newydd, a sefydliadau ac arwyr Cymru ar adeg pan oedd Cymru'n deffro i'w hunaniaeth. Ceir llawer darn o'i waith yn Amgueddfa Genedlaethol Cymru a Llyfrgell Genedlaethol Cymru ac y mae eraill yn yr Academi Frenhinol, Tate, a'r Amgueddfa Ryfel Ymerodrol.

F. Pearson, *Goscombe John* (1979; llyfryddiaeth dda); *Teaching of art in Wales* (1925); *Welsh historical sculpture* (1916); *Trans. Cymm.,* 1928-29, 202; gw. hefyd *DNB,* 1951-60; *Cymru,* 46 (1914), 100; llsgrau. LIGC 19979A, 20028B, 20471C (2975), 21482D; llsgr. Llyfrgell Caerdydd 3.365.

P.J.

JONES (TEULU), Cilie, Ceredigion
Teulu o ofaint a ffermwyr, beirdd, cantorion a phregethwyr: amaethent 'Y Cilie', fferm o dros dri chan erw uwchben y môr rhwng Llangrannog a Cheinewydd, Cer. Gof oedd y tad, Jeremiah Jones (g. 9 Ebr. 1855; bu f. 19 Chwef. 1902), a hanai o deulu o ofaint yng ngogledd Penfro, teulu â chysylltiad agos, yn ôl traddodiad, â Beirdd Cwm-du, ger Castell Newydd Emlyn (gw. Siencyn Thomas, *Bywg.,* 905, a John Jenkin, *Bywg.,* 406). Daeth ef a'i briod Mary (g. George, 1853-1930), o deulu

Georgeaid sir Benfro i gadw'r efail ym Mlaencelyn, plwyf Llangrannog, yn 1876. Yno y ganed eu hwyth plentyn cyntaf; symudwyd i fferm 'Y Cilie' yn 1889, a ganwyd y gweddill o'r deuddeg plentyn yno.

Ceir peth o ganu Jeremiah'r tad yn *Awen ysgafn y Cilie* (1976). Dysgodd y bechgyn i gyd grefft y gof er mai ynglŷn â cheffylau a pheiriannau'r fferm y defnyddiwyd yr efail yn 'Y Cilie'. Rhoes amryw o'r merched a'r bechgyn wasanaeth gwiw gyda chanu yng nghylch Capel-y-Wîg, yn arbennig Tom, y trydydd, ac Ann, y chweched plentyn. Yr oedd y meibion eraill, ac eithrio Tom, sef Frederick, David ('Isfoel'), John ('Tydu'), Evan George ('Sioronwy'), Simon Bartholomeus, ac Alun Jeremiah yn feirdd o fedr yn y mesurau caeth a rhydd, ac y mae llawer o'u gwaith ar gael (gw. isod). Ceir llawer o fân hanesion y teulu yn *Ail gerddi Isfoel a hunangofiant byr* (1965), ac yn *Awen ysgafn y Cilie*.

(1) FREDERICK (Fred; 1877-1948), gweinidog (A), llenor a chenedlaetholwr, oedd yr hynaf o'r plant; g. 29 Mai 1877 yn nhŷ'r efail, Blaencelyn. Wedi gadael ysgol Pontgarreg, bu'n gweithio yn yr efail ac ar y fferm gan fynd i ysgol diwtorial y Cei am ysbeidiau o 1897 i 1899, pryd y cafodd fynd i Goleg Bala-Bangor ac i Goleg y Brifysgol ym Mangor i baratoi at waith y weinidogaeth; cymerodd raddau B.A. yn 1903 a B.D. (yn 1910 wedi mynd i'r weinidogaeth). Meysydd ei lafur gweinidogaethol oedd Moreia, Rhymni (1906-17); Bethania, Treorci (1917-27); Bethel, Tal-y-bont, Cer. (1927-48). Bu'n amlwg yn sefydlu'r Cymrodorion yn Rhymni a Threorci ac ymddiddorai mewn materion cymdeithasol a'i bwyslais bob amser, ar lwyfan ac yn y wasg, ar barch at yr iaith Gymraeg a'r gwaith o'i gwarchod. Bu'n gynghorwr ar gyngor sir Ceredigion o 1927 hyd ei f. yn 1948.

Perthynai i grŵp deheudir Cymru y rhai a fynnai sefydlu plaid wleidyddol i weithio dros ymreolaeth, ac yr oedd ef yn un o'r chwech a gyfarfu ym Mhwllheli a sefydlu'r Blaid Genedlaethol yn 1925. Bu am gyfnod hir yn ddarlithydd poblogaidd ar destunau fel 'Michael D. Jones', 'Brethyn cartre', 'Dysgwch y ddwy', a 'Daniel Owen'. Darlithiai hefyd yn allanol dan y Brifysgol yn y Rhondda a Cheredigion. Daethai i amlygrwydd yn y coleg fel englynwr a chywyddwr, yn gwmnïwr ffraeth a diddan, a pharhaodd yn bregethwr gwreiddiol, grymus a dewr. Enillodd gadair Gwent yn 1913 am awdl 'Llywelyn ein llyw ola'; beirniadai yn yr Eist. Gen.

Cyhoeddodd lyfryn ar yr Hen Destament, *Llên a dysgeidiaeth cyfnod*, i, *Hanes Israel* (1929); ysgrifennodd erthyglau i'r *Geiriadur Beiblaidd* (1926); gadawodd lawysgrif a gyhoeddwyd yn 1977 dan y teitl *Hunangofiant gwas ffarm*; cyhoeddwyd drama fer o'i waith 'Y ngŵr i' yn *Y Llenor*, Hyd. 1926, ac englynion a cherddi ysgeifn yn *Awen ysgafn y Cilie*, 1976.

Pr. ddwywaith (1) yn 1906, Maud, merch y Parch. a Mrs. E. H. Davies, Llan-non, Caerf., a (2) Eunice, merch y Parch. a Mrs. D. Rhagfyr Jones, Treorci, Morg. Bu f. 2 Tach. 1948.

(2) DAVID ('Isfoel'; 1881-1968), y pedwerydd plentyn, g. yn nhŷ'r efail, 16 Meh. 1881. Wedi marw y tad yn 1902 disgynnodd gwaith y fferm arno ef a'i fam. Yr oedd yn of a pheiriannydd dawnus. Yn ifanc daeth 'Dai Cilie' neu 'Isfoel' yn enw adnabyddus drwy'r cymdogaethau fel

bardd a baledwr ac arweinydd eisteddfodau gyda'r ffraethaf. Yr oedd yn enillydd cyson mewn eisteddfodau ar englyn a chywydd a chân. Aeth ei englynion a phenillion ar achlysuron arbennig ar gof gwlad. Er y ffraethineb a'r cellwair a fynnai reoli ei ganu, cyfansoddodd gywyddau, telynegion ac yn arbennig englynion coffa â graen y meistr arnynt. Fe'i derbyniwyd yn dderwydd er anrhydedd yng Ngorsedd y Beirdd, ac enwodd yr annedd a gododd at ymddeol gyda'i briod Catrin (o Nanternis) yn 'Derwydd'. Bu iddynt un mab, a threuliasant y rhan helaethaf o'u hoes yn ardal Pontgarreg, Llangrannog. Bu Isfoel yn feirniad yn yr Eist. Gen., a chyda'i frawd Alun bu'n hyfforddi cwmni drama 'Cilie-Crannog'. Cyhoeddodd yn hydref ei fywyd rai cyfrolau: *Cerddi Isfoel*, 1958; *Ail gerddi Isfoel a hunangofiant byr*, 1965; *Hen ŷd y wlad*, 1966; a cheir peth o'i waith yn *Awen ysgafn y Cilie*, 1976. Bu f. 1 Chwef. 1968.

(3) SIMON BARTHOLOMEUS (1894-1964), yr ieuengaf ond un o'r plant, gweinidog (A), a bardd; g. yn y Cilie, 5 Gorff. 1894. Bu'n forwr yn ifanc, ond ar ôl torri ei goesau wrth syrthio i howld y llong ym mhorthladd Buenos Aires a bod am naw mis mewn ysbyty yno, dychwelodd i fferm y Cilie. Yna aeth i'r weinidogaeth drwy ysgol diwtorial y Ceinewydd, Coleg y Brifysgol, Bangor, a Choleg Bala-Bangor. Cafodd radd B.A. ar ôl torri ei gwrs pan fu gyda'r Y.M.C.A. yn ystod Rhyfel Byd I. Bu'n weinidog yn eglwysi Great Mersey Street, Lerpwl, 1922-27; Creigfryn, Carno, 1927-32, a Peniel ger Caerfyrddin, 1932-62. Ymddeolodd ac aeth ef a'i briod (pr. 1923, Annie, merch Mr. a Mrs. David Jones, ysgolfeistr Glynarthen) i fyw i Lynarthen, lle y bu f. 27 Gorff. 1964. Yr oedd yn bregethwr poblogaidd, a chyfrifid ef yn artist o efengylydd; bu'n arwain cymanfaoedd canu pan oedd yn weinidog ieuanc. Hyfforddodd gwmni drama llwyddiannus iawn ym Mheniel, a bu'n beirniadu actio drama amryw droeon.

Barddonai'n gyson o ddyddiau coleg hyd ei farw. Enillodd goron Eist. Gen. Wrecsam, 1933, gyda phryddest 'Rownd yr Horn', a chadair Eist. Gen. Abergwaun, 1936, gydag awdl 'Tyddewi', a mân wobrau eraill yn yr Eist. Gen. Beirniadodd droeon yn y brifwyl ac yr oedd yn brifardd yng Nghorsedd y Beirdd tan yr enw 'SB'. Cyhoeddodd awdl arbennig iawn 'Yr unben', 1935, a ddaethai i frig y gystadleuaeth unwaith, ac ar ôl ei f. cyhoeddwyd ei weithiau barddonol a pheth o'i ryddiaith yn *Cerddi ac ysgrifau S. B. Jones* (1965).

Gwybodaeth bersonol.

G.Jo.

JONES, ALFRED ERNEST (1879-1958), seicdreiddiwr a chofiannydd swyddogol Sigmund Freud; g. 1 Ion, 1879, yn ardal Tregŵyr, ger Abertawe, Morg., yn fab i Thomas a Mary Ann Jones. Symudwyd o'r ysgol leol i ysgolion yn Abertawe, ac oddi yno enillodd ysgoloriaeth i Goleg Llanymddyfri. Wedi hynny, bu'n fyfyriwr yng Ngholeg y Brifysgol, Caerdydd, a Choleg y Brifysgol, Llundain, a thra oedd yno, yn 1900, enillodd ddiplomâu Bwrdd Cydweithredol y Colegau Brenhinol (L.R.C.P., M.R.C.S.), a blwyddyn yn ddiweddarach cafodd radd Prifysgol Llundain mewn meddygaeth (M.B.) ag anrhydedd a medalau aur mewn meddygaeth ac obstetreg, a dyfarnwyd medal aur y brifysgol mewn obstetreg iddo gan Syr John Williams (*Bywg.*, 991-2). O fewn pum ml., enillodd gyfres o raddau uwchradd (M.D., a medal aur, M.R.C.P., D.P.H.), ond wedi sawl anghytundeb â phwyllgorau'r ysbytai lle'r oedd yn gweithio, bu'n rhaid iddo ymddiswyddo. Treuliodd rai misoedd yn ymweld â chlinigau ar y cyfandir cyn symud i Toronto fel pennaeth clinig seiciatregol newydd. Ar ei awgrym ef y cynhaliwyd y gyngres seicdreiddiol ryngwladol gyntaf yn Salzburg yn 1908, ac yno y darllenodd ei bapur enwog ar *resymoli* ('rationalisation').

Fe'i gwnaed yn athro cynorthwyol ym Mhrifysgol Toronto, a gwnaeth lawer i hybu datblygiad seicdreiddiaeth yng ngogledd America. Yn 1913, dychwelodd i Lundain heb obaith am swydd mewn prifysgol nac ysbyty, ac yno y gweithiodd hyd at amser ymddeol. Yn 1929, cynigiodd dystiolaeth i bwyllgor y B.M.A. a arweiniodd at eu hawgrym hwy y dylid cydnabod seicdreiddiaeth fel triniaeth ddilys. Ffurfiodd y Gymdeithas Seicdreiddiol Brydeinig, a'r Sefydliad Seicdreiddiol, a chychwynnodd y clinig seicdreiddiol cyntaf yng ngwledydd Prydain. Bu'n Llywydd y Gymdeithas Seicdreiddiol Brydeinig (1919-1944), a'r Gymdeithasfa Seicdreiddiol Ryngwladol (1920-24; 1930-49), yn sylfaenydd ac yn olygydd y Llyfrgell Seicdreiddiol Rynglwladol, a chyhoeddwyd hanner can cyfrol gan y Llyfrgell dan ei olygyddiaeth. Sylfaenodd yr *International Journal of Psycho-Analysis*, a bu'n olygydd o 1920 hyd at 1939. Ef oedd arweinydd rhyngwladol y mudiad seicdreiddiol am flynyddoedd lawer, a sicrhaodd y byddai Freud yn cael ei ryddhau o ddwylo'r Natsïaid yn 1938.

Adenillodd ei ddiddordeb mewn materion Cymreig yn y 1920au, a bu'n aelod brwd o'r Blaid Genedlaethol yn fuan wedi ei ffurfio hi, ond er mawr loes iddo, ni ddysgodd siarad Cymraeg yn rhugl. Cofir amdano erbyn hyn fel y gŵr a wnaeth fwyaf i boblogeiddio gwaith Freud trwy gyfrwng yr iaith Saesneg, a chyhoeddodd dros dri chant o erthyglau a dwsin o lyfrau, gan gynnwys ei gofiant i Freud. Eithr ni chafodd gydnabyddiaeth y tu allan i'w faes ei hun am ei waith arloesol dros seicdreiddiaeth, a bu'n rhaid iddo aros bron hyd at ei farwolaeth cyn cael ei ethol yn gymrawd o'i hen goleg yn Llundain. Yn hwyr yn ei oes derbyniodd lawer anrhydedd gan gynnwys yr F.R.C.P. (1942), D.Sc. (Cymru) er anrh. (1954), ond ymhell cyn hynny fe'i hetholwyd yn aelod anrhydeddus o sawl cymdeithas seicdreiddiol dramor.

Yn Chwef. 1917, pr. (1) â Morfydd Llwyn Owen (*Bywg.*, 674), ond wedi ei marwolaeth hi ym Medi 1918; pr. (2) â Katherine Jökl o Vienna yn 1919.

Bu f. 11 Chwef. 1958, a llosgwyd ei weddillion yn amlosgfa Golders Green, Llundain. Claddwyd ei ludw ym medd yr hynaf o'u pedwar plentyn yng nghladdfa eglwys Cheriton, Bro Gŵyr.

T. G. Davies, *Ernest Jones* (1979); Ernest Jones, *Sigmund Freud, I-III*, (1953-57); Ernest Jones, *Free associations* (1959); papurau Ernest Jones (yn yr *Inst. of Psychoanalysis*, Llundain).

T.G.D.

JONES, BENJAMIN (1865-1953), canghellor eglwys gadeiriol Bangor; g. ym Minffordd, Llangeinwen, Môn, 17 Mai 1865, yn fab i was fferm o'r enw Thomas Jones, a'i wraig Ann (g. Williams). Wedi cyfnod yn ddisgybl-athro yn ysgol S. Paul, Bangor, penderfynodd fynd yn offeiriad. Addysgwyd ef, 1889-90, yn ysgol ddiwinyddol Bangor (dan nawdd hostel yr eglwys, lle ceid hyfforddiant mewn darllen, pregethu, ymweld, etc.), ac yn 1890 ymaelododd ym Marcon's Hall, Rhydychen. Ord. ef yn Lerpwl, 1894, dros esgob Sodor a Manaw, ac am ddwy fl. bu'n gurad Rushen, ynys Manaw. Yn 1896 dychwelodd i esgobaeth Bangor, yn gurad S. Ann, Llandygái. Yn 1905 cafodd fywoliaeth Penmachno, gan Arglwydd Penrhyn, ac arhosodd yno hyd 1923 pan benodwyd ef yn ficer Llanfair-is-gaer (Y Felinheli) gan fwrdd nawdd yr esgobaeth. Dyrchafwyd ef yn ganon, 1930, ac ef oedd Canghellor eglwys gadeiriol Bangor o 1937 nes cyrraedd oed ymddeol i gangellorion yn 1940. Bu'n ddeon gwlad Arllechwedd, 1935-48. Atgyweiriodd hen eglwys Llanfair-is-gaer a'r eglwys newydd, a thrwy ei weithgarwch ef y codwyd neuadd yr eglwys yn Y Felinheli. Ymddeolodd yn 1948 ond parhaodd i fyw yn Y Felinheli. Bu f. 16 Rhag. 1953, a chladdwyd ef yn Llanfair-is-gaer. Gadawodd weddw; ni bu iddynt blant.

Trwy gydol ei oes bu'n weithgar gyda gwasg gyfnodol yr eglwys. Bu'n olygydd *Yr Haul* 1913-20, yn olygydd *Y Llan*, 1919-38, ac yr oedd yn gysylltiedig â'r arbrawf i gael papur dwyieithog i'r Eglwys yng Nghymru, *Y Llan and Church News*, a'r *Church family newspaper*. Bu ei wasanaeth i'r wasg eglwysig ym mlynyddoedd blin Rhyfel Byd I, ac yn y cyfnod anodd yn union ar ôl datgysylltiad, yn gadarn a doeth. Bu'n aelod o gorff llywodraethol yr Eglwys yng Nghymru o'r cychwyn hyd 1951.

Yr oedd yn gerddor medrus; am lawer blwyddyn ef oedd cadeirydd pwyllgor cerdd yr esgobaeth. Cododd gorau plant a chorau oedolion, ac ennill gwobrau lawer. Urddwyd ef yn aelod o Orsedd y Beirdd dan yr enw 'Heulog'.

Yr oedd yn ŵr tal, urddasol, a'i bersonoliaeth hawddgar yn ennyn gwrandawiad ac yn ei wneud yn arweinydd a chynghorwr naturiol. Yr oedd wrth ei fodd mewn dadl, bob amser yn barod i ymladd dros gyfiawnder, heb ofni tynnu gwg hyd yn oed yr archesgob. Cymerai'n ganiataol fod y plwy i gyd dan ei ofal; fe'i croesewid gan bob enwad, ac yr oedd yn gartrefol ym mhob cwmni. Yr oedd yn un o'r rhai a gychwynnodd 'Glwb y Felin'. Cawr o ddyn, ym mhob ystyr, oedd 'Y canghellor Ben'.

Crockford; *Llan*, 25 Rhag. 1953; *Yr Haul a'r gangell*, (Gaeaf 1954), 1-2; *N. Wales Chron.*, 18 a 24 Rhag. 1953; tystiolaeth gan blwyfolion; ac adnabyddiaeth bersonol.

E.P.R.

JONES, Syr CADWALADR BRYNER (1872-1954), gŵr amlwg yn hanes addysg amaethyddol Cymru a gwas sifil o fri; g. 6 Ebr. 1872, mab Enoch Jones, Cefnmaelan, Dolgellau, Meir., a Jane ferch Lewis Jones, Maesbryner. Cafodd ei addysg yn ysgol ramadeg Dolgellau a choleg amaethyddol Aspatria; cymerodd radd M.Sc. Prifysgol Durham ac etholwyd ef yn Gymrawd o'r *Highland and Agricultural Society of Scotland*.

Apwyntiwyd ef gan Goleg Prifysgol Gogledd Cymru, Bangor, yn ddarlithydd cynorthwyol i fod yn gyfrifol am ddosbarthiadau allanol mewn amaethyddiaeth yn siroedd gogledd Cymru yn 1893. Yn 1899 penodwyd ef yn ddarlithydd yng Ngholeg Armstrong (King's yn awr) yn Newcastle-upon-Tyne. Yn 1890 sefydlodd Coleg Prifysgol Cymru, Aberystwyth ei adran amaethyddol ac fel ym Mangor flwyddyn yn gynharach cyfunwyd addysg fewnol ac addysg allanol. Syrthiodd yr adran i anhrefn ar ymadawiad y darlithydd cyntaf ac yn 1907 cymerodd y coleg y cam hyderus o apwyntio Bryner Jones gyda'i gymwysterau a'i brofiad amlwg ac yntau eto ond ieuanc, i Gadair amaethyddiaeth. O hyn ymlaen bu llewyrch ar yr adran ac ar fferm y coleg yr oedd ef yn gyfarwyddwr arni, a daeth yntau'n arweinydd diamheuol addysg amaethyddol yng Nghymru. Daeth i'r rheng flaenaf hefyd fel gweinyddwr. Yn 1912 dechreuwyd cydnabod anghenion arbennig Cymru. Trefnwyd ymddiried datblygiad dau gynllun swyddogol dros addysg amaethyddol a gwella ansawdd da byw i gomisiynydd amaethyddol yn cael ei gynghori gan Gyngor Amaethyddol i Gymru. Bryner Jones oedd y dewis amlwg i'w apwyntio'n gomisiynydd a chadeirydd y Cyngor, ac yn ei ddoethineb cytunodd y coleg y gallai weithredu yn y swyddi hyn a pharhau yn Athro Amaethyddiaeth. Gyda dechrau'r Rhyfel yn 1914 bu raid newid pwyslais, ac ymdrôdd yntau fwyfwy yng ngwaith pencadlys yr adran gynhyrchu bwyd. Yr oedd y profiad helaethach a'r cysylltiadau personol a enillodd i droi'n fantais fawr i Gymru yn nes ymlaen.

Yn 1919 rhoddwyd teitl newydd i'r Bwrdd Amaeth a dyletswyddau eangach; daeth yn Weinyddiaeth Amaeth a Physgodfeydd. Sefydlwyd adran Gymreig yn Aberystwyth gyda Bryner Jones, a ymddeolodd yn awr o'i swydd fel Athro, yr ysgrifennydd Cymreig cyntaf. Dros yr ugain ml. nesaf o heddwch llywyddodd dros adran a dyfodd yn araf ac yn gyson fel y datblygai y Weinyddiaeth. Er hynny, parhaodd i ystyried addysg amaethyddol a gwaith cynghori ar bob lefel, ynghyd â gwella ansawdd da byw, fel ei phrif gyfrifoldebau. Daeth un o ganlyniadau llesol y polisi hwn, ac arweiniad yr Ysgrifennydd, i'r amlwg yn ystod Rhyfel Byd II. Galluogwyd pwyllgorau gweithredol sirol amaethyddiaeth holl-bwysig cyfnod y rhyfel yng Nghymru i fanteisio ar gorff anghyffredin o ffermwyr hyfforddedig, profiadol, a swyddogion technegol yn y gwaith hanfodol o gynyddu cynnyrch bwyd.

Diolch i'w gorff cryf gallodd Bryner Jones barhau i weithio'n llawn hyd ei farw. Ar ôl blynyddoedd egnïol y rhyfel o 1939 i 1944, pan ymddeolodd o'r swyddogol, parhaodd i weithredu fel swyddog cyswllt y Gweinidog a chadeirydd pwyllgor sir Drefaldwyn o hynny hyd 1947. Ond nid honno oedd pennod olaf ei yrfa faith. O 1948 i 1953 ef oedd dirprwy gadeirydd y Comisiwn Tir Amaethyddol newydd dros Loegr a Chymru, a chadeirydd yr Is-Gomisiwn Tir Cymreig. Yn ystod y cyfnod hwn cynhaliodd yr Is-Gomisiwn arolwg pell-gyrhaeddol o amodau amaethu yng nghanolbarth Cymru. (Fe'i cyhoeddwyd yn 1955 yn The Mid-Wales Investigation Report). Hefyd trefnodd, a dechrau adfer, adran Glan-

llyn o stad Wynnstay, ar ôl ei throsglwyddo fel rhandaliad o drethi ar farwolaeth.

O'r pryd y daeth gyntaf i Aberystwyth cymerodd olwg eang ar ei gyfrifoldebau. O ganlyniad yr oedd yn ymwneud â chylch o weithgareddau a osodir yn awr yn aml i staffiau llawn-amser. Felly yr oedd yn llywydd Cymdeithas Llyfr Diadelloedd Defaid mynydd Cymru o 1913 i 1919, a chydnabuwyd ei ddiddordeb brwd yn y gwartheg duon Cymreig pan etholwyd ef i lywyddiaeth y Gymdeithas yn 1944-45. Sefydliad arall a fu'n drwm yn ei ddyled oedd y 'sioe genedlaethol' - y Sioe Amaethyddol Gymreig Frenhinol yn awr. Ef oedd ei chyfarwyddwr mygedol yn 1908, 1909 ac 1910, cadeirydd ei chyngor o 1944 i 1953, a'i llywydd yn 1954. Ei ddiddordebau eraill dros ei oes oedd Ysgol Dr. Williams, Dolgellau, y rhoddodd wasanaeth hael iddi fel cadeirydd y llywodraethwyr am 25 ml. a Choleg Prifysgol Cymru, Aberystwyth. Yr oedd yn aelod o gyngor y coleg o 1920 hyd ei farw. Bu ganddo ran fawr mewn cael Bridfa Blanhigion Cymru, gyda George Stapledon (gw. isod) yn gyfarwyddwr cyntaf ac Athro Botaneg Amaethyddol, i Aberystwyth. Fel cyd-nabyddiaeth o'i wasanaeth i addysg uwchradd rhoes Prifysgol Cymru radd LL.D. er anrh. iddo yn 1938. Gweddus oedd cydnabod ei yrfa swyddogol gyda dyfarnu iddo C.B.E. yn 1920, C.B. yn 1934, a'i urddo'n farchog yn 1947.

Syr Bryner oedd awdur y llyfr Cymraeg cyntaf ar Egwyddorion gwrteithio (1907); golygydd Livestock of the farm a nifer o adroddiadau ar arbrofion amaethyddol. Cyfrannodd i'r Welsh Jnl. of Agriculture a gyhoeddwyd gyntaf yn 1925 ar ran y Gynhadledd ar Addysg Amaethyddol yng Nghymru yr oedd ef yn gadeirydd iddi.

Bu f. yn ddibriod 10 Rhag. 1954, a chladdwyd ef yn y Brithdir, lle y buasai ei daid, Cadwaladr Jones (Bywg., 420), yn weinidog (A).

Ellis, UCW; archifau C.P.C.; Ashby ac Evans, The Agriculture of Wales (1943); Sir John Winnifrith, The Ministry of Agriculture Fisheries and Food (1962); gwybodaeth bersonol.

J.M.J.

JONES, Syr CYNAN (ALBERT) EVANS ('Cynan'; 1895-1970), bardd, dramodwr ac eisteddfodwr; g. 14 Ebr. 1895, yn fab i Richard Albert Jones a Hannah Jane (g. Evans), Pwllheli, Caern. Cafodd ei addysg yn ysgol elfennol ac ysgol sir Pwllheli, a Choleg y Brifysgol, Bangor, lle y graddiodd yn 1916. Yn yr un flwyddyn ymunodd â'r R.A.M.C., a bu'n gwasanaethu yn Salonica ac yn Ffrainc, fel aelod o'r 86th Field Ambulance ac yn ddiweddarach fel caplan. Ar ôl y rhyfel aeth i Goleg y Bala, ac yn 1920 ord. ef a'i sefydlu yn weinidog yr eglwys Bresbyteraidd ym Mhenmaen-mawr. Yno y bu hyd 1931, pan benodwyd ef yn diwtor yn Adran Allanol coleg Bangor, gyda chyfrifoldeb arbennig am Ynys Môn. O 1936 hyd nes ymddeol yn 1960 bu'n diwtor staff, a'i bynciau oedd drama a llenyddiaeth Gymraeg. Ond daliodd i bregethu yn gyson ar hyd ei oes.

Daeth Cynan yn amlwg iawn ym mywyd Cymru oherwydd ei gyswllt â'r Eist. Gen. Cymerodd y ffugenw Cynan fel aelod o Orsedd y Beirdd, ac wrth yr enw hwn yr adnabyddid ef, a defnyddiodd yntau'r enw pan urddwyd ef yn farchog. Etholwyd ef yn gofiadur yr Orsedd yn 1935, ac yn gyd-ysgrifennydd Cyngor yr Eist. Gen. yn 1937. Ef oedd yr archdderwydd o 1950 hyd 1954 ac o 1963 hyd 1966, yr unig dro hyd hynny i neb ddal y swydd hon ddwywaith. Yn fuan ar ôl ei benodi'n gofiadur dechreuodd ddiwygio'r Orsedd. Fel gŵr a chanddo lawer iawn o synnwyr drama a phasiant gwelodd fod seremonïau'r Orsedd yn bethau a allai fod yn atyniadol iawn i'r tyrfaoedd. Aeth ati i ddwyn gwell trefn ar y gweithrediadau a'u gwneud yn fwy urddasol, gan ddwyn i mewn rai seremonïau newydd, fel y ddawns flodau. Ymwadodd â phob honiad am hynafiaeth yr Orsedd a'i chyswllt â'r derwyddon, gan gydnabod yn agored mai dyfais a chreadigaeth Iolo Morganwg ydoedd. Llwyddodd i gael llawer o aelodau newydd, ac yn eu plith rai gwŷr academig. Yn 1935 dechreuwyd ar yr ad-drefnu a ddug i fod Lys a Chyngor yr Eist Gen., a bu i Cynan ran amlwg yn y gwaith. Yn 1967 etholwyd ef yn llywydd y Llys.

Bu'n amlwg iawn hefyd fel cystadleuydd yn yr Eisteddfod. Yn 1921 enillodd y goron yng Nghaernarfon am y bryddest 'Mab y Bwthyn', cerdd am fachgen o Gymro yn rhyfel 1914-18. Gan mor amserol oedd y testun ac mor syml ac uniongyrchol oedd y mynegiant o ran mydr ac o ran arddull, daeth y bryddest yn dra adnabyddus a chymeradwy, yn fwy felly, efallai, nag unrhyw bryddest arall, na chynt nac wedyn. Yr oedd cynnwys yr ail bryddest fuddugol, 'Yr ynys unig' (yr Wyddgrug 1923), sef stori cenhadaeth y Tad Damien at y gwahangleifion, yn ei gwneud hithau'n gerdd boblogaidd, a'r drydedd 'Y Dyrfa' (Bangor 1931), cerdd am gêm rygbi, yn beth cwbl newydd yn yr iaith. Yr oedd dylanwad beirdd Saesneg cyfoes, yn enwedig John Masefield a J. C. Squire, ar y pryddestau eisteddfodol, ond gallodd Cynan gymathu'r dylanwadau hyn mor llwyr nes peri fod rhin gwbl Gymreig i'w gerddi ef ei hun. Yn 1924 ym Mhont-y-pŵl enillodd Cynan y gadair genedlaethol am y gerdd 'I'r Duw nid adwaenir', sy'n arbennig ac unigryw am mai ar y mesur tri thrawiad y canwyd hi; ni roed y gadair am gerdd ar y mesur hwn na chynt nac wedyn. Bu'n beirniadu lawer gwaith ar y gwahanol gystadlaethau barddoniaeth yn yr Eist. Gen.

Cyhoeddodd Cynan gasgliadau o'i waith barddonol fel y canlyn: *Telyn y nos* (1921); *Y Tannau coll*, pryddest ail-orau Eist. Gen. Rhydaman 1922; *Caniadau Cynan* (1927); *Cerddi Cynan, y casgliad cyflawn* (1959), yn cynnwys y cerddi eisteddfodol, baledi, telynegion, a chyfieithiadau o weithiau beirdd Saesneg (rhai ohonynt heb eu nodi). Telynegol yw naws arddull y bardd, a'r mynegiant yn gwbl uniongyrchol a digwmpas fel a ddaeth yn gymeradwy gan holl feirdd telynegol dechrau'r ganrif hon. Seiliwyd llawer o'i gerddi ar ei ymateb i Ryfel Byd I ac ar ei brofiad ef ei hun ohono, ac i'r gwrthwyneb cafodd gryn ysbrydiaeth yn hedd a llonyddwch gwlad Llŷn. Y mae i'r elfen storïol fwy o le yn ei waith ef nag yng ngwaith yr un bardd Cymraeg arall; canodd nifer o faledi, a storïau ar gân yw ei bryddestau. Yn 1946 cyhoeddodd un rhamant ryddiaith fer, *Ffarwel weledig*, am fywyd ym Macedonia.

Gwnaeth Cynan lawer iawn o waith gyda'r ddrama am flynyddoedd. Yn 1931 enillodd y wobr yn yr Eist. Gen. am y ddrama hir, sef *Hywel Harris*, a chafodd gomisiwn i ysgrifennu drama ar gyfer eisteddfod 1957, sef *Absalom fy mab*. Cyfaddasodd ddwy ddrama o'r Saesneg, *Lili'r Grog* (John Masefield), a *Hen ŵr y mynydd* (Norman Nicholson), a berfformiwyd gyntaf ar daith gan gwmni'r Genhinen yn 1949, a Chynan ei hun yn gyfarwyddwr. Ond ei gyfraniad mwyaf i'r ddrama yng Nghymru oedd yr hyn a wnaeth trwy ddarlithio ar y pwnc i'w ddosbarthiadau allanol, ac mewn gwyliau drama, trwy gyfarwyddo cwmnïau ac actio'i hun rai gweithiau, a thrwy feirniadu yn yr Eist. Gen. yn y cystadlaethau cyfansoddi a hefyd yn y cystadlaethau perfformio. Bu am ychydig amser yn athro i actorion ifainc mewn cwrs a drefnwyd gan Gwmni Theatr Cymru. Ysgrifennodd a chynhyrchodd rai pasiantau ar raddfa fawr, gan gychwyn mor gynnar ag 1927 gyda phasiant hanesyddol yng nghastell Conwy, a'i ddilyn gan 'Basiant y Newyddion Da' yng nghastell Caernarfon yn 1929 a 'Rhyfel a Heddwch' yn yr un lle yn 1930. Yn 1931 penodwyd ef yn ddarllenydd dramâu Cymraeg ar ran yr Arglwydd Siambrlen i sicrhau eu bod yn unol â gofynion y gyfraith, a daliodd i wneud y gwaith nes diddymu sensoriaeth yn 1968.

Dyfarnwyd iddo radd D.Litt. er anrh. gan Brifysgol Cymru yn 1961, a chafodd ryddfreiniad Pwllheli, tref ei gartref, yn 1963. Penodwyd ef yn C.B.E. yn 1949, a dyrchafwyd ef yn farchog yn 1969. Pr. Ellen J. Jones o Bwllheli yn 1921, a bu mab a merch o'r briodas. Bu ei wraig f. yn 1962, ac yn 1963 pr. ef Menna Meirion Jones o'r Valley, Môn. Bu Cynan f. 26 Ion 1970.

Llwyfan, 5, rhifyn cofio Cynan (1970); gwybodaeth bersonol a chan Mr. Ernest Roberts; [Ifor Rees, *Cynan*, cyfres Bro a Bywyd (1982); Bedwyr L. Jones, *Cynan, y llanc o dref Pwllheli* (1981)].

T.P.

JONES, DANIEL OWEN (1880-1951), gweinidog (A) a chenhadwr ym Madagascar; g. yn y Tŷ-gwyn, Rhiw-siôn, Cwm-cou, Cer., ger Castellnewydd Emlyn, 23 Chwef. 1880, yn fab i David a Rebecca Jones. Addysgwyd ef yn ysgol Frytanaidd Tre-wen. Dechreuodd bregethu yn 16 oed yng nghapel Tre-wen dan weinidogaeth David Evans (ar ôl hynny ei frawd-yng-nghyfraith). Cafodd addysg bellach yn ysgol ramadeg Castellnewydd Emlyn ac wedyn yn ysgol yr Hen Goleg Caerfyrddin a'r Heath, Pontypridd. Fe'i derbyniwyd i goleg diwinyddol Aberhonddu yn 1897. Graddiodd yng Ngholeg y Brifysgol, Caerdydd, gydag anrhydedd yn y Gymraeg yn 1902. Dychwelodd i Aberhonddu i wneud diwinyddiaeth. Urddwyd ef i'r weinidogaeth Gristnogol yn 1905 yn eglwys gynulleidfaol Saesneg Stourbridge. Gyda marw ei fam yn 1909 cyflwynodd ei hun i Gymdeithas Genhadol Llundain, gyda'r bwriad o fynd i Tsieina, eithr teimlai'r Gymdeithas fod angen gŵr o'i gymwysterau ef ym Madagascar, ac efallai hefyd gan gofio hen gysylltiad Cymru â'r genhadaeth yno. Bu am dymor byr yn Ffrainc yn dysgu Ffrangeg. Cynhaliwyd ei gyfarfod neilltuo yn 1910 yng nghapel Lyndhurst, Hampstead, a glaniodd ym Madagascar ddiwedd Tach. y flwyddyn honno.

Ei faes cyntaf oedd Ambohimanga, yr hen brifddinas. Yno bu'n gofalu am gylch o wyth eglwys ac ysgol. Pr. 1 Mai 1912 yn Eglwys Goffa Faravohitra, Antananarivo â Hilda Victoria Smith, aelod o Eglwys Loegr yn Watford, a hwyliasai allan ym Mawrth i'w briodi. Bu iddynt bedair merch. Symudwyd ef i Ambopotsy yn 1915 i ofalu am gylch eang o eglwysi a darlithio dri bore o'r wythnos yn y Coleg Diwinyddol Unedig. Daeth ei seibiant cyntaf yng Nghymru ar ben deng ml. Wedi iddo ddychwelyd i'r ynys fe'i symudwyd i Antsihanaka, i ailgychwyn y gwaith cenhadol y bu'n rhaid ei gau pan ddaeth y Ffrancod a meddiannu'r wlad, a sefydlu athrofa i weinidogion yn Imerimandroso ar gyfer y gogledd. Yr oedd ysbyty cenhadol wedi ei agor y flwyddyn flaenorol. Hefyd, gofalai am gylch o tua 70 o eglwysi yn ardal llyn Alaotra. Prynwyd bad modur i'w helpu gyda theithio gan chwiorydd eglwysi Cymraeg yr Annibynwyr yng nghylch Abertawe (ac fe'i galwyd *Abertawe*), ond methiant fu'r cynllun oherwydd y tyfiant toreithiog yn y dŵr bâs. Yn 1927 derbyniodd radd M.A. gan Brifysgol Cymru am draethawd ar 'Eschatoleg yr Eglwys Geltaidd'. Yn ystod ei absenoldeb yn 1926 llwyr ddinistriwyd yr orsaf genhadol yn Imerimandroso gan gorwynt enbyd. Ar ôl yr ailadeiladu cychwynnodd yno goleg diwinyddol i feithrin gweinidogion, yn lle'r hen athrofa, a phenodwyd tri athro brodorol i'w gynorthwyo a thair chwaer i hyfforddi'r gwragedd. Cyrchai myfyrwyr yno o cyn belled â Mandritsara, 200 milltir i ffwrdd dros y mynyddoedd. Yn 1930 symudwyd ef i fod yn brifathro'r coleg diwinyddol unedig yn y brifddinas, ac i ofalu am gylch eang o eglwysi mewn tair ardal. Ar ôl dod i Brydain am seibiant yn 1939 ni chaniatawyd iddo ddychwelyd, oherwydd y rhyfel, tan 1944. Yn 1947 fe'i cafodd ei hun yng nghanol helyntion a chwerwder y gwrthryfel yn erbyn llywodraeth Ffrainc. Bellach yr oedd wedi pasio oed ymddeol, ar ôl 38 ml. o wasanaeth caled ac ymroddedig ar yr ynys. Bu f., ym mhen tair bl. ar ôl gadael yr ynys, ar 17 Meh. 1951. Fe'i claddwyd ym mynwent eglwys gynulleidfaol Bushey. Ar 13 Meh. 1956 dadorchuddiwyd tabled goffa iddo gan ei briod yng nghapel Tre-wen.

Gŵr hynaws ydoedd ac yn llawn hiwmor, yn fonheddig ei ffordd ac yn hollol ymroddedig i'w waith. Meddai gryn lawer o ddawn y llenor a'r bardd. Cyfansoddodd lawer o emynau yn y Falagaseg, a chyfieithiodd eraill o'r Gymraeg a'r Saesneg. Ysgrifennodd lyfr ar ddiwinyddiaeth fugeiliol yn y Falagaseg, a gafodd gylchrediad eang, a hefyd ddau esboniad ar y Salmau. Cyfrannodd yn helaeth i gylchgronau eglwysig ym Madagascar. Daeth dau lyfr ar Fadagascar ar gyfer plant o'i law, *Ar lannau'r Llyn Mawr* (1929) ac *Am dro i Fadagascar* (1950). Yn 1942 cyfrannodd erthygl i'r chwarterolyn *Religion* ar y pwnc 'Primitive cults and beliefs in Madagascar'. Anerchodd Undeb yr Annibynwyr Cymraeg yn Rhydaman (1927) a Chaernarfon (1949).

D. Brinley Pugh, *Triawd yr Ynys* (1954); *Tywysydd y Plant*, Chwef., 1941; *Tyst*, 5 Gorff. 1951.

I.S.J.

JONES, DAVID GWYNFRYN (1867-1954), gweinidog (EF); g. ym Mryn-crug, Meir., 1 Tach. 1867. Pan oedd yn saith oed symudodd y teulu i Dreorci, ond gan ddychwelyd ymhen dwy fl. i Fryn-crug, lle cafodd ef ychydig addysg yn yr ysgol Fwrdd. Aeth i weithio i'r lofa yn 12 oed, ond mynnodd beth addysg bellach mewn ysgol breifat yn y Rhondda ac wedyn mewn ysgol ragbaratoawl yng Nghaerdydd. Yn 1890 aeth i Ddinas Mawddwy yn was cylchdaith. Ar ôl ei dderbyn i'r weinidogaeth yn 1894 a'i benodi i Ashton-in-makerfield, teithiodd fel a ganlyn: Ffynnongroyw (1897), Llangefni (1898), Bangor (1901), Caer (1902). Yn 1904 torrodd ei iechyd i lawr ac aeth i Dde Affrica am flwyddyn i geisio adferiad ac yno bu'n weinidog ar eglwys Gymraeg anenwadol Cape Town. Aeth i gylchdaith Llandudno (1905) ac Abermo (1909), ond aeth yn uwchrif am flwyddyn yn 1911 oherwydd afiechyd, ac yn 1912 symudodd i fyw ym Mynydd y Fflint lle arhosodd weddill ei oes yn weinidog heb ofal cylchdaith. Penodwyd ef yn olygydd *Y Gwyliedydd Newydd* a pharhaodd yn y swydd honno hyd 1940. Ef oedd llywydd y Gymanfa yn 1924. Bu'n ysgrifennydd talaith gyntaf gogledd Cymru 1928-34 a'i chadeirydd 1934-38; bu hefyd yn ysgrifennydd y Llyfrfa am gyfnod. Yr oedd yn rheng flaenaf pregethwyr ei oes. Yn 1938 aeth yn uwchrif a gwnaed tysteb iddo gan y Gymanfa. Daliodd lawer swydd arall: golygydd *Y Winllan*, ysgrifennydd Cyngor Eglwysi Rhyddion Gogledd Cymru, ynad heddwch, aelod o gyngor sir y Fflint, llywydd Cynghrair Plaid Lafur Gogledd Cymru, ymgeisydd seneddol Llafur dros sir Fflint yn 1922 ac 1924. Yr oedd yn gyd-awdur *Cofiant Glanystwyth* (1904) a golygodd *Odlau Moliant* (1905) at wasanaeth eglwys Gymraeg Cape Town. Darlithiodd lawer ac ysgrifennodd yn gyson i'r cyfnodolion Cymraeg. Pr. Christiana Lloyd a bu iddynt ddau fab. Bu f. 18 Rhag. 1954.

Minutes of Conference, 1955; gwybodaeth bersonol.

G.R.T.

JONES, DAVID JAMES ('Gwenallt'; 1899-1968), bardd, beirniad ac ysgolhaig; g. 18 Mai 1899, ym Mhontardawe, Morg., yr hynaf o dri phlentyn Thomas ('Ehedydd') Jones a'i wraig Mary. Hanai ei rieni o sir Gaerfyrddin ac yr oedd ei ymwybod â'i wreiddiau yn elfen bwysig yn ei bersonoliaeth, fel y gwelir o'i ysgrif yn 'Y Fro: Rhydcymerau' yng nghyfrol deyrnged D. J. Williams (gol. J. Gwyn Griffiths, 1965). Symudodd y teulu i'r Allt-wen ac addysgwyd Gwenallt mewn ysgolion lleol ac yna yn ysgol sir Ystalyfera (lle y bu Kate Roberts yn athrawes arno am ychydig). Bu'n ddisgybl-athro yn 1916-17 gan rannu'i amser rhwng ysgol elfennol Pontardawe a chweched dosbarth yr ysgol sir, ond pan wysiwyd ef i'r fyddin cyn sefyll ei arholiad Tystysgrif Uwch, safodd yn wrthwynebydd cydwybodol ar dir gwleidyddol a threuliodd ddwy flynedd, o Fai 1917 hyd Fai 1919, yng ngharchardai Wormwood Scrubs a Dartmoor. Aeth i Goleg Prifysgol Cymru Aberystwyth yn 1919, a hynny ar adeg ddisglair yn hanes cymdeithasol y sefydliad hwnnw. Yno y cyfarfu ag Idwal Jones (*Bywg.*, 477) y lluniodd gofiant iddo yn 1958. Wedi graddio yn y Gymraeg a'r Saesneg penodwyd ef yn athro

Cymraeg yn ysgol sir y Barri ac yna, yn 1927, yn ddarlithydd yn Adran Gymraeg Coleg Prifysgol Cymru. Dyrchafwyd ef yn uwch-ddarlithydd ac yn Ddarllenydd (y cyntaf i'w benodi i'r raddfa newydd honno yng Ngholeg Aberystwyth). Ymddeolodd yn 1966. Enillodd radd M.A. yn 1929 a dyfarnwyd gradd D.Litt. *honoris causa* iddo gan Brifysgol Cymru yn 1967. Pr. Nel Edwards yn 1937 a bu iddynt un ferch. Bu f. yn Ysbyty Aberystwyth 24 Rhag. 1968.

Ei faes ymchwil cyntaf oedd Bucheddau'r Saint a rhethreg yn ysgolion y beirdd yn niwedd yr Oesoedd Canol (gw. *Yr Areithiau Prôs*, 1934), ac er iddo gyhoeddi astudiaethau megis *Y Ficer Prichard a 'Canwyll y Cymry'* (1946), *Blodeugerdd o'r ddeunawfed ganrif* (1936, 1947), fel hanesydd llên y 19fed g. y mae'n fwyaf adnabyddus fel ysgolhaig. Yn ogystal â lliaws o erthyglau ar feirdd unigol, cyhoeddodd *Detholiad o ryddiaith Gymraeg R. J. Derfel* (1945), *Bywyd a gwaith Islwyn* (1948), *Y Storm: dwy gerdd gan Islwyn* (1954). Fel bardd a llenor, er hynny, y gwnaeth ei gyfraniad mwyaf. Yr oedd yn un o aelodau cyntaf Yr Academi Gymraeg ac ef oedd golygydd cyntaf ei chylchgrawn *Taliesin* hyd 1964 (cyfrol 9). Ei dad oedd ei athro cyntaf a bwriodd ei brentisiaeth mewn eisteddfodau lleol ac yn y coleg. Enillodd ei awdl 'Y Mynach' gadair Eist. Gen. Abertawe (1926), ac er cydnabod ei awdl 'Y Sant' yn orau yn Eist. Gen. Treorci (1928) ni ddyfarnwyd y gadair iddo. Cyhoeddwyd y ddwy awdl mewn llyfryn yn 1928. Enillodd gadair Eist. Gen. Bangor yn 1931 ag awdl 'Breuddwyd y Bardd'. Clywid llais mwy personol yn mynegi ei argyhoeddiadau cryfion, ei ymagwedd at fywyd a dyfnder ei bersonoliaeth yn y cerddi, y sonedau a'r cerddi hirion sydd yn ei gyfrolau, *Ysgubau'r Awen* (1939), *Cnoi Cil* (1942), *Eples* (1951), *Gwreiddiau* (1959), *Y Coed* (1969). Ynddynt gwelir ei ymlyniad at Gymru a'i diwylliant, a'i fyfyrdod ynghylch natur y drwg sydd yn y byd ac sy'n bygwth y gwareiddiad y mae'r bardd a'i genedl yn rhan ohono. Fel y datblygodd ei ganu, a'i ymateb i'r byd diwydiannol, materol ac i argyfwng Cymru'n dwysáu, gwelir arddull ei ganu'n tyfu'n fwyfwy gerwin a digymrodedd. Nid mor llwyddiannus yw ei ddwy nofel, *Plasau'r Brenin* (1934) a *Ffwrneisiau* (1982) sy'n pwyso'n drwm ar ei brofiadau ef ei hun yn y carchar ac yn fachgen ar ei brifiant yng Nghwm Tawe.

Ymhob dim a wnâi, credai Gwenallt fod rhaid iddo fod yn ymrwymedig ac o ddifrif. Yr oedd yn un o aelodau cynnar Plaid Cymru, yr oedd yn ymwybodol wleidyddol ac yn ymddiddori'n ddeallus ym mhynciau'r dydd (ffrwyth myfyrio ar brofiadau arteithiol ei ieuenctid mewn cwm diwydiannol), a chafodd bererindod ysbrydol annodd ond gorfoleddus, fel y datguddiodd ef ei hun ei ei bennod yn *Credaf* (gol. J. E. Meredith, 1943).

Glyn Lewis Jones, *Llyfryddiaeth Ceredigion 1600-1964*, ii, 549, (*1964-68*), 137, rhestr o'i weithiau; Lynn Owen-Rees, *Cofio Gwenallt* (1978); 'Rhai Atgofion' (gan Gwenallt), *Llais y Lli*, 25 Mai, 1966; *Traeth.*, Ebr. 1969; *Baner*, Ion. 1969; *Eurgrawn*, Haf 1969; Dyfnallt Morgan, *Gwenallt* (1972); J. E. Meredith, *Gwenallt: Bardd Crefyddol* (1974); Dafydd Rowlands, *Gwenallt*, cyfres Bro a Bywyd (1982); R. Iestyn Hughes, *Llyfryddiaeth Gwenallt* (1983).

B.F.R.

JONES, DAVID MORRIS (1887-1957), gweinidog (MC) ac Athro; g. 14 Mawrth 1887 ym Maes-y-groes, Maenan, Caern., mab William Maurice ac Elisabeth Jones. Addysgwyd ef yn ysgol elfennol ac ysgol rad Llanrwst, Coleg y Brifysgol, Bangor (lle graddiodd gydag anrhydedd mewn Cymraeg ac athroniaeth), Coleg y Bala, a Chaergrawnt. Ymunodd â'r fyddin yn 1915, ond galwyd ef adref o Salonica yn 1916 i gael comisiwn fel caplan i'r catrodau Cymreig yn Ffrainc; ac ord. ef yr un flwyddyn. Enillodd yr M.C. am wrhydri wrth roi ymwared i glwyfedigion. Bu'n weinidog yng Ngorffwysfa, Sgiwen (1920-24), Blaenau Ffestiniog (1924-29), a'r Triniti, Abertawe (1929-34). Penodwyd ef yn Athro Athroniaeth Crefydd a hanes crefyddau yng Ngholeg Diwinyddol Aberystwyth, a bu yno hyd ei ymddeoliad yn 1953. Pr., 1916, Esther Ann Williams, Pwllheli, a ganwyd iddynt ddau fab a dwy ferch. Bu f. 8 Hyd. 1957, ac yntau'n llywydd Sasiwn y De ar y pryd.

Yr oedd yn ysgolhaig trwyadl. Bu'n llywydd adran diwinyddiaeth Urdd Graddedigion Prifysgol Cymru, ac ef oedd golygydd cyntaf y cylchgrawn *Diwinyddiaeth*. Traddododd y Ddarlith Davies yn 1953 ar y testun 'Duw y creawdwr a Duw y gwaredwr', ond nis cyhoeddodd. Cyhoeddodd dair cyfrol yn ei ddydd, sef *Efengyl Ioan a'i Hystyr* (1944), esboniad ar yr epistol cyntaf at y Corinthiaid (1952), a *Llên a dysgeidiaeth Israel hyd gwymp Samaria* (1929).

Drys., Ebr. 1957; *Gol.*, 16 Hyd. 1957; *Blwyddiadur MC*, 1959, 266-67; gwybodaeth gan ei ferch, Buddug Morris Jones, Llundain.

G.M.R.

JONES, Syr DAVID THOMAS ROCYN - gw. ROCYN-JONES, Syr DAVID THOMAS isod.

JONES, EDGAR WILLIAM (1868-1953), addysgwr a darlledwr; g. 13 Rhag. 1868 yn Llanrhaeadr-ym-Mochnant, Tfn., yn fab i Richard Bellis Jones, ysgolfeistr, a Hannah (g. Vaughan) ei wraig. Addysgwyd ef yn ysgol ei dad ac ar ôl hynny yn y Northern Institute yn Lerpwl ac yn ysgol uwchradd Croesoswallt o dan Owen Owen (*Bywg.*, 675-6). O 1885 i 1890 yr oedd yn fyfyriwr yng Ngholeg Prifysgol Cymru, Aberystwyth, a dychwelodd yno, ar ôl ysbaid o ddysgu yng Nghroesoswallt, i baratoi at gymryd gradd M.A. (Llundain) yn 1894. Wedi cyfnod byr (1894-99) yn brifathro ysgol sir Llandeilo, penodwyd ef yn brifathro ysgol sir y bechgyn yn Y Barri, lle'r arhosodd nes ymddeol yn 1933. Ar ôl ymddeol bu'n gynghorwr ar faterion Cymreig i'r B.B.C., gan drefnu rhaglenni ysgolion a gweithredu fel ysgrifennydd y Pwyllgor Ymgynghorol ar Grefydd. Bu'n Glerc, trysorydd a Warden Urdd y Graddedigion o bryd i'w gilydd, yr unig berson i ddal y tair swydd. Ef oedd yr unig aelod i wasanaethu'r Bwrdd Canol Cymreig dros holl gyfnod ei fodolaeth. Bu'n aelod o lysoedd a chynghorau ei hen goleg yn Aberystwyth, Coleg y Brifysgol, Caerdydd, ac Amgueddfa Genedlaethol Cymru. Ef oedd llywydd Cymdeithas Ysgolion Uwchradd Cymru yn 1910. Yn ystod Rhyfel Byd I ef oedd prif swyddog y *Glamorgan Fortress Engineers* gyda rheng uchgapten, a dyfarnwyd iddo

O.B.E. (filwrol). Rhoes Prifysgol Cymru raddau er anrhydedd iddo, M.A. yn 1922 ac LL.D. yn 1951, a chafodd ryddfreiniaeth y Barri yn 1951.

Yr oedd yn brifathro egnïol, llawn dychymyg, a chanddo allu anghyffredin i ennyn teyrngarwch ac ymroddiad mewn disgyblion ac athrawon. Galluogodd ei bersonoliaeth ef i lywio ysgol lewyrchus a hapus iawn gydag awdurdod cyflawn ond heb ddisgyblaeth ormesol. Meddai ar wybodaeth eang mewn archaeoleg ac yn y celfyddydau, yn arbennig peintio, pensaernïaeth a barddoniaeth; ac yr oedd cannoedd o hen ddisgyblion y deffrowyd eu diddordeb mewn diwylliant am y tro cyntaf ganddo ef. Cymerai ddiddordeb brwdfrydig mewn chwaraeon. Yn Aberystwyth yr oedd yn bencampwr athletaidd, yn aelod (a chapten) o dîm y bêl gron, ac o'r tîm rygbi, ac fel prifathro ychydig oedd y gornestau ysgol nad oedd ef yn eu gwylio. Yn 1894 pr. Ann Gwenllian, merch Thomas Jones, Dowlais, a'i gydfyfyriwr yn Aberystwyth. Yr oedd hi'n wraig o gryn allu a aeth, pan oedd tuag ugain oed, yn athrawes i ŵyrion John Hughes (1814-89; Bywg., 361), arloeswr datblygiad meteleg Rwsia yn Yuzovka yn nyffryn Donets. Bu iddynt dri o blant, Gareth (Bywg., 435-6) a dwy ferch. Bu f. 1 Mai 1953.

Gwybodaeth gan ei ferch, Gwyneth, a gwybodaeth bersonol.

J.H.H.

JONES, EDWARD OWEN ('E.O.J.'; 1871-1953), newyddiadurwr ac englynwr; g. ym mis Mai 1871 yn Welford, swydd Northampton, lle'r oedd ei dad, 'Berwron', yn gofalu am fferm, ond yn 1875 symudodd y teulu i Losg-yr-odyn, Y Gaerwen, Môn. Yn 1887 aeth yn brentis argraffydd i swyddfa'r North Wales Chronicle ym Mangor; yna yn 1903 dilynodd Hugh Edwards yn olygydd Y Clorianydd, papur wythnosol Môn, yn Llangefni, a daliodd yn y swydd honno am 48 ml. Yr oedd yn englynwr medrus. Cynigiai bob blwyddyn ar yr englyn yn yr Eist. Gen.; enillodd y gystadleuaeth yn Eist. Llandybïe 1944 am englyn i'r neidr: 'un o'r pethau salaf ddaru mi 'rioed'. Bu f. 18 Medi 1953.

Percy Hughes, Ysgrifau a Cherddi (1966), 27-30; Gol., 14 Hyd. 1953, 3.

B.L.J.

JONES, ELIZABETH JANE LOUIS (g. ELIZABETH JANE LLOYD; 1889-1952), ysgolhaig; g. 28 Ebr. 1889 yn Llanilar, Cer., unig blentyn John Lloyd, marchnatwr coed, a'i wraig Elizabeth (g. Edwards). Cafodd ei haddysg gynnar yn Ysgol y Sir, Aberystwyth ac oddi yno aeth i Goleg y Brifysgol, Aberystwyth, ac yn 1911 graddiodd gydag anrhydedd yn y dosbarth cyntaf mewn Cymraeg. Dyfarnwyd iddi Gymrodoriaeth gan y Brifysgol ar gyfrif ei theilyngdod. Parhaodd i astudio am dair bl. ymhellach, gan mwyaf yn llyfrgelloedd Llundain a Rhydychen. Yn ystod ei chyfnod yn Llundain noddwyd hi a'i hoff gyfaill Morfydd Llwyn Owen (Bywg., 674) gan Syr John Herbert Lewis (Bywg., 521) a'i wraig, Ruth. Yn 1912 enillodd y wobr a'r fedal yn Eist. Gen. Wrecsam am y prif draethawd ar Hanes yr

Eisteddfod. Yn y flwyddyn ddilynol enillodd radd M.A. am 'The history of the Eisteddfod'. Penodwyd hi yn 1916 yn ddarlithydd mewn Cymraeg a Saesneg yn y Coleg Normal, Bangor. Yn 1917 pr. E. Louis Jones, cyfreithiwr o Lanfyllin, mab Dr. Richard Jones, Harlech, a bu iddynt bedwar o blant ond bu dau ohonynt f. yn ifanc. Yn 1928 cyhoeddodd gyda'r Athro Henry Lewis (gw. isod), Mynegai i farddoniaeth y llawysgrifau, 1928). Bu f. 14 Mai 1952 yn Wrecsam, a chladdwyd hi yn Llanfyllin.

Adnabyddiaeth bersonol; Cerddoriaeth Cymru, Haf 1976, 5. 3, 99-100.

E.E.L.J.

JONES, ELIZABETH MARY ('Moelona'; 1877-1953), athrawes a nofelydd; g. 21 Meh. 1877 ym Moylon, Rhydlewis, Cer., yr ieuangaf o blant John Owen (a oedd yn cludo nwyddau fferm i'r Gweithiau â cheffyl a chart cyn cymryd tenantiaeth fferm y Moylon) a Mari, merch Abraham Jones (a oedd yntau yn garier). 'Moelona' oedd yr ieuangaf o dri ar ddeg o blant; bu un ohonynt farw yn ieuanc tra oedd y rhieni yn y fynwent yn claddu dau arall. Brawd iddi, a'r hynaf o'r plant, oedd Owen Rhys Owen (1854-1908), gweinidog (A) y cysylltir ei enw â Glandŵr. Cyn iddi hi gyrraedd oedran ysgol bu raid i'r teulu adael Moylon, a chymryd fferm lai ac anghysbell Llwyneos, ac oddi yno yr aeth i'r ysgol elfennol yn Rhydlewis pan oedd John Newton Crowther (Bywg., 80) yn brifathro yno, Sais uniaith a ddysgodd Gymraeg, a droes i farddoni yn Gymraeg, ac a fu'n flaenllaw yng nghapel Hawen (A) lle yr oedd 'Moelona' yn aelod. Yr oedd y pryd hynny draddodiad llenyddol ac eisteddfodol byw yn yr eglwysi lleol ac yn y fro, a bu 'Moelona' drwy gydol ei hoes yn drwm dan ddylanwad ardal ei magwraeth. Cyfoed â hi yn yr ysgol oedd D. Caradoc Evans (Bywg.2, 13), a hi yn hytrach nag ef a benodwyd yn ddisgybl-athrawes pan gynigiodd y ddau ohonynt am yr un swydd. Gan i'w mam f. yn 1890, ni chafodd ei dymuniad o fynd i goleg a bu'n gofalu am ei thad a gweithredu fel disgybl athrawes yn Rhydlewis gan ennill tystysgrif athrawes tra oedd yno. Apwyntiwyd hi'n athrawes yn Mhont-rhyd-y-fen, Pen-y-bont ar Ogwr, ac Acre-fair cyn mynd i Gaerdydd yn 1905.

Ysgrifennodd ei nofel gyntaf, Rhamant o Ben y Rhos, yn 1907 ar gyfer eisteddfod Llwyn-yr-hwrdd a chyhoeddwyd hi yr un flwyddyn gan Wasg Gomer. Fe'i hailgyhoeddwyd fel Rhamant y Rhos yn 1918. Erbyn hynny yr oedd 'Moelona' wedi elwa ar gymdeithasau a chyfleodd diwylliadol dinas Caerdydd, gan gynnwys y gymdeithas Eingl-Ffrengig, ac wedi dod ar draws storïau Alphonse Daudet (sydd yn sôn am fywyd ei fro enedigol ef). Maes o law, cyhoeddwyd cyfieithiadau gan 'Moelona' o waith Daudet mewn amryw gylchgronau megys Cymru (1916) - yr oedd Syr O. M. Edwards wedi ei hannog i ysgrifennu - Y Wawr (1917), ac yn y gyfrol Y Wers Olaf (1921). A thra oedd hi yng Nghaerdydd fe gyhoeddwyd amryw ysgrifau a llyfrau gan gynnwys Teulu bach Nantoer (1913) a Bugail y Bryn (1917).

Yn 1914 dechreuodd gyfrannu 'Colofn y Plant' i'r wythnosolyn Y Darian dan olygyddiaeth J. Tywi Jones, Y Glais, (gw. yr Atod. isod), ac yn 1917 pr. 'Moelona' ac yntau.

Wedi hynny, troes dros dro i ddarlithio cyn ailgydio mewn ysgrifennu nofelau ar gyfer plant, llyfrau Cymraeg ar gyfer ysgolion, nofelau i ferched, megys *Breuddwydion Myfanwy* (1928), a *Beryl* (1931) ynghyd ag ysgrifau a llyfrau eraill. Nodweddir y rhain gan gariad at yr iaith, brwdfrydedd dros addysg a chyfleoedd i fenywod, ac yn rhai o'r cyfrolau (yn arbennig *Ffynnonloyw* (1939)) adlewyrchir nodweddion cymdeithasegol y gymdeithas y magwyd hi ynddi, a hynny yn dra effeithiol gan mai dweud stori oedd ei bwriad yn hytrach na darlunio cymdeithas.

Yn 1935 ymddeolodd J. Tywi Jones, a symudodd 'Moelona' ac yntau i Geinewydd. Bu ef f. yn 1948 ond ni phallodd diddordeb 'Moelona' mewn capel ac eisteddfod tan ei m. yng Ngheinewydd, 5 Meh. 1953. Ni bu iddi blant. Claddwyd hi yn Hawen, Rhydlewis.

Llyfryddiaeth yn Glyn Lewis Jones, *Llyfryddiaeth Ceredigion 1600-1964*, II (1967); O. L. Roberts, *Cofiant y Parch. O. R. Owen* (1909); Alun R. Edwards, 'Gwasanaeth Moelona', *Welsh Gaz.*, 18 Meh. 1953; [Mairwen a Gwynn Jones, *Dewiniaid Difyr* (1983); ei phapurau yn Ll.G.C.].

D.Je.

JONES, ELIZABETH WATKIN - gw. WATKIN-JONES, ELIZABETH isod.

JONES, ENID WYN (1909-67), gwraig nodedig am ei gweithgarwch ym mywyd crefyddol a chymdeithasol Cymru a Lloegr; g. 17 Ion. 1909 yn Wrecsam, Dinb., yn ferch i'r Dr. David Llewelyn Williams (*Bywg.*2, 61) a Margaret Williams. Symudodd y teulu i Gaerdydd ychydig cyn Rhyfel Byd I, ond yn ystod y rhyfel fe'i magwyd hi yn y Rhyl. Addysgwyd hi yn y *Welsh Girls' School*, Ashford, ac yna dilynodd gwrs llawn o hyfforddiant fel gweinyddes yn Ysbyty Brenhinol Caerdydd. Ar 9 Medi 1936 pr. ag Emyr Wyn Jones, brodor o'r Waunfawr, Caernarfon, a ffysigwr yn Lerpwl, a bu iddynt ddau o blant. Ymgartrefai yn Llety'r Eos, Llansannan, gan dreulio cyfran o'i hamser yn Lerpwl. Yn rhinwedd ei gwahanol swyddi teithiai'n helaeth ledled Cymru a Lloegr.

Gyda gwaith y Y.W.C.A. hi oedd llywydd Cyngor Cymru ac is-lywydd Cyngor Prydain o 1959 hyd 1967, ac yr oedd yn aelod o gyngor byd y mudiad gan gynrychioli Cymru mewn cynadleddau tramor. Hi oedd llywydd Cyngor Cenedlaethol Merched Eglwysi Rhyddion Lloegr a Chymru yn 1958-59, a bu'n llywydd Adran y Merched o Undeb Cymru Fydd yn 1966-67. Yr oedd yn ynad heddwch yn sir Ddinbych o 1955 hyd 1967. Gwnaeth waith enfawr hefyd yn y maes meddygol fel is-gadeirydd Pwyllgor Gweinyddesau Bwrdd Ysbytai Cymru; fel aelod o Fwrdd Rheolaeth Ysbytai Clwyd a Dyfrdwy; o Bwyllgor Gweinyddol Meddygon Dinbych a Fflint ac o Bwyllgor Canolog Cronfa Elusennol Frenhinol y Meddygon. Bu'n annerch ar bynciau crefyddol a chymdeithasol ac ar heddychaeth ar hyd a lled Prydain. Yr oedd yn aelod gyda'r Crynwyr yn ogystal â'r Presbyteriaid Cymreig. Bu hefyd yn gweithio ar Bwyllgor Crefyddol y B.B.C.

Bu f. 15 Medi 1967 yn ddisymwth iawn mewn awyren wrth ddychwelyd i Gymru o Gynhadledd Byd y Y.W.C.A. ym Melbourne, Awstralia, ac fe'i claddwyd yn Llansannan.

E.W.J., *In Memoriam* (1968); E.W.J., 'Teyrnged Serch', *Traeth.*, Hyd. 1969; E.W.J. (gol.), *Cyfaredd Cof* (1970); gwybodaeth bersonol.

E.W.J.

JONES, FRANCIS WYNN (1898-1970), ystadegydd a llenor; g. yn Branas Lodge, Llandrillo, Meir., 15 Ion. 1898, yn ail o bedwar mab Thomas Francis a Catherine (g. Edwards) Jones. Derbyniodd ei addysg gynnar yn ysgol ramadeg y Bala. Oddi yno aeth i Lundain yn un ar bymtheg oed i weithio fel hogyn o glerc yn Swyddfa'r Post, cyn ymuno â'r fyddin yn 1916. Ym mis Mawrth 1918 fe'i rhestrwyd ymhlith y rhai oedd yn swyddogol ar goll, ond ymhen amser daeth gwybodaeth ei fod yn garcharor rhyfel. Yn 1919 cofrestrodd yng Ngholeg Prifysgol Cymru, Aberystwyth a graddiodd mewn economeg gydag anrhydedd dosbarth I yn 1923. Bu'n gwasanaethu'r Mudiad Cynilo Cenedlaethol yng ngogledd Cymru cyn ei benodi'n ystadegydd yn y Weinyddiaeth Lafur yn Llundain. Yno y bu nes ymddeol yn 1959 ac yn ystod y cyfnod hwnnw cynrychiolodd y Weinyddiaeth mewn cynadleddau a chynulliadau ledled byd. Bu'n aelod blaenllaw ym mywyd crefyddol a diwylliannol Cymry Llundain, yn aelod o gyngor ac yn is-lywydd Anrh. Gymd. y Cymmr. Gwnaethpwyd ef yn O.B.E. yn 1959. Ar ôl ymddeol bu'n drysorydd ac is-lywydd Urdd Gobaith Cymru, yn aelod o Lys a Chyngor C.P.C. ac yn flaenor yng nghapel Seilo (MC), Aberystwyth.

Er treulio rhan helaeth o'i oes yn Llundain ni bu pall ar ei deyrngarwch i'w wlad a'i iaith nac ar ei gariad tuag atynt. Glynodd wrth 'y pethe' ac at ei grefydd, ac nid anghofiodd erioed mo'i ddyled i'w rieni a'i fagwraeth ym mro Edeirnion. Nid rhyfedd, felly, mai'r hoff bethau hyn a'i symbylodd i lenydda. Yn 1952, tra oedd yn byw yn Watford, cwplaodd gyfrol bortreadol o'i lencyndod ym mro ei febyd, cyfrol a gyhoeddwyd dan y teitl *Godre'r Berwyn*. Ar ôl ymddeol i Aberystwyth derbyniodd wahoddiad i gofnodi hanes ei gapel, a bellach fe dderbynnir *Canmlwydd Siloh Aberystwyth* (1962) fel patrwm o hanes eglwys. Ar ddiwedd y 1960au daeth iddo'r fraint a'r cyfle i gyfrannu i goffadwriaeth swyddogol ei arwr a'i gyfaill - ei dad-yng-nghyfraith, T. Gwynn Jones (*Bywg.*2, 33-4) - drwy ymroi i'r gwaith o ymchwilio a chofnodi ei holl gynnyrch cyhoeddedig enfawr. Y bwriad oedd cyhoeddi llyfryddiaeth gynhwysfawr, ond er iddo gwpláu'r ymchwil bu farw cyn gweld cyhoeddi ffrwyth ei lafur mawr. Cyhoeddwyd *Llyfryddiaeth Thomas Gwynn Jones* gan Wasg Prifysgol Cymru yn 1981. Yn ei ragymadrodd cyfeiria'r golygydd, D. Hywel E. Roberts, at gyfraniad arbennig F. Wynn Jones ac mewn cynabyddiaeth o'i gyfraniad cyflwynwyd y gyfrol iddo. Cyhoeddodd lu o erthyglau mewn cylchgronau megis *Y Traethodydd*, *Y Ford Gron*, *Y Genhinen*, ynghyd â chyfraniadau i gyhoeddiadau swyddogol ynglŷn â'i waith ystadegol.

Mewn cyfnod terfysglyd yn hanes yr iaith Gymraeg bu'n ymladdwr tawel yn y frwydr i sicrhau dilysrwydd cyfartal iddi ac i'r perwyl hwnnw cyfieithodd o'i wirfodd lu o fflurflenni a dogfennau swyddogol i'r Gymraeg ymhell cyn pen llanw y galw cyffredinol amdanynt.

Pr. yn 1926, Eluned, merch yr Athro a Mrs T.

Gwynn Jones. Bu iddynt fab a merch. Bu f. 21 Rhag. 1970.

Gwybodaeth bersonol.

N.H.W., Em.W.J.

JONES, GEORGE DANIEL (1877-1955), argraffydd; g. 1877 yn Llanbedr Pont Steffan, Cer., yn fab i Daniel a Margaret Jones, Red Lion Fach. Prentisiwyd George i T. L. Davies, Gwasg Caxton yn y dref honno ac yna aeth i wella'i grefft gyda gwasg flaengar yng Nghaerloyw. Ymhen ychydig flynyddoedd, o dan gymhelliad J. Gwenogvryn Evans (*Bywg.*, 231-2), ymunodd â Gwasg Prifysgol Rhydychen. Yn fuan dechreuodd y ddau gydweithio ar wasg law rai o'r cyfrolau cyntaf o Hen Destunau Cymraeg a gyhoeddwyd yn breifat gan Gwenogvryn. Yn niwedd Medi 1909 symudodd i Aberystwyth i gychwyn gwasg y Llyfrgell Genedlaethol newydd ac arhosodd yno hyd Medi 1925 pan dderbyniodd swydd goruchwyliwr Gwasg y *Cambrian News* yn y dref.

Yn gynnar yn y 1930au (1935 efallai) prynodd *The Montgomeryshire Printing and Stationery Co.* yn y Drenewydd, ac ar dro bu'n gyfrifol am gysodi peth gwaith i Wasg Gregynog. Yn ystod y cyfnod hwn collodd ei unig fab a merch oedd yn eu harddegau. Ymddeolodd i Aberystwyth ar ddiwedd Rhyfel Byd II a bu'n gweithio'n achlysurol i'r *Cambrian News* hyd o fewn ychydig i'w farwolaeth 2 Medi 1955. Claddwyd ef ym mynwent gyhoeddus y dre. Gadawodd weddw, Dorothy.

Ymchwil bersonol; *Cambrian News*, 9 Medi 1955.

D.J.

JONES, GWILYM CERI (1897-1963), gweinidog (MC) a bardd; g. 26 Meh. 1897 yn Newgate, plwyf Llangunllo, Cer., mab William ac Ellen Jones. Addysgwyd ef yn ysgol Rhydlewis, ysgol ramadeg Llandysul, a Choleg Diwinyddol Aberystwyth. Ord. ef yn 1922, a gweinidogaethodd yng Nghwm-parc (1922-28), Minffordd (1928-32), Llanwrtyd (1932-36), Port Talbot (1936-47), Clydach ar Dawe (1947-58). Pr., 1934, Mary Symmons, Abertawe, a ganwyd un mab iddynt. Bu f. 9 Ion. 1963 yn Llansamlet.

Yr oedd yn bregethwr craff a gwreiddiol, a galw mawr am ei wasanaeth, ond ar ôl anhwylder tost amharwyd ar ei leferydd. Troes ei allu creadigol wedyn i farddoni, gan arbenigo yn y mesurau caeth a chyhoeddi ei gynhyrchion yn y papurau wythnosol a'r cylchgronau Cymraeg. Cystadleuai yn yr Eist. Gen. gan ennill gwobrwyon ar yr englyn a'r rhieingerdd. Ef, yn 1955, ym Mhwllheli a gafodd y gadair am awdl ('Gwrtheyrn'). Ceir awdlau o'r eiddo ef ('Bro'r Ogofeydd') a T. Ll. Jones yn y llyfryn *Dwy Awdl*, a chyhoeddwyd casgliad o'i farddoniaeth ar ôl ei farw dan y teitl *Diliau'r Dolydd* (1964).

Blwyddiadur MC, 1964, 278-79; *Gol.*, 6 Chwef. 1963; gwybodaeth gan ei chwaer; ac adnabyddiaeth bersonol.

G.M.R.

JONES, GWILYM CLEATON (1875-1961), rheolwr banc yn Cape Town a Johannesburg; g. 25 Mawrth 1875 yn Llanrug, Caern., yn ail fab John Eiddon Jones (*Bywg.*, 456) a Sarah Jones.

Gweinidog yn Eglwys Bresbyteraidd Cymru oedd y tad. Cefnogai D. Lloyd George ac mewn llythyr cydymdeimlad a anfonodd Lloyd George at ei weddw o'r National Liberal Club, 16 Hyd. 1903, cydnabu'r gwladweinydd mai Eiddon Jones a ofynnodd gyntaf iddo sefyll etholiad bwrdeistrefi Arfon. Addysgwyd Cleaton Jones yn ysgol ramadeg y Bala. Llwyddodd yn arholiad rhagarweiniol yr *Incorporated Law Society of England and Wales* 1889. Erbyn 1893 yr oedd wedi dechrau gweithio gyda Chwmni Williams, Old Bank, Caer. Ymfudodd i Dde Affrig (Cape Colony ar y pryd) ym mis Tach. 1902 yn fuan ar ôl marw ei frawd hynaf, Eiddon Rhys, yr oedd ganddo feddwl uchel ohono. Ymunodd â'r *National Bank of South Africa Ltd.* Fe'i dyrchafwyd yn gyfrifydd a rheolwr y swyddfa yn Cape Town a symudodd i'r un swydd yn Johannesburg. Pan ymddeolodd ar 25 Mawrth 1936 ef oedd rheolwr cyffredinol cynorthwyol De Affrig yn Adran *Dominion, Colonial and Overseas* Banc Barclay. Ym mis Gorff. 1940 fe'i penodwyd gan y Llywodraethwr Cyffredinol yn drysorydd cenedlaethol mygedol y *National War Fund*. Yr oedd hefyd yn rheolwr cwmni Heynes Mathew Ltd. o 1937 hyd 1958. Gweithredai fel trysorydd mygedol *Cape Western Regional Committee South African Institute of Race Relations*. Ar bwys ei ddawn fel gweinyddwr a'i wybodaeth gyfreithiol fe'i gwahoddwyd i weithredu ar isbwyllgor a godwyd i lunio cyfansoddiad *Institute of Bankers South Africa*. Daeth yn aelod o gyngor y corff hwnnw. Yr oedd yn Gymro twymgalon ac yn aelod blaenllaw o gymdeithasau Cymraeg Johannesburg, Pretoria a Cape Town. Fe'i hetholwyd yn aelod am oes o Gymdeithas Gymraeg Cape Town. Yr oedd yn amlwg yng nghylchoedd yr Eglwys Fethodistaidd a gweithredodd fel arolygwr ysgol Sul, athro, blaenor, ysgrifennydd a llywydd yr eglwys Gymraeg yn Cape Town. Dangosodd yr un gweithgarwch yn Johannesburg. Pregethai yn Gymraeg. Cefnogasai eisteddfod Cape Town o'i chychwyn. Urddwyd ef, o dan yr enw 'Ab Eiddon', yn aelod o Orsedd y Beirdd yn Eist. Gen. Dinbych 1939 ac yr oedd yn un o is-lywyddion Anrh. Gymd. y Cymmr. Ei frawd ieuengaf oedd John David Rheinallt Jones (gw. isod) ac yr oedd yn edmygydd brwd o'i lafur ef fel cyfarwyddwr y *South African Institute of Race Relations*. Yr oedd ganddo bedair chwaer. Pr. (1), Esther Anne Davies, Llandeilo, a ganwyd iddynt fab a phedair merch. Bu farw'r mab, yn Alecsandria, yr Aifft, 1941, ac yntau, ar y pryd, yn gapten yn y *Transvaal Scottish Regiment*. Ar ôl marw ei wraig yn 1940 pr. (2), Mrs Alice Lilian Williams, Johannesburg. Bu f. Cleaton Jones yn Cape Town 30 Medi 1961 ac amlosgwyd ei weddillion.

Gwybodaeth gan ei ferch, Mrs. Mair Lubynski, Camps Bay, Cape Town.

G.A.J.

JONES, GWILYM GWALCHMAI (1921-70), cerddor; g. yn Llanerfyl, Tfn., 4 Ion. 1921, yn fab i William Tomley Jones a'i wraig Miriam. Addysgwyd ef yn ysgol gynradd Llanerfyl ac yn ysgol uwchradd Llanfair Caereinion, a bu'n astudio cerddoriaeth yn breifat gyda Maldwyn Price (*Bywg.2*, 146), Dr. Calvert (organ) a Powell

Edwards (canu). Yn ddiweddarach dilynodd gwrs mewn cerddoriaeth yn y Coleg Cerdd Brenhinol ym Manceinion (1950-53), lle y daeth i fri fel datganwr ac yr enillodd fathodyn aur ('Curtis') y coleg (yr anrhydedd uchaf am ganu). Dewisodd astudio ymhellach yn adran opera'r coleg (1953-54), ac ennill gwobr yr *Imperial League of Opera* (1954).

Bu'n dysgu (yn rhan-amser) yn ysgol uwchradd Llanfair Caereinion (1954-57) cyn ei benodi (yn 1957) yn aelod o staff y Coleg Cerdd Brenhinol ym Manceinion, lle y dyfarnwyd iddo gymrodoriaeth anrhydeddus y coleg ychydig wythnosau cyn ei farwolaeth sydyn (yn Llanerfyl), 12 Ion. 1970. Sefydlwyd cronfa goffa yn dwyn ei enw i gynorthwyo cantorion Cymreig addawol i dderbyn hyfforddiant yn y coleg ym Manceinion.

Fe'i cofir yn arbennig fel athro canu llwyddiannus, ac fel gŵr a fu'n fawr ei sêl dros ddyrchafu safonau datganu. Ar ôl ennill ei hun ar ganu yn yr Eist. Gen. ac yn Eist. Gydwladol Llangollen, agorodd stiwdio ganu yn y Rhyl, Caernarfon a Wrecsam (1954-57), a daeth amryw o'i ddisgyblion yn ffigurau amlwg ym myd yr eisteddfod a'r cyngerdd. Enillodd llu o'r myfyrwyr a fu'n astudio wrth ei draed yn y coleg ym Manceinion hefyd fri cydwladol ym myd yr opera.

Yng nghanol ei holl brysurdeb fel darlithydd coleg, bu galw mawr am ei wasanaeth ledled Cymru fel arweinydd cymanfa a beirniad eisteddfod. Ef hefyd a sefydlodd (yn 1959) Gantorion Gwalia, a ystyrid yn arbrawf diddorol am fod pob aelod o'r parti hwnnw yn unawdydd profiadol.

Ymchwil bersonol, ynghyd â gwybodaeth ychwanegol gan Mrs. Glenys Jones, ei weddw, trwy law Gwyn Erfyl, ei frawd.

H.W.

JONES, GWILYM RICHARD ('Gwilym Aman'; 1874-1953), cerddor, arweinydd corau a chymanfaoedd, emynydd; g. yn Siop y Bont, Brynaman, Caerf., 12 Ebr. 1874, yn fab i Richard Jones ac Elizabeth (g. Mathew) ei wraig. Brodor o Dŷ-croes oedd y tad, baritôn llwyddiannus a ymsefydlodd ym Mrynaman wedi priodi, ac yng nghanol diwylliant bywiog yr ardal honno yn nyddiau bri Watcyn Wyn (*Bywg.*, 1011) a Gwydderig (*Bywg.*, 1002) y tyfodd y bachgen. Cafodd wersi cerddoriaeth gan Joseph Parry (*Bywg.*, 694-5) pan oedd hwnnw yn gôr-feistr ac organydd capel (A) Ebeneser, Abertawe. Yr oedd ym Mrynaman gôr enwog dan arweiniad John Jones (Pen-crug), gyda David Vaughan Thomas (*Bywg.*, 886, a gw. Atod.) yn cyfeilio iddo, a thraddodiad cerddorol gwych yn symbyliad i gerddor ieuanc fel Gwilym R. a oedd wedi ei eni i fod yn arweinydd. Cafodd ei swydd gyntaf fel côr-feistr eglwys (A) Weast, Manceinion lle y bu am 15 ml. yn arwain côr cymysg Cymreig a chôr meibion yn y ddinas. Yn 1910 gwahoddwyd ef i gymryd swydd organydd a chôr-feistr eglwys Gellimanwydd, neu Christian Temple, Rhydaman lle y bu'n arbennig o lwyddiannus am yn agos i 40 ml. Edrychid arno fel yr arweinydd corawl disgleiriaf a godwyd yn nyffryn Aman. Am dros 30 ml. bu'n arwain côr Cymdeithas Gorawl Rhydaman a'r Cylch, côr a enillodd y brif wobr gerddorol yn yr Eist. Gen. yng Nghorwen,

1919, a'r Barri, 1920. Un o ganlyniadau'r llwyddiant oedd gwahodd Eist. Gen. 1922 i Rydaman. Cyflawnodd y côr orchest arbennig o dan ei faton yn un o gyngherddau'r eist. honno drwy roi perfformiad cofiadwy i gyfeiliant Cerddorfa Simffoni Llundain o Offeren yn C leiaf Bach, y tro cyntaf yng Nghymru. Gorchest arall oedd ennill y prif wobrwyon mewn tair eist. yr un dydd yn 1924 - Burry Port, Caerfyrddin, a Chlunderwen. Yn yr olaf dyfarnwyd coron arian iddo fel arweinydd côr, - coron sydd yn awr yn A.G.C., Caerdydd. Cyfrifid bod y côr yn anorchfygadwy ar 'Ye nations offer' to the Lord' o *Emyn o Fawl* Mendelssohn. Enillodd y darn hwn dros £1,500 mewn gwobrau i'r côr, a hynny cyn bod gwobrau ariannol mawr. Yr oedd yn arweinydd cymanfaoedd eneiniedig ac yr oedd ei gyfeiliant yng Ngellimanwydd yn creu awyrgylch perffaith i'r addoliad ac yn aml yn codi'r gynulleidfa i brofiadau aruchel wrth ganu rhai emynau ar donau arbennig. Hyfforddodd lu o unawdwyr ac offerynwyr yn ardal Rhydaman heblaw bod yn athro cerdd yn yr ysgol sir. Bu nifer ohonynt yn fuddugol mewn eisteddfodau. O dan ei hyfforddiant ef y cododd Trefor Anthony, Tom Williams, Dafen, ac eraill. Yr oedd yn foneddwr i flaenau ei fysedd a gadawodd ei ôl yn drwm ar ddyffryn Aman, gyda'r perfformiadau blynyddol o waith y meistri cerdd. Yr oedd yn aelod o Orsedd y Beirdd, ac yn englynwr medrus. Pr., 16 Ebr. 1925, Blodwen, merch Evan a Jane (g. Edwards) Jones yn y Christian Temple. Bu f. 3 Chwef. 1953 a chladdwyd ef yn mynwent Gellimanwydd y dydd Sadwrn canlynol.

Gwybodaeth gan ei weddw; *Amman Valley Chronicle*, Chwef. 1953.

E.D.J.

JONES, HERMAN (1915-64), gweinidog (A) a bardd; g. 24 Ion. 1915, yn 12 Caradog Place, Deiniolen, Caern., yn fab Hugh Edward Jones, ymgymerwr ac adeiladydd, ac Elizabeth ei wraig. Cafodd ei addysg yn ysgol y cyngor, Deiniolen, ysgol sir Brynrefail, y Coleg Normal, Bangor, a derbyniwyd ef i Goleg Bala-Bangor 29 Medi 1938. Graddiodd gydag anrhydedd yn y Gymraeg yn 1941 ac yn M.A. yn 1953. Ni orffennodd ei gwrs diwinyddol gan iddo dderbyn galwad o Salem, Porthmadog, a chael ei ord. yno 21 Gorff. 1943. Symudodd i Jerusalem, Porth Tywyn, a'i sefydlu yno ar 17 Tach. 1954 ac yno y bu hyd ei farw yn ysbyty Bangor, o ganlyniad i drawiad disymwth ar y galon, 3 Meh. 1964. Yr oedd yn bregethwr gyda galw mawr am ei wasanaeth a pherthynai i draddodiad y pregethu barddonol ac eglurebol.

Blodeuodd yn gynnar fel bardd gan ennill gwobrau lawer mewn eisteddfodau lleol cyn ennill y goron yn Eist. Gen. Aberteifi (1942) am ei bryddest ar 'Ebargofiant'. Syml, cynnil, crefftus a thelynegol oedd prif nodweddion ei ganu. Cyhoeddodd *Hanes Eglwys Annibynnol Jerusalem, Burry Port, 1812-1962* (1962) ac ar ôl ei f. cyhoeddwyd sylwedd ei draethawd M.A., *Y Soned yn Gymraeg hyd 1900* (1967). Pr., 14 Awst 1946, â Ffion Mai, merch David Thomas, Bangor (1880-1967; gw. isod), a bu iddynt ddau fab.

Blwyddiadur A, 1965, 152-3; gwybodaeth bersonol.

R.Td.J.

JONES, IDWAL (1899-1966), addysgydd ac Athro prifysgol; g. 31 Rhag. 1899 ym Mhen-clawdd, Morg., yn fab i Llewelyn a Margaret (g. Rees) Jones. Bu mewn ysgol gynradd ym Mhen-clawdd ac yn ysgol sir Tre-gŵyr, wedyn yng Ngholeg y Brifysgol Aberystwyth lle y graddiodd yn B.A. gydag anrhydedd yn Saesneg yn 1922. Cafodd ei M.A. yn 1924 am ddraethawd ar 'The Critical ideas of Matthew Arnold, with special reference to French and German Criticism'. Gwnaeth ei ddiploma mewn addysg yng Ngholeg y Brenin, Prifysgol Llundain.

Cafodd brofiad fel athro yn gyntaf yn ysgol elfennol Llanmorlais, Morg., o 1919 ymlaen; wedyn yn ysgol uwchradd dinas Westminster 1924-25; ac yn 1924 cymerai ddosbarthiadau nos yng Ngholeg y Gweithwyr yn Llundain. Apwyntiwyd ef yn ddarlithydd cynorthwyol yn adran addysg Coleg y Brifysgol, Abertawe, 1925-30, lle y bu'n uwch-ddarlithydd 1930-39, ac am gyfnod (1933-34) yn bennaeth gweithredol yr adran ac yn ohebydd dros y coleg i'r Bwrdd Addysg. Penodwyd ef i'r Gadair Addysg yng Ngholeg Prifysgol Cymru, Aberystwyth, 1939-60. Ef oedd deon cyntaf y gyfadran addysg yn y coleg hwnnw, a bu'n foddion i ddatblygu cysylltiadau â Choleg y Drindod, Caerfyrddin, ac ag athrawon a phlant yn nalgylch helaeth y gyfadran. Ef hefyd oedd yn gyfrifol am roi cychwyn swyddogol ar ddysgu pwnc heblaw'r Gymraeg drwy gyfrwng y Gymraeg ym Mhrifysgol Cymru, a bu'n dadlau'r achos yna ac yn amddiffyn y gwaith hwnnw gyda deheurwydd anghyffredin a threiddgarwch. Yr oedd yn bwyllgorwr tan-gamp: fel pob Athro addysg câi ei lethu gan bwyllgorau di-rif, ond yr oedd ef yn y mannau hynny'n ddadleuwr haelfrydig ond hynod o gryf ac yn ddiwyro Gymreig. Mae llawer o ddiolch iddo fod y Gymraeg wedi datblygu fel cyfrwng dysgu safonol a chydnabyddedig yn y Brifysgol. O dan ei arweiniad ef y datblygodd adran addysg Aberystwyth yn ganolfan o bwys yn rhyngwladol mewn efrydiau dwyieithog. Bu ef ei hun yn darlithio drwy'r Gymraeg yn allanol ar seicoleg yn 1931, ac yr oedd yn un o'r rhai cyntaf i lunio erthyglau ar seicoleg ddiweddar (e.e. 'Yr hunan o safbwynt seicoleg', 'Cyfraniad James Ward i seicoleg'; a 'Spearman' yn *Efrydiau Athronyddol*). Ymchwiliai i hanes addysg yng Nghymru, a chyhoeddodd waith ar Thomas Gee, 'The voluntary system at work' (yn *Nhrafodion y Cymmrodorion*, 1933), darlledu gwersi, 'Y plentyn a'r eglwys', a 'Y bardd a'r athro'.

Yr oedd ynddo ryw foneddigeiddrwydd cynhenid, a hyd yn oed yn ei ddyddiau olaf o waeledd yr oedd yn ffigur trawiadol o hardd a mawrfrydig. Pr., ar 29 Meh. 1933, Kitty, merch Syr John Herbert Lewis (*Bywg.*, 521) o Blas Penucha, Caerwys; a bu iddynt fab a dwy ferch. Bu'r cysylltiad â Phlas Penucha yn ysgogiad iddo i lunio'r llyfrddiaeth safonol ar Thomas Jones o Ddinbych yn 1937. Bu rhaid iddo ymddiswyddo o'i Gadair cyn ei amser yn 1960 oherwydd afiechyd a achoswyd i raddau helaeth trwy orweithio yn ystod blynyddoedd Rhyfel Byd II. Bu f. 3 Ion. 1966 yng Nghaerwys, a chladdwyd ef ym Mae Colwyn.

Cofnodion swyddogol Coleg Prifysgol Cymru; gwybodaeth gan ei weddw Kitty Idwal Jones.

R.M.J.

JONES, JACK (1884-1970), awdur a dramodydd; g. 24 Tach. 1884, yn Nhai Harri Blawd, Merthyr Tudful, Morg., yr hynaf o'r naw plentyn a gafodd fyw o'r pymtheg a anwyd i'w fam, Sarah Ann, a'i dad, David, a oedd yn löwr. Fe'i haddysgwyd yn ysgol elfennol Dewi Sant ym Merthyr Tudful ond fe adawodd yr ysgol yn ddeuddeg oed i weithio gyda'i dad yn y pwll glo. O 1902 hyd 1906 bu'n filwr llawn-amser, a gwasanaethodd yn Neheubarth yr Affrig ac yn yr India cyn dychwelyd i Ferthyr Tudful i weithio tan ddaear unwaith eto. Yn 1908, pr. Laura Grimes Evans o Lanfair-ym-Muallt. Erbyn dechrau Rhyfel Byd I yn 1914 cawsai waith mewn pwll glo ar bwys Pont-y-pŵl oherwydd iddo sylweddoli nad oedd ei gyflog fechan fel piliwr coed yn Llanfair-ym-Muallt yn ddigon i'w gynnal ef a'i wraig, ei ddau fab a'i ferch fach. Fel aelod o'r cefnlu, galwyd ef i ymuno â'i gatrawd yn ddioed: cafodd ei enwi mewn cadlythyrau, ac yn ddiweddarach fe'i clwyfwyd mewn brwydr yn Ffrainc. Erbyn 1921, yr oedd ganddo ef a'i wraig ddau fab arall, ac ni fu rhagor o deulu. Yn yr un flwyddyn, fe'i danfonwyd gan gangen Undeb y Glöwyr ym Mhont-y-pŵl fel cynrychiolydd i gynhadledd sefydlu'r Blaid Gomiwnyddol ym Mhrydain a gynhaliwyd ym Manceinion: ac fe'i dewiswyd fel ysgrifennydd gohebol dros ei gyd-löwyr yn Ne Cymru. Am fisoedd wedyn bu wrthi'n ddiwyd yn ceisio sefydlu cangen o'r Blaid Gomiwnyddol ym Merthyr Tudful, ac yn Awst 1921 gweithiodd yn galed dros ymgeisydd seneddol y Comiwnyddion yn etholaeth Caerffili. Pan benodwyd ef yn ysgrifennyd a chynrychiolydd llawn-amser y glöwyr ym Mlaengarw yn 1923, fe ymunodd â'r Blaid Lafur; ond wedi cael ei feirniadu'n llym am ysgrifennu ei erthygl gyntaf erioed i'r wasg (sef 'The Need for a Lib-Lab Coalition') mewn dull mor ddadleuol, tua diwedd 1927 ymddiswyddodd a symud o Ben-y-bont ar Ogwr i fyw yng Nghaerdydd. Ar ôl treulio dros flwyddyn yn siarad dros Lloyd George a'r Rhyddfrydwyr, yn 1929 collodd yr etholiad fel ymgeisydd Rhyddfrydol dros Gastell nedd. Arhosodd gyda'r Rhyddfrydwyr fel siaradwr am rai misoedd ac aeth yn sylwedydd drostynt yng nghynhadledd y Swyddfa Lafur Ryngwladol yng Ngenefa, ond erbyn 1930 yr oedd allan o waith. Yn ystod y pum ml. nesaf, ceisiodd ennill bywoliaeth mewn amryw ffyrdd: fel siaradwr ar lwyfan plaid newydd Mosley, gwerthwr, cloddiwr, rheolwr cynorthwyol mewn sinema, cyfrifwr ac fel awdur.

Erbyn 1939, yr oedd wedi datblygu'n awdur naturyddol nodedig ymhlith llenorion yr ysgol Eingl-Gymreig: â'i lyfrau wedi cael cylchrediad eang - tair nofel (*Rhondda roundabout* 1934, *Black parade* 1935, *Bidden to the feast* 1938), drama (*Land of my fathers* 1937), a chyfrol gyntaf ei hunangofiant (*Unfinished journey*, 1937): yr oedd yn adnabyddus fel siaradwr ar y radio ac i lawer o gynulleidfaoedd yng Nghymru; ac aeth yn fwy enwog byth pan gynhyrchwyd ei ddrama, *Rhondda roundabout*, mewn theatr yn Shaftesbury Avenue am gyfnod byr. Ymddangosodd y ffilm *Proud valley* yn yr un cyfnod, yntau wedi ysgrifennu'r ddeialog a chymryd rhan fechan fel actor ynddi.

Yn ystod Rhyfel Byd II treuliodd y rhan fwyaf o'i amser yn annerch cyfarfodydd ar ran y

Weinyddiaeth Hysbysrwydd a'r Mudiad Cynilion Cenedlaethol - weithiau'n dechrau'i araith gydag ychydig o frawddegau yn y Gymraeg – a pharatoi sgriptiau radio ac erthyglau papur newydd. Cymerodd ran fechan mewn ffilm arall. Gwnaeth ddwy daith ddarlithio flinderus yn yr Unol Daleithiau a Chanada rhwng Awst 1941 a diwedd 1942; ac ymwelodd â'r milwyr ar faes y gad yng ngwlad Belg a'r Iseldiroedd yn 1944 ac yn yr Eidal yn 1945. At hynny, yn 1944, fe gyhoeddodd *The man David*: cyflwyniad dychmygol seiliedig ar ffeithiau bywyd David Lloyd George o 1880 hyd 1914.

Cefnogodd ymgeisydd Ceidwadol, Syr James Grigg, yn etholiad cyffredinol 1945. Dyma'r bumed waith iddo newid ei deyrngarwch gwleidyddol, ond trwy gydol ei fywyd yr oedd ei athroniaeth yn seiliedig ar syniadau'r adain chwith gyda ffydd grefyddol seml.

Rhwng 1946 ac 1951, aeth ati o'r newydd i lenydda, a chyhoeddwyd dwy gyfrol arall o'i hunangofiant (*Me and mine*, 1946 a *Give me back my heart*, 1950), tair nofel newydd (*Off to Philadelphia in the morning*, 1947, *Some trust in chariots*, 1948 a *River out of Eden*, 1951) a drama (*Transatlantic episode*, 1947). Fe laddwyd ei fab, Lawrence, yn y rhyfel yn 1942; bu f. ei wraig, Laura, a'i fab David yn 1948.

I gydnabod ei wasanaeth i gymdeithas a'i gyfraniad ym myd llenyddiaeth, yn 1948 penodwyd ef yn C.B.E. Yn yr un flwyddyn, ymaelododd yn y Mudiad Ailarfogi Moesol ac fe'i cefnogodd mewn anerchiadau yng Nghaerdydd a lleoedd eraill yng Nghymru. Yn 1949, treuliodd dri mis yn hyrwyddo'r achos hwn yn ninasoedd a threfi'r Unol Daleithiau.

Cyhoeddodd bum nofel yn y 1950au: *Lily of the valley* a *Lucky Lear*, 1952, *Time and the business*, 1953, *Choral symphony*, 1955 a *Come, night; end, day!*, 1956. O'u cymharu â'r rhan fwyaf o'i waith, mae safon lenyddol y nofelau hyn yn is o lawer.

Yn 1954, pr. Gladys Morgan, llyfrgellydd cynorthwyol yn Rhiwbeina. Etholwyd ef yn llywydd cyntaf cangen Saesneg yr Academi Gymreig; ac yn Chwef. 1970, derbyniodd wobr gan Gyngor Celfyddydau Cymru am ei 'gyfraniad nodedig i lenyddiaeth Cymru'.

Toreithiog oedd ei waith ysgrifenedig eto o 1956 hyd ddydd ei farw 7 Mai 1970. Ymysg y llawysgrifau o'i eiddo a gedwir yn Llyfrgell Genedlaethol Cymru, y mae nofelau, dramâu, hunangofiant, a chofiant nas cyhoeddwyd. Er bod ansawdd gwaith Jack Jones yn amrywio'n fawr, mae gwerth *Black parade* ac *Off to Philadelphia in the morning* yn tystiolaethu ei fod yn awdur pwysig; ac y mae *Bidden to the feast* ac *Unfinished journey* ymysg gweithiau gorau'r Eingl-Gymry.

Keri Edwards, *Jack Jones* (1974).

K.E.

JONES, JAMES IFANO (1865-1955); llyfrgellydd a llyfryddwr; g. yn Oxford Str., Aberdâr, Morg., 15 Mai 1865 yn ôl *WWP*; ni chofnodir geni plentyn o'r enw hwn ar y dyddiad hwnnw yng nghofrestr swyddfa gofrestru Pontypridd, ond cofnodir geni James Jones, mab Jane Jones, Harriet Street, Trecynon, ar Fai 14, a dichon i gamgymeriad gael ei wneud yn y dyddiad. Thomas Jones, glöwr, oedd ei dad a hanai ei

fam o Gwm-twrch; yr oedd yn chwaer i famgu John Dyfnallt Owen (gw. isod). Addysgwyd y bachgen yn ysgol fwrdd y Parc, a adwaenid ar lafar fel 'ysgol y Comin', ond gadawodd hi yn 11 oed a mynd i ysgol breifat Owen Rees yn Seymour Str., Aberdâr. Yn 12 oed dechreuodd brentisiaeth yn swyddfa argraffu *Tarian y Gweithiwr*. Yn 1884 aeth i argraffdy Jenkin Howell (*Bywg.*, 346-7) fel cysodydd a darllenwr proflenni, a manteisiodd ar bob cyfle i'w addysgu'i hun. Yn ddiamau y dylanwad mwyaf llesol ar ei fywyd yn y cyfnod hwn oedd Ysgol Sul Capel y Gadlys (B) a'r gweithgareddau crefyddol a diwylliannol a berthynai iddi. Daeth yn ysgrifennydd Undeb Ysgolion Sul Bedyddwyr Aberdâr a'r cylch. Ymddiddorodd mewn cerddoriaeth a bu'n organydd y capel. Denodd a ddrama ei fryd yn gynnar a daeth i enwogrwydd lleol fel actor ac adroddwr. Cymerai ran amlwg mewn gwleidyddiaeth, a phan ffurfiwyd cymdeithas Lafur a Radicalaidd Aberdâr yn 1894 gweithredodd fel ei hysgrifennydd. Ond y profiad a gafodd yn ei grefft argraffu, yn anad dim, a roddodd iddo'r wybodaeth fanwl-gywir o'r iaith Gymraeg ac a'i cymhwysodd at yr yrfa ddisglair a agorodd o'i flaen pan, yn Nhach. 1896, y cafodd swydd yn Llyfrgell Rydd Caerdydd, fel y'i gelwid ar y pryd, fel catalogwr dros dro yn yr adran Gymraeg. Yn ystod y ddwy fl. nesaf bu'n cydweithio â'r llyfrgellydd John Ballinger (*Bywg.*, 21) ar y *Catalogue of printed literature in the Welsh department* a gyhoeddwyd yn 1898, gwaith a brofodd yn arf anhepgorol i weithwyr ym maes efrydiau Cymreig, ac nas disodlwyd yn llwyr hyd yn hyn. Drwy ei ran yn yr orchest hon y gwnaeth Ifano'i enw fel llyfryddwr, a phenodwyd ef i ofalu am yr adran gyfeirio yn 1901. Yr oedd ei wybodaeth am Gymru a materion Cymreig yn rhyfeddol. Daeth y casgliadau Cymreig i gyd dan ei ofal arbennig ac adwaenid ef yn gyffredinol fel 'llyfrgellydd Cymraeg Caerdydd', eithr gomeddwyd y teitl swyddogol iddo. Yr oedd ei gynnyrch llenyddol yn enfawr dros y cyfnod. Ymhlith ei weithiau dylid cynnwys adran lyfryddol y *Bible in Wales*, a gyhoeddwyd ar y cyd gyda John Ballinger yn 1906; *Bibliography of Wales*, cyfres o restrau llyfrau a ddaeth allan o bryd i'w gilydd o 1899 i 1912; a'i orchestwaith *A history of printing and printers in Wales and Monmouthshire to 1923*, a gyhoeddwyd yn 1925, ac a enillodd iddo radd M.A. Prifysgol Cymru er anrh. Cyfrannodd astudiaeth o 'Dan Isaac Davies and the bilingual movement' i *Welsh political and educational leaders in the Victorian era*, 1908, a chyhoeddwyd *The early history of Nonconformity in Cardiff*, 1912, a 'Sir Mathew Cradock and some of his contemporaries' yn *Arch. Camb.*, 1919. Ysgrifennodd gofiant W. T. Samuel, ei fywyd a'i lafur yn 1920. Trodd at feirniadaeth lenyddol gydag erthygl 'Llenyddiaeth hanner ola'r ddeunawfed ganrif' yn *Y Geninen*, 1902 (Ion. a Gorff.). O 1905 i 1929 bu'n olygydd 'Y golofn Gymreig' yn y *S. Wales Weekly News*. Yr oedd hefyd yn llenor creadigol. Yn 1905 cyhoeddwyd *Rhys ap Tewdwr Mawr*, ei ddrama fuddugol yn Eist. Gen. Bangor, 1902 - trasiedi mewn 3 act. Cyhoeddodd nifer o gerddi, tonau, erthyglau ac adolygiadau, a rhestrau llyfrau yn y gweisg Cymraeg a Saesneg. Yr oedd yn eisteddfodwr brwd, yn aelod o Orsedd y Beirdd, ac yn amddiffynnwr glew i'w hynafiaeth. O 1901 ymlaen gweithredodd yn aml fel beirniad yn y brifwyl, a bu'n fuddugol ynddi ar farddoniaeth a dramâu yn 1902, 1904, ac 1929. Yr oedd hefyd yn ddarlithydd poblogaidd i gymdeithasau ledled Cymru.

Ymddeolodd ar ddiwedd 1925. Fe'i surwyd ers amser maith gan ddiffyg cydnabod ei dalentau a'i statws yn ddigonol yn y llyfrgell. Yn ôl Dyfnallt, ei 'nai', siom fwyaf ei fywyd oedd peidio â chael ei wahodd i fod yn llyfrgellydd cyntaf Llyfrgell Genedlaethol Cymru. Yr oedd diwydrwydd ac amlochredd y dyn digoleg hwn yn syfrdanol. Cofir amdano fel llyfryddwr Cymreig mwyaf ei oes.

Bu'n briod ddwywaith; (1) â Nellie George, merch Thomas George, 'fineworker', 20 Ion. 1901 yn swyddfa gofrestru Castell-nedd; bu hi f. yn 1911, a (2), 1913, â Jessie Mary, ail ferch Thomas a Mary Charles, Havod House, Blaenafon, a fu f. Meh. 1953. Bu ef f. yn ei gartref ym Mhenarth, 7 Mawrth 1955.

WWP; 'James Ifano Jones, MA' *Jnl. W.B.S.*, 8, 2; *WwW*, 1921 ac 1937; *Www*, 1951-60; J. Dyfnallt Owen, 'F'ewythr Ifano', *Tyst*, 17 Mawrth 1955; cofnodion staff Llyfrgell Caerdydd, trwy garedigrwydd y Llyfrgellydd.

W.T.M.

JONES, JANE ANN - gw. THOMAS, LOUIE MYFANWY isod.

JONES, JOHN CHARLES (1904-56), Esgob Bangor; g. 3 Mai 1904, yn nawfed plentyn i Benjamin a Rachel Jones, Llan-saint, Caerf. Addysgwyd ef yn ysgol ramadeg Caerfyrddin, ac wedi graddio gyda dosbarth cyntaf mewn Hebraeg yng Ngholeg y Brifysgol, Caerdydd, 1926, aeth i Rydychen gydag ysgoloriaeth Hody i Goleg Wadham, lle'r enillodd y *Junior LXX Prize* ac ysgoloriaeth Pusey ac Ellerton 1927. Graddiodd yn B.A. 1928 gyda dosbarth cyntaf mewn diwinyddiaeth, yn M.A. 1931, a chafodd radd D.D. (Lambeth) 1950. Dyfarnwyd ef yn ysgolor Kennicott yn 1928, a threuliodd sesiwn 1928-29 yn Wycliffe Hall, Rhydychen. Ord. ef yn ddiacon gan Esgob Tyddewi yn 1929, ac yn offeiriad 1930; bu'n gurad Llanelli 1929-33, ac Aberystwyth 1933-34 lle'r oedd i ofalu am fyfyrwyr. Yn 1934 aeth i'r maes cenhadol, i goleg coffa'r Esgob Tucker, Mukono, Uganda, yn diwtor mewn diwinyddiaeth, ac o 1939-45 ef oedd warden ac unig lywodraethwr y coleg. Yn 1941, gyda chymorth ei wraig (Mary, ferch William Lewis o Gaerfyrddin, nyrs wrth ei galwedigaeth), agorodd adran i hyfforddi gwragedd yr offeiriaid brodorol. Dychwelodd i Gymru yn 1945, yn ficer Llanelli; fe'i cadeiriwyd yn Esgob Bangor ŵyl Ystwyll 1949 - y tro cyntaf erioed i'r seremoni gael ei chynnal yn Gymraeg. Bu f. ym Mangor, ar ei ffordd adref o ysgol S. Winifred, Llanfairfechan, nos Sadwrn 13 Hyd. 1956, a chladdwyd ef ym mynwent Llandysilio 18 Hyd. Gadawodd weddw ac un ferch, Ann, gwraig Donald Lewis a benodwyd yn ficer Abertawe 1977.

I'r saith ml. y bu'n Esgob Bangor cywasgodd lafur a dylanwad oes. Daeth â bywyd newydd i'r esgobaeth, ac undod a chadernid na welwyd eu tebyg erioed o'r blaen. Yr oedd y plwyfi mwyaf diarffordd yn ei adnabod, ac yr oedd yn

esgob i bawb, 'yn perthyn i ni gyd', fel y dywedodd blaenor Methodist. Yn haf 1950 dilynodd mwy na phedair mil ef ar bererindod hyd ffordd y pererinion i Aberdaron. Yr oedd yr arddangosfa o drysorau eglwysi'r esgobaeth a gynhaliwyd ym Mangor 3-5 Mawrth 1953 yn gyfle i ddwyn pawb ynghyd yn ogystal ag i bwysleisio traddodiad ac etifeddiaeth a oedd yn ymestyn dros bedair c. ar ddeg. Ymgais i uno'r esgobaeth oedd y cylchgrawn chwarterol, *Bangor Diocesan Gazette*, a gychwynnodd yng Ngorff. 1954.

Byddai'n hedeg i'r Dwyrain Canol i ymweld â'r lluoedd arfog, ac yn 1954 cymerodd ran yng nghynhadledd fyd-eang yr eglwysi Cristnogol yn Evanston ac yng nghynhadledd yr esgobion anglicanaidd ym Minneapolis.

Nid yw'n hawdd i'r sawl na welodd y gŵr bychan, eiddil hwn, amgyffred ei ysbrydoliaeth dawel a chadernid ei ffydd a'i obaith.

Crockford; *Llan*, 19 a 26 Hyd. 1956; *Haul a'r gangell*, gaeaf 1956-57, 4-5; *N. Wales Chron.*, 19 Hyd. 1956; *Bangor Dioc. Gaz.*, Ion. 1957 (rhifyn coffa); adnabyddiaeth bersonol.

E.P.R.

JONES, JOHN DAVID RHEINALLT (1884-1953), dyngarwr, sefydlydd a chyfarwyddwr *South African Institute of Race Relations*; g. 5 Gorff. 1884 yn Llanrug, Caern., mab ieuangaf J. Eiddon Jones (*Bywg.*, 456) a Sarah Jones. Addysgwyd ef yn Ysgol Friars, Bangor, ond yn 1897 ymaelododd fel byrddiwr yn ysgol ramadeg David Hughes, Biwmares, lle'r enillodd y dystysgrif ysgol yn 1900 mewn Saesneg, hanes, rhifyddeg, Lladin, gyda rhagoriaeth yn y Gymraeg. Ymfudodd i Dde Affrig ym mis Hyd. 1905. Yr oedd, yn ôl tystiolaeth G. J. Williams, Bangor (20 Mai 1905) o gyfansoddiad cryf ac yn llawn egni. Ymdaflodd i waith dyngarol a bu'n flaenllaw yn yr ymdrech i sefydlu y *South African Institute of Race Relations*. Ef oedd y cyfarwyddwr o 1930 hyd 1947. Y flwyddyn honno penodwyd ef yn gynghorwr ar faterion brodorol yr *Anglo-American Corporation*. Eithr cyn hynny buasai'n olygydd (1915) *The South African Quarterly* gan barhau yn y swydd hyd 1926. Yn 1919 fe'i penodwyd yn ysgrifennydd Cyngor Addysg Witwatersrand - corff answyddogol a sefydlasid gan yr *uitlanders* ddiwedd y ganrif flaenorol i hyrwyddo addysg. Daeth i gysylltiad ymarferol â'r ymgyrch i drawsnewid y *South African School of Mines and Technology* (1910) ac i ffurfio coleg y brifysgol (1920). O'r ymdrech hon y sefydlwyd Prifysgol Witwatersrand (1922). Rhwng 1928-30 Rheinallt Jones oedd cofrestrydd cynorthwyol y brifysgol honno. Dyfarnwyd iddo radd M.A. er anrh. gan y brifysgol yn 1931 am ei wasanaeth iddi a'i lafur dros broblemau hiliol. Cyfeirir ato yn *African Studies* (5 Rhag. 1953) fel arloesydd y syniad o astudio bywyd a sefydliadau'r Affrig fel pwnc academaidd. Gyda chynhorthwy ei wraig a'r Athro Alfred Hoernlé fe bwysodd am sefydlu adran efrydiau Bantu yn y brifysgol. Gwireddwyd y weledigaeth honno. Rheinallt Jones a gychwynnodd y cylchgrawn *Bantu Studies* ym mis Hyd. 1921 a'i olygu. Bu'n darlithio ar y gyfraith frodorol yn yr adran efrydiau Bantu oddi ar 1929 ac yn ddarlithydd gwadd ar gysylltiadau hil. Yn 1937 dewiswyd ef yn gynrychiolydd cyntaf Affricanwyr y Transvaal a'r Orange Free State yn senedd De Affrig. Sefydlodd hefyd yr *Inter-university Committee on African Studies* i hyrwyddo a chyfuno ymchwil. Trefnodd gynhadledd genedlaethol o gynrychiolwyr Ewropeaidd a Bantu yn Cape Town yn 1929 a'r flwyddyn honno, gyda chymorth Sefydliad Phelps-Stokes a Chorfforaeth Carnegie (yn ddiweddarach), fe sefydlodd y *South African Institute of Race Relations*. Yr oedd hwn yn ddigwyddiad o bwys oherwydd fe allesid, o'r diwedd, fynd ati i osod cynlluniau ymchwil a lles ar sylfaen gadarn. Sefydlodd y cylchgrawn *Race Relations* ac ef oedd y golygydd. Yn ychwanegol at y chwarterolyn hwn bu a wnelo hefyd a'r *Race Relations News* (misol). Collodd ei sedd yn y senedd yn 1942 i ymgeisydd a feddai syniadau mwy radicalaidd. Yn 1947 derbyniodd swydd cynghorydd ar faterion brodorol i'r *Anglo-American Corporation* yn Ne Affrig eithr heb dorri cysylltiad llwyr â'i waith gyda'r *Institute* er y bu rhaid iddo ymddiswyddo fel cyfarwyddwr. Yn 1950 fe'i dyrchafwyd yn llywydd y sefydliad a chafodd gyfle i deithio ar hyd a lled y cyfandir yr oedd bellach yn gymaint awdurdod ar ei broblemau. Ysgrifennodd doreth o adroddiadau ac erthyglau manwl o bob math o bynciau'n ymwneud â phroblemau hiliol a chymdeithasol. Bu'n gysylltiedig â'r *Jan. H. Hofmeyr School of Social Work*, yr Y.M.C.A. ac yn arbennig y *Pathfinders* (sgowtiaid De Affrig). Daeth yn *Chief Pathfinder-Master* yn 1926 ac fe'i hanrhydeddwyd â'r *Silver Lion* gan Brif Sgowt De Affrig yn 1947. Ef oedd comisiynwr sgowtiaid yr Affrig dros y Prif Sgowt. Er cymaint y galwadau arno fel aelod o nifer o gynghorau parhaodd i gadw cysylltiad â Chymru ac â'i frawd Gwilym Cleaton (gw. uchod) yn arbennig. Ymwelodd â Chymru yn 1936 ac 1952. Yr oedd cyfraniad Rheinallt Jones tuag at greu gwell cyfathrach rhwng y du a'r gwyn yn un tra nodedig. Yn 1944 bu f. ei wraig Edith Beatrice (g. Barton) a br. yn 1910. Pr. (2) Helen Clare Norfolk Francis (g. Verley) yn 1947. Bu f. 30 Ion. 1953 a chladdwyd ei weddillion yn amlosgfa Braamfontein.

Www; Alan Paton, *Natal*; *African Studies*; Edgar H. Brookes, *R. J. - John David Rheinallt Jones* (1953); gwybodaeth gan Mrs Clare Rheinallt Jones, llyfrgellydd *South African Institute of Race Relations*, ac R. Musiker, llyfrgellydd Prifysgol Witwatersrand.

G.A.J.

JONES, JOHN EDWARD (1905-70), ysgrifennydd a threfnydd Plaid Cymru, 1930-62; g. 10 Rhag. 1905 yn Hafoty Fawr, Melin-y-Wig, Meir., yn drydydd mab Rice Price a Jane (g. Jones). Bu f. ei dad cyn bod J. E. yn flwydd oed, a'i fam, gyda chymorth ei ddau frawd hynaf, a ffermiodd y lle wedyn. Diau i safle godidog ei gartref a diwylliant cyfoethog yr ardal, yn gerddorol, llenyddol a chrefyddol, ei glymu wrth Gymru yn ieuanc. Cafodd taid iddo ei garcharu adeg rhyfel y degwm.

Yn ysgol gynradd Melin-y-Wig - enw a adferwyd ganddo ef - 1910-18, ac yn ysgol ramadeg y Bala, 1918-24, a cafodd ei addysg cyn mynd i Brifysgol Cymru yng ngholeg Bangor yn 1924. Yno bu'n ysgrifennydd Undeb y Myfyrwyr gan lwyddo i wneud y Gymraeg yn

gyd-swyddogol â'r Saesneg. Yr oedd yn flaenllaw yng nghymdeithas 'Y tair G', un o'r tair ffrwd a ymunodd i ffurfio Plaid Genedlaethol Cymru yn Awst 1925. Ef a benodwyd yn ysgrifennydd cangen y Blaid pan ffurfiwyd hi yn y coleg ym mis Tach. 1926, a safodd fel cenedlaetholwr mewn ffug etholiad gan ddod ar ben y pôl. Graddiodd yn 1927.

Wedi iddo gymryd swydd athro yn Llundain yn 1928 ffurfiwyd cangen o'r Blaid yno gyda J. E. eto yn ysgrifennydd. Daeth y gangen, o achos ei ddawn trefnu eithriadol, yn od o lewyrchus - y fwyaf yn y Blaid. Dychwelodd i Gymru yn 1930 fel ysgrifennydd a threfnydd y Blaid Genedlaethol. Yng nghapel MC Glan-rhyd, 27 Gorff. 1940 pr. ag Olwen Roberts, chwaer John Iorwerth Roberts (gw. isod), a bu iddynt fab a merch.

Meddai ar gymeriad gwydn, meddwl cryf ac amynedd. Yn fynych cuddid nerth mawr ei bersonoliaeth gan ei addfwynder. Ar wahân i'w waith fel ysgrifennydd pwyllgor gwaith y Blaid, ef a drefnai'r gynhadledd a'r ysgol haf flynyddol, a'r raliau. Adeiladodd y rhain yn sefydliadau cryf, ond hefyd symbylai godi canghennau ar hyd ac ar led y wlad. Ar wahân i'w gyfrifoldeb am etholiadau lleol a seneddol (safodd ei hun fel ymgeisydd yn Arfon ym 1950), trefnodd lawer ymgyrch arbennig, megis y rhai dros radio a theledu, dros gorfforaeth ddatblygu, yn erbyn cynlluniau eithafol y Comisiwn Coedwigo ac yn erbyn meddiannu tir Cymru gan y Swyddfa Rhyfel; cylchynwyd gwersyll milwrol Trawsfynydd ddwywaith gan aelodau'r Blaid. Tyfodd yr ymgyrch yn erbyn boddi Cwm Tryweryn yn fawr iawn; ond diau mai'r ymgyrch yn erbyn yr Ysgol Fomio yn Llŷn oedd yr enwocaf, pan garcharwyd Saunders Lewis, Lewis Valentine a D. J. Williams. Golygai'r ymgyrchoedd niferus hyn waith mawr wrth geisio ennill cefnogaeth y wlad. Cyfrannodd ef yn fwy na neb i'r gamp fawr o gadw Plaid Cymru at ei gilydd yn ystod Rhyfel Byd II.

Gofalai am y wasg a phob cyhoeddusrwydd, ac ar adegau syrthiai pen trymaf y baich o gyhoeddi papurau'r Blaid, Y *Ddraig Goch* a'r *Welsh Nation*, ar ei ysgwyddau. Cyhoeddwyd dros gant o lyfrau a phamffledi yn ystod ei ysgrifenyddiaeth. Ef hefyd a adeiladodd Gronfa Gŵyl Ddewi fel prif ffynhonnell ariannol y Blaid.

Bu'n darlithio a pharatoi cyfresi teledu ar arddio yr oedd yn gryn arbenigwr arno. Ar wahân i gyfrol werthfawr ar y pwnc ysgrifennodd lyfr teithio am Yr Yswisdir. Eithr ei gyfrol werthocaf yw *Tros Gymru*, sy'n fwynfa o wybodaeth am Blaid Cymru hyd at 1945. Ar ben hyn oll, bu'n athro ar ddosbarth mawr o wragedd ifanc yn Ysgol Sul capel Heol y Crwys (MC), Caerdydd.

Afiechyd a'i gorfododd yn 1962 i roi'r gorau i ysgrifenyddiaeth y Blaid, gan gymryd swydd ysgafnach fel cynghorwr iddi, ac ar ei ffordd adref o'r swyddfa, yn ystod yr etholiad cyffredinol, yr oedd pan fu f. yn sydyn, 30 Mai 1970. Claddwyd ef ym mynwent Melin-y-Wig. Meddylir amdano bob amser fel prif bensaer Plaid Cymru.

Gwybodaeth bersonol; dyddiadau gan ei weddw.

Gw.E.

JONES, JOHN ISLAN (1874-1968), gweinidog (U), awdur; g. 17 Chwef. 1874 yn fab Evan a Mary Jones, Tynewydd (Cornant a Melin Llysfaen wedi hynny), Cribyn, Cer. Aeth i ysgolion Cribyn a Llanwnnen (o dan David Thomas, 'Dewi Hefin', *Bywg.*, 884) nes yr oedd tua deg oed. Ar ôl bod yn was fferm ac yn saer maen gyda'i dad mynychodd ysgol David Evans, gweinidog (U), Cribyn (1896-98). Enillodd ysgoloriaeth, ac aeth i Goleg Iesu, Rhydychen lle y graddiodd yn 1901 cyn mynd i Goleg Manceinion, Rhydychen i baratoi am y weinidogaeth. Enillodd ysgoloriaeth Hibbert a'i galluogodd i fynd i Brifysgolion Marburg a Jena yn yr Almaen yn 1904, ond dychwelodd adref cyn gorffen cwrs gradd Ph.D. oherwydd afiechyd; cafodd radd M.A. yn 1909. Treuliodd anterth ei ddyddiau yn weinidog (U) yn Lloegr: Accrington (1906-09), Bolton (1909-17) a Hindley (1917-39), cyn ymddeol i'w fro enedigol. Ac yntau mewn gwth a oedran gwahoddwyd ef i ddod yn brifathro Coleg Presbyteraidd Caerfyrddin yn 1945; bu yno 3 bl. a gweinidogaethu i Eglwys Parcyfelfed yr un pryd. Yr oedd yn ŵr o argyhoeddiadau cryfion, yn hyddysg yn y cynganeddion ac yn arweinydd côr. Cyhoeddodd *A brief history of the Unitarian Church, Accrington* (1909), *Egwyddorion yr Undodiaid* (1948), a chyfrol o atgofion, *Yr hen amser gynt* (1958) a enillodd iddo wobr Pwyllgor Addysg Ceredigion. Ceir ysgrifau ganddo yn *Yr Ymofynnydd* (1905-59), *Cymru*, a *Trans. Unitarian Historical Society* (gw. Glyn Lewis Jones, *Llyfryddiaeth Ceredigion 1600-1964*). Bu f. yn fab gweddw 28 Mai 1968.

Ymofynnydd, 1901, 189; 1904, 192; 1906, 165; 1968, 81-7.

M.A.J.

JONES, JOHN JAMES (1892-1957), athro, llyfrgellydd, ysgolhaig ac ieithydd; g. 12 Mawrth 1892 yng Ngheinewydd, Cer., yr ieuangaf o ddau blentyn y cyfrwywr Thomas Jones ac Elizabeth, merch John Williams, Pendre, Llwyndafydd.

Addysgwyd ef yn ysgol y cyngor, Ceinewydd, ysgol ganolraddol Aberaeron (1906-10); bu'n ddisgybl athro cyn mynd i Goleg Prifysgol Cymru, Aberystwyth (1911-14), lle y daeth yn ddisgybl i'r athro enwog Hermann Ethé. Graddiodd yn B.A. gydag anrhydedd mewn Lladin, ac yn 1919 enillodd radd M.A. gyda thraethawd ar 'The native Italian element in early Roman religion'. Bu'n dysgu am naw ml. mewn ysgolion gramadeg yn Lloegr: Stockton-on-Tees (1914-15); Whitchurch, sir Amwythig (1915-18); ysgol Ryleys, sir Gaer (1918-20); ysgol Syr Thomas Rich, Caerloyw (1921-23). Dilewyd Lladin o'r cwrs dysgu yn yr ysgol yng Nghaerloyw, a chollodd yntau ei swydd o'r herwydd. Gan ei fod ychydig yn drwm ei glyw penderfynodd roddi'r gorau i ddysgu, a dychwelyd i'r adran glasuron yn Aberystwyth, i wneud ymchwil pellach. Yn 1926 penodwyd ef i swydd ceidwad cynorthwyol yn adran llyfrau printiedig Llyfrgell Genedlaethol Cymru, a'i ddyrchafu'n ddirprwy geidwad yn 1928 a bu'n bennaeth yr adran o 1950 hyd ei farw. Adwaenid ef fel llyfryddwr medrus, medr a ddeilliai o'i ysgolheictod a'i ddisgyblaeth yn y clasuron. Pr. Elizabeth Mary, merch Isaac Davies,

Ceinewydd, ym mis Hyd. 1927, ond ni bu plant o'r briodas.

Yr oedd ganddo ddawn arbennig i ddysgu ieithoedd, a bu ei wybodaeth drylwyr o Ladin a Groeg yn sail gadarn iddo ddysgu ieithoedd eraill, megis Ffrangeg, Sbaeneg ac Eidaleg. Meddai ar wybodaeth o Almaeneg, Rwseg a Phwyleg, a medrai ddarllen y mwyafrif o'r ieithoedd Slafaidd, Scandinafaidd, Hwngareg, ac wrth gwrs yr ieithoedd Celtaidd. Ymddiddorai yn yr ieithoedd dwyreiniol, megis Perseg ac Arabeg, ac fe'i hysgogwyd i ddysgu Sanscrit a Pali er mwyn darllen llenyddiaeth grefyddol yr India yn yr iaith wreiddiol. Ei feistrolaeth o Sanscrit a'i galluogodd i gyfieithu'r *Mahāvastu*, ysgrythurau sect hynaf Bwdistiaeth, i'r Saesneg, ac a gyhoeddwyd mewn tair cyfrol dan nawdd y Pali Text Society yn 1949-56. Yn ôl Miss I.B. Horner, ysgrifennydd y Gymdeithas, mae'r cyfieithiad cyntaf hwn i unrhyw iaith yn gyfraniad arbennig i astudiaethau Bwdistiaeth; llwyddodd i orchfygu ac egluro anawsterau'r testun, a'i drosi i Saesneg llyfn a choeth.

Cyfrannodd erthyglau i gylchgronau Cymreig ar astudiaethau Celtaidd, crefydd a llyfryddiaeth. Cyhoeddodd ei gyfieithiadau i'r Gymraeg o storïau byrion o'r Llydaweg a'r Rwseg yn *Yr Efrydydd*, 1935 a'r *Haul*, 1945, ac o ddwyeiadau Perseg yn *Yr Efrydydd*, 1934. Ysgrifennodd erthyglau i'r *Haul* (1942-44) ar 'Emynau Lladin di-enw yn yr Emyniadur (1897)', i'r *Bywg.*, a rhagymadrodd i'r casgliad o ddiarhebion Cymreig yn y llyfr *Racial proverbs...* a olygwyd gan S. G. Champion (1938).

Ymlaciai o'i waith drwy ddarllen ambell nofel neu chwarae gwyddbwyll. Hoffai wylio pêl-droed a chriced ac yr oedd yn chwaraewr bowls brwd. Yr oedd ei fyddardod wedi gwneud cwmnïa'n anodd iddo, ac felly trodd at y diddordebau yma lle nad oedd y clyw yn bwysig. Yr oedd yn ŵr bonheddig, cyfeillgar a diymhongar, ac enynnai barch y neb a'i hadnabu. Bu f. ei wraig ar y 29 Gorff. 1955 yn 64 oed, a chyflwynodd y drydedd gyfrol o'r *Mahāvastu* iddi mewn gwerthfawrogiad o'i hamynedd a'i hanogaeth iddo yng nghyfnod y cyfieithu. Bu yntau f. yn sydyn ar ganol chware gwyddbwyll 20 Chwef. 1957, ychydig fisoedd cyn cyrraedd oedran ymddeol, a chladdwyd ef ym mynwent capel (A), Maen-y-groes, ger Ceinewydd.

Adroddiadau blynyddol LLGC; llythyrau yn adran llsgrau.'r llyfrgell; *Cylchg. Ll.G.C.*, 10, 1957, 119-20; *Times*, 26 Chwef. 1957, 11; gwybodaeth bersonol a chan aelodau staff Ll.G.C.

J.K.E.

JONES, JOHN LLOYD - gw. LLOYD-JONES, JOHN isod.

JONES, JOHN ROBERT (1911-70), athronydd a chenedlgarwr; g. 4 Medi 1911 ym Mhwllheli, Caern., mab William a Kate Jones. Addysgwyd ef yn ysgol Troed-yr-allt ac yn yr ysgol sir, Pwllheli. Oddi yno aeth i Goleg Prifysgol Cymru Aberystwyth lle y graddiodd gydag anrhydedd yn y dosbarth cyntaf mewn athroniaeth. Cafodd radd M.A. gyda chlod yn yr un coleg ac oddi yno, gyda chymrodoriaeth Prifysgol Cymru, aeth i Goleg Balliol,

Rhydychen, lle yr enillodd radd D.Phil. Penodwyd ef yn ddarlithydd mewn athroniaeth yn ei hen goleg a bu yno hyd nes y penodwyd ef yn Athro Athroniaeth yng Ngholeg y Brifysgol, Abertawe, yn 1952. Yn 1943 pr. Catherine Julia Charles Roberts, Nefyn, a bu iddynt un ferch. Yn 1961 ymwelodd â Phrifysgol Chapel Hill, North Carolina, fel athro.

Cychwynasai ei yrfa fel ymgeisydd am y weinidogaeth ond wedi graddio, troes ei holl fryd ar athroniaeth, er iddo barhau yn bregethwr ar hyd ei oes. Bu'n pregethu ledled Cymru ac yn traddodi anerchiadau mewn sasiynau. Nodweddid ei bregethu gan angerdd anghyffredin a barodd i lawer ei alw'n broffwyd.

Canolbwyntiodd ar dair problem yn ei waith athronyddol, sef problem natur yr hunan, problem natur canfod a phroblem natur y cyffedinolion. O'r tair, y bwysicaf iddo ef oedd problem natur yr hunan. Hon oedd testun ei gyfraniad cyntaf a'i gyfraniad olaf i *Efrydiau Athronyddol*. Yn ddiweddarach ar ei yrfa, dylanwadwyd arno gan syniadau Tillich, Wittgenstein a Simone Weil. Yn ystod y cyfnod hwn y traddododd yr anerchiad *Yr argyfwng gwacter ystyr* ar y teledu, a ymddangosodd yn ddiweddarach fel pamffledyn ac a roes derm newydd i'r iaith Gymraeg.

Wedi symud i Abertawe a gweld dirywiad yr iaith yng nghymoedd y de trodd ei ddiddordeb at gyflwr Cymru ac ar ôl dychwelyd o'r America yn y 1960au cynnar, wedi gweld y diffyg gwreiddiau yno, y dechreuodd o ddifrif boeni am argyfwng Cymru a'r iaith Gymraeg. Yn ystod ei flynyddoedd olaf dyma oedd holl bryder a chonsyrn ei fywyd. Gwrthwynebodd yr arwisgo yn 1969 yn gryf trwy ymddiswyddo o fod yn olygydd y *Traethodydd* ac o fod yn aelod o Orsedd y Beirdd. Dyma gyfnod ysgrifennu *Prydeindod* a thraddodi anerchiadau i Gymdeithas yr Iaith Gymraeg. Yn ystod misoedd olaf ei gystudd paratôdd ddau lyfr ar gyfer y wasg, sef *Gwaedd yng Nghymru* a *Ac onide* ac ymddangosodd y ddau ar ôl ei farw. Bu f. 3 Meh. 1970, yn ei gartref yn Abertawe, a chladdwyd ef ym Mhwllheli.

Cyhoeddodd nifer o lyfrau a phamffledi: *Yr argyfwng gwacter ystyr* (1964); *Prydeindod* (1966); *Arwyddion yr eiriolaeth* (o'r *Ymofynnydd*); *Cristnogaeth a chenedlaetholdeb*; 'Gweithredu anghyfreithlon' yn *Areithiau Eisteddfod Aberafan* (Cymdeithas yr Iaith); *Ni fyn y taeog mo'i ryddhau* (Cymdeithas yr Iaith, 1968); *A rhaid i'r iaith ein gwahanu?* (1967); *Yr ewyllys i barhau* (1969); *Gwaedd yng Nghymru* (1970); *Ac onide* (1970), ac erthyglau Cymraeg ar athroniaeth a chrefydd yn *Y Traethodydd*, 1933, 1943, 1949; *Credaf*, 1944; *Taliesin*, 1967; *Efrydiau Athronyddol*, 1938, 1939, 1947, 1950, 1951, 1957, 1961, 1969; *Diwinyddiaeth*, 1969; *Y Drysorfa*, 1956; yn *Saith ysgrif ar grefydd* (1967); a Saesneg: *Religion as true myth* (darlith agoriadol yng ngholeg Abertawe), 1953; erthyglau mewn cylchgronau: *Mind*, 1948, 1950, 1954; *Philosophical Review*, 1949, 1951; *Philosophy*, 1950; *Philosophical Studies*, 1950; *Philosophical Quarterly*, 1951; *Aristotelian Society*, *Symposium suppl.*, xxx (1956), *Proceedings*, lix (1958-59); *Presidential Address*, 1967; *Analysis*, 1950; *Congregational Quarterly*, 1950; *Sophia*, 1970; ac erthygl yn *Religion and understanding*,

gol. D. Z. Phillips, 1967.

R. I. Aaron, 'John Robert Jones', *Efrydiau Athronyddol*, 1971; *Efrydiau Athronyddol*, 35 (1972); adnabyddiaeth bersonol.

Ma.B.D.

JONES, JOHN THOMAS (1889-1952), cenhadwr; g. mewn fferm o'r enw Ffos y gaseg, ym mhlwyf Llanegwad, ger Caerfyrddin, 28 Chwef. 1889, yn fab i Thomas ac Anna Jones. Addysgwyd ef yn ysgol genedlaethol Ysbyty. Bu f. ei dad pan oedd J.T.J. yn bymtheg oed, ac wedi gadael yr ysgol bu'n gweithio ar y fferm am rai blynyddoedd. Dechreuodd bregethu yn 1913, gyda'r bwriad o'i gyflwyno'i hun i'r gwaith cenhadol. Aeth i'w baratoi ei hun yn Ysgol yr Hen Goleg, Caerfyrddin, ac oddi yno i'r Coleg Presbyteraidd yn yr un dref. Bu yng ngharchar am ddwy fl. fel gwrthwynebwr cydwybodol, a dioddefodd lawer. Wedi'r rhyfel cwblhaodd ei gwrs colegol, ac wedi ei dderbyn gan Gymdeithas Genhadol Llundain yn genhadwr i Fadagascar, treuliodd gyfnod pellach yn ymbaratoi yn New College, Llundain, a Choleg Livingstone i astudio elfennau meddygaeth.

Urddwyd ef yn weinidog ym Mhant-teg, ger Caerfyrddin (ei fam-eglwys) 4 a 5 Gorff. 1921. Ymbriododd â Nyrs Emily Bowen o Benbre yng Nghapel King's Cross, Llundain, a hwyliodd y ddau am Fadagascar ar 9 Mai 1922, gan lanio yn Nhamatâf ar 11 Meh. yr un flwyddyn. Maes ei lafur oedd Mandritsara, yng ngwlad y Tsimihety yn y gogledd. Am mai Cristnogion o lwyth yr Hwfa (a orchfygasai'r Tsimihety yn y gorffennol) oedd y cenhadon cyntaf yno, ychydig a dderbyniodd yr Efengyl. Yr oedd y wlad yr parhau'n gyntefig a'r cyfleusterau teithio'n brin iawn. Derbyniwyd J.T.J. yn wresog a bu llwyddiant mawr ar ei ymdrechion. Cyfrinach ei lwyddiant oedd ei ymroad diarbed ac anwyldeb ei bersonoliaeth. Rhoddodd bwyslais mawr ar feithrin arweinwyr brodorol, a theithiodd bellterau mawr ar droed o bentre i bentre. Ganed iddynt dri o blant. Wedi geni'r olaf, clafychodd Mrs. Jones a bu f. yn 1926 wrth ei chludo 200 m. dros y mynyddoedd i Imerimandroso, lle y trefnasid i feddyg o'r brifddinas ddod i'w gweld. (Gweler *Tyst*, 17 Meh. 1976, tud. 5). Yn Nhach. yr un flwyddyn bu farw'i fab ieuengaf, ac o fewn llai na chwe mis lladdwyd ei ail fab pan darawyd Imerimandroso gan gorwynt enbyd.

Dychwelodd eto i Mandritsara, ac ar 7 Ebr. 1927 ymbriododd â Mlle. Madeleine Hipeau, athrawes a chenhades dan nawdd Cymdeithas Genhadol Paris, yn y brifddinas. Wedi seibiant yng Nghymru fe'i penodwyd i faes arall, oherwydd cyflwr ei iechyd, ond parhaodd i ymweld â Mandritsara. Erbyn 1932 gofalai am 58 o eglwysi yn Ambohimanga (ger y brifddinas, Antananarivo), 54 ym Mandritsara a 25 yn Anativolo. Erbyn 1943 gwaethygodd ei iechyd gymaint nes ei orfodi i dorri cysylltiad â'r gogledd. Ar ôl seibiant yng Nghymru a Llundain dychwelodd ef a'i briod i Fadagascar yn Rhag. 1946. Ond yr oedd y gwrthryfel yn erbyn Ffrainc bellach wedi gwneud y Malagasy yn amheus o bob Ewropead. Bu'r rhain yn ddyddiau anodd a pheryglus, ond i J.T.J. yn gyfle i wasanaethu fel noddwr y dioddefwyr a chymodwr y llwythau gelyniaethus. Bu f. yn

Eltham, 4 Ebr. 1952, wedi cwblhau ei drefniadau i ddychwelyd i Fadagascar (yn groes i orchymyn y meddyg).

Anerchodd Undeb yr Annibynwyr Cymraeg yn Llanelli (1929), Llundain (1937), Abertawe (1945) a'r Bala (1951).

Brinley Pugh, *Triawd yr ynys* (1954), 55-79; *Tyst*, 10 a 24 Ebr. 1952; *Adroddiadau Cyfarfodydd blynyddol Undeb yr Annibynwyr Cymraeg*, 1929, 1937, 1945 a 1951.

I.S.J.

JONES, JOHN WILLIAM (1883-1954), llenor, casglwr llythyrau ac amryfal bapurau, cyhoeddwr, hynafiaethydd a bardd gwlad; g. 5 Mawrth 1883 yn 4, Caerffridd, Tanygrisiau, Meir., yn f. David Jones, 'Glan Barlwyd', a'i wraig Ellen (g. Roberts), Llwynogan, Llanedwen, Môn. Addysgwyd ef yn ysgol Glan-y-pwll hyd nes yr oedd yn ddeuddeg oed ac yna treuliodd ddwy fl. arall yn yr *Higher Grade School* yn y Blaenau. Oddi yno, yn 1897, aeth i weithio i chwarel yr Oakley lle bu wrthi'n ddiwyd am 53 bl., nes ymddeol wedi anafu ei glun. Pr. â Maggie Jones, Minffordd, Oakley Square, Tanygrisiau, 11 Meh. 1913, a g. iddynt un mab. Yn 1936 dewiswyd J. W. Jones yn flaenor yng nghapel Bethel (MC), Tanygrisiau, a bu hefyd yn athro Ysgol Sul ymroddgar, diddorol am flynyddoedd lawer. Bu'n gefn parod i fechgyn a merched ifanc darllengar ei ardal.

Fel 'Joni Bardd' y cyfeirid ato'n gyffredinol yn y fro a chyflawnodd swyddogaeth y bardd gwlad yn gydwybodol. Yr oedd ganddo ddiddordeb ysol mewn barddoniaeth Gymraeg a Saesneg ac yn arbennig mewn casglu a chyhoeddi gwaith rhai o feirdd ei ardal a'r cymdogaethau agos. Golygodd beth o weithiau Ap Alun Mabon: *Gwrid y Machlud* (Blaenau Ffestiniog, 1941); Ioan Brothen: *Llinell neu Ddwy* (Blaenau Ffestiniog, 1942); Gwilym Deudraeth: *Yr Awen Barod* (Llandysul, 1943); Rolant Wyn: *Dŵr y Ffynnon* (Blaenau Ffestiniog, 1949), ac R. R. Morris: *Caneuon R. R. Morris* (1951). Un o'i gyfeillion agos oedd Ellis Humphrey Evans ('Hedd Wyn', *Bywg.*, 214) a chynorthwyodd J. R. Jones gyda chyhoeddi *Cerddi'r bugail*. Rhoddodd beth cymorth i gasglu cynnwys *O Drum i Draeth* Eliseus Williams ('Eifion Wyn', *Bywg.*, 974) ac i wneud cofiannau i Owen Griffith Owen ('Alafon', *Bywg.*, 676) a John John Roberts ('Iolo Caernarfon', *Bywg.*, 817). Cynorthwyodd rywfaint ar T. Gwynn Jones (*Bywg.*2, 33-4) yn ogystal, i gasglu ar gyfer y gyfrol *Welsh Folklore*. Ymhyfrydai'n arbennig yn ei gyfeillgarwch â T. Gwynn Jones a chafodd nifer o lawysgrifau oddi wrtho, yn cynnwys awdl *Gwlad y Bryniau* 'wedi i'r bardd ei hun ei hysgrifennu'.

Darlithiodd lawer ar feirdd ei fro mewn cymdeithasau llenyddol a chasglodd doreth o weithiau beirdd a llenorion Gwynedd, e.e., Alafon, Elfyn, Isallt, W. Pari Huws, Gwilym Prysor, Carneddog, Glaslyn, Barlwydon, Gwilym Morgan, Awena Rhun, Glyn Myfyr, Llifon, ac eraill. Gofalodd hefyd bod beirdd, llenorion a cherddorion y cylch yn cael eu coffáu'n deilwng. Trefnodd i gael carreg fedd arbennig i Robert Owen Hughes ('Elfyn', *Bywg.*, 368-9) a chofgolofn (carreg o Gwm Pennant) i 'Eifion Wyn'. Gyda chyfaill arall, a T.

Gwynn Jones, mynnodd weld gosod carreg las ar fedd Robert Roberts, 'Y Sgolor Mawr' (*Bywg.*, 823-4) ym mynwent Llangernyw. Bu'n gyfrifol am y gofeb ger cartref Thomas Lloyd ('Crych Elen', *Bywg.*, 556), yn Nolwyddelan - daeth yr arian at hyn oddi wrth wraig o'r Amerig. Gofalodd am godi maen coffa i Edward Stephen ('Tanymarian', *Bywg.*, 867) yn Rhyd Sarn, Dyffryn Maentwrog, a threfnodd gyfarfod coffa i ddadorchuddio cofeb i Forgan Llwyd (*Bywg.*, 561) yng Nghynfal Fawr. Yn ddiweddarach casglodd a golygodd gyfrol goffa sylweddol i'r llenor o Gynfal, *Morgan Llwyd o Wynedd. Coffa Morgan Llwyd* (1952). Casglodd arian yn ogystal at gronfa goffa Syr O. M. Edwards. Bu'n ohebydd cyson i newyddiaduron a chylchgronau ei gyfnod: *Y Glorian*; *Y Rhedegydd* (llawer iawn i hwn, am flynyddoedd); *Y Genedl* (cyfrannodd golofn wythnosol iddi am rai blynyddoedd - 'Nodion Meirion'); *Yr Herald Cymraeg* (amryw o ysgrifau ar feirdd a llenorion); *Y Brython*; *Y Faner*; *Y Dydd*; *Y Cymro* (yma yr ymddangosodd y golofn boblogaidd 'Y Fainc Sglodion'); *Cymru*; *Y Genhinen*; *Cymru'r Plant*; *Trysorfa'r plant*; *Y Drysorfa fawr*; *Yr Eurgrawn*; *Yr Haul*; *Y Goleuad*; *Seren Cymru*. Ychydig cyn ei farw gwelodd gyhoeddi *Y Fainc sglodion: casgliad o rai o straeon y chwarel a'r capel...* (1953). Dros gyfnod hir o flynyddoedd anfonodd ddefnyddiau amrywiol a gwerthfawr (yn enwedig i'r hanesydd cymdeithasol) i Lyfrgell Genedlaethol Cymru, yn cynnwys llyfrau-lloffion niferus: cannoedd o lythyrau (rhai personol a rhai gan Gymry amlwg); llsgrau.'n cynnwys gwaith amryw feirdd a llenorion; dogfennau amrywiol, megis cyfrifon sefydliadau, crefftwyr a diwydiannau lleol; cofnodion ac adroddiadau cyrff eglwysig a seciwlar; cerddi ac anerchiadau etholiadol - lleol a sirol; chwedlau lleol; rhaglenni eisteddfodau, cyngherddau a chymdeithasau llenyddol; darluniau o frodorion Ffestiniog; cerddi a chardiau coffa. Anfonodd ddefnyddiau tebyg i lyfrgell Coleg Prifysgol Gogledd Cymru ym Mangor. Bu f. 6 Ion. 1954, yn ei gartref, a chladdwyd ef gyda'i briod (a'i rhagflaenodd o ddeuddeng ml.) ym mynwent Bethesda, Blaenau Ffestiniog. Yr oedd yn esiampl nodedig o werinwr diwylliedig, parod ei gymwynas, a'i ofal am 'y pethe' yn ysgogi ei holl weithgarwch.

Papurau yn Ll.G.C.; gwybodaeth gan ei fab John Penri Jones, Tanygrisiau a'i ferch-yng-nghyfraith; *Trys. Plant*, 1941; adnabyddiaeth bersonol.

Me.E.

JONES, Syr LEWIS (1884-1968), diwydiannwr a gwleidydd; g. 13 Chwef. 1884, mab hynaf Evan a Margaret Jones, Tegfan, College Street, Brynaman, Caerf. Yr oedd ei dad, a dreuliodd ei oes yn y diwydiant alcam (bu f. yn 1934), yn Annibynnwr selog ac yn un o aelodau cyntaf cyngor dinesig Rhydaman. Derbyniodd Lewis Jones ei addysg yn ysgol uwchradd Rhydaman a Phrifysgol Reading, lle treuliodd bum ml. Bu'n gweithio fel ysgolfeistr yn Reading hyd 1910 pan ymddiswyddodd er mwyn ymroi'n gyfangwbl i waith gwleidyddol. Gwasanaethodd yn y Weinyddiaeth Arfau rhwng 1914 ac 1917, lle y daeth yn ysgrifennydd Adran y Blaenoriaethau. Fe'i penodwyd yn ysgrifennydd y *South Wales Siemens Steel*

Association yn 1917, swydd yr arhosodd ynddi am 44 ml. tan 1961.

Yn Hyd. 1931 etholwyd ef yn aelod seneddol (Rh. Cenedlaethol, un o ddilynwyr Syr John Simon yn y Senedd) dros etholaeth Gorllewin Abertawe pan orchfygodd H. W. Samuel (Ll.) (gw. isod). Cynrychiolodd yr etholaeth hon hyd Gorff. 1945 pan, er mawr syndod, y gorchfygwyd yntau gan Percy Morris (Ll.; gw. isod). Safodd eto yn yr un etholaeth fel Rh. Cenedlaethol a Cheidwadwr yn etholiad Chwef. 1950 ond yn aflwyddiannus. Dewiswyd ef yn 1933 yn aelod o'r Cyd-bwyllgor ar Yswiriant Iechyd Cenedlaethol ac yn Ynad Heddwch ar gyfer bwrdeistref Abertawe yn 1934. Olynodd Clement Davies (gw. uchod) fel aelod o'r Comisiwn Seneddol ar Elusennau rhwng 1937 ac 1945. Yr oedd yn aelod o Gyngor Ymgynghorol Cyffredinol y B.B.C. o 1952. Cyhoeddodd nifer sylweddol o erthyglau a phapurau ar faterion economaidd a diwydiannol. Gwasanaethodd fel is-lywydd hŷn Cyngor a Llys Coleg y Brifysgol, Abertawe, a Phrifysgol Cymru, a chredai'n gryf mewn diogelu'r fframwaith ffederal unedig ar gyfer y Brifysgol. Urddwyd ef yn farchog yn 1944 oherwydd ei wasanaeth gwleidyddol a chyhoeddus, a derbyniodd radd LL.D. er anrh. gan Brifysgol Cymru yn 1954. Yr oedd yn Gymro Cymraeg ac yn un o aelodau cyntaf Eglwys Annibynnol Gwynfryn, Rhydaman, pan sefydlwyd hi yn 1903. Daliodd aelodaeth Clwb Criced a Phêl-droed Abertawe am flynyddoedd maith.

Pr. yn 1911 Alice Maud, merch Frederick W. Willis, Bath, a bu iddynt ddau fab. Lladdwyd y mab ieuangaf pan oedd ar wasanaeth milwrol yn yr India yn 1947. Bu Syr Lewis Jones yn byw yn Highfield, Sgeti, Abertawe a bu f. 10 Rhag. 1968 yn 84 ml. oed.

WwW (1937); *Www*; *Dod's Parliamentary Companion*; *Times*, 12 Rhag. 1968; *WWP*.

J.G.J.

JONES, LLEWELYN (1894-1960), gweinidog (MC), golygydd ac awdur; g. yn 1894 yn Llandegfan, Môn, yn fab i J. E. Jones, gweinidog (MC) a'i briod o'r lle hwnnw. Addysgwyd ef yn ysgol sir Caergybi, Coleg y Brifysgol, Bangor (lle graddiodd yn y celfyddydau), a choleg Mansfield, Rhydychen (lle cafodd radd B.Litt.). Cafodd radd M.A. Prifysgol Cymru yn 1921 am draethawd ar emynyddiaeth y Diwygiad Methodistaidd gyda sylw arbennig i emynau Williams Pantycelyn. Ord. ef yn 1922, a bu'n gweinidogaethu ym Mae Colwyn (1922-24), Moriah, Utica, T.U.A. (1924-31), a Douglas Rd., Lerpwl (1931-51). Penodwyd ef yn ysgrifennydd Cymdeithas Genhadol y MC yn 1951, ac ymwelodd â'r meysydd cenhadol yn India, Pacistan a Llydaw. Pr., 1926, Elizabeth Margaret Edwards, a ganwyd iddynt ddau o feibion. Bu f. 24 Rhag. 1960.

Cyhoeddodd gyfrol ar hanes Moriah yn ystod ei gyfnod yn Utica. Rhoes wasanaeth mawr i fywyd Cymreig glannau Mersi; sefydlodd aelwydydd Urdd Gobaith Cymru yno a golygu *Y Glannau* o 1944 ymlaen. Bu'n aelod hefyd o fwrdd golygyddol *Y Ffordd* (cylchgrawn pobl ieuainc y MC). Cyhoeddodd hefyd *Lawlyfr ar genhadaeth bersonol* yn 1939.

Ei gyfraniad pwysicaf yw'r gyfrol *Aleluia gan y Parch. William Williams Pant y Celyn* (1926), sef arg. diplomatig o rannau I-VI o *Aleluia*, 1744-47, Williams Pantycelyn, gyda rhagarweiniad gwerthfawr. Gan fod copïau o'r *Aleluia* mor anarferol o brin, y mae'r gyfrol hon o werth amhrisiadwy i efrydwyr emynau Pantycelyn.

WwFC, 346; *Gol.*, 8 Chwef. 1961; *Blwyddiadur MC*, 1962, 259-60.

G.M.R.

JONES, MAI (1899-1960), pianydd, cyfansoddwr a chynhyrchydd rhaglenni ysgafn ar radio sain; g. yng Nghasnewydd, Gwent, 16 Chwef. 1899, yn unig ferch i Thomas John Jones, gorsaf-feistr Casnewydd, a Beatrice ei wraig. Pan oedd yn wyth oed fe'i clywyd yn canu'r piano mewn eisteddfod gan D. Vaughan Thomas (*Bywg.*, 886), ac awgrymodd i'w mam fod dyfodol disglair iddi fel pianydd ar yr amod ei bod yn cael ei hanfon at athro cymwys. Yn 10 oed fe'i penodwyd yn organydd eglwys Mynydd Seion (A), Hill Street, Casnewydd, - swydd y bu ynddi am dros 30 o flynyddoedd.

Enillodd ysgoloriaeth Caradog i astudio cyfansoddi a chanu piano yng Ngholeg y Brifysgol, Caerdydd; dywedodd ei hathro yno, y Dr. David Evans (*Bywg*.2, 13) mai hi oedd un o'r organyddion gorau a glywsai erioed. Dangosodd hefyd fedr anarferol fel pianydd yn ystod y cyfnod hwn, a chydnabuwyd hynny yn ddiweddarach pan ddewiswyd hi yn un o gyfeilyddion swyddogol Eist. Gen. Pont-y-pŵl, 1924.

Ar ôl astudio ymhellach yn yr Academi Gerdd Frenhinol yn Llundain, dilynodd yrfa broffesiynol fel unawdydd piano mewn parti cyngerdd. Daeth hefyd i amlygrwydd fel dynwaredwr, yn ogystal ag fel cantores ac unawdydd ar yr acordion, a bu'n aelod o sawl grŵp amlwg ym myd adloniant yn Llundain, gan gynnwys 'The Five Magnets', 'The Carroll Sisters', a 'The Three Janes'. Darlledodd am y tro cyntaf o Savoy Hill, Llundain, gyda band Jack Payne yn 1928, ac am y tro cyntaf o Gaerdydd yn 1932. Bu hefyd yn darlledu yn y 1920au o Belfast, Birmingham a Bryste. Ymunodd â staff y B.B.C. yng Nghaerdydd yn 1941, a daeth ei henw'n adnabyddus oherwydd ei gwaith fel cynhyrchydd amryw o raglenni radio poblogaidd, yn eu plith 'Welsh Rarebit', 'Saturday Starlight', 'Merry-go-round' a 'Silver Chords'. Ei gwaith hi ei hun oedd llawer o'r gerddoriaeth a gynhwyswyd yn y cyfresi hyn, a bu'r darllediadau'n fan cychwyn i amryw artistiaid a ddaeth yn ffigurau amlwg ym myd adloniant ysgafn Saesneg. Hi hefyd a luniodd y gerddoriaeth ar gyfer y perfformiad radio o 'Twm Siôn Cati', sef y pantomeim Cymraeg cyntaf a ddarlledwyd ar radio sain.

Yr oedd yn bersonoliaeth radio ysbrydoledig. Ceisiodd seilio'i gwaith fel cynhyrchydd ar batrymau a safonau Americanaidd, ac yr oedd hynny'n rhywbeth pur newydd a dieithr yng Nghymru yn nyddiau cynnar darlledu. Manteisiol iddi hefyd yn ei gwaith oedd ei bod yn gallu cyfansoddi'n gyflym ac weithiau'n ddifyfyr. Cyhoeddwyd ei chân gyntaf, 'Blackbirds', yn 1925, ac yn 1927 cynhwyswyd ei chân 'Wondering if you remember' yn y gomedi gerddorol boblogaidd, *The Gipsy Princess*. Ysgrifennodd hefyd 'Nos Da, Good night' (1946), 'We'll keep a welcome' (tuag 1943) a 'Rhondda Rhapsody' (thema piano y gyfres radio boblogaidd, 'Welsh Rarebit', 1951).

Pr. yng Nghasnewydd yn 1947 â David (Davey) Davies, y Garnant, cerddor amlwg a pheiriannydd rhaglenni yng ngwasanaeth B.B.C. Cymru (bu f. yn 1964). Ymddeolodd o'r B.B.C. yn 1959, a bu f. yn ei chartref, 19 St. Mark's Crescent, Casnewydd, 7 Mai 1960, a chladdwyd hi ym mynwent S. Gwynllyw.

Ymchwil bersonol; *Empire News*, 8 Mai, 1960; *West. Mail*, 9 a 12 Mai 1960 [10 Chwef. 1983, 5 Ion. 1988]; gwybodaeth ychwanegol gan B.B.C. Cymru, a chan y Parch. Evan Davies, Crymych; [*Trans. Cymm.*, 1991, 307-9].

H.W.

JONES, MAURICE (1863-1957), offeiriad a phrifathro coleg; g. 21 Meh. 1863, yn Nhrawsfynydd, Meir., ail fab William Jones, crydd, a'i wraig, Catherine. Cafodd ei addysg yn yr ysgol leol, a chydag ysgoloriaethau yn Ysgol Friars, Bangor a Choleg Crist Aberhonddu, lle'r oedd y Dr. D. Lewis Lloyd (*Bywg.*, 543) yn brifathro. O Aberhonddu aeth i Goleg Iesu, Rhydychen, a graddio gydag anrhydedd dosbarth cyntaf mewn diwinyddiaeth yn 1886. Enillodd raddau M.A. a B.D., 1907, a D.D., 1914. Ord. ef yn ddiacon yn 1886, ac yn offeiriad 1887. Bu'n gurad yng Nghaernarfon, 1886-88, ysgrifennydd cynorthwyol Cymdeithas y Curadiaid Ychwanegol, 1888-89, a churad y Trallwm, 1889-90. O 1890 hyd 1915 bu'n gaplan yn y lluoedd arfog. Yn ystod rhyfel De Affrig yr oedd yn aelod o staff yr Arglwyddi Roberts a Kitchener. Wedi gadael y fyddin derbyniodd fywoliaeth Rotherfield Peppard gan Goleg Iesu a bu yno tan 1923, pryd y penodwyd ef yn brifathro Coleg Dewi Sant, Llanbedr Pont Steffan. 70 o fyfyrwyr oedd yno pan gyrhaeddodd ond ymegnïodd i godi'r nifer yn gyson nes cyrraedd dros 200 pan ymddeolodd yn 1938. Ymgeiswyr am urddau oedd mwyafrif y myfyrwyr, a gweithiodd y rhan fwyaf ohonynt yng Nghymru. Fe'i penodwyd yn ganon Tyddewi yn 1923. Bu'n arholydd cyhoeddus yn Rhydychen, 1921-22, ac yn arholydd i radd B.D. ym Mhrifysgol Cymru, 1922. Fel pennaeth Coleg Dewi Sant yr oedd yn gymrawd o Goleg Iesu, Rhydychen. Yr oedd yn aelod o'r pwyllgor adrannol a gyhoeddodd adroddiad *Y Gymraeg mewn addysg a bywyd*, 1927. Etholwyd ef yn llywydd Cyngor Cenedlaethol Cymreig Undeb Cynghrair y Cenhedloedd, 1928. Yr oedd yn aelod o Orsedd y Beirdd wrth yr enw Meurig Prysor, a bu'n drysorydd yr Orsedd o 1925 hyd 1938, pan etholwyd ef yn Fardd yr Orsedd. Bu'n Dderwydd gweinyddol o 1947 hyd 1957, ac ni bu ond y dim rhyngddo a chael ei ethol yn Archdderwydd yn 1955. Yn 1955 gwnaethpwyd ef yn Gymrawd yr Eisteddfod. Yr oedd yn aelod o Gyngor Cenedlaethol Cerddoriaeth ac yn gadeirydd Cymdeithas Caredigion Cerdd. Gwnaethpwyd ef yn un o is-lywyddion Anrh. Gymd. y Cymmrodorion. Ar ôl gorffen ei wasanaeth tramor gyda'r lluoedd yn 1908 ymroes i astudiaeth o'r Testament Newydd a chyhoeddodd ei lyfr cyntaf *St. Paul the orator* yn 1910. Dilynwyd hwn gan *The New Testament in the twentieth century*, 1914, *The Epistle to the Philippians*, 1918, *The four gospels*, 1921, a *The Epistle of St. Paul to the Colossians*, 1923.

Ysgrifennodd i amryw gylchgronau yn Saesneg a Chymraeg. Yr oedd yn bregethwr enwog. Gŵr bychan, tenau, cringoch ydoedd a daliodd yn hynod heini ac ieuanc ei ysbryd hyd y diwedd. Yn 1940 ac eilwaith yn 1944 bu raid iddo adael ei gartref yn Llundain oherwydd difrodi ei dŷ gan gyrchoedd awyr. Wedi methu cael tŷ cymerodd ofal plwyf Bradden yn swydd Northampton, ac yntau'n 82 oed. Pr. (1), yn 1894, Emily merch y Cyrnol C. M. Longmore, Gosport, a (2), yn 1911, Jennie Bell, merch Sidney Smith, Gosport. Bu f. 7 Rhag. 1957. Bu iddo 3 mab a 2 ferch.

Www; *WwW* (1933 ac 1937); *Llan*, 21 Hyd. 1955, 13 Rhag. 1957; *Haul*, Hyd. 1958.

M.G.E.

JONES, MEIRION (1907-70), addysgydd; g. yn Llithfaen, Caern., 30 Gorff. 1907, yn fab i Robert Owen Jones ac Annie Jones. Mynychodd ysgol gynradd Llithfaen, ysgol ramadeg Pwllheli a'r Coleg Normal, Bangor. Bu'n athro yn ysgol gynradd Corris, (1929-30), ysgol ganol Blaenau Ffestiniog (1930-39), prifathro ysgol gynradd Llandrillo (1939-45), prifathro ysgol gynradd Dyffryn Ardudwy (1945-50), a phrifathro ysgol gynradd y Bala (1950-70). Yn 1938 pr. Jane, merch Owen a Catrin Griffith, Derlwyn, Pwllheli, a bu iddynt ddwy ferch. Yn 1965 derbyniodd yr M.B.E. am ei wasanaeth i addysg yng Nghymru. Yr oedd yn un o'r saith aelod cyntaf o bwyllgor Cymreig y Cyngor Ysgolion. Urddwyd ef yn dderwydd yn Eist. Gen. y Barri 1968 am ei gyfraniad i ddiwylliant Cymru. Bu'n aelod o gyngor Urdd Gobaith Cymru, ysgrifennydd Eist. Gen. yr Urdd, Blaenau Ffestiniog, 1936 a'r Bala 1954, ac ysgrifennydd pwyllgor sir yr Urdd ym Meirion am flynyddoedd lawer. Ef oedd ysgrifennydd mygedol Eist. Gen. y Bala 1967. Bu'n ysgrifennydd pwyllgor *Hwyl* (y comic Cymraeg) o 1950 hyd 1970. Cyhoeddodd ddau lyfr, *Elizabeth Davies* yng nghyfres Gŵyl Ddewi Gwasg Prifysgol Cymru, 1960, (ffrwyth cystadleuaeth yn Eist. Gen. Caernarfon 1959), ac *Am Hwyl*, llytr i blant, yn 1967. Fel ysgrifennydd Cymdeithas Hanes Penllyn, bu'n brif symbylydd gosod meini coffa i nifer o enwogion y cylch, fel Michael D. Jones (*Bywg.*, 466) a John Puleston Jones (*Bywg.*, 459). Bu'n flaenor gyda'r MC am 27 mlynedd ac yn ysgrifennydd eglwys Tegid, y Bala. Fel y dengys y rhestr faith o ysgrifenyddiaethau a ddaliai, yr oedd yn drefnydd manwl ac effeithiol dros ben. Bu f. yn ei gartref, Llwynhudol, y Bala, 11 Mawrth 1970.

Gwybodaeth gan ei weddw, Jane Jones, ac adnabyddiaeth bersonol.

I.O.

JONES, OWEN THOMAS (1878-1967), athro daeareg Woodward ym Mhrifysgol Caergrawnt; g. 16 Ebr. 1878 ar fferm Plasnewydd, Beulah, ger Castellnewydd Emlyn, Caerf., yn unig fab David a Margaret (g. Thomas) Jones. Cafodd ei addysg yn ysgol Frytanaidd Tre-wen ac ysgol ramadeg Pencader. Nes mynd i'r ysgol ramadeg, Cymraeg yn unig a siaradai, a thrwy gydol ei fywyd siaradai ac ysgrifennai'r Gymraeg gyda'r rhwyddineb mwyaf. Profodd ei hun yn ddisgybl disglair eithriadol yn yr ysgol ramadeg, a phasiodd arholiad tystysgrif y *College of Preceptors* yn y dosbarth cyntaf yn 1894, a'r flwyddyn wedyn cafodd yr un dosbarth yn arholiad 'matriculation' Prifysgol Cymru. Yn 1896 aeth i Goleg Prifysgol Cymru, Aberystwyth, gydag Ysgoloriaeth Keeling mewn gwyddor naturiol. Dilynodd gyrsiau mathemateg, cemeg, botaneg a sŵoleg a chael anrhydedd dosbarth I mewn ffiseg yn 1900. Aeth ymlaen i Goleg y Drindod, Caergrawnt gydag ysgoloriaeth agored a dechrau arbenigo mewn daeareg a mwynyddiaeth. Cafodd ddosbarth I yn rhan I Tripos Gwyddor Naturiol yn 1902, gan ennill gwobr Wiltshire. Y flwyddyn wedyn cafodd ddosbarth I yn ail ran y Tripos ac ef a ddaliai wobr Harkness mewn daeareg yn 1904. Wedi graddio a sylweddoli pwysigrwydd gwaith maes mewn astudiaethau daearegol aeth i weithio gyda'r Arolwg Ddaearegol ar estyniad maes glo de Cymru tua'r gorllewin yng ngorllewin Caerf. a Phenfro. Ochr yn ochr â'i ddyletswyddau swyddogol parhaodd i ddilyn astudiaethau ymchwil personol helaeth. Yr oedd cyfeiriad y rheini eto tuag at Gymru, ac yn 1909 cyhoeddodd bapur pwysig ar ffurfiant daearegol ardal Pumlumon. Hwn o hyd yw'r gwaith safonol ar greigiau Palaeosoig isaf canoldir Cymru, ac ar lawer cyfrif y gwaith safonol ar ddosbarthiad y creigiau hyn dros yr holl fyd. Erbyn hyn cyrhaeddasai reng flaenaf y daearegwyr a dyfarnodd Prifysgol Cymru radd D.Sc. iddo yn y flwyddyn honno. Yn 1909 hefyd y penodwyd ef yn ddarlithydd mewn daeareg yn ei hen goleg yn Aberystwyth a'i ddyrchafu i'r Gadair yno yn 1910. Y flwyddyn honno hefyd y cafodd wobr Sedgwick am draethawd ar ddaeareg, gwobr a fawr chwenychir. Yr oedd yn athro a chyfarwyddwr ymchwil godidog a throm fu dyled cenedlaethau o ddaearegwyr iddo.

Ar derfyn Rhyfel Byd I yn 1918 bu newid mawr ym mhrifysgolion Prydain, ond eto yr oedd cyflogau Athrawon yn aros ar lefel isel. Nid oedd grantiau ymchwil y pryd hwnnw ac yr oedd yn rhaid i wŷr o safon O. T. Jones ddibynnu ar eu hadnoddau eu hunain am yr arian angenrheidiol ar gyfer eu hymchwil personol. Yr oedd y sefyllfa mewn daeareg yn fwy difrifol am y gofynnai am waith maes eang. Deuai cynigion deniadol o ddâl uwch iddo oddi wrth brifysgolion agos at Gymru, fel Lerpwl a Manceinion, ond yr oedd ei gariad dwfn at fywyd gwledig Cymru a'i ddiddordeb ynddo yn rhwystr arno. O'r diwedd ildiodd i eiriau teg Prifysgol Manceinion a phenodwyd ef yn Athro Daeareg yno yn 1919, ac arhosodd yno hyd 1930 a'i benodi yn Athro Daeareg Woodward ym Mhrifysgol Caergrawnt, lle y bu nes ymddeol yn 1943.

Dros yr hanner canrif, 1910-60, cyhoeddodd bapurau proffesiynol a llyfrau niferus, fwy nag un y flwyddyn yn aml, yn ymwneud yn agos â holl rychwant astudiaethau daearegol, o ddaeareg Cymru i ddaeareg silffoedd cyfandirol mawr yr ynysoedd Prydeinig a'u problemau geoffisegol. Galwai'r gwaith hefyd am astudio rhannau o Ogledd America fel yr ymestynnai o stratigraffi pur i gynnwys palaeontoleg ac ymwthiadau igneaidd. Câi daeareg Cymru, yn arbennig ei chreigiau Palaeosoig isaf, le yn ei weithiau diweddaraf. Y mae'n ddiddorol sylwi i'w ddiddordebau pan oedd yng Nghaergrawnt dueddu'n drwm at fwynyddiaeth ac i'r wedd

hon ar ddaeareg ffrwytho yn ei waith gyda chyhoeddi gan H.M.S.O. yn 1922, y gwaith safonol ar gloddio am fwyn plwm a sinc yng ngogledd Ceredigion a gorllewin Maldwyn. Ceir astudiaeth fanwl o bob gwythïen a phob mwynglawdd yn y gwaith hwn a ddefnyddir yn helaeth gan ymchwilwyr diweddar.

Yr oedd O. T. Jones yn Gymrawd, a bu'n Llywydd, y ddwy Gymdeithas Ddaearegol a Mwynyddiaethol. Ac yntau'n ysgrifennydd tramor y Gymdeithas Ddaearegol yr oedd mewn cyswllt clòs â chymdeithasau cyfatebol yn arbennig yng ngwlad Belg a'r Taleithiau Unedig. Ef oedd *doyen* cydnabyddedig ryngwladol daearegwyr Prydain. Etholwyd ef yn F.R.S. a derbyniodd Fedal Frenhinol y Gymdeithas honno yn 1956. Cawsai Fedal Lyell (1926) a Medal Wollaston (1945) y Gymdeithas Ddaearegol, a rhoes Prifysgol Cymru radd LL.D. er anrh., iddo yn 1958.

Pr. Ethel May, merch William Henry Reynolds o Hwlffordd yn 1910, a bu iddynt ddau fab a merch. Bu un mab f. mewn damwain awyren yn 1945. Bu f. 5 Mai 1967.

Ellis, *UCW*, 158-9; *Biog. Memoirs Fellows R.S.*, 13 (1967); y mae casgliad helaeth o'i bapurau yn Ll.G.C.

E.G.B.

JONES, PERCY MANSELL (1889-1968), Athro Ffrangeg; g. 11 Ebr. 1889 yn fab i Arnaud Johnson Jones, Caerfyrddin. Addysgwyd ef yn ysgol ramadeg Caerfyrddin cyn mynd i G.P.C. Aberystwyth, yn 1908 lle y cafodd radd dosbarth cyntaf mewn Ffrangeg a gradd M.A. Yna aeth i Goleg Balliol, Rhydychen, a graddio'n B.Litt. Yr oedd yn ddarlithydd dylanwadol a allai ysgogi'i fyfyrwyr, ac wedi cyfnodau yn adrannau Ffrangeg C.P.C., Aberystwyth, Coleg Prifysgol De Cymru, Caerdydd, ac yng Nghaergrawnt, penodwyd ef yn Athro Ffrangeg yng Ngholeg Prifysgol Gogledd Cymru, Bangor, yn 1937. Yn 1951 aeth i Brifysgol Manceinion fel ei Hathro cyntaf mewn llenyddiaeth Ffrangeg Fodern. Cafodd radd D.Litt., er anrh., gan Brifysgol Cymru yn 1960, yn fuan wedi iddo ymddeol.

Denwyd ef i astudio barddoniaeth Ffrangeg ddiweddar; gyda'i sensitifrwydd a'i ddeallusrwydd cynhenid, llwyddodd i fwrw goleuni ar feysydd ei astudiaeth mewn llyfrau megis *Emile Verhaeren* (1926 ac 1957) a *Baudelaire* (1952). Dengys ei argraffiad newydd pwysig o *The Oxford book of French verse* (1957) chwaeth sicr yn ei ddewis o gerddi, yn arbennig o gyfnod Baudelaire ymlaen. Dengys y casgliadau o'i ysgrifeniadau ar bynciau mwy cyffredinol - *Tradition and barbarism* (1930), *French introspectives* (1937) a *The background of Modern French poetry* (1951) - ei ddiddordeb ym meddwl Ffrainc a materion cyfoes Ffrengig. Yn y 1950au cymerodd ran flaenllaw yn y dadleuon brwd a geid bryd hynny ar swyddogaeth prifysgolion yn y byd wedi'r rhyfel ac yn arbennig lle'r dyniaethau mewn oes dechnolegol. Mab gweddw ydoedd a chanddo lu o gyfeillion; a bregus fu ei iechyd gydol ei fywyd. Fel 'P.M.', gydag anwyldeb edmygus, yr adweinid ef gan bawb. Yr oedd yn ddarlithydd derbyniol iawn yn y prifysgolion, a'i hiwmor, ei wyleidd-dra, y modd sicr y cyhoeddai'r gwerthoedd llenyddol, a'r pleser a gâi mewn ysgolheictod yn esiamplau gwiw i'w hefelychu. Bu f. 24 Ion. 1968.

P. Mansell Jones, *How they educated Jones* (hunangofiant hyd 1915; 1974), a 'Saunders Lewis: Sketches for a Portrait' yn *Saunders Lewis: ei feddwl a'i waith*, gol. Pennar Davies (1950); L. J. Austin, Garnet Rees ac Eugène Vivaver (gol.), *Studies in Modern French Literature presented to P. Mansell Jones by pupils, colleagues and friends* (1961).

Ga.R.

JONES, RICHARD ('Dofwy'; 1863-1956), prydydd gwlad; g. yn y Fron-goch, plwyf Cemais, Tfn., 3 Mai 1863. Ei unig addysg oedd yn ysgol Dôl-y-clwyd, Cemais. Prentisiwyd ef yn saer coed, ond yn ugain oed aeth gyda'i frawd i ffermio yn Cwmeidrol, Cwmlline, ac yno y bu am weddill ei oes, gan briodi a magu pedwar o blant. Yr oedd yn gerddor a chanwr da, ond fel bardd yr ystyrid ef yn ei ardal. Dysgodd y cynganeddion yn ifanc, ac er na chyhoeddwyd cyfrol o'i waith cyhoeddwyd cannoedd o englynion a cherddi ganddo yng nghylchgronau'r cyfnod. Enillodd ei wobr gyntaf am englyn yn ugain oed a'r olaf pan oedd yn ddeg-a-phedwar-ugain. Yr oedd yn 'gymeriad' yn ei ardal. Bu f. 18 Chwef. 1956 a'i gladdu ym mynwent Cemais.

Gwybodaeth bersonol.

G.R.T.

JONES, ROBERT (1891-1962), aerodynamegydd; g. 7 Tach. 1891 yn y Tŷ Newydd, Cricieth, Caern., yn bedwerydd plentyn John Jones a'i wraig Sarah Mary; addysgwyd ef yn yr ysgol fwrdd leol ac wedyn yn ysgol sir Porthmadog. Ym mis Hyd. 1908, aeth i Goleg Prifysgol Gogledd Cymru gydag ysgoloriaeth fechan. Mathemateg oedd ei brif gwrs o dan yr Athro G. H. Bryan, F.R.S., un o sefydlwyr gwyddor Aerodynameg. Bu hefyd yn astudio ieitheg Gymraeg o dan Syr John Morris-Jones (*Bywg.*, 1060-1). Yr oedd yn fyfyriwr o allu anghyffredin, ac enillodd amryw wobrwyon, yn cynnwys gwobr R. A. Jones mewn Mathemateg (1910). Yn 1911, graddiodd gydag anrhydedd ail ddosbarth mewn Mathemateg Bur, gan gymryd dosbarth cyntaf mewn Mathemateg Gymhwysol yn 1912. Galluogwyd ef ar gyfrif Ysgoloriaeth Isaac Roberts i wneud ymchwil am radd M.A. a enillodd yn 1913, y radd uwch gyntaf a roddwyd am draethawd mewn Aerodynameg gan Brifysgol Cymru. Cyhoeddwyd sylwedd y traethawd mewn papur ar y cyd â Bryan yn *Proc. Roy. Soc.*, 1915. O 1913 hyd 1916 bu'n dal Ysgoloriaeth Ymchwil Arddangosfa 1851 mewn gwyddoniaeth, i ddechrau ym Mhrifysgol Göttingen (1913-14) ac yna yn y Labordy Ffisegol Cenedlaethol, Caergrawnt. Ymunodd â staff y sefydliad hwnnw yn yr Adran Aerodynameg ac yno y bu nes ymddeol yn 1953. Pr., 17 Rhag. 1918, â Madeline Broad, a bu iddynt un ferch, a anwyd 9 Mawrth 1920. Gwnaeth ei gartref yn Ashford. Drwy gydol ei fywyd bu'n aelod gweithgar yn yr Eglwys Gynulleidfaol gan gadw cysylltiad agos â Chymru a'r iaith. Bu f. 17 Mawrth 1962 yn Stanwell.

Ar ddamcaniaeth fathemategol sefydlogrwydd awyrennau y bu gwaith cyntaf Robert Jones yn y Labordy Ffisegol Cenedlaethol. Yn ddiweddarach gwnaeth lawer o waith damcaniaethol a gwaith twnel gwynt ar awyrlongau, a daeth i fod yn un o'r arbenigwyr

blaenaf yn y byd ar sefydlogrwydd y rhywogaeth hon. Yn 1923, dyfarnwyd iddo Wobr Goffa R.38 y *Royal Aeronautical Society* am glasur o bapur ar sefydlogrwydd awyrlongau, a'r flwyddyn wedyn rhoes Prifysgol Cymru radd D.Sc. iddo, y tro cyntaf i'r radd gael ei rhoi am ymchwil mewn Aerodynameg. Wedi colli'r awyrlong R.101 cymerodd Dr Jones y rhan flaenaf yng ngwaith twnel gwynt dros y Comisiwn Ymchwil, a diolchodd y cadeirydd, Syr John Simon, yn bersonol iddo am ei waith. Yn gyfochrog â'r gwaith ar awyrlongau bu'n ymchwilio ar ran y Morlys i sefydlogrwydd y torpido. Cymerodd hefyd at beth o'r ymchwil cynharaf ar sefydlogrwydd parasiwtiau. Yn 1931, comisiynodd y Labordy Ffisegol dwnel awyr gywasgedig a alluogai gynnal arbrofion twnel gwynt dan bwysedd uchel (25 atmosffer). Ymgymerodd Dr Jones ag arolygiaeth y twnel a bu'n gysylltiedig ag ef hyd ei ymddeoliad. O dan ei arweiniad cyflawnwyd gweithgaredd sylfaenol bwysig, gydag adnoddau arbennig y twnel yn galluogi cael cymhariaeth uniongyrchol rhwng canlyniadau ar fodelau bychain a'r raddfa lawn. Yn ychwanegol at bapurau mewn cyfnodolion gwyddonol, ef oedd awdur tua 60 o'r Adroddiadau a Memoranda sylweddol a gyhoeddwyd gan yr *Aeronautical Research Council*.

Aeronautical Research Council R & M., Rhif 2570; gwybodaeth gan Miss Margaret G. Jones ac Emrys Jones; Casgliad llsgrau. C.P.G.C., Bangor.

D.J.Wr.

JONES, ROBERT EVAN (1869-1956), casglwr llyfrau a llawysgrifau; g. 22 Mai 1869 yn un o saith plentyn John a Catherine Jones, Stryd Fawr, Penrhyndeudraeth, Meir. Siopwr (groser) oedd ei dad ac yn fuan wedi geni Robert Evan symudodd y teulu i fyw i Meirion House, Tanygrisiau, Blaenau Ffestiniog. Derbyniodd ei addysg gynnar yn ysgol y bechgyn, Tanygrisiau, ac yno hefyd yn ddiweddarach y treuliodd bum ml. fel disgybl-athro cyn ei ddyrchafu'n athro cynorthwyol. O ysgol Tanygrisiau symudodd i fod yn athro cynorthwyol yn ysgolion Glan-y-Pwll a Manod yn eu tro yn yr un ardal. Yn 1894 enillodd Ysgoloriaeth y Frenhines i Goleg y Brifysgol, Aberystwyth. Bu'n agos iawn iddo ennill Ysgoloriaeth Cynddelw a dyfarnwyd iddo ysgoloriaeth arbennig ar bwys safon uchel ei waith mewn Cymraeg a hanes yn yr arholiadau. Yn y coleg astudiodd iaith a llenyddiaeth Gymraeg dan yr Athro Edward Anwyl (*Bywg.*, 12) ac yn ystod ei gyfnod yno bu'n weithgar fel cadeirydd y Gymdeithas Geltaidd ac ef hefyd oedd un o sefydlwyr yr eisteddfod Geltaidd. Yn 1898, ar ddiwedd ei gwrs yn y coleg, penodwyd ef yn brifathro ysgol Nantgwynant ac yn ddiweddarach ysgol Nantperis yn Arfon. Oddi yno yn 1910 symudodd i fod yn brifathro ysgol y cyngor, Tanygrisiau, ei ardal enedigol, lle y bu tan ei ymddeoliad yn 1932.

Yn ystod ei yrfa fel prifathro yn yr ardaloedd hyn bu'n hynod weithgar fel trefnydd ysgolion nos ar gyfer oedolion a bu ei ddylanwad ar y gymdeithas yn bell-gyrhaeddol yn y mannau hyn oherwydd ei ddiddordebau diwylliadol eang a'i ddoniau gweinyddol. Bu am gyfnod yn amlwg yng ngweithgareddau'r Blaid

Ryddfrydol yn sir Feirionnydd ac yr oedd Syr Henry Haydn Jones, yr aelod seneddol, yn gyfaill mynwesol iddo. Cyfaill arall er ei ddyddiau ar staff yr *Herald* yng Nghaernarfon oedd T. Gwynn Jones (*Bywg*.2, 33-34) a byddai'r ddau yn llythyru'n rheolaidd â'i gilydd. Yn 1921 bu'n ddiwyd iawn, gyda chymorth eraill yn sir Feirionnydd, yn sefydlu cronfa goffa Syr O. M. Edwards ac ef hefyd oedd ysgrifennydd y gronfa.

Ond daeth i amlygrwydd fel casglwr llyfrau a llawysgrifau. Tybir fod ganddo gasgliad o ymhell dros gan mil o gyfrolau yn ei lyfrgell bersonol. Yn fwyaf arbennig casglodd yn ystod ei oes lawysgrifau a dogfennau prin o'r eiddo Charles Ashton (*Bywg*., 15) a rhai o'r eiddo Twm o'r Nant (*Bywg*., 183). Casgliad diddorol arall oedd llythyrau Peter Williams (*Bywg*., 999) at ei fab Eliezer Williams (*Bywg*., 973) dyddiedig o 1789 ymlaen. Bu ei ddiddordeb a'i ddawn fel casglwr llyfrau a llawysgrifau o gynorthwy mawr i lawer i fyfyriwr ac ymchwilydd yn enwedig mewn astudiaethau Celtaidd. Cyfrannodd yn helaeth hefyd ar lyfryddiaeth ac astudiaethau Cymraeg i bapurau newydd a chylchgronau.

Pr., 12 Awst 1920, yn eglwys Maentwrog, â Sissie Hughes, merch Richard ac Elizabeth Hughes, Llys Twrog, Maentwrog, a bu iddynt un ferch. Bu f. 27 Mawrth 1956 a chladdwyd ef ym mynwent eglwys Maentwrog.

Gwybodaeth gan ei ferch.

Al.R.J.

JONES, ROBERT LLOYD (1878-1959), ysgolfeistr, llenor plant a dramodydd; g. 7 Rhag. 1878 ym Mhorthmadog, Caern., y chweched o'r deg plentyn a aned i Robert Jones, *master mariner*, a'i wraig Elizabeth (g. Williams). Addysgwyd ef yn ysgolion elfennol Porthmadog, Minffordd a Phenrhyndeudraeth, ysgol uwchradd Blaenau Ffestiniog, ysgol ramadeg y Bala a'r Coleg Normal, Bangor (1899-1901). Bu'n athro yn ei hen ysgol ym Mhorthmadog i ddechrau ac wedyn daeth yn brifathro yn olynol ar ysgolion elfennol Tremadog (1906-13), Trefor (1913-28) a Lloyd Street, Llandudno (1928-44). Cymerodd ddiddordeb dwfn mewn materion addysgol ar hyd ei oes a daliodd nifer o swyddi yn y gangen sirol o Undeb Cenedlaethol yr Athrawon. Bu'n aelod am nifer o flynyddoedd o fwrdd llywodraethwyr ysgol John Bright, Llandudno.

Cychwynnodd lenydda'n gynnar gan ennill llawer mewn eisteddfodau lleol a chymaint â 13 o wobrwyon yn yr Eist. Gen. Cofir amdano'n bennaf fel awdur y nofelau antur canlynol i blant: *Ynys y trysor* (1925); *Plant y Fron* (1926); *Atgofion hen forwr* (1926); *Capten* (1928); *Mêt y Mona* (1929); *Dirgelwch y cwm* (1929); *Ogof yr ysbïwyr* (1933) ac *Ym Môr y De* (1936). Dysgodd lawer am fywyd morwrol oddi wrth ei dad a threuliodd lawer o'i blentyndod ar gei Porthmadog yn gwylio'r llongau a holi'r morwyr. Darllenodd yn awchus weithiau R. L. Stevenson, Ballantyne, Henty ac eraill a daeth hyn oll yn ddeunydd crai i'w nofelau yntau maes o law. Cyfrannodd hefyd i *Cymru'r Plant* a chyhoeddiadau enwadol megis *Y Drysorfa* a'r *Goleuad*. Ar y pryd llanwodd ei nofelau a'i storïau fwlch mawr ym myd ysgrifennu yn Gymraeg ar gyfer plant. Cyhoeddodd yn

ogystal 24 o ddramâu poblogaidd, y mwyafrif ohonynt yn rhai byr, un-act yn dwyn y teitlau canlynol: *Y pymtheg mil*, *Y walet*, *Y census*, *Nos Sadwrn*, *Y doctor*, *Yr etifedd*, *Y basgedi*, *Dau ben blwydd*, *Wyt ti'n cofio?*, *Arian modryb*, *Y troseddwr*, *Anghofio*, *Brawd a chwaer*, *Croeso*, *Y drws agored*, *Gweinidog Tabor*, *Y gwir a'r golau*, *Pan oeddym fechgyn*, *Rhiannon*, *Safle*, *Y Scwlmis*, *Santa Clôs a'i fab*, *Y tair chwaer*, *Teulu'r Gelli*. Ef oedd yn bennaf gyfrifol am ffurfio Cymdeithas Ddrama'r gogledd, a oedd i ffynnu fel cangen o Undeb y Ddrama Gymraeg, yng Nghaernarfon yn 1929. Gwasanaethodd droeon fel beirniad yn Eist. Gen. yr Urdd.

Pr. ddwywaith: (1) yn 1906 ag Elin Alice Jones, Minffordd (bu f. 1942), a ganed tri mab iddynt; (2) yn 1944 â Sarah Roberts, Bethesda (bu f. 1962). Bu f. yn Nhre-garth 3 Chwef. 1959 a chladdwyd ef ym mynwent Coetmor, Bethesda.

Gwybodaeth gan ei frodyr, y diweddar William a Goronwy Jones; *Lleufer*, 20 (1964), 27-30; [Mairwen a Gwynn Jones, *Dewiniaid Difyr* (1983)].

A.Ll.H.

JONES, ROBERT WILLIAM ('Erfyl Fychan'; 1899-1968), hanesydd, llenor, athro ac eisteddfodwr; g. dydd Calan 1899 ym Mryn-llwyni, Pen-y-groes, Caern., mab ieuangaf Robert William Jones a Jane ei wraig, merch Robert Thomas, Drws-y-coed, Nantlle, y Bedyddiwr selog a gerddai bum milltir bob Sul i addoli yn Llanllyfni. Chwarelwr a thyddynnwr, yn ôl arfer y fro, oedd y tad. Cafodd y mab ei addysg yn ysgol sir Pen-y-groes. Wedi dod allan o'r fyddin ar derfyn Rhyfel Byd I aeth i adran hyfforddi athrawon Coleg Prifysgol Cymru, Aberystwyth, a bu am ddwy flynedd yn dysgu yn Birmingham. Penodwyd ef yn brifathro ysgol Trisant, Cer., yn 1922, ac yn 1924 symudodd i fod yn brifathro ysgol waddoledig Llanerfyl ym Maldwyn. Yn 1928 cafodd ysgoloriaeth ymchwil gan y Bwrdd Addysg i astudio hanes bywyd cymdeithasol Cymru yn y ddeunawfed ganrif tan gyfarwyddyd Thomas Gwynn Jones (*Bywg*.2, 33-4). Dyfarnwyd iddo ysgoloriaeth Owen Templeman i'w alluogi i astudio yn Ysgol Astudiaethau Celtaidd Prifysgol Lerpwl tan gyfarwyddyd John Glyn Davies (gw. uchod). Derbyniodd radd M.A. (Lerpwl) am ddraethawd ar 'The wayside entertainer in Wales in the nineteenth century' yn 1939, a'r flwyddyn honno penodwyd ef yn brifathro ysgol Berriew Road yn y Trallwng, swydd y bu ynddi nes ymddeol yn 1961. Yn ystod Rhyfel Byd II gwasanaethodd gyda'r gwarchodlu cartref ym Meirion a dyrchafwyd ef i reng milwriaid cyn diwedd y rhyfel.

Yr oedd ganddo ddiddordeb mawr mewn cerdd dant, ac yn 1926 enillodd y wobr gyntaf ar yr unawd canu penillion yn yr Eist. Gen. yn Abertawe. Yno hefyd y derbyniwyd ef trwy arholiad i Orsedd y Beirdd. Dylanwadwyd y drwm arno ym myd 'y pethe' gan Thomas Gwynn Jones, y brodyr Francis o Nantlle, a T. D. James ('Iago Erfyl') rheithor amryddawn Llanerfyl yn y 1920au. Yn y Bala yn 1934 sefydlodd Gymdeithas Cerdd Dant, ac ef oedd ei hysgrifennydd tan 1949 pan etholwyd ef yn Gofiadur yr Orsedd dros gyfnod archdderwyddiaeth Cynan (gw. JONES, Syr CYNAN ALBERT EVANS uchod). Buasai'n

Arwyddfardd yr Orsedd er 1947 ar ymddiswyddiad Syr Geoffrey Crawshay (gw. uchod) a daliodd y swydd honno am un ml. ar hugain, a gweithredu fel trefnydd yr arholiadau. Bu hefyd yn gofiadur a derwydd gweinyddol Gorsedd Talaith Powys am flynyddoedd lawer.

Cynhaliodd lu o ddosbarthiadau nos ar hanes a llên Cymru a bu'n ddiflino yn diogelu a hyrwyddo Cymreigrwydd yn ei sir fabwysiedig. Cyfrannodd lawer o raglenni i wasanaeth ysgolion y B.B.C. yng Nghymru ac ysgrifennodd lawer erthygl i *Allwedd y Tannau*, *Y Ford Gron*, *Powysland collections*, a *Jnl. of the Gipsy Lore Soc.* Gohebai â John Sampson ar faterion ynglŷn â'r sipsiwn Cymreig. Cyhoeddodd *Bywyd cymdeithasol Cymru yn y ddeunawfed ganrif*, 1931, a chyfrol o farddoniaeth, *Rhigwm i'r hogiau*, 1949.

Pr. â Gwendolen Jones o Aberystwyth yn 1929, a bu iddynt ddau fab. Bu f. ym Mynytho, 7 Ion. 1968, a chladdwyd ef ym mynwent Pen-y-groes.

Adnabyddiaeth bersonol; papurau'r teulu; *WwW* (1933, 1937); *WWP*; *Allwedd y tannau*, 1968, 18-19; [gohebiaeth yn Ll.G.C.].

G.V.-J.

JONES, THOMAS (1870-1955), Athro prifysgol, gwas sifil, gweinyddwr, awdur; g. 27 Medi 1870 yn Rhymni, Myn. yr hynaf o naw o blant David Benjamin Jones, siopwr, a'i wraig Mary Ann Jones. Addysgwyd ef yn yr ysgol fwrdd, Rhymni, ac Ysgol Lewis, Pengam. Dechreuodd weithio'n 14 oed fel clerc yng ngwaith haearn a dur Rhymni. Aeth i C.P.C., Aberystwyth, 1890 a'i fryd ar y weinidogaeth (MC). Derbyniwyd ef i Brifysgol Glasgow yn 1895 lle cafodd yrfa academaidd ddisglair, a'i benodi'n ddarlithydd yno yn 1901. O 1904 i 1905 bu'n darlithio yn Iwerddon dan drefniant Cronfa Barrington ac o 1906 i 1909 bu'n ymchwiliwr i'r Comisiwn Brenhinol ar Ddeddf y Tlodion. Yn 1909-10 bu'n Athro Economeg ym Mhrifysgol Belfast. Dychwelodd i Gymru yn 1910 fel ysgrifennydd Yr Ymgyrch yn erbyn y Dicáu (TB). Yn 1912 penodwyd ef yn ysgrifennydd Comisiwn Cenedlaethol Yswiriant Iechyd (Cymru). Yn 1916 aeth i Lundain yn is-ysgrifennydd y *Cabinet* a'i godi'n ddirprwy-ysgrifennydd yn ddiweddarach. Ymddiswyddodd yn 1930 a'i benodi'n ysgrifennydd Ymddiriedolaeth *Pilgrim*. Daeth yn aelod ohono yn 1945 ac yn gadeirydd o 1952 i 1954. O 1934 i 1940 bu'n aelod o'r Bwrdd Cymorth i'r Di-waith. Penodwyd ef yn C.H. yn 1929.

Yr oedd yn ŵr o ymroad eithriadol iawn. Er cefnu ohono ar y weinidogaeth Gristnogol ffurfiol parhaodd dysgeidiaeth gymdeithasol yr ysgrythurau yn brif ysbrydiaeth ei fywyd. Dylanwadwyd yn drwm arno gan Thomas Charles Edwards (*Bywg.*, 184-5), Joseph Mazzini, Syr Henry Jones (*Bywg.*, 438) a Sidney Webb a cheisiodd fod yn 'wneuthurwr y Gair' ar hyd ei oes.

Ef oedd un o sylfaenwyr y *Welsh Outlook* (a'i olygydd cyntaf, 1914-16), Gwasg Gregynog (1922), a phrif sylfaenydd Coleg Harlech (1927). Trwyddo ef yn fwy na neb y cychwynnwyd Cyngor y Celfyddydau yn 1939 dan yr enw 'Cyngor er Cefnogi Cerddoriaeth a'r Celfyddydau'.

Yn ystod ei dymor fel Swyddog y *Cabinet* gwnaeth gyfraniad eithriadol bwysig i sicrhau cytundeb ag Iwerddon: felly hefyd adeg y streic gyffredinol yn 1926. Enillodd ymddiriedaeth lwyr Lloyd George (*Bywg.* 2, 39-40, Bonar Law a Stanley Baldwin pan oeddynt yn brifweinidogion ond nid i'r un graddau Ramsay Macdonald. Cadwodd mewn cysylltiad agos â Lloyd George a Baldwin hyd ddiwedd eu hoes a defnyddiwyd ef ganddynt i ddibenion gwleidyddol cyfrinachol, e.e. wrth geisio cydwelediad â'r Almaen rhwng 1935 ac 1938. Ymdaflodd i'r gwaith o liniaru dioddefaint y di-waith rhwng 1929 ac 1939 fel cadeirydd Pwyllgor Caledi'r Maes Glo yng Nghymru a Phwyllgor Diweithdra'r Cyngor Cenedlaethol Gwasanaeth Cymdeithasol. Ef oedd cadeirydd Cronfa York 1934-40 a Chronfa Elphin Lloyd-Jones 1935-45.

Bu'n aelod o gynghorau lawer, megis Prifysgol Cymru, Coleg Prifysgol Cymru, Aberystwyth (Llywydd 1944-54), Llyfrgell Genedlaethol ac Amgueddfa Genedlaethol Cymru. Ef oedd cadeirydd Bwrdd Henebion Cymru o 1944 i 1948. Penodwyd ef yn aelod o ymddiriedolaeth yr *Observer* pan sefydlwyd hwnnw yn 1946.

Ysgrifennodd a chyhoeddodd lawer o erthyglau a phamffledi. O'i lyfrau gellir enwi argr. Everyman o draethodau Mazzini ar ddyletswyddau dyn (1907), *Old memories* Syr Henry Jones (1922), *A Theme with variations* (1933), *Rhymney memories* (1938), *Leeks and daffodils* (1942), *Cerrig milltir* (1942), *The Native never returns* (1946), *Lloyd George* (1951), *Welsh broth* (1951), *A diary with letters* (1954), *The Gregynog Press* (1954), *Whitehall diaries* cyf. I a II (1969) dan olygiaeth Keith Middleman. Derbyniodd raddau, er anrh., LL.D. gan brifysgolion Glasgow (1922), Cymru (1928), St. Andrews (1947) a Birmingham (1950). Dyfarnwyd bathodyn Anrh. Gymd. y Cymmr. iddo yn 1944.

Pr. Eirene Theodora Lloyd yn 1902 a bu iddynt dri o blant, sef Eirene Lloyd, (y Farwnes White), Tristan Lloyd Jones, m. 1990, ac Elphin Lloyd Jones, m. 1928.

Cafodd Thomas Jones ddamwain yn ei gartref yn St. Nicholas-at-Wade, swydd Caint, ym Meh. 1955 a bu f. mewn ysbyty preifat yn Golders Green, Llundain, 15 Hyd. 1955. Amlosgwyd ei weddillion.

Fel gweinyddwr egnïol a dyfeisgar, cyfrifid ef ymysg cymwynaswyr mwyaf anhunanol ac ymroddedig ei ddydd. Siaradai ac ysgrifennai Gymraeg, ond claear oedd ei agwedd at genedlaetholdeb gwleidyddol yng Nghymru. Yr oedd ganddo gylch eithriadol eang o gyfeillion a chydnabod, nid yn unig yng Nghymru a'r Deyrnas Gyfunol ond yn y Gymanwlad a Thaleithiau Unedig America. Yr oedd yn llythyrwr diflino, hael ei gyngor a pharod ei gymwynas i bawb yn ddiwahân, yn wreng a bonedd. Ei amser oedd ei gynhysgaeth a gwnaeth ddefnydd ardderchog ohono.

Y gweithiau uchod ac adnabyddiaeth bersonol; [E. L. Ellis, *T.J.: a life of Dr Thomas Jones* (1992); ei bapurau yn Ll.G.C.].

B.B.T.

JONES, THOMAS HENRY (HARRI; 1921-65), darlithydd a bardd; g. 21 Rhag. 1921 yng nghwm Crogau, Llanafan Fawr, Brych., yr hynaf o bum plentyn Llywelyn Jones, goruchwyliwr gwaith ffordd a Ruth (g. Teideman) ei wraig. Mynychodd ysgol Llanfan, bum milltir i ffwrdd, ac ysgol sir Llanfair-ym-Muallt. Yn 1939 aeth i G.P.C., Aberystwyth, ond ymunodd â'r llynges yn 1941 ac ailymaflyd yn ei astudiaethau yn 1946. Cafodd radd dosbarth cyntaf mewn Saesneg yn 1947 ac M.A. yn 1949. Pr., 1946, Madeline Scott, crochennydd adnabyddus, a bu iddynt dair merch.

Ni chafodd waith hyd 1951 pryd y dechreuodd ddysgu yn ysgol dechnolegol Dockyard, Portsmouth, a darlithio i Gymdeithas Addysg y Gweithwyr gyda'r hwyr. Heb fawr o obaith am waith prifysgol ym Mhrydain ymfudodd i Awstralia yn 1959 i fod yn ddarlithydd yng Ngholeg (Prifysgol yn fuan wedyn) Newcastle, lle y gwnaeth enw iddo'i hun fel ysgolhaig a bardd o fri; eto i gyd, câi adegau o iselder ysbryd, ac yfai'n drwm. Byth ers dyddiau ysgol, ysgrifennai ac adroddai farddoniaeth, a chyhoeddid ei waith yn *Dock Leaves, Life and letters, Dublin Magazine,* etc.; a *Quadrant* a *Meanjin* yn Awstralia. Cyhoeddodd dair cyfrol o'i farddoniaeth, *The enemy in the heart* (1957), *Songs of a mad prince* (1960), a *The beast at the door* (1963); astudiaeth ar *Dylan Thomas* (1963); a bu'n olygydd cylchgrawn astudiaethau llenyddiaeth Americanaidd yn Awstralia. Amlygodd feistrolaeth ar iaith a datblygodd ei dalent arbennig mewn caneuon a werthfawrogid yn Awstralia a thu hwnt. Gadawodd y profiad o golli cyfeillion ar y môr adeg rhyfel a bywyd caled bore oes argraff ddofn arno, a rhaid oedd cyffesu ei deimladau cythryblus ar gân. Sylweddolai ei golled am na fedrai'r Gymraeg - iaith ei dad - a llethid ef gan hiraeth am ardal ei faboed ac ymdeimlad o euogrwydd ac unigrwydd ingol hyd yn oed yn y munudau anwylaf yng nghwmni ei gymar, a cheisiai beunydd adnabyddiaeth ohono'i hun. Trefnodd ysgol ar farddoniaeth a drama fodern ym mis Ion. 1965, ond cyn diwedd y cwrs cafwyd ef wedi boddi mewn pwll nofio glan môr ar 30 Ion. Dychwelwyd ei lwch i Gymru a'i gladdu ym mynwent Llanfihangel Brynpabuan. Cyhoeddwyd wedi ei f. gasgliad o'i ganeuon alltud, *The colour of cockcrowing* (1966), a *The Collected Poems of T. Harri Jones* (1977).

Julian Croft, *T. H. Jones* (1976); Ll.G.C. ex 499(i), 'Harri Jones'; *Planet* 49/50, 1980, 128-32.

M.A.J.

JONES, THOMAS HUGHES (1895-1966), bardd, llenor ac athro; g. 23 Ion. 1895, yn Nhan-yr-allt, hen gartref ei fam yn ardal Blaenafon, plwyf Blaenpennal, Cer., yn un o ddau blentyn ond unig fab Rhys Jones, ffermwr, ac Ann (g. Hughes) ei wraig. Magwyd ef ar fferm Cefnhendre, yn yr un plwy, ond wedi marw ei fam ac yntau'n ddim ond tua chwe bl. oed, symudodd ei dad i fferm Blaenaeron, yn Nolebolion, a ffiniai â Blaenaeron, yr oedd John Rowlands, gŵr diwylliedig, bardd gwlad a meistr ar y cynganeddion, yn ffermio. Ef oedd tad tybiedig Thomas Huws Davies (*Bywg.*, 144). Dysgodd y llanc lawer yng nghwmni diddan John Rowlands. Âi ar y Suliau i gartref rhieni ei fam a mynychu oedfaon ac Ysgol Sul capel (MC) Blaenafon, gan ddatblygu'n blentyn parod ei ateb yn yr holi cyhoeddus ar derfyn yr ysgol a

hynny ar sail gwybodaeth drylwyr o'r Beibl. Disgleiriodd y tu hwnt i'w gyfoedion hefyd yn ysgol elfennol Tan-y-garreg, Blaenpennal. Ei ysgolfeistr tan 1903 oedd John Finnemore, ond ei olynydd David Davies a berswadiodd ei dad i'w anfon i'r ysgol sir yn Nhregaron. Yno yr aeth ym mis Medi 1909 yn un o nifer o gyfoedion y mae eu henwau yn y gyfrol hon, William Ambrose Bebb, Evan Jenkins, D. Lloyd Jenkins a Griffith John Williams, a dod dan ddylanwad athrawon nodedig, yn arbennig Samuel Morris Powell y bu cenedlaethau o ddisgyblion yr ysgol honno dan ddyled drom iddo. Yn y cyfnod hwn gwnaeth enw iddo'i hun fel bardd drwy ennill cadeiriau yn yr eisteddfodau lleol. Daethpwyd i'w adnabod yn Nhregaron a'r ardaloedd cylchynol fel 'Tom (Twm) bardd'. Ymroes hefyd i'w waith ysgol. Yr oedd yn ddarllenwr eang ac yn berchen cof eithriadol. Wedi ennill tystysgrif uwch y Bwrdd Canol Cymreig mewn Saesneg, Lladin, Cymraeg a Hanes aeth i'r coleg yn Aberystwyth yn 1913. Cymerai ran amlwg yng ngweithgareddau'r myfyrwyr. Cafodd ysgoloriaeth Cynddelw yn 1915 a graddiodd gydag anrhydedd dosbarth II mewn Cymraeg yn 1916. Yr oedd yn siaradwr effeithiol mewn Cymraeg a Saesneg. Cyfrannodd gerddi i'r *Wawr*, cylchgrawn Cymraeg y coleg, ac ef oedd y golygydd yn 1915-16. Ef hefyd oedd is-lywydd y Gymdeithas Geltaidd y flwyddyn golegol honno - aelod o'r staff oedd y llywydd bob amser y pryd hwnnw. Yn y flwyddyn ddilynol etholwyd ef yn llywydd y gymdeithas ddadlau Saesneg (*Lit. and Deb.*) ond galwyd ef i'r fyddin ym mis Tach. Yn y Gwarchodlu Cymreig y gwasanaethodd yn Ffrainc. Ar dderfyn y rhyfel dychwelodd i Aberystwyth i ailgydio yn ei weithgareddau cymdeithasol, ac yn y pwnc ymchwil y dechreuodd arno yn 1916. Ef oedd llywydd y gymdeithas ddadlau Saesneg am 1919-20, llywydd Cyngor y Myfyrwyr, 1920-21, a golygydd y *Dragon*, cylchgrawn y coleg, yn 1921-22. Yn 1922 dyfarnwyd gradd M.A. iddo am ei draethawd 'Social life in Wales in the eighteenth century as illustrated in its popular literature of the period', a bu'n gweithio arno ynghanol bwrlwm prysurdeb cymdeithasol a'i gwnaeth yn ffigur mor boblogaidd ymhlith ei gyfoedion.

Yn 1922 apwyntiwyd ef i swydd gyda'r Mudiad Cynilo Cenedlaethol yng Ngheredigion, swydd go ryddieithol i un o'i bersonoliaeth fywiog ef. Ymhen rhyw ddeunaw mis symudodd i sir Drefaldwyn fel ysgrifennydd i'r Blaid Ryddfrydol yno pan oedd David Davies, Llandinam (*Bywg.*2, 8) yn A.S. dros y sir. Gydag ymddiswyddiad Davies o'r sedd yn 1929 cymerodd yntau at drefnyddiaeth Cyngor Diogelu Harddwch Cymru (C.P.R.W.) gyda swyddfa yn Aberystwyth. Golygai'r gwaith hwn deithio drwy Gymru gyfan i ddarlithio ac i hybu diogelu harddwch naturiol y wlad. Yr oedd yn gyfle iddo hefyd gael treulio'r Suliau yn ei hen ardal. Pan oedd yn gweithio yn sir Drefaldwyn byddai'n darlithio i gymdeithasau bychain yn y sir a chynnal dosbarth Ysgol Sul llewyrchus yng nghapel Bethel (MC) y Drenewydd, a dosbarth darllen hefyd. Codwyd ef yn flaenor yno yn 1936. Pr. yn 1934 ag Enid Bumford o Lanfair Caereinion, y bu'n gyfeillgar â hi o ddyddiau coleg. Rhoesai heibio ei swydd fel trefnydd

Cymd. Diogelu Harddwch Cymru yn 1932 a chawsai swydd rhan-amser i ddysgu Cymraeg yn ysgol ramadeg y Drenewydd, a chynnal dosbarth allanol yn y dref. Ar ddechrau Rhyfel Byd II sefydlwyd panel o athrawon, T. H. Jones yn gadeirydd a David Rowlands yn ysgrifennydd, i geisio gwella dysgu hanes lleol yn yr ysgolion. Ffrwyth y gweithgarwch hwn oedd llunio sylabws hanes lleol yn 1941. Derbyniwyd hwnnw gan y pwyllgor addysg, a'i ddosbarthu i bob ysgol yn sir Drefaldwyn. Gwaith y cadeirydd oedd trefnu rhaglen dathlu Gŵyl Ddewi ymhob ysgol gydag un o enwogion y sir yn bwnc bob blwyddyn. Gelwid arno i annerch cyfarfodydd athrawon, a thrwy ddiddordeb arolygwyr ysgolion, lledodd y sôn am gynllun Maldwyn i siroedd eraill. Yn 1946 sefydlwyd coleg brys i hyfforddi athrawon yn Wrecsam, coleg a ddaeth i gael ei adnabod fel Coleg Addysg Cartrefle, a T. H. Jones a gafodd y cyfrifoldeb am y cwrs cyfansawdd drwy gyfrwng y Gymraeg, ac yn 1956 gwnaethpwyd ef yn ddirprwy-brifathro'r coleg. Yr oedd yn ei afiaith yng Ngholeg Cartrefle, a chofir yn annwyl amdano gan y rhai a fu'n fyfyrwyr yno. Ymddeolodd yn 1962 a bu f. 11 Mai 1966.

Dechreuodd ymddiddori mewn ysgrifennu rhyddiaith yn ystod ei gyfnod yn y fyddin, ac erbyn hyn cysylltir ei enw yn fwy â maes y stori fer (ac yn arbennig y stori fer-hir) nag â barddoniaeth. Er iddo gyfrannu storïau byr ac ysgrifau i'r cyfnodolion Cymraeg, ac i'r *Welsh Outlook* yn Saesneg, dros lawer o flynyddoedd, ennill y Fedal Ryddiaith yn yr Eist. Gen. yn Aberpennar yn 1940, gyda'i stori fer-hir 'Sgweier Hafila' a ddaeth ag ef i amlygrwydd cyffredinol. Bu'n beirniadu droeon yn adrannau llên a drama'r Eist. Gen., ac yng Nghaerdydd yn 1960, yr oedd ef a B. T. Hopkins, o'r un fro ag ef, ar banel beirniaid y bryddest. Bu'n adolygu llyfrau i'r *Faner*, *Lleufer*, a'r *Athro*.

Cyhoeddodd *Sgweier Hafila a storïau eraill*, 1941; *Amser i ryfel*, 1944; *Mewn diwrnod a storïau eraill*, 1948; ac yn 1971 cyhoeddwyd *Atgof a storïau eraill ynghyd â detholiad o ysgrifau, sgyrsiau a cherddi* (gol. Gildas Tibbott).

Gwybodaeth gan ei weddw; *Atgofion a storïau eraill*; gwybodaeth bersonol; [D. Ben Rees (gol.), *Cymry Adnabyddus*].

E.D.J.

JONES, THOMAS IVOR (1896-1969), cyfreithiwr yn Llundain a Chymro gwlatgar; g. 13 Gorff. 1896, yng Nghaer-gai, Llanuwchllyn, Meir., y seithfed o blant John Morris Jones a'i briod Jane (g. Jones, yng Nghefn-gwyn, Llanuwchllyn). Cafodd ei addysg yn ysgol y pentref, Llanuwchllyn, yn ysgol sir y Bala, ac yn ysgol sir Tywyn a oedd y pryd hynny'n denu disgyblion o gylch eang. Yr oedd hefyd yn dra dyledus i Owen Ellis, gweinidog (MC) Llanuwchllyn, a'i wraig. Gan Thomas Davies Jones, ei ewythr, brawd ei fam, yr hyfforddwyd ef yng ngwaith y gyfraith. Derbyniwyd ef yn gyfreithiwr yn 1921 ac ymunodd â chwmni ei ewythr, T. D. Jones a'i Gwmni, Fleet Street, Llundain. Pan fu farw'r ewythr, ef a'i holynodd a phara'n bennaeth y Cwmni weddill ei oes.

Ar hyd y blynyddoedd yn Llundain, yr oedd yn aelod ffyddlon a gweithgar dros ben yn eglwys MC Charing Cross Road (yn arbennig

fel athro Ysgol Sul am gyfnod maith). Yn 1930, codwyd ef yn flaenor; yn fuan wedyn, yr oedd yn gyd-ysgrifennydd a bu'n drysorydd am flynyddoedd lawer. Bu hefyd yn llywydd, ac am lawer blwyddyn yn drysorydd, henaduriaeth Llundain. Drwy gydol yr amser, yr oedd yn gefn i Gymry ifainc a ddeuai i Lundain. Yr oedd yn un o sylfaenwyr *The Young Wales Association*, sef Cymdeithas Cymry Llundain ar ôl hynny, a daliodd sawl swydd ynddi. Ef oedd cadeirydd y cyngor yn 1924 (a'r gymdeithas yn ei phedwaredd flwyddyn), yn 1939 ac yn 1946, ac am lawer o flynyddoedd ef oedd un o ddau gynghorwr cyfreithiol mygedol y gymdeithas. Yr oedd hefyd yn un o'r ymddiriedolwyr a benodwyd gan Syr Howell J. Williams yn 1937 i ddal yr eiddo yn Gray's Inn Road a roesai Syr Howell ar gyfer sefydlu canolfan i Gymry Llundain, a chyflawnodd y ddyletswydd honno hyd ei farw. Bu'n weithgar iawn ynglŷn â sawl achos arall ymhlith Cymry Llundain, yn arbennig Undeb y Cymdeithasau, yr Ysgol Gymraeg ac, yn anad un efallai, Cymdeithas sir Feirionnydd. Cynorthwyodd [Syr] Ifan ab Owen Edwards (gw. uchod) gyda'r gwaith cyfreithiol a oedd ynglŷn â ffurfio Urdd Gobaith Cymru a pharhaodd yn gynghorwr cyfreithiol i Gwmni'r Urdd. Rhoes gynhorthwy i Syr David James (gw. uchod) yntau gyda gwaith cyfreithiol ac yr oedd yn aelod o Ymddiriedolaeth Pantyfedwen.

Pr. â Jane Gwyneth, merch hynaf Thomas a Lizzie (g. Davies) Hughes, Solway, Y Buarth, Aberystwyth. Ganed iddynt un ferch.

Gŵr na fynnai amlygrwydd iddo'i hun oedd Thomas Ivor Jones - digynnwrf ei natur, ond tawel ddireidus hefyd, cadarn ei ffyddlondeb, a chymwynasgar. Bu f. 29 Mawrth 1969, yn 72 oed, a chladdwyd ef yn Llanuwchllyn.

Gwybodaeth bersonol a manylion gan ei weddw.

V.J.L.

JONES, THOMAS MICHAEL - gw. MICHAELIONES, THOMAS isod.

JONES, WATCYN SAMUEL (1877-1964), gweinyddwr amaethyddol a phrifathro coleg diwinyddol; g. 16 Chwef. 1877; mab i Rees Cribin Jones (gwel. yr Atod.), gweinidog Undodaidd, a Mari Jones, (merch Watcyn a Mari Jones, Ty'n-lofft, Betws Bledrws), mewn 'tŷ yn Heol y Bont a gelwir Glasfryn Stores arno' yn Llanbedr Pont Steffan, Cer.; yr oedd yn un o bedwar o blant, eithr bu farw'r tri arall yn fabanod. Cadwai ei dad ysgol, fel llawer o weinidogion Undodaidd eraill y cyfnod, a dichon i'r mab gael peth o'i addysg fore ar ei aelwyd yn Ogmore House, tŷ a adeiladwyd gan y teulu yn yr un dref ym mlwyddyn geni'r mab. Addysgwyd ef wedi hynny yn ysgol Llanbedr (1890-92), ysgol y Parch. David Evans, Cribyn (1892-94), ac ysgol ramadeg Llanybydder, am ychydig, cyn cael mynediad i Goleg Presbyteraidd Caerfyrddin ddiwedd 1894. Meddai ar dueddiadau gwyddonol ac yn gynnar a maentumir mai ef oedd yr olaf i eistedd ei brawf yno mewn gwyddoniaeth, gan i gwrs addysg yr hen academi gael ei gyfyngu i ddiwinyddiaeth yn fuan ar ôl 1895. Cyn diwedd y flwyddyn honno penderfynodd adael cwrs y weinidogaeth (am nad oedd ganddo ddawn siarad, meddai) ac astudio am radd yn y celfyddydau yn Aberystwyth (1895-1900).

Oherwydd afiechyd ei fam ymyrrwyd ar ei gwrs; symudodd i Goleg y Brifysgol, Bangor, yn 1900; ennill gradd B.A. yno (1902), yn un o ddosbarth anrhydedd cyntaf John Morris Jones. Yn yr un coleg enillodd B.Sc. gan ddilyn, yn ychwanegol, y cyrsiau newydd mewn amaethyddiaeth a choedwigaeth, a dychwelyd i Aberystwyth i ddilyn cwrs arall mewn amaethyddiaeth (N.D.D.). Gwahoddwyd ef, gydag ysgoloriaeth, i fod yn athro cynorthwyol yn adran botaneg amaethyddol a choedwigaeth yn Ysgol Economeg Wledig Coleg Sant Ioan, Rhydychen. Cydnabyddid ef yn awdurdod ar anatomi coed, a chyhoeddodd lyfr safonol a gwreiddiol, *Timbers, their structure and identification* (1924): cyfrannodd ar yr un testun i'r *Chambers' Encyclopaedia*, 1927. Pr. ag Ada Sproxton, 1910.

Er mwyn bod yn agos at ei dad oedrannus, dychwelodd i Gymru yn 1913 i ymuno â'r gwasanaeth gwladol, a dod yn brif arolygydd swyddfa Gymreig y Bwrdd Amaethyddol gyda'i phencadlys yn Aberystwyth. Yn y swydd hon bu'n arloesi a datblygu addysg amaethyddol am chwarter canrif (1913-38), ac o dan ei gyfarwyddyd yn y 1920au cychwynnwyd y pedwar sefydliad amaethyddol yng Nghymru. Yn 1918 derbyniodd radd M.A. gan ei goleg yn Rhydychen, ac yn yr un flwyddyn enillodd radd M.Sc. (Cymru). Ymddeolodd o'r Weinyddiaeth Amaeth yn 1937, yn 60 oed. Yn 1938 derbyniodd, gyda phetruster, wahoddiad i olynu'r Parch J. Park(e) Davies (*Bywg.*, 129-30) fel prifathro Coleg Presbyteraidd Caerfyrddin. Er nad oedd ganddo gymhwyster diwinyddol i ddysgu yno, namyn Cymraeg a siarad cyhoeddus, bu yn 'un o Brifathrawon mwyaf llwyddiannus holl hanes y Coleg', am gyfnod o wyth ml. (1937-45). Tystia'i fyfyrwyr i'w ddisgyblaeth gyfiawn, ei drylwyredd diduedd a'i ysbryd bonheddig a diymhongar. Bu ganddo freuddwydion mawr am ddyfodol y Coleg Presbyteraidd yn Nghaerfyrddin, eithr rhwystrodd amgylchiadau ef rhag eu sylweddoli: ymdrechodd i gyfuno adnoddau helaeth y colegau Undodaidd yn Lloegr (Rhydychen a Manceinion) a choleg Caerfyrddin; tynnodd gynlluniau a chasglodd dros dair mil a hanner o bunnoedd i ehangu'r coleg, gan gynnwys neuadd breswyl a chapel; gobeithiai weld y sefydliad yn datblygu'n ganolfan grefyddol diwylliannol i weinidogion a lleygwyr Cymru. Cyfieithodd lawer o'r Salmau, ond nis cyhoeddwyd. Undodwr ydoedd gyda 'thueddiad gref at ddyneiddiaeth'; bu'n ffyddlon yng nghapeli Undodaidd Aberystwyth a Chaerfyrddin.

Gwelir wrth ei unig lyfr Cymraeg, *Helyntion hen bregethwr a'i gyfoedion* (1940), seiliedig ar hanes ei dad, ei fod yn llenor da a ffotograffydd medrus. Bu'n cyfrannu'n gyson i gylchgronau Cymraeg, e.e. 'Rhyddid' sef ei anerchiad fel llywydd y Gymdeithas Undodaidd, yn *Yr Ymofynnydd*, Gorff. 1924; 'Dosbarth Cymraeg (Syr) John Morris Jones', yn *Y Geninen*, 1917; 'Pren, ei nodweddion, etc.', yn *Y Genhinen*, 1954. Ymddeolodd 'W.S.' a'i briod i Landre, Aberystwyth; bu f. 17 Hyd. 1964, a gwasgarwyd ei lwch ar fedd y teulu ym mynwent Brondeifi, Llanbedr. Bu f. ei weddw 28 Gorff. 1965.

Ymofynnydd, Tach. a Rhag. 1964.

D.E.J.D.

JONES, WATKIN ('Watcyn o Feirion'; 1882-1967), post-feistr, siopwr, bardd gwlad, gosodwr a hyfforddwr cerdd dant; g. 12 Meh. 1882 yn Nhŷ'r nant, Capel Celyn, Meir., yn fab i Robert Jones ac Elisabeth (g. Watkin). Cadwai Swyddfa'r Post a siop yng Nghapel Celyn a bu'n cario'r post yn ardal Capel Celyn ac Arennig am gyfnod o dros hanner can ml., gan gerdded oddeutu 15 milltir bob dydd. Ar ei aelwyd ddiwylliedig magodd deulu o ddatgeiniaid. Yr oedd ganddo lais cyfoethog, a llawer o grebwyll cerddorol, ac oherwydd ei fod mor hyddysg ym myd harmoni a gwrthbwynt, bu'n arholwr allanol i'r Coleg Tonic Sol-ffa am flynyddoedd. Yr oedd hefyd yn gynganeddwr medrus ac yr oedd *Cerdd dafod* Syr John Morris-Jones (*Bywg.*, 1060) ar flaenau ei fysedd. Enillodd nifer o gadeiriau mewn eisteddfodau lleol. Gwnaeth gyfraniad sylweddol i ledaenu'r gelfyddyd o ganu gyda'r tannau yn y 1940au a'r 1950au, gan deithio ymhell ac agos i gynnal dosbarthiadau gosod. Yn ystod yr un cyfnod byddai'n llunio gosodiadau i lawer iawn o ddatgeiniaid llai profiadol. Bu'n arweinydd ar gôr cerdd dant Cwmtirmynach am flynyddoedd, a daeth llawer o lwyddiannau eisteddfodol i'w rhan. Lluniodd lawer cainc osod hefyd sy'n dal yn boblogaidd gyda gosodwyr heddiw, megis 'Murmur Tryweryn' a'r 'Ffrwd Wen'. Bu ganddo ran amlwg iawn yn sefydlu Cymdeithas Cerdd Dant Cymru gan mai ef oedd un o'r tri a alwodd ynghyd y cyfarfod cyhoeddus cyntaf yn y Bala ar 10 Tach. 1934 a arweiniodd at sefydlu'r Gymdeithas. Ef fu ei thrysorydd o'i chychwyn hyd 1950. Pr. ag Annie Thomas 13 Ebr. 1906 a bu iddynt saith o blant. Bu f. ym Mod Athro, Dinas Mawddwy, 14 Chwef. 1967.

Ymchwil a gwybodaeth bersonol.

A.Ll.D.

JONES, Syr WILLIAM (1888-1961), gweinyddwr a gwleidydd; g. 27 Meh. 1888, yn fab i Hugh a Mary Jones, Gellifor, Dyffryn Clwyd, Dinb. Addysgwyd ef mewn ysgolion yn Llanrwst a Dinbych, a dechreuodd ar ei yrfa fel clerc mewn swyddfa cyfreithiwr. Daeth yntau'n gyfreithiwr yn 1922 ac fe'i penodwyd i swydd gan Gyngor sir Dinbych. Gwasanaethodd fel Clerc heddwch a Chlerc Cyngor Sir Dinbych rhwng 1930 a 1949. Enillodd gryn enwogrwydd drwy weithredu fel ysgrifennydd cynhadledd y cynghorau Cymreig i drafod adroddiad Comisiynwyr yr Eglwys yng Nghymru. Fe'i dewiswyd yn 1942 yn aelod o'r pwyllgor ymgynghorol i baratoi cynlluniau ar gyfer ailddatblygu Cymru ar ôl Rhyfel Byd II, a bu'n oruchwyliwr rhanbarth de Cymru o'r Weinyddiaeth Ynni o 1942 hyd 1945. Bu hefyd yn gyfarwyddwr rhan-amser o Fwrdd Nwy Cymru, 1948-59, ac yn gyfarwyddwr rhan-amser o fwrdd glo rhanbarth y de-orllewin o 1929. Yn yr un flwyddyn gwasanaethodd fel aelod o'r Comisiwn Brenhinol ar Ddienyddio. Yn 1952 fe'i penodwyd yn gadeirydd ar ddau o is-bwyllgorau dylanwadol Cyngor Ymgynghorol Cymru (pwyllgorau â chyfrifoldeb am weinyddiaeth a Llywodraeth yng Nghymru ac am ailddatblygu'r wlad) a chydweithiodd yn effeithiol â Huw T. Edwards (gw. uchod). Ymddiswyddodd o'r Cyngor yn 1959 fel protest yn erbyn penodiad Henry Brooke, y gweinidog am faterion Cymru, yn gadeirydd arno.

Ystyrid ef yn un o'r gweinyddwyr mwyaf disglair ym myd llywodraeth leol yng Nghymru. Yr oedd yn Gymro Cymraeg, yn aelod o gyngor Anrh. Gymd. y Cymmr. a bu'n aelod o Gyngor a Phwyllgor Gwaith yr Eist. Gen. Derbyniodd yr M.B.E. yn 1941 ac urddwyd ef yn farchog yn 1949.

Pr. (1) yn 1917 Charlotte Maud, merch Jos. Dykins. Bu hi f. yn 1932. Pr. (2) Ellen, merch Henry Bennett, Llanychan, yn 1942. Yr oedd ganddo ddwy ferch. Bu yntau f. 7 Meh 1961 yn Hafod, Rhuthun.

WwW (1937); *Www*; *Times*, 9 Meh. 1961, 20b; *West. Mail*, 22 Gorff. 1942; *WWP*.

J.G.J.

JONES, WILLIAM (1896-1961), bardd a gweinidog; g. 24 Medi 1896, Trefriw, Caern., mab Henry Jones, gweinidog (A) a'i wraig Margaret (Madgie), merch William Jones, gweinidog (MC) Trawsfynydd. Addysgwyd ef yn ysgol sir Llanrwst (1908) ac aeth i Goleg Prifysgol Gogledd Cymru, Bangor, yn 1914 a Choleg Bala-Bangor 1914-16. Graddiodd yn y Gymraeg a Hebraeg yn 1917. Ord. ef yn weinidog y Tabernacl (A), Betws-y-coed yn un flwyddyn ond dychwelodd i'r coleg i barhau ei astudiaethau yn ystod 1919-20 ac eto yn 1923-24 eithr heb gymryd gradd uwch. Bu'n weinidog ar eglwysi Saesneg (A) Rednol a West Felton, swydd Amwythig (1920) a Llanfair Caereinion (A). Ymddiswyddodd yn 1937 a symud i Dremadog (i hen gartref ei daid, y Parch. William Jones) a chymryd gofal eglwys Bethel (MC) am gyfnod er na fu'n fugail swyddogol arni. Bu'n cynorthwyo beth yn y gangen leol o Lyfrgell y Sir yn ogystal. Fel bardd y daeth i amlygrwydd, a hynny yn nyddiau coleg. Ymddangosodd un o'i gerddi mwyaf adnabyddus, baled 'Y llanc ifanc o Lŷn', yn *A book of Bangor verse* (1924). Yr oedd yn gyfeillgar â llenorion amlwg megis Robert Williams Parry (gw. isod) a J.T. Jones, Porthmadog, a bu'n fuddugol droeon yn yr Eist. Gen. Cyhoeddodd ddwy gyfrol o gerddi a thelynegion swynol a chymen, *Adur Rhiannon* (1947), a *Sonedau a thelynegion* (1950). Pr. Jane Gertrude (Jennie) Williams, Coed-poeth, yn 1924; bu f. yn ei gartref, 14 Church St., Tremadog, 18 Ion. 1961 a'i gladdu ym mynwent Bethel.

Blwyddlyfr MC, 1962, 260-1; *Gol.*, 8, Chwef. 1961; *Cymro*, 26 Ion. 1961; *Barddoniaeth Bangor* 1927-31; ei bapurau yn llsgrau. UCNW 16581-89; *Genh.*, 1961; Ifor Rees, *Ar glawr* (1983), 109-17; Bedwyr L. Jones, *Rhyddiaith R. Williams Parry* (1974), 123-6; *Taliesin*, 60 (1987), 49-54; gwybodaeth gan Tomos Roberts a Derwyn Jones.

B.F.R.

JONES, WILLIAM ARTHUR (W. BRADWEN; 1892-1970), cerddor; g. yng Nghaernarfon, 5 Ebr. 1892, yn fab i J. R. Gwyndaf Jones, darllenydd proflenni i'r *Genedl*, ac Elizabeth Jones ei wraig. Ar ochr ei dad yr oedd o linach Richard Jones, 'Gwyndaf Eryri' (*Bywg.*, 476), a'i fam yn ferch i John Jones, 'Eos Bradwen' (*Bywg.*, 454). Oherwydd cysylltiadau teuluol y fam fe'i hadweinid fel 'William Bradwen' pan oedd yn blentyn ysgol, a mynnodd yntau lynu wrth yr enw hwnnw hyd derfyn ei oes.

Magwyd ef ar aelwyd gerddorol; cafodd wersi'n gynnar yn ei fywyd ar ganu piano gan ei fam, ac yn ddiweddarach bu'n astudio canu organ gyda John Williams, Caernarfon, a chyda Roland Rogers (*Bywg.*, 835), organydd eglwys gadeiriol Bangor. Ar ôl ysbeidiau byr yn organydd a phianydd i'r Anrhydeddus F. G. Wynn yng Nglynllifon, Llandwrog, ac o 1910 i 1915 organydd a meistr côr capel y Rug, Corwen, bu'n gwasanaethu gyda'r Ffiwsilwyr Brenhinol Cymreig ym Mhalesteina a'r Aifft, a'i godi'n is-gapten yn 1918. Yn 1919 fe'i penodwyd (allan o gant o ymgeiswyr) yn organydd a chôr-feistr eglwys S. Seiriol, Caergybi, swydd y bu ynddi hyd fis Tach. 1951. Rhwng 1952 a therfyn ei oes, ef oedd organydd sefydlog eglwys Hyfrydle (MC), Caergybi. Enillodd amryw o ddiplomâu mewn cerddoriaeth, gan gynnwys A.R.C.M. (1920), L.T.C.L. (1921), L.R.A.M. (1922), A.R.C.O. (1925), F.R.C.O. (1927) a F.T.C.L. (1928), a chan ei fod yn bianydd medrus bu'n gyfeilydd swyddogol yn yr Eist. Gen. ac yn yr eisteddfodau sirol a thaleithiol dros gyfnod maith. Ond serch ei fedrusrwydd diamheuol fel pianydd ac fel organydd, fel athro ac fel cyfansoddwr y rhagorodd ac y cofir amdano. Bu'n dysgu cerddoriaeth yn breifat yng Nghaergybi am dros hanner canrif, a daeth amryw o'i ddisgyblion i amlygrwydd fel pianyddion a datganwyr.

Fel cyfansoddwr, yn yr eisteddfod y bwriodd ei brentisiaeth, ac enillodd tua 25 o'r prif wobrau am gyfansoddi yn yr Eist. Gen. Gwobrwywyd ei unawd 'Paradwys y bardd' ym mhrifwyl Lerpwl (1929), a'i gân 'Mab yr ystorm' ym mhrifwyl Aberafan (1932). Yn Eist. Gen. Wrecsam (1933) cyflawnodd gamp nodedig pan enillodd saith o'r prif wobrau yn y adran gyfansoddi. Bu ganddo law amlwg yn y gwaith o newid ansawdd y gân Gymreig yn ail chwarter yr 20 g., a thrwy gyfrwng ei arbrofion ef a nifer fechan o'i gyfoeswyr y sylweddolwyd y gellid ychwanegu at fynegiant y geiriau trwy wneud y cyfeiliant yn rhan bwysig a hanfodol o'r gân. Er mai fel cyfansoddwr caneuon y cofir amdano'n bennaf, ysgrifennodd hefyd ranganeuon, anthemau, deuawdau, gwaith ar gyfer piano a cherddorfa linynnol, amryw o weithiau ar gyfer piano, a darnau i'r organ. (Ceir rhestr gyflawn o'i weithiau yn *Cerddoriaeth Cymru*, cyf. 5, rhif 3, haf 1976). Prynwyd ei lawysgrifau gan Ll.G.C. yn 1973.

Bu f. mewn ysbyty yng Nghaergybi, 3 Rhag. 1970, a'i gladdu ym mynwent eglwys S. Seiriol, Caergybi.

Cerddoriaeth Cymru, 5 (1976), rhif 2, 34-40, rhif 3, 43-9 ynghyd â'r ffynonellau a nodir yno; G. I. Jones, *Meistr cerdd: bywyd a gwaith William Bradwen Jones* (1983); derbyniwyd ei enw bedydd trwy law y Parch. Dr. Llewelyn Jones, Caergybi.

H.W.

JONES, W(ILLIAM) BRADWEN - gw. JONES, WILLIAM ARTHUR uchod.

JONES, (WILLIAM JOHN) PARRY (1891-1963), datganwr; g. 14 Chwef. 1891, ym Mlaenau Gwent (Blaina), Myn., yn fab i John Rees Jones, cigydd, a Mary Jones (g. Parry) ei wraig. Enillodd ysgoloriaeth i ysgol sir Abertyleri yn 11 oed, ond gadawodd yr ysgol ar ôl 18 mis oherwydd amgylchiadau ariannol y teulu, ac aeth i weithio i'r lofa. Ar ôl astudio mewn dosbarthiadau nos, a'i benodi'n llyfrgellydd yn Sefydliad y Glowyr yno, ymunodd â chymdeithas gorawl y Blaenau, a daeth i sylw Norman McLeod, athro cynhyrchu llais. Penderfynodd ddilyn gyrfa broffesiynol fel datganwr tenor, a chyda help yr Arglwydd Rhondda (*Bywg.*, 884-5) ac eraill, aeth i'r Coleg Cerdd Brenhinol yn Llundain i astudio gyda Albert Visetti, Thomas Frederick Dunhill a Charles Billiers Stanford. Yn ddiweddarach, bu'n astudio canu yn yr Eidal (gyda Colli), yn yr Almaen (gyda Charles Webber) ac yn Lloegr (gyda John Coates). Bu ar daith yn T.U.A. a Chanada, 1913-15, ac yr oedd yn un o'r rhai a achubwyd pan suddwyd y llong *Lusitania* ym mis Mai 1915. Yn dilyn rhyfel 1914-18 datblygodd yn un o gantorion mwyaf amlochrog Llundain, a bu galw mawr am ei wasanaeth. Penodwyd ef yn brif denor gyda chwmni opera D'Oyly Carte (1915) a chyda chwmni opera Carl Rosa (1920), a chanodd amryw o'r prif rannau gyda'r Cwmni Opera Cenedlaethol Prydeinig (1922-28). Ymddangosodd hefyd yn yr Old Vic ac yn Sadler's Wells yn ystod y 1920au a'r 1930au, ac erbyn iddo ymuno â'r bwrdd rheoli yn Covent Garden yn 1955, cawsai'r anrhydedd o ganu yn y Tŷ Opera Brenhinol yn ystod 19 o dymhorau cydwladol yno. Bu hefyd yn aelod blaenllaw o gwmni opera Syr Thomas Beecham, ac fe'i gwahoddwyd i ganu yng nghyngherddau promenâd Henry Wood am 27 o dymhorau'n olynol. Canodd hefyd yn y prif wyliau yn Llundain ac ar y cyfandir ar ôl 1919, gan gynnwys gwyliau Amsterdam, Copenhagen ac Oslo (1945-54). Anrhydeddau eraill a ddaeth i'w ran oedd cael ei ddewis yn brif denor ffestifal canmlwyddiant Beethoven, 1927, a ffestifal canmlwyddiant Schubert, 1928. Etholwyd ef yn gymrawd (er anrh.) o'r Coleg Cerdd Brenhinol, Ysgol Gerdd y Guildhall a Choleg Cerdd y Drindod, ac yn 1962 dyfarnwyd iddo'r O.B.E. am ei wasanaeth nodedig i gerddoriaeth. Treuliodd gyfnod fel athro yn Ysgol Gerdd y Guildhall ac yng Ngholeg Cerdd y Drindod ar ôl ymddeol fel datganwr. Meddai ar gof eithriadol o dda, ac erbyn ei farw dywedid ei fod wedi canu mewn perfformiadau o 70 o operâu a 80 o oratoriau. Yr oedd wedi pr. yn 1917 â Hilda Dorothy Morris, Cirencester, a bu iddynt un mab. Bu f. yn Llundain, 26 Rhag. 1963.

Leslie Orrey (gol.), *The Encyclopaedia of Music* (1976); *Www*; *Welsh Music*, 1 (1960) a 2 (1964).

H.W.

JONES, WILLIAM PHILIP (1878-1955), gweinidog (MC) a phrifathro coleg Trefeca; g. 21 Tach. 1878 yn Rock House, Tre-fîn, Pen﬋., mab Edward a Margaret Jones. Bu farw'i dad pan oedd yn bum mlwydd oed, a dychwelodd ei fam i'w chynefin yn Nanhyfer. Addysgwyd ef yn ysgol elfennol Nanhyfer, ac yn ysgolion gramadeg Llandysul a Chastellnewydd Emlyn. Dechreuodd bregethu yn 15 mlwydd oed yng Ngethsemane, Nanhyfer, ac aeth i'w baratoi ei hun ar gyfer y weinidogaeth i Goleg y Brifysgol, Caerdydd, lle graddiodd gydag anrhydedd yn y clasuron. Aeth wedyn i goleg Trefeca lle graddiodd mewn diwinyddiaeth. Cafodd radd

M.A. Prifysgol Cymru am draethawd ar gystrawen Groeg y Testament Newydd. Ord. ef yn 1904, a'r flwyddyn ddilynol pr. Gwendolen Lewis, Abergwaun; ganwyd mab a dwy ferch o'r briodas. Bu'n gweinidogaethu yn eglwysi Pen-towr, Abergwaun (1903-06), Pen-ffordd a'r Gwastad (1906-10), Jerusalem, Pontrhyd-y-fen (1910-12), Bethlehem, Treorci (1912-15) a Phen-ffordd a'r Gwastad (1915-26). Sefydlodd eglwys i'r MC yng Nghlunderwen y tro cyntaf y bu ym Mhen-ffordd. Penodwyd ef, yn 1926, yn brifathro coleg Trefeca, a bu yno hyd ei farwolaeth. Yr oedd yn athro da a llwyddiannus, a chyflawnodd waith mawr yn Nhrefeca ynglŷn â'r adeiladau hynafol yno; casglodd filoedd o bunnoedd i sefydlu cronfa ar gyfer hynny. Cyhoeddodd werslyfr ar Efengyl Marc - yn Gymraeg ac yn Saesneg - yn 1912, a chyfrol ddwyieithog, *Coleg Trefeca, 1842-1942*, yn 1942. Ysgrifennodd yn achlysurol i'r *Goleuad*, *Y Lladmerydd*, a *Chylchgr. Cymd. Hanes y MC*. Bu'n ffigur amlwg ym mywyd ei gyfundeb, a bu'n llywydd Sasiwn y De yn 1945. Bu f. yn nhŷ capel y Dyffryn, Tai-bach, lle'r oedd yn pregethu dros y Sul, 3 Gorff. 1955, a chladdwyd ei weddillion yn Abergwaun.

Blwyddiadur MC, 1956, 257; W. M. Jones, *Pentour (sic), Abergwaun* (1959), 43-4; *Gol.*, 27 Gorff. 1955; *Drys.*, 1945, 47-50; *WwW* (1921), 264; gwybodaeth gan ei ferch, Miss Gwyneth Jones, Abergwaun; adnabyddiaeth bersonol.

G.M.R.

JONES-DAVIES, HENRY (1870-1955), amaethwr ac arloeswr ym myd cydweithredu amaethyddol; g. 2 Ion. 1870, unig fab Thomas ac Elizabeth Davies, Bremenda, Llanarthne, Caerf. Derbyniodd ei addysg yn ysgol ramadeg Caerfyrddin, ac yn ogystal â'i waith fel amaethwr cymerodd ran amlwg ym mywyd cyhoeddus y cylch yn gynnar ar ei oes. Ef oedd cadeirydd cyntaf cyngor plwyf Llanarthne, ac etholwyd ef yn aelod o gyngor sir Caerfyrddin yn 22 oed. Dewiswyd ef yn gadeirydd y cyngor sir yn 1902, ac yn ddiweddarach yn gadeirydd y pwyllgor addysg. Yn 1905 penodwyd ef yn oruchwyliwr tir dros y sir (*county land agent*), a'r flwyddyn honno hefyd dewiswyd ef yn ynad heddwch dros y sir. Yn ddiweddarach bu'n gadeirydd mainc ynadon Caerfyrddin.

Ond yn sicr, fel un o arloeswyr y mudiad cydweithredol amaethyddol yng Nghymru y cofir orau amdano, ac yn y maes hwnnw y bu ei gyfraniad pwysicaf. Yn 1902, yn ystod ei gyfnod fel cadeirydd y cyngor sir, gweithredodd fel ysgrifennydd i ddirprwyaeth o gynrychiolwyr tair sir gorllewin Cymru a ymwelodd ag Iwerddon i astudio datblygiad y mudiad cydweithredol a sefydlwyd yno eisoes. Fel canlyniad i'r ymweliad hwnnw sefydlwyd Cymdeithas Cydweithredol Amaethwyr Caerfyrddin yn 1903, gyda ef yn ysgrifennydd iddi. Yn fuan ar ôl hyn daeth yn aelod amlwg o'r Gymdeithas Gydweithredol Amaethyddol (A.O.S.), gwasanaethodd fel un o lywodraethwyr y gymdeithas, a chynrychiolodd Gymru yn ei phencadlys yn Llundain hyd oni sefydlwyd Cymdeithas Trefnu Gwledig Cymru (W.A.O.S.) fel corff annibynnol yn 1922. Bu'n aelod o'r gymdeithas honno am ei oes, yn is-lywydd am nifer o flynyddoedd, ac yn llywydd, 1946-53. Bu'n aelod o'r Comisiwn Datblygu dros

Gymru, 1910-36, ac fel cydnabyddiaeth o'i gyfraniad pwysig i'r comisiwn gwnaed ef yn C.B.E. yn 1936. Cynrychiolodd y comisiwn hefyd ar bwyllgor gwaith Cymdeithas Gydweithredol Amaethyddol Iwerddon, 1914-21.

Yn 1903 pr. Winifred Anna, merch ieuangaf Thomas ac Elizabeth Ellis, Cynlas, Cefnddwysarn, y Bala, a chwaer Thomas Edward Ellis (*Bywg.*, 199-200), a chartrefodd yng Nglyneiddan, Nantgaredig, Caerf. Bu iddynt un ferch a dau fab; y mab hynaf oedd T. E. Jones-Davies (1906-60 gw. isod). Bu f. 16 Meh. 1955, a chladdwyd ef yn Nantgaredig.

Www; Elwyn R. Thomas (gol.), *Farmers together* (1972); gwybodaeth bersonol.

M.E.

JONES-DAVIES, THOMAS ELLIS (1906-60), meddyg a chwaraewr rygbi rhyng-genedlaethol; g. 4 Mawrth 1906, mab hynaf Henry (gw. uchod) a Winifred Anna Jones-Davies, Glyneiddan, Nantgaredig, Caerf. Derbyniodd ei addysg yn ysgol ramadeg Caerfyrddin, ysgol St. George, Harpenden, coleg Gonville a Caius, Caergrawnt, ac ysbyty St. George, Llundain. Graddiodd yn M.A. a M.D. (Cantab), F.R.C.P. (Llundain) a D.P.H. (Llundain).

Bu'n swyddog meddygol cynorthwyol i gyngor sir Llundain am rai blynyddoedd cyn ei benodi'n swyddog meddygol (M.O.H.) dros sir Faesyfed yn 1938. Yn ystod Rhyfel Byd II gwasanaethodd fel swyddog yn y R.A.M.C., ac yn ddiweddarach penodwyd ef yn feddyg ymgynghorol, yn arbenigo yng nghlefydau'r galon, yn ysbyty gorllewin Cymru yng Nghaerfyrddin, swydd y bu ynddi am ddeng ml., hyd ei farw.

Ymddiddorai mewn pob math o chwaraeon, gan gynnwys rygbi, tennis, criced, a hoci, ond fel canolwr ar y maes rygbi y daeth yn adnabyddus dros gylch eang. Chwaraeodd rygbi dros Brifysgol Caergrawnt a chlybiau Llanelli, Cymry Llundain, yr Ysbytai Unedig, swydd Middlesex, a'r Barbariaid. Dewiswyd ef i chwarae dros Gymru nifer o weithiau, a hefyd dewiswyd ef yn aelod o'r tîm Prydeinig a deithiodd i Seland Newydd ac Awstralia yn 1930.

Fel ei dad chwaraeodd ran amlwg ym mywyd cyhoeddus sir Gaerfyrddin. Dewiswyd ef yn uchel-sirydd yn 1952-53, a gwasanaethodd fel dirprwy raglaw ac ynad heddwch dros y sir. Bu'n llywydd cangen Caerfyrddin o'r Gymdeithas Ryddfrydol ac o'r Lleng Brydeinig.

Yn 1938 pr. â Nesta, unig ferch Dr. a Mrs. Hector Jones, Maesteg, a bu iddynt un mab. Bu f. 25 Awst 1960.

Carm. Jnl., 2 Medi 1960; gwybodaeth bersonol.

M.E.

JONES-PIERCE, THOMAS - gw. PIERCE, THOMAS JONES isod.

K-L-LL

KEMSLEY, IS-IARLL, y 1af gw. — BERRY (TEULU), JAMES GOMER BERRY uchod.

LEACH, ARTHUR LEONARD (1869-1957), hanesydd, daearegwr a hynafiaethydd; g. yn Ninbych-y-pysgod, Penf., 12 Tach. 1869, yn fab hynaf John a Sarah Leach. Bu John Leach (1841-1916) yn argraffydd gyda'r *Tenby Observer* cyn sefydlu busnes argraffu a chyhoeddi iddo'i hun a chychwyn y *Tenby and County News* yn newyddiadur lleol llwyddiannus mewn cystadleuaeth â'r *Tenby Observer*. Ei fab ieuangaf, Ernest H. Leach, a'i dilynodd yn y fusnes. Cyfranogodd y ddau fab yn niddordebau hynafiaethol eu tad a symbylwyd, hwyrach, gan ei gyfathrach ag Edward Laws (*Bywg.*, 508-9). Cyfyngwyd addysg ffurfiol Arthur Leach i'r ysgol genedlaethol leol, a Choleg y Drindod, Caerfyrddin lle'r ymgymhwysodd i fod yn athro ysgol yn 1890, ond yn y pynciau academaidd hynny y cyfrannodd yn sylweddol iddynt, yr oedd, o raid, i raddau helaeth yn hunan-addysgedig. Treuliodd ei yrfa dysgu (a chydnabyddai'n agored ei bod yn gas ganddo) yn gyfangwbl yn ne-ddwyrain Llundain, y rhan helaethaf yn yr ysgol elfennol yn Ancona Road, Plumstead. Ond yn ystod y gwyliau ceid ef yn aml yn ôl yn ei ardal Ninbych-y-pysgod yn archwilio a chofnodi hynafiaethau'r ardal, a pharhaodd y patrwm hwn ar ôl ei briodas â Sarah Currie yn eglwys S. Margaret, Plumstead, ar 23 Rhag. 1897. G. hi yn ardal Lerpwl yn 1871 a symudasai i Plumstead.

Y flwyddyn ganlynol ymddangosodd ei lyfr cyntaf *Leach's Guide to Tenby* a gyhoeddwyd gan ei dad i gystadlu â *Mason's Guide* o wasg yr *Observer*; cafwyd amryw argraffiadau eraill yn ddiweddarach. O'r pryd hwn dechreuodd erthyglau byr ar hanes, hynafiaethau, a hanes natur lleol ymddangos yn y *Tenby and County News* - wythnosolyn ei dad - arfer a barhaodd dros ei fywyd, hyd yn oed wedi i'r papur gael ei lyncu gan ei gystadleuydd. Ymddangosodd nodiadau ganddo hefyd ym mhapur lleol Woolwich. Dechreuodd ei aelodaeth oes o Gymdeithas Hynafiaethau Cymru yn 1899, ond o dan ddylanwad y Dr Arthur Vaughan ac E. E. L. Dixon cyfeiriwyd ei ddiddordeb yn hytrach tuag at ddaeareg, ac ymunodd â Chymdeithas y Daearegwyr yn 1905, ar ôl mynychu darlithiau ar y pwnc yn y *Woolwich Polytechnic* (lle bu'n gyfaill i ddaearegwr nodedig arall, R. H. Chandler). Yn Nhrafodion y gymdeithas am y flwyddyn honno ymddangosodd y cyntaf o lawer o adroddiadau ganddo ar ei hymweliadau â safleoedd yng ngogledd-orllewin Caint yn ogystal â de Penfro (ef oedd trefnydd ei chyfarfod yn Ninbych-y-pysgod yn 1909), a thros y deng ml. ar hugain dilynol fwy neu lai, ymddangosodd mwy na deugain o bapurau ac adroddiadau ganddo yn y *Trafodion*, yn ogystal ag eraill yr oedd ef yn gyd-gyfrannwr iddynt. Gwnaeth gyfraniad pwysig i waith y Gymdeithas, i ddechrau fel archwiliwr ac aelod o'i Chyngor, ond yn fwyaf arbennig fel Ysgrifennydd Cyffredinol yn ystod 1913-18. Cydnabuwyd ei wasanaethau parhaol drwy gyflwyno iddo Wobr Foulerton yn 1925 am

waith amatur da. Bu'n is-lywydd dros flynyddoedd lawer ac yn y diwedd ei ethol yn llywydd am 1932-34 (daeareg a golygfeydd ei fro enedigol oedd pynciau ei ddwy ddarlith lywyddol) a gwnaed ef yn aelod anrhyd. yn 1943. Etholwyd ef yn Gymrawd o Gymdeithas Ddaearegol Llundain, cymdeithas uwch ei bri, yn 1910 a derbyniodd rodd o *Wollaston Donation Fund* y Gymdeithas yn 1926. Cydnabuwyd ei gyfraniad i ddealltwriaeth o ddaeareg de sir Benfro ym mhrif astudiaeth Dixon o'r ardal honno - *Memoirs of the Geological Survey of the South Wales Coalfield*, Part XIII (1921).

Arweiniodd archwilio clogwyni fel daearegwr i'w ddarganfyddiadau (aelwydydd, tomenni, etc. ac offer callestr) yr adroddwyd amdanynt mewn cyfres o nodiadau yn *Arch. Camb.* a chyfnodolion eraill, megis *Nature* o 1909 i 1933. Yr oedd ei ddarganfyddiadau o safleoedd gwaith callestr ar dir soddedig, a hefyd ei archwiliad o safle anheddol yn Ogof Nanna ar Ynys Bŷr, a gofnodwyd ganddo yn hynod fanwl, er ei oleddfu, i raddau, gan waith diweddarach, yn bwysig. Ym mlynyddoedd cynnar y ganrif hon tynnwyd ef i ddadleuon yn codi o dystiolaeth am ddyn cynnar mewn perthynas â nodweddion daearegol diweddar yr Oes Ia. Yr oedd ei olygiad ef yn nodweddiadol ffeithiol yn hytrach na dyfaliadol. Treuliai ei wyliau'n aml yn ymweld â safleoedd archaeolegol yng ngorllewin a chanol Ffrainc, ar y rhai y byddai wedyn yn traddodi darlithiau darluniedig gyda'i sleidiau llusern ei hun.

Gyda'i ymddeoliad o ddysgu yn 1929 yr oedd yn gallu cymryd at ymchwil ar hanes lleol gan ddefnyddio adnoddau'r Amgueddfa Brydeinig a llyfrgelloedd eraill yn Llundain. Ffrwyth hyn yw ei waith mwyaf sylweddol, *The history of the Civil War (1642-1649) in Pembrokeshire and on its Borders* (Llundain, 1937), cyhoeddiad y bu rhaid iddo ef ei hun roi cymhorthdal iddo. Er ei fod i fesur helaeth yn grynhoad dogfennol, dangosodd ddefnydd sicr o ffynonellau sy'n parhau'n derfynol (fe'i hadolygwyd gan Syr Frederick Rees (gw. isod) yn *Arch. Camb.*, 93 (1936), 267-71). Yr un pryd yr oedd yn casglu defnyddiau ar hanes Dinbych-y-pysgod nas paratowyd at ei gyhoeddi, ysywaith, er i ddetholion ohonynt ymddangos yn aml ar ffurf nodiadau ar wahanol bynciau hanesyddol mewn papurau lleol.

Yn 1940 dychwelodd i'w dref enedigol ac yn ddi-oed gwahoddwyd ef i fod yn guradur yr Amgueddfa a oedd yn sefydliad annibynnol yno, a gweithredodd yn ddiweddarach fel ei thrysorydd a'i hysgrifennydd am bymtheg ml. Rhoes lawer o'i amser i'r gwaith hwn gan ennyn mwy o ymwybyddiaeth gyhoeddus o'r Amgueddfa a defnydd ohoni. Cyn gynharach ag 1918 yr oedd wedi cyhoeddi gwaith bychan *Some Prehistoric Remains in Tenby Museum* (ail-argr. 1931), ac yn awr dygodd fedrusrwydd newydd mewn arddangos a cyfryw ddefnyddiau. Yr oedd yn unigryw addas i ysgrifennu hanes un a esgeuluswyd ond a oedd yn hynafiaethydd pwysig i sir Benfro, y Parch.

Gilbert Smith (*Arch. Camb.*, 98 (1945), 249-54). Symbylwyd ef gan gasgliad yr Amgueddfa o ddyluniadau i gyhoeddi ei *Charles Norris (1779-1858) of Tenby and Waterwynch, topographic artist* (1949) yn ymgorffori catalog o waith Norris (*Bywg.* 646). Wedi i'r Amgueddfa ddod dan aden Amgueddfa Genedlaethol Cymru daeth yntau'n aelod o'i Chyngor a gwasanaethu ar y Pwyllgor Gwyddonol. Yn 1948 cydnabu Prifysgol Cymru ei gampau academaidd drwy roddi iddo radd M.A. er anrh.

Yr oedd ei gyhoeddiadau toreithiog bob amser yn fanwl ac addysgiadol, yn adlewyrchu meddwl ymchwilgar ac effro. Ar waethaf osgo academaidd, llym braidd, ac amheugar, yr oedd ganddo'r ddawn i drosglwyddo sêl am wybodaeth i eraill, yn arbennig i blant, er nad oedd ganddo blant ei hun. Bu f. ei wraig ym mis Mawrth 1956 ac yntau ar 7 Hyd. 1957. Fe'i claddwyd ym mynwent Dinbych-y-pysgod.

Tenby Observer, 11 Hyd. 1957; *Proc. Geologists' Assoc.*, 69 (1958), 67-70; papurau yn Amgueddfa Dinbych-y-pysgod a gwybodaeth bersonol.

W.G.T.

LEEKE, SAMUEL JAMES (1888-1966), gweinidog (B); g. 28 Mawrth 1888 yn Nhal-y-bont, Cer., yn fab i Samuel Leeke (bu f. 14 Chwef. 1943 yn 81 ml. oed) ac Anne Leeke (g. Williams, bu f. 31 Rhag. 1937 yn 74 ml. oed), y rhieni wedi priodi ym Mryste 20 Tach. 1884, a'r tad wrth ei alwedigaeth yn saer ac am ugain ml. wedi dilyn ei grefft ar y môr ac wedi hwylio droeon 'rownd yr Horn'. Dechreuodd y mab ei yrfa yng ngwasanaeth y Swyddfa Bost, ond yn sgîl Diwygiad 1904-05 fe'i cymhellwyd gan ei fam-eglwys yn y Tabernacl, Tal-y-bont, yn 1907 i ddechrau pregethu. Wedi cwrs o baratoad yn Ysgol yr Hen Goleg yng Nghaerfyrddin derbyniwyd ef yn 1909 i Goleg y Brifysgol a choleg y Bedyddwyr, Caerdydd, ac er gwaethaf ei anfanteision cynnar llwyddodd i gyflawni'r gamp o ennill graddau B.A. yn 1912 a B.D. yn 1915. Ord. ef 14 Chwef. 1916 yn weinidog Seion, Cwmaman, Aberdâr, ac ymsefydlodd wedi hynny, 16 Chwef. 1925, yn Siloam, Brynaman, a 5 Hyd. 1931 ym Methesda, Abertawe (ar achlysur canmlwyddiant symud yr achos yno o'r Heol Gefn). Yr oedd ei bregethu yn cyfuno angerdd efengylaidd ac ehangder dysg, ac un o gymwynasau pennaf ei weinidogaeth oedd ei ofal diarbed o'i eglwys wasgarog yn ystod Rhyfel Byd II, hynny er iddo ef ei hun ddioddef yn enbyd yn y cyrchoedd bomio ar Abertawe, hyd yn oed at weld llwyr chwalu ei gartref yn 12 Brooklands Terrace nos Lun 17 Chwef. 1941. Pr. ym Methesda, Abertawe, 22 Medi 1931, Amy Gertrude Bryant, aelod yn Seion, Cwmaman, merch i William Bryant (a laddwyd yn y lofa yng Nghwmaman yn 1911) ac Emily Bryant (a fu'n cadw llythyrdy am hanner canrif yn 4 Alexandra Terrace, Cwmaman). Bu f. 31 Rhag. 1966 a gladdu 4 Ion. 1967 ym mynwent gyhoeddus Ystumllwynarth.

Yr oedd ei enw yn ddihareb ymhlith ei gydnabod fel casglwr llyfrau o bob math, yn eu plith liaws o argraffiadau cyntaf, a chofir amdano hefyd fel meistr ar amryw o ieithoedd, yn enwedig Hebraeg. Cyfrannodd yn gyson i lenyddiaeth yr enwad, e.e. mor gynnar ag 1917 i'r *Hauwr* ac yn arbennig yn y 30au i'r *Arweinydd Newydd* ar faes llafur yr Ysgol Sul,

ac i'r un dosbarth o sgrifennu y perthyn ei waith pwysicaf, *Llyfr y Proffwyd Eseia: detholion*, a gyhoeddwyd yn 1929 dan nawdd Undeb Ysgolion Sul Bedyddwyr Cymru. Bu'n amlwg gydag eraill tua diwedd 1929 yn sefydlu Urdd y Seren Fore i blant yr enwad, a gwasanaethodd y mudiad hwnnw mewn mwy nag un swydd, gan gynnwys y llywyddiaeth yn 1939-40. Bu hefyd yn flaenllaw fel aelod o'r pwyllgor cyntaf ac fel darlithydd yn Ysgol Ilston, ysgol baratoi i fyfyrwyr gweinidogaethol a agorwyd yn Abertawe 8 Medi 1934. Yr oedd yn llywydd Cwrdd Dosbarth Ystalyfera a'r cylch adeg ei symud i Abertawe, a chodwyd ef wedi hynny yn llywydd Cymanfa Gorllewin Morgannwg, 1949-50 (testun ei anerchiad o'r gadair oedd 'Trem yn ôl'), ac yn llywydd adran Gymraeg Undeb Bedyddwyr Cymru 1961-62 (a'i anerchiad yng Nghaergybi yn 1961 ar 'Galw am hyder a gobaith newydd yn yr Efengyl'). Cofnodir hefyd iddo weithredu am tua phymtheg ml. fel caplan, ar ran yr Eglwysi Rhyddion, yn yr Ysbyty Gyffredinol yn Ffordd Sain Helen, Abertawe.

Ser. Cymru, 24 Mawrth 1916, 6 Mawrth 1925, 16, 23 Hyd. 1931, 14, 21 Medi 1934, 28 Gorff. 1961, 13, 27 Ion., 3 Chwef. 1967; *Arweinydd Newydd*, 1932, 36 et passim; *Seren yr Ysgol Sul*, 1922, 310-16, 1934, 226-31, 1940, 2-7; *Mynegiad* Cymanfa Gorllewin Morgannwg, 1950, 7-16; *Ser. G.*, Gwanwyn 1961, 7-11; *Llawlyfr Bed.*, 1968, 116-17; *Bapt. Hdbk.*, 1968, 366-7; *Seion Cwmaman: Canmlwyddiant yr Achos 1859-1959*, 13-15; Marian Henry Jones, *Hanes Siloam Brynaman* (1972), 61-5, 102 &c; *Camb. News*, 23 Tach. 1934, 7 Ion. 1938, 24 Chwef. 1943; *WWP*; gwybodaeth bersonol gan ei weddw a chan ei nai hithau, Peter Bryant, Walton-on-Thames.

B.G.O.

LEILA MEGÁNE - gw. HUGHES, MARGARET uchod.

LEVI, THOMAS ARTHUR (1874-1954), Athro cyfraith; g. yn Abertawe, 18 Rhag. 1874, yn fab i Thomas Levi (*Bywg.*, 510) a'i ail wraig, Margaret (g. Jones). Pan oedd y plentyn yn ddwyflwydd oed galwyd y tad i fod yn weinidog ar eglwys y Tabernacl (MC) Aberystwyth. Cafodd ei addysg yn ysgol ramadeg Ardwyn ac yn 1891 aeth i Goleg Prifysgol Cymru a chymryd arholiadau Prifysgol Llundain hyd at radd B.A., ac yn 1893 aeth i Goleg Lincoln yn Rhydychen. Enillodd wobr Carrington yn y Gyfraith yn 1897 a graddio gyda'g anrhydedd dosbarth cyntaf, a chymryd gradd B.C.L. gyda'r un anrhydedd yn 1900, a'r un flwyddyn ennill Tystysgrif Anrhydedd yn nosbarth cyntaf y Bar. Yr oedd yn aelod o'r Inner Temple.

Yn 1901, agorwyd Adran y Gyfraith yng Ngholeg Prifysgol Cymru yn Aberystwyth, ac ymgeisiodd Levi am swydd Athro, yn groes i gyngor ei gyn-athro yn Rhydychen, A. V. Dicey, a gredai y byddai'n gwastraffu ei ddoniau mewn swydd a lle more ddi-nod, ac yntau yn olyniaeth F. E. Smith (Arglwydd Birkenhead yn ddiweddarach) a oedd wedi graddio gyda'r un anrhydedd ddwy flynedd o'i flaen ond wedi aros yn ddarlithydd am gyfnod byr yn Rhydychen. Apwyntiwyd Levi yn Athro Cyfraith Loegr a W. Jethro Brown yn Athro Cyfraith Gyfansoddiadol a Chymharol. Yn 1906 ymadawodd Brown i ddychwelyd i Awstralia, ei wlad enedigol, a dod yn Brif Farnwr yno. Daliodd Levi ei swydd a bod yn ben ar Adran y Gyfraith nes ymddeol wedi cyfnod o 40 ml. yn 1940.

O dan ei ofal daeth yr adran yn adnabyddus mewn prifysgolion a chylchoedd cyfraith. Anelodd at dri pheth: (1) sefydlu'r adran fach a thlawd mewn cylchoedd cyhoeddus yng Nghymru, ac yn arbennig trwy ennill ewyllys da cyfreithwyr a chymdeithasau'r gyfraith. Teithiodd yn ddiflino, ond gyda llawer o fwynhad, i sôn amdani, ac i ddarlithio i glercod twrneiod a chasglu arian i'r adran, (2) argyhoeddi awdurdodau'r Brifysgol o bwysigrwydd y gyfraith fel disgyblaeth academaidd. Perswadiodd amryw o fargyfreithwyr, mewn prifysgolion enwog ac mewn bywyd cyhoeddus, i ddod i draddodi darlithiau cyhoeddus yn Aberystwyth, (3) dangos y dylai dysgu'r gyfraith mewn prifysgol fod yn rhywbeth mwy na magu cyfreithwyr bach yn cweryla ar achosion diwerth mewn ardaloedd Cymreig. Yn ei farn ef yr oedd gan yr Adran y ddyletswydd o ddysgu i efrydwyr egwyddorion gwasanaeth cyhoeddus, eu paratoi i gymryd rhan ym mywyd cymdeithas a'u hysbrydoli i fyw ar lefel uchel o ddinasyddiaeth. Bu iddo gyfaddawdu i raddau yn ei gyrsiau. Ni ddysgwyd dim am Gyfraith Rufain er ei phwysiced yn hanes cyfraith gwledydd y Gorllewin, na llawer iawn chwaith am hanes y Gyfraith yn Lloegr, ond dysgwyd cyfraith y cyfansoddiad a chyfraith ryngwladol, er efallai dreulio gormod o amser gyda materion y byddai'n well eu dysgu mewn athrofeydd proffesiynol, er mwyn gwneud argraff dda fel adran ymarferol, mae'n debyg.

Nid oedd gwaith ymchwil a chyhoeddi'n rhan o'i fywyd, er iddo gyhoeddi casgliad o ganeuon Cymru a gychwynnwyd gan ei dad, llyfryn ar y cyfle i Adran y Gyfraith, ac ysgrifau eraill, yn enwedig un werthfawr ar gyfreithiau Hywel Dda. Ei waith pwysig yn y coleg oedd dysgu, trwy ddarlithio, a hynny'n ysblennydd mewn dull dihafal. Fel darlithiwr yr oedd yn unigryw yn ei ddull o draethu, ei lais a'i arddull. Deuai efrydwyr o adrannau eraill i'w glywed a chael eu swyno gan y modd y medrai wneud y testunau mwyaf cymhleth yn syml. Gwgai ar neb a gymerai nodiadau yn ystod y traethu, rhoddai esiamplau bywiog i oleuo athrawiaethau cyfreithiol tywyll, ac ar y diwedd yr oedd pawb i gymryd nodiadau o'r pwyntiau sylfaenol. Nid oedd ganddo ef ei hun na llyfr na nodyn o'i flaen wrth ddarlithio. Tueddai i gondemnio arholiadau yn y gyfraith, er fod ganddo ddarlith ysgafn ddigrif ar sut i ennill marciau iddynt. Dywedai'r Arglwydd McNair yng Nghaergrawnt (llywydd y Llys Cyfraith Rhyngwladol yn ddiweddarach) fod gan Levi ddawn anghredadwy i fwrw swyn dros gynulleidfa o athrawon cyfraith mwyaf dysgedig ac amheugar y prifysgolion.

Yr oedd Levi'n ddarlithiwr cyhoeddus tra phoblogaidd, yn ddadleuwr peryglus mewn unrhyw gymdeithas ddadleu - y gallu i gael y gwrandawyr i chwerthin yn uchel am ben dadleuon ei wrthwynebwyr, ac yna'n syth yn gyrru'r siafft farwol i mewn. Cyfeillgar bob amser, hawdd mynd ato, ond yr oedd yn drwm iawn ei glyw a hynny'n rhwystro gofyn cwestiynau iddo yn ei ddarlithiau, ac yn ei gadw

yn ôl rhag cymryd rhan ehangach ym mywyd cyffredinol y coleg. Ni welid ef yn y llyfrgell, ond yr oedd yn cadw yn gyfoes â'r gyfraith. Yn Rhyddfrydwr eiddgar, cymerai ran fywiog, gydag asbri, ymhob etholiad cyffredinol, a bu'n amlwg iawn yn etholiadau tanbaid Ceredigion yn y 1920au cynnar, o blaid y Rhyddfrydwyr annibynnol, ac yn erbyn carfan Lloyd George, ond nid oedd gair o wleidyddiaeth yn dod o'i enau yn ystod ei ddarlithiau, er iddo fod yn ddigon parod i siarad ar faterion gwleidyddol yn y coleg y tu allan i'w ystafell ddarlithio. Yr oedd yn barod iawn ynddynt i gondemnio dienyddiad a gwendidau'r gyfraith. Gwahoddwyd ef i fod yn ymgeisydd Rhyddfrydol dros Geredigion a nifer o etholaethau yn y De, ond eu gwrthod a wnaeth bob tro.

Ni phriododd erioed er fod llawer o sôn am ei hoffter o'r rhyw arall a llawer ohonynt yn hoff ohono ef, ond ni fu erioed awgrym o ensyniadau amheus. Bu'n flaenor parchus yn eglwys y Tabernacl (MC) o'r flwyddyn 1908. Ei gamp fawr oedd sefydlu Adran y Gyfraith yn Aberystwyth, a chodi golygon y miloedd o efrydwyr o bob rhan o Gymru a gwledydd eraill a ddaeth i Aberystwyth, nes bod yr Adran hon mor uchel ei pharch yn y byd academig ag unrhyw adran arall yn y Brifysgol. Ni chafodd unrhyw anrhydeddau i gydnabod ei gyfraniad ond erys y cof amdano gyda pharch a hoffter ymhlith y rhai a fu'n efrydwyr dan ei ofal dros y byd i gyd ymhob cylch o fywyd.

Bu f. yn Aberystwyth nos Sul 24 Ion. 1954 a chladdwyd ef ym mynwent y dref.

Ymhlith ei ychydig gyhoeddiadau y mae *Casgliad o ganeuon Cymru* (1896); *The opportunity of a new Faculty of Law* (darlith agoriadol) (1901); *Apêl at ddirwestwyr* (1916); *Legal education in Wales* (1916); 'The Laws of Hywel Dda in the light of Roman and Early English Law', *Aberystwyth Studies* (1928); 'The Law Department, University College of Wales' yn *The College by the Sea* (gol. Iwan Morgan) (1928); a *The Story of Public Administration and Social Service. Suggestions for the formation of a school of public administration and social service in connection with the University of Wales.*

Iwan Morgan (gol.), *The College by the Sea* (1928); Ellis, *UCW; Www;* gwybodaeth bersonol.

                                                                    E.O.R.

LEWES, EVELYN ANNA (*c.* 1873-1961), awdur; un o dri o blant yr uchgapten Price Lewes, swyddog cynorthwyol gyda milisia Penfro, a'i wraig Florence (g. Kinnear, o Halifax, Nova Scotia); g.*c.* 1873 yng Nghanada, ond magwyd hi yn Poyston, Hwlffordd, Penf.; cafodd addysg breifat. Tuag 1902 symudodd y teulu i Dyglyn Aeron, Cer., un o hen gartrefi tylwyth y Lewesiaid a gymerasai ran flaenllaw yng Ngheredigion dros y pedair canrif ddiwethaf fel ynadon, siryfion ac aelodau seneddol. Aeth hithau i Eithinfa, Cliff Terrace, Aberystwyth i fyw *c.* 1928. Bu f. 4 Mawrth 1961 yn ysbyty Croesoswallt, a chladdwyd ei lludw ym mynwent Trefilan, Cer.

Yr oedd yn wraig o bersonoliaeth gref. Dechreuodd ysgrifennu cerddi, erthyglau ac ystoriau i'w cyhoeddi yn 1896 pryd yr ymddangosodd cerdd yn *Wales*, a pharhaodd i wneud hynny hyd tuag 1940. Cyhoeddwyd ei gwaith mewn cylchgronau di-rif, gan gynnwys *The Gentleman's Magazine* (c. 1905), *The Field and the Queen* (c. 1905-14), *The Bookman*, *Fishing Gazette*, 1923-31, *T. P.'s and Cassell's Weekly*, 1927, *Every woman's world* (Toronto), a *Western Home monthly* (Winnipeg); hefyd yn y *Western Mail*, *Cambrian News* a phapurau eraill. Ymhlith ei lyfrau y mae *Picturesque Aberayron* (1899), ac *A guide to Aberaeron and Aeron valley* (1922). Dysgodd ysgrifennu Cymraeg a bu'n ddarllenydd diwyd (1924-33) o weithiau Lewis Glyn Cothi ar gyfer *Geiriadur Prifysgol Cymru*. Ceir ei chyfieithiad o ddarnau o waith Dafydd ap Gwilym yn *The life and poems of Dafydd ap Gwilym* (1915). Ymhlith ei llsgrau. yn Llyfrgell Genedlaethol Cymru ceir ysgrif yn Gymraeg ('O Neuaddlwyd i Madagascar'), a 'Theatres of West Wales'. Cyfrifid hi'n awdurdod ar straeon gwerin Cymru. Cyhoeddwyd ei stori 'Hywel o Claerwen' yn nhrafodion Eist. Gen. Bangor 1902, ac ymddangosodd eraill yn *Dream folk and fancies* (1926). Y gwaith a ddaeth â hi i amlygrwydd oedd *Out with the Cambrians* (1934), sef ei hatgofion am wibdeithiau gyda Chymdeithas Hynafiaethau Cymru y bu hi'n aelod o'i phwyllgor am flynyddoedd lawer. Derbyniwyd hi'n aelod o Orsedd y Beirdd yn 1916 a bu'n aelod o Lys llywodraethwyr C.P.C., a Ll.G.C. o 1940 ymlaen.

WWP; llsgrau. Evelyn Lewes yn Ll.G.C.; *Camb. News*, 24 Mawrth 1961; gw. Glyn Lewis Jones, *Llyfryddiaeth Ceredigion 1600-1964*, a'r *Atodiad 1964-68* am restr o rai o'i herthyglau.

M.A.J.

LEWIS (TEULU), Llandysul, Cer., perchnogion Gwasg Gomer. (Gw. *Bywg.* 2, 128 dan LEWIS, John David).

DAVID LEWIS (1890-1943), oedd mab hynaf John David a Hannah Lewis; g. 18 Ebr. 1890 ym Market Stores, Llandysul, Cer. Addysgwyd ef yn ysgol cyngor ac ysgol sir Llandysul. Dysgodd grefft argraffu gan William John Jones, prif argraffydd Gwasg Gomer a sefydlwyd gan y tad. Pan fu'r tad f. yn 1914 syrthiodd baich trwm yr argraffwasg a'r siop lyfrau ar ysgwyddau David, gan fod ei frodyr Edward a Rhys yn y lluoedd arfog. Ef oedd cyfarwyddwr Gwasg Gomer hyd ei farw. Dilynodd ei dad fel trysorydd eglwys Bedyddwyr Pen-y-bont; ysgrifennydd cymanfa ganu Bedyddwyr cylch Llandysul; trysorydd cyntaf a llywydd cymdeithas Cymrodorion Llandysul; cynrychiolodd dde plwy Llandysul ar gyngor sir Aberteifi am flynyddoedd. Fe'i gwnaed yn ynad heddwch, yn aelod o fwrdd gwarcheidwaid glannau Teifi, aelod o gorff llywodraethwyr ysgol sir Llandysul, Llyfrgell Genedlaethol Cymru ac o gyngor cenedlaethol Undeb Cymru Fydd. Yr oedd yn aelod o gymdeithas hanes y Bedyddwyr, ac fel ei dad, yn fawr ei ddiddordeb mewn hanes lleol. Pr., 9 Ion. 1939, Mary Anne Hughes, Plasnewydd, Llanllwni, (isod), a gwnaethant eu cartref yn Nolanog, Llandysul. Bu f. 26 Awst 1943.

EDWARD LEWIS (1891-1965), ail fab John David a Hannah Lewis; g. 27 Awst 1891 ym Market Stores. Cyn Rhyfel Byd I gweithiai yn siop lyfrau ei dad. Bu wedyn yn oruchwyliwr cyfnewidfa lafur Llandysul. Ar farwolaeth ei frawd David cymerodd ei le fel cyfarwyddwr Gwasg Gomer, cynghorwr sir dros yr un adran

o'r plwy, a thrysorydd eglwys Pen-y-bont. Bu'n drysorydd cymanfa Bedyddwyr sir Gaerfyrddin a sir Aberteifi o 1955 hyd ei farw. Gwnaethpwyd yntau'n ynad heddwch yn 1946 a chafodd yr O.B.E. yn 1956. Yn 1955 daeth yn aelod er anrh. o Orsedd y Beirdd; llywydd cymdeithas Cymrodorion Llandysul yn 1938, blwyddyn dadorchuddio cofeb i Christmas Evans (*Bywg.*, 205-6) ar fur ysgol Tre-groes; aelod o gorff llywodraethwyr ysgolion uwchradd Llandysul a Chastell Newydd Emlyn; aelod o'r cydbwyllgor addysg, a bwrdd llywodraethwyr yr Amgueddfa Genedlaethol. Mawr oedd ei ddiddordeb mewn hanes lleol, a mudiadau lleol, crefyddol a diwylliannol. Pr. Lena Harries o'r Ceinewydd, 27 Awst 1927. Bu f. ar Sul y Pasg, 18 Ebr. 1965.

Rhyngddynt gwnaeth y ddau trwy Wasg Gomer wasanaeth gwiw i lenyddiaeth Gymraeg, ac yn eu cyfnod daeth y Wasg hon yn un o brif weisg Cymru. Cymerasant drosodd Wasg Caxton yn Llanbedr Pont Steffan, a Gwasg Aberystwyth.

MARY ANNE LEWIS, gynt HUGHES (1891-1960), unig ferch Timothy a Hannah Hughes, Plasnewydd, Llanllwni, Cer., ond yr oedd ganddi bedwar brawd, John, William, David a Tim. (Bu John yn ddarlithydd mewn addysg yng Ngholeg Prifysgol Cymru, Aberystwyth cyn cael Cadair yn yr un pwnc ym Mhrifysgol Witwatersrand, a Phrifysgol McGill, Montreal wedi hynny. Bu ef f. 4 Gorff. 1977). Addysgwyd hi yn ysgol gynradd Llanllwni, ysgol sir Llandysul, a Choleg Prifysgol Cymru, lle y graddiodd gyda dosbarth cyntaf mewn Saesneg yn 1911. Yn y coleg etholwyd hi yn Llywydd adran y merched ac felly yn is-lywydd undeb y myfyrwyr. Bu'n athrawes Saesneg yn ysgol sir Llandysul, o Fedi 1912 i Orff. 1918, ac ar ôl hynny'n ddarlithydd Saesneg yn y coleg hyfforddi athrawon yn Abertawe, o 1918 i 1938. Bu'n athrawes ddylanwadol mewn ysgol a choleg. Cymerodd ddiddordeb arbennig yn y ddrama, a bu'n gynhyrchydd dramâu yn y coleg hyfforddi a gyda chymdeithas ddrama Abertawe, cwmni drama sir Aberteifi, a chwmni drama Llandysul. Bu'n feirniad yn yr Eist. Gen. ar chwarae ac ar gyfansoddi dramâu. Cyfieithodd *The Poacher* (J. O. Francis) a *Jane Wogan* (Florence Howell), i'r Gymraeg. Pr. David Lewis (uchod) ar 9 Ion. 1939, a dod i fyw i Ddolanog, Llandysul. Bu f. 16 Mawrth 1960, a'i chladdu ym mynwent capel Pen-y-bont, Llandysul.

Marw-gofion yn y wasg leol; adnabyddiaeth bersonol.

J.Ty.J.

LEWIS, BENJAMIN WALDO (1877-1953), gweinidog (B); g. 7 Medi 1877 yng Nghaergybi, Môn, yn fab i John (felly ar lafar y teulu, ond David yn ôl y bywgraffwyr) Lewis (g. 29 Awst 1829) o Fridell, ac Anne Lewis (g. Williams, Chwef. 1848 neu 49) o Abergwaun, y ddau wedi pr. yng Nghasnewydd-ar-Wysg, 31 Ion. 1871, y tad yn ôl traddodiad o linach brawd i Titus Lewis (*Bywg.*, 526-7), a'r fam yn nith ferch chwaer i Benjamin Davies (*Bywg.*, 101). Saer maen oedd y tad a welodd gyfnod o lwyddiant yng Nghaerdydd c. 1850-75, ond wedi i'w fasnach ddirywio fe'i gorfodwyd i symud i fannau eraill i chwilio am waith, i ddechrau i

Gaergybi ac yna *c.* 1880 i Bentre Broughton ger Wrecsam. Yn 1887 penderfynodd y tad ymweld â T.U.A., lle'r oedd mab iddo o'i briodas gyntaf yn byw, hynny yn y gobaith o gychwyn bywyd newydd yno, ond cymerwyd ef yn wael ar y fordaith a bu f. yn fuan wedi cyrraedd, yn Danville, Pa., 27 Mai 1887. Bedyddiwyd y mab yn Salem, Moss, o fewn wythnos i'w 11 ml. oed, ac ymhen tair bl. symudodd y teulu yn ôl yn nes at dylwyth yn y De, i Tylorstown, ac ymaelodi Gorff. 1891 yn Hermon, Pont-y-gwaith, lle y cymhellwyd y mab i ddechrau pregethu, yr un pryd â James Thomas Evans (*Bywg.*2, 15), prifathro Coleg y Bedyddwyr, Bangor. Dechreuodd ennill ei fywoliaeth mewn glofa, yn ei dro dan y ddaear ac yn efail y gof, ac ar ôl dilyn ysgol nos am tua 7-8 ml. fe'i derbyniwyd am tua bl. i 18 mis i Academi Pontypridd (eto gyda J. T. Evans, a chyfaill arall iddo, Ben Bowen, *Bywg.*, 41), ac wedi hynny 1900-05 i Goleg y Bedyddwyr a Choleg y Brifysgol, Caerdydd, lle y graddiodd yn B.A. yn 1905, ac 1905-08 i'r Coleg Presbyteraidd, Caerfyrddin, lle y torrodd ei iechyd ar ganol ei gwrs B.D. Ord. ef 21 Ion. 1909 yn weinidog eglwys Penuel, Caerfyrddin, lle'r oedd eisoes wedi ymaelodi yn ystod ei dymor coleg, a hwn fu ei unig faes hyd ei ymddeol yn 1946 a'i godi'n weinidog anrhydeddus. Yn ystod Rhyfel Byd I, *c.* Mai 1915 - Tach. 1916, rhyddhawyd ef gan ei eglwys i weithio gyda'r Y.M.C.A., i ddechrau am rai misoedd yn Dover ac wedi hynny am tua blwyddyn ym Malta, lle y codwyd ef yn 'arweinydd rhanbarth' ac felly'n gyfrifol am holl waith y Cymdeithas ar yr ynys. Bu f. yn ei gartref yn Briarleigh, Longacre Road, 31 Rhag. 1953, ar ôl cystudd yn dilyn damwain fis Medi cynt yn y Borth, a chladdwyd ef 4 Ion. 1954 ym mynwent gyhoeddus y dref. Pr. 14 Meh. 1922 yn eglwys Bresbyteraidd Saesneg Zion, Caerfyrddin, Enid Mari Wheldon (g. 14 Mawrth 1892), brodor o Grucywel, merch Pierce Jones Wheldon a Louisa Arnaud Wheldon (g. MacKenzie), ei thad yn rheolwr banc y National Provincial, yn frawd i Thomas Jones Wheldon (1841-1916, *Bywg.*, 954), ac wedi ymsefydlu yng Nghaerfyrddin yn 1900. Bu hi f. 2 Mai 1963 yn ysbyty Glangwili, Caerfyrddin. Ganed un mab o'r briodas.

Bu am gyfnod maith yn weithgar dros amrywiaeth o fudiadau ac achosion da yn nhref Caerfyrddin a'r cylchoedd, e.e. aelod am 35 ml. a hefyd yn gadeirydd Pwyllgor Rheoli Ysbyty Caerfyrddin; wedi dyfod y Ddeddf Gwasanaeth Iechyd Cenedlaethol i rym yn 1947, aelod o Fwrdd Ysbytai Rhanbarth Cymru, a chadeirydd Pwyllgor Rheoli Ysbyty Gorllewin Cymru o'r Bwrdd; aelod o reolwyr ysgol ramadeg y Frenhines Elisabeth o 1917 ymlaen, a chadeirydd 1944; aelod hyd 1944 o Bwyllgor Addysg Bwrdeistref Caerfyrddin; aelod o bwyllgor Llyfrgell y Sir; aelod o gangen De-Orllewin Cymru o'r Gymdeithas Hanes a sefydlwyd yn 1931, a chadeirydd o ddiwedd Rhyfel Byd II hyd Fawrth 1950; cadeirydd Cyngor Cymuned a sefydlwyd yn y dref yn 1932 i liniaru cyni diweithdra; cadeirydd cyntaf Cyngor Eglwysi Cristionogol Caerfyrddin; aelod o Glwb Celfyddyd Caerfyrddin; cadeirydd pwyllgor myfyrwyr Bedyddiedig y Coleg Presbyteraidd, ac aelod o'r bwrdd Ymddiriedolwyr. Bu ar hyd ei oes yn fyfyriwr ac yn gasglwr llyfrau; bu'n cynnal dosbarthiadau

allanol dan nawdd Coleg y Brifysgol, Aberystwyth, a darlithio yn y Coleg Presbyteraidd yn ystod salwch J. Oliver Stephens (gw. isod) yn 1928-29; a chyfrannodd yn sylweddol i lenyddiaeth yr enwad, e.e. gyfres o ysgrifau ar 'Y Bedyddwyr ymhlith yr Enwadau' yn *Seren Cymru* 1930, a gwersi ar faes llafur yr Ysgol Sul i'r *Hauwr* a'r *Arweinydd Newydd* yn ysbeidiol o 1911 hyd 1937. Codwyd ef yn llywydd Cymanfa Bedyddwyr Caerfyrddin ac Aberteifi yn 1946-47, a thestun ei anerchiad oedd 'Yr Hyn a Erys'. Yn wleidyddol, yr oedd ar y cyntaf yn Rhyddfrydwr, ond yn etholiad cyffredinol Rhag. 1923 troes yn gyhoeddus at y Blaid Lafur, a daeth yn arloeswr y mudiad yn y dref ac o hynny ymlaen yn gyfaill agos i Daniel Hopkin (1886-1951) a etholwyd Mai 1929 yn aelod seneddol y sir.

Yr oedd ei briod yn gantores ddawnus, a bu hithau fel ei gŵr yn amlwg mewn cylchoedd cyhoeddus, e.e. llywydd a chadeirydd y Clwb Celfyddyd; aelod o Gwmni Opera Amatur y dref; aelod o Bwyllgor Ymgynghorol De Cymru o'r Bwrdd Cymorth Cenedlaethol; aelod o bwyllgor gwaith Cymdeithas Nyrsio'r Sir; aelod o bwyllgor tŷ Ysbyty Kensington yn sir Benfro; ac yn flaengar gyda gwaith y W.V.S.

Llsgr. NLW 10328 (cofrestr y Coleg Presbyteraidd, Caerfyrddin); *Ser. Cymru*, 5 Chwef. 1909, 18, 25 Gorff., 1, 8 Awst 1930, 17, 24 Mawrth 1939, 8 Ion. 1954; *Carm. Jnl.*, 29 Ion. 1909, 8 Ion. 1954, 10 Mai 1963; *Welshman*, 29 Ion. 1909, 8, 15 Ion. 1954, 10 Mai 1963; *Seren yr Ysgol Sul*, 1921, 310-14, 1937, 3-4; *Llythyr Cymanfa Caerfyrddin ac Aberteifi*, 1927, 5-22, 1954, 19; *Llawlyfr Bed.*, 1955, 115-16; *Bapt. Hdbk.*, 1955, 330; Dewi Eirug Davies, *Hoff Ddysgedig Nyth* (1976), 205; *WWP*; gwybodaeth gan ei fab.

B.G.O.

LEWIS, DAVID EMRYS (1887-1954), bardd a newyddiadurwr; g. ym Machynlleth, Tfn., a'i addysgu yn ysgolion y dref. Dechreuodd ar ei waith newyddiadurol gyda'r *Montgomeryshire County Times.* Yn 1916 symudodd i Bort Talbot fel cynrychiolydd i'r *Cambrian Daily Leader* a daeth wedyn yn aelod o staff y *Western Mail.* Bu hefyd yn ohebydd i bapurau eraill yn ne Cymru. Enillodd y goron yn Eist. Gen. Castell-nedd 1918 am ei bryddest 'Mynachlog Nedd'. Yr oedd yn br. â merch o Fachynlleth a chawsant ddau fab. Dioddefodd gystudd blin yn ei flynyddoedd olaf a bu f. yn y Gendros, Abertawe, 12 Mawrth 1954 yn 67 oed.

West. Mail ac atgofion cyfeillion.

G.R.T.

LEWIS, DAVID WYRE (1872-1966), gweinidog a threfnydd (B); g. 13 Mai 1872 yn Felinganol, Llanrhystud Mefenydd, Cer., yn fab i'r bardd a'r cerddor John Lewis ('Eos Glan Wyre'; 1836-92; *Bywg.*, 521), Tŷ-mawr, a Jane (g. Davies; 1844-1917), Felinganol, ac yn nai fab i brawd i'r cerddor David Lewis (1828-1908; *Bywg.*, 515). Addysgwyd ef yn ysgol eglwys y pentref, a phrentisiwyd ef yn saer coed yn Nhrawscoed. Oherwydd diffyg gwaith yn y fro symudodd i'r Maerdy, Morg., ac yna drosodd i Ben-y-graig, lle y bedyddiwyd ef yn aelod yn eglwys Soar, Ffrwdamws a'i godi i bregethu. Yn dilyn cyfnod byr o ysgol nos yn y Porth a 14 mis yn y *Severn*

Grove Academy yn Llanidloes (1893-94), fe'i derbyniwyd i Goleg y Bedyddwyr, Bangor, ond arhosodd hyd Fedi 1895 cyn cychwyn ar ei gwrs, gan fwrw'r flwyddyn gyntaf yng Ngholeg Prifysgol Cymru, Aberystwyth, er mwyn matricwleiddio, a'r pedair bl. nesaf ym Mangor yn rhannu ei amser rhwng Coleg y Brifysgol a Choleg y Bedyddwyr. Ord. ef 3 Gorff. 1900 yn weinidog eglwysi Nefyn a Morfa Nefyn, lle y cododd dŷ cwrdd newydd sbon i'r naill a gosod trefn ar gyllid y llall, a chael profiadau 'cwbl anesboniadwy' yno yn ystod y Diwygiad yn 1905. Sefydlwyd ef 19 Ebr. 1910 yn weinidog eglwys Calfaria, Llanelli, lle y daeth wyneb yn wyneb â therfysgoedd streic y rheilffordd yn Awst 1911, a symudodd 1 Medi 1913 i eglwys Penuel, Rhosllannerchrugog, lle y cyflawnodd waith aeddfetaf ei fywyd a lle y bu galw arno ar y dechrau cyntaf, fel yn Llanelli, i gymathu ei weinidogaeth bersonol a'r efengyl gymdeithasol a oedd yn ennill tir ymhlith yr aelodau. Ymddeolodd 7 Ebr. 1946, ond parhaodd i fyw yn yr ardal.

Yr oedd yn gynadleddwr profiadol ac arweinydd yng ngwasanaeth ei enwad. Bu'n ysgrifennydd Cymanfa Bedyddwyr Arfon, 1906-10, ac ysgrifennydd Cymanfa Dinbych, Fflint, a Meirion, 1919-39, â chyfrifoldeb arbennig o 1934 ymlaen am ofynion y Gronfa Gynhaliol. Bu'n llywydd y Gymanfa ddwywaith (1930-31, 1954-55), ac wedi annerch yr Undeb (1910, 1920) dyrchafwyd ef yn llywydd 1938-39. Cyhoeddwyd anerchiad 1920, *Crist a'r werin* ac araith 1939, *Yr Eglwys a'i chyfle heddiw*. Bu'n gadeirydd y Drysorfa Goffadwriaethol, Pwyllgor *Y Llawlyfr moliant newydd* (1955), Pwyllgor y Gronfa Gynhaliol (o ganol y 1950au hyd ei farw), a threfnydd dros Gymru i'r Drysorfa Ad-drefnu (1944).

Yr oedd yn ysgrifwr toreithiog a chyhoeddodd fyrgofiant yn J. T. Rees (gol.), *Detholiad o donau, anthemau a rhanganau Dafydd Lewis, Llanrhystyd* (1930), ac *Yr eglwysi a'r undeb. Y weinidogaeth a'i pherigl heddiw* (1939). Yr oedd ar y blaen yn atgyfodi *Seren Gomer* yn 1909, yn olygydd y cylchgrawn, 1910-16, gyda phwyslais neilltuol ar ei 'Nodiadau ar lyfrau', ac y mae ei erthyglau ymlaen i'r 1930au yn cynnwys bywgraffiadau Bedyddwyr cyfoes o Gymry, adroddiadau ar gynadleddau blynyddol, a thraethiadau sylweddol ar bynciau amrywiol. Cyfrannodd lawer i *Yr Hauwr* (wedyn *Yr Heuwr*) a'i olynydd *Yr Arweinydd newydd*, o 1904 hyd ganol y 1930au.

Yr oedd yn ŵr effro i anghenion cenedl yn ogystal ag enwad. Bu'n ysgrifennydd Cymanfa Ddirwest Llŷn ac Eifionydd. Yr oedd yn heddychwr i'r carn, yn aelod o'r cwmni a gychwynnodd *Y Deyrnas*, Hyd. 1916, ac yn ysgrifennydd a chofnodydd i'r Gynhadledd Heddwch a alwyd yn Llandrindod, 3-5 Medi 1917. Ef yn 1940-41 oedd cadeirydd y Pwyllgor er Diogelu Diwylliant Cymru, a phan unwyd hwnnw ag Undeb Cenedlaethol y Cymdeithasau Cymraeg yn 1941 i greu Undeb Cymru Fydd, bu o'r cychwyn yn aelod o Gyngor ac amryw o bwyllgorau'r corff newydd ac wedyn yn gadeirydd ac yn llywydd. Dyfarnwyd iddo D.D. er anrh. gan Brifysgol Cymru yn 1961, ac ym marn llawer ef oedd Bedyddiwr pwysicaf yr 20 g. yng Nghymru.

Pr. (1), 13 Ebr. 1904, ag Elizabeth Ellen Roberts (1896-1941), Caergybi. Pr. (2), 20 Mai 1946, ag Eleanor Thomas (g. Dodd), Pen-y-cae, Wrecsam. Ganed o'r briodas gyntaf ddau fab. Bu f. 9 Mai 1966 yn ei gartref Tŷ Cerrig, Pen-y-cae, a chladdwyd ei lwch ym medd ei wraig gyntaf ym mynwent ei fam-eglwys, yn Salem, Llanrhystud.

Ll.G.C., llsgrau. o'i lyfrgell, yn enwedig y prif gasgliad yn 1969, sy'n cynnwys hunangofiant yn ei law hyd 1914, gw. *Adroddiad Blynyddol*, 1969, 28-9, a manylion am gasgliadau eraill, ibid, 1970, 32, ac 1976, 45; llsgrau. LlGC 8177-277, casgliad o gerddoriaeth, llythyrau, etc., o eiddo ei dad John Lewis a'i ewythr David Lewis - gw. ibid., 1929, 23-4, a *Handlist of MSS*, iii, s.n.; Ll.G.C., achres y teulu, o waith ac yn llaw E.T. Price, Llanrhystud; *Mynegiad* Cymanfa Arfon, 1905-6, 7-9; *Llythyr* Cymanfa Dinbych, Fflint, a Meirion, 1930-1, 3-13, 1938-9, 23 ac 1954-5, 3-4; *Adroddiad* Cyrddau blynyddol Undeb Bed. Cymru, 1910, 59-63; *Adroddiad* blynyddol Undeb Bed. Cymru, 1938-9, 5-16, ac 1965-6, 16; *Greal*, 1904, 305 ac 1910, 136; *Ser. Cymru*, 27 Gorff, 1900, 8 Ebr., 6 Mai 1910, 1 Awst, 12 Medi 1913; 16 Maw. 1928, 1 Medi 1939, 18 Ebr., 16 Mai 1941, 3 Mai 1946, a 27 Mai, 3, 10 Meh. 1966; *Ser. G.*, 1920, 259-69, 1939, 41-5, 1940, 41-7, 1961, 1-6, ac 1966, 29-60 (rhifyn coffa); *Seren yr Ysgol Sul*, 1939, 198-203; *Genh.*, 1950-1, 205-8; *Deyrnas*, 1917, Meh. 6-7, Gorff. 6, Awst 6, Medi 5-6, a Hyd. 12; S. Rowley (gol. Lewis Valentine), *Hanes Eglwys Penuel Rhosllannerchrugog* (1959), 124-33, 159; *Undeb Cymru Fydd. Adroddiad blynyddol*, 1965-6, [4-5]; *Llawlyfr Bed*. 1967, 115-6; *Bapt. Hdbk.*, 1967, 365; *Cefn Chronicle*, 6, 13 Medi 1913; *Rhos Herald*, 20 Tach. 1943, 15 Ebr. 1946, a 22 Ebr. 1961; *Wrexham Leader*, 13, 20 Mai 1966; gwybodaeth gan ei ferch-yng-nghyfraith Mrs. J. C. Lewis, Llanrhystud, ac E. R. Morris, Llanidloes; adnabyddiaeth bersonol.

B.G.O.

LEWIS, EMLYN EVANS (1905-69), llawfeddyg edfrydol; g. yn Pennsylvania 10 Ebr. 1905. Ac yntau eto'n ifanc daeth ei fam ag ef i Gymru ac addysgwyd ef yn Ysgol Trefnwy, ac wedyn dilynodd gwrs o astudiaeth feddygol yn Ysbyty'r Santes Fair yn Llundain. Yno fe'i profodd ei hun yn fyfyriwr disgleiriaf ei flwyddyn, a graddiodd M.R.C.S., L.R.C.P. yn 1929, ac F.R.C.S. yn 1933. Ar ôl profiad helaeth fel llawfeddyg cyffredinol penderfynodd arbenigo yn yr adran edfrydol o lawfeddygaeth (*plastic surgery*). Rhoddodd wasanaeth gwerthfawr iawn yn ystod Rhyfel Byd I yn y ganolfan yng Nghaerloyw, i alfer awyrenwyr yn dioddef dan artaith llosgiadau dirfawr. Symudwyd yr uned arbennig oddi yno i Gasgwent o dan nawdd Bwrdd Ysbytai Cymru yn 1948, ac yno yn Ysbyty Sant Lawrence - a chyda chysylltiadau ymgynghorol â'r Ysbyty Brenhinol yng Nghaerdydd - y treuliodd y gweddill o'i yrfa ddisglair fel pennaeth y sefydliad.

Daeth enw da'r ysbyty yng Nghas-gwent yn adnabyddus ledled de a gorllewin Cymru, a bu ei ddawn a'i brofiad o fendith anhraethol i'r llu o ddynion a losgwyd tra'n llafurio yn y diwydiant dur a'r gwaith glo. Yr oedd Lewis yn arloeswr talentog yn ei arbenigaeth ddewisol ac yn weithiwr diarbed, ac fe'i perchid yn fawr trwy'r Deyrnas Unedig. Yn ychwanegol yr oedd yn weinyddwr medrus a phendant, a hefyd yn ddarlithydd dawnus.

Gŵr o gorff byr a chadarn ydoedd, a pheldroediwr tanbaid yn ei ddydd - dyna oedd yr eglurhad am ffurf ei drwyn. Dywedir mai anffurffiad hwnnw fu'r symbyliad a enynnodd ei ddiddordeb yn y lle cyntaf mewn llawfeddygaeth edfrydol. Yr oedd ei garedigrwydd yn ddiarhebol a'i gof yn ddi-feth. Yn ei oriau hamdden un o'i brif ddiddordebau oedd casglu hen glociau, a'r llall oedd ei weithgareddau fel aelod blaenllaw iawn ac uchel swyddog gyda'r Seiri Rhyddion. Pr. 28 Hyd. 1939 â Mary Cooper. Bu f. yn Ysbyty Brenhinol Caerdydd 14 Mai 1969, gan adael gwraig ac un ferch.

Brit. Med. Jnl., 1969, 2, 518, 829; *Lancet*, 1969, 1, 1107; *Lives Fellows Roy. Coll. Surg. England*, 1965-73; gwybodaeth bersonol.

E.W.J.

LEWIS, GRUFFYDD THOMAS, neu G. Tom, ei lofnod arferol, (1873-1964), ysgolfeistr a lleygwr blaenllaw yng nghyfundeb y MC: g. 3 Chwef, 1873, ym Mhil-rhoth, Llan-gain, Caerf., yn fab i David Watts Lewis, gweinidog (MC) a adweinid yn gyffredinol fel David Lewis Llanstephan, ac Elizabeth (g. Harries) ei wraig. Brodor o Aberystwyth oedd David Lewis, mab Thomas Lewis a hanai o Lanrhystud. Cyfenw morwynol ei fam oedd Watts a dywedir ei bod o'r un cyff ag Isaac Watts (1674-1748) yr emynydd Seisnig, ond nid arddelai David Lewis ei ail enw bedydd. Wedi cychwyn fel saer dodrefn troes at bregethu a'i ord. yn Llangeitho yn 1875,. Daeth i gryn fri fel pregethwr a cheir darlun byw ohono mewn tair pennod yn *Efengylwyr Seion* James Morris (*Bywg*., 621). Yr oedd ei wraig yn chwaer i T. J. Harries, sefydlydd ffyrm yn Oxford St., Llundain. Hi a ofalai am fferm fychan Pil-rhoth, gan ryddhau ei gŵr i fynd i'w fynych deithiau pregethu. Bu ef f. yn 1896 yn 66 oed, a hithau mewn gwth o oedran yn 1933. Yr oedd hi o'r un teulu â William Williams, A.S. (*Bywg*., 1016-7).

Enwyd y mab yn Gruffydd Thomas o barch i flaenor o'r enw hwnnw a oedd yn gyfaill mynwesol i'w dad yn Aberystwyth. Cafodd G. Tom Lewis ei addysg yn ysgol elfennol Llan-y-bri ac Ysgol yr Hen Goleg, Caerfyrddin, ac oddi yno yr aeth gydag ysgoloriaeth i Goleg Llanymddyfri yn 1889. Pasiodd arholiad *matriculation* Prifysgol Llundain yn 1893 ac enillodd ysgoloriaeth i Goleg Sidney Sussex yng Nghaergrawnt, lle y graddiodd yn yr ail ddosbarth (*senior optime*) yn 1896, ac yn M.A. yn 1900. Bu'n amlwg mewn chwaraeon yn y coleg gan rwyfo yn y cwch cyntaf. Ar derfyn ei gwrs penodwyd ef yn ail athro i ysgol uwchradd Doc Penfro, ond yn 1897 apwyntiwyd ef yn brifathro cyntaf ysgol sir Tregaron a agorwyd yn Neuadd y Dref. Ef a fu'n gyfrifol am arolygu codi adeiladau parhaol yr ysgol ar batrwm ysgol sir Arberth ac am ei gosod yn gadarn ar ei thraed a'i llywio gyda medr a brwdfrydedd hyd at ei ymddeoliad yn 1937. Yr oedd yn athro llwyddiannus ac ef oedd yn bennaf gyfrifol am ddysgu mathemateg drwy'r ysgol a hynny o Ysgrythur a geid ar yr amserlen. Defnyddiai hwnnw fel cyfrwng i wella Saesneg y dosbarth isaf. Cadwai ddisgyblaeth gadarn ond heb fod yn haearnaidd. Yr oedd ei hiwmor iach a'i synnwyr digrifwch yn lliniaru a goleuo'i safbwynt biwritanaidd. Fel y rhelyw o athrawon a rhieni ei gyfnod yr oedd dod ymlaen yn y byd yn uchelgais i'w meithrin yn y disgyblion. Iddo ef, yr oedd dalgylch gwbl Gymreig yr ysgol yn ei gwneud yn ddianghenraid i ganolbwyntio ar addysg Gymraeg. Teimlai mai prif angen y plant oedd hyfforddiant trwyadl mewn Saesneg gan mai honno oedd yr iaith wannaf iddynt. Yr oedd yn gefnogwr brwd i eisteddfod flynyddol yr ysgol a chyfrifai ei bod yn elfen werthfawr yn ei bywyd a'i chymeriad. Ceid golwg gwbl wahanol arno yng nghyfarfodydd yr wythnos yn festri capel MC Bwlch-gwynt, ac am ran helaethaf ei yrfa yn Nhregaron byddai llawer o blant yr ardaloedd cylchynol yn aros yn y dref o fore Llun tan nos Wener, ac ym Mwlch-gwynt caent ef yn Gymro glân ac yn flaenor blaenllaw er 1912. Sicrhâi'r plant a fynychai'r cyfarfodydd mai hwy fyddai debycaf o ragori yn yr arholiadau ysgol. Ymhyfrydai yn y nifer o weinidogion a godwyd yn yr ysgol yn ei gyfnod.

Gwasanaethodd ar lu o bwyllgorau allweddol Cyfundeb y MC a chydnabuwyd hynny yn ei ddyrchafiad i lywyddiaeth Sasiwn y De am y flwyddyn 1936-37, a oedd hefyd yn flwyddyn coffáu canmlwyddiant marw Ebenezer Richard (*Bywg*., 797) a wnaeth Dregaron yn enw teuluaidd yng Nghymru.

Pr. Annie, unig blentyn John Thomas (1839-1921; *Bywg*., 895) a'i wraig Ann (g. Williams) o Lanwrtyd, yng nghapel Heol Dŵr, Caerfryddin, ar 27 Rhag. 1901. Bu iddynt 5 o ferched. Bu hi f. 10 Meh. 1939, ac yntau 20 Gorff.1964. Claddwyd y ddau ym mynwent capel Bwlch-gwynt.

Gwybodaeth gan ei ŵyres, Bethan Bennett; *W. Wales Guard.*, 27 Medi a 4 Hyd. 1935; *Treasury*, Chwef. 1936; atgofion personol.

E.D.J.

LEWIS, HENRY (1889-1968), ysgolhaig Cymraeg a Cheltaidd, ac Athro prifysgol; g. 21 Awst 1889, mab ieuangaf William Lewis, o Ynystawe, Morg. O ysgol sir Ystalyfera aeth i Goleg y Brifysgol Caerdydd lle y graddiodd yn y Gymraeg, ac yna i Goleg Iesu, Rhydychen, i astudio wrth draed yr Athro Syr John Rhŷs (*Bywg*., 793-94). Enillodd raddau M.A. a D.Litt. (Cymru). Dechreuodd ei yrfa fel athro yn ei hen ysgol yn Ystalyfera ac wedyn yn ysgol sir Llanelli. Yn ystod Rhyfel Byd 1 gwasanaethodd yn Ffrainc fel rhingyll yn y Gwarchodlu Cymreig ac fel ail-isgapten gyda'r Ffiwsilwyr Brenhinol Cymreig. O 1918 hyd 1921 bu'n is-ddarlithydd yn adran y Gymraeg yng Ngholeg y Brifysgol, Caerdydd, a daliodd gadair y Gymraeg yng Ngholeg y Brifysgol, Abertawe o'i gychwyniad yn 1921 nes iddo ymddeol yn 1954. Yn 1921 hefyd y pr. â Gwladys, merch ieuangaf William Thomas, o Dreorci, a bu iddynt ddwy ferch.

Anodd yw hi heddiw ddirnad yr anawsterau a oedd yn ffordd astudio'r iaith Gymraeg a'i llên pan sefydlwyd cyrsiau gradd yn y Gymraeg. Ymhlith y dyrnaid bach o ysgolheigion a weddnewidiodd y sefyllfa trwy olygu llawer o'r testunau hanfodol, gan eu dehongli a manylu ar ystyron geiriau, ac ar gystrawen, fe saif H. L. yn y rheng flaenaf - gwaith a wnaed yn gyforchrog â chynnal adran o'r brifysgol gyda chymorth un neu ddau yn unig o ddarlithwyr. Dechreuodd mor gynnar ag 1921 ar gyhoeddi cyfieithiadau Cymraeg Canol o destunau Lladin: *Darnau o'r*

Efengylau (*Cymmrodor*, 31), *Chwedleu seith doethon Rufein* (1925), *Delw y byd* (1928, cywaith gyda Pol Diverres), ac yn bennaf *Brut Dingestow* (1942), gyda rhagymadrodd gwerthfawr iawn i astudwyr cyfieithu i'r Gymraeg o'r Lladin. Yn gynnar iawn yn ei yrfa hefyd bu'n golygu a dehongli gwaith beirdd yr oesoedd canol. Ei ddau gyfraniad mwyaf arbennig yn y maes hwn yw ei waith ar Iolo Goch ar gyfer *Cywyddau Iolo Goch ac eraill* (1925 ac 1937), a *Hen gerddi crefyddol* (1931), a oedd yn llafur arloesol ar adran bwysig o waith y Gogynfeirdd. Golygodd hefyd rai testunau o gyfnod y Dadeni megis *Hen gyflwyniadau* (1948), a rhai diweddar fel *Llanwynno*, Glanffrwd (1949), *Cydymaith yr hwsmon*, Hugh Jones, Maesglasau (1949) a *Morgannwg Matthews Ewenni* (1953).

Ond i ddychwelyd at ei brif feysydd, paratôdd gydag Elizabeth J. Louis Jones (gw. uchod) y *Mynegai i farddoniaeth y llawysgrifau* (1928), ar ôl golygu'r flwyddyn flaenorol gynnwys llawysgrif Peniarth 53. Y mae *Bwletin y Bwrdd Gwybodau Celtaidd* (cylchgrawn a olygodd ei adran iaith a llên o 1950 hyd 1964), ac i raddau llai gylchgronau ysgolheigaidd eraill yn frith tros gyfnod hir o'i erthyglau a'i nodiadau sylfaenol eu pwys ar iaith a llên o gyfnod y Cynfeirdd a'r glosau cynnar ymlaen, ac yn arbennig ar forffoleg a chystrawen, pynciau yr ymdrinir â rhai ohonynt hefyd yn ei lyfr *Datblygiad yr iaith Gymraeg* (1931), ei ddarlith Syr John Rhŷs *The Sentence in Welsh* (1942), a'i astudiaeth *Yr elfen Ladin yn yr iaith Gymraeg* (1943).

Astudiodd lawer ar y Gymraeg yn ei chydgysylltiadau, fel y gwelir yn *Llawlyfr Cernyweg Canol* (1928, 1946), *Llawlyfr Llydaweg Canol* (1922, 1935 ac 1966 - yr olaf gyda chydweithrediad J.R.F. Piette), ac yn anad unlle yn ei gywaith â Holgar Pedersen yn cyfieithu ac yn ychwanegu at gampwaith hwnnw, sef y *Vergleichende Grammatik der Keltischen Sprachen*, i gynhyrchu *A Concise Comparative Celtic Grammar* (1937, ac yn helaethach yn 1961).

Yn gynnar yn ei yrfa bu H.L. yn un o olygyddion 'Cyfres y Werin a'r Brifysgol', ac yr oedd ganddo law yng nghyfieithu *Brenin yr ellyllon* (Gogol) ar ei chyfer. Yr oedd yn aelod o bwyllgor golygyddol *Geiriadur Prifysgol Cymru*, a pharatôdd a *Collins-Spurrell Welsh dictionary* (1960). Ymhlith ei orchwylion eraill bu'n cymryd rhan yn niwygio *Caniedydd* yr Annibynwyr Cymraeg, a diwygio orgraff *Beibl y plant* (1929), *Y Testament Newydd* (1936), *Y Beibl* (1955), a'r *Apocrypha* (1959). Cyfieithodd amryw o adroddiadau'r Llywodraeth, a chomisiynau, etc., gan gyfrannu'n fawr at godi safon Cymraeg cyfieithiadau o'r fath. Bu'n aelod o amryw fyrddau cyhoeddus, pwyllgorau a chymdeithasau gwirfoddol: i enwi rhai ohonynt yn unig - Cyd-bwyllgor Addysg Cymru, cyngor Coleg Harlech (bu'n gadeirydd), clerc a Warden Urdd Graddedigion Prifysgol Cymru, is-lywydd Cyngor Llyfrgell Genedlaethol Cymru, aelod anrhydeddus o'r *Royal Irish Academy*, is-lywydd o Anrh. Gym. y Cymmrodorion. Gwnaethpwyd ef yn C.B.E. yn 1954, ac anrhydeddwyd ef â gradd LL.D. gan Brifysgol Cymru a D.Litt.Celt. gan Brifysgol Genedlaethol Iwerddon. Bu f. 14 Ion. 1968.

Www; E. Bachellery yn *Études Celtiques*, 12 (1968-9); Ben Bowen Thomas yn *Cylchg. Ll.G.C.*, 27 (1971), 121-35; llyfryddiaeth gan D. Ellis Evans yn *Jnl. Welsh Bibl. Soc.*, 10, 144-52.

D.M.LL.

LEWIS, HOWELL ELVET (ELFED; 1860-1953), gweinidog (A); emynydd, bardd; g. 14 Ebr. 1860 yn fab hynaf o ddeuddeg o blant i James ac Anna Lewis, yn 'Y Gangell', ger Blaen-y-coed, Caerf. Brawd iddo oedd Thomas Lewis (gw. isod). Bychan fu enillion y tad fel 'gwas mawr' ym Mhencraig-fawr a bu'r fam yn chwyddo'r gôd drwy gadw siop yn y cartref ym Mhant-y-waun. Prin fu cyfle Howell i addysg. Dysgodd yr ABC o lythrennau mawr Beibl ei dad, a'r cartref a'r Ysgol Sul fu ei fagwrfa tan yn wyth oed pryd yr ailagorwyd ysgol gan T.G. Miles yn ysgoldy'r capel. Buan y profodd Howell ei fedr a throes yn ddisgybl-athro ar ei gyfoedion. Aberth nid bychan i'w rieni oedd ei ddanfon yn 14 oed i ysgol ramadeg Castellnewydd Emlyn. Dechreuodd bregethu, a'i adnabod fel y 'bachgen-bregethwr'. Cyfarfu yno ag E. Keri Evans (*Bywg*.2, 14-15) ac E. Griffith Jones - y naill yn agor iddo faes y gynghanedd a'r llall yn ei gyflwyno i lenyddiaeth Saesneg. Cymerth hefyd ddiddordeb yn y wasg leol dan ofal y Parch. John Williams, a'r cyhoeddiad *Y Byd Cymreig*. Dechreuodd gystadlu, a mabwysiadodd y ffug-enw 'Coromandel'. Ymhen dwy flynedd llwyddodd mewn arholiad am fynediad i Goleg Presbyteraidd Caerfyrddin yn ail o 14 o ymgeiswyr. Cipiodd bob camp yn ystod ei bedair blynedd yno ac ychwanegu gwersi mewn Almaeneg at waith y coleg.

Yn 1880 derbyniodd alwad i eglwys Bwcle, sir Fflint, eglwys Saesneg o ran iaith ond Cymreig ei hysbryd. Ar ôl pedair bl. yno aeth i Hull at eglwys Saesneg ei hiaith a'i hysbryd. Dyma'r cyfnod y troes ei feddwl a'i galon at Gymru ac ymhyfrydu yn ei llên a'i barddas. Cyfansoddodd draethodau a darnau barddonol a ddaeth yn arobryn mewn aml eisteddfod. Saif Eist. Gen. Wrecsam, 1888, yn dystiolaeth i'w ddawn. Fe'i gelwid yn 'Eisteddfod Elfed' gan iddo fod yn fuddugol ar y bryddest, 'Y Sabbath yng Nghymru'; y rhieingerdd, 'Llyn y Morynion', a thraethawd ar 'Athrylith John Ceiriog Hughes'. Yr un pryd bu'n paratoi cyhoeddi *The sweet singers of Wales* ac *Emynwyr Cymru*. Dyma'r adeg y cyfansoddodd nifer o'i emynau poblogaidd.

Troes yn ôl i Gymru yn 1891 i eglwys y Park, Llanelli, eglwys Saesneg, ond rhoes o'i wasanaeth yn fwyfwy i'w gydgenedl. Enillodd y gadair yn 1894 ar 'Hunan-aberth'; bu'n gydolygydd y *Caniedydd Cynulleidfaol* a'i gyhoeddi yn 1895; yr un flwyddyn fe wahoddwyd yr Eist. Gen. i Lanelli; cyhoeddwyd hefyd *Caniadau Elfed* a thair bl. yn ddiweddarach caed *Plannu coed*. Y flwyddyn honno, 1898, derbyniodd alwad i Harecourt, eglwys nid anenwog yn Llundain ag iddi gysylltiad â Chromwell a David Livingstone. Wedi aml gais, ildiodd i daerineb eglwys y Tabernacl, King's Cross, yn 1904 i'w gwasanaethu, ac yno y bu hyd ei ymddeoliad yn 1940, pryd y symudodd i 'Erw'r Delyn', Penarth, ac ymaelodi yn Ebeneser, Caerdydd.

Gellir dosrannu ei weinidogaeth yn Y Tabernacl yn dri chyfnod: (a) *Y Diwygiad* (1904-14) pryd y rhoes Elfed o'i ddawn i hyrwyddo a chyfeirio'r brwdfrydedd crefyddol; (b) *Y Dirywiad* (1914-24). Trefnodd 'gyfamod' â'r aelodau a wasgarwyd oblegid y rhyfel fel y diogelwyd y berthynas rhyngddynt fel diadell; (c) *Y Dirwasgiad* (1924-40). Cafodd llu o Gymry ymgeledd a gwaith drwy Elfed yn y cyfnod anodd hwn a bu ei neges o obaith yn gysur i bobl bychan i'r lliaws o Gymry a ddaeth i'r brifddinas oherwydd diweithdra yn yr henwlad.

Mynnodd prifysgol ac eisteddfod, llywodraeth ac eglwys gydnabod ei gyfraniad. Ef oedd y cyntaf i Brifysgol Cymru ei anrhydeddu â gradd driphlyg, M.A. (1906), D.D. (1933) ac LL.D. (1949). Derbyniodd bob anrhydedd a ellid ei gyflwyno iddo gan yr eisteddfod fel cystadleuydd, ac yna fel beirniad ac Archdderwydd. Ni bu'r eglwys hithau yn ôl. Galwodd Bwrdd Cenhadol Llundain ef i'w gadair ar ddeutro, yn 1910 ac 1922, ac at hynny, fe'i dewiswyd yn un o dri i ymweld â Madagascar adeg dathlu canmlwydd y glanio cyntaf. Fe'i hetholwyd yn llywydd cenedlaethol yr eglwysi rhyddion yn 1926, ac yn gadeirydd Undeb Cynulleidfaol Lloegr a Chymru yn 1933. Nis anghofiwyd gan Gymru oblegid yn 1923 mynnodd yr Annibynwyr Cymraeg ei ddyrchafu i gadair yr Undeb, a thraddododd araith gofiadwy yn Llangefni ar 'Yr Emyn Cymraeg'. At hyn, bu aml ddathliad ymhlith y Saeson a'r Cymry o'i weinidogaeth hir a ffrwythlon, ac yn arbennig ei gyfraniad i fywyd Y Tabernacl, King's Cross. Saif y flwyddyn 1948 yn glo godidog i'w anrhydeddau oblegid ym mis Ion. cyflwynwyd iddo dysteb genedlaethol hael a dystiai i'r parch mawr tuag ato gan ei gydgenedl, ac ym Meh. gwnaed ef yn C.H.

Bu bywyd yr aelwyd yn ddedwydd iawn i Elfed. Pr. Mary Taylor o Fwcle, yn 1887, a bu hi'n ymgeledd cymwys iawn iddo, ac yn fam i'w saith plentyn, tan ei marw annisgwyl yn 1918. Ymhen pum ml. pr. Elisabeth Lloyd ond bregus fu ei hiechyd a bu f. yn 1927. Erbyn 1930 tybiodd Elfed fod ei waith cyhoeddus yn dirwyn i ben gan fod ei olygon wedi pallu'n llwyr a theithio yn gwbl amhosibl. Fodd bynnag, daeth un o aelodau King's Cross, Mary Davies, i'w fywyd. Pr. hwy 1930 a rhoes hi estyniad dyddiau a chyfle pellach iddo i wasanaethu yn King's Cross a chylch lletach. Fe'i galluogodd i deithio a phregethu a darlithio hyd y diwedd ar 10 Rhag. 1953. Y Llun dilynol cludwyd ei lwch i ddaear ei henfro ym Mlaen-y-coed.

Ymchwil bersonol; [Emlyn G. Jenkins, *Cofiant Elfed* (1957); Dafydd Owen, *Elfed a'i waith* (d.d.); llyfryddiaeth yn *Jnl. W.B.S.*, 8, 7-23].

E.G.Je.

LEWIS, IDRIS (1889-1952), cerddor; g. yn Birchgrove, Llansamlet, Morg., 21 Tach. 1889, yn fab i lôwr. Ymddiddorai mewn cerddoriaeth yn ieuanc; enillodd ysgoloriaeth i astudio yn y Coleg Cerdd Brenhinol yn Llundain yn 16 oed, a daeth i amlygrwydd fel pianydd. Ar ôl cwblhau ei addysg gerddorol aeth ar daith i'r India ar Dwyrain Pell, 1911-12, a rhoi cyfres o ddatganiadau ar y piano yn rhai o'r prif ddinasoedd yno. Yn ddiweddarach ymsefydlodd yn Llundain, lle y bu'n gyfarwyddwr cerdd cynorthwyol Theatr Daly ac yn gyfarwyddwr cerdd theatrau Lyric a Gaiety (1915-27). Bu hefyd yn gwasanaethu fel organydd capel Cymraeg Charing Cross (MC) (1923-26), ac fel arweinydd Cymdeithas Gorawl Cymry Llundain. Yn 1927 ymunodd â chwmni *British International Pictures* yn Elstree, ac yn rhinwedd ei swydd fel cyfarwyddwr cerdd y cwmni hwnnw (1931-35) bu'n gyfrifol am drefnu'r gerddoriaeth ar gyfer nifer o ffilmiau adnabyddus, yn eu plith *Blossom Time*, gyda Richard Tauber yn gwasanaethu fel datganwr.

Un o'r rhai a swynwyd gan y ffilm hon oedd Sam Jones, a oedd ar y pryd yn gynhyrchydd rhaglenni Cymraeg gyda'r B.B.C., ac ar ôl deall mai Cymro oedd Idris Lewis llwyddodd i'w berswadio i ymuno â'r B.B.C. yng Nghaerdydd, lle y bu'n gyfarwyddwr cerdd rhanbarth Cymru (1936-52), y cyntaf i'w benodi i'r swydd honno. Bu f. yn ei gartref yn Llandaf, 15 Ebr. 1952, ac amlosgwyd ei weddillion yng Nglyntaf.

Y mae'n ffigur pwysig yn hanes cerddoriaeth y genedl, yn bennaf oherwydd ei waith arloesol yn darlledu cyngherddau cerddorfaol o Gaerdydd. Bu hefyd yn gyfrifol am drefnu cyfresi o raglenni lleisiol poblogaidd ar radio sain, yn eu plith 'Melys Lais' a 'Cenwch im yr hen ganiadau'. Er nad oedd yn gyfansoddwr toreithiog ysgrifennodd a threfnodd amryw o weithiau derbyniol ar gyfer corau meibion, ac erys ambell unawd allan o'i osodiad o 'Alun Mabon' (Ceiriog), a ddarlledwyd am y tro cyntaf yn 1935, yn boblogaidd ar lwyfan eisteddfod a chyngerdd. Ef yw awdur y llyfr buddiol *Cerddoriaeth yng Nghymru* (1945) a gyfieithiwyd i'r Gymraeg gan Enid Parry. (Brawd iddo oedd D. H. Lewis, Llanelli, awdur *Cofiant J.T Rees*, ynghyd â nifer o ysgrifau ar gerddorion y genedl a gyhoeddwyd yn *Y Genhinen* a chylchgronau eraill).

C.C.C. *Welsh Music*, 5, (1972); *Who's who in Music*; *West. Mail*, 16 Ebr. 1952; gwybodaeth gan Sam Jones yn 1971.

H.W.

LEWIS, JOHN DANIEL VERNON (1879-1970), ysgolhaig, gweinidog (A), awdur, Athro a phrifathro coleg; g. ym Mhentre Estyll, Abertawe, 13 Meh. 1879, yn fab i Thomas Jones Lewis o ddyffryn Tawe, ac Ann Daniel ei wraig. Hanoedd hi o'r Glasgoed Fach, Llanarthne.

Pan oedd yn llanc ieuanc, ymfudodd ei rieni i T.U.A., ac aeth y tad yn fuan am gwrs yng ngholeg diwinyddol Bangor, Maine. Treuliodd ei oes yn y weinidogaeth yn America, yn Green's Landing, Mount Vernon ac East Andover, ac eithrio'r tymor byr y bu'n gofalu am eglwys Annibynnol Saesneg, Porth-cawl, Morg. Er i'w dad fwy nag unwaith geisio denu ei fab i America, nid oedd dim a'i tynnai o aelwyd hoffus ei nain a Rachel Rees, ei fodryb. Bu'r tad f. yn Paxton, Connecticut, yn 1922.

O'r bore bach, aethai tri pheth â chalon y llanc, sef yr Ysgol Sul, ei wersi ysgol a'r eisteddfod. Gwelid yn gynnar ei fod yn 'fab athrylith', ac nid camp fechan ydoedd iddo ennill y dydd ar adrodd yn Eist. Gen. Llanelli yn 1895, a 78 yn cynnig. Heb eithriad, yr oedd ar frig ei ddosbarth yn ysgol elfennol Brynhyfryd, a chwedyn yn ysgol ramadeg Abertawe. Yn enillydd ysgoloriaeth, aeth yn ei flaen i Goleg y Brifysgol Caerdydd (1898-1901), a chymryd gradd B.A. yn y dosbarth cyntaf mewn efrydiau Semitaidd. Wedyn enillodd radd B.D. Cymru o'r

Coleg Coffa, Aberhonddu, (1901-04), yr ail i gipio'r dorch o golegau Cynulleidfaol Cymru. Tra oedd yno, gwnaeth enw iddo'i hun yn yr Eist. Gen. (1903) am draethawd ar y testun, 'Perthynas daearyddiaeth Palesteina a hanes y wlad', dan feirniadaeth Edward Anwyl (*Bywg.*, 12) a T. Witton Davies (*Bywg.*, 144-5).

Tra oedd yn Aberhonddu, enillodd ysgoloriaeth Hebraeg Pusey ac Ellerton am le yng Ngholeg Mansfield, Rhydychen. Cerddasai enw'r prifathro Andrew Martin Fairbairn hyd ymhell, ac yr oedd gwaith George Buchanan Gray, *Studies in Hebrew Proper Names*, at ei ddant. Rhoes cipio *Proctor Travelling Scholarship* gyfle iddo i astudio yn Leipzig, a bod wrth draed Rudolf Kittel ac ysgolheigion eraill. Heblaw llanw gofynion M.A. Rhydychen, gofalodd yr Athro Arabeg, David Samuel Margoliouth, ei gymeradwyo i gylch dethol aelodau'r Gymdeithas Asiaidd Frenhinol (M.R.A.S.). Cydnabu Prifysgol Cymru loywder ei ddysg a gwychder ei waith, gan roi iddo D.D. er anrh., yn 1963.

Yn 1909 galwyd ef i eglwys Annibynnol Park Road, Lerpwl. Wedi deng ml. yno (1909-19), aeth am ddwy fl. (1919-21) i eglwys Saesneg Salisbury Park, Wrecsam, eithr yn 1921 gwahoddwyd ef i eglwys Gibea, Brynaman, a threuliodd gyfnod rhyfeddol yno (1921-35), nes ei ddewis yn Athro yn ei hen goleg yn Aberhonddu. Safai ym mhob dim yn rheng y cewri, ac fel medelwr arbennig gadawodd ysgubau arbennig ar ei ôl. Pan oedd ef yn Lerpwl, adeg Rhyfel Byd I, bu'n gwasanaethu droeon gyda'r lluoedd arfog ar wastadedd Salisbury, ac yn pregethu i'r mud a'r byddar yn Princess Avenue, Lerpwl. Yn ystod Rhyfel Byd II bu'n gwasanaethu mewn Almaeneg i garcharorion yn Aberhonddu a Glangwili, ger Caerfyrddin. Yn 1932, gwahoddwyd ef i fod yn bennaeth ar Goleg Camden, Awstralia, yn olynydd i'w hen athro, G. W. Thatcher. Ond y flwyddyn honno dewiswyd ef i ddarlithio'n rhan-amser yn Adran Hebraeg Coleg y Brifysgol yn Abertawe.

Yn 1934 apwyntiwyd ef i ddilyn D. Miall Edwards (*Bywg.*2, 12-13) i'r Gadair Athrawiaeth a Moeseg Gristionogol yn Aberhonddu. Wedi ymddeol o'r Prifathro Thomas Lewis (gw. isod) yn 1943, rhoed arno ddysgu Hebraeg a'r Hen Destament, nes ymneilltuo yn 1947. Bu hefyd yn brifathro, 1950-52. Mor bell yn ôl ag 1920-21, cymeradwywyd ei gampwaith ar Lyfr y Salmau gan Buchanan Gray a John Morris Jones (*Bywg.*, 1060-61) i'w gyhoeddi gan Wasg Clarendon, Rhydychen, ond ni allwyd oherwydd diffyg arian. Galwyd ef droeon i bregethu ym mhrif wyliau'r Annibynwyr Cymraeg a Saesneg, yng ngogledd Cymru yn 1919, a chwedyn yn Ninbych yn 1932. Pregethodd i'r Saeson yn Preston, Caerhirfryn, yn 1953, a cherbron cyfarfod cydwladol Annibynwyr y byd ym Mhrifysgol St Andrews, Sgotland, 1953.

Trosodd rai o bregethau Karl Barth i'r Gymraeg, a bu ef ar y blaen yn dehongli'r gŵr hwnnw, Brunner ac Oscar Cullmann. Bu'n darlithio ar eu gwaith yng Ngholeg Presbyteraidd Caerfyrddin, ac i eglwysi'r Methodistiaid Calfinaidd yn Llundain. Yn ogystal â'i ethol yn ddeon cyfadran ddiwinyddol Prifysgol Cymru (1949-52) bu'n arholi ymgeiswyr y B.D. ynddi (1932-36), a cheir llu o'i ysgrifau yn y *Geiriadur Beiblaidd*, a

chylchgronau yng Nghymru a Lloegr.

Wedi ymddeol o Aberhonddu, bu'n byw am ychydig yn Aberllefenni cyn symud i Fachynlleth. Wedi claddu ei wraig, cafodd gartref ar aelwyd eu mab a'r ferch-yng-nghyfraith, ym Machynlleth. Bu f. yn Nolguog, 28 Rhag. 1970, a chladdwyd ef ym mynwent Machynlleth. Wedi ei f., rhoed ei lsgrau. i Ll.G.C. Ei brif gyhoeddiadau yw: *Dysgeidiaeth y proffwydi* (1923); *The word of God in theory and experience* (1943); *Crist a'r greadigaeth*, anerchiad o gadair Undeb yr Annibynwyr (1952); *Diwinyddiaeth heddiw a phregethu*, darlith radio (1954); cyfieithiad o *Lehrbuch der Neuhebräischen Sprache* (1956); golygu *Requiem Mass yn C Leiaf* Cherubini, gyda chyfieithiad Cymraeg o'r Lladin (1938); *Bydd melys fy myfyrdod: detholiad o lyfr y Salmau* (1949); *Llyfr y Salmau: cyfieithiad Cymraeg* (I-XLI); ... *gyda nodiadau ar y testun Hebraeg* (1967); *Mawl i'r Goruchaf, emynau a chyfieithiadau* (1962); golygu *Grand Mass yn C Leiaf* Mozart, gyda'r testun yn Lladin a Chymraeg (1965); *Astudiaethau: y gelfyddyd o gyfieithu'r Ysgrythur*, Darlith Goffa Dyfnallt (1967); *Golud yr oesoedd*, pregethau (1970).

Blwyddiadur A, 1972; Pennar Davies (gol.), *Athrawon ac Annibynwyr* (1971), 79-88; *Brecon and Radnor express*, 23 Awst 1956.

E.L.E.

LEWIS, THOMAS (1868-1953), Prifathro'r Coleg Coffa, Aberhonddu; g. 14 Rhag. 1868 ym Mhant-y-Waun, yn agos i'r ffordd o Flaen-y-coed i Dre-lech, Caerf., yn bumed plentyn i James ac Anna Lewis; un o ddeuddeg o blant (er i ddau farw'n ifanc), yn cynnwys Howell (Elfed; gw. uchod), yr hynaf. Ar ochr y fam yr oedd dawn a diddordeb cerddorol a fu'n ddylanwad ar Elfed yr emynydd ac ar Thomas a fu'n gantor bariton am gyfnod yn ardal Aberhonddu lle y byddai'n arwain mewn cymanfaoedd a beirniadu mewn eisteddfodau lleol. Etifeddodd hefyd nerth ac urddas corfforol a'i galluogodd i ragori ar lawer mewn campau a phêl-droed. Magwyd y plant yn niwylliant y capel ac ni chollodd Thomas Lewis ei barch at *Geiriadur Charles*. Tyddyn Pen-lan ym mhlwyf Cynwyl Elfed oedd cartref ei febyd. Cynhaliai ei dad gwrdd gweddi wythnosol i lanciau mewn bwthyn o'r enw Cwmcafit.

Addysgwyd ef yn ysgol y bwrdd, Cwm-clynmaen, cyn mynd yn 14 oed i fyw at ei frawd Howell ym Mwcle, Ffl. Ar ôl ysbaid yn ysgol y bwrdd yno bu'n ddisgybl yn ysgol Alun yn yr Wyddgrug. Cafodd fatricwlasiwn Prifysgol Llundain yn Ion. 1885 ac aeth y flwyddyn honno i Goleg y Brifysgol, Bangor. Yn 1886 ymrestrodd yng Ngholeg Annibynnol sir Gaerhirfryn, Manceinion, a mynd yn efrydydd yng Ngholeg Owens yn y ddinas honno. Graddiodd yn B.A. (Llundain) o Owens yn 1888 ac yn M.A. (Llundain) yn 1890, gydag anrhydedd yn y clasuron. Yn 1889-94 yr oedd yn fyfyriwr yn y Coleg Annibynnol. Llwyddodd yn arholiadau ysgrythurol Prifysgol Llundain, y cyntaf yn 1892 a'r ail yn 1894, ac ennill y cymwysterau A.T.S. ac F.T.S. Yn 1893 derbyniodd radd B.D. gan Brifysgol St. Andrews yn y cyfnod byr (1886-96) yr oedd y brifysgol honno yn rhoi B.D. trwy arholiad yn unig ar gyfer rhai colegau. Yn 1893 hefyd cafodd astudio ym Mhrifysgol Marburg fel rhan o'i flwyddyn olaf yn y Coleg Annibynnol ym Manceinion. Cawsai ysgoloriaethau Rees (1889) a Dr. Williams (1892) a gwobr Bles mewn Hebraeg ym Mhrifysgol Manceinion (1893). Ym Marburg yr oedd ganddo barch arbennig at Herrmann, cynrychiolydd y ddiwinyddiaeth Ritschliaidd.

Yn 1894 gwnaed ef yn Athro Hebraeg yn ei goleg ym Manceinion ac aros yno hyd 1897 pryd y symudodd i fod yn Athro Hebraeg a'r Hen Destament yn y Coleg Coffa, Aberhonddu - y cyntaf o'r genhedlaeth newydd o athrawon a gymhellodd Gymru ar hyd llwybr moderniaeth ryddfrydol. Yn 1898 pr. â Flora (Augusta Flora Williams), merch Jacob Williams, Whalley Range, Manceinion. Magasant deulu o dri mab a thair merch. Yn 1907 olynodd Ddewi Môn (*Bywg.*, 840) fel prifathro'r Coleg Coffa a theyrnasu'n fwyn yno hyd ei ymddeoliad yn 1943.

Ef oedd ail ddeon cyfadran diwinyddiaeth Prifysgol Cymru (yn 1907-10) ac yn 1909 aeth i Genefa ar ran y gyfadran ddiwinyddiaeth i ddathlu geni Calfin. Yn 1920 cynrychiolodd yr Annibynwyr Cymraeg yn y dathlu a fu yn ninas Boston yn yr Unol Daleithiau ynglŷn â Glaniad y Tadau Pererin. Gwasanaethai ar bwyllgor addysg Brycheiniog, y cyngor sir, rheolwyr ysgolion uwchradd ac mewn cylchoedd enwadol a chyhoeddus. Bu'n henadur y cyngor sir yn 1930-48. Cadeiriodd Undeb yr Annibynwyr 1936-37 a thraddododd o'r gadair yn Llundain yn 1937 anerchiad ar yr Hen Destament mewn perthynas â'r Newydd. Bu'n llywydd ddwywaith yn undeb Deheudir Cymru o'r Cynulleidfaolwyr Saesneg.

Cafodd ofalu am eglwysi Aber a Benaiah, Tal-y-bont ar Wysg, yn 1949, a bu f. ym mans yr ofalaeth honno 22 Mai 1953, saith o flaen ei frawd Elfed. Claddwyd ef ym mynwent tref Aberhonddu, ac Elfed yn bresennol. Gŵr hamddenol braf mewn pulpud a phwyllgor oedd Thomas Lewis, ysgolhaig dwfn ac eang, a'i lyfrgell ddethol yn cynnwys y llyfrau-ffynhonnell hanfodol. Wrth ddarlithio cynorthwyai gof ei ddisgyblion trwy ailadrodd pwrpasol. Gwnaeth ei ysbryd defosiynol mewn oedfaon anffurfiol yn y coleg argraff ar bawb. Efe, ymhlith athrawon coleg Aberhonddu yn ei gyfnod, a ystyrid mewn modd arbennig yn 'fonheddwr'.

Cyhoeddodd *Llyfr y proffwyd Amos* (yn 'Llawlyfrau'r Ysgol Sul', 1909), *Y Proffwydi a chrefydd yr Iddewon* (c. 1914 yng nghyfres yr Hen Destament), *Llenyddiaeth a diwinyddiaeth y proffwydi* (1923) - ei waith pwysicaf yn ôl Vernon Lewis, *Yr Hen Destament, ei gynnwys a'i genadwri* (1931), dau gyfieithiad o emynau, a hefyd erthyglau yn *The International Standard Bible Dictionary*, Hasting's *Dictionary of the Apostolic Church* a'r *Geiriadur Beiblaidd*.

J. Vernon Lewis yn *Athawon ac Annibynwyr* (gol. Pennar Davies), 31-41; John Evans, *Dysg.*, 1937, 166-170; Arthur Jones, *Dysg.*, 1953, 188-190; *WwFC* (1951), 134-135; *Congl. year book* 1954, 515; *Blwyddiadur A*, 1954; Adroddiadau'r Coleg Coffa 1897-98, 1906-07, 1942-43, 1952-53; gwybodaeth gan R. N. Smart, Keeper of the Muniments, St. Andrews, W. E. Oxlade, Central Registry, Prifysgol Llundain, S. H. Russell, Congregational College, Manceinion; Emlyn G. Jenkins, *Cofiant Elfed* (1957); gwybodaeth bersonol.

W.T.P.D.

LEWIS, THOMAS ARNOLD (1893-1952), rheolwr cwmni yswiriant a thrysorydd Anrhydeddus Gymdeithas y Cymmrodorion; g. 20 Ebr. 1893, yn fab i'r Capten Thomas Lewis a'i briod Elizabeth (g. Jones), Manor Hall, Aberaeron, Cer. Addysgwyd ef yn yr ysgolion lleol ac Ysgol Ardwyn, Aberystwyth, cyn ymuno â chwmni yswiriant, a chodi i fod yn rheolwr cangen cwmni Alliance Assurance yn West End Llundain. Daeth yn aelod o'r *Court of Assistants of the Worshipful Co. of Horners* a derbyn rhyddfraint dinas Llundain. Gwasanaethodd ar bwyllgor cyllid y *Road Research Fund* ac yr oedd yn aelod gweithgar o'r *National Liberal Club*, yn is-lywydd ac ymddiriedolwr pan fu farw. Yr oedd yn ffigur amlwg ym mywyd Cymry Llundain a chadwodd ddiddordeb mewn materion Cymreig. Etholwyd ef yn is-gadeirydd Cyngor Ymgynghorol Cymru yr Ymddiriedolaeth Genedlaethol, ac yn Uchel Siryf Ceredigion yn 1949. Cynorthwyodd Syr John Cecil-Williams (gw. uchod) a Syr Wynn Wheldon (gw. isod) gydag ochr ariannol yr apêl a gychwynnwyd yn 1937 i gyhoeddi'r *Bywgraffiadur Cymreig hyd 1940*, ac ef a olynodd T. D. Slingsby-Jenkins (gw. isod) yn drysorydd Anrhydeddus Gymdeithas y Cymmrodorion yn 1950.

Pr., 8 Medi 1924, ag Eleanora Margaret Evans yng Nghapel Charing Cross, a bu iddynt ddwy ferch. Bu f. yn ei gartref yn Ealing, 24 Awst 1952.

Adnabyddiaeth bersonol.

Ma.E.C.

LEWIS, TIMOTHY (1877-1958), ysgolhaig Cymraeg a Chelteg; g. 17 Chwef. 1877 mewn tŷ o'r enw *Noble Court* ger capel Nebo ym mhentref yr Efail-wen ym mhlwyf Cilymaenllwyd ar y ffin rhwng siroedd Penfro a Chaerfyrddin. Ef oedd y bachgen hynaf a'r trydydd o saith plentyn Job a Mary Lewis. Gweithiai'r tad yn chwarel Llwyn'rebol yn yr ardal ond wedi i berchenogion y chwarel fethu talu i'r gweithwyr am chwech wythnos o waith yn 1880, penderfynodd ef fynd i'r maes glo a chafodd waith mewn glofa yng Nghwmaman, Aberdâr. Aeth y teulu yno ar ei ôl ymhen ychydig flynyddoedd ac ymaelodi gyda'r Annibynwyr yn eglwys Moriah Aman. Yr oedd yn deulu dawnus: daeth un mab, Edward, yn athro ysgol yng Nghwmaman, yn organydd ac yn arweinydd y 'Côr Mawr' lleol; graddiodd Daniel, mab arall, yng Ngholeg y Brifysgol, Caerdydd, ac aeth yn weinidog ar eglwysi yn ardal Clunderwen ond bu farw'n 34 oed; mab arall oedd Thomas John a raddiodd yng Ngholeg y Brifysgol, Bangor. Bu'n athro ysgol yn Aberdâr, a chodwyd ef yn ddiweddarach yn gyfarwyddwr addysg y dref honno. Mab iddo ef oedd Alun Lewis, y bardd (*Bywg.2*, 37).

Y mae'n dra thebyg i Timothy Lewis adael yr ysgol yn 13 oed, a bu'n gweithio dan ddaear nes ei fod yn 22 oed. Mae hefyd yn debyg iddo ddechrau pregethu erbyn hynny ac mai ar fynd yn weinidog yr oedd ei fryd. Yn 1899 derbyniwyd ef yn fyfyriwr ar brawf gan y Coleg Coffa, Aberhonddu. Dan nawdd hwnnw fe fu am ddwy fl. yn cael rhag-hyfforddiant mewn academi ym Mhontypridd nes ymaelodi yng Ngholeg y Brifysgol, Caerdydd, yn hydref 1901. Graddiodd gydag anrh. yn y Gymraeg yn

1904, gan ennill y brif wobr i efrydydd mewn Celteg yn ei ail â'i drydedd flwyddyn. Yn dilyn hynny, am y flwyddyn 1904-05, fe fu'n dilyn cwrs darpar-weinidog yn y Coleg Coffa ond ni ddychwelodd i orffen ei gwrs yno, a hynny, mae'n debyg, am nad oedd cyfle na chefnogaeth iddo yno i barhau â'i astudiaethau Cymraeg.

Yn 1905 enillodd ysgoloriaeth gwerth £120 y flwyddyn ym Mhrifysgol Victoria, Manceinion, lle bu am ddwy flynedd yn gwneud gwaith ymchwil dan yr Athro John Strachan. Cafodd ysgoloriaeth wedyn i fynd am gyfnodau at yr Athro H. Zimmer ym Mhrifysgol Berlin ac am gyfnodau pellach yn 1908-09 at Rudolf Thurneysen yn Freiburg. Gan i Strachan farw ym mis Medi 1907 galwyd ar Timothy Lewis yn ôl o Berlin i baratoi llyfr Strachan - *An introduction to early Welsh* - ar gyfer ei gyhoeddi gan Wasg Prifysgol Manceinion. Yn yr anghydfod a'r cyfreithio a fu rhwng ysgutorion Strachan a J. Gwenogvryn Evans (*Bywg.*, 231-2) ynglŷn â defnyddio, yn y llyfr, destunau Cymraeg Canol yr oedd gan Gwenogvryn hawlfraint arnynt, rhoddodd Timoth Lewis dystiolaeth ar ffeithiau'r achos o'i blaid, a chychwynnodd hynny gyfeillgarwch cynnes ac agos iawn rhwng y myfyriwr ifanc ac yntau. Erbyn Awst 1908 yr oedd yr argoelion am y dyfodol yn dywyll, - ei ysgoloriaeth a'i gynilion ar ben - ond llwyddodd Evans a dau gyfaill 'dienw' i godi digon o arian i'w alluogi i gael semester arall gyda Thurneysen yn Freiburg. Ni fyddai bellach, meddai, am fynd yn ôl i baratoi bod yn weinidog, er iddo fod yn pregethu mewn eglwysi heb weinidog yn ystod yr ysbeidiau pan na fyddai allan o Gymru a chadwodd at yr arfer hwn hyd ei flynyddoedd olaf. Bu hefyd yn ddiacon yn eglwys yr Annibynwyr yn Baker Street, Aberystwyth o 1914 nes ymddeol yn 1929.

Er yr hoffai fod wedi cael swydd yn y Llyfrgell Genedlaethol, a oedd newydd ei sefydlu yn Aberstwyth, daeth agoriad arall iddo pan benodwyd ef yn Ion. 1910 yn ddarlithydd cynorthwyol yn y Gymraeg o dan Syr Edward Anwyl (*Bywg.*, 12) yng Ngholeg y Brifysgol, Aberystwyth. Wedi m. Syr Edward yn 1914, cydweithiodd â T. Gwynn Jones (*Bywg.*2, 33-4) a T. H. Parry-Williams. Rhoddasid iddo radd M.A. gan Brifysgol Victoria, Manceinion, yn 1909 am ei waith ar Gymraeg Cyfraith Hywel Dda, ac ym mis Medi 1911 pr. â Nellie Myfanwy (1885-1968), merch ieuangaf Beriah Gwynfe Evans (*Bywg.*, 205), a bu iddynt ddau o blant, mab a merch.

Yn niwedd 1915 ymunodd â'r Fyddin, galwyd ef i'r *Royal Artillery* yn 1916, a bu yn y brwydro ger y Somme ac Ypres yn 1917 ac 1918. Torrodd asgwrn yn ei fraich ar ryw gyrch, a'i gael ei hun ar dro yng nghyffiniau'r ganolfan dysg enwog gynt yn Peronne; cafodd ei ben yn rhydd yn gynnar yn 1919. Bu'r flwyddyn nesaf yn flwyddyn anodd iddo. Gobeithiai gael ei ddewis i'r Gadair Gymraeg yng ngholeg Aberstwyth, ond yn haf 1920 T. H. Parry-Williams a ddewiswyd, a bu hyn yn gryn siom i'r gŵr a oedd newydd ddychwelyd o'r drin. Eithr dyrchafwyd yntau yn ei dro i swydd newydd sbon sef darllenydd mewn Palaeograffeg Celteg, a dyna fu ei safle wedyn hyd ei ymddeol yn drigain a phump yn 1943. Gobeithiai yn 1924 y penodid ef i'r Gadair

Geltaidd yn Rhydychen ond John Fraser (1882-1945) a ddewiswyd; yna wedi marw Fraser hoffai gael ei benodi i sicrhau 'llwyfan' am ryw bum mlynedd i gyhoeddi ei ddamcaniaethau gan nad oedd Prifysgol Cymru yn fodlon eu harddel, ond yr oedd dros yr oedran ymddeol erbyn hynny. Wedi ymddeol daliai i weithio ar lenyddiaeth Gymraeg gynnar - ei hoff faes - gan ddarllen a chasglu'n helaeth o lyfrau a thestunau diarffordd, yn arbennig yng ngwaith ysgolheigion ar y Cyfandir. Cynlluniodd *Cyfres Hywel Dda* yn ddeg o gyfrolau ond dim ond dwy a gyhoeddwyd (gan yr awdur ei hun) sef *Beirdd a bardd-rin Cymru Fu* (1929) a *Mabinogi Cymru* (1931).

Yr oedd ei waith cynnar ar eirfa'r Cyfreithiau yn gymeradwy iawn, ond wedi cael troedle yn y Brifysgol dechreuodd fynd ei ffordd ei hun, yn enwedig wedi'r siom o beidio â chael ei benodi i'r gadair Gymraeg. Yr hyn a wnâi ei olygwedd yn llawer o'i waith yn annerbyniol gan ysgolheigion Cymraeg Prifysgol Cymru oedd na fodlonai ar geisio dyfalu tarddiad damcaniaethol ieithegol geiriau yn nhraddodiad John Rhŷs (*Bywg.*,793-4) a J. Morris-Jones (*Bywg.*,1060-1); ei ddewis ef oedd edrych yn yr iaith ei hun neu mewn ieithoedd cytras neu gyfagos am eiriau y gellid bod wedi eu benthyca i'r Gymraeg. Dwy thema ganolog ganddo oedd nad hen dduwiau'r Celtiaid oedd cymeriadau chwedlau'r *Mabinogion* ond mai hanesion oedd ynddynt am yr anrheithio a fu ar arfordir Cymru yn y nawfed a'r ddegfed ganrif gan y Sgandinafiaid; yna mai hanesion am y Normaniaid yn ymsefydlu yng Ngwent a Morgannwg oedd llawer o'r chwedlau am Arthur a'r Coraniaid. Yn ei gyfrol *Beirdd a bardd-rin Cymru Fu* ceisiodd ddangos fod dadansoddiad J. Morris-Jones ar y gyfundrefn farddol yn *Cerdd dafod* yn gyfan gwbl gamarweiniol gan mai yn Saesneg a Lladin Canol y mae cael hyd i batrymau llawer o fesurau a thermau cerdd dafod Gymraeg. Gwawdiwyd ei ddamcaniaethau gan rai ysgolheigion ac anwybyddwyd hwy yn llwyr gan eraill. Eithr ysgrifennai llawer o bobl ato i ddamcanieu bod yn falch iddo 'achub cam' Iolo Morganwg a'r Orsedd ac nad oedd arno gywilydd nac ofn anghytuno â J. Morris-Jones a W. J. Gruffydd (gw. uchod). Gohebai'n gyson â llawer o gyfeillion ym myd ysgolheictod ac yn arbennig â Gwenogvryn Evans. Daeth y ddau deulu'n gyfeillion mynwesol yn y 1920au ac âi Timothy Lewis a'r teulu am wyliau droeon at Gwenogvryn a'i briod.

Yr oedd ef ei hun yn ddyn anarferol o hoffus ac annwyl; gwelir hynny yn y ffaith yr ysgrifennai at ei chwaer a'i dad oedrannus yn y cartref yng Nghwmaman o leiaf unwaith yr wythnos am flynyddoedd. Gallai ysgrifennu'n ddiddorol a swynol ar lawer o bynciau a dywedodd ei fam-yng-nghyfraith mewn llythyr ato y gallai fod wedi gwneud newyddiadurwr campus. Bu f. 30 Rhag. 1958 a chladdwyd ef ym mynwent Nebo yn ei hen ardal yn yr Efail Wen.

Cyhoeddodd: *A glossary of mediaeval Welsh law* (1913); *A Welsh leech book* (1914); *Beirdd a bardd-rin Cymru Fu* (1929); *Mabinogi Cymru* (1931), ynghyd â nifer o erthyglau yng nghyfres *Aberystwyth Studies*, a chylchgronau fel *Wales*, *Y Wawr*, *Y Tyst*, *Y Ford Gron* ac eraill. Dosbarthodd hefyd astudiaethau o dan y teitl *Aberystwyth Revisions* mewn teipysgrifau dyblygedig.

Adnabyddiaeth bersonol; llythyron yng nghasgliad Timothy Lewis yn LlGC; gwybodaeth gan y teulu a'r Prifathro Pennar Davies; [W. Beynon Davies yn *Cylchgrawn Ll.G.C.*, 21 (1979), 145-58].

W.B.D.

LEWIS GLYN CYNON – gw. DAVIES, LEWIS uchod.

LOUGHER, Syr LEWIS (1871-1955), diwydiannwr a gwleidydd; g. 1 Hyd. 1871 yn ail fab i Thomas Lougher o Landaf, Morg., a Charlotte m. David Lewis, ffermwr cyfrifol Radyr Farm, Radur, Caerdydd. Yr oedd gwreiddiau'r teulu'n ddwfn ym Mro Morgannwg; deuai ei dad o Wenfô a'i dad yntau o'r Garn-llwyd, Llancarfan. Addysgwyd ef yn y *Cardiff Secondary School* a Choleg Technegol Caerdydd, a'i brentisio gyda masnachwyr ŷd. Ond yn fuan aeth Lewis i mewn i fusnes llongau, a llwyddo mewn modd eithriadol pan oedd Caerdydd yn dod yn brif borthladd glo'r byd, nes iddo yn 1910 ddechrau cwmni llongau *Lewis Lougher and Co. Ltd.* a chanddo lynges o longau yn nociau Bute, a thyfu'n ffigur nodweddiadol o Gaerdydd ar anterth nerth masnachol y ddinas. Bu'n gadeirydd nifer fawr o gwmnïau llongau yng Nghaerdydd, Penarth a'r Barri, yn gadeirydd ffederasiwn perchnogion llongau Môr Hafren yn 1919, yn gadeirydd y Siambr Fasnach yng Nghaerdydd pan oedd y Siambr yn bwerus neilltuol, ac yn arbenigwr ar broblemau allforio a thrin glo, fel aelod o'r *National Trimming Board.*

Bu'n aelod o gyngor sir Morgannwg o 1922 i 1949, yn aelod ac yn gadeirydd Cyngor Gwledig Caerdydd. Bu'n A.S. (C) dros ddwyrain Caerdydd 1922-23, a thros Gaerdydd Ganol 1924-9. Y peth nodedig am ei yrfa seneddol oedd iddo lwyddo i gael deddf fel aelod preifat ar y llyfr statud, sef y *Road Transport Lighting Act*, a gyflwynydd fel mesur ganddo yn Chwefror 1927, sy'n hawlio hyd heddiw fod pob cerbyd i gael golau gwyn ymlaen a golau coch yn ôl.

Bu'n ynad heddwch dros Forgannwg, yn Uchel Siryf yn 1931, ac fe'i hurddwyd yn farchog yn 1929. Yn ystod y 1930au bu'n gyfrifol am ddatblygu rhannau o Radur trwy ei gwmni tir ac adeiladau y Danybryn Estates. Bu'n aelod blaenllaw o'r Seiri Rhyddion, a chyfrannodd yn helaeth at bob math o sefydliadau ac achosion dyngarol yn ardal Caerdydd.

Hen lanc ydoedd. Bu'n byw am amser maith mewn plas o'r enw Dan-y-bryn, Radur (Cheshire Homes erbyn heddiw), ond tuag 1939, symudodd ef a'i chwaer ddibriod Charlotte Lougher i fyw gerllaw yn Northlands, Radur, lle y bu f. 28 Awst 1955.

Ww; Www; John Lougher, *The Loughers of Glamorgan* (1952, cylchrediad preifat); adnabyddiaeth bersonol.

P.M.

LOVEGROVE, EDWIN WILLIAM (1868-1956), ysgolfeistr ac awdurdod ar bensaernïaeth Gothig; g. yn hanner cyntaf 1868, yn fab hynaf Edwin Lovegrove, curad Woodside, Horsforth ger Leeds. Addysgwyd ef yn Ysgol Merchant Taylors, Crosby a Choleg Newydd, Rhydychen, lle y graddiodd yn y dosbarth cyntaf mewn Mathemateg. Bu'n athro yn Giggleswick; Ysgol

Friars, Bangor; Coleg Trent; ac yn brifathro ysgolion Clee, Grimsby; Stamford; a Rhuthun, 1913-30. Pr. (1), 1899, Septima Jane Roberts (bu f. 30 Ebr. 1928), chwaer William Rhys Roberts (*Bywg.*, 831-2), a bu iddynt fab, Wynne, a syrthiodd yn Dunkirk, a dwy ferch. Pr. (2) Kathleen Agnes Sanders. Wedi ymddeol bu'n byw yn Llanelwy 1930-31, Chipping Campden 1932-41, Y Fenni 1942-45, ac yn Fownhope, swydd Henffordd hyd ei f., 11 Mawrth 1956.

Bu'n aelod gwerthfawr o Gymdeithas Hynafiaethau Cymru, 1913-56, ac o gymdeithasau hynafiaethol eraill. Cymerodd ddiddordeb craff mewn pensaernïaeth, gan ddod yn arbenigwr ar bensaernïaeth Gothig eglwysi ac abatai. Darlithiai ar y pwnc a chyhoeddodd ei astudiaethau manwl a niferus mewn cylchgronau megis *Arch. Camb.* 1921-47, *Arch. Jnl.*; *Journal of the British Archaeological Association*; *Bristol and Gloucestershire Transactions*. Ymhlith yr adeiladau a astudiodd y mae eglwysi cadeiriol Llanelwy, Tyddewi a Llandaf; abaty Glyn-y-groes, priordy Llanddewi Nant Hodni, a brodordy Rhuddlan.

Www; WWP.

M.A.J.

LLEWELYN, WILLIAM CRAVEN (1892-1966), perchennog glofeydd, cyfarwyddwr cwmnïau, arbenigwr mewn amaethyddiaeth ac mewn coedwigaeth; g. 4 Meh. 1892 yn fab i T. David Llewelyn, Clydach, Cwm Tawe, Morg. Pr. â Doris Mary Bell yn 1932 ond ni chawsant blant. Addysgwyd ef yng Ngholeg Arnold, Abertawe a Choleg Technegol Abertawe cyn graddio yng Ngholeg Prifysgol Gogledd Cymru, Bangor. Yn gynnar cymerodd ddiddordeb arbennig mewn gyrfa yn y gwaith glo ac i'r perwyl hwnnw cafodd hyfforddiant preifat gan J. Henry Davies, ond astudiodd goedwigaeth a choed-ddefnydd hefyd a chael ei dderbyn i wasanaeth y llywodraeth. Yn 1918-19 yr oedd yn Swyddog Ystadegol Fforestydd yn *Home-Grown Timber Department* y Bwrdd Masnach. Yn y cyswllt hwn teithiodd yn helaeth ar draws y byd, yn archwilio'r rhanbarthau coediol yn America Ganol, Canolbarth Ewrop a Rwsia. Yn union wedi Rhyfel Byd I dychwelodd at ei ddiddordeb mewn glo ac ymgymerodd â gwaith glo a choed. Ymestynnodd ei weithgarwch mewn busnes i gynnwys gwaith brics ac amaethyddiaeth, tra ar yr ochr wleidyddol bu'n fwy gweithgar gyda materion lleol y Blaid Ryddfrydol. Bu'n ymgeisydd (Rh.) mewn dau etholiad seneddol; yng Nghaer yn 1923 a Crewe yn 1929. Ef oedd llywydd Siambr Fasnach Abertawe yn 1944-45 a phenodwyd ef yn Uchel Siryf Brycheiniog yr un flwyddyn. Ymhlith ei weithgarwch cyhoeddus yr oedd bod yn llywydd Clwb Cymdeithas Pêl-droed Abertawe ac aelod o Undeb Amaethwyr Cymru. Cyhoeddodd ddau waith pwysig mewn cysylltiad â choedwigaeth yng Nghymru: *Afforestation of Wales* (1915) a *Forest soils of Wales* (1917). Bu f. 4 Ion. 1966.

Www.

D.G.R.

LLOYD, DAVID GEORGE (1912-69), datganwr; g. yn Nhrelogan, Ffl., 6 Ebr. 1912, yn fab i Pryce (glöwr) ac Elizabeth Lloyd. Gadawodd ysgol Trelogan yn 14 oed a'i brentisio'n saer coed yn

Niserth. Ymddiddorai mewn canu yn bur ieuanc, a byddai'n arferiad ganddo gystadlu mewn eisteddfodau bychain yn sir y Fflint ac yn nyffryn Clwyd. Mewn eisteddfod a gynhaliwyd yn Licswm, 18 Gorff. 1931, pan enillodd gystadleuaeth ganu i rai heb ennill gwobr gyntaf o'r blaen, proffwydodd John Williams, Bangor, y beirniad, bod iddo ddyfodol disglair fel datganwr, ac awgrymodd y dylai pobl sir y Fflint ei gynorthwyo i gael addysg gerddorol er mwyn ei alluogi i ddilyn gyrfa fel datganwr proffesiynol.

Ar ôl nifer o gyngherddau lleol i'w gynorthwyo, gadawodd ei grefft yn 1933 pan enillodd ysgoloriaeth Sam Heilbut i astudio yn y *Guildhall School of Music*, Llundain. Yno, bu'n eistedd wrth draed Walter Hyde, ac ennill rhai o'r prif anrhydeddau, gan gynnwys gwobr Catherine Howard i denoriaid (1934), bathodyn aur yr ysgol (1937), a bathodyn y *City of London Worshipful Company of Musicians* (1938).

Yn 1938-39 daeth i gryn amlygrwydd pan ganodd Verdi a Mozart yn Glyndebourne, a phan ddewiswyd ef i ganu rhai o'r prif rannau mewn gwyliau cerddorol yn Sweden, Denmarc a Gwlad Belg. Yn 1940, canodd Mozart yn Sadlers Wells, ac onibai i'r rhyfel ddrysu ei gynlluniau diamau y byddai hefyd wedi canu yn La Scala Milan ac yn y Metropolitan Opera House yn Efrog Newydd yn ddiweddarach y flwyddyn honno.

Yn ystod cyfnod ei wasanaeth milwrol (yn y Gwarchodlu Cymreig), 1940-45, bu'n brysur yn darlledu, recordio a chynnal cyngherddau ledled Prydain, ac oherwydd ei barodrwydd bob amser i ganu eitemau Cymraeg enillodd glust a chalon y genedl, a daeth yn eilun ar ei haelwydydd. Ar derfyn y rhyfel canodd yng ngwyliau Verdi a Mozart yn yr Is-Almaen (1946), ac erbyn 1954 cawsai'r anrhydedd o ganu dan fatwn rhai o brif arweinyddion ei ddydd. Bu hefyd yn darlledu'n rheolaidd am dros chwarter canrif, a daeth rhai o'r cyfresi radio y cymerodd ran ynddynt o Gaerdydd, megis 'Melys Lais', a 'Silver Chords' yn wir boblogaidd.

Cafodd ddamwain yn 1954 a amharodd ar ei yrfa liwgar fel datganwr proffesiynol, ac er iddo ailgydio yn ei ganu yn 1960 yr oedd ansawdd ei lais wedi dirywio ar ôl iddo dreulio ysbeidiau meithion yn orweiddiog mewn ysbytai. Yn ystod cyfnod ei anterth yr oedd yn berchen llais persain a soniarus, o ansawdd telynegol hyfryd, a rhoddai ystyriaeth arbennig bob amser i eiriau'r gân y ceisiai ei dehongli. Yn Lloegr enillasai fri fel dehonglwr gweithiau Mozart, eithr yng Nghymru fe'i cofir fel datganwr a anfarwolodd ganeuon poblogaidd ac emyn-donau ei genedl.

Cyflwynwyd tysteb genedlaethol o £1,800 iddo mewn cyfarfod cyhoeddus yng Ngholeg Technegol sir y Fflint, 25 Chwef. 1961, ac yn Eist. Gen. y Fflint, 1969, sefydlwyd cronfa goffa yn dwyn ei enw 'i estyn cefnogaeth ymarferol i rai o'n pobl ifanc addawol ym myd cerddoriaeth'.

Bu f. yn ŵr dibriod mewn ysbyty yn y Rhyl, 27 Mawrth 1969, a'i gladdu ym mynwent Picton, ger Gwesbyr.

Adnabyddiaeth bersonol; [gw. hefyd Huw Williams, *David Lloyd (1912-1969): 'Llais a hudodd genedl'* (1985)].

H.W.

LLOYD, DAVID JOHN (1886-1951), prifathro ysgol; g. 6 Maw. 1886 yn fab i Daniel a Jane Peregrine Lloyd, Abertawe, Morg. Addysgwyd ef yn Ysgol Ramadeg Abertawe, 1894-1904; Coleg y Brifysgol, Caerdydd, 1904-07, lle y graddiodd yn y clasuron; a Choleg Oriel, Rhydychen, 1907-11, lle'r oedd yn *exhibitioner*, gan ennill B.A. yn 1911 ac M.A. yn 1914. O 1911-19, bu'n athro yn y *Liverpool Collegiate School* heblaw am 1917-19 pan oedd yn gwasanaethu gyda'r R.N.A.S. a'r R.A.F. Bu'n brifathro'r Ysgol Sir, Port Talbot, 1919-20, ac ysgol Uwchradd Casnewydd, 1921-35. Symudodd i Wrecsam yn 1935 i fod yn brifathro Ysgol Grove Park lle y bu hyd ei ymddeoliad yn 1946 pan symudodd i fyw i Borthaethwy, sir Fôn. Pr. yn 1914 ag Olwen Beynon a bu f. 2 Tach. 1951. Bu iddynt 4 mab a merch.

Yn ystod ei brifathrawiaeth ar Ysgol Grove Park, lle y dilynodd J. R. Edwards, a apwyntiwyd yn brifathro ar y *Liverpool Institute High School*, daeth yn amlwg iawn yn y byd addysg yng Nghymru, a'i gydnabod yn brifathro profiadol ac effeithiol. Yr oedd yn aelod o'r *Headmasters' Conference* hyd nes y pasiwyd Deddf Addysg 1944 a leihau pwerau'r prifathro a bwrdd llywodraethu'r ysgol. Yr oedd hefyd yn aelod o gyngor y *Welsh Secondary Schools Association* a'r *Headmasters' Association*, a bu hyn o fantais fawr i'r ysgol. Etholwyd ef deirgwaith i gynrychioli prifathrawon ysgolion uwchradd Cymru ar Bwyllgor Burnham. Bu hefyd yn gysylltiedig â llawer o achosion da ym mywyd cyhoeddus tref Wrecsam.

Yr oedd Ysgol Grove Park yn llwyddiannus iawn yn y cyfnod hwn o dan arweiniad y prifathro dysgedig a diwylliedig a lwyddodd i ennill cefnogaeth y llywodraethwyr a chydweithrediad y staff yn ogystal ag edmygedd ei ddisgyblion. Aberthodd lawer er sicrhau bod yr ysgol yn goresgyn y problemau anodd a gododd yn ystod Rhyfel Byd II, yn arbennig newidiadau yn staff yr ysgol. Bu cynnydd amlwg yn nifer disgyblion y Chweched Dosbarth gan wneud Grove Park yn un o'r ysgolion gyda'r Chweched Dosbarth mwyaf yng Ngmru. Ymhyfrydai'r prifathro yn llwyddiant yr ysgol yn academaidd a hefyd ar y maes chwarae. Ailsefydlwyd pêl-droed yn yr ysgol yn 1941 ac enillodd tîm criced yr ysgol gryn enwogrwydd yn 1944 yng ngêm derfynol cystadleuaeth cwpan McAlpine. Ar achlysur ei ymddeoliad yn 1946, cofnodwyd teyrnged y llywodraethwyr yng nghofnodion yr ysgol.

Www; papurau a chofnodion Ysgol Grove Park yn Llyfrgell Gyhoeddus Wrecsam ac Archifdy Clwyd, Rhuthun; *The Wrexhamian*, 1935-46; *Wrexham Leader*, 1935-46; gwybodaeth gan Mrs Anita M. Thomas, M.Ed., cyn-athrawes Ysgol Ramadeg y Merched Grove Park, ac E. Haddon Roberts, cyn-brifathro Ysgol Ramadeg Grove Park.

W.G.E.

LLOYD, ISAAC SAMUEL ('Glan Rhyddallt'; 1875-1961), chwarelwr, bardd, a llenor; g. 29 Meh. 1875 yn y Tŷ Newydd, Clegyr, Llanberis, Caern., (Penrallt oedd enw gwreiddiol y tŷ), yn fab i William a Mary (g. Hughes) Lloyd. Addysgwyd ef yn ysgol elfennol Llanberis ond ychydig iawn o gyfle a gafodd, gan i'w fam farw pan nad oedd ef ond rhyw wyth oed, ac hyd nes ei fod yn rhyw drigain oed bu'n gweithio yn y chwarel. Pr. Margaret merch John a Margaret Williams yng nghapel MC Llanrug, 9 Tach. 1894 a bu iddynt ddau fab a dwy ferch. Ar ôl priodi ymdrechodd i'w ddiwyllio'i hun, gan ddarllen yn helaeth a meistroli'r cynganeddion. Cyfansoddodd gannoedd o englynion a cherddi. Urddwyd ef yn fardd yn yr Eist. Gen. yn Llanelli yn 1903 wrth yr enw yng Ngorsedd 'Glan Rhyddallt'. Bu'n golofnydd wythnosol i'r *Herald Cymraeg* o 1931 hyd ei farw. Yr oedd ei ferch wedi dechrau ei cholofn dan yr enw 'Mari Lewis' flwyddyn o'i flaen. Bu'n gohebu llawer â Chymry America ac ysgrifennodd hanes Goronwy Owen (*Bywg.*, 661), *Goronwy'r Alltud* (1947). Bu f. yn Ysbyty Gallt y Sil, Caernarfon, 7 Gorff. 1961 a chladdwyd ef ym mynwent eglwys Llanrug ar 11 Gorff.

Gwybodaeth gan ei ferch, Mary Lloyd Williams.
E.D.J.

LLOYD, JOHN (1885-1964), ysgolfeistr, awdur a hanesydd lleol; g. 11 Gorff. 1885 yn Nhŷ Gwyn y Gamlas, Ynys, Talsarnau, Meir., yn seithfed plentyn i Evan Lloyd, ffermwr, a'i wraig Catrin (g. Jones). Addysgwyd ef yn ysgol fwrdd Talsarnau; ysgol ganolradd Abermo; ysgol ramadeg Wigan (am flwyddyn yn unig) a Choleg Prifysgol Cymru, Aberystwyth (B.A.,1906 gydag anrhydedd yn yr ail ddosbarth yn y Gymraeg; M.A., 1911). Bu'n athro yn ei hen ysgol yn Abermo dan Edmund D. Jones (*Bywg*.2, 27), 1907-19 ac yn ysgol sir Tregaron, 1919-20. Yn 1920 apwyntiwyd ef yn athro yn ysgol ramadeg Dolgellau ac yn brifathro yn 1925, swydd a ddaliodd hyd nes iddo ymddeol ym mis Awst 1946.

Cofir amdano fel cyd-gyfieithydd gyda T. P. Ellis (*Bywg.*, 200-1) o *The Mabinogion* (1929) mewn dwy gyfrol. Dyma'r ail gyfieithiad cyflawn o'r Mabinogion i ymddangos yn Saesneg er ymgais y Fonesig Charlotte Guest (*Bywg.*, 302) yn 1834-49. Cafodd eu cyfieithiad adolygiad beirniadol ar y pryd gan ysgolheigion fel W. J. Gruffydd (gw. isod) a J. Lloyd-Jones (gw. isod) ond serch hynny arhosodd yn waith defnyddiol nes i gyfieithiad newydd ymddangos yn 1948 gan Gwyn a Thomas Jones. Cyhoeddodd hefyd ddau werslyfr i ysgolion yn dwyn y teitlau: *Detholiad o draethodau llenyddol Dr. Lewis Edwards* (1910) a *Llyfr darllen ac ysgrifennu* (1913; arobryn yn Eist. Gen. Wrecsam, 1912), yn ogystal â gwerslyfr at wasanaeth yr ysgol Sul, *Yr Eglwys apostolaidd. Cenhadon cyntaf Crist* (1922). Golygodd nifer o argraffiadau o *The official guide to the Deudraeth Rural District*. Yr oedd ganddo ddiddordeb arbennig mewn hanes lleol a chyfrannodd rhwng 1949-58 nifer o erthyglau ar ei hoff Ardudwy i *Cylchgrawn Cymdeithas Hanes a Chofnodion Sir Feirionydd*. Cyfrannodd hefyd i'r *Bywg. Cymreig 1941-50*. Darlithiodd lawer i ddosbarthiadau lleol y W.E.A. ac yn achlysurol, ar ôl iddo ymddeol, yng Ngholeg Harlech. Yr oedd yn brifathro ymroddedig ac yn ymchwiliwr manwl ym mhopeth yr ymgymerodd ag ef. Gwasanaethodd hefyd ar nifer dda o wahanol bwyllgorau a chyrff diwylliannol ym Meirionnydd megis y pwyllgor addysg, pwyllgor Eist. Meirion a phwyllgor y sir Urdd Gobaith Cymru. Yr oedd ymhlith sylfaenwyr Cymdeithas Hanes a

Chofnodion y sir yn 1939 a gwnaed ef yn is-lywydd. Bu'n flaenor gyda'r MC yn olynol yn Nhalsarnau, Dolgellau a Llanbedr. Pr. 1925 â Nancye Roden, Aberystwyth, a ganed un ferch iddynt. Bu f. yn Nolgellau, 17 Ion. 1964, a chladdwyd ef ym mynwent eglwys S. Mihangel, Llanfihangel-y-traethau.

Gwybodaeth gan ei weddw ac aelodau o'i deulu; *Cymm.*, 40 (1929), 251-64; *West. Mail*, 20, 24 Meh. 1929; Z/M/655/8-9 yn Swyddfa Cofysgrifau Meirionnydd; *Liv. D. P.*, 20 Ion. 1964; *Camb. News*, 24 Ion. 1964; *Dydd*, 24 Ion. 1964; *Taliesin*, 31 (1975), 75-85.
A.Ll.H.

LLOYD, Syr JOHN CONWAY (1878-1954), gŵr cyhoeddus; g. 19 Ebr. 1878, ym mhlas Dinas, Brych., unig fab Thomas Conway Lloyd a'i wraig Katherine Eliza (g. Campbell-Davys, Neuadd-fawr, ger Llanymddyfri). Bu f. ei fam ac yntau ond pedair oed, a chollodd ei dad yn 1893. Addysgwyd ef yn Ysgol Broadstairs, Ysgol Eton, a Choleg Eglwys Crist, Rhydychen. Yn 1899 aeth i'r cyfandir, a chyfarfod yn Fflorens â Marion Clive Jenkins. Pr. hi yn Farnborough, 14 Chwef. 1903, a bu iddynt dri mab a dwy ferch. Ymsefydlodd yn hydref y flwyddyn honno yn ei hen gartref, Dinas, a dechrau cymryd rhan ym mywyd cyhoeddus sir Frycheiniog. Bu'n ynad heddwch o 1900 a'i wneud yn gadeirydd y Sesiwn Chwarter yn 1934, aelod o gyngor tref Aberhonddu o 1909, a'r cyngor sir o 1913. Ef oedd y siryf yn 1906 a gwnaed ef yn farchog yn 1938. Dechreuodd ymddiddori yn y milisia yn 1909. Dyrchafwyd ef yn gapten yn nhrydedd gatrawd y *South Wales Borderers* yn Ebr. 1914 ac aeth allan i Ffrainc ddechrau 1915. Clwyfwyd ef ym mis Mai a dyfarnwyd y Groes Filwrol iddo. Yn 1919 penodwyd ef yn ddirprwy brofost marshal, gyda rheng Cyrnol yn y fyddin ar y Rhein. Ymhen tipyn gallodd ailgydio yn Dinas, ond bu raid ei adael pan gymerwyd ato gan y fyddin yn 1941 ac aeth i fyw yn Abercynrig.

Cynrychiolodd y cyngor sir ar lawer o gyrff cyhoeddus megis llysoedd yr Amgueddfa Genedlaethol a cholegau'r Brifysgol yn Aberyswyth a Chaerdydd. Bu'n aelod o nifer o bwyllgorau a'i wneud yn gadeirydd pwyllgor addysg ei sir yn 1950. Gweithiodd yn ddygn yn 1936 i gael y llywodraeth i wneud heol A40 yn briffordd, ac yn 1946 ymdrechodd yn aflwyddiannus i gadw hunaniaeth heddlu Brycheiniog ond wedi ei uno â heddluoedd Trefaldwyn a Maesyfed daeth yn gadeirydd y corff newydd hyd 1953. Yn ystod Rhyfel Byd II gweithiodd yn gydwybodol fel rheolwr rhagofal cyrchoedd awyr yn ei sir. Ar waethaf ei addysg Seisnig, daeth i gymryd diddordeb dwfn yn hanes ei sir a cheisiodd ffurfio cymdeithas hynafiaethol yn 1924. Ni chafodd ddigon o gefnogaeth bryd hynny, ond cychwynnwyd amgueddfa yn lle hynny. Pan oeddynt yn brin o arian i orffen addasu capel Saesneg (A) i gadw'r creiriau darbwyllodd Arglwydd Buckland (gw. Teulu Berry uchod) i roi £300 tuag at gwblhau'r gwaith a rhodd flynyddol am 7 ml. i gynorthwyo rhedeg y lle. Gwnaed J. C. Lloyd yn ysgrifennydd yr amgueddfa a chasglodd laweroedd o eitemau i'w harddangos. Ef a gychwynnodd y mudiad i adfer adeiladau hynafol Tretŵr. Yn 1952 anogodd y cyngor sir i roi cofeb fwy teilwng i

Lywelyn ap Gruffydd (*Bywg.*, 564) yng Nghefn-y-bedd na'r un a godwyd hanner canrif ynghynt gan S.P.M. Bligh (*Bywg.* 2, 3) ond ni chafodd fyw i weld dadorchuddio'r gofeb yn 1956.

Bu f. 30 Mai 1954, amlosgwyd ei weddillion, ac aethpwyd â'i lwch i'w gladdu ym mynwent Mailleraye-sur-Seine ym medd ei fab ieuangaf, John Richard, a gollodd ei fywyd 22 Meh. 1940 pan saethwyd ei awyren i'r llawr ger Rouen. Collasai ei fab hynaf, Thomas Clive Conway, cyn dechrau'r rhyfel, ar fwrdd *Thetis*, 2 Meh. 1939.

Brycheiniog, 1, (1955), 7-8; 4 (1958), 1-52.

E.D.J.

LLOYD, JOHN MORGAN (1880-1960), cerddor; g. 19 Awst 1880 yn y Pentre, Rhondda, Morg., o deulu cerddorol a chrefyddol. Hanoedd John Lloyd, ei dad (dilledydd wrth ei alwedigaeth a fu'n byw yng Nglan-y-don, y Barri, ac a fuasai f. yn 1910) o gyff ym Maldwyn, ac ef oedd un o brif sefydlwyr eglwys Gymraeg Penuel (MC), y Barri. Brodor o Drefforest oedd ei fam, wyres i Benjamin Williams, gweinidog Saron, Pontypridd, a hi oedd organydd cyntaf capel Saron, Trefforest.

Yn gynnar yn 1889 symudodd y teulu o'r Pentre i fyw yn y Barri, ac yno y treuliodd y cerddor weddill ei oes. Dangosodd duedd at gerddoriaeth yn gynnar iawn yn ei fywyd, a chanai'r organ ym Penuel, y Barri, pan oedd yn naw oed. Addysgwyd ef yn Ysgol Lewis, Pengam, a derbyn gwersi mewn cerddoriaeth gan J. E. Rees, y Barri. Ar ôl gadael yr ysgol aeth i weithio am ychydig yn siop ei dad, ond nid oedd ei galon yn y gwaith hwnnw. Cafodd ei ddewis yn gyfeilydd i'r *Barry District Glee Society* pan oedd yn blentyn ysgol, ac yn 1900 cyfeiliai i'r *Royal Welsh Choir* yn arddangosfa Paris. Cymerodd yr arholiadau cyntaf mewn cerddoriaeth yn Rhydychen a daeth i sylw David Evans (*Bywg.* 2, 13), a phenderfynodd fynd ato i astudio cerddoriaeth yng Ngholeg y Brifysgol yng Nghaerdydd, lle y derbyniwyd ef yn fyfyriwr yn Ion. 1904.

Ar ôl cwblhau ei gwrs bu'n organydd yn eglwys Trinity (Presbyteraidd Saesneg), y Barri, am ddeng ml., ac oddi yno symudodd i eglwys Cathedral Road, Caerdydd. Ymunodd â'r fyddin yn 1915, a'i ddyrchafu yn swyddog-gaplan, a chafodd brofiadau chwerw yn Vimy Ridge, Oppy Wood, a Cambrai. Penodwyd ef yn ddarlithydd yng Ngholeg y Brifysgol, Caerdydd, yn 1920, ac yn Athro yno (fel olynydd i David Evans; *Bywg.* 2, 13-14) yn 1939, swydd y bu ynddi hyd nes iddo ymddeol yn 1945. Yr oedd wedi graddio mewn cerddoriaeth yng Ngholeg y Drindod, Dulyn, yn 1921, ac ennill gradd D.Mus. yno yn 1929. Bu f. yn ei gartref yn y Barri, 30 Meh. 1960, a'i gladdu ym mynwent Merthyr Dyfan.

Nid ysgrifennodd lawer o gerddoriaeth, ond ceir ganddo ychydig o ddarnau byr megis yr unawdau 'Dilys' ac 'Alwen Hoff', y fadrigal 'Wele gawell baban glân', a'r rhan-gân (SSA) 'Llyn y Fan', sy'n enghreifftiau ardderchog o'i arddull. Perfformiwyd hefyd ei 'Arthur yn Cyfodi' yng ngŵyl y Tri Chwm, 1936, a'i 'Te Deum' i gôr a cherddorfa, dan ei arweiniad, yn Eist. Gen. Caerdydd, 1938.

Rhagorodd fel athro, a bu amryw o gyfansoddwyr blaenllaw'r genedl, yn eu plith Grace Williams ac Alun Hoddinott, yn eistedd wrth ei draed.

Cerddor, Chwef. 1919; *Trys. Plant*, Tach. 1939; *Who's who in Music*; *West. Mail*, 2 Gorff. 1960; *Y Drys.*, Medi a Tach. 1960; gwybodaeth gan Gofrestrydd Coleg y Brifysgol, Caerdydd.

H.W.

LLOYD, ROBERT ('Llwyd o'r Bryn'; 1888-1961), eisteddfodwr, diddanwr ac amaethwr; g. ym Mhenybryn, Bethel, Llandderfel, Meir., 29 Chwef. 1888, yn blentyn ieuengaf John a Winifred Lloyd, a bedyddiwyd ef gan Michael D. Jones (*Bywg.*, 466). Fe'i haddysgwyd yn ysgol y Sarnau ac ar ôl cyfnod o ffermio gyda'i dad, pr. yn 1913 ag Annie Williams, Derwgoed, Llandderfel. Ffermio'r Derwgoed y bu wedyn nes ymddeol yn 1944. Yn y cyswllt hwn, yr oedd gyda'r cyntaf yng Nghymru i symbylu arbrofi gydag imwneiddio buchesi rhag TB (gw. Richard Phillips, *Pob un â'i gŵys* (1970), 86).

Am y rhan fwyaf o'i oes bu'n arweinydd a beirniad mewn llu o eisteddfodau gogledd a chanolbarth Cymru; bu'n un o hyrwyddwyr Eist. Gen. gyntaf Urdd Gobaith Cymru yng Nghorwen yn 1929. Rhwng 1938 ac 1950 ef oedd arweinydd ffraeth Parti Tai'rfelin (gw. Robert Roberts isod) a fu'n cynnal cyngherddau trwy Gymru a chyda chymdeithasau Cymraeg yn Lloegr. Cymerth ran yn fynych hefyd mewn rhaglenni darlledu a theledu.

Yr oedd ganddo ddawn y cyfarwyddiaid i adrodd stori ar lafar ac ar lyfr. Gwelir hyn yn ei gyfrol hunangofiant *Y Pethe* (1955), teitl a ddaeth wedyn i sefyll am y gwerthoedd a'r traddodiadau a gysylltir â'r bywyd Cymraeg ar ei orau. Yn 1966 cyhoeddwyd cyfrol o'i lythyrau, sef *Diddordebau*, wedi eu golygu gan ei nai, Trebor Lloyd Evans, a chyhoeddwyd casgliad o'i ysgrifau i'r *Welsh Farm News* a chyfnodolion eraill, *Adlodd Llwyd o'r Bryn*, gan ei ferch, Dwysan Rowlands, yn 1983. Ar ôl ymddeol, bu hefyd yn darlithio ar fywyd a diwylliant gwledig mewn llu o ganolfannau. Ceir disgrifiadau ohono gan Robin Williams yn *Y tri Bob* (1970) ac yn *Portreadau'r Faner* (d.d.). Bu f. 28 Rhag. 1961 ac fe'i claddwyd ym mynwent Cefnddwysarn. Yn 1963, sefydlwyd Gwobr Llwyd o'r Bryn am adrodd yn yr Eist. Gen. er cof amdano.

Gwybodaeth gan Dwysan Rowlands; adnabyddiaeth bersonol.

D.T.Ll.

LLOYD, THOMAS ALWYN (1881-1960), pensaer a chynllunydd trefol; g. 11 Awst 1881 yn Lerpwl, mab Thomas ac Elizabeth Jones Lloyd. Hanai'r teulu o gefndir ymneilltuol cadarn o sir Ddinbych, ac etifeddodd yntau gariad dwfn at gefn gwlad Cymru a diwylliant y genedl. Cafodd ei addysg yng ngholeg Lerpwl a Phrifysgol Lerpwl. Astudiodd bensaernïaeth yn Ysgol Bensaernïaeth y Brifysgol. O 1907 i 1912 bu'n gynorthwywr i Syr Raymond Unwin ar faestref Hampstead. Yn 1913 penodwyd ef yn bensaer ymgynghorol i Ymddiriedaeth Cynllunio Trefi a Thai Cymru, a chynlluniodd nifer o bentrefi newydd yng Nghymru a Lloegr, e.e. yn Abergwaun, Llanidloes, Porthaethwy, a Llangefni, eglwysi S. Ffransis, y Barri, a S. Margaret, Wrecsam, Undeb Myfyrwyr, Caerdydd, a thai i'r Comisiwn Fforestydd a'r Bwrdd Glo. Yr oedd yn un o sylfaenwyr Sefydliad Cynllunio Trefi yn 1914. Aeth i bartneriaeth ag Alex J. Gordon yn 1948. Ymunodd â Chymdeithas Hynafiaethau Cymru yn 1919, a bu'n gadeirydd ei phwyllgor cyffredinol, 1951-54, ac yn llywydd arni, 1958-9. Yr oedd ef a'i briod, Ethel Roberts, M.A. (pr. 1914), yn fynychwyr cyson cyfarfodydd blynyddol y gymdeithas. Yr oedd yn un o sylfaenwyr Cyngor Diogelu Harddwch Cymru Wledig yn 1929 a bu'n gadeirydd iddo o 1947 i 1959. Ef oedd llywydd sefydliad Penseiri Deheudir Cymru o 1929 i 1931, a llywydd Cyngor Cenedlaethol Cynllunio Tai a Threfi, 1932. Gwasanaethodd ar bwyllgor ymgynghorol y Bwrdd Iechyd ar gynllunio Tref a Gwlad, 1933-40, panel ymgynghorol yr Arglwydd Reith ar adlunio, 1941-42, y Cyngor Ymgynghorol Canolog ar Addysg Cymru, 1945-8, Y Comisiwn Brenhinol ar Henebion Cymru, 1949-60, pwyllgor y Postfeistr Cyffredinol ar stampiau, 1957-8.

Cyhoeddodd nifer o lyfrau: *Planning in town and country* (1935); *Brighter Welsh villages and towns* (1932), a chyda Herbert Jackson, *South Wales outline plan* (1947); a nifer o erthyglau.

Yr oedd yn ynad heddwch ac yn gadeirydd y *Discharged Prisoners Aid Society* yng Nghaerdydd. Rhoes Prifysgol Cymru radd LL.D. er anrh. iddo yn 1950, etholwyd ef yn F.S.A. yn 1953, a gwnaethpwyd ef yn O.B.E. yn 1958. Gwnaeth ei gartref yn Hafod Lwyd, Heol-wen, Rhiwbina, Morg. ond bu f. 19 Meh. 1960 yn Torquay pan oedd ar wyliau yno.

WwW (1937); *Www*; *Arch. Camb.*, 1960.

E.D.J.

LLOYD, WILLIAM (1901-67), gosodwr a hyfforddwr cerdd dant a chyfansoddwr ceinciau gosod; g. 14 Chwef. 1901 yn Llansannan, Dinb. yn fab i Richard Lloyd a Margaret ei wraig. Pan oedd yn ifanc iawn symudodd ei deulu i fyw i Lan Conwy, ac yno y maged ef. Fel William Lloyd, Cyffordd Llandudno, y daeth i amlygrwydd, gan mai yno y treuliodd y rhan helaethaf o'i oes yn gweithio fel taniwr ar y rheilffordd, ac yn ddiweddarach fel gyrrwr trên. Meithrinwyd ei ddawn gerddorol gynnar gan Edwin Evans yng Nghapel Salem, Ffordd Las, ac estynnwyd ei ddiddordeb ymhellach o dan ddylanwad y Parchg. D. H. Rees. Yn y man, enillodd radd A.T.S.C. Cyn hir dechreuodd arwain corau a phartïon lleol, a hefyd gôr y rheilffordd a fu'n cystadlu droeon yng ngwyliau cenedlaethol y rheilffyrdd yn Birmingham. Yn y 1940au dechreuodd ef a'i gydweithiwr, Huw Hughes, ymddiddori o ddifrif yn yr hen grefft o ganu gyda'r tannau a mynd ati i osod pennill ar gainc. Bu'r ddau ohonynt yn hyfforddi ac yn gosod i lawer. Yr oedd gan William Lloyd ddeuawdwyr a phartïon yn ardaloedd Eglwysbach a Chyffordd Llandudno, ac allan o'r parti cerdd dant a sefydlodd ef yn 1962 y datblygodd Côr Meibion Maelgwn. Bu'n fuddugol mewn cystadleuaeth llunio cyfres o geinciau gosod yn Eist. Gen. y Rhyl yn 1953. Gwelodd fod prinder ceinciau gosod, ac aeth ati i lunio a chyhoeddi nifer o alawon a ddaeth yn boblogaidd iawn, yn eu plith geinciau megis 'Rhoshelyg' a 'Mwynen Eirian'. Bu'n feirniad yn yr Eist. Gen. droeon, ac yr oedd ei ddull artistig o ysgrifennu ei gyfansoddiadau cerddorol yn destun edmygedd i lawer. Pr. ag Olive Lewis ym mis Medi 1929. Bu f. 20 Hyd. 1967.

Ymchwil a gwybodaeth bersonol.

A.Ll.D.

LLOYD GEORGE (TEULU). Sefydlwyd y teulu hwn trwy briodas David Lloyd George (*Bywg*.2, 39-40) â Margaret Owen, 24 Ion. 1888. Merch Richard a Mary Owen, Mynydd Ednyfed, Cricieth, Caern., oedd MARGARET. Fe'i ganed hi 4 Tach. 1864; fe'i gwnaethpwyd hi'n *Dame Grand Cross of the British Empire* yn 1918. Bu f. 20 Ion. 1941. Daeth o deulu a wreiddiwyd ym mywyd gwledig ac ymneilltuaeth Methodistiaid Calfinaidd Eifionydd. Yr oedd Richard Owen yn amaethwr cefnog, a weithredai o dro i dro fel prisiwr. Yr oedd hefyd yn flaenor yn y Capel Mawr (MC), Cricieth; pan gododd anghydfod ymhlith yr aelodau fe'i setlwyd trwy i'r gweinidog, John Owen, gyda rhai o'r blaenoriaid, gan gynnwys Richard Owen, a thua hanner aelodau'r eglwys, adael Capel Mawr a sefydlu eglwys Seion (MC) yng Nghricieth. Addysgwyd Margaret yn Ysgol Dr. Williams, Dolgellau; bu'n aelod ffyddlon o Seion, Cricieth, ar hyd ei hoes. Bu'n ffyddlon hefyd i'r gwerthoedd hynny y dysgwyd iddi eu parchu gan ei magwraeth ymneilltuol. Cyn eu priodas cafodd David Lloyd George a Margaret garwriaeth a dorrodd ar draws ffiniau enwadol a chymdeithasol, ac mae'r hanes yn hysbys bellach mewn llyfrau ar yrfa'r gwleidydd.

Bu iddynt bump o blant: Richard (1889-1968); Mair Eluned (1890-1907); Olwen Elizabeth (1892-1990); Gwilym (1894-1967); Megan Arfon (1902-1966). Bryn Awelon, Cricieth, oedd cartref sefydlog y teulu rhwng 1908, pan adeiladwyd y tŷ, ac 1941, pan fu f.'r Dâm Margaret. Oherwydd gyrfa wleidyddol D.Ll.G. bu gan y teulu hefyd gyn 1908 ac ymlaen o 1908 hyd at farwolaeth D.Ll.G. yn 1945, amryw o gartrefi o bryd i'w gilydd yn Llundain a'r cyffiniau. Cyfraniad arbennig Dâm Margaret oedd cadw undod y teulu dan amgylchiadau anodd a sicrhau mai Cymraeg oedd mamiaith pob un o'r plant.

1. RICHARD LLOYD GEORGE (1889-1968), yr ail Iarll Lloyd-George o Ddwyfor; crewyd yr iarllaeth yn 1945, ychydig wythnosau cyn m. yr iarll cyntaf, D.Ll.G., ar 26 Mawrth 1945. Addysgwyd Richard yn ysgol uwchradd Porthmadog ac ym Mhrifysgol Caergrawnt. Yr oedd yn *Associate Member Inst. Civil Engineers*; bu'n uchgapten yn y Peirianwyr Brenhinol yn rhyfeloedd 1914-18 ac 1939-45. Pr. (1), 1917, Roberta Ida Freeman, merch Syr Robert McAlpine, barwnig 1af; bu iddynt un mab, Owen, y trydydd Iarll Lloyd-George o Ddwyfor (g. 1925) ac un ferch, Valerie, a Fonesig Goronwy Daniel. Diddymwyd y briodas, 1933. Pr. (2), 1935, Winifred Calve. Bu f. 1 Mai 1968, wedi gwaeledd hir.

Cyhoeddodd yn 1947 *Dame Margaret - The Life story of my mother* - teyrnged dwymgalon i goffadwriaeth ei fam, ac yn 1960, *Lloyd George*.

2. MAIR ELUNED LLOYD GEORGE (1890-1907). Dywedir mai Mair Eluned oedd cannwyll llygad ei thad; bu bron iddo dorri ei galon adeg ei marwolaeth 29 Tach. 1907, wedi iddi dderbyn triniaeth lawfeddygol am lid y coluddyn (*appendicitis*). Yr oedd hi'n eneth hardd a thalentog, yn enwedig mewn cerddoriaeth; arferai ddiddanu ei rhieni wrth ganu'r piano ac ni allai ei thad ddygymod â'r ffaith fod y 'llaw wen dan grawen gro'. Codwyd cerflun marmor

hardd ohoni o waith William Goscombe John (gw. uchod) uwch ei bedd ym mynwent Cricieth.

3. GWILYM LLOYD GEORGE (1894-1967), yr Is-iarll Tenby 1af; cr. 1957; aelod o'r Cyfrin Gyngor (1941); ynad heddwch; g. 4 Rhag. 1894; addysgwyd yn Eastbourne College a Choleg Iesu, Caergrawnt (cymrawd anrhydeddus, 1953); yn Rhyfel Byd I, uchgapten R.A.; aelod seneddol (Rh) (1) 1922-24, (2) 1929-1950, y ddwy waith dros sir Benfro, (3) 1951-57, dros Newcastle-upon-Tyne North (fel Rh. Cen. a Cheidwadwr). Daliodd y swyddi a ganlyn mewn llywodraeth: ysg. sen. Bwrdd Masnach 1931 ac 1939-41; Ysg. sen. Gweinidog Bwyd 1941; Gweinidog Tanwydd a Phŵer, 1942-45; Gweinidog Bwyd 1951-54 (Hyd.); Ysg. Gwladol dros faterion cartref a Gweinidog materion Cymreig 1954 (Hyd.) - 1957 (Ion.). Fe'i crewyd yn Is-iarll Tenby yn rhestr anrhydeddau'r flwyddyn newydd, 1957. Fe'i penodwyd yn gadeirydd Cyngor y Tribiwnlysoedd yn 1961. Pr., 1921, Edna Gwenfron Jones, merch David Jones, Gwynfa, Dinbych. Bu iddynt ddau fab, a'r ail is-iarll Tenby yw David, g. 4 Tach. 1922.

Yn ystod ei dymor fel Ysg. Gwladol dros faterion cartref a Gweinidog materion Cymreig yn y llywodraeth geidwadol cyhoeddoedd yn swyddogol yn enw'r llywodraeth mai Caerdydd fyddai prifddinas Cymru; fe'i hanrhydeddwyd â rhyddfraint y ddinas. Derbyniodd hefyd radd LL.D. er anrh. Prifysgol Cymru. Bu f. 14 Chwef. 1967, a chladdwyd ef ym mynwent gyhoeddus Cricieth.

4. MEGAN ARFON LLOYD GEORGE (1902-1966), merch ieuangaf D.Ll.G. a'i wraig Margaret; g. 22 Ebr. 1902. Fe'i haddysgwyd yn Garrett's Hall, Banstead, ac ym Mharis. Fe'i hetholwyd yn A.S. (Rh) dros Fôn 1929-31; yn AS (Rh. Annibynnol) dros Fôn 1931-45; yn A.S. (Rh) dros Fôn 1945-51. Yn etholiad cyffredinol 1951 hi oedd yr ymgeisydd Rh dros Fôn; fe'i trechwyd gan Cledwyn Hughes (Ll). Rhwng 1951 ac 1957 symudodd yn nes i'r chwith mewn gwleidyddiaeth ac ymuno â'r Blaid Lafur. Fe'i mabwysiadwyd yn ymgeisydd Ll. dros etholaeth Caerfyrddin; fe'i hetholwyd yn A.S. (Ll) dros Gaerfyrddin yn 1957. Parhaodd yn aelod Ll dros Gaerfyrddin hyd at ei marwolaeth 14 Mai 1966. Fe'i claddwyd ym mynwent Cricieth yn y gladdgell deuluol a wnaethpwyd pan fu f. ei chwaer Mair Eluned. Arwydd o'i phoblogrwydd a'r parch tuag ati oedd y dorf fawr a ddaeth i fynwent Cricieth ddydd yr angladd; yn eu mysg yr oedd Gwynfor Evans a enillodd sedd Caerfyrddin i Blaid Cymru yn yr is-etholiad a achoswyd gan ei marwolaeth.

Ar 1 Gorff. 1955 galwyd cynhadledd o bob plaid a mudiad dan nawdd Undeb Cymru Fydd yn Llandrindod i ystyried trefnu deiseb ar raddfa genedlaethol o blaid ymgyrch Senedd i Gymru. Yr oedd T.I. Ellis (ysg. U.C.F., gw. uchod), mab T. E. Ellis, (Bywg., 199), ac Ifan ab Owen Edwards (gw. uchod) ar y llwyfan yn cefnogi'r ymgyrch, ac wrth gynnig y penderfyniad o blaid sefydlu pwyllgor i hyrwyddo'r ddeiseb a'r ymgyrch, galwodd M.Ll.G. sylw at hyn a dweud bod y tri ohonynt yn dair cangen o 'hen dderi mawr a'u gwreiddiau'n ddwfn yn naear Cymru'. Penodwyd hi yn llywydd y pwyllgor a sefydlwyd i drefnu'r ddeiseb; siaradodd mewn amryw gyfarfodydd ledled Cymru. Yr oedd ei

henw a'r ffaith iddi etifeddu llawer o ddawn areithio'i thad yn sicrhau cynulleidfaoedd lluosog i'r cyfarfodydd hyn, a bu'n gyfrifol drwy ei harweiniad am symud llawer o ragfarn a fodolai yn erbyn y syniad o senedd i Gymru. Yr oedd yn un o'r ddirprwyaeth a gyflwynodd y ddeiseb i'r llywodraeth gyda chwarter miliwn o enwau yn Ebr. 1956. Yr oedd yn AS gweithgar a chydwybodol ar ran ei hetholwyr; ond mae'n eironig ar un wedd mai yn ystod tymor pan nad oedd yn A.S. y gwnaeth, efallai, ei chyfraniad mwyaf sylweddol i wleidyddiaeth ei chyfnod yng Nghymru.

Bu'n aelod o gyngor dinesig Cricieth am rai blynyddoedd, gan ddilyn esiampl ei mam yn hyn o beth, ac yn gadeirydd am flwyddyn; yn ynad heddwch, fel ei mam o'i blaen; etifeddodd hefyd yn helaeth hoffter ei mam o ardd Bryn Awelon, Cricieth; hi a etifeddodd Bryn Awelon ar ei hôl. Cafodd radd LL.D. er anrh. Prifysgol Cymru. Yr oedd yn ddibriod. Daethpwyd i'w hadnabod fel y Fonesig Megan Lloyd-George 1 Ion. 1945 pan gyflwynwyd yr iarllaeth i'w thad; fe'i gwnaed hefyd yn C.H. ychydig amser cyn ei marwolaeth. Yr oedd yn aelod o Orsedd y Beirdd; ac am gyfnod yn llywydd gweithgar Cymdeithas Diogelu Harddwch Cymru.

Www, cyf. 6; Y ddiweddar Fonesig Olwen Carey Evans; ac am wybodaeth parthed ymgyrch 'Senedd i Gymru' - Elwyn Roberts, Bodorgan, Môn; gwybodaeth bersonol; [Emyr Price, Megan Lloyd George (1983); Mervyn Jones, A radical life: the biography of Megan Lloyd George (1991)].

W.R.P.G.

LLOYD-JONES, JOHN (1885-1956), ysgolhaig a bardd; g. 14 Hyd. 1885, yn fab i John a Dorothy Lloyd-Jones, Cartrefle, Dolwyddelan, Caern. Cafodd ei addysg yn ysgol ramadeg Llanrwst, a Choleg y Brifysgol, Bangor, lle graddiodd yn 1906, a chafodd M.A. Prifysgol Cymru yn 1909. Cymerodd radd B.Litt. Rhydychen o Goleg Iesu, a bu'n astudio gyda Rudolf Thurneysen ym Mhrifysgol Freiburg. Penodwyd ef yn bennaeth cyntaf yr Adran Gymraeg yng Ngholeg y Brifysgol, Dulyn, a daliodd y swydd nes ymddeol yn 1955. Bu'n arholwr allanol yn y Gymraeg i Brifysgol Cymru o 1916 hyd 1955.

Fel ysgolhaig ysgrifennodd Lloyd-Jones nodiadau ar ystyron geiriau Cymraeg i Fwletin y Bwrdd Celtaidd a'r Zeitschrift für celtische Philologie. Yn 1921 enillodd yn yr Eist. Gen. yng Nghaernarfon am draethawd ar ystyron enwau lleoedd yn y sir. Cyhoeddwyd y gwaith, wedi ei helaethu, yn 1928 dan y teitl Enwau lleoedd sir Gaernarfon. Er bod astudio enwau lleoedd wedi symud ymlaen lawer er pan ysgrifennwyd y llyfr hwn, y mae iddo werth o hyd, ac yn ei ddydd ei hun ef oedd yr unig astudiaeth o'r fath yng Nghymru a wnaed yn ôl safonau ysgolheictod diweddar. Yn 1924 gofynnwyd i Lloyd-Jones gan Fwrdd Gwybodau Celtaidd Prifysgol Cymru fynd yn gyfrifol am yr eirfa i waith y Gogynfeirdd y bwriedid ei chyhoeddi. Daeth y rhifyn cyntaf allan yn 1931, yn 96 o dudalennau cynhwysfawr, dan y teitl Geirfa barddoniaeth gynnar Gymraeg, a gwelwyd fod yr awdur wedi cynnwys cannoedd o gyfeiriadau at farddoniaeth Gymraeg cyn cyfnod y Gogynfeirdd a hefyd gweithiau beirdd yr uchelwyr a rhyddiaith y cyfnod canol. Gyda phob rhan a gyhoeddwyd yr oedd cylch y darllen yn ehangu. Daeth y seithfed ran allan yn 1952, yr olaf i'r awdur ei goruchwylio trwy'r wasg, oherwydd yr oedd ef wedi marw pan ymddangosodd yr wythfed ran yn 1963. Y gair olaf a gynhwyswyd oedd *heilic*. Y mae'r gwaith hwn yn enghraifft wych o ysgolheictod Cymraeg ar ei orau. Yn ychwanegol at y llafur enfawr yr oedd yn rhaid wrtho i gasglu'r defnydd ac i ddosbarthu ffurfiau (e.e. ffurfiau berfol), y mae'n dangos hefyd ddawn arbennig i ddarganfod ystyr neu ystyron gair tywyll ac i ddosbarthu'r rheini pan fo angen. Y mae trylwyredd y gwaith yn rhyfeddol. Er enghraifft, fe groniclir tri ar hugain o wŷr o'r enw Dafydd, a nodi, hyd y gellir hynny, pwy yn union oedd pob un. Mae'r *Eirfa* o werth amhrisiadwy i ddeall llenyddiaeth y cyfnod canol, ac fe bery felly eto. Y gresyn mawr yw na fuasai cynllun yr awdur wedi caniatáu iddo orffen y gwaith. Yr oedd Darlith Goffa John Rhŷs, a draddododd Lloyd-Jones i'r Academi Brydeinig yn 1948, 'The court poets of the Welsh princes', yn ganlyniad yr wybodaeth fanwl o waith y Gogynfeirdd a enillodd ef wrth ddarllen ar gyfer yr *Eirfa*.

Yr oedd i Lloyd-Jones safle anrhydeddus fel bardd yn y mesurau caeth. Enillodd y gadair yn yr Eist. Gen. yn Rhydaman yn 1922 am ei awdl 'Y Gaeaf', cerdd delynegol, goeth ei mynegiant a chywrain iawn ei hadeiladwaith.

Cyhoeddwyd cerddi o'i waith yn *Y Llenor* yn 1930, 1942, 1949 ac 1950, pob un yn drwyadl draddodiadol o ran naws a mydryddiaeth, ac yn wych fel barddoniaeth yn aml. Y mae casgliad o'i gerddi yn ei law ef ei hun yn llyfrgell Coleg y Brifysgol, Bangor. Yn 1925 cyhoeddodd Gwasg Gregynog y gyfrol *Caneuon Ceiriog: Detholiad*. Lloyd-Jones a ddetholodd y cerddi, ac fe ysgrifennodd 'Ragarweiniad' sy'n draethawd beirniadol ar waith y bardd. Cafodd radd D.Litt. er anrh. gan Brifysgol Cymru yn 1948.

Gŵr mwyn a charedig ei air a'i natur oedd Lloyd-Jones. Er treulio cyfnod maith yn Iwerddon ni chollodd ddim o'r nodweddion hynny a gafodd o'i gefndir Ymneilltuol yng Nghymru. Bu am flynyddoedd yn un o brif gynheiliaid capel Eglwys Bresbyteraidd Cymru yn Nulyn, nes dirwyn yr achos i ben.

Pr. Freda Williams, Bangor, yn 1922. Bu f. 1 Chwef. 1956, a chladdwyd ef ym Mryn-y-bedd, Dolwyddelan.

Geirfa barddoniaeth gynnar Cymraeg, Rhagair rhan viii (1963); [*Baner*, 15 Chwef. 1956; *Études celtiques*, 7 (1956), 482-3; *Tr.*, 111 (1956)].

T.P.

LLWYD o'r BRYN - gw. LLOYD, ROBERT uchod.

M

MACDONALD, GORDON, y Barwn MACDONALD o WAENYSGOR cyntaf (1888-1966), gwleidydd; g. 27 Mai 1888 yng Ngwaenysgor, Prestatyn, Ffl., yn fab i Thomas MacDonald ac Ellen (g. Hughes) ond symudodd y teulu'n fuan ar ôl hynny i Asthon-in Makerfield, sir Gaerhirfryn, lle y magwyd ef ar aelwyd Gymraeg ei hiaith. Gadawodd ysgol elfennol S. Luc, Stubshaw Cross, yn 13 oed i weithio mewn pwll glo, a gweithiodd yno hyd ddechrau Rhyfel Byd I, gan dreulio cyfnod yn fyfyriwr yng Ngholeg Ruskin, Rhydychen. Etholwyd ef yn 1920 yn aelod o Fwrdd Gwarchodaeth Wigan y daeth yn gadeirydd iddo yn 1929, a bu'n llywydd Cymdeithas Gydweithredol Bryn Gates, 1922-24. Daeth yn Weithredydd y Glowyr yn sir Gaerhirfryn yn 1924 a pharhaodd yn y swydd honno hyd nes ei ethol yn A.S. (Ll) dros Ince, sir Gaerhirfryn yn 1929. Dangosodd ynni a chytbwysedd mewn cyfnod anodd i aelodau Llafur. Er iddo ymgyfeillachu â Ramsay MacDonald, ni ddilynodd ef yn 1931. Daeth yn un o chwipiaid y Blaid Lafur, a chymerodd ran amlwg mewn dadleuon ar y diwydiant glo ac ar gwestiynau cymdeithasol. Bu hefyd yn Gadeirydd Pwyllgorau Tŷ'r Cyffredin, 1934-41. Yn 1942 ymddiswyddodd o'r Tŷ pan apwyntiwyd ef yn rheolwr dros siroedd Caerhirfryn, Caer, a gogledd Cymru yn Adran Tanwydd a Phŵer y Llywodraeth, ac enillodd edmygedd mewn cylch eang am ei waith. Ar waethaf diffyg profiad enwebwyd ef yn llywodraethwr talaith Newfoundland, Canada, yn 1946, a'i ddyrchafu'n farchog. Yr oedd y dalaith yn dlawd ond balch, ac mewn cyflwr ariannol dyrys, ac enillodd MacDonald enw da am ei waith ymhlith pysgotwyr, glowyr a ffermwyr bach y dalaith a'i galwai yn 'llywodraethwr y tlawd'. Tywysodd y dalaith i safle annibynnol o fewn gwladwriaeth Canada ac ar ddiwrnod yr ymsefydlu yn 1949 dychwelodd i Brydain a dyrchafwyd ef yn Farwn etifeddol Gwaenysgor. Yn ystod 1949-51 bu'n dal swydd *Paymaster General*. Eto, y Gymanwlad a materion rhyngwladol oedd ei brif ddiddordeb.Yn 1950 mynychodd gyfarfod y Cenhedloedd Unedig, a bu'n flaenllaw yn y paratoadau ar gyfer cynhadledd bwysig yn Awstralia i drefnu cymorthdaliadau i wledydd de-ddwyrain Asia. Ô 1952-59 bu'n aelod o'r *Colonial Development Corporation*, corff a wnaeth gyfraniad pwysig i ddatblygiad economaidd a chymdeithasol gwledydd yr hen ymerodraeth mewn cyfnod pan oeddynt yn creu seiliau i'w hannibyniaeth.

Wedi cwymp y llywodraeth Lafur yn 1951 dychwelodd Arglwydd MacDonald i'w famwlad lle y daeth yn flaenllaw mewn pob math o gymdeithasau a chyrff cyhoeddus, a daeth ei ymroddiad i fuddiannau Cymru yn amlwg. Cymerodd ddiddordeb mawr mewn cymdeithasau crefyddol a chenhadol, a'i ethol yn llywydd Undeb y 'Band of Hope', 1951, a llywydd Cymdeithas Genedlaethol y Deillion. Ond fel cadeirydd cyntaf Pwyllgor Darlledu Cymru trwy gydol y 1950au y daeth fwyaf adnabyddus yng Nghymru. Cyhoeddodd areithiau a sgyrsiau a draddodwyd ganddo yn Newfoundland yn *Newfoundland at the cross roads* (1949), a'i *Atgofion seneddol* (1953).

Pr., 1913, â Mary Lewis o Flaenau Ffestiniog a bu iddynt bedwar o blant. Bu f. 20 Ion. 1966 ac etifeddwyd y teitl gan ei fab hynaf, Gordon Ramsay MacDonald (g. 1915).

Debrett; ei *Atgofion seneddol*; [*Prestatyn Weekly*, 19 Ion. 1946, 3].

D.R.Ho.

McGRATH, MICHAEL JOSEPH (1882-1961), Archesgob Caerdydd; g. 24 Mawrth 1882 yn ninas Kilkenny, Iwerddon. Cafodd ei addysg gynnar yn ysgol y Brodyr Cristionogol yn Kilkenny, a'i addysg uwchradd yng Ngholeg Rockwell, swydd Tipperary. Yno y blodeuodd ei ddiddordeb yn yr iaith Wyddeleg ac aeth ymlaen i ennill gradd B.A. ynddi ym Mhrifysgol Genedlaethol Iwerddon. Ymhen blynyddoedd anrhydeddwyd ef gan y brifysgol honno â gradd D.Litt. Wedi graddio penderfynodd fynd yn offeiriad, ac astudio ar gyfer hynny yng Ngholeg S. Ioan, Waterford. Fe'i hord. ar 12 Gorff. 1908 yn esgobaeth babyddol Clifton. Treuliodd nifer o flynyddoedd yno, yn gurad yn yr eglwys gadeiriol, yn offeiriad plwyf yn Fishponds ac yn eglwys S. Nicolas, Bryste. Bregus oedd ei iechyd yn y cyfnod hwn ac yn 1918 bu raid iddo ymddeol o'i blwyf a chymryd egwyl i geisio adennill ei nerth. Oherwydd ei ddiddordeb yn yr ieithoedd Celtaidd cafodd wahoddiad yn 1921 gan yr Esgob Francis Mostyn (*Bywg.*, 635) i weithio yn esgobaeth Mynyw. Aeth yn gyntaf i dref y Fflint a symud wedyn i Fangor. Yn 1928 penodwyd ef yn offeiriad plwyf yn Aberystwyth ac yn bennaeth y coleg catholig yno. Yn ystod ei gyfnod yn Aberystwyth bu'n dilyn cyrsiau'r Athro Thomas Gwynn Jones (*Bywg.*2, 33-4) mewn llenyddiaeth Gymraeg yng Ngholeg y Brifysgol, a datblygodd cyfeillgarwch agos rhwng y ddau a barhaodd hyd farwolaeth yr Athro. Yn 1935 penodwyd ef yn Esgob Mynyw yn olynydd i'r Esgob Vaughan a chysegrwyd ef ar 24 Medi. Ar farwolaeth yr Archesgob Mostyn, y gŵr a'i gwahoddodd i ddod i Gymru, penodwyd ef yn Archesgob Caerdydd, lle yr arhosodd weddill ei oes. Bu f. yn ysbyty Gwenffrewi yng Nghaerdydd, 28 Chwef. 1961.

Crynhoir ei agwedd tuag at Gymru a gwelir pwysigrwydd ei gyfraniad i'w bywyd yn yr adroddiad a ddanfonodd ar 7 Mawrth 1960 i Rufain mewn ateb i gais y comisiwn a oedd yn paratoi at ail Gyngor y Fatican. Wrth ateb y cwestiwn am ddyfodol yr Eglwys Gatholig yng Nghymru rhoes amlinelliad o hanes yr eglwys yn y wlad, gan gyfeirio'n arbennig at y Gwyddelod a ymsefydlodd yng Nghymru dair a phedair cenhedlaeth yn gynt ond a safasai ar gyrion y bywyd Cymreig. Yn ei farn ef y datblygiad mwyaf arwyddocaol wedi Rhyfel Byd I oedd dirywiad yr iaith Gymraeg. Er nad effeithiai hyn lawer yn uniongyrchol ar y gymuned Gatholig, yn anuniongyrchol yr oedd yn ffynhonnell perygl mawr iddi, gan y byddai diflaniad yr iaith yn tanseilio holl fywyd crefyddol y genedl ac yn arwain at ddifaterwch cyffredinol a fyddai'n esgor ar ddiffyg parch tuag at fywyd teulu, ar gynnydd mewn ysgariad, gwneud erthylu'n gyfreithiol, lleihau parch at fywyd ac eiddo, ac ymadawiad oddi wrth safonau Cristionogol ym mherthynas y ddau ryw. Er mor dreiddgar oedd ei ragwelediad o'r dyfodol, nid dyna brif arwyddocâd ei ddadansoddiad. Cyfraniad mwyaf yr Archesgob McGrath i fywyd y gymuned Gatholig yng Nghymru ac i fywyd y genedl oedd ei ddirnadaeth glir o bwysigrwydd iaith a diwylliant hanesyddol Cymru. Galluogodd lawer o'i gydgrefyddwyr i sylweddoli eu bod yn anwahanadwy, a bod eu ffyniant a'u parhad yn hanfodol i iechyd crefyddol y genedl, a hyd yn oed i oroesiad y grefydd Gristionogol yng Nghymru.

Gwybodaeth bersonol.

D.J.Mu.

MAM o NEDD - gw. COOMBE TENNANT, WINIFRED MARGARET uchod.

MARDY-JONES, THOMAS ISAAC (1879-1970), economegydd a gwleidydd; g. yn 1879 yn fab i Thomas Isaac a Gwen Jones, Brynaman, Caerf. Lladdwyd ei dad a'i ddau dad-cu mewn damwain mewn pwll glo. Derbyniodd ei addysg gynnar yn ysgol y bwrdd, Ferndale, a dechreuodd weithio yno mewn pwll glo yn 12 ml. oed. Bu'n rhaid iddo gynnal teulu o chwech ar ei gyflog. Manteisiodd ar y cyfle i astudio hanes gwleidyddol ac economaidd yng Ngholeg Ruskin, Rhydychen, am 2 fl., ac, ar ôl iddo ddychwelyd i dde Cymru, gweithredodd fel 'cenhadwr' ar ran y coleg a llwyddodd i berswadio Ffederasiwn Glowyr De Cymru i sefydlu deg ysgoloriaeth i alluogi glowyr i fynychu cyrsiau'r coleg. Bu hefyd yn ddarlithydd ar ran y Blaid Lafur Annibynnol yn ne Cymru. Dyrchafwyd ef i swydd *checkweighman* yn 1907. Cafodd ddamwain i'w lygad y flwyddyn ganlynol, ac yn 1909 penodwyd ef yn gynrychiolydd seneddol gan Ffederasiwn Glowyr De Cymru. Rhoddodd sylw arbennig i weithgareddau llywodraeth leol a'r gyfundrefn drethi.

Etholwyd ef yn aelod seneddol (Llafur) dros etholaeth Pontypridd mewn is-etholiad yng Ngorff. 1922 pan orchfygodd y Rhyddfrydwr T. A. Lewis. Daliodd i gynrychioli'r etholaeth hon hyd 1931 ac ymgartrefodd yn 16 Llantwit Road, Pontypridd. Ymwelodd â'r India yn 1927. Ymddiswyddodd yn Chwef. 1931 pan gafodd ei gyhuddo o ganiatáu i'w wraig ddefnyddio'i docyn aelod seneddol ar y rheilffyrdd. Safodd fel ymgeisydd Llafur annibynnol ym Mhontypridd yn etholiad cyffredinol Hyd. 1931, ond 1110 o bleidleisiau yn unig a gafodd.

Mynychodd nifer o gyrsiau astudio yn yr India, y Dwyrain Canol a De Affrica rhwng 1928 ac 1946. Gwasanaethodd fel swyddog staffio'r Weinyddiaeth Gyflenwi yn 1942-44, a bu'n Swyddog Addysg a Lles dros y lluoedd arfog Prydeinig yn y Dwyrain Canol rhwng 1945 ac 1946. Daeth yn ddarlithydd cyhoeddus poblogaidd ar faterion tramor ac arbenigai ar India a'r Dwyrain Canol. Etholwyd ef yn gymrawd o'r Gymdeithas Economaidd Frenhinol a phenodwyd ef yn ddarlithydd swyddogol i'r Bwrdd Glo ar economeg y

diwydiant glo. Lluniodd nifer o lyfrau ar waith llywodraeth leol a dulliau o ddiwygio'r gyfundrefn drethi, ac yn eu plith *Character, coal and corn - the roots of British power* (1949) ac *India as a future world power* (1952).

Pr. yn 1911 Margaret, merch John Moredecai, Saint Hilari, y Bont-faen, Morg. Bu iddynt ddwy ferch. Cytunodd ef a'i wraig i ymwahanu ym Medi 1933. Bu f. 26 Awst 1970 yn ysbyty Harold Wood, Essex, yn 90 ml. oed.

Www; Dod's Parliamentary Companion; Times, 27 Awst 1970; *WWP*.

J.G.J.

MATHIAS, RONALD CAVILL (1912-68), arweinydd undeb llafur; g. 21 Medi 1912 ym Mhontarddulais, Morg. Addysgwyd ef yn ysgol ramadeg Tre-gŵyr. O 1924 hyd 1945 yr oedd yn aelod o staff glerigol cwmni Richard Thomas (yn ddiweddarach Richard Thomas a Baldwin, Cyf.), gwneuthurwyr haearn a dur yn ne Cymru. Yn 1945 penodwyd ef yn drefnydd ardal Merthyr o'r *Transport and General Workers' Union*. Daeth yn drefnydd ardal Caerdydd yn 1949 ac yn ysgrifennydd rhanbarth de Cymru o'r TGWU yn 1953. Ymddiswyddodd yn 1967 pan ddewiswyd ef yn aelod llawn-amser o'r Bwrdd Cenedlaethol ar Brisiau a Chyflogau. Daliodd nifer o swyddi cyhoeddus, ac yn eu plith is-gadeirydd Cyngor Economaidd Cymru, ysgrifennydd pwyllgor ymgynghorol de Cymru o Gyngres yr Undebau Llafur, trysorydd y Cyngor Llafur Cymreig a llywodraethwr Coleg Technoleg Uwch Cymru, ac enwi dim ond rhai ohonynt. Daeth yn gadeirydd y Blaid Lafur yng Nghymru yn 1965. Cyhoeddodd nifer o erthyglau mewn cylchgronau ac yr oedd yn ddarlithydd poblogaidd ar faterion economaidd a diwydiannol. Derbyniodd yr M.B.E. yn 1938 a'r O.B.E. yn 1967. Pr. yn 1938 Annie Ceridwen Hall a bu iddynt un ferch. Bu f. 15 Ebr. 1968 ar ddechrau mordaith i'r Môr Canoldir a chladdwyd ef yn y môr.

Www; Times, West. Mail a'r Liv. D. P., 18 Ebr. 1968; *WWP*.

J.G.J.

MATTHEWS, NORMAN GREGORY (1904-64), canghellor; g. 12 Chwef. 1904 yn Abertawe, unig fab William John ac Agnes Amelia Matthews. Cafodd ei addysg yn ysgol ramadeg Abertawe, Coleg Iesu, Rhydychen, gydag ysgoloriaeth Meyricke (graddio'n B.A. (dosb. II) mewn diwinyddiaeth, 1926, ac M.A. 1930), a choleg diwinyddol St Stephen's House, Rhydychen, 1926. Ord. ef yn ddiacon, 1927, a'i drwyddedu'n gurad eglwys Dyfrig Sant, Caerdydd. Urddwyd ef yn offeiriad, 1928. Yn 1935 penodwyd ef yn warden cyntaf neuadd breswyl S. Teilo, Coleg y Brifysgol, Caerdydd, a daliodd y swydd hyd 1940 pan gafodd fywoliaeth eglwys S. Saviour, y Rhath, Caerdydd. Yr oedd yn genhadwr esgobaethol Llandaf, 1936-40, ac yn arholwr yr esgob o 1938 ymlaen. Gweithredodd fel caplan carchar Caerdydd, 1940-45. Dyrchafwyd ef yn ganon cadeirlan Llandaf, 1946, ac yn ganghellor yn 1952. Yn 1953 cafodd fywoliaeth S. Ffagan lle bu f. 6 Awst 1964 a'i gladdu ym mynwent yr eglwys gadeiriol, Llandaf.

Pr. yn 1953 â Mary Laurella, merch hynaf Walter Rees a Kathleen Olga Thomas o'r Eglwys-wen, Caerdydd. Yr oedd y ddau'n gydefrydwyr yn Rhydychen.

Yr oedd yn aelod o gomisiwn litwrgïaidd yr Eglwys yng Nghymru o'i ddechreuad, ac yn aelod o bwyllgor canolog darparu ymgeiswyr am urddau yn yr Eglwys yng Nghymru, ac ysgrifennodd nifer o bamffledi ar yr alwad i'r weinidogaeth. O 1942 ymlaen bu'n darlithio ar lenyddiaeth Saesneg o dan yr awdurdod addysg a'r Cyngor Prydeinig. Bu'n darlledu'n gyson ac yn 1957 daeth yn aelod o banel Cymreig y rhaglen *The Brains Trust* ar deledu'r B.B.C. Cyfrannai i gylchgronau a phapurau ar bynciau llenyddol, ac yr oedd yn gerddor medrus.

Bu'n fawr ei ddylanwad yn yr Eglwys yng Nghymru, yn bregethwr dawnus, yn gwmnïwr a storïwr diddan ac yn bersonoliaeth hoffus. Ystyrid ef yn un o'r offeiriaid disgleiriaf yn ei ddydd yn yr Eglwys yng Nghymru.

Www; Hdbk. Church in Wales, 1959; *Llan,* 21 Awst 1964; *Church Times,* 14 Awst 1964; *West. Mail,* 7 Awst 1964.

M.G.E.

MENANDER - gw. MORGAN, CHARLES LANGBRIDGE isod.

MEREDITH, WILLIAM ('BILLY'; 1874-1958), pêl-droediwr; g. 28 Gorff. 1874 yn y Waun, Dinb., yn fab i James a Jane Meredith. Yr oedd yn un o ddeg o blant, ac aeth ei frawd Samuel yn ei flaen i chwarae pêl-droed gyda Stoke City a Leyton ac ennill wyth cap rhyngwladol dros Gymru. Ond Billy oedd pêl-droediwr mwyaf talentog y teulu. Elwodd yn fawr ar yr hyfforddiant cynnar a gafodd gan ei athro yn ysgol y Waun, Thomas E. Thomas, llywydd gweithredol cyntaf Cymdeithas Bêl-Droed Cymru. Dirwynwr peiriant yng Nglofa Parc Du yn y Waun oedd galwedigaeth ei dad, ac aeth Billy yntau i'r lofa yn syth o'r ysgol. Ymunodd â chlwb pêl-droed *Northwich Victoria* yn 1893 ac aeth sôn am ei ddawn fel asgellwr chwim a chyfrwys fel corwynt drwy'r gogledd. Llwyddodd clwb *Manchester City* i'w berswadio i ymuno â hwy a chwaraeodd ei gêm gyntaf drostynt ar 27 Hyd. 1894. Ar y maes medrai droi hanner cyfle yn gôl: yn ystod tymor 1898-99 sgoriodd 36 gôl mewn 33 gêm, a saif y gamp honno yn record i asgellwr hyd heddiw. Yn 1904 sgoriodd y gôl a enillodd Gwpan Lloegr i *Manchester City,* ac ef oedd y Cymro cyntaf i godi'r cwpan hwnnw.

Yn sgil helynt ariannol, trosglwyddwyd Meredith i *Manchester United* yn 1907 am dâl o £50. Cododd ei bac er mwyn chwyddo'i gyflog. Eisoes, yn 1901, yr oedd wedi priodi merch o Barnsley, Ellen Negus, a ganed iddynt ddwy ferch. Bu'n ysbrydiaeth gyson i'w dîm newydd: enillwyd pencampwriaeth yr Adran Gyntaf ddwywaith (yn 1908 ac 1911) ac yn 1909 curwyd *Bristol City* 1-0 yng ngornest derfynol Cwpan Lloegr yn y Palas Crisial. Erbyn trothwy Rhyfel Byd I tybiwyd fod ei ddyddiau mawr wedi dod i ben. Ond daliai i chwarae ac ym mis Awst 1921 dychwelodd i *Manchester City* i'w hailysbrydoli hwythau am dair bl. Ac yntau'n 50 oed, ffarweliodd Billy Meredith â'r gêm ar 29 Ebr. 1925. Rhwng 1894 ac 1925 chwaraeodd 1,568 o gemau a sgoriodd 470 o goliau.

Cafodd Meredith yrfa ryngwladol ddisglair iawn. Bu'n ddewis cyntaf ar yr asgell dde i Gymru rhwng 1895 ac 1920, ac enillodd 48 cap swyddogol, sef ugain yn erbyn Lloegr, un-arbymtheg yn erbyn Iwerddon, a deuddeg yn erbyn yr Alban. Sgoriodd sawl gôl dyngedfennol dros Gymru ond bu raid iddo aros hyd ei gêm olaf dros Gymru cyn profi'r wefr o guro Lloegr (2-1 ar 15 Mawrth 1920) ar eu tomen eu hunain.

Ar lawer ystyr, yr oedd Billy Meredith ymhell o flaen ei amser o ran dawn a deall. Corff esgyrnog, gwydn oedd ganddo, a gelwid ef yn 'Old Skin' gan ei gyfeillion. Edrychai'n ddiniwed iawn yn loetran ar yr ystlys yn ei drowsus llac hir, ac un o'i fympwyon rhyfeddaf oedd treiglo deintbyg yn ôl ac ymlaen yn ei geg. Ond pan ddeuai'r bêl i'w gyfyl, gloywai ar unwaith. Arteithiai gefnwyr yn ddidrugaredd gan na fedrent ragweld beth a wnâi nesaf. Meddai ar ymwybyddiaeth lawn o brif hanfodion y gêm ac arbrofai'n gyson wrth gymryd cic gosb neu gic gornel. Er mai dyn swil ydoedd, safodd yn ddewr dros ei hawliau ar, ac oddi ar, y maes. Nid un ydoedd i ddioddef anghyfiawnderau personol a llafuriodd yn ddygn i berswadio'r awdurdodau i gydnabod pêl-droed fel proffesiwn ac i dalu cyflog teilwng i chwaraewyr. Yn 1931 dychwelodd i *Manchester United* i weithredu fel hyfforddwr ac wedi rhoi'r gorau i'r gwaith hwnnw, aeth i gadw tafarn yn y ddinas. Bu f. yn 81 oed, yn Withington, Manceinion, ar 19 Ebr. 1958. Cyn Rhyfel Byd II, ni welodd Cymru amgenach pêl-droediwr na Billy Meredith.

Gwybodaeth gan ferch Billy Meredith, Mrs. Lilian Pringle; E. Thornton, *Manchester City: Meredith to Mercer* (1969); P. M. Young, *Manchester United* (1960); P. Corrigan, *100 Years of Welsh Soccer* (1976); G. H. Jenkins, *Cewri'r Bêl-droed yng Nghymru* (1977); [J. Harding, *Football wizard* (1985)].

G.H.J.

MERRETT, Syr HERBERT HENRY (1886-1959), diwydiannwr; g. ym mhlwyf Cantwn, Caerdydd, 18 Rhag. 1886, yn fab i Lewis ac Elizabeth Merrett. Pr., 1911, â Marion Linda Higgins a bu iddynt ddwy ferch ac un mab. Addysgwyd ef yng Nghaerdydd; bu'n ynad heddwch sir Forgannwg ac Uchel Siryf Morgannwg 1934-35. Cydnabyddid ef fod yn un o brif allforwyr glo Cymru ac iddo enw da yn rhyngwladol. Cychwynnodd ar ei yrfa gyda'r Brodyr Cory yn Nociau Caerdydd a daeth yn gadeirydd Powell Duffryn Cyf. Yn 1935-36 yr oedd yn llywydd Bwrdd Masnach Ymgorfforedig Caerdydd, a llywydd Ffederasiwn Allforwyr Glo Prydain 1946-49. Cydnabyddwyd ei gysylltiadau busnes â masnach Ewropeaidd gan Ffrainc trwy ei anrhydeddu'n *Chevalier de la Légion d'Honneur,* ac urddwyd ef yn farchog yn 1950. Yn ei gyfrol, *I fight with coal* (1932), disgrifiodd ei ysgarmesoedd cynnar yn y diwydiant glo a'r rhan a gymerodd yn yr hanes cythryblus. Pan oedd yn ei arddegau cafodd y gair o fod yn bêldroediwr da a chwaraeodd gyda 'Corinthians' Caerdydd, tîm pêl-droed amatur o fri, ac yn ddiweddarach cafodd gymwysterau i fod yn ddyfarnwr. Penodwyd ef yn gadeirydd Clwb Cymdeithas Pêl-droed Dinas Caerdydd yn 1939 a chydag un toriad byr, ac ar waethaf ei gyfrifoldebau busnes, parhaodd i fod yn gadeirydd hyd 1957. Bu'n llywydd Clwb Criced Sir Forgannwg, cadeirydd Pwyllgor Ymgynghorol y Swyddfa Bost yn Ne Cymru 1936, ac yn aelod o Lys Llywodraethwyr Coleg Prifysgol De Cymru a Mynwy. Bu f. 3 Hyd. 1959.

Www.

D.G.R.

MEURYN - gw. ROWLANDS, ROBERT JOHN isod.

MICHAEL, JOHN HUGH (1878-1959), gweinidog (EF), Athro mewn colegau Methodistaidd yn Lloegr a Chanada, esboniwr; g. 9 Awst 1878 yn Y Felinheli, Caern., yn fab i Thomas a Kate Michael. Addysgwyd ef yn Ysgol Friars, Bangor, cyn ei dderbyn i Goleg Prifysgol Cymru ym Mangor, lle y graddiodd yn y Celfyddydau yn 1899. Wedi bod yn bregethwr lleyg ar gylchdaith Caernarfon, cymhellwyd ef i'w gynnig ei hun yn ymgeisydd am y weinidogaeth gyda'r Wesleaid. Derbyniwyd ef ac yn 1900 aeth i Goleg Didsbury, Manceinion, a chwblhau yno ei gwrs B.D. yn llwyddiannus. Yna, yn 1903, penodwyd ef yn Athro cynorthwyol yng Ngholeg Headingley, Leeds, a bu yno am bedair bl. Bu'n weinidog cylchdeithiol yn Wakefield (3 bl.) ac Eccles (3 bl.) cyn mynd, yn 1913, i Canada, wedi ei ddewis yn Athro ym y Testament Newydd yng Ngholeg Emmanuel o Brifysgol Victoria yn Toronto. Yn ystod Rhyfel Byd II, bu'n gyd-weinidog ar eglwys Eaton Memorial yn Toronto, tra'n parhau â'i astudiaethau a chyda mawr lwyddiant. Yn 1919 rhoddwyd iddo radd D.D. er anrh. gan Brifysgol Queen's yn Canada. Trwy gydol ei arhosiad ym Mhrifysgol Victoria, cyfrannai'n gyson i gylchgronau diwinyddol, ac o'r llyfrau a gyhoeddodd efallai mai'r pwysicaf i gyd oedd ei esboniad ar y Philipiaid yn y gyfres *Moffat New Testament Commentary* (1928). Fel athro a phregethwr, traethai'n huawdl, gydag argyhoeddiad, a heb golli acen y Cymro. Gallasai fod yn llym wrth draethu onibai am ambell fflach o ffraethineb a hynny'n gwneud ei ddarlithio a'i bregethu'n fwy effeithiol. Yr oedd yn gyfeillgar ag athrawon a gwŷr enwog ei ddydd, megis Reinhold Niebuhr, Albert Einstein, James Moffatt a Wilbert Howard a fu am beth amser yn gydefrydydd â Michael yn Didsbury. Cydefrydydd arall iddo yn Didsbury oedd Edward Tegla Davies (gw. uchod) a'i disgrifiodd fel 'gŵr tal, gryn dipyn dros ddwylath, llydan o gorff, pen tywysogaidd, cymeriad cadarn a thyner, ac amddiffynnydd i'r gwan'.
     Wedi treulio'r blynyddoedd yn Toronto, bu'n uwchrif yno a pharhau i ddwyn bendith i lawer trwy ei bregethau a'i ysgrifau. Bu f. yn Toronto, 6 Ion. 1959, wedi bod yn weinidog am 56 bl.

Minutes of Methodist Conference, 1959, 191; *Who's who in Canada*, 1922.

Er.E.

MICHAELIONES, THOMAS (THOMAS MICHAEL JONES, 1880-1960), offeiriad a pherchennog gwaith aur; g. 1 Mai 1880 yn fab Thomas ac Ellen Michael Jones, 24 Baptist St., Pen-y-groes, Caern. Mynychodd ysgolion Pen-y-groes a Phorthaethwy a bu'n fyfyriwr lleyg yng Ngholeg Diwinyddol yr Annibynwyr yn Aberhonddu (1905-06). Bu'n newyddiadurwr am gyfnod byr ond yn 1911 cafodd fedydd esgob yn Llanllyfni ac aeth yn giwrad ym Mlaenau Ffestiniog (1917-20), Caergybi (1920-24) a Llanwnog (1924-29), cyn cael rheithoriaeth S. Beuno, Pistill, Caern., a gofal eglwysi Llithfaen a Charn-guwch (1929-60). Yn 1924 cyhoeddodd dri llyfryn o farddoniaeth Saesneg a'r flwyddyn ddilynol cyfansoddodd benillion i'r 'Union Jack' ar gyfer cystadleuaeth. Dewiswyd hwy i'w cyhoeddi gan gwmni o Lundain gydag alaw bwrpasol gan Arthur Selaw. Cymerai Thomas Michaeliones ddiddordeb mewn hynafiaethau a hanes yr Eglwys, gan gyhoeddi nifer o bamffledi, ar eglwysi ardal Nefyn yn fwyaf arbennig. Adnewyddodd eglwys Pistill a fu ar gau am gyfnod hir, ac ymdrechodd i arbed eglwys hynafol Carn-guwch rhag mynd yn adfail. Yr oedd yn gymeriad hynod, ac un o'i liaws diddordebau oedd cloddio am aur ar dyddyn Graigwen a brynodd yn nyffryn Mawddach. Bu'n berchen y gwaith aur yno o tuag 1938 nes ei gau yn 1953. Derbyniwyd ei gynnig i gyflenwi'r aur at wneud modrwy briodas y Dywysoges Elizabeth yn 1950. Newidiodd ei enw pan br. (1), yn 1916, â Janet Chadwick (m. 1940). Bu iddynt dair merch a mab. Pr. (2) â Constance Mary Weighill yn 1942 a ganwyd iddynt un ferch. Bu ef f. 24 Ebr. 1960 yn ei gartref, Gwerindy, Pistill.

Taliesin, 1, 30-42; *Caern. & Denb. Herald*, 29 Ebr. a 6 Mai 1960; *Herald Cymr.*, 2 Mai 1960; *Cylch. Cymd. hanes sir Feirionydd*, 7 (1973-76), 170-1; papurau ordeinio esgobaeth Bangor B/O/1638 ac 1678 yn LlGC.

M.A.J.

MOELONA - gw. JONES, ELIZABETH MARY uchod.

MORGAN, CHARLES LANGBRIDGE ('Menander'; 1894-1958), gohebydd beirniadol ar y ddrama, nofelydd, dramodydd; g. 22 Ion, 1894, yn blentyn ieuangaf Syr Charles Langbridge Morgan, peiriannydd, a Mary (g. Watkins) ei wraig. Ymfudodd ei deidiau o sir Benfro i Awstralia lle y pr. ei rieni. Ymunodd â'r Llynges yn 1907 gan ddod yn swyddog cyn ymddiswyddo yn 1913 i ennill ei fywoliaeth wrth lenydda, er iddo ddychwelyd i'r llynges yn ystod y ddau Ryfel Byd. Aeth i Goleg y Trwyn Pres, Rhydychen, 1919-21, a graddio. Yna ymunodd â'r *Times*, gan ddod yn enwog fel gohebydd beirniadol ar y ddrama, 1926-39. Derbyniodd lawer gradd er anrh. Yr oedd yn un o aelodau dethol estron *l'Institut de France*; etholwyd ef yn llywydd yr *English Association* 1953-54 a'r Gyngres Lenyddol Ryngwladol i Awduron 1954-56. Ac eithrio'i ddwy nofel gyntaf, ysgrifennodd gyfres ddi-dor o gampweithiau llenyddol arbennig o artistig, o arwyddocâd dwfn, a'u traethiad yn rymus ac amrywiol. Dyfarnwyd iddo wobr Femina-Vie Heureuse am *Portrait in a Mirror* (1929); gwobr Hawthornden am *The Fountain* (1932); a gwobr goffa James Tait Black am *The Voyage* (1940). Dramodwyd *The River Line* (1949) a'i chynhyrchu yng ngŵyl Caeredin yn 1952.
     Yn Llundain y treuliodd y rhan fwyaf o'i oes. Trwy ei wraig, Hilda Campbell Vaughan o Lanfair-ym-Muallt, nofelydd a br., 6 Meh. 1923, ac a ddug iddo fab a merch (Ardalyddes Môn), y daeth, o bosib, i gysylltiad agosaf â Chymru.

Cyfansoddwyd ei ddrama gyntaf, *The Flashing Stream* (1938), tra oedd ar wyliau ger Llyn Syfaddan, Brych. Treuliodd ddau gyfnod hir yn sir Benfro hefyd, pryd yr ysgrifennodd *A breeze of morning* (1951). Ysgrifennodd hanes cwmni Macmillan (1943); cyhoeddwyd casgliad o'i ddarlithiau ac ysgrifau wedi ei f. yn *The writer and his world* (1960). Bu f. 6 Chwef. 1958.

WWP; *Www*; Eiluned Lewis, *Selected letters of Charles Morgan with a memoir* (1967); Henry Charles Duffin, *The novels and plays of Charles Morgan* (1959); D. Crystal, *The Cambridge Biographical Dictionary* (1994); gw. hefyd *Times Literary Supplement Index*.

M.A.J.

MORGAN, IWAN JAMES (1904-66), tiwtor mewn efrydiau allanol a gwleidydd; g. 1904 yn Nhon-du, Morg., yn fab i John James Morgan (1870-1954), prifathro ysgol uwchradd y Garw, 1909-35. Derbyniodd ei addysg yn Ysgol y Sir, Pen-y-bont ar Ogwr, a Choleg Prifysgol Cymru, Aberystwyth, lle graddiodd gydag anrhydedd mewn economeg yn 1926. Enillodd radd M.A. yn 1929 am draethawd yn olrhain y mudiad i sicrhau prifysgol yng Nghymru yn y 19 g. Bu'n darlithio mewn dosbarthiadau nos a chyrsiau allanol mewn nifer o ganolfannau yng Nghymru, gan gynnwys Coleg Harlech, am rai blynyddoedd cyn cael ei benodi yn 1935 yn diwtor â gofal am Adran Efrydiau Allanol, Coleg y Brifysgol, Caerdydd. Arhosodd yn y swydd hon hyd at ei farw. Daeth yn ddarlithydd a darlledwr poblogaidd ar bynciau hanesyddol, rhyngwladol, economaidd a chymdeithasol. Bu'n aelod o Blaid Cymru yn y tridegau ond anghytunai ag agwedd Saunders Lewis ar Sosialaeth ac ymunodd â'r Blaid Lafur. Dewiswyd ef yn ddarpar ymgeisydd seneddol Llafur ar gyfer etholaeth Ceredigion yn 1940, a safodd yn erbyn Roderick Bowen yn 1945 ac 1950. Cyhoeddodd yn 1943 y pamffledi yn *Attlee's reply* yn dilyn ymateb y Dirprwy Brif Weinidog i'r gofyn am ysgrifennydd Gwladol i Gymru. Daliodd yn ffyrnig yn erbyn Comiwnyddiaeth ar hyd ei oes. Ef a olygodd y gyfrol *The college by the sea* (1928), casgliad o atgofion am G.P.C., Aberystwyth. Cyhoeddodd yn ogystal nifer fawr o erthyglau mewn cylchgronau a phapurau newydd ar bynciau o ddiddordeb cenedlaethol. Etholwyd ef yn aelod o lys a chyngor Llyfrgell Genedlaethol Cymru yn 1944.

Pr. Esme Lewis, Caerau, Maesteg. Bu f. 1 Ebr. 1966 yn Ysbyty Brenhinol Caerdydd.

WWP; *West. Mail*, 2 a 4 Ebr. 1966; calendrau Prifysgol Cymru.

J.G.J.

MORGAN, JOHN (1886-1957), Archesgob Cymru; g. 6 Meh. 1886 yn rheithordy Llandudno, Caern., yr ieuangaf o bump o blant John Morgan (Archddiacon Bangor, 1902-24). Cafodd ei addysg yn ysgol genedlaethol S. Siôr, Llandudno, ysgol yr eglwys gadeiriol Llandaf, lle'r oedd yn unawdydd yn y côr, Coleg Llanymddyfri a Choleg Hertford, Rhydychen, gydag ysgoloriaeth, a Choleg Cuddesdon. Graddiodd yn B.A., 1910, M.A., 1914, D.D. Prifysgol Cymru er anrh., 1934. Urddwyd ef yn ddiacon yn 1910 yn Llanelwy dros Esgob Bangor, a bu'n gurad Llanaber a'r Bermo, 1910-

12. Urddwyd ef yn offeiriad yn 1911. Rhwng 1912 ac 1916 bu'n gaplan trigiannol i Esgob Truro, ac yn ficer-offeiriad yn yr eglwys gadeiriol, a hyd 1919 yn gaplan-dros-dro i'r lluoedd arfog. Gwasanaethodd ar y Môr Canoldir, Kinmel, a Shoreham. Dychwelodd i Gymru yn 1917 yn ficer-corawl eglwys gadeiriol Llanelwy a ficer Llanelwy. Yn 1919 penodwyd ef yn offeiriad-mewn-gofal o Lanbeblig a Chaernarfon, ac yn 1920 pan ddaeth deddf datgysylltiad yr Eglwys i rym gwnaed ef yn ficer y plwyf. Tra bu yno gwasanaethodd fel caplan y carchar, a bu'n ddeon gwlad Arfon, 1928-31. Yn 1931 penodwyd ef yn ganon eglwys gadeiriol Bangor, ac yn 1933 symudodd i fod yn rheithor Llandudno. Y fl. ddilynol etholwyd ef yn esgob Abertawe ac Aberhonddu, i olynu'r Esgob E. L. Bevan, a chysegrwyd ef yn Llanelwy ar Fawrth y Sulgwyn gan Archesgob cyntaf Cymru, Alfred George Edwards (*Bywg.*, 171), a'i hordeiniasai'n ddiacon. Yn 1939 symudodd i fod yn Esgob Llandaf ar farwolaeth yr Esgob Timothy Rees (*Bywg.*, 781), ac yn 1949 etholwyd ef yn Archesgob Cymru i olynu David Prosser (*Bywg.*2, 47). Bu f. yn ysbyty S. Thomas, Llundain, 26 Meh. 1957, yn 71 oed, a'i gladdu yn Llandaf.

Gŵr byr o gorff, trylwyr, gofalus o'r manylion, oedd ef, yn mynnu fod popeth yn weddus ac i mewn trefn, boed wasanaeth cyffredin neu arbennig. Yr oedd yn drefnydd tan gamp ei hun, a chas oedd ganddo anhrefn ac aflerwch pobl eraill. Gallai fod yn llym ei ddisgyblaeth fel ei dad o'i flaen, ond yr oedd yn raslon a thrugarog pan fyddai gofyn am hynny. Edrychai ar swydd esgob fel gofalaeth ac nid ildiai ronyn ar fater o egwyddor. Yn Aberhonddu gweithredai fel deon yn ogystal â bod yn esgob, a gosododd seiliau cadarn i ganiadaeth a seremonïau'r eglwys gadeiriol. Yn Llandaf yr oedd gofyn llaw gadarn a gwelediad clir i roi trefn ar arweinyddiaeth yr esgobaeth. Daeth y rhyfel yn fuan ar ôl ei benodi a difrodwyd y gadeirlan gan fomiau'r gelyn. Ef a fu'n gyfrifol am ei hailadeiladu a'i hailgysegru yng ngwanwyn 1957.

Yr oedd yn gerddor medrus a chanai'r organ er yn blentyn yn Llandudno. Bu'n gadeirydd pwyllgor cerdd esgobaeth Bangor, ac ef oedd cadeirydd pwyllgor *Emynau'r Eglwys* o'r cychwyn yn 1934 a'r is-bwyllgor cerdd o 1939 ymlaen. Cyhoeddwyd yr arg. geiriau yn 1941, a'r arg. tonau yn 1951. Yn ystod ei dymor ef y sefydlwyd y comisiwn litwrgïaidd i ddiwygio'r *Llyfr Gweddi Gyffredin*. Ei weithred gyhoeddus olaf oedd cysegru G. O. Williams yn Esgob Bangor yn Llandaf ar 1 Mai 1957. Dychwelodd i'r ysbyty y noson honno.

Gan ei fod yn ŵr swil, dim ond ychydig a wyddai am ei ddawn i ddweud stori, i ddynwared ac i siarad iaith tref Caernarfon.

Llan, 5 Gorff. 1957, 7 Ebr. 1933, 13 Ebr. 1934; *Haul*, Haf 1957; *Province*, Summer 1957; *Church Times*, 28 June 1957; *Www*; *Welsh Church Year Bk.*, 1936; *Emynau'r Eglwys* (1951); *Crynhoad*, Mai/Meh. 1950; Llsgr. T. I. E. ym meddiant yr awdur.

M.G.E.

MORGAN, JOHN JAMES (1870-1954), gweinidog (MC) ac awdur; g. ym Mawrth 1870 yng Nglynberws, Ysbyty Ystwyth, Cer. mab Dafydd Morgan ('Y Diwygiwr'; *Bywg.*, 603) a

Jane ei briod. Addysgwyd ef yn ysgol fwrdd Ysbyty Ystwyth; ysgol Ystradmeurig, ysgol Thomas Owens, Aberystwyth; Coleg Aberystwyth a Choleg Trefeca. Ord. ef yn 1894, a bu'n gweinidogaethu yn y Bont-faen, Morg. (1893-95) a'r Wyddgrug (1895-1946). Pr. 1895, Jeanetta Thomas, Llancatal, Bro Morgannwg. Ar ôl ymddeol aeth i fyw at ei ferch yn Irby, sir Gaer, ac yno y bu f. 23 Ion. 1954.

Ymhyfrydodd mewn llenydda ar hyd ei oes, a cheir ei gynhyrchion - o nodwedd hanesyddol - yng nghylchgronau'i enwad. Yr oedd ganddo'r ddawn i gasglu dywediadau pert a bachog a hynodion blaenoriaid a phregethwyr. Cyhoeddodd nifer o gofiannau defnyddiol iawn: *Hanes Dafydd Morgan a Diwygiad '59* (1906); *Cofiant Edward Matthews* (1922); *Cofiant Evan Phillips* (1930); a *Hanes Daniel Owen* (1936). Yn niwedd ei oes cyhoeddodd ei hunangofiant a'i atgofion, sy'n hynod o ddiddorol, yn dair o gyfrolau (1948, 1949 ac 1953) dan y teitl *A welais ac a glywais*.

Blwyddiadur MC, 1955, 247-48; *Gol.*, 10 Mawrth 1954; ei gofiant i'w dad a'i hunangofiant.

G.M.R.

MORGAN, JOHN JENKYN ('Glanberach'; 1875-1961); hanesydd lleol a thraethodwr; g. yn y Bodist Isaf, Glanaman, Caerf., 10 Awst 1875, yn fab i Jenkin ac Angharad Morgan. Addysgwyd ef yn ysgol Frytanaidd Bryn-lloi, Glanaman, ond dechreuodd weithio yng nglofa'r Mynydd, Cwmaman, pan oedd yn 12 oed. Bu wedyn yn gweithio ym melin gwaith alcan y Raven, Glanaman, tan ei ymddeoliad yn 1930. Pr. â Harriet, merch Thomas a Sarah Jones o Siop Bryn-lloi, Glanaman, 5 Hyd. 1901. Yr oedd ei wraig (a fu f. mewn gwasanaeth crefyddol yng nghapel Bryn Seion, Glanaman, 25 Tach. 1956) yn chwaer i'r gweinidogion W. Glasnant Jones, Dafydd G. Jones, ac E. Aman Jones. Bu iddynt bedwar o blant.

Mewn oes ddifantais manteisiodd John Jenkyn Morgan ar bob cyfle i hogi meddwl a dawn. Yr oedd yn ŵr diwylliedig, a thrwy ei gyfeillgarwch agos â Richard Williams ('Gwydderig'; *Bywg.*, 1002) datblygodd yn eisteddfodwr brwd, ac enillodd lawer o wobrau, yn bennaf am draethodau a llawlyfrau ar hanes lleol. Urddwyd ef yn aelod o Orsedd y Beirdd yn Llanelli yn 1895 ac fel 'Glanberach' yr adnabyddid ef yng Ngorsedd. Bu'n gystadleuydd cyson yn yr Eist. Gen. ac ni bu ei well am feirniadu'r beirniaid, yn enwedig os oedd y rheini'n rhai o wŷr y colegau. Cipiodd wobrau yn Eisteddfodau Rhydaman 1922, Abertawe 1926, Caergybi 1927, Dinbych 1939, Llanrwst 1951, a Phwllheli 1955. Diogelir rhai o'r cyfansoddiadau hyn yn y Llyfrgell Genedlaethol.

Gwasanaethodd fel un o lywyddion y dydd yn Eist. Gen. 1948, Pen-y-bont ar Ogwr, ac ef oedd aelod hynaf yr Orsedd ar farwolaeth Howell Elvet Lewis ('Elfed'; gw. uchod) yn 1953. Darlledodd lawer ar y radio a chyfrannodd erthyglau ar hanes lleol i'r wasg gyfnodol Gymraeg. Casglodd lyfrgell helaeth o ddefnyddiau yn ymwneud â dyffryn Aman a'r cylch, a bu'n flaenllaw gyda phob mudiad diwylliannol yn yr ardal. Ef oedd ysgrifennydd Eisteddfodau'r Plant yn ystod gweinidogaeth Rhys J. Huws (*Bywg.*, 379) yng nghapel Bryn

Seion, Glanaman - eglwys y bu ganddo ran flaenllaw yn ei sefydlu. Bu hefyd yn llyfrgellydd ac ysgrifennydd darllenfa'r glowyr yng Nghwmaman. Cyhoeddodd *Cofiant John Foulkes Williams* (1906), a *Hanner Canrif o Hanes Bryn Seion, Glanaman, 1907-1957* (1957). Bu f. yn ei gartref ar Fryn-lloi, Glanaman, 18 Mai 1961, a chladdwyd ef ym mynwent yr Hen Fethel, Cwmaman.

A.T. Davies, *Crwydro Sir Gâr* (1955), 285; *Tyst*, 8 Meh. 1961; gwybodaeth bersonol.

H.Wa.

MORGAN, MORGAN PARRY (1876-1964), gweinidog (MC) a phregethwr grymus; g. 8 Gorff. 1876, yn unig fab i Evan Morgan, Brynseir, Lledrod, Cer. a Chatherine (g. Parry), ei wraig, merch Morgan Parry, arolygydd stad y Trawsgoed. Pan oedd yn chwech oed symudodd y teulu i Bontycymer, gan ymaelodi yn eglwys Bethel (MC) yno. Cafodd ei addysg yn yr ysgol fwrdd ym Mhontycymer, ond rhoddai bwys mawr ar ddylanwad yr Ysgol Sul arno. Bu am ryw faint o gylch 1889-92 yn ddisgybl yn Academi Aberafan, ond bu rhaid iddo ddychwelyd i weithio mewn glofa fel ei dad. Yn 1894 dechreuodd bregethu ac aeth i Academi'r Parch. Dunmore Edwards ym Mhontypridd. Yn 1896 derbyniwyd ef i Goleg Trefeca. Yn 1900 derbyniodd alwad i Flaenannerch, Cer. Ord. ef yng Nghymdeithasfa Awst 1901 yng nghapel Heol Dŵr, Caerfyrddin. Ym Mlaenannerch yr oedd Diwygiad 1859 yn aros yn rym yn yr eglwys a bu dylanwad Diwygiad 1904-05 yn drwm ar yr eglwys a'i gweinidog ieuanc a bu yntau'n arweinydd diogel i'w braidd gan eu cadw rhag peryglon gordeimladrwydd a'u hyfforddi'n gadarn yn yr ysgrythyrau, gan osgoi llythrenoliaeth a'u magu'n wrandawyr deallus. Er iddo dreulio gweddill ei oes ym Mlaenannerch daeth yn fuan i reng flaenaf pregethwyr ei gyfnod, a mawr fu'r galw arno i gymanfaoedd pregethu ledled y wlad, a daeth M.P. Morgan, Blaenannerch yn enw teuluaidd drwy'r enwad. Yr oedd elfennau tanllyd yn ei bregethau ond gofalodd ddehongli ei destunau'n fanwl a bu'n athro i'w braidd mewn dosbarthiadau Beiblaidd ac mewn Cymdeithas Ddiwylliadol. Pregethu, serch hynny, oedd nwyd fawr ei fywyd. Traddododd Ddarlith Goffa'r Dr John Williams yn 1947. 'Pregethu' oedd testun honno. Ef oedd llywydd y Gymanfa Gyffredinol yn 1949.

Bu f. 27 Rhag. 1964 a chladdwyd ef o flaen y capel ym Mlaenannerch. Pr., 17 Rhag. 1901, Elizabeth Frances Jones, merch Samuel a Judith (g. Hughes) Jones, a bu iddynt un ferch.

D.J. Evans, *M.P. Morgan, Blaenannerch* (1976).

E.D.J.

MORGAN, TREFOR RICHARD (1914-70), rheolwr cwmni; g. 28 Ion. 1914 ar Donyrefail, Morg., yn bumed plentyn i Samuel ac Edith (g. Richards) Morgan. Hanai teulu'r tad o ardal Llanbedr-y-fro a theulu'r fam o Lanilltud Faerdref. Saer maen oedd y tad a fu farw yn 1918 o'r afiechyd a ysgubodd dros y wlad yn sgîl Rhyfel Byd I. Bu raid i'r fam ymdrechu i fagu saith o blant mewn tlodi mawr. Bedyddwyr ymroddedig oedd y teulu o'r ddau du. Buasai hynafiaid iddo'n gysylltiedig â chychwyn yr achos yng Nghroes-y-Parc,

Llanbedr-y-fro, a hen dad-cu iddo'n gweini-dogaethu ar gychwyn eglwys y Bedyddwyr ym Mhenuel, Pentyrch. Cafodd ei unig addysg ffurfiol yn yr ysgol elfennol leol, addysg gwbl ddi-Gymraeg yn ôl yr arferiad. Yn ddiweddarach yn ei fywyd, ceisiai gywiro'r gwall trwy fynychu dosbarthiadau nos mewn Cymraeg a Hanes Cymru. Enillodd fynediad i ysgol ramadeg y Bont-faen ond ni allai fynd yno oherwydd amgylchiadau cyfyng y teulu. Gadawodd yr ysgol yn bedair ar ddeg oed a mynd i weithio i'r pwll glo lleol er taw bregus fu ei iechyd erioed. Oherwydd y dirwasgiad yn ardaloedd y diwydiant glo bu raid iddo fynd ati i gyflawni amryw orchwylion eraill yn ystod y blynyddoedd nesaf.

Bu'n genedlaetholwr cadarn ar hyd ei oes. Fe'i harweiniwyd i sir Benfro gan yr ymchwil am waith ac atgyfnerthwyd y cenedlaetholdeb hwnnw gan y gyfathrach agos iawn a fu rhyngddo a D. J. Williams (gw. isod) a'i briod yn Abergwaun. Bu'n wrthwynebydd cydwybodol ar dir cenedlaetholdeb yn ystod Rhyfel Byd II. Yn 1943, pr. Gwyneth, merch Arthur a Mary (g. Daniel) Evans o Aberdâr, a bu iddynt bedwar o blant.

Bu'n ymgeisydd Plaid Cymru mewn etholiadau seneddol yn etholaethau Ogwr, 1945, 1946, Abertyleri 1955 a Brycheiniog a Maesyfed 1964, 1966 gan sefyll fel cenedlaetholwr annibynnol ym Merthyr Tudful, 1950. Yn ôl barn olygyddol Y Faner wedi ei farw 'yr oedd yn un o'r siaradwyr cyhoeddus mwyaf effeithiol a feddai Plaid Cymru; traethai wirioneddau llosg yn huawdl ac argyhoeddiadol a gallai ddadlau tros achos cenedlaetholdeb cystal ag undyn byw'. Ond daliai bob amser nad oedd ymdrechu ar dir etholiadau, boed seneddol neu leol, yn ddigon a cheisiai droi'n ffeithiau ymarferol yr egwyddorion a bregethai. Egwyddorion sylfaenol ganddo oedd pwysleisio gwerth hanfodol yr iaith Gymraeg a'r angen i geisio creu sefydliadau Cymreig cwbl annibynnol. I'r perwyl hwn, mentrodd sefydlu cwmni yswiriant a buddsoddi, ar ei ben ei hun, gyda'r bwriad o ddefnyddio unrhyw elw at ddau beth arbennig, sef codi diwydiannau bychain yn lleol a hyrwyddo'r ymdrechion i fynnu ysgolion Cymraeg drwy Gymru gyfan. Cychwynnwyd y cwmni, sef Cwmni Undeb, yn Aberdâr a llwyddwyd i sefydlu stad ddiwydiannol fechan ar Hirwaun. Yn 1963, sefydlodd Gronfa Glyndŵr yr Ysgolion Cymraeg ac ef oedd ei lywydd cyntaf. Amcan y gronfa oedd estyn cymorth ariannol i rieni ar ysgolion er galluogi plant i fynychu'r ysgolion Cymraeg a sefydlid yn bennaf gan y rhieni eu hunain yr adeg honno; rhan o waith pwysicaf y gronfa oedd codi a chynnal ysgolion meithrin Cymraeg. Oherwydd cyndynrwydd awdurdodau addysg lleol i ddarparu addysg uwchradd Gymraeg, penderfynodd gychwyn ysgol breswyl Gymraeg, yn gynradd ac uwchradd, gyda phwyslais arbennig ar ddysgu pob pwnc trwy gyfrwng y Gymraeg. Agorwyd Ysgol Glyndŵr ym Mryntirion, Trelales, ger Pen-y-bont ar Ogwr ym Medi 1968 ond fe ddaeth i ben yn fuan wedi ei f. yn Ysbyty Pen-y-bont ar 3 Ion. 1970. Claddwyd ef ym Mynwent Trane, Tonyrefail, ar Ion. 9.

Gwybodaeth bersonol.

G.M.

MORGAN-OWEN, LLEWELLYN ISAAC GETHIN (1879-1960), gweinyddwr milwrol yn yr India; g. 31 Maw. 1879 yn fab Timothy Morgan-Owen (H.M.I.), Llwynderw, Llandinam, Tfn., ac Emma (g. Maddox). Addysgwyd ef yn Arnold House, Llandulas; Ysgol Amwythig; a Choleg y Drindod, Dulyn. Bu gyda milisia Caernarfon yn 1899 cyn ymuno â'r fyddin yn 1900 a gwasanaethu gyda'r 24ain *South Wales Borderers* yn Orange River Colony a'r Transfâl, De Affrica, hyd ddiwedd y rhyfel yn 1902, gan ennill dau fedal a phum clasb. Yn 1904 cyflogwyd ef gan y *West African Frontier Force*, gan wasanaethu yn 1908 gyda chatrawd y *mounted infantry* drwy ogledd Nigeria. Dychwelodd at ei gatrawd yn 1910. Yn ystod Rhyfel Byd I anfonwyd ef i Gallipoli ac yr oedd yn bresennol ym Mrwydr Sari Bair ac yn ddiweddarach cynorthwyodd gyda'r enciliad o Suvla a Helles Major. Yn 1916 penodwyd ef yn Swyddog Staff Cyffredinol yn Division 13 ac anfonwyd ef i Fesopotamia. Enwyd ef bum gwaith mewn cadlythyrau yn ystod yr ail a'r trydydd ymgais i ryddhau Kut, ac wrth gymryd Baghdad yn 1917. Yn 1920 aeth i'r India pan benodwyd ef yn swyddog cynorthwyol ac yn Gwarterfeistr Cyffredinol, yn gyntaf gyda Byddin Waziristan, ac wedyn ym mhencadlys y Comand Deheuol. Yn 1924 aeth i bencadlys y Fyddin a'i benodi'n Ddirprwy Gyfarwyddwr Tâl a Phensiynau yn 1925, gan ddod yn Gyfarwyddwr Trefniadaeth yn 1927. Gadawodd yr India ym mis Ebr. 1928. Y flwyddyn ddilynol cymerodd gomand Brigâd 160 (De Cymru), a'r 9fed Frigâd yn Portsmouth yn 1931. Wedi treulio cyfnod (1934-38) yn uchgapten a gofal ganddo am weinyddiaeth yn y Comand Dwyreiniol, bu'n is-reolwr ac ysgrifennydd Ysbyty Brenhinol Chelsea, 1940-44. Yr oedd hefyd yn gyrnol gyda'r *South Wales Borderers*, 1931-44, ac ar waethaf ei absenoldeb o'i gatrawd am gyfnodau hir cyflawnodd lawer o waith defnyddiol drosti yn ei swydd fel cyrnol. Ac yntau'n gyn-chwaraewr pêl-droed, bu o gymorth mawr i Gymdeithas Pêl-droed y Fyddin, a llywyddai ei chyfarfodydd pan oedd gyda'r *Horse Guards*. Derbyniodd D.S.O. yn 1916, C.M.G. yn 1918, C.B.E. am wasanaeth yn Waziristan (pryd yr enwyd ef eto mewn cadlythyrau), a C.B. yn 1934. Yn 1910 pr. Ethel Berry Walford (bu f. 1950) a bu iddynt un mab. Bu f. 14 Tach. 1960.

WwW (1921); *Www*; *Times*, 16 Tach. 1960.

M.A.J.

MORRICE, JAMES CORNELIUS (1874-1953), offeiriad ac ysgolhaig Cymraeg; g. 10 Rhag. 1874 ym Mhorthmadog, Caern., yn fab James Cornelius Morrice, gyrrwr trên, a'i wraig Margaret (g. Thomas). Addysgwyd ef yn ysgol sir Porthmadog a Choleg Prifysgol Gogledd Cymru, Bangor (1897) lle y graddiodd gydag anrhydedd dosbarth I yn y Gymraeg (1900), y cyntaf i wneud hynny yn y Brifysgol, meddir, ac ennill M.A. am draethawd ar 'The poems of William Lleyn' yn 1902. Wedi'i urddo'n ddiacon yn 1900 ac yn offeiriad yn 1901, bu'n gurad ym Mallwyd, Trefdraeth ac Amlwch (1902, 1903), yn gaplan ar long hyfforddi, *Clio*, ac yn un o is-ganoniaid Cadeirlan Bangor cyn ei sefydlu'n rheithor Ffestiniog a Maentwrog, 1910-13, a ficer eglwys y Santes Fair, Bangor, 1913-20. Bu'n ficer S. Margaret's, Rhydychen, 1920-26, a thra oedd yno cymerodd radd B.Litt. (1920) a D.Phil. (1923) o goleg Corpus Christi. Yr oedd yn ficer Caergybi, 1926-27, ac o hynny ymlaen mewn amrywiol blwyfi yn Lloegr y bu'n gwasanaethu. Ceir y manylion yn *Crockford's*.

Bu'n gynhyrchiol iawn fel ysgolhaig yn y cyfnod wedi iddo ymadael â'r coleg. Ef a olygodd y gyfrol gyntaf yng nghyfres y *Bangor Manuscripts Society*, sef *Gwaith barddonol Howel Swrdwal a'i fab Ieuan* (1908), a hefyd, yn yr un gyfres, *Detholiad o waith Gruffudd ab Ieuan ab Llewelyn Vychan* (1910), y ddwy yn seiliedig ar lsgrau. yn yr Amgueddfa Brydeinig. Yn 1908 cyhoeddwyd ei brif waith, *Barddoniaeth William Llŷn*, ac yna *A manual of Welsh literature* (o'r chweched hyd y ddeunawfed ganrif) yn 1909, yn seiliedig ar ddarlithiau a roesai yng Ngholeg Prifysgol De Cymru yn 1902-03. Yr oedd Morrice yn un o'r to cyntaf o olygyddion gwaith y cywyddwyr, ac er bod yn yr argraffiadau hyn ddiffygion eu cyfnod, gallasai fod wedi tyfu'n olygydd a hanesydd llenyddiaeth cymeradwy a dilyn gyrfa yn y brifysgol. Enwebwyd ef gan Fwrdd y Coleg am gadair Gymraeg Coleg Dewi Sant, Llanbedr Pont Steffan yn 1903 ond ni dderbyniwyd y trefniadau gan Gyngor y coleg. Bu am gyfnod yn ddarlithydd Cymraeg yng Ngholeg y Brifysgol, Caerdydd. Ymddangosodd *Wales in the seventeenth century* yn 1918 a'i draethawd D.Phil., *Social conditions in Wales under the Tudors and Stuarts*, yn 1925.

Ymddeolodd o reithoriaeth Helmdon, Brockley, Northants., Hydref 1951, a bu f. 22 Ion. 1953 yn Bournemouth.

Crockford, 1951-2; *Www*; *WWP*; *Llan*, 31 Ion. 1941, 3; *Welsh Gossip*, 28 Tach. 1923; cofnodion CPGC, Bangor 16446; D.T.W. Price, *History of St. David's University College* (1990).

B.F.R.

MORRIS, CAREY (1882-1968), arlunydd; g. 17 Mai 1882 yn Llandeilo, Caerf., mab Benjamin ac Elizabeth Boynes Morris. Bu yn ysgol sir Llandeilo, a gwrthryfelodd yn gynnar yn erbyn dulliau mecanyddol y Bwrdd Addysg o ddysgu arlunio. Aeth i'r Slade yn Llundain, a rhagorodd ar astudio anatomi dan gyfarwyddyd Henry Tonks. Pr. yn 1911 â Jessie Phillips, a daeth yn aelod o'r gymdeithas niferus o arlunwyr a weithiai yn Newlyn, Cernyw. Symudodd gyda'i wraig, a oedd yn awdur a golygydd, i Lundain, lle bu ganddo stiwdio yn Cheyne Walk, Chelsea. Yno daeth i gysylltiad ag arlunwyr amlwg y cyfnod, yn ogystal â llenorion a cherddorion. Chwaraeai yntau'r soddgrwth mewn nosweithiau cerddorol. Dychwelai'n aml i beintio yn Llandeilo a dyffryn Tywi, ond ymunodd â'r fyddin yn 1914, a chomisiynwyd ef yn swyddog yn y *South Wales Borderers*. Dioddefodd effeithiau nwy yn Fflandrys, ac amharwyd ar ei iechyd am weddill ei oes. Daliai ei fod o linach Morysiaid Môn (John, Lewis, Morris, Richard a William Morris, *Bywg*., 621, 622, 624, 627-8), ac ymhlith ei ddiddordebau wedi'r rhyfel yr oedd mater celf a chrefft yr Eist. Gen. Gwelai angen diwygio defodau'r Orsedd, ac ysgrifennodd gryn dipyn ar y pwnc. Cyhoeddodd erthyglau ar gelfyddyd, megis 'Personality as a force in art' ac 'Art and religion in Wales'.

Gweithiodd ar dirluniau a phortreadau ym mhob rhan o Gymru, ac fe'i noddid gan deuluoedd bonheddig. Cyfaill mawr iddo oedd Syr Joseph Bradney (*Bywg*., 43), hanesydd sir Fynwy. Bu'n darlunio llyfrau, yn arbennig y llyfrau i blant a ysgrifennai ei wraig, a gwnaeth y darluniau i argraffiad Edward Tegla Davies (gw. uchod) o *Taith y pererin*. Bu f. 17 Tach. 1968 a chladdwyd ef ym mynwent Llandeilo.

Eirwen Jones, 'An artist in peace and war', *Carms. Historian*, 1978, 29-42.

El.G.J.

MORRIS, HAYDN (1891-1965), cerddor; g. yn Llanarthne, Caerf., 18 Chwef. 1891, yn fab i löwr, a'r ieuangaf o saith o blant. Collodd ei rieni (Richard a Rachel Morris) yn ieuanc; aeth i weithio i lofa New Cross Hands yn 12 oed, ac aros yno hyd nes y penderfynodd ymroi'n llwyr i gerddoriaeth yn 1916.

Ymddiddorai mewn cerddoriaeth yn gynnar iawn yn ei fywyd, a bu'n astudio yn gyntaf gydag athrawon lleol, ac yna gyda D. Vaughan Thomas (*Bywg*., 886) yn Abertawe. Ar ôl iddo ennill A.R.C.M. yn 1918 trefnwyd cyngerdd i'w gynorthwyo i gael addysg bellach. Aeth i'r Academi Gerdd Frenhinol yn Llundain yn ddiweddarach y flwyddyn honno, lle y bu'n astudio tan 1922, gan ennill gwobr Oliveria Prescott am gyfansoddi, a derbyn cymeradwyaeth arbennig gan Edward Elgar. Graddiodd yn Mus. Bac. yn 1923, a derbyniodd radd D.Mus. o Brifysgol Efrog Newydd yn 1943.

Gwrthododd swyddi yn yr Academi Gerdd Frenhinol ac yn Canada yn 1923, a threuliodd ei yrfa fel organydd a chôr-feistr mewn tair o eglwysi yng Nghymru, sef yn eglwys Heol Undeb Caerfyrddin (hyd 1926), eglwys Soar, Merthyr Tudful (1926-28), a Chapel Als, Llanelli (1928-60). Yn Llanelli treuliodd flynyddoedd prysur fel athro, beirniad, arweinydd a chyfansoddwr. Bu f. Rhag. 1965 a'i gladdu yn Llanelli.

Yr oedd yn un o dri chyfansoddwr amlwg y cyfnod rhwng y ddau ryfel a fwriodd eu prentisiaeth yn yr Eist. Gen. (y ddau arall oedd W. Bradwen Jones (gw. JONES, WILLIAM ARTHUR uchod) a W. Albert Williams (*Bywg*.2, 63), a thros gyfnod o tua 40 ml. enillodd dros 60 o wobrau yn adran cyfansoddi'r brifwyl. Fe'i hystyrir yn un o gyfansoddwyr Cymreig mwyaf amlochrog a chynhyrchiol ei ddydd, a chyhoeddodd dros 450 o wahanol weithiau cerddorol, yn cynnwys operâu, operetâu, rhanganeuon, cantatâu, unawdau, a gweithiau ar gyfer bandiau pres, piano, llinynnau a cherddorfa. Yr oedd hefyd yn awdur nifer o gasgliadau o alawon telyn, baledi, a chaneuon, heblaw llawlyfr buddiol ar ganu penillion a gwerslyfr ar ganu piano (yr unig gyhoeddiad o'i fath gan gyfansoddwr Cymreig) a gyhoeddodd ar ei liwt ei hun yn 1924.

Ymchwil bersonol ynghyd â gwybodaeth gan ei weddw, Mrs. Eluned Morris, Llanelli.

H.W.

MORRIS, JOHN RICHARD (1879-1970), llyfrwerthwr, llenor; g. 13 Awst 1879 yn fab i Richard Morris, chwarelwr a fu f. 6 Mawrth 1884 yn Ebeneser, Llanddeiniolen, Caern., a Jane ei wraig a br. eilwaith. Addysgwyd ef yn ysgolion Penisa'r-waun a Llanrug, heb anghofio'r Ysgol Sul a'r *Band of Hope*. Yn un ar ddeg oed aeth yn was bach ar dyddyn ei ewythr am ddwy fl., ac wedi gweithio saith ml. mewn chwarel dihangodd i fynd yn löwr yn Ashton-in-Makerfield, Caerhirfryn, 1899-1910. Torrodd ei iechyd, symudodd i Lerpwl a chafodd amryw swyddi cyn iddo ef a Rolant Wyn agor siop lyfrau Cymraeg yno. Ehangwyd y busnes i gynnwys teipio, argraffu, a chyhoeddi dramâu o dan yr enw Wyn Edwards a Morris, a throsi dramâu Ibsen ac eraill i'r Gymraeg. Methodd y busnes adeg y dirwasgiad ond yn 1933 agorodd J. R. Morris siop lyfrau Cymraeg lwyddiannus iawn yng Nghaernarfon a werthwyd ar ei ymddeoliad yn 80 oed. Ymgartrefodd yn Hafod Lên, Bethel, o 1939 ymlaen.

Hanai o deulu cerddorol, ac enillodd wobrau fel unawdydd, a choron a chadeiriau lawer am farddoniaeth. Cymerodd ran flaenllaw ym mywyd y Cymry yn Lloegr fel ysgrifennydd eisteddfodau, athro Ysgol Sul, arweinydd côr plant a phregethwr lleyg. Yr oedd yn un o sefydlwyr Undeb y Ddraig Goch yn Lerpwl yn 1918, mudiad a'i nod am hunan-lywodraeth i Gymru; a chynhaliodd ddosbarthiadau i ddysgu'r cynganeddion. Ceir casgliad mawr o englynion ymhlith ei bapurau yn y Llyfrgell Genedlaethol. Cyhoeddwyd llawer o'i ysgrifau a'i farddoniaeth mewn cyfnodolion a newyddiaduron. Ond fel llyfrwerthwr y cofir ef; cerddodd ocsiynau dirifedi i brynu llyfrau, a gwerthodd lawer i'r Amerig. Nodwedd arbennig ar ei siop oedd ei stoc fawr o gerddoriaeth - cyhoeddodd restr o 800 o unawdau Cymraeg - a chadwai bob drama Gymraeg y medrai eu cael. Yr oedd yn awdur comedi, *Luned* (1928), ac wedi ymddeol ysgrifennodd *Atgofion llyfrwerthwr* (1963) a nofel, *Allwedd Serch*, sydd ymhlith ei bapurau yn Ll.G.C.

Pr. (gwanwyn 1905?) a bu iddo ef a'i wraig Elizabeth ddau o blant a fu f. yn ifanc. Bu hi f. 21 Medi 1950 ac yntau 26 Ebr. 1970. Claddwyd ef ym mynwent eglwys Llanrug.

Llsgrau. J. R. Morris yn LlGC; *WWP*.

M.A.J.

MORRIS, PERCY (1893-1967), gwleidydd ac undebwr llafur; g. 6 Hyd. 1893 yn Abertawe, yn fab i Thomas ac Emma Morris. Addysgwyd ef yn ysgol gynradd Manselton ac ysgol uwchradd Dinefwr, Abertawe. Bu'n gysylltiedig â gwleidyddiaeth Lafur yn ei ieuenctid, a bu galw mawr amdano fel siaradwr cyhoeddus huawdl hyd yn oed cyn iddo adael yr ysgol. Yn 1908 penodwyd ef i swydd weinyddol ar reilffordd y *Great Western*, a daeth yn undebwr Llafur pybyr ar unwaith. Cafodd ei ethol yn aelod o gyngor sir Bwrdeisdref Abertawe yn 1927. Daeth yn henadur o'r cyngor ac yn 1935 fe'i dewiswyd yn gadeirydd ar bwyllgor seneddol y cyngor. Gwasanaethodd fel dirprwy faer yn 1944-45, a maer y cyngor yn 1955-56, a bu'n aelod o nifer fawr o'i bwyllgorau. Cafodd ei benodi'n ynad heddwch dros ddinas Abertawe yn 1939. Bu'n drysorydd Cymdeithas Clercod y Rheilffyrdd rhwng 1937 ac 1943, yn llywydd y Gymdeithas, 1943-53, ac yn Ddirprwy Gomisiynydd Rhanbarthol Amddiffyn Sifil ar gyfer rhanbarth Cymru o 1941 hyd 1945. Yr oedd yn llywydd Cymdeithas Lafur Abertawe yn ystod Rhyfel Byd II.

Safodd yn aflwyddiannus fel ymgeisydd Llafur yn erbyn Syr Lewis Jones (gw. uchod) yn etholaeth Gorllewin Abertawe yn etholiad cyffredinol 1935. Etholwyd ef yn aelod seneddol (Llafur) dros yr un etholaeth yn 1945 a pharhaodd i gynrychioli Gorllewin Abertawe yn y senedd hyd 1959 pan gollodd ei sedd i'r Ceidwadwr J. E. H. Rees o 403 o bleidleisiau. Bu'n aelod o ddirprwyaeth seneddol i'r Dwyrain Pell yn 1955. Yr oedd hefyd yn aelod o'r Bwrdd Cynhorthwy Cenedlaethol, 1961-66, yn ddirprwy gadeirydd arno, 1965-66, ac yn ddirprwy gadeirydd y Comisiwn Budd-daliadau Atodol, 1966-67.

Bu'n aelod o gyngor Coleg y Brifysgol, Abertawe, am flynyddoedd. Chwaraeodd ran bwysig yng ngwleidyddiaeth Lafur Abertawe am fwy na 40 ml. Yr oedd yn Annibynnwr selog, yn bregethwr lleyg, a bu'n gadeirydd Cyfundeb Dwyrain Caerfyrddin o Undeb yr Annibynwyr rhwng 1927 ac 1945. Daeth yn rhyddfreiniwr bwrdeistref Abertawe yn 1958 a derbyniodd y C.B.E. yn 1963.

Pr. (1) yn 1920 Elizabeth, merch William Davies. Cafodd hi, ei chwaer ef, a'i frawd-yng-nghyfraith eu lladd yn ystod bomio Abertawe gan yr Almaenwyr yn Ion. 1941. Pr. (2) yn 1956 Catherine Evans. Ymgartrefai yn 30 Lôn Cedwyn, Cwmgwyn, Abertawe. Bu f. 7 Mawrth 1967.

Www; Dod's Parliamentary Companion; *Times*, 8 a 15 Mawrth 1967; *WWP*.

J.G.J.

MORRIS, Syr RHYS HOPKIN (1888-1956), gwleidydd a gweinyddwr; g. 5 Medi 1888 ym Mlaencaerau, fferm yn Nhir Iarll, Morg. yn fab i John Morris, gweinidog Seion (A), Caerau, Maesteg, a Mary (g. Hopkin) ei wraig. Gan fod ei gartref ymhell o ysgol cafodd ei addysg gynnar gan ei rieni. Cafodd le fel disgybl athro yn ysgol Glyncorrwg o dan Lewis Davies (gw. uchod) yn 1902. Collodd ei rieni yn 1904 a gofalwyd amdano ef a'i chwaer gan ei ewythr Rhys Hopkin. Yn 1910 derbyniwyd ef i Goleg y Brifysgol ym Mangor, lle yr amlygodd ei ddawn fel dadleuydd. Bu'n llywydd y myfyrwyr yn 1911 a graddiodd gydag anrhydedd mewn athroniaeth yn 1912. Bu'n dysgu yn ysgol ramadeg Bargod am ychydig cyn ymuno â'r fyddin yn 1914 gan ddod yn swyddog yn ail fataliwn y Ffiwsilwyr Brenhinol Cymreig. Enwyd ef ddwywaith mewn cadnegesau a chafodd M.B.E. am ei wrhydri. Clwyfwyd ef a bu'n dioddef o'r effeithiau ar hyd ei oes. Wedi'r rhyfel dechreuodd astudio'r gyfraith yng Ngholeg y Brenin, Llundain. Derbyniwyd ef yn fargyfreithiwr yn y *Middle Temple* yn 1920 a gweithio yng nghylchdaith De Cymru. Bu'n cefnogi ymgeiswyr Rhyddfrydol mewn etholiadau ac wedi m. W. Llewelyn Williams (*Bywg.*, 1020) yn 1922 dewiswyd ef fel ymgeisydd y Rhyddfrydwyr Annibynnol yng Ngheredigion. Er iddo golli etholiad 1922 etholwyd ef gyda mwyafrif sylweddol i gynrychioli Ceredigion yn y senedd ym mis Rhag. 1923. Gadawodd Dŷ'r Cyffredin yn 1932 i gymryd swydd ynad cyflogedig yn Llundain, swydd a lanwodd gyda disgleirdeb am 4 bl. Ym mis Hyd. 1936 dechreuodd ar ei waith fel cyfarwyddwr cyntaf rhanbarth newydd Cymru'r B.B.C., lle y dangosodd annibyniaeth meddwl, a oedd mor nodweddiadol ohono, yn nyddiau anodd y rhyfel, a bu'n gefn i nifer o bobl ieuainc a ddaeth yn amlwg ym myd darlledu a theledu yng Nghymru. Gweithiodd yn ddygn dros yr hawl i barhau i ddarlledu rhaglenni Cymraeg yn ystod y rhyfel. Dychwelodd i fyd gwleidyddiaeth fel aelod (Rh.) dros etholaeth Gorllewin Caerfyrddin yn 1945 a chadwodd y sedd hyd ddiwedd ei oes. Cynrychiolodd y senedd ar ddirprwyaeth i ddwyrain Affrica yn 1928, bu'n aelod o'r comisiwn ar y terfysg ym Mhalesteina yn 1929, a chyfarfyddodd â Gandhi fel aelod o ddirprwyaeth i'r India yn 1946 o dan arweiniad Robert Richards (gw. isod). Aeth ar daith ddarlithio lwyddiannus i T.U.A. yn 1949. Dewiswyd ef yn ddirprwy gadeirydd Pwyllgorau Tŷ'r Cyffredin, a thrwy hynny'n ddirprwy lefarydd y Tŷ. Dyrchafwyd ef yn Gwnsler y Brenin yn 1946, ei urddo'n farchog yn 1954 a chafodd radd LL.D. er anrh. gan Brifysgol Cymru yn 1956. Ysgrifennodd adroddiad ar gyflwr Tanganyika wedi ei ymweliad ag Affrica yn 1928, *Welsh politics* (1927), a *Dare or despair* (1950). Ysgrifennai ar bynciau athronyddol hefyd a chyfieithodd gyfrol o farddoniaeth Sarnicol, *Blackthorn blossoms*. Yr oedd yn annibynnol ei farn, treiddgar ei feddwl, dewr ei ysbryd a chywir ei fuchedd. Bu f. yn sydyn yn ei gartref yn Sidcup ar 22 Tach. 1956. Cynhaliwyd gwasanaeth coffa iddo yn eglwys S. Margaret, Westminster, capel King's Cross (A), Llundain a chapel Heol Awst (A), Caerfyrddin.

Pr. yng nghapel Charing Cross (MC), Llundain, 11 Medi 1918, â GWLADYS PERRIE WILLIAMS (g. 24 Tach. 1889) a fuasai'n gydfyfyriwr ag ef ym Mangor, merch W. H. Williams, Dinam, Llanrwst, a'i wraig Elizabeth, awdur *Brethyn cartref* (1951). Cafodd hi radd D.Lit. ym Mhrifysgol Paris yn 1917 a threuliodd weddill Rhyfel Byd I fel trefnydd Byddin Tir y Merched yn ne Cymru. Cafodd swydd wedyn fel pennaeth ysgol addysg bellach Debenham, a bu'n brif arholwr allanol i nifer o awdurdodau addysg. Rhoddodd flynyddoedd o wasanaeth gwerthfawr i'r *Egyptian Exploration Society* gan fod yn ysgrifennydd mygedol o 1937 nes iddi symud i Gaerdydd ar farwolaeth ei gŵr. Cyhoeddodd ei thraethawd am ddoethuriaeth *Li Biaus descouneüs de Renaud de Beaujeu* (1915), *Le Bel inconnu* (1929), *Welsh education in sunlight and shadow* (1918), *The Northamptonshire composition scale* (1933), ynghyd â gweithiau eraill ar addysg. Bu f. 13 Gorff. 1958. Bu iddynt un ferch, Perrie (g. 1923), a br. Alun Williams, sylwebydd y B.B.C., yn 1944.

Dysg., 1957, 8-11; *Www*; Thomas John Evans, *Sir Rhys Hopkin Morris* (1958); gwybodaeth gan eu merch; gw. hefyd John Emanuel a D. Ben Rees, *Syr ·Rhys Hopkin Morris* (1980); papurau Syr Rhys Hopkin Morris yn LlGC.

D.A.W., E.D.J.

MYFYR EIFION - gw. HUGHES, DAVID ROWLAND uchod.

MYFYR HEFIN - gw. BOWEN, DAVID uchod.

MYRDDIN-EVANS, Syr GUILDHAUME (1894-1964), gwas sifil; g. 17 Rhag. 1894, yn ail fab i Thomas Towy Evans, gweinidog (B) ym Mlaenau Gwent, Abertyleri, Myn., a Mary (g. James) ei wraig. Addysgwyd ef yn ysgol elfennol Cwmtyleri, ysgol y sir, Abertyleri, Coleg Llanymddyfri, a Christ Church, Rhydychen, lle graddiodd gydag anrhydedd Dosbarth I mewn Mathemateg. Gwasanaethodd fel is-gapten gyda'r *South Wales Borderers* yn Ffrainc a Fflandrys yn ystod Rhyfel Byd I a chafodd ei niweidio'n ddrwg. Bu'n aelod o ysgrifenyddiaeth bersonol Lloyd George yn Downing Street yn 1917 ac yn ysgrifennydd cynorthwyol i gabinet y rhyfel yn 1919. Daliodd nifer o swyddi allweddol o fewn y Trysorlys rhwng 1920 ac 1929 pan benodwyd ef i'r Weinyddiaeth Lafur. Yn 1938 dewiswyd ef yn brif ysgrifennydd preifat yn y Weinyddiaeth Lafur. Ef oedd pennaeth y *Production Executive Secretariat* o fewn swyddfeydd cabinet y rhyfel yn 1941 ac yn ymgynghorydd i Gomisiwn Gweithlu Rhyfel llywodraeth Taleithiau Unedig America yn 1942. Bu hefyd yn ymgynghorydd i lywodraeth Canada. Dychwelodd i'r Weinyddiaeth Lafur a'r Gwasanaeth Gwladol fel is-ysgrifennydd yn 1942 a dirprwy ysgrifennydd yn 1945. Ef oedd cynrychiolydd llywodraeth Prydain Fawr ar gorff llywodraethol y Swyddfa Lafur Ryngwladol rhwng 1945 ac 1959 a bu'n gadeirydd arni dair gwaith. Yr oedd yn brif ymgynghorwr ar lafur rhyngwladol i'r llywodraeth rhwng 1955 ac 1959 pan ymddeolodd. Bu'n gadeirydd ar Gomisiwn Llywodraeth Leol yng Nghymru yn 1959, a phrofodd ei hun yn boblogaidd a chyfeillgar ac eto'n effeithiol. Ymddangosodd adroddiad y comisiwn yn 1963.

Yr oedd yn aelod o gyngor Undeb Bedyddwyr Prydain Fawr ac Iwerddon o 1943, a gwasanaethodd hefyd fel ysgrifennydd capel y Bedyddwyr yn Bloomsbury, Llundain. Ef oedd cyd-awdur y gyfrol *The employment exchange of Great Britain* (1934). Derbyniodd y C.B. yn 1945 a'r K.C.M.G. yn 1947.

Pr. yn 1919 Elizabeth (a fu f. yn 1981), merch Owen Watkins, Sarn, Caern. (Bu Watkins hefyd yn aelod o ysgrifenyddiaeth bersonol Lloyd George yn ystod Rhyfel Byd I). Bu iddynt ddau fab. Bu f. 15 Chwef. 1964 yn ei gartref 6 Chester Place, Regent's Park, Llundain.

Www; *DNB*; *Times*, 17 a 24 Chwef. 1964; *West. Mail*, 17 Chwef. 1964; *WWP*.

J.G.J.

N

NANTLAIS - gw. WILLIAMS, WILLIAM NANTLAIS isod.

NASH-WILLIAMS, VICTOR ERLE (1897-1955), archaeolegydd; g. 21 Awst 1897 yn Ffleur-de-lys, Myn., yn fab i Albert Henry Williams, cofadeilydd, a'i wraig Maude Rosetta (g. Nash). Bu farw'r tad pan oedd eu dau blentyn yn bur ieuanc, a chymerodd y fam y cyfenw Nash-Williams drwy weithred gyfreithiol. Cafodd Victor ei addysg yn Ysgol Lewis, Pengam, a Choleg y Brifysgol, Caerdydd, gan raddio'n B.A. gydag anrh. dosb I mewn Lladin yn 1922, M.A., 1923, a D.Litt., 1939. Etholwyd ef yn F.S.A. yn 1930 a bu ar gyngor y gymdeithas, 1953-54, ac ar gyngor y *Soc. for the Promotion of Roman Studies*, 1932-35. Ef oedd llywydd Cymd. Hynafiaethau Cymru, 1953-54, a golygydd *Arch. Camb.*, 1950-55. Enwyd ef yn aelod o fwrdd Henebion Cymru yn 1954, a chomisiynydd ar Gomisiwn Brenhinol Henebion Cymru yn 1955.

Gwasanaethodd yn y ddau Ryfel Byd (gyda'r gwŷr traed, 1915-19; R.A.S.C., ac yn ddiweddaf fel uchgapten yn Adran Hanes y Swyddfa Ryfel, 1940-45); ymhlith ei ddiddordebau eraill ymfalchïai'n arbennig yn ei aelodaeth yng Nghorff Llywodraethol yr Eglwys yng Nghymru.

Pr. yn 1931 Margaret Elizabeth, merch William Luck, Lerpwl; bu iddynt 2 fab. Bu f. 15 Rhag. 1955.

Treuliodd Nash-Williams ei holl yrfa broffesiynol yng ngwasanaeth Amgueddfa Gen. Cymru a Choleg y Brifysgol yng Nghaerdydd. Pan benodwyd Mortimer Wheeler y bu'n un o'i ddisgyblion cynnar, yn gyfarwyddwr yr Amgueddfa yn 1924, cynigiwyd ceidwadaeth-gynorthwyol yr adran archaeoleg i Nash-Williams dan Cyril Fox (gw. uchod); a phan ddaeth Fox yn gyfarwyddwr yn ei dro, daeth Nash-Williams yn geidwad adran archaeoleg yr Amgueddfa a darlithydd mewn archaeoleg yn y coleg, swydd a gysylltwyd â'r geidwadaeth oddi ar ddyfodiad Wheeler yn 1920; Nash-Williams, fodd bynnag, oedd yr olaf i ddal y ddwy swydd. Yn y cyfnodau Rhufeinig a Christionogol cynnar yn bennaf y gorweddai ei brif ddiddordebau. Yr oedd yn gloddiwr brwdfrydig a dyfal, wedi llyncu dysgeidiaeth gynnar Wheeler, ond heb ddatblygu ymhellach: ei adroddiadau cloddio gorau, felly, yw ei rai cynnar - ar Gae Jenkins a'r Prysg yn Nghaerllion, ac ar y baddonau &c, a'r amddiffynfeydd yng Nghaer-went. Ynglŷn â Chaer-went bu'n cloddio ar y fryngaer o'r Oes Haearn Ddiweddar yn Llanmelin ac ar y gaer benrhyn ar lan Hafren ger Sudbrook; yn ddiweddarach, bu'n ailgloddio'r fila Rufeinig yn Llanilltud Fawr, ac adeg ei farw yr oedd ar waith ar gyfres bwysig o gloddiadau y tu allan i gaer y llengoedd yng Nghaerllion. Ei gyhoeddiad cyffredinol cyntaf yn y maes Rhufeinig oedd ei *Catalogue of the Roman inscribed and sculptured stones found at Caerleon* (1935), gyda'i frawd, Alva Harry, yn gyd-awdur; ei un olaf o'r fath, *The Roman frontier in Wales* (1954), - 'llym o ffeithiol', yn ôl H. J. Randall (gw. isod). Yn y

ddau dangosodd allu pendant i ddadansoddi, cywasgu, a threfnu defnyddiau amrywiol; a dangoswyd y nodwedd hon i raddau mwy a gwerthfawrocach hyd yn oed yn yr un gwaith ganddo y gellir yn gyfiawn hawlio ei fod yn gampwaith, i'r hwn yr aeth cariad a llafur blynyddoedd lawer, a theimladrwydd ysbrydol Cristion defosiynol hefyd, ei *Early Christian monuments of Wales* (1950). Y mae'r arysgrif goffa ar efydd yn yr Amgueddfa Lengol yng Nghaerllion, sy'n awr gyferbyn â'r arysgrif fawr ymerodrol o'r fl. 100 AD a ddarganfuwyd ganddo ef ei hun, yn gorffen gyda'r llinellau hyn, o'u cyfieithu: 'Yr oedd yn rasol mewn bywyd, yn fanwl mewn ysgolheictod, yn ddi-ofn wrth amddiffyn yr hyn y credai ef mai'r gwirionedd ydoedd, yn ddi-feth mewn cyfeillgarwch, yn anhunanol wasanaethgar i'w gydweithwyr, ei staff, a'i fyfyrwyr'.

Byrgoffa gan H. J. R(andall) yn *Arch. Camb.*, 105, 1956, 150-1; *Adroddiad Blynyddol A.G.C.*, 1955-6, 12-13; *Www*.

G.C.B.

NEPEAN (g. BELLIS), Mary Edith (1876-1960), nofelydd; g. yn Llandudno, Caern., 1876 yn ferch i John Bellis, un o gynghorwyr sir Gaernarfon a Mary ei wraig. Cafodd ei haddysg gartref, astudiodd gelfyddyd gyda Robert Fowler, ac yn ddiweddarach cafodd beth o'i gwaith ei arddangos mewn nifer o arddangosfeydd. Pr. yn 1899 Molyneux Edward Nepean, un o deulu o weision sifil uchel eu graddfa, ac aeth i Loegr i fyw, gan gymdeithasu mewn cylchoedd llenyddol yn Llundain. Yn 1932 cyhuddodd Caradoc Evans (*Bywg.* 2, 13) o enllib yn ei herbyn yn ei nofel *Wasps* (1933), a gorfododd iddo wneud newidiadau yn y llyfr cyn ei gyhoeddi. Cymerodd ran yn y bywyd cyhoeddus, gan ddod yn 'Commandant' adran yn y Groes Goch yn swydd Caint, a theithiodd yn helaeth yn y Dwyrain Agos a'r Balcaniaid gan gymryd diddordeb arbennig ym mywyd sipsiwn Transilfania.

Cyhoeddwyd ei nofel gyntaf, *Gwyneth of the Welsh Hills*, yn 1917, sy'n dangos dylanwad arddull Allen Raine (Anne Adalisa Puddicombe, *Bywg.*, 762) a Caradoc Evans. Dilynwyd hon gan 34 o nofelau rhamantaidd, ysgafn, bron i gyd gyda chymeriadau a chefndir Cymreig. Ysgrifennodd un teithlyfr, *Romance and realism in the Near East* (1933), ynghyd â llawer o erthyglau poblogaidd i'r wasg newyddiadurol. Bu f. ei gŵr yn 1948. Bu hithau f. 23 Maw. 1960 a chladdwyd hi ym mynwent Y Gogarth, Llandudno.

Www; T. L. Williams, *Caradoc Evans* (1970), 93-4; *Llandudno and District Advertiser*, 26 Maw. a 2 Ebr. 1960.

S.R.J.

NICHOLAS, JAMES (1877-1963), gweinidog (B); g. 12 Ion. 1877 yn y Bryn, Cwm-felinmynach, Llanwinio, Caerf., yn fab i Benjamin Nicholas (bu f. 10 Awst 1931 yn 88 ml. oed) a Mary Nicholas (bu f. 23 Hyd. 1900 yn 56 ml. oed), y tad yn aelod gyda'r Annibynwyr yn Llanboidy a'r fam gyda'r Bedyddwyr yn Ramoth, Cwmfelinmynach, a'r ddau wedi eu cofnodi ar eu carreg fedd ym mynwent Ramoth fel o Flaendyffryn. Bu William Thomas, gweinidog (A) Llanboidy, yn drwm ei ddylanwad arno, ond gyda'i fam yn Ramoth yr ymaelododd. Bedyddiwyd ef yn 16 ml. oed gan y gweinidog D. S. Davies ('Dafis Login'), a thraddododd ei bregeth cyntaf yn Ebr. 1898. Wedi naw mis yn Ysgol yr Hen Goleg, Caerfyrddin, bu'n fyfyriwr yn y Coleg Presbyteraidd yno o 1899 hyd 1901. Ord. ef 14 Hyd. 1901 yn weinidog Moreia, Tonypandy, a gwelodd yr eglwys ieuanc yn tyfu'n achos llewyrchus ac yn cynllunio addoldy newydd iddi ei hun yn 1906. Gwelodd hefyd ysgwyd Cwm Rhondda gan Ddiwygiad 1904-05 a chynnydd y Mudiad Llafur, ac ef (fel William John a fu'n ysgrifennydd eglwys Moreia) oedd un o'r ychydig a geisiodd osgoi'r ymddieithrio a'r ysgaru a ddigwyddodd rhwng y ddau ddylanwad: am ei ymateb personol i'r sefyllfa gw. yr ysgrifau ar 'O Fwg Morgannwg' gan 'O.K.' y gellir yn ddiogel eu priodoli iddo yn y cyfnod Hyd. 1907 - Mawrth 1908 yn *Y Piwritan newydd* (cylchgrawn Bedyddwyr de-orllewin Cymru). Rhyddhawyd ef dros dro o'i ofalaeth yn 1915 i wasanaethu gyda'r Y.M.C.A. yn Ffrainc, ond ymhen blwyddyn derbyniodd alwad i eglwys Castle Street, Llundain, a sefydlwyd ef yno 26 Hyd., a David Lloyd George (*Bywg.* 2, 39-40) yn llywyddu'r oedfa. Bu'r blynyddoedd nesaf ar lawer ystyr yn gyfnod cofiadwy yn hanes yr eglwys, e.e. adnewyddu'r addoldy yn 1924, noddi eglwysi mewn cyni yng Nghwm Rhondda o 1928 ymlaen, a chodi achosion yn y maestrefi fel Dagenham yn 1928, ond camp fawr ei weinidogaeth oedd croesawu ac ymgeleddu'r lliaws ieuenctid a dyrrai i Lundain ym mlynyddoedd y dirwasgiad, ar ei air ei hun, 'bod yn gyfaill i Gymry ieuainc oddicartref', a chyda hynny chwyddo'r eglwys erbyn 1931 i dros fil o aelodau. Bu'n amlwg yn Llundain hefyd yn y cylchoedd Cymraeg, e.e. llywydd Cymdeithas Sir Gaerfyrddin 1954-56. Codwyd ef yn llywydd adran Gymraeg Undeb Bedyddwyr Cymru 1952-53, a thestun ei anerchiad yn Llandudno yn 1953 oedd 'Yr Uchel Alwedigaeth'. Gwendid corff a'i gorfododd i ymddeol yn 1934 a thrachefn yn 1938, hynny ar ôl ei gymell i ailgydio yn 1937. Bu f. 10 Gorff. 1963 yn ei gartref yn 122 Rivermead Court, Hurlingham, ac amlosgwyd ei weddillion 13 Gorff. yn Golders Green. Cynhaliwyd cyrddau coffa iddo ym Moreia, Tonypandy, ac yn Castle Street 18 Gorff., ac yn Ramoth, Cwmfelinmynach, 21 Gorff. Pr. 18 Chwef. 1936 Gertrude Thomas (g. Crocker), Epsom. Bu hi f. 9 Rhag. 1942.

Llsgr. N.L.W. 10329; *Ser. Cymru*, 8 Tach. 1901, 24 Tach. 1916, 28 Awst 1931, 15 Ion. 1943, 9 Tach. 1951, 12 Ion. 1962, 19, 26 Gorff., 9, 16 Awst 1963; *Greal*, 1906, 51-2, 1908, 163; *Ser. G.*, 1953, 5-8; *Cymro*, 25 Gorff. 1963; *Llawlyfr Bed.*, 1964, 118-19. *Bapt. Hdbk.* 1964, 366; Walter P. John a Gwilym T. Hughes, *Hanes Castle Street ... Llundain* (1959), 72-3, 81-2; *WWP*; gwybodaeth gan Nansi Evans, Cwmfelinmynach.

B.G.O.

NORTH, FREDERICK JOHN (1889-1968), daearegwr, addysgydd, hanesydd gwyddoniaeth a churadur amgueddfa; g. yn Llundain yn 1889. Yr oedd ei fam yn Gymraes. Gadawodd yr ysgol yn 14 oed, a chafodd ei hyfforddiant mewn daeareg mewn ysgolion nos tra'n gweithio mewn ffatri gemegau ac fel cynorthwywr mewn labordy (arddangoswr wedyn) yng Ngholeg y Brenin, Prifysgol Llundain. Cymerodd radd allanol, gyda anrh. dosbarth I, yn y brifysgol honno cyn ymuno â staff Amgueddfa Genedlaethol Cymru, lle y bu'n gwasanaethu am 42 flynedd, i ddechrau fel ceidwad cynorthwyol adran daeareg, ac o 1919 i 1959 fel curadur yr adran; o 1959 i 1960 ef oedd curadur mygedol adran newydd diwydiant. Yr oedd ei ddiddordeb mewn daeareg a'r gwyddorau cysylltiedig yn eang fel y gwelir mewn tua 200 o erthyglau a 12 llyfr o'i waith. Rhagorai mewn ysgrifennu cynulliadau megis yn *The slates of Wales* (1925); *Coal, and the coalfields in Wales* (1926); *The evolution of the Bristol Channel with special reference to the coast of south Wales* (1929); *Limestones, their origins, distribution, and uses* (1930); *Studies in the origin of the scenery of Wales, I - The river scenery at the head of the vale of Neath* (1930); a chyda Bruce Campbell a Richenda Scott, *Snowdonia: the National Park of Wales* (1948).

Rhoes sylw arbennig i fapiau, ac y mae ei waith cyhoeddedig yn cynnwys *Geological maps: their history and development, with special reference to Wales* (1928); *The map of Wales (before 1600 AD)* (1935); a *Humphrey Lhuyd's maps of England and Wales* (1937), sy'n parhau i fod yn fonograff awdurdodol ar y testun.

Yr oedd yn un o haneswyr daeareg mwyaf gweithgar ei gyfnod. Y mae pob un o'i lyfrau cynulliadol yn cynnwys cyfoeth o ddefnydd hanesyddol. Ysgrifennodd hefyd fonograffau ar nifer o ddaearegwyr arolesol y 19eg ganrif: W. D. Conybeare (*Bywg.*, 74), y Deon William Buckland, Charles Lyell, ac yn arbennig H. T. de la Beche, sefydlydd y *Geological Survey of Great Britain*, yr Amgueddfa Daeareg Ymarferol, a'r *Royal School of Mines*. Cyfrannodd lawer i'r *Bywg.* Cadwodd ddiddordeb byw yn hanes diwydiant yng Nghymru, yn arbennig y diwydiannau cloddio, ac yn ei hanfod ef oedd sefydlydd yr adran ddiwydiant a ddatblygwyd yn yr Amgueddfa Genedlaethol yn 1958.

Yr oedd bob amser yn ymddiddori yng nghysylltiadau daeareg â phynciau eraill, fel y gwelir yn *The stones of Llandaff cathedral* (1958), *Sunken cities, some legends of the coasts and lakes of Wales* (1957), a *Mining for metals in Wales* (1962). Yr oedd yn guradur hyfedr a adeiladodd yr adran ddaeareg yn yr Amgueddfa ac a ysgrifennodd lawer ar waith curadur amgueddfa, yn cynnwys arweinlyfr safonol, *Geology in museums* (1939). Yr oedd yn gefnogwr brwd i alwedigaeth amgueddfa, a bu am flynyddoedd yn aelod o gyngor Cymdeithas yr Amgueddfeydd, cynllunydd ei diploma gyntaf, ac aelod o'r cyd-bwyllgor ag Ymddiriedaeth Carnegie yn y Deyrnas Gyfunol. Yr oedd hefyd yn aelod o'r corff cenedlaethol cydweithredol dros UNESCO. Uwchlaw'r cyfan yr oedd yn addysgydd selog a chenhadwr dros ei bwnc, ac yn ddarlithydd, adolygydd a chofnodydd diflino. Gweithredai'n gyson fel daearegwr ymgynghorol i gyrff cyhoeddus ar gynlluniau cadwraeth dŵr ac anturiaethau chwarelyddol. Cydnabuwyd ei gyfraniadau drwy iddo gael ei wneud yn llywydd (ac enillydd medal aur) Sefydliad Peirianwyr De Cymru, cymrawd anrhydeddus y Sefydliad Chwareli, ac aelod o bwyllgor y Weinyddiaeth Mwynfeydd ar y diwydiant llechi. Cafodd radd D.Sc. gan Brifysgol Llundain yn 1920 am waith ymchwil ar braciopodau ffosíl, O.B.E. yn 1949 'am wasanaeth i wyddoniaeth yng Nghymru', a D.Sc. Prifysgol Cymru er anrh. yn yr un flwyddyn pryd y dywedwyd: 'iddo ef, o raid, tŷ dehonglwr yw amgueddfa'.

Pr. Ellen M. Pierce, Ticehurst, ym mis Mai 1915. Bu f. 23 Gorff. 1968 yn 19 Chargot Road, Caerdydd.

Marwgofnod yn *Monthly Bulletin* Cymdeithas Amgueddfeydd, 1968; cyfeiriadau at ei waith ar de la Beche yn y rhagair i *Henry de la Beche: observations on an observer* (1977); a rhestr fer o'i gyhoeddiadau yn *Amgueddfa*, 15 (1973); manylion personol gan ei ferch, Laura North.

D.A.B.

NOVELLO, IVOR (DAVID IVOR DAVIES cyn 1927; 1893-1951), cyfansoddwr, dramodydd, ac actor ar lwyfan a ffilm; g. yn 95 Cowbridge Rd, Caerdydd, 15 Ion. 1893, i deulu cerddorol iawn a symudodd yn fuan wedyn i Lwyn-yr-eos, 11 Cathedral Rd, Caerdydd, yn unig fab i David Davies, casglwr trethi lleol, a Clara Novello Davies (*Bywg*.2, 7). Mynychodd ysgol Mrs. Soulez gerllaw a chafodd wersi cerdd gan ei fam a (Syr) Herbert Brewer, Caerloyw. Gyda'i lais soprano da enillodd wobrwyon mewn eisteddfodau, ac ysgoloriaeth i ysgol Coleg Magdalen, Rhydychen, pan oedd yn 10 oed. Yn fuan daeth yn unawdydd i gôr y coleg ond ni chanodd yn gyhoeddus wedi i'w lais dorri yn 16 oed. Dychwelodd adref i roi gwersi piano a chyfeilio yng nghyngherddau ei fam ond aeth i Lundain ymhen blwyddyn; parhaodd fel cyfeilydd iddi yno a dechrau cyfansoddi baledi. Yn 1913 symudodd i 11 Aldwych ac yno y cartrefodd weddill ei oes, er fod ganddo ail gartref yn Downley, Bucks., a phrynodd Redroofs, ger Maidenhead, yn ddiweddarach. Bu f. yn ddisymwth, 6 Mawrth 1951, yn fab gweddw ar frig ei yrfa.

Treuliodd ei oes ymron i gyd mewn awyrgylch gerddorol. Gweithiai'n ddi-baid, yn perfformio mewn ffilmiau neu ddramâu - llawer ohonynt o'i waith ei hun - weithiau'n ffilmio yn ystod y dydd, ar lwyfan yn yr hwyr, a threulio pob munud rydd yn ysgrifennu a chyfansoddi gweithiau newydd, bron pob un yn fwy disglair na'r rhai a'i blaenorodd. Nid oedd ond pymtheg oed pan, o dan yr enw Ivor Novello, y cyhoeddwyd ei gân gyntaf, 'Spring of the year'. Yn un ar hugain oed daeth yn enwog fel cyfansoddwr 'Keep the home fires burning' i eiriau Lena Guilbert Ford. Ysgrifennodd a chyfansoddodd tua 60 o faledi a chaneuon, 'We'll gather lilacs' yn eu plith. Ymunodd â llu awyr y llynges yn 1916 ond methodd fel peilot a throsglwyddwyd ef i'r Weinyddiaeth Awyr. Yn y cyfamser cyfansoddodd gerddoriaeth i'r sioe *Theodore & Co*. Anfonwyd ef ar daith lwyddiannus i Sweden yn 1918 fel difyrrwr i wrth-wneud effaith propaganda Almaenig yn y wlad honno. Wedi ei ryddhau yn 1919 cymerodd y brif ran mewn ffilm Llundeinig, *The Call of Blood*; wedi hynny enwogodd ei hun fel prif actor mewn tuag 16 o ffilmiau ym Mhrydain a'r Amerig. Ei ddyhead pennaf oedd bod yn actor ar lwyfan a gwireddwyd ei freuddwyd yn 1921, pryd y cafodd ran fechan yn *Deburau*. Profodd *The Rat*, ei ddrama gyntaf (a ffilmiwyd wedyn), yn llwyddiant iddo ef fel awdur a chwaraewr. Ysgrifennodd a chymerodd ran mewn llawer o ddramâu eraill cyn troi at gyfansoddi miwsig i gomedïau cerdd, ynghyd ag ysgrifennu'r geiriau i rai ohonynt. Dyma ei weithiau mwyaf poblogaidd, gan ddechrau gyda *Glamorous Night* (1935), a'r seithfed a'r olaf, *King's Rhapsody* (1949) yn goron ar y cyfan. Yr oedd yn ddyn golygus iawn ac wrth ei fodd yn difyrru pobl. Er nad oedd yn actor mawr, cafwyd tystiolaeth ddigamsyniol mai ef a ddenai'r tyrfaoedd pan fyddai'n un o'r chwaraewyr. Gw. Sandy Wilson, *Ivor* (1975), am restr ryfeddol o'i ganeuon, dramâu, ffilmiau a chomedïau cerdd, ei berfformiadau niferus ar lwyfan ac mewn ffilm, a'i waith fel cynhyrchydd a rheolwr; hefyd am gyfeiriadau at fywgraffiadau cynharach. Gosodwyd penddelw ohono yn Theatre Royal, Drury Lane, a chofebau i nodi man ei eni a'i gartref yn Llundain lle y bu farw.

Www; W. Macqueen-Pope, *Ivor: the story of an achievement* (1951); casgliad D. R. Davies, 52, yn LlGC; gw. yn LlGC lsgrau. 20 972-3 am ohebiaeth rhwng Ivor Novello a Syr Edward Marsh.

M.A.J.

O

O'NEILL, BRYAN HUGH ST. JOHN (1905-54), archaeolegydd; g. 7 Awst 1905 yn Llundain, mab Charles Valentine O'Neill a Mabel Meliora (g. Rowe). Addysgwyd ef yn Ysgol Merchant Taylors a Choleg S. Ioan, Rhydychen (M.A.); etholwyd ef yn Gymrawd o Gymdeithas Hynafiaethwyr Llundain (F.S.A.) yn 1935. Pr. yn 1939 Helen Evangeline Donovan o Bourton-on-the water, sir Gaerloyw, hithau yn archaeolegydd.

Fe'i penodwyd i'r Swyddfa Gweithfeydd yn 1930 yn Arolygydd Cynorthwyol Henebion ar gyfer Cymru, i olynu C. A. Ralegh Radford. Dyrchafwyd ef yn 1945 i fod yn Brif Arolygydd Henebion ar gyfer Lloegr a Chymru. Yr oedd yn gyfrifol am gynghori ynglŷn â chadw a chyflwyno henebion a oedd o dan ofal y Wladwriaeth, ac am gofrestru'r rhai a oedd yn werth eu cadw, pwy bynnag a oedd eu piau. Yr oedd ei swyddfa yn Llundain, ac er treulio 15 ml. ar ei ddyletswyddau Cymreig, nid oedd ganddo anheddle yng Nghymru. Ymunodd â Chymdeithas Hynafiaethau Cymru yn 1931, a gwasanaethodd yn ddiweddarach ar ei Phwyllgor Cyffredinol. O'i 200 o gyhoeddiadau a restrwyd, yr oedd traean yn ymwneud ag archaeoleg Cymru; ymddangosent fel rheol yn *Archaeologia Cambrensis*, *Montgomeryshire Collections* neu fel cyhoeddiadau H.M.S.O. Fel arolygydd, yr oedd yn rhaid iddo ysgrifennu neu gomisiynu llawlyfrau awdurdodol ar henebion o bob cyfnod. Arbenigai mewn cestyll canoloesol. Yr oedd yn ddyfal ei gloddio, ac fe'i cofir yng Nghymru am ei waith ar fryngaerau cynhanesyddol Breiddin a Ffridd Faldwyn, Tfn., a Titterstone Clee, sir Amwythig.

Ymddiddorai mewn arian bath trwy gydol ei oes, ac etholwyd ef yn Gymrawd o'r Gymdeithas Numismatig Frenhinol. Teithiai'n eang, a chynhyrchodd adroddiad ar gais swyddogol ar gestyll arfordir y Traeth Aur (heddiw Ghana). Yr oedd yn weithiwr diwyd a chydwybodol, yn eglwyswr selog a dilynwr rygbi brwdfrydig. Bu f. 24 Hyd. 1954 yng Nghaeredin.

E. M. Jope, 'Bryan H. St. John O'Neill: a memoir', 'The published works of B. H. St. J. O'Neill', a phortread yn E. M. Jope (ed.), *Studies in building history* (1961); *Antiquaries Jnl.*, 35 (1955), rhif 3, 4, tt. 285-6; *Index to Arch. Camb. 1901-60*, 211; *Www*; gwybodaeth bersonol.

Don. M.

ORMSBY-GORE, WILLIAM GEORGE ARTHUR (1885-1964), 4ydd Barwn HARLECH; g. yn Llundain, 11 Ebr. 1885, yn fab i George Ralph Charles Ormsby-Gore (a ddaeth yn 3ydd Barwn Harlech yn 1904) a'r Fonesig Margaret Ethel (g. Gordon). Y cartref teuluol oedd Brogyntyn, ger Croesoswallt, swydd Amwythig. Fe'i haddysgwyd yn Eton a Rhydychen ac yn 1913 pr. y Fonesig Beatrice Cecil, un o deulu o Geidwadwyr blaenllaw.

Yn 1910 etholwyd ef yn A.S. dros Fwrdeistref Dinbych o wyth pleidlais yn unig ond yn 1918 symudodd i sedd ddiogelach yn Stafford a bu'n A.S. yno hyd 1938 pan olynodd ei dad i Dŷ'r Arglwyddi. Daeth yn arbenigwr ar drefedigaethau'r Ymerodraeth a bu'n Is-Ysgrifennydd Gwladol dros y Trefedigaethau o 1922 hyd 1929 ac eithrio am y cyfnod byr pryd yr oedd Llafur mewn grym yn 1924. Yn y flwyddyn honno arweiniodd y Comisiwn a ymwelodd â Dwyrain a Chanolbarth Affrica. Yr oedd yn aelod o'r Cabinet o 1931 hyd 1938 ac yn 1936 penodwyd ef yn Ysgrifennydd Gwladol dros y Trefedigaethau lle'r oedd ei brofiad eang o'r maes yn amhrisiadwy. Fodd bynnag daeth un o'i elynion gwleidyddol pennaf, Neville Chamberlain, yn Brifweinidog yn 1937 a'r flwyddyn ganlynol ymddiswyddodd mewn amgylchiadau chwerw. Gwrthwynebodd bolisïau tramor Chamberlain ac yr oedd yn feirniad cyson o'r Naziaid. Yn gyffredinol, yr oedd yn wleidydd didwyll a blaengar er yn fyrbwyll ar adegau.

Ar ôl ymddeol o'r byd gwleidyddol trodd ei sylw at fancio ac at ei ddiddordebau yn y celfyddydau. Yr oedd eisoes wedi cyhoeddi *Florentine sculptors of the fifteenth century* (1930), *A guide to the Mantegna cartoons at Hampton Court* (1935), a *Guides to the ancient monuments of England* (3 cyfrol). Cyflwynodd ef a'i dad gasgliad gwerthfawr o lawysgrifau Brogyntyn ar adnau i Lyfrgell Genedlaethol Cymru (fe'u prynwyd yn ddiweddarach) ac ef oedd Llywydd y Llyfrgell o 1950 hyd 1958. Yr oedd hefyd yn Ddirprwy Ganghellor Prifysgol Cymru ac yn Gwnstabl cestyll Harlech a Chaernarfon. Bu f. 14 Chwef. 1964.

Obituaries from the Times, 1961-70, 350; *DNB*; John Harvey (gol.), *The diplomatic diaries of Oliver Harvey 1937-40* (1970).

G. Je.

OWAIN, OWAIN LLEWELYN (1877-1956), llenor, cerddor, a newyddiadurwr; g. 3 Gorff. 1877 ym Mlaenyryrfa, Tal-y-sarn, Dyffryn Nantlle, Caern., yn un o wyth plentyn Hugh Owen (*Bywg.*, 665) a Mary ei wraig. Pan oedd Owain yn ieuanc, symudodd y teulu i Fryn-y-coed yn yr un ardal. Yn 12 oed aeth y llanc i weithio yn chwarel y Gloddfa Glai a 'Cornwall' ar ôl hynny. Pan oedd yn 15 oed cymerodd at yrfa mewn newyddiaduriaeth a bu ar staff olygyddol *Y Genedl Gymreig* a'r *Genedl a'r Herald* wedi uno'r ddau bapur. Ymddeolodd tuag 1936 ond parhaodd i gyfrannu i'r wasg Gymraeg a Saesneg. Yr oedd yn newydd-iadurwr medrus ac yn ohebydd gofalus. Gan fod ganddo ddawn y llenor a'r cerddor yr oedd ei erthyglau ar wyliau mawr y genedl yn gyfraniadau disglair yn y wasg newyddiadurol. Bu'n arwain cymanfaoedd canu yng Nghymru a Lloegr. Hyfforddodd lawer o gerddorion a bu'n beirniadu cerddoriaeth mewn mwy na 550 o eisteddfodau ac yr oedd rhaglenni'r rhain yn ei feddiant. Yr oedd yn gasglwr llyfrau craff a thystiai fod ei lyfrgell yn fwy helaeth nag un Bob Owen, Croesor (gw. isod Robert Owen). Yr oedd ganddo gôr bychan, 'Côr y Delyn Aur', a gafodd wobrau lawer mewn eisteddfodau. Yr oedd yn un o sylfaenwyr Clwb Awen a Chân yng Nghaernarfon, ac ef oedd ysgrifennydd y clwb. Cymerodd ddiddordeb mawr yn Urdd Gobaith Cymru yng Nghaernarfon o ddyddiau cynnar y mudiad, ac ef a ofalai am drefnusrwydd y gorymdeithiau ar achlysuron arbennig yn y dre. Bu'n selog yn achos dirwest gyda'r Rechabiaid a'r Temlwyr Da.

Cyhoeddodd nifer o gofiannau megis *Fanny Jones* (1907), *Ieuan Twrog* (1909), *J. O. Jones (Ap Ffarmwr)* (1912), *T.E. Ellis* (1916), *Anthropos a Chlwb Awen a Chân* (1946), *Bywyd, gwaith ac arabedd Anthropos* (1953), erthyglau yn *Y Traethodydd* a'r *Drysorfa*, *Cerddoriaeth yng Nghymru* (1946), a'r gwaith safonol *Hanes y Ddrama yng Nghymru 1850-1943* (1948) sydd yn dalfyriad o'r traethawd a enillodd iddo'r wobr yn Eist. Gen. Bangor yn 1943. Ei wobr fawr gyntaf yn yr Eist. Gen. oedd am 'Weithiau ac athrylith Llew Llwyfo' ym Mae Colwyn yn 1910, pryd yr enillodd R. Williams Parry (gw. isod) y gadair am awdl 'Yr Haf'. Trefnwyd gorymdaith gyda seindorf Nantlle ar y blaen i groesawu'r ddau adre o'r eist. honno.

Pr. (1) Claudia Roberts, 12 Meh. 1916 a bu iddynt un ferch. Bu f. ei wraig 29 Tach. 1918 a phr. (2) yn 1921 Enid May Jones, Y Felinheli. Bu f. yn ei gartref Bryn-y-coed, 10 Pretoria Avenue, Caernarfon, 8 Ion. 1956 gan adael gweddw, a mab a merch. Amlosgwyd ei weddillion ym Mhenbedw.

Herald Cymr. a'r Genedl, 16 Ion. 1956; *Gol.*, 18 Ion. 1956.

E.D.J.

OWEN, Syr ARTHUR DAVID KEMP (1904-70), gweinyddwr cydwladol; g. 26 Tach. 1904, yn fab hynaf Edward Owen, gweinidog eglwys Crane Street (B), Pont-y-pŵl a symudasai ychydig fisoedd ynghynt o eglwys Bethel (B), Tonypandy, a'i wraig Gertrude Louisa, merch Thomas Henry Kemp (a fuasai'n ysgolfeistr nodedig yn Nhal-y-bont, Ceredigion, o 1865 i 1892 ac yn feistr yn yr adran Normal yng Ngholeg Prifysgol Cymru o 1892 i 1894, pryd y symudodd i fod yn brifathro canolfan hyfforddi athrawon Merthyr Tudful). Symudodd y teulu o Gymru yn 1908 pan sefydlwyd y tad yn weinidog ar eglwys Hope, Hebden, ger Leeds, ac yn ysgol ramadeg a Phrifysgol Leeds yr addysgwyd David Kemp fel y gelwid ef yn gyffredin. Graddiodd mewn economeg ac astudiaethau masnachol a chymryd gradd M.Com. yn 1929. Bu'n gyfarwyddwr i bwyllgor arolwg cymdeithasol yn Sheffield, 1929-33, ysgrifennydd adran ddinesig Cynllunio Gwleidyddol ac Economaidd (P.E.P.), 1933-36, cyd-gyfarwyddwr Ymchwil Diweithdra'r Pilgrim Trust, 1936-37, darlithydd mewn dinasyddiaeth ym Mhrifysgol Glasgow, 1937-40, ac ysgrifennydd cyffredinol P.E.P., 1940-41. Yn 1942 daeth yn gynorthwywr personol i Syr Stafford Cripps yn swyddfa Arglwydd y Sêl Gyfrin i ddechrau, ac yna yn y Weinyddiaeth Cynhyrchu Awyrennau. Yr oedd yn aelod o genhadaeth Cripps i'r India yn 1942. Bu'n aelod o Adran Adlunio'r Swyddfa Dramor gyda gofal am faterion Cynghrair y Cenhedloedd, 1944-45. Yr oedd yng nghynhadledd y Cenhedloedd Unedig yn San Francisco yn 1945, a daeth yn un o brif weinyddwyr y Cenhedloedd Unedig o 1946 hyd ei ymddeoliad yn 1969. Gweithredodd ar fwrdd golygyddol yr *Encyclopaedia Britannica* o 1959 i 1968. Yr oedd yn gredwr

diysgog yn egwyddor cydweithio rhwng cenhedloedd; bu ei wasanaeth i'r Cenhedloedd Unedig yng nghyfnod ffurfio'r gyfundrefn yn allweddol, ac enillodd edmygedd cyffredinol. Yn ddiamau, yr oedd dylanwad ei dras anghydffurfiol Gymreig yn drwm ar ei ddelfrydau, a synhwyrid fod atsain Gymreig yn ei leferydd. Ychydig cyn ei farw, gwnaethpwyd ef yn ysgrifennydd cyffredinol Ffederasiwn Cydgenedlaethol Cynllunio Cenhedlu.

Pr. yn 1933 Elizabeth Joyce, merch E. H. Morgan, gweinidog (EF). Bu iddynt fab a merch. Wedi ysgariad yn 1950 pr. Elizabeth Elsa Miller, a bu iddynt ddau fab. Bu f. yn ysbyty S. Thomas yn Llundain 29 Meh. 1970, wedi ei wneud yn K.C.M.G. y fl. honno. Yn ychwanegol at gyhoeddi ei adroddiadau ar yr arolwg ar Sheffield yn 1931-33, cyhoeddodd *British Social Services* yn 1940, a llu o gyfraniadau i gyfnodolion. Rhoes Prifysgol Cymru radd LL.D. er anrh. iddo yn 1969. Cawsai radd gyffelyb gan Brifysgol Leeds yn 1954.

Www; DNB, 1964-70.

E.D.J.

OWEN, BOB, Croesor - gw. OWEN, ROBERT isod.

OWEN, DAVID SAMUEL (1887-1959), gweinidog (MC); g. 12 Mawrth 1887 yn Rhuthun, Dinb., mab Samuel a Harriet Owen. Addysgwyd ef yn ysgolion elfennol Rhuthun ac Abergele; ysgol sir Abergele; Coleg y Brifysgol, Bangor (lle graddiodd yn y celfyddydau); a Choleg Diwinyddol Aberystwyth. Dechreuodd bregethu yn 1905 ym Methlehem, Bae Colwyn. Ord. ef yn 1913, a bu'n weinidog yn Siloh, Llanelli (1913-15) cyn ei alw i eglwys Jewin, Llundain, a chael gyrfa lwyddiannus yno hyd ddiwedd ei oes. Er mawr ofid iddo dinistriwyd capel hardd Jewin gan fomiau'r gelyn yn ystod Rhyfel Byd II, a dychwelodd llawer o'r aelodau i Gymru. Er hynny daliodd ati'n ddygn gyda'r gweddill, eithr ni chafodd fyw i weld codi addoldy newydd ar sylfaen yr hen. Pr., 1913, Gracy Jones, Glan Conwy; ganwyd iddynt ddau fab a thair merch. Bu f. 26 Mawrth 1959, a chladdwyd ef ym mynwent Bron-y-nant, Bae Colwyn.

Yr oedd yn bregethwr grymus a phoblogaidd, a galw mawr am ei wasanaeth yng Nghymru. Bu'n llywydd Sasiwn y Gogledd (1954). Rhagorodd er yn ieuanc fel adroddwr ar lwyfannau eisteddfodol, a bu'n beirniadu'n gyson ar hyd y blynyddoedd ar gystadleuthau adrodd yn yr Eist. Gen.

WwW (1921), 347; *Gol.*, 1, 8 a 22 Ebr. 1959; *Drys.*, Medi 1959; *Blwyddiadur MC*, 1960, 270-271; G. M. Roberts, *Y Ddinas gadarn* (1974), penodau 9-10; adnabyddiaeth bersonol.

G.M.R.

OWEN, Syr GORONWY (1881-1963), gwleidydd; g. 22 Meh. 1881 ym Mhen-llwyn, Aberystwyth, Cer., mab ieuengaf Abraham Owen a'i wraig Margaret (g. Sylvanus Williams). Derbyniodd ei addysg yn ysgol Ardwyn, Aberystwyth, a C.P.C., Aberystwyth. Graddiodd yn M.A. Bu'n gweithio fel ysgolfeistr a darlithydd yn bennaf yn Llundain am rai blynyddoedd cyn Rhyfel Byd I. Yr oedd yn un o'r rhai a ffurfiodd fataliwn Cymry Llundain yn 1914. Gwasanaethodd yn y fyddin yn Ffrainc yn ystod y rhyfel, soniwyd amdano ddwywaith mewn cadlythyrau, derbyniodd y D.S.O. yn 1916, a chafodd ei ddyrchafu'n uchgapten ac yna'n uchgapten â gofal brigâd. Daeth yn fargyfreithiwr yn Gray's Inn yn 1919. Eto yr oedd yn amlwg mai ym myd cyllid, masnach a gwleidyddiaeth yr oedd ei ddiddordebau'n bennaf. Daeth yn aelod o Gyfnewidfa Stoc Llundain, yr oedd yn gyfarwyddwr nifer o gwmnïau ac yn aelod o nifer fawr o gymdeithasau busnes a masnach.

Safodd fel ymgeisydd Rhyddfrydol yn ne swydd Derby yn 1922. Soniwyd amdano fel ymgeisydd posibl ar gyfer etholaeth Prifysgol Cymru, ond etholwyd ef yn sir Gaernarfon yn 1923, a pharhaodd i gynrychioli'r etholaeth yn y senedd hyd 1945. Yr oedd yn aelod o grŵp teuluol David Lloyd George (*Bywg.* 2, 39-40) a wrthwynebodd ffurfio'r llywodraeth genedlaethol yn 1931. Ef oedd chwip y Blaid Ryddfrydol rhwng 1926 ac 1931 a daliodd swydd *Comptroller of the Household* ac yr oedd yn brif chwip y Rhyddfrydwyr yn ystod Medi a Hyd. 1931. Gorchfygwyd ef gan Goronwy Roberts (Llafur) yn etholiad cyffredinol 1945, a dewisodd beidio â sefyll fel ymgeisydd ar ôl hynny.

Yr oedd yn ddirprwy raglaw sir Gaernarfon yn 1936 ac yn aelod o'r cyngor sir am flynyddoedd. Daeth yn henadur y cyngor ym mis Mai 1945 fel olynydd D. Lloyd George. Yr oedd ganddo ddiddordeb arbennig yn anghenion a phroblemau'r sir ac yr oedd yn barod bob amser i roi o'i amser i geisio eu datrys. Bu'n gadeirydd y Pwyllgor Cyflogau Amaethyddol ar gyfer Môn a Chaernarfon ac yn ddiweddarach ar gyfer Trefaldwyn a Meirionnydd, ac yn gadeirydd y *Territorial and Auxiliary Forces Association* ym Môn ac Arfon. Gwasanaethodd hefyd fel swyddog y sir ar gyfer lles y fyddin. Bu'n is-gadeirydd, 1954-55, ac yn gadeirydd, 1955-56, Awdurdod Heddlu Gwynedd, ac yn uchel siryf sir Gaernarfon yn 1950-51. Dewiswyd ef yn ynad heddwch dros y sir. Yr oedd yn awdur nifer fawr o erthyglau mewn cylchgronau Cymraeg a Saesneg. Derbyniodd ryddfraint bwrdeistref Conwy yn 1943 ac urddwyd ef yn farchog yn 1944.

Pr. yn 1925, Margaret Gladwyn, gweddw Owen Jones, Glanbeuno, Caern. (ef a gododd y gofeb i D. Lloyd George ar Y Maes, Caernarfon) a merch David Jones, masnachwr glo yn Ninbych. Yr oedd hi'n chwaer i wraig Gwilym Lloyd George (gw. uchod, LLOYD GEORGE, TEULU). Bu Goronwy Owen f. 26 Medi 1963.

Www; WwW (1921) ac (1937); *Times*, 27 Medi 1963; *Dod's Parliamentary Companion; WWP.*

J.G.J.

OWEN, HUGH (1880-1953), hanesydd; g. 8 Mai 1880 yn Niwbwrch, Môn, yn fab i Hugh a Jane Owen. Symudodd y teulu i Aigburth, Lerpwl, yn 1883. Addysgwyd ef yn ysgolion S. Michael's Hamlet ac Oulton, a Phrifysgol Lerpwl. Wedi derbyn tystysgrif dysgu yn 1901 bu'n athro hanes mewn ysgolion yn Llundain, Lerpwl a Threffynnon cyn ei benodi'n bennaeth yr adran hanes yn ysgol Llangefni yn 1918, swydd y parhaodd ynddi nes iddo ymddeol yn 1944.

Flwyddyn wedi iddo ddychwelyd i Fôn fe'i hetholwyd yn olygydd cylchgrawn Cymdeithas Hynafiaethwyr a Naturiaethwyr y sir ac ef a fu'n gyfrifol am y cylchgrawn am yr ugain ml. nesaf. Rhwng 1920 ac 1949 cyhoeddodd yn y cylchgrawn nifer o ffynonellau hanesyddol Môn wedi eu golygu ganddo ef, megis cofnodion llys sesiwn chwarter Môn, 1768-88 (1924); cyfrifon beiliaid Biwmares, 1779-1805 (1929); llyfr cofnodion bwrdeistref Biwmares, 1694-1723 (1932) a dyddiadur Bulkeley Dronwy (1937). Golygodd hefyd *Braslun o hanes Methodistiaid Calfinaidd Môn, 1880-1935* (1937); ac, ar y cyd â Gwilym Peredur Jones, *Caernarvon court rolls, 1361-1402* (1951), a chyhoeddodd y llyfrau canlynol: *The life and works of Lewis Morris (Llywelyn Ddu o Fôn) 1701-1765* (1951), *The history of Anglesey constabulary* (1952) a *Hanes plwyf Niwbwrch* (1952). Traethawd buddugol mewn cystadleuaeth yn Eist. Gen. Dolgellau, 1949, ar hanes unrhyw blwyf yng Nghymru oedd yr olaf. Nid y lleiaf o'i gymwynasau, fodd bynnag, oedd ei waith ar lythyrau'r Morysiaid, sef mynegai cynhwysfawr i J. H. Davies (gol.), *The Morris letters* (1907, 1909) a ymddangosodd yn y cylchgrawn rhwng 1942 ac 1944, ac *Additional letters of the Morrises of Anglesey* yn ddwy ran, *Y Cymmr.*, 49 (1947, 1949).

Dyfarnodd Prifysgol Lerpwl radd M.A. iddo yn 1914 am ei draethawd ymchwil, 'Pre-Edwardian castles in north Wales'. Yn 1916 etholwyd ef yn gymrawd o'r *Royal Historical Society* ac yn gymrawd o Gymdeithas Hynafiaethwyr Llundain (F.S.A.) yn 1924.

Pr. yn 1913 â Marian Owen o Fethesda, Caern., athrawes yn ysgol sir Bangor. Bu f. 18 Maw. 1953 yn Rhosyr, Llanfair Pwllgwyngyll.

Papurau Hugh Owen yn LlGC (heb eu catalogio); *Herald Môn*, 30 Maw. 1953; *Clorianydd*, 31 Maw. 1953; *Môn*, 1 (1954).

Gl.P.

OWEN, HUGH JOHN (1880-1961), cyfreithiwr, awdur a hanesydd lleol; g. 5 Chwef. 1880 ym Mhwllheli, Caern., yn fab i John Owen, *master mariner*, a'i wraig Elizabeth (g. Hughes). Addysgwyd ef yn ysgol ramadeg y Bala. Ar ôl cwblhau ei dymor erthyglau gyda chwmni Robyns-Owen, Pwllheli, a'i dderbyn yn gyfreithiwr yn 1903, ymunodd ag adran gyfreithiol cyngor sir Llundain. Gwasanaethodd gartref ac yng ngwlad Groeg gyda'r R.A.O.C. yn Rhyfel Byd I ac enillodd reng Capten. Penodwyd ef yn glerc yr heddwch ac yn glerc cyntaf llawn-amser i gyngor sir Meirionnydd yn 1920, swyddi a ddaliodd gydag urddas hyd nes iddo ymddeol ym mis Mawrth 1954. Gwnaed ef yn ddirprwy raglaw y sir yn 1949.

Un o'i brif ddiddordebau oedd hanes lleol a llwyddai'n ddieithriad i drosglwyddo'i frwdfrydedd i eraill. Ef a fu'n bennaf gyfrifol am sefydlu Cymdeithas Hanes a Chofnodion Sir Feirionnydd yn 1939. Gwnaed ef yn is-lywydd y Gymdeithas a bu'n gadeirydd ymroddedig i'w chyngor o'i chychwyniad hyd ei farwolaeth. Bu'n flaenllaw hefyd dros sefydlu swyddfa cofysgrifau Meirionnydd yn 1952 a thros benodi archifydd sirol. Cynrychiolodd gyngor sir Meirionnydd ar lys llywodraethwyr Ll.G.C. o 1934 hyd ei farwolaeth. Yr oedd yn ymchwiliwr dyfal a gweithiai'n ddi-baid ar bob math o gofysgrifau lleol, ac yn neilltuol ar rai llys sesiwn chwarter Meirionnydd. Cyhoeddodd bum cyfrol: *The Merioneth Volunteers and local militia during the Napoleonic Wars* (1934); *Echoes of old Merioneth* (1944); *Sir Love's adventures in Spain* (1945); *The treasures of the Mawddach* (1950) a *From Merioneth to Botany Bay* (1952). Cyfrannodd rhwng 1951 ac 1961 nifer o erthyglau i *Cylchgrawn Cymdeithas Hanes a Chofnodion Sir Feirionydd.* Diogelir ei bapurau, yn briodol iawn, yn y swyddfa gofysgrifau yn Nolgellau. Ni bu'n briod. Bu f. ym Mhwllheli 29 Meh. 1961 a chladdwyd ef ym mynwent eglwys Sant Hywyn, Aberdaron.

Cylch. Cymd. Hanes Sir Feirionydd, 4, 1-2; Edgar Stephens, *The Clerks of the Counties 1360-1960* (1961); *WwW* (1926); *Times,* 1 Gorff. 1961; *Liv. D. P.,* 1 Gorff. 1961; *Camb. News,* 7 Gorff. 1961; *Dydd,* 7, 14 Gorff. 1961.

A.Ll.H.

OWEN, JOHN (1864-1953), gweinidog (MC) ac awdur; g. 17 Ebr. 1864 ym Mhen-y-maes, Morfa Nefyn, Caern., m. James a Margaret Owen. Bu mewn swyddfa yn Lerpwl am chwe bl. ac yno, yn 1884, y dechreuodd bregethu. Addysgwyd ef yn ysgol Clynnog, Coleg y Bala, ac yn Rhydychen (lle graddiodd yn 1892, M.A. yn 1903). Bu'n diwtor am flwyddyn yng Ngholeg y Bala. Ord. ef yn 1892, a bu'n gweinidogaethu yn y Gerlan, Bethesda (1892-1902), Y Bowydd a'r eglwys Saesneg, Blaenau Ffestiniog (1902-09), ac Engedi, Caernarfon (1909-26). Pr. Hannah Evans, Dyffryn Nantlle; ni bu iddynt deulu. Dychwelodd i Forfa Nefyn ar ôl ymddeol; bu f. 1 Mawrth 1953 yn y Royal Infirmary, Lerpwl, a chladdwyd ef ym mynwent Nefyn.

Yr oedd yn arweinydd amlwg o'r Cyfundeb y perthynai iddo. Bu'n llywydd Sasiwn y Gogledd (1920 ac 1949), ac yn llywydd y Gymanfa Gyffredinol (1926). Traddododd y Ddarlith Davies yn 1923, ac fe'i cyhoeddwyd dan y teitl *Gwybodaeth y Sanctaidd* (1923). Ysgrifennodd lawer i gylchgronau'i enwad, a bu'n golofnydd wythnosol yn *Y Goleuad* o 1930 ymlaen dan yr enw 'Sylwedydd', - cyhoeddwyd detholiad o ysgrifau'r golofn hon, *Sylwadau sylwedydd,* 1949. Cyhoeddodd hefyd y llyfrau a ganlyn: *Cofiant a gweithiau David Roberts y Rhiw* (1908); *Rolant y teiliwr ac ysgrifau eraill* (1920); *Y Cyfundeb a'i neges* (1935), yn Gymraeg ac yn Saesneg. Golygodd gyfrolau o bregethau John Williams, Brynsiencyn (1922 ac 1923), a Thomas Charles Williams (1928 ac 1929). Cyhoeddodd hefyd werslyfr ar deithiau'r Apostol Paul (1902), ac esboniad ar Efengyl Luc (1927 ac 1928). Yn rhinwedd ei swydd fel golygydd cyffredinol y Llyfrfa, Caernarfon, am flynyddoedd hwylusodd lawer o gyfrolau o waith awduron eraill drwy'r wasg. Yn 1950 cafodd radd D.D. (er anrh.) gan Brifysgol Cymru. Yn 1957, ar ôl ei farwolaeth, cyhoeddwyd detholiad o'i bregethau (gol. gan William Morris).

WwW (1921), 350; *WwFC,* 350; *Drys.,* 1920, 121-3; 1926, 1-3; 1949, 59-63; *Gol.,* 11 Mawrth 1953; *Blwyddlyfr MC,* 1954, 228-9.

G.M.R.

OWEN, JOHN DYFNALLT (1873-1956), gweinidog (A), bardd, llenor, newyddiadurwr ac Archdderwydd Cymru; g. 7 Ebr. 1873 yng Nghoedffalde, Llan-giwg, Morg., ar odre'r Mynydd Du, yn fab i Daniel ac Angharad Owen. Collodd ei fam ac yntau'n flwydd oed a magwyd ef gan rieni'i dad. Cafodd ysgol yng Nghwmllynfell ac ar ôl cyfnod byr yn y lofa aeth i Academi Parcyfelfed (Ysgol yr Hen Goleg), Caerfyrddin, ac oddi yno i Goleg Bala-Bangor yn 1894. Bu'n gyfaill mynwesol i Ben Bowen (*Bywg.*, 41) a beirdd ifainc eraill ei ddydd. Parhaodd y diddordeb mewn eisteddfota drwy ei weinidogaeth yn Nhrawsfynydd (1898-1902) lle bu'n ddylanwad ar Ellis Humphrey Evans ('Hedd Wyn'; *Bywg.*, 214); a Deiniolen (1902-05) lle daeth i adnabod Thomas Gwynn Jones (*Bywg.*2, 33) a William John Gruffydd (gw. uchod). Aeth wedyn yn weinidog i Sardis, Pontypridd (1905-10) a thra oedd yno enillodd goron Eisteddfod Genedlaethol Abertawe yn 1907 ar 'Y greal sanctaidd', wedi dod yn agos iawn yn y Rhyl yn 1904. Pr., 10 Awst 1904, ag Annie Hopkin o Ystalyfera a bu iddynt ddau o blant. Yn 1908 daeth Dyfnallt yn aelod o'r Gyngres Geltaidd a bu ganddo ddiddordeb yn y gwledydd Celtaidd weddill ei oes. Yn 1910 derbyniodd alwad i Heol Awst, Caerfyrddin lle treuliodd weddill ei weinidogaeth. Yn 1916 aeth yn gaplan y Y.M.C.A. i Béthune yn Ffrainc a chyhoeddodd lyfryn o gerddi a myfyrdodau unigryw ar ei brofiad sef *Myfyrion a chaneuon maes y tân.* Ysbeidiol ydoedd ei farddoni wedi hyn er iddo gyhoeddi casgliad o gerddi, *Y greal a'cherddi eraill* (1946). Troes ei sylw at lenydda ac olrhain hanes achosion yr Annibynwyr. Stephen Hughes (1912), 'Tomos Glyn Cothi' (*Y Dysgedydd,* 1933) a'r Tri Brawd o Lanbrynmair (*Adroddiad Undeb yr Annibynwyr,* 1928) oedd rhai o'i arwyr, ac ysgrifennodd amdanynt nid yn gymaint i groniclo ffeithiau ag i ysbrydoli oes newydd. Penodwyd ef yn olygydd *Y Tyst* yn 1927, swydd yr ymhyfrydai ynddi fel cyfrwng i fynegi ei ddaliadau am heddychiaeth, gwrth-imperialaeth, cenedlaetholdeb a Christnogaeth. Yn 1953 dathlwyd ei chwarter canrif fel golygydd â detholiad o'i ysgrifau yn *Ar y tŵr,* teitl a oedd yn cyfleu'r golygydd fel gwyliwr Eseia yn gwarchod y ddinas rhag y gelyn. Felly y gwelai ef ei hun. Teithiai'n helaeth i Wlad Pwyl, yr Eidal, y Swisdir, Bafaria a Llydaw. Cyhoeddodd lyfr ar ei daith i Lydaw, *O ben tir Llydaw* (1934), dwy gyfrol o ysgrifau ac erthyglau, *Min yr hwyr* (1934) a *Rhamant a rhyddid* (1952), yn ogystal â nifer helaeth o gyfraniadau i'r wasg enwadol a'r *Bywgraffiadur Cymreig.* Pan dorrodd Rhyfel Byd II allan yr oedd yn Danzig, a chyhoeddodd erthyglau megis 'Wythnos yn Danzig', 'Arswyd y Gestapo' a 'Hitleriaeth gartref'. Wedi'r rhyfel rhoddodd nawdd yn ei gartref yng Nghaerfyrddin i Ropaz Hemon y llenor Llydewig a ddiangasai cyn ei brawf yn Llydaw. Gwnaethpwyd ef yn gadeirydd Undeb yr Annibynwyr yn 1936 a derbyniodd radd M.A. er anrh. gan Brifysgol Cymru yn 1953. Etholwyd ef yn Archdderwydd Cymru yn 1954 yn y Rhyl. Yr oedd bellach yn bedwar ugain mlwydd oed ac yn mwynhau ei ymddeoliad yn Aberystwyth er 1947. Bu f. 28 Rhag. 1956, a gwasgarwyd ei lwch ar y Mynydd Du. Nid oedd dim gweniaith yng ngeiriau'r deyrnged iddo yn *Y Cymro* - 'un o'r anwylaf o'r Cymry'.

Geraint Elfyn Jones, *Bywyd a gwaith John Dyfnallt Owen* (1976); [*W.B.S.*, Emrys Jones yn D. Llwyd Morgan, *Adnabod deg* (1977); *Jnl.* 11, 120-8, am lyfryddiaeth.]

G.E.J.

OWEN, LEONARD (1890-1965), gweinyddwr yn yr India a thrysorydd Anrhydeddus Gymdeithas y Cymmrodorion; g. ym Mangor, Caern., 1 Hyd. 1890, yn fab David Owen, cyfreithiwr, a'i briod Mary (g. Roberts). Aeth i Ysgol Friars a Choleg Prifysgol Gogledd Cymru, Bangor (1909-14), lle y cymerodd ran mewn chwaraeon. Bu'n llywydd y Gymdeithas Lenyddol a Dadleuon, a chafodd radd B.A. dosbarth cyntaf mewn Ffrangeg yn 1912 ac M.A. yn 1914. Derbyniwyd ef i wasanaeth sifil yn yr India yn 1914 ond bu rhaid iddo ohirio mynd i Meerut i fod yn ynad cynorthwyol yno hyd ar ôl Rhyfel Byd I, pryd y gwasanaethodd gyda'r *RF Artillery*. Dyrchafwyd ef yn ynad dosbarth Benares yn 1924, yn swyddog gwladychu yn Bara Banki yn 1927, yn ddirprwy gomisiynydd adran Kumaon yn 1934 ac ynad dosbarth Cawnpore yn 1936. Daeth yn brif chwip y llywodraeth yng Nghynulliad Deddfwriaethol yr India (1935), a chydnabuwyd ei wasanaeth clodwiw i'r wlad trwy ei wneud yn C.I.E. yn 1938. Dychwelodd adeg Rhyfel Byd II i weithio yn y Weinyddiaeth Diogelwch Cartref (1939-44), y Weinyddiaeth Gyflenwi (1945), a'r Bwrdd Masnach (1946-52), cyn ymroi i weithgarwch dyngarol a diwylliannol. Bu'n gadeirydd y Gymdeithas Genedlaethol dros yr Epileptig, a aelod o Lys Llywodraethwyr a Chyngor Llyfrgell Genedlaethol Cymru, ac yn drysorydd Anrhydeddus Gymdeithas y Cymmrodorion (1952-64). Yr oedd ganddo ddawn arbennig at drosi barddoniaeth Gymraeg i'r Saesneg a cheir rhai enghreifftiau o'i waith yn *Traf. Cymm.*, yn ogystal â nifer o erthyglau gwerthfawr ganddo ar hanes gogledd Cymru. Cedwir ei adysgrifau o gofysgrifau trethi cynnar gogledd Cymru yng Ngholeg y Brifysgol ym Mangor a Llyfrgell Genedlaethol Cymru. Cyfieithodd hefyd lawer iawn o erthyglau o'r *Bywgraffiadur Cymreig hyd 1940* ar gyfer y *Dictionary of Welsh biography down to 1940*.

Pr. yn Bombay, India, yn 1923, Dilys, pumed ferch Joseph Davies Bryan (*Bywg*.2, 69-70, o dan BRYAN, ROBERT) a Jane (g. Clayton) a bu iddynt 2 fab (bu'r hynaf f. yn faban) ac un ferch. Bu f. 4 Tach. 1965 yn ei gartref, 15 Ethorpe Close, Gerrards Cross, swydd Buckingham.

Www; Ben Rees, *Cymry adnabyddus, 1952-72* (1978); *Traf. Cymm.*, 1966, rhan 1, 238.

M.A.J.

OWEN, LLEWELLYN ISAAC GETHIN MORGAN - gw. MORGAN-OWEN, LLEWELLYN ISAAC GETHIN uchod.

OWEN, MARGARET - gw. MARGARET o dan LLOYD GEORGE (TEULU) uchod.

OWEN, OWEN JOHN ('John Owen y Fenni'; 1867-1960), argraffydd a chyhoeddwr, arweinydd corawl ac arweinydd eisteddfodol; g. 1867 yn Nolgellau, Meir., yn fab i Dafydd Owain, cysodydd a darllenydd yn swyddfa'r *Dysgedydd* a'r *Dydd*, a Margaret (g. Vaughan).

Bwriodd ei brentisiaeth yn yr un swyddfa cyn symud i'r Fenni yn 1887 i weithio fel cysodydd Cymraeg yn argraffwasg Henry Sergeant. Ymddiddorai mewn cerddoriaeth, a dysgodd elfennau sol-ffa yn Ysgol Sul yr Hen Gapel, Dolgellau lle yr oedd ei dad yn ysgrifennydd. Yn y Fenni ymaelododd yng nghapel yr Annibynwyr, Castle St., a daeth yn ddiacon ac yn arweinydd y gân. Yn 1897 prynodd ef a'i frawd, Edwin Vaughan Owen (bu f. 22 Hyd. 1950), y Minerva Press, a daeth eu swyddfa yn Neville St. yn fan cyfarfod i Gymry lleol. Ymhlith y llyfrau Cymraeg a gyhoeddwyd gan y Brodyr Owen y mae cofiant ei tad (1907) a gweithiau Eluned Morgan: *Dringo'r Andes* (1904), *Gwymon y môr* (1909), *Ar dir a môr* (1913).

Ar 9 Hyd. 1909 pr. John Owen â Mabel Annie Dawson, ac erbyn hynny yr oedd yn adnabyddus fel arweinydd côr, adroddwr, siaradwr cyhoeddus ffraeth ac arweinydd eisteddfodau. Gwrthododd gynnig i arwain yn Eist. Gen. y Fenni yn 1913, ond bu arwain ar lwyfan y brifwyl yn gyson wedyn (1920-37), ac urddwyd ef yn aelod o Orsedd y Beirdd. Gŵr egnïol ydoedd, ac yr oedd ei ddiddordebau amrywiol yn cynnwys seryddiaeth, seiclo, moduro, dringo mynyddoedd, arlunio, hanes lleol a chanu'r delyn a rhoddodd dros hanner can mlynedd o wasanaeth fel pregethwr lleyg. Anrhydeddwyd ef â rhyddfraint tref y Fenni yn 1949, ac â'r O.B.E. flwyddyn yn ddiweddarach. Pan fu f. 30 Rhag. 1960 talwyd teyrnged iddo fel 'Nawddsant Gwent'.

WwW (1937); ymchwil bersonol.

S.R.W.

OWEN, ROBERT (BOB OWEN, Croesor; 1885-1962), hanesydd, llyfrbryf ac achyddwr; g. ym Mhen-y-parc, (Twllwenci ar lafar), Llanfrothen, Meir., 8 Mai 1885 [yn fab i Jane Owen yn ôl llsgr. LlGC 19295B], a'i fagu gan ei nain, Ann Owen, merch i wehydd o Aberffraw, Môn. Gadawodd ysgol elfennol Llanfrothen yn 13 oed i fynd yn was bach ar fferm Plas Brondanw. Bu'n gweini ar ffermydd yn yr ardal am dair bl. cyn cael swydd yn glerc yn chwarel Parc a Chroesor. Treuliodd 30 ml. yno hyd 30 Ion. 1931 pan gaeodd y chwarel oherwydd dirwasgiad yn y fasnach lechi. Wedi cyfnod o ddwy flynedd a hanner yn ddi-waith fe'i penodwyd yn drefnydd i Gyngor Sir Gaernarfon ac yna'n ddarlithydd gyda Chymdeithas Addysg y Gweithwyr.

Y dylanwad pennaf arno'n addysgol fu troi ymysg dynion gwybodus a diwylliedig yn swyddfa'r chwarel ac yno y cydiodd ynddo'r ysfa i chwilota. Casglodd lyfrgell enfawr a ledaenai i bron bob ystafell yn ei gartref. Daeth i'r amlwg yn arbennig ar bwys ei golofn wythnosol yn y *Genedl Gymreig*, 'Lloffion Bob Owen', 1929-37. Cyfrannodd yn helaeth i amryw fyd o newyddiaduron a chryn ugain o wahanol gylchgronau. Bu'n fuddugol hefyd ar ddraethodau swmpus yn yr Eist. Gen. gan gynnwys un o tuag 800 o dudalennau ffwlsgap mewn ysgrifen fân neu wedi ei deipio'n glòs ar ymfudiadau o Gymru i Daleithiau Unedig America rhwng 1760 ac 1860, a 'Diwydiannau coll - ardal y ddwy afon, Dwyryd a Glaslyn', a gyhoeddwyd yn gyfrol yn 1943.

Ystyriai ysgolheigion ef yn chilotwr

gwyddonol, yn achyddwr o bwys ac yn awdurdod ar hanes Cymry America. Dyfarnwyd iddo radd M.Á. er anrh. gan Brifysgol Cymru (yr ieuengaf erioed yn 47 oed) a'r O.B.E. yn ddiweddarach am ei gyfranaiad i hanes a llenyddiaeth Cymru.

Pr. ym mis Meh. 1923 â Nel Jones, merch o Gaeathro a gwnaethant eu cartref yn Ael-y-bryn, Croesor. Ganwyd iddynt ddwy ferch a mab. Yr oedd yn ddarlithydd poblogaidd ryfeddol ymhob rhan o Gymru a thros y ffin, mewn cymdeithasau Cymraeg. Oherwydd ei ddiddordeb mewn pobl a'u hachau tueddai i godi ysgyfarnogod a mynd ar eu trywydd wrth ddarlithio. Fe'i cyhuddid hefyd o 'ddryllio delwau' oherwydd rhai sylwadau a wnâi am bobl fel Mary Jones o'r Bala a John Elias o Fôn. Daliai ef, fodd bynnag, iddo godi llawer mwy o ddelwau nag a ddrylliodd.

Yr oedd yn bersonoliaeth liwgar a thanllyd eithriadol, yn rhyferthwy o fywyd, ac yn sgîl ei hynodrwydd mewn sawl cyfeiriad fe dyfodd yn gymeriad chwedlonol yn ei oes ei hun. Bu f. 30 Ebr. 1962 a'i gladdu ym Mynwent Newydd Llanfrothen.

Dyfed Evans, *Bywyd Bob Owen* (1977); Robin Williams, *Y tri Bob* (1970); LlGC 19295B.

D.O.E.

OWEN, WILLIAM HUGH (1886-1957), gwas sifil; g. 16 Chwef. 1886 yn fab i Thomas Owen, Caergybi, Môn. Ymunodd ag adran forwrol y *London and North Western Railway* yn 1906 cyn dod yn un o staff personol David Lloyd George (*Bywg.* 2, 39-40) a chyflawni nifer o genadaethau pwysig ar ei ran. Ar ddechrau Rhyfel Byd I ymunodd â'r Peirianwyr Brenhinol a mynd i Ganada yn 1917 a chynrychioli'r Swyddfa Ryfel yno fel cyfarwyddwr camlesi a dociau. Yr oedd yn gyfrifol am osod contractau a goruchwylio'r gwaith o wneud cychod cynorthwyol addas at waith ar y cefnfor, gyda'r glannau ac ar y camlesi, a hefyd am brynu a llogi badau ar gyfer gwneud gwaith cyffelyb. Daeth yn is-gyrnol yn 1918 ac anrhydeddwyd ef yn C.B.E. yn 1919. Wedi hynny bu'n gynrychiolydd arbennig *Comptroller of the Admiralty* ac yn ddiweddarach cynrychiolodd y Weinyddiaeth Longau yno. Yn 1910 chwaraeodd hoci dros Gymru yn erbyn Iwerddon. Pr., 8 Hyd. 1919, Enid Strathearn, merch Syr John Hendrie, is-lywodraethwr Talaith Ontario, a bu iddynt dair merch. Ymgartrefodd ym Montreal a bu f. 21 Chwef. 1957.

Www; *Who's who in Canada*, 1922.

M.A.J.

P

PARCELL, GEORGE HENRY (1895-1967), cerddor; g. 18 Tach. 1895 yn Heol Caerfyrddin, Fforest-fach ger Abertawe, mab Henry ac Elisabeth Parcell. Glöwr ydoedd fel ei dad. Llafuriodd gydol ei oes yng nglofa Garn-goch, Gorseinon. Er yn blentyn amlygodd ddawn arbennig mewn cerddoriaeth a defnyddiodd ei oriau hamdden i ddatblygu ei alluoedd cynhenid. Heb unrhyw hyfforddiant ffurfiol nac athro o fath yn y byd enillodd ddwy ddiploma yng Ngholeg Coffa Curwen, Llundain: A.T.S.C. (1950) ac L.T.S.C. (1952). Bu'n organydd (1922-27) ac arweinydd y gân (1927-65) yn Saron (A), Gendros ger Abertawe; yn ôl gohebydd yr *Evening Post* dewiswyd ef i'r swydd olaf allan o naw ymgeisydd gyda brwdfrydedd mawr. Apwyntiwyd ef hefyd yn gôr-feistr côr meibion Fforest-fach. Cyfansoddodd dros ugain o donau, nifer ohonynt yn fuddugol mewn eisteddfodau megis 'David', 'Wig', 'Yr Allt' ac un anthem fechan 'Duw sy'n noddfa a nerth', y cwbl yn syml a graenus heb fod yn uchelgeisiol. Lluniwyd hwy ar gyfer cynulleidfaoedd yr eglwysi a gwyddai'r awdur fesur yr adnoddau. Rhoddodd enw ei wraig 'Irene' ar un o'i donau gorau a bu cryn fri ar ei dôn 'Marchog Iesu' ar eiriau Williams Pantycelyn, 'Mae'r Iesu yn myned i ryfel', mewn cymanfaoedd yng Nghymru ac America - recordiwyd hi gan Gôr Godre'r Aran. Cyhoeddwyd detholiad o'i weithiau mewn rhaglen arbennig a dathlwyd yr achlysur mewn Sul o fawl yn y Gendros 28 Mai 1950, 'fel arwydd o barch ac o ddyled am lafur cyson a di-dâl'. Yr oedd ei aelwyd yn 'Mile End' yn academi cerdd mewn gwirionedd a'r drws yn llydan agored i groesawu efrydwyr, heb ddimai o dâl. O dan ei ddylanwad datblygodd Fforest-fach yn ganolfan diwylliant cerddorol o radd flaenaf. Tyrrai pobl o rannau gwahanol y wlad i'r cyngherddau blynyddol yng nghapel Saron i wrando'r côr ac artistiaid byd-enwog yn perfformio gweithiau'r meistri. Uwchlaw popeth dysgodd do ar ôl to i feistroli'r tonic sol-ffa a thrwy hynny eu galluogi i ganu emyn ac anthem mewn pedwar llais. Ni ellir meddwl am ganiadaeth y cysegr yng Nghymru heb gofio am ei gyfraniad ef a rhai tebyg iddo. Yn y cyswllt hwn cynrychiola genhedlaeth o gymwynaswyr na ellir yn hawdd orfesur ei phwysigrwydd. Pr. Irene Ackerman, 26 Rhag. 1929. Bu f. 8 Mawrth 1967 a llosgwyd ei weddillion yn amlosgfa Treforus.

Seiliwyd yn bennaf ar 'Ffeil George Parcell' yng ngofal y teulu; adroddiadau yn yr *Evening Post*; llyfr cofnodion eglwys Saron, Gendros, a *Rhaglen Sul o Fawl*, 28 Mai 1950.

R.L.H.

PARR-DAVIES, HARRY (gynt DAVIES, HARRY PARR; 1914-55), pianydd a chyfansoddwr; g. Castell-nedd, Morg., 1914, mab D. J. a Rosina Davies (g. Parr). Addysgwyd ef yn ysgol Dunraven, Treherbert ac yn ysgol ganolraddol Castell-nedd. Amlygodd ddawn gerddorol pan oedd yn blentyn, a dywedir iddo gyfansoddi 30 cân a dwy opereta cyn cyrraedd ei 13 oed.

Cafodd addysg gerddorol gan Seymour Perrott, organydd bwrdeisdref Castell-nedd, ac fe'i hanogwyd gan Syr Walford Davies (*Bywg.* 2, 9) i wneud gyrfa fel cyfansoddwr clasurol; ond yr oedd cerddoriaeth ysgafn yn fwy at ei ddant, ac astudiodd weithiau Eric Coates ac Edward German er mwyn perffeithio'i grefft. Fe'i cyflwynodd ei hun i'r gantores Gracie Fields a dod yn gyfeilydd iddi ym Mhrydain ac ar deithiau i Ganada a De Affrig. Ef a gyfansoddodd y gân 'Sing as we go', a ganodd Gracie Fields yn y ffilm *Shipyard Sally* (1939), ac a roes deitl i'w hunangofiant hi; lluniodd hefyd gerddoriaeth i eiriau Phil Park, 'Wish me luck as you wave me goodbye', a ddaeth yn boblogaidd ar ddechrau Rhyfel Byd II. Am ei gân, 'Smile when you say goodbye' derbyniodd flaendal o £1000, y swm uchaf a dalesid ar y pryd am gân unigol. Ymhlith ei sioeau llwyfan yr oedd *Black velvet*, *The Lisbon story*, *Her Excellency* a *Dear Miss Pheobe*. Cyfansoddodd fiwsig i ffilm Gracie Fields, *This Week of Grace* (1933), a bu'n llunio caneuon i berfformwyr eraill megis George Formby. Bu f. yn ei gartref yn Knightsbridge, Llundain, 14 Hyd. 1955, a chladdwyd ef ym mynwent Ystumllwynarth, ger Abertawe.

Times a *West. Mail*, 15 Hyd. 1955; *Neath Guard.*, 21 Hyd. 1955.

Rh.G.

PARRY, OWEN HENRY (HARRY PARRY; 1912-56), cerddor jazz, g. 22 Ion. 1912, yng Nghaellepa, Bangor, Caern., mab hynaf Henry, gweithiwr rheilffordd, ac Emily Jane (g. Rowlands). Addysgwyd ef yn ysgol Glanadda a'r ysgol ganol. Ymunodd ag Adran Ffiseg Coleg Prifysgol Gogledd Cymru fel prentis o wneuthurwr offerynnau. Dangosodd ddiddordeb cynnar mewn canu offerynnau cerdd a phan oedd yn ddeuddeg oed ymunodd ag un o fandiau pres y fro. Bu'n aelod o gôr Eglwys Fair, ond ar ganu offerynnau yr oedd ei fryd. Buan y daeth yn gryn feistr ar ganu'r corn tenor, corn *flügel*, corned, ffidil, heblaw drymiau. Meistrolodd y sacsoffôn nes y dywedir iddo ddod yn bencampwr Cymru am ei ganu. Yr oedd yn hyfedr ar ganu'r clarined - ei hoff offeryn - dan hyfforddiant Francis Jones, y Felinheli (1904-86) yn y lle cyntaf. Dyheai am arddull gyda gogwydd 'swing' iddo ac ymroes o ddifri i arbrofi. Daeth ei arddull i glyw rhai o wŷr blaenllaw'r B.B.C. gan ei fod bellach wedi ymuno â rhai o brif fandiau Lloegr. Awgrymodd Charles Chilton ei fod yn ffurfio grŵp offerynnol ei hun gan ddefnyddio *vibraphone* yn lle trwmped. Ar 28 Medi 1940 fe glywyd seiniau chwechawd Clwb y 'Radio Rhythm' a sefydlwyd ganddo am y tro cyntaf. Clywodd Miff Ferrie amdano ac o'r gyfathrach honno y ffurfiwyd y grŵp 'Jackdauz'. Cynhaliai gyngherddau yn y Locarno, Llundain, a rhannu llwyfannau gyda cherddorion fel Michael Flome, Louis Levy a Charles Shadwell. Ymunodd â'r pianydd dall, George Shearing, a'r drymiwr, Ben Edwards, i ffurfio triawd a ddaeth yn dra phoblogaidd. Ei chwechawd oedd y cyntaf i wneud record yng nghyfres 'Super Rhythm' i gwmni Parlophone a pharhaodd ei gysylltiad â'r cwmni hwnnw am ddeng ml. Chwalwyd llawer o'i gynlluniau gan Ryfel Byd II, ond ail-afaelodd ynddi a ffurfio cerddorfa sefydlog yn y Potomac, Llundain. Daeth ei gyfansoddiadau 'Parry Opus', 'Thrust and Parry', 'Potomac Jump', 'Blue for Eight', 'Says You' a'r mwyaf poblogaidd, efallai, 'Champagne' yn enwau teuluaidd ymhlith ei ddilynwyr. Ymddangosodd mewn pum ffilm fer ac fe'i disgrifiwyd gan rai beirniaid fel 'brenin jazz Prydain'. Yn ôl un o'i gyfoeswyr, ef oedd y cyntaf o Gymru a Lloegr i recordio llais yn null offeryn cerdd mewn cydweithrediad â'i fand ei hun. Heidiai'r tyrfaoedd i wrando arno mewn theatrau fel yr Hippodrome, Birmingham; Empire, Woolwich; a'r Empire, Glasgow. Collodd beth o'i boblogrwydd yn ystod ei daith i'r Dwyrain Canol a'r Aifft. Cafodd gyflwyno'r rhaglen boblogaidd 'Housewives Choice' ar ôl dychwelyd a bu a wnelo â'r rhaglen blant 'Crackerjack'. Yn ôl rhai o golofnwyr y cyfnod bu farw pan oedd ar fin adennill ei boblogrwydd gan mai ef oedd y cyntaf i gyflwyno miwsig 'swing' i'r lleygwr. Fe'i disgrifiwyd gan golofnydd yr *Evening Standard* ar y pryd fel 'trydydd glarinedydd gorau'r byd'. Ei arwyr oedd Benny Goodman, Artie Shaw, Benny Carter, Count Basie a Glenn Miller. Ceisiodd, yn ystod diwedd ei oes, berffeithio arddull debyg i eiddo Miller. Gallai gyfrif Henry Hall, Roy Fox a Geraldo ymhlith ei gyfeillion. Ei wraig gyntaf oedd Gwen Davies. Ar ôl ysgariad priododd Jessie Bradbury, cantores broffesiynol ond aeth y briodas honno i'r gwellt. Ni bu iddynt blant. Yr oedd ganddo lawer i'w ddweud wrth ei dref enedigol ond prin y câi amser i ddychwelyd.

Bu f. Harry Parry ar 11 Hyd. 1956 yn ei ystafell yn Adam's Row, Mayfair, Llundain, a chladdwyd ei weddillion yn Amlosgfa Golders Green, Llundain.

Gwybodaeth sylfaenedig ar gynnwys llyfr lloffion y teulu ym meddiant ei chwaer, Eunice Taylor, Uxbridge, a'i gŵr Stan Taylor, yng ngofal Llyfrgell Prifysgol Cymru, Bangor. Peth gwybodaeth hefyd gan ei frawd Hugh P. Parry, Bae Colwyn.

G.A.J.

PARRY, ROBERT WILLIAMS (1884-1956), bardd, darlithydd prifysgol; g. 6 Mawrth 1884 yn Madog View, Tal-y-sarn, Caern., yn fab i Robert a Jane Parry (y tad yn hanner brawd i Henry Parry-Williams; gw. Atodiad isod). Cafodd ei addysg elfennol yn ysgol Tal-y-sarn, ac yna ysgol sir Caernarfon 1896-98, a blwyddyn yn ysgol sir newydd Pen-y-groes. Treuliodd dair bl., 1899-1902, fel disgybl athro. Aeth i Goleg y Brifysgol Aberystwyth yn 1902 ac ymadael yn 1904 wedi dilyn rhan o'r cwrs gradd a chael hyfforddiant fel athro ysgol. Bu'n dysgu mewn gwahanol ysgolion am dair blynedd, ac yn 1907 aeth i Goleg y Brifysgol, Bangor, i orffen cwrs gradd. O 1908 hyd 1910 bu'n dysgu Cymraeg a Saesneg yn ysgol sir Llanberis (ym Mryn'refail). Yna dychwelodd i goleg Bangor i weithio am radd M.A., a threulio rhai misoedd yn Llydaw, gan mai 'Some points of contact between Welsh and Breton' oedd testun ei draethawd. Cafodd y radd yn 1912. Treuliodd un flwyddyn, 1912-13, yn ysgolfeistr

yng Nghefnddwysarn, ac yna aeth i ysgol sir y Barri. Oddi yno yn 1916 i Ysgol Uwchradd y Bechgyn, Caerdydd, fel athro Saesneg. Bu yn y fyddin o Dach. 1916 hyd Rag. 1918. Dychwelodd i Gaerdydd, ond yn 1921 mynd i ysgol Oakley Park, Maldwyn, ac oddi yno yn nechrau 1922 i Goleg Bangor yn ddarlithydd hanner-amser yn yr Adran Gymraeg a hanner-amser yn yr Adran Allanol, ac yn y swydd honno y bu nes ymddeol yn 1944.

Gyda'r mesurau caeth y dechreuodd Williams Parry ei yrfa fel bardd, dan gyfarwyddyd dau ŵr oedd yn byw yn Nhal-y-sarn, sef Owen Edwards ('Anant'), chwarelwr, a H.E. Jones ('Hywel Cefni'), gwerthwr dillad. Byddai'r ddau yn cystadlu'n gyson ar gyfansoddi englynion yn yr eisteddfodau lleol, ac yn cyhoeddi'r cynnyrch yn y cylchgronau, yn arbennig *Y Geninen*. Mor gynnar ag 1906 ysgrifennodd Williams Parry awdl ar y testun 'Dechrau haf' ar gyfer cystadleuaeth yn Ffestiniog. Yn 1907 cystadlodd am gadair yr Eist. Gen. yn Abertawe gydag awdl ar 'John Bunyan', ond collodd. Y flwyddyn wedyn enillodd gadair Eist. Myfyrwyr Bangor am awdl ar 'Gantre'r Gwaelod'. Colli wedyn yn Eist. Gen. Llundain ar 'Gwlad y Bryniau' yn 1909, ond ennill ym Mae Colwyn yn 1910 am 'Yr Haf', un o awdlau mwyaf adnabyddus a phoblogaidd yr 20 g. Yr oedd pum awdl hir mewn pum mlynedd yn gynnyrch pur nodedig, ac ni fu byth wedyn yn hanes y bardd y fath weithgarwch cynganeddol â'r pum mlynedd hyn. Yn 1911 caed arwydd o ddatblygiad mydryddol tra gwahanol, sef anerchiad priodas i'w gyfaill G. W. Francis ar ffurf soned, a honno'n llawn cynghanedd. Yn ystod Rhyfel Byd I ysgrifennodd amryw o sonedau, fel 'Pantycelyn', 'Mae hiraeth yn y môr', 'Cysur Henaint', 'Gadael Tir', a'r sonedau sy'n ymwneud â'r rhyfel yn uniongyrchol, fel 'Y Cantîn Gwlyb' a 'Y Drafft'. Ond cadwodd ei ddiddordeb yn y gynghanedd, mewn englynion coffa i gyfeillion a chydnabod o bob gradd a dosbarth, ac yn arbennig i filwyr a laddwyd yn y rhyfel, fel y gyfres enwog i Hedd Wyn (Ellis Humphrey Evans, *Bywg.*, 214).

Yr oedd y blynyddoedd rhwng y ddau ryfel yn gyfoethog a thoreithiog. Yr oedd wedi ymdynghedu yn y soned 'Adref' yn 1917 i gefnu ar gyfaredd yr oesoedd canol ac ymroi i bethau 'y dwthwn hwn'. Ond nid yn y trefi a'u diwydiant, eithr yn y wlad a'i heddwch a phopeth sy'n trigo ynddi, fel yn y cerddi 'Eifionydd', 'Tylluanod', 'Clychau'r gog', 'Y Llwynog'. I'r un cyfnod y perthyn y gerdd ryfeddol honno 'Drudwy Branwen', sy'n corffori holl brif nodweddion gwaith y bardd - mydryddiaeth hynod grefftus, dychymyg grymus a sylwadaeth gyfrwys ar gyflwr dyn. At ddiwedd y cyfnod fe ddaeth tro ar arddull y bardd. Yr oedd wedi ymwrthod ag arddull foethus 'Yr Haf' ers llawer blwyddyn, ond wedi cadw'n ofalus iawn y coethder hwnnw oedd, yn ei farn ef, yn nod amgen ar farddoniaeth. Ond dyma hepgor yr hen gonfensiwn (i raddau mawr o dan ddylanwad gwaith ei gefnder, T.H. Parry-Williams) a derbyn cystrawen foel a geirfa gyffredin rhyddiaith a'r iaith lafar. Enghraifft deg yw'r soned 'Gwenci'. Bu newid arall hefyd, newid yn ymateb y bardd i safonau ac i ymarweddiad dynion. Aeth i gondemnio materoliaeth yr oes ac ymroi i ddychan ffyrnig.

Y cymhelliad cychwynnol i'r ymateb hwn oedd yr hyn a ddigwyddodd i Saunders Lewis, sef colli ei swydd, ar ôl llosgi'r ysgol fomio yn Llŷn yn 1936. Defnyddiodd y bardd gyfrwng mydryddol newydd i beth o'r dychan hwn, sef soned â chorfannau tair sillaf wedi eu cymysgu â'r corfannau iambig traddodiadol.

Yr oedd Williams Parry yn dra hyddysg mewn barddoniaeth Saesneg, a dylanwadwyd arno gan weithiau'r beirdd Rhamantaidd, John Keats yn arbennig. Yr oedd iddo lawer o gydnawsedd hefyd â beirdd Saesneg chwarter cyntaf yr ugeinfed ganrif, a gwelir cryn lawer o gyfatebiaethau rhwng ei ddelweddau ef a'r eiddynt hwy. Ond er pob dylanwad yr oedd sylwadaeth finiog y bardd, ei bersonoliaeth annibynnol a'i ymdrafferthu cydwybodol â'i fynegiant yn creu corff o farddoniaeth a oedd yn dwyn ei nodweddion priod ei hun ac yn gyfraniad unigryw i lenyddiaeth Gymraeg. Cyhoeddodd ddwy gyfrol o farddoniaeth, *Yr Haf a cherddi eraill* yn 1924 (arg. newydd 1956) a *Cherddi'r gaeaf* yn 1952. Ceir nifer o gerddi yn *Barddoniaeth Robert Williams Parry* (1973) gan T. Emrys Parry na cheir mohonynt yn y ddwy gyfrol.

Bu Williams Parry yn beirniadu llawer mewn eisteddfodau mawr a mân, gan gynnwys prif gystadlaethau'r Eist. Gen. Nid condemnio a dangos beiau yn unig oedd beirniadu iddo ef, ond bod yn adeiladol a meithrin chwaeth. Cyhoeddodd rai ysgrifau mewn cyfnodolion ar grefft barddoniaeth, gan gymeradwyo'n arbennig bob ffurf ar farddoniaeth delynegol, a'r ddau fardd a ystyriai ef yn bencampwyr y delyneg, sef Ceiriog ac Eifion Wyn. Y mae yn ei ryddiaith ef ei hun nerth argyhoeddiad a hefyd gryn ffraethineb, ac o ran arddull ef yw un o ysgrifenwyr rhyddiaith gorau'r ganrif. Ceir detholiad o'i waith yn *Rhyddiaith R. Williams Parry* (1974) dan olygiaeth Bedwyr Lewis Jones.

Gŵr gwylaidd iawn, swil yn wir, oedd Williams Parry, na chyrchai dyrfa ond yn anfodlon, eithr a ymhyfrydai yng nghwmni gwir gyfeillion. Yr oedd yn genedlaetholwr argyhoeddedig ac yn gadeirydd pwyllgor sir Gaernarfon o Blaid Cymru am ysbaid, ond ni fu erioed ar flaen y gad, gan na fynnai ei weld na'i glywed ar goedd.

Pr. yn 1923 â Myfanwy Davies o Rosllannerchrugog, ond ni fu plant o'r briodas. Bu f. 4 Ion. 1956, a chladdwyd ef ym mynwent Coetmor, Bethesda.

Meredydd Evans, 'Golwg ar waith Robert Williams Parry', *Taliesin*, 27 (1972), 76-96; 'Williams Parry: benthyciwr?', 39 (1979), 67-76; J. Gwilym Jones, *Crefft y llenor* (1977), 57-68; Alan Llwyd (gol.), *R. Williams Parry* (1979); [Bedwyr Lewis Jones, *R. Williams Parry* (1972); *R. Williams Parry* (1997)].

T.P.

PARRY, SARAH WINIFRED ('Winnie Parry'; 1870-1953) awdures, a golygydd *Cymru'r Plant* o 1908 i 1912; g. 20 Mai 1870, yn ferch i Hugh (Thomas) (1841-?) a Margaret Parry (g. Roberts). Yr oedd y teulu'n byw yn y Trallwng, Tfn., ar y pryd, ond symudasant oddi yno pan oedd Winnie yn ychydig fisoedd oed. Ar un adeg yr oedd ei thad yn arolygwr gyda chwmni yswiriant, ond dywedir fod ganddo hefyd ddiddordebau llenyddol. Cyhoeddodd ei mam rai cerddi cynganeddol dan y ffugenw

'Gwenfron': (gweler, e.e., *Baner ac Amserau Cymru*, 19 Medi 1860). Yn ystod Cyfrifiad 1871, yr oedd Winnie, ei mam a'i chwaer yn aros gyda'i thaid, John Roberts, yn y Felinheli: ac y mae'n ymddangos nad oedd gan y teulu gartref sefydlog yn ystod y cyfnod hwn. Bu f. Margaret Parry yn Croydon, pan oedd Winnie yn chwech oed, ac aeth y plentyn i fyw yn barhaol at John Roberts a'i wraig, Ellen. Gwahanwyd hi, felly, oddi wrth ei thad, ei brawd a'i thair chwaer.

Er bod tystiolaeth mai Saesneg oedd ei hiaith gyntaf, buan y daeth yn rhugl yn iaith lafar y Felinheli. Ni ddarganfuwyd cofnod iddi fod yn ddisgybl yn yr ysgol Frytanaidd yn y pentref, nac yn yr ysgol elfennol eglwysig; ond dywedir iddi fod yn gyfeillgar gyda merch prifathro'r ysgol olaf, a'r tebygrwydd yw mai yno y'i haddysgwyd. Ni dderbyniodd addysg uwchradd ffurfiol, ond dywedir fod John Roberts yn ŵr diwylliedig, a'i fod wedi dylanwadu ar feddylfryd ei wyres.

Anhapus ac unig, mae'n debyg, fu ei blynyddoedd cynnar. Ailbriododd ei thad gyda Martha Darroll yn Abertawe yn 1877, ac erbyn 1882 yr oedd ef a'i holl deulu, ac eithrio Winnie, wedi ymsefydlu yn Ne Affrica, gan ei gadael hi yn y Felinheli. Yn fuan wedyn, bu f. ei nain, Ellen Roberts: a dywed Winnie, mewn llythyr at J. Glyn Davies (gw. uchod), iddi fyw ei hunan gyda'i thaid er pan oedd yn dair ar ddeg oed, hyd nes daeth ei modryb i fyw atynt pan oedd hi'n bedair ar bymtheg.

Yn 1893 dechreuodd gyfrannu'n achlysurol i *Cymru, Cymru'r Plant, Y Cymro* a hyd yn oed *The Cambrian* (Utica) a *Wales* ar anogaeth O. M. Edwards (*Bywg.*, 179-80) ac Edward Ffoulkes. Detholiadau allan o'r cylchronau yw'r rhan fwyaf o gynnwys ei thri llyfr, *Sioned* (1906), *Cerrig y rhyd* (1907, ail argraffiad 1915) a *Y ddau hogyn rheiny* (1928). Cyhoeddodd un nofelgyfres yn *Y Cymro* yn 1896, sef 'Catrin Prisiard', nad ymddangosodd yn llyfr yn ddiweddarach.

Am gyfnod yn 1895-96, bu'n llythyra â J. Glyn Davies, Lerpwl, yn trafod llenyddiaeth yn bennaf. Arferai ef alw i'w gweld yn y Felinheli ar ei fordeithiau rhwng Lerpwl a Llŷn; benthyciai hithau lyfrau ganddo, a chafodd ei gymorth i ddysgu Ffrangeg ac Almaeneg.

Pan fu farw John Roberts yn 1903, symudodd Winnie am gyfnod byr at ei hewythr, Owen Parry, gweinidog (MC) Cemaes, Môn. Erbyn dechrau 1908, yr oedd ei thad wedi dychwelyd am gyfnod i Thornton Heath, Croydon, ac ymddengys fod Winnie wedi symud ato i fyw.

O Croydon y bu hi'n golygu *Cymru'r Plant* rhwng dechrau 1908 a chanol 1912, yna tueddodd i ysgrifennu llai (er i *Cerrig y rhyd* gael ei ail-argraffu yn 1915, ac i Foyle's gyhoeddi *Y ddau hogyn rheiny* yn 1928). Ni phriododd erioed, ac yn Llundain gweithiai fel ysgrifenyddes, yn gyntaf i gwmni o beirianwyr, ond hefyd am gyfnod i Syr R. J. Thomas (1873-1951), Aelod Seneddol Môn rhwng 1922 ac 1928 (gw. isod). Bu'n un o feirniaid y stori fer yn Eist. Gen. 1932, ond erbyn hynny yr oedd wedi torri pob cysylltiad, bron, â Chymru. Ar ddechrau Rhyfel Byd II yn 1939, yr oedd E. Morgan Humphreys (gw. uchod) yn pwyso arni i gyhoeddi ail-argraffiad o *Sioned*, ac yr oedd y B.B.C. yn ceisio addasu peth o'i gwaith ar gyfer 'Awr y Plant'. Mor ddiweddar ag 1949, yr oedd yn dal i geisio cael cyhoeddwr i ymddiddori yn *Sioned*, ond yr oedd amgylchiadau'n anodd, a hithau, erbyn hynny, yn hen a musgrell. Bu f. mewn cartref henoed yn Croydon ar 12 Chwef. 1953, a threfnodd ei chyfeilles, Hilda Alice Moore, i'w chladdu yn Croydon.

Sioned yn ddi-os oedd campwaith Winnie Parry, ac enillodd y gyfrol ganmoliaeth uchel o bryd i'w gilydd (gw. E. M. Humphreys, *Yr Herald Cymraeg*, 9 Mawrth 1953). Dywedir i'r llyfr ennill edmygedd R. Williams Parry, hefyd, ac iddo gyfeirio ato yn ystod rhai o'i ddarlithoedd gyda'r W.E.A.: (ond gw. hefyd Kate Roberts, *Baner ac Amserau Cymru*, 29 Ebr. 1953).

Casgliad Winnie Parry, LlGC; casgliad J. Glyn Davies, LlGC 6647-6659; *Gen. Gymr.*, 2 Gorff. 1895; E. Morgan Humphreys, *Herald C.*, 9 Mawrth 1953; Iorwen M. Jones, *Merched Llên Cymru* (traethawd M.A. Prifysgol Cymru 1935); Kate Roberts, 'Ledled Cymru', *Baner*, 29 Ebr. 1953; Mair Ogwen, *Gymraes*, 32, Rhif 8, Awst 1928, 'Winnie Parry'; [Mairwen a Gwynn Jones, *Dewiniaid difyr* (1983)]; casgliad E. Morgan Humphreys, LlGC, llythyrau oddi wrth Winnie Parry ac oddi wrth ei chyfnither, F. E. Williams, Caeredin; llythyrau yng nghasgliad Richard Gwylfa Roberts, llyfrgell Prifysgol Cymru, Bangor; llythyrau oddi wrth Winnie Parry, ym meddiant Dr Kate Roberts; Cyfrifiad 1871, Frondeg, 18 Terfyn Tce., Y Felinheli; llythyrau ym meddiant yr awdur oddi wrth Efrys Renshaw, Caeredin, merch i gyfnither Winnie Parry; llythyr ym meddiant yr awdur, oddi wrth Alison Lane-Poole, Fovant, Wilts., hanner-nith i Winnie Parry; gwybodaeth ar lafar gan nifer o bersonau, yn cynnwys Alison Lane-Poole.

R.P.P.

PASCOE, Syr FREDERICK JOHN (1893-1963), diwydiannwr; g. yn Truro, Cernyw, 19 Maw. 1893, yn fab i Frederick Richard Pascoe. Pr., yn 1936, â Margaret Esson, merch Cyrnol F. J. Scott, a bu iddynt un mab ac un ferch. Addysgwyd ef yng Nghaerwysg a Choleg S. Ioan, Caergrawnt (B.A. Gwyddorau Mecanyddol). Cychwynnodd ar ei yrfa mewn diwydiant yn brentis yn Leeds Forge. Yn ystod Rhyfel Byd I gwasanaethodd yn Ewrop yn swyddog gyda'r *Durham County Light Infantry* ac ar ôl hynny gyda'r *Indian Signal Service*. Daeth yn un o ddiwydianwyr blaenaf Prydain rhwng y ddau ryfel byd ac wedi hynny. Fel ysgrifennydd *Electric and Railway Finance Corporation*, 1926-30, y daeth gyntaf i sylw'r cyhoedd ac yn fuan wedyn daeth i gysylltiad â Chymru a'i diwydiant, cysylltiad a barhaodd dros weddill ei oes. Disgrifiwyd ef yn garedig fel gŵr o Gernyw a chanddo ddigon o waed y Celt iddo deimlo ei fod yn perthyn i Gymru ac yn arbennig i gymoedd y De. Yn 1930 daeth yn gyfarwyddwr *British Timken Ltd.* Bu'n gadeirydd a chyfarwyddwr-reolwr o 1940 hyd 1959 pryd y daeth yn gadeirydd Adran Prydain o'r *Timken Roller Bearing Co.*, cyfundrefn ddiwydiannol fawr y cynyddodd ei gweithlu o ychydig gannoedd o wŷr i gyflogi 7,000 o weithwyr. Ymhlith y canghennau yr oedd *Aberdare Holdings* (a gynhwysai *Aberdare Cables Ltd.*, *Aberdare Engineering Ltd.*, a *South Wales Switchgear*) a sefydlwyd gan Syr John yn 1955 ac a ddaeth â gwaith i 4,000 o ddynion mewn ardal ddirwasgedig o dde Cymru. Bu'n aelod o gyngor cenedlaethol *Aims of Industry*, a'r *Regional Advisory Council for the Organisation of Further Education in the East*

Midlands. Ac yntau'n Geidwadwr pybyr, bu'n gadeirydd Cymdeithas Geidwadol ac Unoliaethol Kettering, 1948-53; yn rhyddfreinwr Dinas Llundain ac yn *Liveryman of the Worshipful Company of Tin Plate Workers alias Wire Workers*, a'r *Fishmongers' Company*. Urddwyd ef yn farchog yn 1957 a bu f. 5 Chwef. 1963.

Www; *West. Mail*, 7 Meh. 1963.

D.G.R.

PEARCE, EVAN WILLIAM (1870-1957), gweinidog (MC) ac awdur; g. 2 Hyd. 1870 yn Llanilltud Faerdref, Morg., ond symudodd y teulu i Bontycymer, lle y dechreuodd bregethu yn 1891 yng nghapel Bethel. Aeth i Goleg Trefeca ar 14 Medi 1892 am bedair bl. ac ord. ef yn 1897. Bu'n weinidog ym Mrychdwn, Bro Morgannwg, ond ymddeolodd i fynd i Bontarddulais yn 1902 i ofalu am berthynas iddo. Ymhen ychydig aeth i Fethel, Porth-cawl, lle bu'n weinidog am 25 ml. gan ymddeol yn 1927. Bu'n llywydd ac ysgrifennydd henaduriaeth Dwyrain Morgannwg. Pr., 31 Maw. 1898, â Rachel James yn Abertawe a bu iddynt un ferch. Gwnaeth ei gartref yn Y Gorlan, Green Avenue, Porth-cawl, lle y cyfarfu Cymdeithas Gweinidogion Porth-cawl am flynyddoedd, a bu f. 30 Awst 1957.

Cymerai ddiddordeb mawr mewn hanes lleol a hanes ei enwad ei hun gan fod yn un o aelodau cyntaf Cymdeithas Hanes y Methodistiaid Calfinaidd. Ysgrifennai i'r *Western Mail*, a chyhoeddodd lyfryn hanes, *Beulah, Margam, 1893-1938, a historical sketch* (1938), a chofiant i *The Rt. Hon. George Swan Nottage, Lord Mayor of London, 1884-5* (1938).

Blwyddiadur MC, 1958; *WWP*.

M.A.J.

PENCERDD GWYNFRYN - gw. CARRINGTON, THOMAS uchod.

PHILIPPS, Syr GRISMOND PICTON (1898-1967), milwr a gŵr cyhoeddus; g. 20 Mai 1898, yn unig fab Urchgapten Grismond Philipps, Cwmgwili, Caerf. Daeth yn is-gapten yn y *Grenadier Guards* yn 1917, dyrchafwyd ef yn gapten yn 1925, ac ymddeolodd yn 1933. Gwasanaethodd drwy gydol Rhyfel Byd II, gan fod yn is-gyrnol yn gyfrifol am 4ydd Bataliwn y Gatrawd Gymreig (Byddin Diriogaethol); yr oedd yn gyrnol mygedol yn y Gatrawd Gymreig (Byddin Diriogaethol) o 1960 hyd 1964. Penodwyd ef yn ddirprwy-lifftenant sir Gaerfyrddin yn 1935, yn ynad heddwch yn 1938, ac yn gynghorwr sir yn 1946. Ar ôl gwasanaethu fel is-lifftenant o 1936 hyd 1954, daeth yn Arglwydd Lifftenant sir Gaerfyrddin yn 1954 a chadwodd y swydd weddill ei oes. Bu'n aelod o Lys y Llywodraethwyr a Chyngor Llyfrgell Genedlaethol Cymru, ac yn aelod o Gyngor Amgueddfa Genedlaethol Cymru, 1945-52. Ef oedd cadeirydd Cyngor Adeiladau Hanesyddol Cymru 1955-67, a bu hefyd yn gadeirydd pwyllgor Cymreig Teledu Cymru a'r Gorllewin (T.W.W.). Yr oedd yn ŵr doeth a llawn cydymdeimlad. Ac yntau'n disgyn o un o hen deuluoedd sir Gaerfyrddin (*Bywg.*, 709-10), cymerai ddiddordeb dwfn yn hanes a hynfiaethau Cymru, ac yn arbennig yn hanes hen deuluoedd a chartrefi ei sir enedigol.

Gwnaed ef yn farchog yn 1953.

Pr. y Fonesig Marjorie Joan Mary Wentworth-FitzWilliam, ail ferch y 7fed Iarll FitzWilliam yn 1925, ond ysgarwyd hwy yn 1949. Bu f. 8 Mai 1967 a'i oroesi gan ei unig fab.

Who's who; Annual report of the Historic Buildings Council 1967; gwybodaeth bersonol.

G.W.

PHILIPPS, LAURENCE RICHARD, BARWN MILFORD y 1af. a'r barwnig 1af. (1874-1962), cymwynaswr gwlad, diwydiannwr, sbortsmon, ac aelod o un o hen deuloedd bonheddig amlycaf sir Benfro; g. 24 Ion. 1874, yn 6ed mab y Canon Syr James Erasmus Philipps, 12fed barwnig o Bicton, a'r Anrhydeddus Mary Margaret Best, merch yr Anrhydeddus y Parchg. Samuel Best. Yn dilyn ei addysg yn ysgol Felsted a'r *Royal School of Mines* fe ganolodd ei yrfa ar y fasnach fôr, ac ymhen amser daeth yn gadeirydd y *Court Shipping Line* a gychwynnwyd ganddo ef ei hun. Yr oedd yn aelod o *Lloyd's*, yn gyfarwyddwr i amryw o gwmnïau o fri fel *Schweppes Ltd* ac *Ilford Ltd* a bu ar un adeg yn gadeirydd y *Northern Securities Trust Ltd*.

Codwyd ef yn farwnig yn 1919 ac yn farwn yn 1939, y trydydd o'r teulu i'w ddyrchafu i'r bendefigaeth o fewn yr un genhedlaeth, ac yntau'n frawd i John Wynford Philipps (1860-1938), Is-iarll S. David's y 1af, ac Owen Cosby Philipps (1863-1937), barwn Kylsant. Bu'n gymwynaswr hael ei arian i Gymru, yn enwedig i Goleg Prifysgol Cymru, Aberystwyth, trwy gyfrannu cronfa ddigonol yn 1919 i sefydlu Bridfa Blanhigion Cymru a ddaeth bellach yn fyd-enwog ym meysydd bridio planhigion a gwyddor tir glas ac at hynny yn gyfrwng bendith amhrisiadwy er lles amaethyddiaeth y wlad. £10,000 oedd ei rodd ddechreuol i roi'r Fridfa ar ei thraed, gyda £1,000 y flwyddyn wedyn am y deng ml. nesaf at y costau cynnal a chadw. At hyn, yn 1944, derbyniwyd cyfraniad ganddo o £800 y flwyddyn am ddeng ml. i greu cadair ymchwil 'Cadair Milford yn Iechyd Anifeiliaid' y bu perthynas agos rhyngddi a gwaith y Fridfa Blanhigion. I gydnabod ei haelioni galwyd y labordy cyntaf i'w godi yng nghanolfan newydd y Fridfa ym Mhlas Gogerddan wrth ei enw ef, 'Labordy Ymchwil Blanhigion yr Arglwydd Milford', pan agorwyd ef yn 1955. Enghraifft bwysig arall o'i gymwynasgarwch oedd darparu ysbyty yn Rookwood, Llandaf, ar gyfer cyn-aelodau o'r Lluoedd Arfog yn dioddef o'r parlys.

Etholwyd ef yn ustus heddwch dros swydd 'Hants.' yn 1910, yn uchel sirydd yn 1915 ac yn ustus heddwch dros sir Faesyfed yn 1918. Bu'n aelod o Gyngor Coleg Aberystwyth, 1922-57, yn llywodraethwr oes, ac yn 1939 dyfarnodd Prifysgol Cymru iddo radd LL.D. er anrh.

Yr oedd yn fawr ei ddiddordeb mewn chwaraeon, yn arbennig mewn rasys ceffylau ac yn y gwaith o'u trefnu a'u gweinyddu. Dewiswyd ef i blith aelodau dylanwadol y *Jockey Club*, a bu'n berchen ar nifer o geffylau a enillodd wobrwyon iddo. Yn ddiweddarach yn ei oes cyflwynodd yr holl weithgareddau hyn i ofal ei drydydd mab, yr Anrhydeddus John Perrot Philipps.

Pr. yn 1901, Ethel Georgina, Ustus Heddwch,

unig ferch Benjamin Speke, rheithor Dowlish Wake, swydd Somerset. Ganed iddynt bedwar mab ac un ferch. Bu f. 7 Rhag. 1962, a'i olynu gan ei fab hynaf yr Anrhydeddus Wogan Philipps. Ei ail fab, yr Anrhydeddus Richard Hanning Philipps, M.B.E., Y.H., oedd Arglwydd Raglaw sir Benfro 1958-74 ac wedi hynny Arglwydd Raglaw cyntaf sir newydd Dyfed.

Www; Burke, 1970 (105ed arg.); Ellis, *UCW; Times*, 8 Rhag. 1962.

D.J.G.

PHILLIPS, DAVID (1874-1951), gweinidog (MC), athronydd ac athro; g. yn 1874 yn y Ffwrnes, Llanelli, Caerf., mab Henry a Sarah Phillips. Bu farw'i dad pan oedd yn ieuanc, a symudodd y fam a'i theulu i Aberpennar, Morg. Cafodd addysg elfennol yn ysgol fechgyn y Dyffryn, ac aeth i weithio yn y lofa. Enillodd ysgoloriaeth yn 1894 ar gyfer glowyr i astudio mwyngloddiaeth, ond perswadiwyd ef gan ei athrawon yng Ngholeg y Brifysgol, Caerdydd i baratoi am radd, a graddiodd yn 1898 gydag anrhydedd yn y dosbarth cyntaf mewn athroniaeth. Enillodd ysgoloriaeth i Goleg y Drindod, Caergrawnt, lle graddiodd gydag anrhydedd ar ddau destun athronyddol yn y dosbarth cyntaf. Bu hefyd am dymor ym Mhrifysgol Heidelberg. Dechreuodd bregethu cyn gadael Caerdydd, ond ar ddiwedd ei gwrs colegol penodwyd ef yn 1902 yn ddarlithydd mewn athroniaeth foesol ym Mhrifysgol St. Andrews, yr Alban. Clywodd am y diwygiad yng Nghymru, a dychwelodd i'w gynefin i weld beth oedd yn digwydd yno. Daliwyd ef gan y don, ac argyhoeddwyd ef y dylai os gyflwyno'i hun i waith y weinidogaeth Gristionogol. Ord. ef yn 1905, a bu'n bugeilio eglwys Saesneg Frederick St., Caerdydd, hyd y flwyddyn 1908. Galwyd ef gan ei Gyfundeb i gadair athroniaeth a hanes crefyddau yng Ngholeg y Bala (1908-27), a bu'n brifathro'r coleg hwnnw o 1927 hyd 1947. Dylanwadodd yn fawr ar do ar ôl to o fyfyrwyr yn y Bala, ac wedi iddo ymddeol cafodd radd D.D. (er anrh.) gan Brifysgolion St. Andrews a Chymru. Pr. Emily Treharne, a ganwyd un mab o'r briodas. Bu f. 6 Awst 1951.

Bu'n ŵr amlwg iawn ym mywyd ei Gyfundeb. Traddododd y Ddarlith Davies yn 1919 ar y testun 'Intercourse with God', ond nis cyhoeddodd. Bu'n llywydd Sasiwn y Gogledd (1938), ac yn llywydd y Gymanfa Gyffredinol (1944). Yr oedd yn aelod o'r ddirprwyaeth a ymwelodd â maes cenhadol ei Gyfundeb yn Assam yn 1935-36, a rhoes arweiniad sicr i'w eglwys wrth lunio polisi, ar adeg argyfyngus, ar gyfer gwaith cenhadol y dyfodol. Doniwyd ef â chynheddfau meddyliol eithriadol, ac ymddiddorai nid yn unig mewn pynciau athronyddol ond mewn diffinio a mynegi gwirioneddau'r Efengyl. Yr oedd yn un o'r pedwar a luniodd y Datganiad ar ffydd a buchedd. Braidd yn hwyrfrydig ydoedd i gyhoeddi dim. Pan oedd yn yr Alban bu'n is-olygydd yr *International Jnl. of Ethics*, ac yn ystod yr un cyfnod cyfrannodd ysgrif wych ar yr 'Ego' i'r *Encyclopaedia of Religion and Ethics*. Cyhoeddodd fonograffau bychain ar *Athroniaeth Syr Henry Jones* (1922), *Y syniad o Dduw fel person* (1932), a *Christianity and the state* (1938). Bu'n un o olygyddion *Y Traethodydd* o 1932 hyd ei farwolaeth. Ymddangosodd casgliad o'i ysgrifau yn 1949 dan y teitl *Ysgrifau athronyddol*, a cheir yn y rheini hufen ei feddyliau.

Cambrian Daily Leader, 2 Gorff. 1925; *WwFC*, 351; *Gol.*, 29 Awst 1951; *Blwyddlyfr MC*, 1952, 220-21; *Traeth.*, Ion. ac Ebr. 1952; W. Morris (gol.), *Deg o Enwogion* (1959), 79-87; R. H. Evans, *Datganiad byr ar ffydd a buchedd* (1971), pennod 2; gwybodaeth gan ei nith, Eluned Evans, Llandeilo; ac adnabyddiaeth bersonol.

G.M.R.

PHILLIPS, DAVID RHYS (1862-1952), llyfrgellydd; g. 20 Mawrth 1862 yn Beili Glas, Pontwalbi, Glyn Nedd, Morg., fferm ei dad-cu, yn f. David Phillips a Gwenllian, g. Rees; ond magwyd ef ym Melin-cwrt, Resolfen, cwm Nedd. Addysgwyd ef yn yr ysgol genedlaethol, Resolfen, a Burrows School, ac Arnold College, sef ysgolion preifat yn Abertawe. Wedi cyfnod yn lôwr, yn 1893 cafodd le yn gysodydd ac yn ddarllenydd proflenni yn swyddfa argraffu Walter Whittingdon, Castell-nedd, a gweithredu hefyd yn bostmon cynorthwyol, ond yn 1900 aeth i Rydychen yn ddarllenydd i Wasg Prifysgol Rhydychen. Penodwyd ef yn olygydd Beibl Cymraeg 1908 ond yn bwysicach, mynychodd gyrsiau mewn llyfrgellyddiaeth yng Ngholeg Technegol Rhydychen. Dychwelodd yn Gynorthwywr Cymraeg i Lyfrgell Bwrdeisdref Abertawe yn 1905 wedi ennill Diploma Cymdeithas y Llyfrgelloedd ac ef a oedd yn gyfrifol am gatalogio'r adran Gymraeg (casgliad Robert Jones, Rotherhithe (1810-79), *Bywg.*, 479) yn bennaf). Etholwyd ef yn F.L.A. yn 1913, ac yn F.S.A. (Scotland) yn 1920-21. Codwyd ef yn Llyfrgellydd Cymraeg a Cheltaidd y Fwrdeistref ac yna yn 1923 yn gyd-lyfrgellydd gyda W. J. Salter hyd nes iddo ymddeol yn 1939.

Ymddiwylliodd D. Rhys Phillips yng nghyfarfodydd cymdeithasau llenyddol Resolfen a Chastell-nedd a thaniwyd ef yn gynnar yn ei yrfa i chwilota i hanes y fro, i ysgrifennu erthyglau dityr i'r wasg a'r cylchgronau Cymraeg ac i gystadlu mewn eisteddfodau. Lluniodd nifer o draethodau sylweddol ar destunau cerddorol a bywgraffyddol ar gyfer cystadlaethau'r Eist. Gen. (1931, 1932, 1936, 1938, 1948, 1949). Bu'n weithgar mewn llawer o gymdeithasau Cymraeg, yn eu plith Cymdeithas Canu Gwerin, Cyngor yr Eisteddfod Genedlaethol, Bwrdd yr Orsedd; yr oedd yn Geltegwr brwd, yn un o hyrwyddwyr y Gyngres Geltaidd yn 1917 a'i Hysgrifennydd hyd 1925, a bu â rhan yn sefydlu Gorsedd Cernyw yn 1928. Cyhoeddodd nifer o erthyglau ar ddatblygu'r gwasanaeth llyfrgell gyhoeddus ond ei ddiddordeb pennaf oedd hanes llyfryddiaeth ac argraffu. Yr oedd yn flaenllaw mewn sefydlu'r Gymdeithas Lyfryddol Gymreig yn 1906 ac ef fu'r Ysgrifennydd o 1907 hyd 1951. Prin y gellir amau nad ei sêl a'i frwdfrydedd ef a sicrhaodd barhad y Gymdeithas a'i thrafodion. Ymhlith ei weithiau ef ei hun gellir nodi *Select Bibliography of Owen Glyndwr* (1915), *The romantic history of the monastic libraries of Wales* (1912), *Dr Griffith Roberts, Canon of Milan* (1917), *Lady Charlotte Guest and the Mabinogion* (1921), *The*

Celtic countries, their literary and library activities (1915). Hawdd yw nodi diffygion ei waith, ond mae i Rhys Phillips le anrhydeddus yn un o arloeswyr llyfryddiaeth Gymraeg fodern.

Yn 1918 enillodd wobr o £100 yn Eist. Gen. Castell-nedd am draethawd ar hanes dyffryn Nedd. Cyhoeddodd hwn yn 1925, *A history of the Vale of Neath*, cyfrol sy'n ffrwyth oes o chwilota a chasglu dogfennau a thraddodiadau ar bob agwedd ar ei fro ei hun.

Pr. ddwywaith, (1) â Mary Hancock, bu f. Ebrill 1926, a (2) ag Anne Watts 'Pencerddes Tawe', Rhagfyr 1927. Bu mab, o'r briodas gyntaf, a fu f. yn 1924, a merch o'r ail briodas. Bu Rhys Phillips f. yn ei gartref Beili Glas, 15 Chaddesley Terrace, Abertawe, 22 Maw. 1952.

Papurau D. Rhys Phillips LlGC, a Llyfrgell Dinas Abertawe; *Jnl. W.B.S.*, 7 (1952), 119-121, 122-24; *Jnl. W.B.S.*, 12 (1983/84), 43-50; *WwW* (1937); *Library Association Record*, 54 (1952), 189; [Tom Davies yn H. T. Edwards (gol.), *Nedd a Dulais* (1994)].

B.F.R.

PHILLIPS, EDGAR ('Trefîn'; 1889-1962), teiliwr, athro ysgol, bardd, ac Archdderwydd Cymru, 1960-62; g. 8 Hyd. 1889 yn Rose Cottage, Tre-fin, Penf., yn unig blentyn William Bateman a Martha (g. Davies) Phillips. Morwr oedd y tad ond wedi ymddeol o'r môr bu'n bobydd ym Mhorth-cawl. Collodd Trefîn ei fam yn 1898 a hithau wedi treulio 5 ml. yn ysbyty Dewi Sant yng Nghaerfyrddin, a mabwysiadwyd ef gan chwaer ei dad, Mari, gwraig John Martin, gwneuthurwr hwyliau, a hen forwr. Saesneg gan mwyaf oedd iaith y cartref a Saesneg, wrth gwrs, oedd iaith yr ysgol ddyddiol, ond diolch i'r Ysgol Sul cadwodd ei Gymraeg. Ceisiodd ddianc i'r môr pan ddeallodd fod y teulu am ei brentisio'n deiliwr. Pan ailbr. ei dad symudodd y teulu i Gaerdydd ac aeth y bachgen yn 11 oed i ysgol Sloper Road. Cymerodd (Syr) John Rowland (*Bywg.* 2, 52), yr athro Cymraeg, ddiddordeb ynddo a threfnu iddo gael benthyg *Cymru* a chyfnodolion Cymraeg eraill. Ceisiai ei dad a'i lysfam ei ddiddyfnu oddi wrth ei ddiddordeb yn y Gymraeg. Ar daith i sir Benfro cafodd gwmni Owen Morgan Edwards (*Bywg.*, 179) ar y trên a bu hynny'n atgyfnerthiad i'w Gymreictod. Pan oedd yn 14 oed dychwelodd i Dre-fin yn brentis teiliwr i'w ewythr J. W. Evans, a chan fod y gweithdy'n fagwrfa i feirdd ac yn ysgol yn y cynganeddion, meistrolodd Trefîn yr *Ysgol Farddol* ('Dafydd Morganwg'). Bu'n teiliwra yn Nhreletert a Hendy-gwyn ar Daf am flwyddyn wedi gorffen ei brentisiaeth. Dychwelodd i Gaerdydd i arbenigo ar 'dorri' a datblygodd i fod yn deiliwr dillad merched. Yn 1912 symudodd i Lundain gan weithio mewn nifer o siopau dillad cyn dychwelyd i Gaerdydd fel prif ddeiliwr yn un o siopau mwyaf y ddinas. Ym mis Awst 1914 agorodd fusnes teiliwr mewn partneriaeth â Trefor Roberts. Yn 1915 ymunodd â'r fyddin gan ddewis y *Royal Garrison Artillery* a daeth yn *Bombardier*. Cafodd niweidiau tost pan syrthiodd un o'r distiau mewn seler ar ei ben mewn ymosodiad gan fagnelau a symudwyd ef o ysbyty i ysbyty nes ei ryddhau o'r fyddin. Cafodd waith dros dro gan Gwmni Seccombes yng Nghaerdydd. A'i iechyd yn dirywio symudodd i gyffiniau'r

Coed-duon yng Ngwent a gweithio mewn siop ym Margod. Yn 1921 aeth i Goleg Caerllion a chael tystysgrif addysgu gyda chlod. Bu'n athro Cymraeg yn ysgol gynradd Pengam 1923-24 cyn ei benodi'n athro Cymraeg yn ysgol uwchradd Pontllan-fraith lle y bu'n dysgu nes ymddeol yn 1954. Yr oedd yn un o arloeswyr darlledu Cymraeg a bu ei dditectif Bili bach yn arwr i blant y cyfnod hwnnw. Yr oedd yn gystadleuydd cyson yn yr eisteddfodau. A chanddo 33 o gadeiriau a choron eisoes, enillodd gadair yr Eist. Gen. yn 1933 a bu'n Geidwad cledd Gorsedd y Beirdd o 1947 hyd 1960, pryd y gwnaed ef yn Archdderwydd. Cyhoeddodd *Trysor o gân*, caneuon i blant mewn pedair cyfrol (1930-36), *Caniadau Trefîn* (1950) ac *Edmund Jones, 'The Old Prophet'* (1959).

Bu'n br. deirgwaith: (1), Hannah Clement, nyrs o Dredegar yn 1915. Bu hi f. 24 Ebr. 1943. Bu iddynt un ferch. Pr. (2), Violet Annie Burnell, athrawes, 13 Ebr. 1946. Diddymwyd y briodas yn ddiwrthwynebiad ar ddeiseb Trefîn, Tach. 1950. Pr. (3), Maxwell Fraser, 24 Hyd. 1951. Bu ef f. 30 Awst 1962.

Brinley Richards, *Cofiant Trefîn* [1963].

E.D.J.

PHILLIPS, MORGAN HECTOR (1885-1953), prifathro ysgol; g. yn hanner cyntaf 1885, mab ieuengaf David Phillips, rheithor Radur, Morg. Yr oedd yn frawd i J. Leoline Phillips, Deon Mynwy, a D. Rupert Phillips, a fu'n gadeirydd mainc ynadon Cibwr. Cafodd yrfa addysgol ddisglair yng Ngholeg Crist, Aberhonddu, lle'r enillodd ysgoloriaeth yn y clasuron i Goleg Iesu, Rhydychen. Enillodd glod iddo'i hunan ac i'r ysgol yn ogystal ar y cae rygbi. Yn Rhydychen cafodd ddosbarth cyntaf yn 'Moderations' a graddio yn 1911. Bu'n athro ysgol yn Fonhill (East Grinstead), *Rossall University College School* (Llundain) ac yn Charterhouse. O 1915 hyd 1919 bu'n swyddog yn y fyddin gyda'r *Royal Fusiliers* a'r R.A.S.C. Yn 1923 apwyntiwyd ef yn Rheithor y Coleg Brenhinol ym Mauritius ac yn Bennaeth Adran Addysg Uwchradd yr ynys. Yma gweithiai fel aelod o Wasanaeth Sifil y Trefedigaethau. Yn 1927 cynrychiolodd yr ynys yn yr *Imperial Education Conference* yn Llundain lle y cyflwynodd bapur, ar 'Teaching English in Schools'. Yr oedd hefyd yn arholwr i'r Gwasanaeth Sifil ac i Fwrdd Arholi Ysgolion, Prifysgol Caergrawnt. Ym Mauritius yr oedd hefyd yn amlwg ar y maes chwarae gan ddangos diddordeb arbennig mewn criced, hoci a phêl-droed.

Apwyntiwyd ef (o blith 45 o ymgeiswyr) yn brifathro Ysgol Rhuthun yn 1930. Bu'n fawr ei ddiddordeb mewn rygbi a sefydlwyd eisoes yn yr ysgol gan ei ragflaenydd, Edwin William Lovegrove (gw. uchod), a llwyddodd i sicrhau bod gemau rygbi pwysig yn cael eu chwarae ar gae'r ysgol. Erys rhywfaint o ddirgelwch ynglŷn â'i ymddiswyddiad o'r brifathrawiaeth yn 1935. Priodolwyd hyn i afiechyd. Symudodd i Lundain lle y bu mewn swydd addysgol ac yn ddiweddarach yn gyfarwyddwr nifer o gwmnïau preifat.

Pr. Jessie Whayman, merch A.E.P. Rae a bu iddynt un mab. Ymgartrefodd yn Chorleywood, swydd Hertford, ond bu f. yn Sanatoriwm Holloway, Virginia Water, 3 Maw. 1953.

Archifdy Clwyd, Rhuthun; *The Ruthinian*, 1930-35; Old Ruthinian Association; *Denbighshire Free Press*, 14 Maw. 1953; gwybodaeth gan Keith M. Thompson, hanesydd yr ysgol.

W.G.E.

PHILLIPS, MORGAN WALTER (1902-63), ysgrifennydd cyffredinol y Blaid Lafur; g. yn Aberdâr, Morg., 18 Meh. 1902, yn un o chwe phlentyn William Phillips, ond magwyd ef ym Margod, Morg. Gadawodd yr ysgol pan oedd yn 12 oed i weithio ar ben pwll glo. Nid oedd ond 18 oed pan ymunodd â Phlaid Lafur rhanbarthol Caerffili. Daeth yn ysgrifennydd y blaid ym Margod, 1923-25, ac yn gadeirydd Cyfrinfa Glo Rhydd Bargod, 1924-26. Ar ôl mynychu cwrs mewn economaidd a chymdeithasol yng Ngholeg Llafur Llundain am ddwy fl. daeth yn ysgrifennydd y Blaid Lafur yn West Fulham, 1928-30, ac yn Whitechapel yn ddiweddarach, 1934-37. Cafodd brofiad hefyd mewn llywodraeth leol fel aelod o gyngor bwrdeistref Fulham am 3 bl. Yn 1937 aeth i bencadlys y blaid yn Transport House fel swyddog propaganda, a'i benodi'n ysgrifennydd adran ymchwil y blaid yn 1941. Gan ei fod yn drefnydd galluog a wnâi benderfyniadau clir ar unwaith, ni fu'n hir cyn cael ei ddyrchafu'n ysgrifennydd ei blaid, a'i wneud yn ysgrifennydd cyffredinol yn 1960. Ef yn anad neb oedd wrth wraidd yr ymchwydd yn ffyniant y blaid a arweiniodd at chwe bl. o lywodraeth Lafur. Eto i gyd, tueddid i feio'i drefnyddiaeth ef pan orchfygwyd y blaid yn etholiad cyffredinol 1955. Ond er i'r Blaid Lafur golli'r etholiad eto yn 1959, cynyddodd ef mewn bri bryd hynny. Ei gyfarfyddiadau dyddiol ef â phobl y wasg oedd un o lwyddiannau mwyaf arbennig yr etholiad. Fel gyda'r mwyafrif o ddosbarthiadau o bobl y deuai i gysylltiad â hwy, deallai'r gohebwyr i'r dim, ac atebai eu cwestiynau'n eithriadol gryno. Cadwodd y Blaid Lafur rhag chwalu'n llwyr ar ôl yr etholiad trwy gyflwyno dadansoddiad clir o'r hyn a ddigwyddodd ac awgrymiadau adeiladol at y dyfodol, llawer o'r rhai a gynhwyswyd yn ei bapur, *Labour in the Sixties* (1960). Cyhoeddodd hefyd *East meets West* (1954) ac amryw bamffledi politicaidd ac economaidd.

Fel un o wŷr mawr rhyngwladol y mudiad Llafur llwyddodd gyfres o gynadleddau a drefnwyd gan y Pwyllgor Sosialaidd Rhyngwladol o 1944 ymlaen a bu'n gadeirydd y *Socialist International* o'i gychwyn yn 1948 nes ymddiswyddo yn 1957. Yr oedd ar frig ei yrfa pan gafodd drawiad ym mis Awst 1960, a bu'n rhaid iddo ymddeol ymhen blwyddyn. Pr. Norah Lusher yn 1930 a bu iddynt fab a merch. Bu f. 15 Ion. 1963 yn Llundain.

Www; Times a *West. Mail*, 16 Ion. 1963.

M.A.J.

PHILLIPS, PHILIP ESMONDE (1888-1960), Is-lyngesydd; g. 16 Meh. 1888 yn fab iau i P. S. Phillips, Crumlin Hall, Myn. Pr. yn 1933 Mrs Ellinor Curtis, merch Capten Glen Kidston (terfynwyd y briodas yn 1950); bu iddynt un mab. Addysgwyd Phillips yng Ngholeg Britannia y Llynges Frenhinol, Dartmouth. Dyfarnwyd iddo y D.S.O. a bar yn ystod Rhyfel Byd I. Yn 1927 aeth yn Benswyddog Staff Is-lyngesydd y Llongau Tanfor. O 1935 hyd 1937 bu'n Ail Aelod Bwrdd Llyngesol y Gymanwlad. O 1937 hyd 1938 bu'n Bennaeth Staff a Chapten Gofalaeth y Nore. Gosodwyd ef ar Restr yr Ymddeolwyr yn 1938 fel capten. Y flwyddyn ganlynol penodwyd ef yn A.D.C. i'r Brenin. Gyda chychwyn Rhyfel Byd II yn 1939 galwyd ef yn ôl i wasanaeth gweithredol fel is-lyngesydd, a gwasanaethodd yn gyntaf yn *Flag Officer* Aberdaugleddau, ac wedyn yn Swyddog Hŷn y Llynges Brydeinig yn Nhrinidad. Ymddeolodd yn 1945 ac fe'i penodwyd yn C.B. Bu'n Ddirprwy Raglaw dros sir Frycheiniog. Ymgartrefodd yn Woodberry Cottage, Itchester, Sussex, a bu f. 27 Chwef. 1960 yn ysbyty Chichester.

Www; Navy list.

Don. M.

PHILLIPS, Syr THOMAS WILLIAMS (1883-1966), ysgrifennydd parhaol y Weinyddiaeth Lafur a'r Gwasanaeth Gwladol; g. 20 Ebr. 1883, yn ail fab i Thomas Phillips, ysgolfeistr Cemaes, Tfn., a Jane Ryder (g. Whittington) ei wraig. Yn 1897 aeth i ysgol sir Machynlleth lle yr enillodd lawer o ysgoloriaethau a chafodd radd B.A. Prifysgol Llundain cyn gadael yr ysgol yn 1902 i fynd i Goleg Iesu, Rhydychen, lle y graddiodd yn y dosbarth cyntaf yn y clasuron (Lit. Hum.) ac ennill gwobr Gaisford am ryddiaith Roeg yn 1905. Galwyd ef i'r Bar gan Gray's Inn yn 1913. Ymunodd â'r gwasanaeth sifil yn 1906 gyda'r Bwrdd Masnach lle y cafodd gyfrifoldeb arbennig am faterion hawlfraint. Trosglwyddwyd ef i'r Weinyddiaeth Lafur yn 1919 a chyn pen fawr o dro dyrchafwyd ef yn ddirprwy ysgrifennydd yr adran ac yn ysgrifennydd parhaol yn 1935. Ef oedd un o brif benseiri'r adran fawr honno gyda chyfrifoldeb am y cyfnewidfeydd cyflogi, yswiriant diweithdra, byrddau masnach, a chyflafareddiadau diwydiannol. Yr oedd y Weinyddiaeth Lafur a Gwasanaeth Gwladol yn ddyledus iddo ef am ei henw da, yn arbennig am ei arweiniad anymwthiol ond effeithlon yn ystod Rhyfel Byd II pryd y dygwyd hi i gysylltiad agos â phob math o alwedigaeth wrth gynnull dynion a merched i'r lluoedd arfog ac i'r ffatrïoedd arfau. Yn 1944 penodwyd ef yn Ysgrifennydd Parhaol y weinyddiaeth newydd a grewyd i redeg cynllun yswiriant gwladol newydd, swydd a gadwodd am bedair bl. O 1948 ymlaen bu'n gadeirydd nifer o gyrff cyhoeddus, gan gynnwys y Bwrdd Tir Canolog a'r Comisiwn ar Ddifrod Rhyfel (1949-59). Ac yntau'n meddu'r ddawn i ddatrys cymhlethdodau, gwerthfawrogid ei farn gan olyniaeth hir o weinidogion. Cydnabuwyd ei waith nodedig drwy ei urddo'n farchog (1936), a derbyniodd radd LL.D. er anrh. Prifysgol Cymru (1946) yn ogystal â nifer o anrhydeddau eraill. Yr oedd yn aelod amlwg o Gymdeithas Trefaldwyn yn Llundain.

Pr. yn 1913 Alice Hair Potter (a fu f. 1965), a bu iddynt ddau fab a merch. Bu yntau f. 21 Medi 1966.

Burke; *WwW* (1921); *Machynlleth County School: prospectus and list of successes* (1905); *Times*, 24 Medi 1966.

M.A.J.

PICTON-TURBERVILL, EDITH (1872-1960), gweithwraig dros achosion menywod ac awdur; g. yn un o efeilliaid yn 1872, o fewn dosbarth cofrestru Henffordd, i deulu mawr John Picton Warlow, neu John Picton-Turbervill o Briordy Ewenni, Morg., yn ddiweddarach (1891), ac Eleanor (g. Temple) ei ail wraig. Yn fuan wedi gadael y *Royal School*, Caerfaddon, cafodd ei phrofiad cyntaf o waith cymdeithasol ger ei chartref newydd ym Mro Morgannwg pan geisiodd wella amodau byw y cloddwyr a weithiai ar y rheilffordd yno. Yna aeth i Lundain am gyfnod a phrofi drosti ei hun fywyd pobl dlawd Shoreditch drwy fyw fel hwy. Wedyn treuliodd chwe bl. yn yr India fel gweithiwr cymdeithasol ac ar ôl dychwelyd adref daeth yn ysgrifennydd tramor Cymdeithas Gristnogol Menywod Ifainc (Y.W.C.A.). Yn ddiweddarach, a hithau'n is-lywydd y mudiad am ddeng ml., teithiodd y byd ac amlygodd ei gallu arbennig fel trefnydd ac arweinydd trwy godi chwarter miliwn o bunnoedd at anghenion y mudiad adeg y rhyfel a threfnu ei agor nifer fawr o hosteli Y.W.C.A. Yn fuan wedi'r Rhyfel Byd I gwahoddwyd hi i bregethu mewn eglwys yn North Somercotes, Lincs., y wraig gyntaf i gael gwneud hynny mewn oedfa. Ni pheidiodd ag argymell Eglwys Loegr i dderbyn menywod i urddau llawn yr offeiriadaeth. Ymunodd â'r Blaid Lafur a bu'n ymgeisydd aflwyddiannus yn etholiadau cyffredinol 1922 ac 1924 ond daeth yn aelod seneddol dros etholaeth Wrekin, swydd Amwythig, yn 1929. Dewiswyd hi'n aelod o bwyllgor eglwysig y llywodraeth, y wraig gyntaf i gael yr anrhydedd. Yn ystod ei harhosiad byr o ddwy fl. yn y senedd cyflwynodd fel aelod preifat Fesur Dedfryd Marwolaeth (Mamau Beichiog) a ddaeth yn ddeddf gwlad ac a ofalai na ddienyddid unrhyw wraig feichiog. Yn 1936 aeth i Malaya a Hong Kong fel un o'r comisiynwyr a anfonwyd i ymchwilio i gaethwasiaeth plant yno. Yn 1937 cyhoeddwyd ei hadroddiad lleiafrifol, a argymhellai ddeddfwriaeth gadarnach nag a wnâi ei chydgomisiynwyr, a chydsyniodd llywodraethau Malaya a Hong Kong i weithredu ei chynlluniau mewn egwyddor.

Ymhlith ei gweithiau cyhoeddedig ceir: *The musings of a lay woman, Christ and woman's power, Christ and international life*, (gydag eraill) *Myself when young* (1938), *In the land of my fathers* (1946), a *Should women be priests and ministers?* (1953). Siaradai ac ysgrifennai'n rymus a chyfareddol. Gwnaeth iddi'i hun gylch eang o gyfeillion ond ni fu'n briod. Tua diwedd ei hoes ymgartrefodd ger Cheltenham, wedi treulio'r rhan fwyaf o'i hoes ym Mhriordy Ewenni a Llundain. Bu f. 31 Awst 1960 yn 88 ml. oed.

Edith Picton-Turbervill, *Life is good: an autobiography* (1939); *Www; Times*, 3 Medi 1960; OPCS, cofrestrwyd g. Gorff.-Medi 1872.

M.A.J.

PIERCE, JOHN (1889-1955), awdur, gweinidog (MC) ac athro ysgol; g. yn Llandegfan, Môn, 10 Awst 1889. Cafodd ei addysg yn ysgol ramadeg Biwmares; Coleg y Brifysgol, Bangor, lle'r enillodd radd B.A. yn 1915; a Choleg y Bala. Ord. ef yn 1918 a'i alw i fugeilio eglwys Adwy'r Clawdd. Gadawodd yn 1921 pan benodwyd ef yn athro Cymraeg yn ysgol ramadeg Llangefni. Bu f. 19 Ion. 1955. Ysgrifennodd amryw o storïau antur i blant: *Tri mewn trybini* (1973), *Dan lenni'r nos* (1938), *Blacmel* (1946), 'Yr Ysbïwr' yn *Storïau ias a chyffro* (1951).

Blwyddiadur MC, 1956; Mairwen a Gwynn Jones, *Dewiniaid Difyr* (1983); gwybodaeth bersonol.

B.L.J.

PIERCE, THOMAS JONES (1905-64), hanesydd; g. 18 Maw. 1905 yn Lerpwl yn fab i John a Winifred Pierce. Addysgwyd ef yn y *Liverpool Collegiate School* a Phrifysgol Lerpwl lle y graddiodd yn y dosbarth cyntaf mewn hanes yn 1927, ac ennill Ysgoloriaeth Chadwick (1927), Gwobr Goffa Gladstone (1928) ac M.A. (1929). Wedi cyfnod byr yn gymrawd yn y Brifysgol penodwyd ef yn 1930 yn ddarlithydd yn adran hanes Coleg Prifysgol Gogledd Cymru ond gyda dyletswyddau ychwanegol yn yr adran efrydiau allanol. Yn 1945 gwahoddwyd ef i swydd Darlithydd Arbennig yn Hanes Canoloesol Cymru, penodiad ar y cyd gan Lyfrgell Genedlaethol Cymru a Choleg Prifysgol Cymru Aberystwyth, a dyrchafwyd ef yn Athro Ymchwil yn 1948. Etholwyd ef yn Gymrawd o'r Gymdeithas Hynafiaethwyr (F.S.A.) yn 1950. Bu'n ymchwilydd yn y Llyfrgell Genedlaethol (cyhoeddwyd *Clenennau letters and papers* yn 1947), yn ddarlithydd tra effeithiol yn y coleg ac mewn dosbarthiadau allanol a chymdeithasau lleol, ac yn weithgar mewn nifer o gylchoedd: golygydd *Traf. Cymd. Hanes Sir Gaernarfon* (1939-63), cadeirydd Cyngor y Gymdeithas (1962-64), ysgrifennydd Cymdeithas Hynafiaethau Cymru (1946-55), cadeirydd ei phwyllgor cyffredinol (1956-64), a llywydd y Gymdeithas (1964). Bu'n Uchel Siryf Ceredigion 1960-61, ac yr oedd yn flaenllaw ym mudiad Rotary.

Pr. Margaret (Megan) Williams yn 1944 a bu iddynt ferch a mab. Bu f. yn Aberystwyth (yn Brynhyfryd, Tal-y-bont, Cer., yr oedd ei gartref) 9 Hyd. 1964 ac amlosgwyd ei gorff yn amlosgfa Anfield, Lerpwl.

Yr oedd T. Jones Pierce yn ddisgybl i William Garmon Jones yn Lerpwl ond dylanwadwyd arno yn arbennig gan John Edward Lloyd (*Bywg.* 2, 40-1) y bu'n cydweithio ag ef ym Mangor. Yn ei dro bu yntau'n ysbrydoliaeth i genedlaethau o haneswyr ifainc Cymru a chael ei gydnabod yn un o haneswyr mwyaf creadigol ei gyfnod ac arloeswr yn hanes cymdeithasol y newid o system lwythol a datblygiad yr ystadau tir. Dros y blynyddoedd cyhoeddodd nifer o astudiaethau o broblem strwythur gymdeithasol Cymru yn y cyfnod canol a'r cynewidiadau yn arferion daliadaeth tir. Ef oedd un o'r rhai cyntaf i gynnig dadansoddiad manwl o dystiolaeth cyfraith Hywel Dda i weithredu galanas a thir gwely, a thrwy ddangos yr elfen ddeinamig a datblygiadol sydd yn y llyfrau cyfraith a'r modd y gweithredid y gyfraith yn y llysoedd, taflodd ffrwd o oleuni ar bwnc dyrys daliadaeth tir yng Nghymru. Y mae ei astudiaethau o Wynedd y 13 g. yn anhepgor i ddeall datblygiad econ-omaidd, gwleidyddol a chyfansoddiadol y dalaith honno. Ni lwyddodd i gwblhau llyfr ar y meysydd hyn ond casglwyd ei brif erthyglau yn gyfrol (sy'n cynnwys llyfryddiaeth lawn) gan J. Beverley Smith, *Medieval Welsh society* (1974).

J. B. Smith, *op. cit.*; Glanville Jones, *Traf. Cymd., Hanes Sir Gaernarfon*, 26, (1965), 9-19; E. D. Jones, *Arch. Camb.*, 113 (1964), 170-2; J. Gwynn Williams, *Cylch. Hanes Cymru*, 1965, 271-3.

B.F.R.

PODE, Syr EDWARD JULIAN (1902-68), cyfrifydd a diwydiannwr; g. 26 Meh. 1902 yn Sheffield, mab Edward a Lilla (g. Telfer) Pode. Addysgwyd ef ym Mount House, ger Plymouth, ac yn *H.M.S. Conway* ac ymunodd â'r llynges adeg Rhyfel Byd I. Yn 1926 cychwynnodd ar ei waith oes mewn diwydiant yng Nghymru pan ymunodd â chwmni Guest, Keen a Nettlefolds, Cyf. yn Nowlais fel cyfrifydd rhanbarthol. Pan unwyd GKN a chwmni Baldwins Cyf. yn 1930 daeth yn ysgrifennydd y cwmni newydd a'i ddyrchafu nes dod yn gyfarwyddwr trefniadol yn 1945. Er ei fod yn erbyn gwladoli'r diwydiant dur, darbwyllwyd ef yn 1947 i fod yn gyfarwyddwr Cwmni Dur Cymru, ac yn gadeirydd, 1962-67. O dan ei ddwylo daeth yn gwmni dur mwyaf Ewrob, a'r cynnyrch yn cynyddu o hanner miliwn tunnell o ddur y flwyddyn i dair miliwn. Bu'n aelod o'r pwyllgor gwaith ac yn llywydd (1962-64) Ffederasiwn Haearn a Dur Prydain, ac yn is-lywydd y Sefydliad Haearn a Dur. Cymerai ddiddordeb mawr mewn arbed tanwydd ac ysgrifennodd erthygl ar effeithlonrwydd tanwydd mewn diwydiant yn *Industrial Wales*, Meh. 1952, gan ddod yn gyfarwyddwr, ac yna'n gadeirydd (1965), Gwasanaeth Effeithlonrwydd Diwydiannol Cenedlaethol. Cymerai ddiddordeb mewn llawer maes heblaw'r gwaith dur, a bu'n gadeirydd Corfforaeth Datblygu Cymru (1958) a chwmni Doc Sych Tywysog Cymru, Abertawe, ac yn gyfarwyddwr Banc Lloyd, ac enwi dim ond ychydig. Cafodd gymrodoriaethau perthynol i'w broffesiwn a diploma er anrhydedd. Cydnabuwyd ei gyfraniad i fywyd cyhoeddus pan wnaed ef yn siryf Morgannwg yn 1948 ac yn ynad heddwch yn 1951. Cafodd ryddfreiniaeth Port Talbot yn 1957 am effaith ei lwyddiant yn y gwaith dur ar ffyniant yr ardal. Urddwyd ef yn farchog ddydd Calan 1959. Ei allu i fynd yn union at graidd unrhyw fater, ei barodrwydd i wneud penderfyniad cadarn ar fyr rybudd, a'i ddawn i gael y gorau o'r rhai weithiai oddi tano oedd y rhinweddau a gyfrannodd at ei lwyddiant nodedig. Un o'i ddiddordebau oedd ffermio ac yr oedd mor boblogaidd ymhlith ffermwyr Tresimwn ag ydoedd yn nhref Port Talbot.

Pr. yn 1930 â Jean Finlay merch F. Finlayson, Gwynfa, Caswell, Abertawe, a bu iddynt ddau o blant, Bu f. yn ei gartref, The Great House, Tresimwn, Morg., 11 Meh. 1968, a chladdwyd ef ym mynwent y plwyf.

Www; *West. Mail*, 7 ac 8 Mawrth 1957, 13 Meh. 1968; *Times*, 13 ac 18 Meh. 1968; gwybodaeth gan ei fab John Pode.

E.D.J.

POWYS, JOHN COWPER (1872-1963), nofelydd., bardd, beirniad llenyddol, ac athronydd poblogaidd, yr unig un o feibion Charles Francis Powys i bwysleisio hawl ei dad i dras Gymreig; g. yn Shirley, swydd Derby, ar 8 Hyd. 1872, yn un o un-ar-ddeg o blant. Yno yr oedd y tad yn dal ei fywoliaeth eglwysig gyntaf, ond yn 1879 symudodd i Dorchester, a thrachefn yn 1885 i ficeriaeth Montacute, yng Ngwlad-y-Haf. Yn ei hunangofiant (1934) dywed fod y tad yn cyhoeddi ei ddisgyniad o Rodri Mawr, 'brenin holl Gymru'. Gellir olrhain achau'r tad dros chwe chanrif i Bowysiaid Trefaldwyn, ac mewn cyfnod diweddarach i'r Syr Thomas Powys cyntaf o Lilford (bu f. 1719). O du ei fam, Mary Cowper-Johnson, cafodd John Cowper Powys waed mwy llenyddol y beirdd John Donne a William Cowper. Addysgwyd ef yn Ysgol Sherborne a Choleg Corff Crist, Caergrawnt.

Yn 1894 drifftiodd i swydd darlithydd i nifer o ysgolion merched yn Hove, Sussex. Ei gyhoeddiad cyntaf oedd *Odes and other poems*, 1896. Yn yr un flwyddyn pr. Margaret Alice Lyon. Bu iddynt un mab; goroesodd yntau'r wraig a'r mab. Yn 1899 wedi darlith ragarweiniol ar Syr John Rhŷs (*Bywg.*, 793-4) penodwyd ef yn ddarlithydd teithiol dros fwrdd estyn Prifysgol Rhydychen, a chychwynnodd ar fywyd o grwydro, yn Lloegr i ddechrau, ac i arloesi gyda chyrsiau yn Dresden a Leipzig, yna o 1905, yn America. Dechreuodd ar ei yrfa ddarlithio lwyddiannus iawn yno gyda thaith aeaf o dan nawdd y gymdeithas estyn addysg prifysgol a oedd â'i chanolfan yn Philadelphia. O 1909 i 1929 bu'n darlithio'n llawn amser yn America (gyda hafau yn Lloegr) ac ymweld â phob talaith ond dwy. Yn 1914 aeth ei drefnydd-llwyfan, Arnold Shaw, gŵr o sir Efrog, yn gyhoeddwr, a dechreuodd gyrfa ysgrifennu Powys gydag ysgrif ar *The menace of German culture*. O fewn dwy neu dair blynedd cynhyrchodd i Shaw ei ddwy nofel gyntaf, *Wood and stone* a *Rodmoor*, dwy gyfrol o feirniadaeth lenyddol, *Visions and revisions* a *Suspended judgements*, dwy gyfrol farddoniaeth *Wolf's bane* a *Mandragora*, a'i gyfran helaeth o *Confessions of two brothers* (ar y cyd â Llewelyn Powys) i gyhoeddwr arall. Parhaodd i ysgrifennu, mewn trenau ac ystafelloedd gwestai, gan mwyaf yn llyfrau athronyddol ar 'gelfyddyd hapusrwydd' hyd at gyhoeddi *Wolf Solent* yn 1929. Wessex oedd cefndir ei nofelau aeddfed cynharaf, *Wolf Solent*, *A Glastonbury romance* (1932), *Weymouth sands* (1934), a *Maiden Castle* (1936). Mewn neillituad yn Upstate, New York, yr ysgrifennodd *A Glastonbury romance*, *Weymouth sands*, ac *Autobiography*. Yn 1934 dychwelodd i Dorset ac yn 1935 ymneillituodd yn derfynol i ogledd Cymru, yn ôl dymuniad a goleddasai o'i fachgendod, i Gorwen i ddechrau ac yna, yn 1955, i Flaenau Ffestiniog, lle y bu f. 17 Meh. 1963 yn 91 ml. oed. Yr oedd cymeriadau a thestunau Cymreig yn nofelau Wessex, ond yng Nghymru ysgrifennodd y nofelau *Morwyn* (1937), *Owen Glendower* (1940), a'i gampwaith *Porius* (1951) a osodwyd yng Nghymru 499 A.D. Y mae ei weithiau nodedig o'r cyfnod toreithiog hwn yn cynnwys llyfrau ar ei feistri llenyddol, *Dostoievsky* (1947) a *Rabelais* (1948), a ffuglen arbrofol fel *Up and out* (1957), *Homer and the aether* (1959), ac *All or nothing* (1960). Dysgodd Gymraeg a gohebu â nifer o lenorion Cymreig enwog. Casglwyd ei weithiau annofelyddol yn *Obstinate Cymric* (1947).

Ymchwil bersonol; gw. hefyd Jeremy Hooker, *John Cowper Powys* (1973); a *Powys Review*.

B.H.

PRICE, WATKIN WILLIAM (1873-1967), ysgolfeistr, ymchwilydd; g. 4 Medi 1873 yn 261 Cardiff Road, Aberaman, Aberdâr, Morg., i Watkin a Sarah Price, Cymry Cymraeg o Frycheiniog. Glöwr oedd y tad; ymddengys i'r teulu mudo i Aberdâr erbyn 1866. Addysgwyd 'W.W.' yn ysgol elfennol Blaen-gwawr tan 1886 pan aeth i weithio yn swyddfa *Tarian y Gweithiwr* yn Aberdâr. Yna, bu'n ddisgybl-athro mewn dwy ysgol leol tan 1895 pan aeth yn fyfyriwr 'normal' i Goleg Prifathrofaol Caerdydd. Yn 1897 fe'i cyflogwyd gan Fwrdd Ysgolion Caerdydd. Yn 1900 dychwelodd i Gwm Cynon yn athro yn hen ysgol Dan Isaac Davies (*Bywg.*, 103), sef Ysgol y Comin, Trecynon, a sefydlwyd yn 1848 mewn adwaith i'r pardduo a gafodd yr ardal yn y Llyfrau Gleision. Wedyn, bu'n brifathro ar ysgolion Llwydcoed (1912), Cap Coch (1921) a Blaen-gwawr (1924) nes ymddeol yn 1933.

Treuliodd ei oes, bron, yn ymchwilio i hanes a bywgraffyddiaeth ei fro a'i sir enedigol. Dechreuodd mewn ymateb i gais yn Eist. Gen. 1920 am draethawd ar hanes a llên gwerin unrhyw blwyf Cymreig. Ni ddaeth y gwaith byth i ben; eithr casglodd a dehonglodd yn helaeth ym maes hanes un o ardaloedd pwysicaf Cymru'r 19 g. Canlyniad ei lafur oedd traethodau, cofnodion ac adysgrifau gwerthfawr a amrywiai o'r mynachaidd i'r glofaol eu maes. Gellir gwir ryfeddu at ei gamp yn copïo rhwng 1941 ac 1943, ac yntau yn ei henaint, gannoedd lawer o dudalennau manwl allan o weithredoedd-mwyngloddio astrus yr ardal. Achubodd gyfrol unigryw o 1827-28 gan nithoedd Anthony Bacon II (*Bywg.*, 18-19) a ddarluniai natur wledig dwyrain Morgannwg cyn i ddiwydiant ei difwyno. Y mae ei Fynegai o ryw 40,000 cerdyn ar y byw a'r meirw yng Nghymru (sydd bellach yn Llyfrgell Genedlaethol Cymru), yn dal i fod o ddefnydd i ymchwilwyr. Gwahoddodd R. T. Jenkins ef i gyfrannu 30 llith i'r *Bywgraffiadur Cymreig*, amryw ohonynt ar rai o gymeriadau pwysicaf y Gymru ddiwydiannol a fu.

Bu hefyd yn arloeswr sosialaidd: yn ysgrifennydd y Blaid Lafur Annibynnol yn Aberdâr, 1900-08; yn gynrychiolydd etholiad Keir Hardie, A.S., yn 1906; a cheir traddodiad mai ef oedd un o'r mwyaf brwd yn pwyso am enwebiad Hardie yng nghyfarfod Bethel, Abernant (Meh. 1900) er ymladd etholiad cyffredinol fis Hyd. y flwyddyn honno. Eto i gyd, troes maes o law at Blaid Cymru, gan gymeradwyo Gwynfor Evans yn is-etholiad Aberdâr yn 1954. Oherwydd llugoeredd rhai capeli tuag at Lafur ymadawodd 'W.W.' â chapel Saron (A), Aberaman, gan ymuno â'r Undodiaid Cymraeg yn yr Hen-dŷ-cwrdd, Trecynon.

Pr. Margaret Williams, Henbant Hall, Llandysul, 1901: bu hi farw yn 1950. Yn 1952 dyfarnwyd iddo radd M.A. er anrh. gan Brifysgol Cymru, a châi ei adnabod weithiau fel 'Bob Owen y De'. Bu f. 31 Rhag. 1967 gan adael pedwar mab ac un ferch. Wyr iddo yw Peter Price, A.S. (C) Ewropeaidd De-ddwyrain Llundain.

Old Aberdare, 4 (1985) a'r ffynonellau y cyfeirir atynt yno; *Casglwr*, Maw. 1983; *Aberdare Parish Magazine*, Maw. 1950; cofiannau'r *Aberdare Leader* yn ystod Ion. 1968; nodiadau hunangofiannol yn Llyfrgell Ganol Aberdâr; adneuon ganddo yno ac yn LlGC ac Archifdy Morgannwg.

D.L.D.

PRYCE, FREDERICK NORMAN (1888-1953), curadur amgueddfa; g. 19 Awst 1888 yn y Trallwng, Tfn., yn fab T. W. Pryce a'i wraig. Wedi mynychu'r ysgol ramadeg aeth i G.P.C., Aberystwyth, lle y graddiodd mewn Lladin dosbarth I yn 1908, ac mewn Groeg dosbarth I yn 1909. Penodwyd ef i staff yr Amgueddfa Brydeinig yn 1911, a'i ddyrchafu'n Geidwad Cynorthwyol (1934) ac yn Geidwad Henebion Groeg a Rhufain (1936-39). Gwasanaethodd yn y dwyrain canol yn Rhyfel Byd I (a'i enwi mewn cadlythyrau ddwywaith), ac mewn *intelligence* yn Rhyfel Byd II. Ef oedd golygydd *Journal of Hellenic Studies*, 1924-38, ac yr oedd yn awdur nifer o bapurau ar hanes ac archaeoleg a chatalogau safonol o henebion clasurol.

Pr. Ruby Sewell yn 1925, a bu f. yn ei gartref, 31 Erw Wen, y Trallwng, 14 Hyd. 1953.

Www.

B.F.R.

PRYSE (TEULU), Gogerddan, Cer. Dilynwyd Syr Pryse Pryse, barwnig (1838-1906) (*Bywg.*, 761) gan dri o'i feibion: Edward (1862-1918); Lewes (1864-1946) a fu'n bennaf gyfrifol am ysgogi'r mudiad a sefydlodd Sioe Amaethyddol Frenhinol Cymru; a George (1870-1948) a olynwyd gan ei unig fab Pryse Loveden Pryse-Saunders (a anwyd 12 Tach. 1896), y pumed barwnig a'r olaf o'r llinach. Hyd yn oed cyn diwedd Rhyfel Byd I bu'n rhaid gwerthu darnau o'r ystad er mwyn talu dyledion ac oblygiadau teuluol cynyddol. Am ei fod yn ddi-etifedd a chyn hynny heb lawer o gyswllt â gogledd sir Aberteifi, ni chafodd hi'n anodd gwerthu'r plas a gweddill yr ystad o 3,839 acer i Goleg y Brifysgol Aberystwyth, i fod yn gartref i'r enwog Fridfa Blanhigion Cymru. Symudodd Syr Pryse i Glanrhydw, sir Gaerf. Bu f. mewn ysbyty yn Llundain, 5 Ion. 1962.

Ymchwil bersonol; *Www.*

D.J.

PRYSE-SAUNDERS, PRYSE LOVEDEN - gw. PRYSE (TEULU), Gogerddan uchod.

PUGH, EDWARD CYNOLWYN (1883-1962), gweinidog (MC), awdur a cherddor; g. 21 Meh. 1883 yn Abergynolwyn, Meir., mab William a Mary Pugh. Symudodd ei rieni i Drehafod, Cwm Rhondda, Morg., yn 1888, ac yno y'i magwyd a mynd yn lôwr ar ôl gadael yr ysgol. Ymddiddorodd mewn cerddoriaeth, a bu'n arweinydd bandiau pres, gan ddatblygu'n gryn gampwr ar ganu'r cornet, - yn ei ddydd bu'n gornetydd Gorsedd y Beirdd. Cafodd dröedigaeth adeg Diwygiad 1904-05, a dechreuodd bregethu yn Siloam, Trehafod. Cafodd addysg bellach yn ysgol golegol Pontypridd, Coleg Trefeca, a Choleg y Brifysgol, Caerdydd (lle graddiodd yn B.A.). Ord. ef yn 1917, a bu'n gweindogaethu gyda'r Symudiad Ymosodol ym Mhont-y-pŵl a Thonyrefail, ac yn eglwys Saesneg Wilmer Rd., Birkenhead. Ymfudodd i T.U.A. yn 1928 i ofalu am eglwys Gymraeg Chicago, ac eglwys Gymraeg Efrog Newydd ar ôl hynny. Ymddeolodd *c.* 1956, a dychwelyd i Gymru. Pr., 1917, â Jennet Jenkins o Gwm Nedd, a bu iddynt dair o ferched.

Yr oedd Cynolwyn Pugh yn ŵr amryddawn, ac ysgrifennodd i'r cyfnodolion yng Nghymru ac America. Enillodd y Fedal Ryddiaith yn Eist. Gen. Glynebwy (1958), am hunangofiant, ac fe'i cyhoeddwyd dan y teitl *Ei ffanffêr ei hun* yn 1959. Bu f. yng Nghaerdydd 22 Mawrth 1962.

Yr hunangofiant; *Gol.*, 18 Ebr. 1962; *Blwyddiadur MC*, 1963, 270; adnabyddiaeth bersonol.

G.M.R.

Q-R-Rh

QUIN, WINDHAM HENRY WYNDHAM - gw. WYNDHAM-QUIN, WINDHAM HENRY isod.

RADMILOVIC, PAUL (1886-1968), nofiwr; g. 5 Mawrth 1886 yng Nghaerdydd, ei dad yn Roegwr a'i fam yn Wyddeles. Treuliodd y rhan fwyaf o'i oes yn Weston-super-Mare. Rhwng 1908 ac 1928 bu'n cystadlu mewn pump o Chwaraeon Olympaidd ac enillodd fedalau aur mewn tri ohonynt - am bolo-dŵr yn 1908, 1912, 1920 ac fel aelod o dîm *relay* Prydain yn 1908. Oni bai i'r Rhyfel rwystro cynnal y Chwaraeon yn 1916, buasai Raddy - fel y gelwid ef - wedi cymryd rhan mewn mwy o Olympau ac wedi ennill rhagor o fedalau aur Olympaidd na'r un nofiwr arall. Enillodd bencampwriaeth 100 llath Cymru 15 gwaith rhwng 1901 ac 1922. Yn 1929, ac yntau'n 43 oed, enillodd bencampwriaeth 440 ac 880 llath Cymru. Yn 1967 cafodd ei anrhydeddu yn yr *Hall of Fame* yn Fort Lauderdale, Florida, un o'r ychydig Brydeinwyr i dderbyn un o brif anrhydeddau byd nofio. Bu f. 29 Medi 1968.

Pat Besford, *Encyclopaedia of Swimming* (1971).

B.L.J.

RAGLAN, 4ydd BARWN - gw. SOMERSET, FITZROY RICHARD isod.

RANDALL, HENRY JOHN, neu HARRY RANDALL fel yr adweinid ef yn gyffredinol ymhlith ei gyfeillion (1877-1964), cyfreithiwr a hanesydd; g. 13 Rhag. 1877, ym Mhen-y-bont ar Ogwr, Morg., yn fab i William Richard Randall, cyfreithiwr yn y dref honno, a'i wraig Hannah (g. Johnston). Addysgwyd ef yn Bradfield a daliai radd LL.B. (Llund.). Dilynodd alwedigaeth ei dad, derbyniwyd ef yn gyfreithiwr yn 1900, ac ymddeolodd o'i bractis yn 1962. Ef oedd ysgrifennydd cymdeithas cyfreithwyr Pen-y-bont a'r cylch o 1911 i 1921, a bu'n llywydd arni yn 1928 ac yn 1960. Nid yn ei alwedigaeth yn unig y bu'n nodedig; yr oedd yn ŵr o ddiddordebau eang iawn, yn enwedig ym maes hanes lleol Bro Morgannwg, lle y treuliodd ei oes yn gyfan. Fel aelod o Gymdeithas Hynafiaethau Cymru bu'n llywydd yn 1928, ac yn drysorydd mygedol o 1936 i 1951; cynrychiolodd hi ar Fwrdd y Gwybodau Celtaidd am 22 fl. Bu'n aelod o Fwrdd Henebion Cymru hyd 1959, yn gyd-olygydd y *South Wales Record Soc.* o 1929; F.S.A. ac aelod o'i chyngor yn 1949, a llywydd Cymdeithas Naturiaethwyr Caerdydd, 1946-47. Yr oedd yn aelod o'r Athenaeum. Enghraifft arall o'i ymwybod â chyfrifoldeb i gymdeithas oedd iddo fod yn swyddog yn y Gatrawd Gymreig yn y Lluoedd Gwirfoddol a Thiriogaethol o 1895 i 1918. Ymhlith nifer o ysgrifau ar faterion cyfreithiol o'i law y mae'n werth nodi `Law and geography' (*Evolution of law*, III, 1918) a `Beginnings of English constitutional theory (*Wigmore celebration legal essays*, 1919). Daeth y llyfr cyntaf a gyhoeddodd - *History in the open air* - allan yn 1936, a'i ddilyn yn 1944 gan *The creative centuries*. Ato ef y troes Cymdeithas Hynafiaethau Cymru am grynodeb awdurdodol

o hanes Cymru Rufeinig yn ei chyfrol i ddathlu canmlwyddiant *Arch. Camb.* yn 1946, a chyflenwodd ei bennod werthfawr ar y cyfnod Rhufeinig y gofyn i'r ymylon. Parhaodd i roi ar gof a chadw gynnyrch ei ddiddordeb dwfn yn hanes ei sir enedigol gyda *Bridgend: the story of a market town* (1955), a *The Vale of Glamorgan, studies in landscape and history* (1961).

Bu ganddo berthynas glòs ag Amgueddfa Genedlaethol Cymru am yn agos i 40 ml., daeth yn aelod o'i phwyllgor celfyddyd ac archaeoleg yn 1925, yn aelod o'r llys yn 1937, ac o'r cyngor yn 1938. Ef oedd trysorydd yr Amgueddfa o 1952 i 1962, ac yn y cyfnod hwnnw y gwnaeth ei gyfraniad mwyaf, efallai, drwy sefydlu `Cyfeillion Amgueddfa Genedlaethol Cymru', corff y bu ef yn gadeirydd iddo o 1954 i 1964.

Cydnabu Prifysgol Cymru yn 1963 ei wasanaeth i'w sir a'i wlad drwy ei anrhydeddu â gradd LL.D.

Pr. yn 1916, ag Olga Ruth Brewis. Ni bu iddynt blant. Bu f. 4 Tach. 1964 yn ei gartref, `Erw Graig', Merthyr Mawr, Pen-y-bont, a chynhaliwyd gwasanaeth coffa iddo yn eglwys S. Mair, Nolton, Pen-y-bont, cyn ei amlosgi, ar Dach. 9.

Times, 9 Tach. 1964; *Arch. Camb.*, 1964; adroddiad blynyddol A.G.C., 1964-5; 10fed adroddiad blynyddol Cyfeillion AGC; *Www*.

H.M.S.

REES, CALEB (1883-1970), arolygydd ysgolion ac awdur; g. yn 1883 yn fab i Jacob a Mary Rees, Esgair-ordd, Eglwys Wen, Penf. Aeth o ysgol y pentref i ysgol uwchradd Port Talbot lle y enillodd ysgoloriaeth i Goleg y Brifysgol yng Nghaerdydd yn 1899. Tra oedd yno enillodd wobr goffa Gladstone, a graddiodd yn y dosbarth cyntaf mewn Saesneg yn 1902. Aeth i Brifysgol Manceinion am gwrs pellach o addysg gan ennill gwobr Withers cyn dychwelyd i Gaerdydd fel darlithydd yn yr adran addysg yn 1908 a chael gradd M.A. y flwyddyn ddilynol. Yn 1912 penodwyd ef yn arolygydd ysgolion Brycheiniog, Mynwy a bwrdeistref Cas-newydd, a'i ddychafu'n ddirprwy brif arolygydd Cymru yn ddiweddarach. Ar ddechrau Rhyfel Byd II bu'n swyddog yn y Weinyddiaeth Hysbysrwydd yng Nghaerdydd ond torrodd ei iechyd ac wedi cael adferiad dychwelodd i'w waith fel arolygydd colegau hyfforddi ac adrannau addysg y Brifysgol. Pr. yng nghapel City Road (EF), Llundain, 28 Awst 1922, â Laura Gertrude Powell, swyddog meddygol y Bwrdd Iechyd yng Nghaerdydd, a gwnaethant eu cartref yn 28 Clytha Park Road, Casnewydd-ar-Wysg. Er iddo ymddeol yn 1943 i Drebentir, Lacharn, cynorthwyodd, dair bl. yn ddiweddarach, gyda'r gwaith o holi dynion ifainc, llawer ohonynt newydd eu rhyddhau o'r lluoedd arfog, a oedd am fynd i golegau hyfforddi. Ymaelododd ef a'i briod yn ei hen eglwys ym Mhen-y-groes, lle y gwnaed ef yn ddiacon. Bu ei briod f. ddydd Calan ac yntau ar 9 Ion. 1970.

Ysgrifennodd ef a'i frawd Stephen Morris Rees hanes yr eglwys, *Pen-y-groes, gyrfa dwy ganrif* (1959). Ceir cyfres o erthyglau ar addysg ganddo yn *Y Traethodydd* 1907-8, 'Dysgu'r Gymraeg yn yr ysgolion' yn *Y Beirniad*, 1, hanes gor-ewythr iddo a aeth i'r Amerig yn *Y Llenor*, 1933, ynghyd â phamffledi ar addysg.

WwW (1937); *Cardigan and Tivy Side Advertiser*, 16 a 23 Ion. 1970; *WWP*; calendrau Prifysgol Cymru, 1900-13; OPCS, g. Gorff. - Medi 1883.

M.A.J.

REES, Syr JAMES FREDERICK (1883-1967), Prifathro Coleg Prifysgol Deheudir Cymru; g. 13 Rhag. 1883 yn fab i John Rees, Priory Hill a Hakin wedi hynny, Aberdaugleddau, Penf., gweithiwr yn y dociau. Addysgwyd ef yn yr ysgol fwrdd cyn cael ysgoloriaeth i fynd i'r ysgol ganol leol ar 24 Ion. 1898, ac i Goleg y Brifysgol yng Nghaerdydd yn 1901, lle y graddiodd gyda Dosbarth I mewn Hanes yn 1904. Yn 1908 cafodd Ddosbarth I yn ysgol Hanes Modern, Rhydychen. Bu'n ddarlithydd cynorthwyol mewn Hanes yng Ngholeg y Brifysgol, Bangor, 1908-12, darlithydd ym Mhrifysgol Belfast am ychydig ac wedyn yn Ddarllenydd mewn Hanes Economaidd ym Mhrifysgol Caeredin, 1913-25. Cafodd Gadair Masnach (*Commerce*) ym Mhrifysgol Birmingham yn 1925 ac yno y bu nes ei ethol yn Brifathro Coleg y Brifysgol yng Nghaerdydd yn 1929, swydd a ddaliodd am 20 ml. Bu'n is-ganghellor Prifysgol Cymru ddwywaith, 1935-37 ac 1944-46, ac yn warden Urdd y Graddedigion, 1950-53. Wedi ymddeol yn 1949 aeth yn Athro ymweliadol mewn Economeg i Brifysgol Ceylon, 1953-54 a bu'n bennaeth adran Hanes Economaidd ym Mhrifysgol Caeredin, 1956-58.

Gwasanaethodd ar nifer helaeth o bwyllgorau diwydiannol a chyfansoddiadol, gan amlygu doethineb, dealltwriaeth ac egni anghyffredin. Ef oedd cadeirydd y Pwyllgor Ymgynghorol ar Broblemau Adfer (*Reconstruction*) yng Nghymru, 1942-46, a bu'n aelod o'r comisiwn ar Ddiwygio'r Cyfansoddiad yn Ceylon, 1944-45. Gwasanaethodd ar Gomisiwn Ffiniau Llywodraeth Leol, 1946-49. Derbyniodd LL.D. er anrh. gan Brifysgolion Cymru, Birmingham a Chaeredin, a'i urddo'n farchog yn 1945 pan oedd yn Ceylon. Bu'n siryf ei sir enedigol yn 1955 ac yn llywydd Cymd. Hynafiaethau Cymru, 1956-57.

Yr oedd yn awdur nifer o gyfrolau megis *A social and industrial history of England, 1815-1918* (1920), *A short fiscal and financial history of England, 1815-1918* (1921), *Studies in Welsh history* (1947); *The story of Milford* (1954), *The problem of Wales and other essays* (1963); a golygodd *A survey of economic development with special reference to Great Britain* (1933), a *The Cardiff region: a survey* (1960). Ceir erthyglau ganddo mewn cyfnodolion cymdeithasau hanes, gwyddoniaduron, *Cambridge history of the British Empire* a'r *Bywgraffiadur Cymreig hyd 1940*. Cyhoeddwyd amryw o'i anerchiadau, yn eu plith *The dominion of Ceylon* (1949) a darlith flynyddol y B.B.C. yng Nghymru a draddododd ar *Welsh nationality and historians* (1951).

Pr. yn 1913 â Dora Rose Lucile, merch Gethin Davies, prifathro Coleg y Bedyddwyr, Caerdydd, a bu iddynt un mab. Bu f. 7 Ion. 1967 yn ei gartref yn 11 Celyn Grove, Cyncoed, Caerdydd.

Www; gwybodaeth gan archifydd Hwlffordd.

E.D.J.

REES, Syr JOHN MILSOM (1866-1952), llawfeddyg ac arbenigwr ar anhwylderau'r larincs; g. 20 Ebr. 1866, yn fab i John Rees, Castell-nedd, Morg. Wedi bod yn efrydydd yn ysbyty Bartholomeus yn Llundain, cafodd ei gymwysterau meddygol yn 1889, ac ymhen tair bl. cymerodd F.R.C.S. (Ed.). Wedi arbenigo ar feddygaeth y larincs penodwyd ef yn llawfeddyg i'r adran Clustiau, Trwyn a Gwddf ysbyty gyffredinol Tywysog Cymru, Tottenham a bu ganddo bractis ymgynghorol preifat yn Upper Wimpole Street. Daeth yn laringolegydd i'r Tŷ Opera Brenhinol, Covent Garden ac i Ysgol Gerdd y Guildhall. Yn y cyswllt hwn yr oedd yn gynghorwr meddygol i gantorion enwocaf y dydd - Madam Patti, Dâm Nellie Melba, Madam Flagstad, Jan de Reszke, ac amryw eraill - ac yr oedd ar delerau cyfeillgarwch agos â hwy. Mwy nodedig fyth oedd ei wasanaeth maith a chlodwiw i'r Teulu Brenhinol; bu'n laringolegydd i'r Brenin Siôr V drwy gydol chwe bl. ar hugain ei deyrnasiad, ac i'r frenhines Mary, y frenhines Alecsandra, a'r Frenhines Maude o Norwy. Gwnaethpwyd ef yn farchog yn 1916, a'i ddyrchafu'n K.C.V.O. yn 1923, a G.C.V.O. yn 1934. Rhoes Prifysgol Cymru radd D.Sc. er anrh. iddo yn 1931.

Bu'n swyddogol gysylltiedig â llawer o brif ysbytai addysgol Llundain fel is-lywydd neu lywodraethwr. Yr oedd hefyd ar lys llywodraethwyr Prifysgol Cymru, a chymerodd ran weithredol ar gyrff llywodraethol *The British Postgraduate School*, Coleg Epsom, *Nuffield Provincial Hospital Trust*, a chyrff cyffelyb. Yn ychwanegol at ei lwyddiant rhyfeddol mewn cylchoedd proffesiynol amlygodd ragoriaeth mawr mewn llawer maes arall. Pan oedd yn fyfyriwr, yr oedd yn gricedwr, bocsiwr a chwaraewr rygbi o fri. Yn ddiweddarach daeth yn chwaraewr golff penigamp gan ennill safle gydwladol, ac yn ddiweddarach fyth cymerodd at helwriaeth *big-game* gyda'r un llwyddiant. Y mae hanes ei ymweliadau ag Affrica yn dadlennu ei ddiddordebau amrywiol mewn modd trawiadol. Byddai galw mawr ar ei grefftwaith lawfeddygol fedrus gan urddasolion lleol a chan benaethiaid brodorol; ceisid ei gyngor doeth ar fater adeiladaeth ysbytai newydd, ac ar brydiau cyfrannai'n hael at gost eu hadeiladu. Casglodd fuddiannau masnachol helaeth, mewn ystadau coffi yn Tanganyika, mwynfeydd halen yn Nyaza, a phrofodd y rhain yn anturiaethau llwyddiannus iawn.

Ymddeolodd i Broadstairs lle y parhaodd i gymryd diddordeb ymarferol a hael mewn addysg. Bu f. yno, 25 Ebr. 1952. Pr. ag Eleanor, merch William P. Jones, Finchley, cadeirydd Jones Brothers, Holloway a John Barnes, Cyf., yn 1894, a bu iddynt fab a merch.

Brit. Med. Jnl., 3 Mai 1952 (gyda darlun) a 24 Mai 1952; *Lancet*, 3 Mai 1952 a 10 Mai 1952 (gyda darlun); *Times*, 25 Ebr. 1952.

E.W.J.

REES, JOHN SEYMOUR (1887-1963), gweinidog (A) ac awdur; mab John Rees a'i briod Magdalen (g. Evans), Glasgow House, Aberaeron, Cer., a fedyddiwyd ar 22 Gorff. 1887. Addysgwyd ef yn Aberaeron; Pencader; Ysgol yr Hen Goleg, Caerfyrddin (c. 1909-10); ac Athrofa Aberhonddu (1911-15), gan fynychu cwrs gradd o dan ei nawdd yng ngholegau Prifysgol Cymru yn Aberystwyth (1911) a Chaerdydd (1912). Gwasanaethodd Ebeneser, Cefncoedycymer (1915-22), lle yr ordd. ef; Hermon, Treorci (1923-27) a Soar, Blaendulais (1927-45), cyn ei benodi'n ysgrifennydd Cyngor y Cristionogion a'r Iddewon (1945-63). Yr oedd yn bregethwr poblogaidd iawn a ddewisodd weithio yng Nghymru yn hytrach na derbyn galwad i wasanaethu yn Efrog Newydd, T.U.A., c. 1922, ac yn Radnor Walk, Llundain, yn 1926. Anerchodd Gyfundeb De Morgannwg o'r gadair yn 1943 a darlledodd sgyrsiau radio c. 1932 ymlaen.

Yn ei ddyddiau cynnar daeth yn adnabyddus fel awdur straeon byrion. Enillodd dair coron ac 16 o gadeiriau mewn eisteddfodau lleol a thaleithiol, ac 28 gwobr gyntaf yn yr Eist. Gen., yn bennaf am draethodau a bywgraffiadau, ond gydag amser tagwyd ei ddawn lenyddol gan ysfa fanylder, fel yn ei ysgrif ar `Hanes Cymdeithas yr Iaith Gymraeg' yn 1952. Bu ei enw'n hysbys yn y wasg am dros 50 ml.; gw. Glyn L. Jones, *Llyfryddiaeth Ceredigion 1600-1964* a'r *Atodiad* am restr o'i ysgrifau yn *Y Dysgedydd*, *Cymru*, *Genhinen*, *Ymofynnydd* a chylchgronau eraill. At y llyfryddiaeth gellir ychwanegu ei ddrama un act, `Y Canfasiwr', yn *Y Ford Gron*, cyf. 5, rhif 1, dan y ffugenw J.C.M. Evans, a *The history of Ynysgau Church, Merthyr Tydfil* (c. 1958). Yr oedd yn hanesydd manwl a lloffwr di-ail. Gadawodd ar ei ôl tua 50 cyfrol wedi eu teipio'n ddifefl a'u rhwymo'n ddestlus ganddo ef ei hun (llsgrau. LlGC 18628-18865; 18866 llythyron ato). Cynhwysant gasgliadau o emynau, hanes emynwyr, beirdd, pregethwyr (yn arbennig gweinidogion (A) De Morgannwg hyd 1939); a straeon, hanes ac enwogion dyffryn Aeron, yn enwedig Ysgol Neuadd-lwyd. Lluniodd hefyd fynegeion i'r *Beirniad* a *Geiriadur bywgraffyddol* Josiah T. Jones (1867).

Pr., Ion. 1924, ag Annie Owen, Dyffryn, Rhydlewis, Cer., y bu galw mawr am ei gwasanaeth yn yr eglwysi, a bu iddynt fab. Bu f. 17 Meh. 1963.

Blwyddiadur A, 1910-16, ac 1964, 156; a'r llsgrau. a nodwyd.

M.A.J.

REES, RICHARD JENKIN (1868-1963), gweinidog (MC); g. 10 Medi 1868 yn y Riwel Isaf, Pen-y-garn, Cer., mab John a Catherine Rees. Symudodd ei rieni i Lundain pan oedd yn faban. Addysgwyd ef yn y *City of London School*, a Choleg Aberystwyth (lle cafodd radd B.A. Prifysgol Llundain). Bu ar ôl hynny yng Ngholeg Mansfield, Rhydychen, gan raddio yn y dosbarth cyntaf mewn diwinyddiaeth. Ei fwriad, yn Aberystwyth, oedd dilyn gyrfa cyfreithiwr, ond o dan ddylanwad cenhadaeth Dr. Henry Drummond yn y coleg troes ei wyneb i gyfeiriad y weinidogaeth Gristionogol. Dechreuodd bregethu yn eglwys Jewin, Llundain. Ord. ef yn 1893, a bu'n

gweinidogaethu yn eglwys Saesneg Ala Rd., Pwllheli (1892-94); Clifton St., Caerdydd (1894-1903); a'r Tabernacl, Aberystwyth (1903-22). Galwyd ef i arolygu Symudiad Ymosodol ei Gyfundeb, gan ymsefydlu yng Nghaerdydd, a bu'n ddiwyd a llwyddiannus yn y swydd honno hyd 1947. Pr. 1894, Apphia Mary James o Ben-y-garn; bu iddynt ddau fab a dwy ferch. (Disgleiriodd ei ail fab, Morgan Goronwy Rees, fel llenor; bu'n Brifathro Coleg y Brifysgol, Aberystwyth, yn y cyfnod 1953-57). Ar ôl ymddeol bu'n byw gyda'i blant ym Mhwllheli, ger Rhydychen, ac yn Waltham Cross, Llundain. Bu f. 30 Ebr. 1963, a chladdwyd ef yng Nghaerdydd.

Yr oedd yn un o brif arweinwyr ei Gyfundeb yn ei ddydd. Bu'n llywydd Sasiwn y De (1920 ac 1954), ac yn llywydd y Gymanfa Gyffredinol (1927). Yr oedd yn areithydd digymar, yn y Gymraeg a'r Saesneg. Cyfrannai'n achlysurol i'r wasg, eithr dawn siarad oedd yr eiddo, nid ysgrifennu. Cyhoeddodd werslyfr (yn Saesneg ac yn Gymraeg) ar 2 Samuel (1899), ac esboniad ar epistolau Paul at y Philipiaid a'r Colosiaid (1909).

WwW (1921), 397; *WwFC* (1951), 352; *Drys.*, 1927, 1-4; *Gol.*, 22 Mai 1963; W. Morris (gol.), *Deg o enwogion* (1965), 35-40; *Blwyddiadur MC*, 1964, 397; adnabyddiaeth bersonol.

G.M.R.

REES, THOMAS (1862-1951), bridiwr y cob Cymreig; g. 31 Ion. 1862, yn Sarnicol, Capel Cynon, Llandysul, Cer. (y bwthyn y ganwyd y llenor a'r bardd 'Sarnicol' ynddo; *Bywg*.2, 56), yn un o ddeg plentyn, tair merch a saith bachgen, James a Mary Rees. Symudodd y teulu i Ddolau Llethi, Llannarth. Pan oedd yn 8 oed dechreuodd fugeilio yn yr haf, a chael ychydig ysgol yn Nhalgarreg yn y gaeaf. Bu'n cyd-fugeilio â Pan Jones (*Bywg*., 1053-4).

Pr. tuag 1886 â Rachel, merch David a Catherine Davies, Vicarage, ger Capel Ficer, Mydroilyn. Ganwyd iddynt 5 o blant, ond 3 bachgen a dyfodd i oedran gŵyr. Dechreuasant eu byd yn Ffosiwan, Mydroilyn, a symud i fferm Cefnfaes ger Capel Betws tuag 1894, yna i fferm weddol fawr Cwmgwenyn, Llangeitho, lle y buont o 1897 hyd 1914, lle bach Blaen-waun, Pen-uwch, 1914-44, a lle bach arall, Bear's Hill, Pen-uwch, 1944-51. Yno, gyda'i ŵyr a'i ŵyres, y gorffennodd ei yrfa, 15 Ion. 1951. Claddesid ei briod, 31 Mawrth 1936, ychydig wedi iddynt ddathlu eu priodas aur. Gorwedd gweddillion y ddau ym mynwent Capel Gwynfil, Llangeitho.

Yn 1880, yn 18 oed, dechreuodd gadw march, sef `Bold Buck', mab i `Cardigan Driver' a oedd yn eiddo i bregethwr Undodaidd ym Maesymeillion, Llanybydder. Yna, ac yntau'n was ym Mhant-moch, Pont-siân, prynodd `Welsh Briton', cobyn 6 oed, gan David Charles Jones, Abercefel, Llandysul. Daeth hwn yn un o hoelion wyth y cob Cymreig. Y pryd hwnnw yr oedd bri ar drotian uchel a chyflym. Dwy funud 18 eiliad a gymerai `Welsh Briton' i drotian milltir. Enillodd 3 o'i blant y brif râs yn Alexandra Park yn Llundain, 1892-3-4, ac ystyrid hynny'n gryn gamp. Daeth oes `Welsh Briton' i ben yn 21 oed ac y mae'n un o'r 4 march cob sy'n gorwedd yn naear Cwmgwenyn. Gorwedd 6 arall o'i feirch ym

Mlaen-waun. O'r deg yr oedd 7 dros eu 20 oed.

Yr oedd Thomas Rees yn cadw cobiau ymhell cyn bod Cymdeithas na llyfr achau; yn 1902 y sefydlwyd y rheini. Cofrestrodd ddau farch a dwy gaseg yng nghyfrol gyntaf y *Welsh Stud Book*. Bu 3 o blant 'Welsh Briton' gydag ef yn feirch, sef 'King Briton', 'Briton Comet', a 'Britonian'. Cadwodd a cherddodd feirch cob Cymreig - 'dilyn march' yw'r term technegol - am 70 ml. Yn 80 oed ailafaelodd am dymor pan ddilynodd ei gel du, Blaen-waun 'True Briton', 3 diwrnod yr wythnos yng nghanolbarth Ceredigion. Cyflogodd lawer arweiniwr arall ar yr un perwyl. Dilynodd ei 3 mab ei lwybr. Bu David Rees yn cadw a dilyn march am dros 60 ml., James Rees am gyfnod tebyg, a Harry Rees, o'i fachgendod hyd ei farw ifanc. Yr oedd meirch Thomas Rees yn 'trafaelu' cyn belled â siroedd Morgannwg a Mynwy, ac ymlaen, weithiau, hyd Gaerloyw, lle yr oedd Harry Hopton, y gof. Cerdded bob cam, wrth gwrs. 'King Briton' oedd y march cyntaf i Thomas Rees ei gymryd dros Glawdd Offa. Pan fu f. yn 89 oed yr oedd dau farch cob ganddo o hyd, 'Trotting Briton' a 'True Briton II', gor-or-orwyrion i 'Welsh Briton'. Etifeddodd ei ŵyr, John Roderick Rees, gan ei dad, David Rees, 'Rhosfarch Frenin' a thrwyddo arweiniodd linach eu meirch cob i'w chanfed flwyddyn.

Mae cyfraniad Thomas Rees a'i feibion i'r cob Cymreig yn nodedig ar dri chyfrif. (1) O'i feirch y tardd llinach hynaf cobiau cofrestredig heddiw. (2) Ni roddodd neb arall gynifer o flynyddoedd i ddilyn meirch cob. (3) Cyfyngodd y teulu eu diddordeb i'r un brîd hwn o geffyl drwy'r maith flynyddoedd, ar adegau pan oedd y mwyafrif o fridwyr yn coleddu bridiau estron am eu bod yn talu'n well. Lawer gwaith, fe gydnabuwyd na fuasai'r cob Cymreig wedi goroesi'r blynyddoedd culion heb gyfraniad Thomas Rees. Gwnaed ef yn aelod anrhydeddus o Gymdeithas y Merlyn a'r Cob Cymreig.

Yr oedd hefyd yn ŵr deallus, ar waethaf anfanteision addysg ffurfiol, yn ddarllenwr, yn achyddwr a hanesydd da, ac yn storïwr tan gamp. Er treulio rhan helaethaf ei oes yng nghanol Methodistiaeth a bod yn aelod ar hyd yr amser yng Nghapel Gwynfil parhaodd yn Annibynnwr o'r gwraidd. Ymhyfrydai yn emynau Elfed. Ei geffylau a'i hanfarwolodd, ond yr oedd ganddo afael hefyd ar agweddau eraill ar y 'bywyd na wŷr ein byd ni'.

Gwybodaeth deuluol ei ŵyrion a'i ŵyres, Tom Rees, Maggie Rees, John Roderick Rees.

J.R.R.

REES, THOMAS JAMES (1875-1957), cyfarwyddwr addysg; g. 19 Maw. 1875, yn fab James a Mary Rees, Waun-wen, Abertawe, Morg. Cafodd radd (B.A.) Prifysgol Llundain yn 1898, ac er nad oedd ganddo brofiad o fod yn ysgolfeistr penodwyd ef o blith 112 o ymgeiswyr yn gyfarwyddwr addysg yn Abertawe yn 1908, swydd a gadwodd hyd nes iddo ymddeol yn 1943. Ym myd addysg Prydain daeth yn adnabyddus fel aelod o bwyllgorau ymgynghorol y Bwrdd Addysg. Gyda'i wybodaeth eang daeth yn siaradwr huawdl a phoblogaidd ar faterion addysg, a daeth yn un o'r rhai mwyaf adnabyddus ym myd addysg yng Nghymru fel ysgrifennydd mygedol

Ffederasiwn Pwyllgorau Addysg Cymru a Mynwy. Yr oedd ganddo gysylltiad â llawer o gymdeithasau, gan fod yn aelod o'r Cyngor Canolog ar Ddarlledu i Ysgolion, cyngor Prifysgol Cymru, Cyngor Cerdd Cenedlaethol Cymru, ac Ysgol Feddygol Genedlaethol Cymru. Bu'n Y.H. ac yn drysorydd Coleg y Brifysgol, Abertawe. Ef oedd yn un o sylfaenwyr Clwb Rotari Abertawe, a bu'n llywydd Rotari Prydain Fawr ac Iwerddon, 1942-44. Yn 1943 gwnaed ef yn C.B.E. Ymhlith ei gyhoeddiadau ceir anerchiad ar *The appointment of head teachers* (1911) ac adroddiadau ar *The teaching of Welsh in elementary schools* (1914) a *The education problem in Swansea* (1918).

Pr., 1902, Katie Davies, Tre-gŵyr, a bu iddynt ddwy ferch. Bu f., 24 Rhag. 1957, yng nghartref ei ferch, Brynfield, Reynoldston.

Www; Cambrian, 18 Medi 1908; *Herald of Wales*, 9 Ion. 1943 a 4 Ion. 1958.

M.A.J.

REES, THOMAS MARDY (1871-1953), gweinidog (A), hanesydd a llenor; g. yn Sgiwen, Morg., yn 1871, yn un o chwe phlentyn William Rees, glöwr, a'i wraig Mary. Aeth i ysgol genedlaethol y pentre ac o'r ysgol i weithio gyda'i dad yng nglofa'r Fforest Fforchdwm. Yna buont yn gweithio yn lefel Melin-cwrt wedi symud i Resolfen. Pan gaeodd y lefel symudasant i'r Maerdy yn y Rhondda Fach. Yr oedd y tad a dau o'r bechgyn, Thomas a John, yn gweithio ym mhwll Rhif 2 ar 23 Rhag. 1885 pryd y cafwyd tanchwa drychinebus yn y pwll, ond achubwyd y tri.

Dechreuodd Thomas ar ei yrfa gyhoeddus yn ieuanc fel adroddwr, areithiwr, bardd a thraethodwr. Dechreuodd bregethu pan oedd yn 18 oed a hynny ar gais eglwys Siloa, Maerdy. Aeth am dri mis i ysgol uwchradd Pentre Rhondda cyn mynd i Ysgol y Gwynfryn, Rhydaman. Enillodd ysgoloriaeth leol i fechgyn o'r Maerdy i Goleg y Brifysgol yng Nghaerdydd. Derbyniwyd ef drwy arholiad i'r Coleg Coffa yn Aberhonddu.

Ord. ef ym Meh. 1896 ym Methel Newydd, Mynyddislwyn, Myn. Yno drwy olrhain hanes yr eglwys y dechreuodd gymryd at ymchwil hanesyddol a fu'n un o brif ddiddordebau ei fywyd. Yn 1899 symudodd i fugeilio eglwys (S) Bwcle, sir y Fflint ac yno cafodd gyfle i fanteisio ar adnoddau Llyfrgell Sant Deiniol ym Mhenarlâg. Cymerodd ran amlwg mewn llywodraeth leol fel aelod o gyngor sir a chadeirydd Pwyllgor Addysg sir y Fflint. Yr oedd yn aelod o ddirprwyaeth a fu ger bron Comisiwn Datgysylltiad a Dadwaddoliad yr Eglwys. Yn 1906 newidiodd ei faes, a chymryd gofal eglwys Markham Sq., Chelsea. Yno bu'n cydweithio â'r Arglwydd Monkswell i hyrwyddo buddiannau plant. Dychwelodd i Gymru yn 1912 i gymryd gofal o eglwys (S) Gnoll Road, Castell-nedd ac aros yno nes ymddeol yn 1946. Ar ei ymddeoliad gwnaethpwyd ef yn weinidog anrhydeddus i'r eglwys.

Enillodd lawer o wobrwyon yn yr Eist. Gen. Ef oedd ysgrifennydd pwyllgor llên Eist. Gen. Castell-nedd yn 1918. Yr oedd yn aelod o Orsedd y Beirdd. Darlithiodd yn helaeth ar faterion hanesyddol. Ar gyfrif hynny a'i ymchwil a'i gyhoeddiadau etholwyd ef yn gymrawd o'r Gymdeithas Frenhinol Hanesyddol (F.R. Hist. S.). Cyhoeddodd nifer o lyfrau a llyfrynnau - *Y Lili fach wen a thelynegion eraill* (1903); *Breezes from the Welsh hills and other poems* (1906); *Notable Welshmen* (1908); *Ebenezer Jones, the neglected poet...* (1909); *Ystoriau difyr...* (1908 ac 1909); *Mynachdai Cymru...* (1910); *Welsh painters, engravers, sculptors (1527-1911)* (1912); *Difyrwch gwŷr Morgannwg...* (1916); *Hiwmor y Cymro...* (1922); *A history of the Quakers in Wales and their emigration to North America* (1925); a *Seth Joshua and Frank Joshua...* (1926). Ef oedd golygydd *The Official Guide to Neath* o 1922 i 1941. Cyhoeddodd hefyd bamffledi Cymraeg a Saesneg ar ganlyniadau Deddf Unffurfiaeth, 1662, a byr hanes eglwysi Maes-yr-haf, Castell-nedd, a Bethel Newydd, Mynyddislwyn. Pr. Margaret Williams a fu f. 4 bl. o'i flaen. Bu iddynt 4 mab ac un ferch. Bu'r hynaf, Alyn, f. o flaen ei dad. Ef oedd ysgrifennydd cyntaf y Cyngor Ymgynghorol ar Addysg Dechnegol yn ne Cymru. Bu Kenneth yn rheolwr banc yn Croydon, Penry yn brifathro ysgol ramadeg Basaleg, a Bryn yn weinidog ar eglwys gynulleidfaol Muswell Hill.

Bu f. 2 Mai 1953 a chladdwyd ef ym mynwent newydd Llanilltud Fach.

Congl. year book, 1954; *Adroddiad blynyddol LlGC*, 1979, 5.

E.D.J.

REES, THOMAS WYNFORD ('Dagger'; 1898-1959), is-gadfridog; g. yn 1898 yng Nghaergybi, Môn, ond treuliodd ei ddyddiau cynnar yn y Barri, Morg., lle yr oedd ei dad, T.M. Rees, yn weinidog (EF) Bethel. Pr. yn 1926 â Rosalie, merch hynaf Syr Charles Innes a bu iddynt un mab (Peter Rees, A.S. (C) Dover), ac un ferch. Cydnabyddid ef yn un o filwyr dewraf Cymru yn ystod a rhwng y ddau ryfel byd. Ac yntau'n filwr profiadol o fri mewn brwydrau yn y Dwyrain Pell, canmolwyd ef yn frwd am gymryd Mandalay adeg rhyfel Burma. Cadfridog 'Dagger' Rees y gelwid ef fynychaf, ond i'w filwyr 'Pocket Napoleon' ydoedd gan ei fod mor fychan, yn ddim ond 5 troedfedd a 5 modfedd o daldra, neu ynteu 'Pete' am ei fod bob amser gyda hwy ar flaen y gad. Arwyddlun ei hoff Adran Indaidd oedd tarddiad ei lysenw 'Dagger'. Gwasanaethodd o dan y Cadfridog Allenby yn Rhyfel Byd I yn ymladd y Tyrciaid, (enwyd ef mewn cadnegesau a derbyniodd y M.C.); ac yntau'n swyddog ifanc cafodd y gair o fod yn arweinydd da mewn brwydr. Siaradai Gymraeg a meistrolodd lawer o dafodieithoedd yr India. Wedi'r rhyfel gwasanaethodd yn India 1920-37, a gwnaethpwyd ef yn C.I.E. yn 1931. Yn 1939 rhoddwyd 3ydd bataliwn y 6ed *Rajputana Rifles* o dan ei reolaeth ac ar ddechrau Rhyfel Byd II anfonwyd ef i Burma lle, yn 1940, y clwyfwyd ef ddwywaith gan ennill bar at ei D.S.O. a'i ddyrchafu'n gyrnol. Arweiniodd y 10fed *Indian Division* yn Irac a gogledd Affrica, 1942, a'r 19eg *Indian (Dagger) Division* yn Burma, 1944-45, gan gael ei wneud yn C.B. yn 1945 a'i ddyrchafu'n is-gadfridog yn 1947. Bu'n bennaeth Staff Argyfwng Milwrol i Bwyllgor Argyfwng y Cabinet yn Delhi, mis Medi i fis Rhag. 1947. Ymddeolodd yn 1948 a'i wneud yn gyrnol er anrhydedd 5ed bataliwn y

Gatrawd Gymreig (Byddin Diriogaethol); llywydd er anrhydedd y *Boys' Brigade* (Cymru); dirprwy raglaw sir Fynwy, 1955; Rheolwr Amddiffyn Sifil Cymru, adran Caerdydd; LL.D. er anrh. Prifysgol Cymru; prif swyddog gweithredol a rheolwr cyffredinol Cwmbrân New Town, Myn. Bu f. 15 Hyd. 1959.

Www.

D.G.R.

REES-DAVIES, IEUAN (1894-1967), cerddor ac awdur; g. 15 Gorff. 1894 yn Nhreorci, Rhondda, Morg., a'i addysgu yn ysgol Pentre. Symudodd i Lundain tuag 1914 a bu dan hyfforddiant yng Ngholeg Goldsmith a'r Academi Gerdd Frenhinol. Magodd ddiddordeb arbennig yn safle cerddoriaeth yn yr ysgol, gan ennill diploma L.T.S.C. i athrawon. Enillodd hefyd dystysgrifau L.R.A.M. ac A.R.C.M. a chael F.T.S.C. ac F.T.C.L. er anrh. Bu'n athro ysgol ac yn brifathro yn Llundain, a threfnai ddosbarthiadau i athrawon cerdd yn y *Literary Institutes*. Penodwyd ef yn ddarlithydd yn y coleg a sefydlwyd yn Marylebone i hyfforddi athrawon cerdd, a bu'n cynghori awdurdodau addysg Llundain, Caint, Essex a Surrey ar gerddoriaeth ysgol. Bu'n athro ac yn arholwr yng Ngholeg Cerdd y Drindod yn Llundain ac yn aelod o gyngor Coleg y Tonic Sol-ffa. Cyhoeddodd nifer o lyfrau ac erthyglau ar addysg gerddorol, gan arbenigo ar brofion y glust a chanu dosbarth. Ymhlith ei weithiau ceir *Transposition at the keyboard* (1933), *A sight-singing course for the non-specialist teacher* (1955), *Aural tests for schools* (1960), *Graded music reading* (1961) a *Music for CSE* (1966). Cyfansoddodd donau a rhan-ganau: yr enwocaf o'i weithiau yw ei osodiad i gorau meibion o hwiangerdd a briodolir i'r Brenin Siarl I, 'Close thine eyes', a droswyd i'r Gymraeg ('Cyn cau llygaid') gan William Evans ('Wil Ifan', gw. uchod) ac a gyhoeddwyd gan Curwen yn 1938. Casglodd hefyd flodeugerdd ddwyieithog o farddoniaeth bro ei eni, *Caniadau Cwm Rhondda* (1928) sy'n cynnwys dwy gerdd o'i waith ei hun, 'Y garreg fawr' a 'A nocturne - on Tylacoch'. Derbyniwyd ef i Orsedd y Beirdd o dan yr enw barddol 'Ieuan' yn Eist. Gen. Treorci yn un flwyddyn. Pr. (1) â Jean Macdonald Fitchet (m. 1938); (2) â Barbara Lacey. Trigai ar ddiwedd ei oes yn Kingston-upon-Thames. Bu f. 28 Tach. 1967.

WwW (1937); *Who's who in music* (1935; 1962); *Cerddor*, Ebr. 1934.

Rh.G.

RICHARDS, DAVID THOMAS GLYNDWR (1879-1956), gweinidog (A) a phrifathro Coleg Myrddin, Caerfyrddin; g. yn Nantyffyllon, Maesteg, Morg., 6 Meh. 1879, mab William a Martha Richards. Fe'i haddysgwyd yn Ysgol yr Hen Goleg, Caerfyrddin, Coleg Presbyteraidd Caerfyrddin (1902-05, 1909-12), Coleg y Brifysgol, Caerdydd (1905-09); enillodd Ysgoloriaeth Hibbert i astudio yng Nghaerdydd lle graddiodd gydag anrhydedd yn Hebraeg ac ysgoloriaeth Berman i gwblhau gradd B.D. yng Nghaerfyrddin. Yn 1912 ord. ef yn weinidog heb ofal eglwys yn Saron, Nantyffyllon, ac yn y flwyddyn honno aeth yn athro i Ysgol yr Hen Goleg, wedi hynny'n brifathro yn olynydd i

Joseph Harry (gw. Atod. isod). Ym Meh. 1916 aeth allan i Ffrainc dan nawdd yr Y.M.C.A., dychwelodd i Gaerfyrddin Hyd. 1917 i ymgymryd â swydd athro yn yr ysgol ramadeg. Yn 1919 ailagorwyd Ysgol yr Hen Goleg (fe'i caewyd am gyfnod yn ystod Rhyfel Byd I) dan yr enw Coleg Myrddin, ac ef oedd y prifathro hyd flwyddyn cau'r coleg yn 1946. Yn ychwanegol at ei waith yn y coleg bu hefyd yn weinidog eglwys Annibynnol Saesneg Burry Port (1919-21), Nebo, Llanpumsaint (1921-31), Elim, Ffynnon-ddrain, Caerfyrddin (1931-54). Yr oedd yn athro medrus, hyddysg yn y clasuron a bu `Ysgol Glyndwr' fel y'i gelwid yn gyfrwng i baratoi rhai cannoedd o fechgyn o enwadau gwahanol i sicrhau mynediad i'r colegau diwinyddol, heblaw llawer o rai eraill a hyfforddwyd yn y pynciau masnachol i'w cymhwyso ar gyfer swyddi seciwlar. Gellid cyfrif Coleg Myrddin yr olaf o hil yr hen academïau Annibynnol bychain. Bu'n gadarn ei safiad o blaid dirwest ac achos heddwch yn nhref Caerfyrddin; bu cryn ddadlau yn y wasg leol a chenedlaethol pan wrthwynebodd y gornestau paffio a gynheliid yn y dref yn nhridegau'r ganrif. Anerchodd gyfarfod y bobl ieuainc yn Undeb yr Annibynwyr, Llandeilo, 1933, ar y testun, `Dirwest yng ngoleuni'r Testament Newydd'; cyfrannodd erthyglau i'r Tyst ar ei daith yn Ne Affrig (gw. rhifynnau 29 Hyd., 5 & 12 Tach., 1936) a phregeth i'r gyfrol Ffordd Tangnefedd (tt. 93-101). Pr., 1913, Elizabeth Parry, Caerfyrddin. Bu f. 17 Gorff. 1956.

Tyst, 26 Gorff. 1956.

D.A.E.D.

RICHARDS, ROBERT (1884-1954), hanesydd a gwleidydd; g. yn Nhan-y-ffordd, Llangynog, Tfn., 7 Mai 1884, mab i John Richards, chwarelwr llechi, a'i wraig Ellen; addysgwyd ef yn ysgol gynradd Llangynog, ysgol uwchradd Llanfyllin a C.P.C., Aberystwyth. Rhwng 1903 ac 1906 dilynodd gyrsiau gradd mewn gwyddor gwleidyddiaeth, Lladin, Ffrangeg ac athroniaeth a chael anrhydedd dosbarth I mewn gwyddor gwleidyddiaeth, ond am ryw reswm ni chymerodd ei radd. Treuliodd y ddwy flynedd nesaf yng Ngholeg S. Ioan, Caergrawnt, a graddio gydag anrhydedd mewn economeg. Penodwyd ef yn ddarlithydd mewn economeg wleidyddol ym Mhrifysgol Glasgow, ac yno y bu nes iddo, dan anogaeth Syr Henry Jones (Bywg., 438), symud i Gymru fel darlithydd amser-llawn cyntaf Adran Efrydiau Allanol Coleg Prifysgol Gogledd Cymru, Bangor, yn 1911. Cynhaliodd ddosbarthiadau mewn economeg, hanes Ewrob, a gwyddor llywodraeth gwlad ym Mlaenau Ffestiniog, Llanberis, Bethesda, a Phen-y-groes. Yn 1916 cymerodd swydd yn y Swyddfa Ryfel, ac yn ddiweddarach o dan y Bwrdd Amaeth, ond dychwelodd i Fangor yn 1919, a chynnal dosbarthiadau yng Nghefn-mawr, Rhos, Llandrillo a Llanrhaeadr-ym-Mochnant. Penodwyd ef yn bennaeth Adran Economeg y coleg ym Mangor yn 1921. Yn Hyd. 1922 etholwyd ef yn A.S. (Ll) cyntaf dros ranbarth Wrecsam. Am ychydig fisoedd yn 1924 bu'n is-ysgrifennydd gwladol dros India lle y dangosodd ddealltwriaeth a gallu, ac ennill cydymdeimlad yr Indiaid. Colli ei sedd a

wnaeth yn etholiad cyffredinol 1924 a'i hennill drachefn yn 1929, ei cholli yn Nhach. 1931, a'i hennill y drydedd waith ym Meh. 1935, a'i chadw wedyn hyd derfyn ei oes. Rhwng 1931 ac 1935 bu'n ddarlithydd mewn economeg a gwyddor gwlad yng Ngholeg Harlech. Yn ystod Rhyfel Byd II ef oedd pennaeth adran gogledd Cymru o'r gwasanaeth amddiffyn sifil. Yn 1946 arweiniodd ddirprwyaeth seneddol i'r India gan ennill parch ac ymddiriedaeth Gandhi a Jinnah. Bu ganddo gyfres o ysgrifau ar India yn Yr Eurgrawn am 1951. Gyda Syr Ifor Williams (gw. isod) golygodd Y Tyddynnwr, 1922-23, ac ysgrifennodd lawer o gynnwys pedwar rhifyn y cylchgrawn byrhoedlog hwnnw. Hanesydd ydoedd wrth reddf a'i gyfraniad pennaf yn Gymraeg oedd Cymru'r oesau canol (1933). Ym mlynyddoedd olaf ei oes treuliai lawer o'i amser yn llyfrgell Tŷ'r Cyffredin mewn ymchwil i hanes y mynachlogydd yng Nghymru. Ni lwyddodd i gyhoeddi'r gwaith, ond erys mewn teipysgrif yn Ll.G.C. Cyhoeddodd ran ohono, ar abatai'r Sistersiaid, yn Traf. Cymd. Hanes sir Ddinbych, 1952. Gydag R.G. Lloyd cyhoeddodd lyfrynnau ar hanes eglwysi Llandanwg (1935) a Llanfair ger Harlech (1936).

Cymerai ddiddordeb mewn hynafiaethau a bu'n gadeirydd pwyllgor Cymdeithas Hynafiaethau Cymru am 10 ml. ac yn llywydd y gymdeithas yn 1953. Bu'n gadeirydd y Comisiwn ar Henebion Cymru, a gweithredodd ar gyngor Anrh. Gymd. y Cymm. o 1936 a gwnaethpwyd ef yn is-lywydd yn 1951. Yr oedd yn Fethodist selog ac yn athro ysgol Sul yng nghapel (EF) Llangynog am flynyddoedd a mynnai fod gartref bob Sul posibl. Gwerinwr o Gymro a gŵr bonheddig diymhongar ydoedd. Gwrthododd dderbyn swydd llywodraethwr ynys Malta, ac ni lwyddodd penaethiaid ei blaid i'w gael i Dŷ'r Arglwyddi. Yr oedd yn nodweddiadol ohono mai ar y mesur a geisiai droi Dyffryn Ceiriog yn gronfa ddŵr i dref Warrington y traddododd ei araith gyntaf yn y senedd, ar 3 Mawrth 1923. Yr oedd yn weithiwr caled; gyda'i ddyletswyddau gwleidyddol daliodd i fod yn diwtor mewn economeg yng Ngholeg Harlech. Ar derfyn y rhyfel perswadiwyd ef i gymryd penaethiaeth Adran Economeg Bangor. Gwlatgarwr pybyr, teyrngar i Gymru, ei hanes, ei llên a'i cherddoriaeth ydoedd, a siaradwr rhugl, yn enwedig yn Gymraeg.

Pr. yn 1918 ag un o ferched Llangynog, Mary Myfanwy Owen (bu f. 1950) ac yn eu plwy genedigol y bu eu cartref weddill eu hoes. Bu f. 22 Rhag. 1954 a chladdwyd ef ym mynwent Peniel (MC), Llangynog.

Www; Trans. Cymm., 1955, 73-8.

E.D.J.

RICHARDS, THOMAS (1878-1962), llyfrgellydd a hanesydd; g. 15 Maw. 1878 yn nhyddyn Maes-glas, ger Tal-y-bont, Cer., yn fab i Isaac a Jane (g. Mason) Richards. Symudodd y teulu wedyn i Ynystudur, ger Tre'rddôl. Cafodd ei addysg gynnar yn ysgolion Tal-y-bont a Thaliesin. Bu'n ddisgybl-athro am bedair blynedd ac yna, yn 1897, aeth yn athro i Ysgol Alexandra, Aberystwyth, am ddwy flynedd. Bu'n fyfyriwr yng Ngholeg Prifysgol Gogledd Cymru, Bangor (1899-1903) lle y graddiodd gydag anrhydedd mewn hanes dan Syr John

Edward Lloyd (*Bywg*.2, 40). Bu'n athro ysgol yn Nhywyn (1903-5), Bootle (1905-11), a Maesteg (1912-26).

Ar anogaeth Thomas Shankland (*Bywg*., 853) ymgymerodd ag ymchwil i hanes Piwritaniaeth yng Nghymru yn Llyfrgell Palas Lambeth, yr Amgueddfa Brydeinig, Swyddfa'r Cofrestrau Cyhoeddus, a Llyfrgell Bodley. Ffrwyth yr ymchwil oedd nifer o lyfrau swmpus, *A history of the Puritan Movement in Wales, 1639-53* (1920), *Religious developments in Wales, 1654-62* (1923), *Wales under the Penal Code, 1662-87* (1925), a *Wales under the Indulgence, 1672-5* (1928). Fel canlyniad i'r gwaith ymchwil hwn cafodd ei gydnabod yr awdurdod pennaf ar ddechreuadau Ymneilltuaeth yng Nghymru. Enillodd radd M.A. Prifysgol Cymru yn 1914 a D.Litt. yn 1924.

Yn 1926 dychwelodd i Fangor i fod yn llyfrgellydd ei hen goleg. Parhaodd â'r gwaith a ddechreuwyd gan Shankland o gasglu llyfrau a chylchgronau Cymraeg, ac ymroes i'w dosbarthu a'u catalogio. Yna dechreuodd ar faes newydd, sef cywain i'r llyfrgell lawysgrifau ystadau gogledd Cymru a llunio iddynt gatalogau cynhwysfawr a hynod ddarllenadwy. Trwy lafur enfawr Thomas Shankland a Thomas Richards daeth llyfrgell coleg Bangor yn ganolfan ymchwil o'r radd flaenaf i hanes Cymru.

Meddai Thomas Richards y ddawn o sylwi ar hynodion pobl a gweld digrifwch sefyllfa. Yr oedd yn storïwr heb ei ail ac yn ddarlithydd a darlledwr poblogaidd. Cyhoeddodd amryw o lyfrau ar wahân i'r rhai a enwyd a chyfrannodd ysgrifau i eraill (cafwyd 77 ysgrif o'i eiddo yn *Y Bywgraffiadur Cymreig*). Ysgrifennodd lu o erthyglau i gyfnodolion ar hanes eglwysi ac unigolion, chwaraeon a phynciau eraill. Yr oedd yn ddiacon ym Mhenuel (B), Bangor, ac anrhydeddwyd ef â chadair Undeb Bedyddwyr Cymru yn 1957. Derbyniodd Fathodyn Anrhydeddus Gymdeithas y Cymmrodorion yn 1958 a gradd LL.D. er anrh. gan Brifysgol Cymru yn 1959. Pr. Mary Roberts o Nantlle yn 1912; bu iddynt ddwy ferch. Bu f. 24 Meh. 1962 a chladdwyd ef ym Mynwent Dinas Bangor.

Thomas Richards, *Atgofion Cardi* (1960); *Rhagor o atgofion Cardi* (1963, sy'n cynnwys llyfryddiaeth gan Derwyn Jones); Derwyn Jones a Gwilym B. Owen (gol.), *Rhwng y silffoedd* (1978); *Cymro*, 28 Meh. 1962; *N. Wales Chron*., 29 Meh. 1962; *Barn*, Tach. 1962; *Ser. Cymru*, 6 Gorff. 1962; *Ser. G.*, haf 1978; *Traf. Cymd. Hanes Bed.*, 1979; *Genh.* rhif 29/2, 1979.

G.B.O.

ROBERTS, ARTHUR BRYN (1897-1964), undebwr llafur; g. 7 Ebr. 1897, yn fab i William a Mary Roberts, Abertyleri, Myn. ac aeth i weithio fel glöwr yn 13 oed. Enillodd ysgoloriaeth i Goleg Ruskin a Choleg Llafur Llundain (*Central Labour College*) yn 1919. Apwyntiwyd ef yn wiriwr pwysau dros lowyr Rhymni yn 1921 a phum ml. yn ddiweddarach penodwyd ef yn gynrychiolydd y glowyr yn Nyffryn Rhymni. Bu'n ysgrifennydd cyffredinol Undeb Cenedlaethol y Gweithwyr Cymdeithasol o 1934 hyd 1962 pryd yr ymddeolodd oherwydd afiechyd. O dan ei arweiniad cynyddodd yr undeb yn rhyfeddol. Bu'n gynrychiolydd i gynhadledd Ffederasiwn Llafur America yn 1942 ac yn un o

ddirprwyaeth o undebwyr Llafur i Tseina yn 1954. Bu'n aelod o bwyllgor ar Weithwyr Cymdeithasol yn y Gwasanaeth Iechyd Meddwl am gyfnod ac yn amlwg fel cynghorydd mewn llywodraeth leol yng Nghymru. Er ei fod yn ddyn galluog iawn ni ddaeth mor flaenllaw ymhlith yr arweinwyr llafur ag y gellid disgwyl. Cyhoeddodd nifer o bamffledau a llyfrau megis *At the TUC* (1947), *As I see it* (1957) a *The price of TUC leadership* (1961) lle ni phetrusodd feirniadu trefniadaeth y mudiad Llafur.

Pr. Violet Mary Sheenan yn 1922 a bu iddynt fab a 2 ferch. Bu f. 26 Awst 1964 yn ei gartref White Cottage, 11 Scotts Lane, Shortlands, Kent, wedi gwaeledd hir.

Www; *Times*, 27 Awst 1964.

E.D.J.

ROBERTS, DAFYDD (1892-1965), cadeirydd Pwyllgor Amddiffyn Capel Celyn; g. 18 Awst 1892 yn Weirglodd-ddu, Capel Celyn, Meir., yr ieuengaf o blant John a Margaret Roberts. Bu'n byw yn Weirglodd-ddu am y rhan fwyaf o'i oes cyn symud i lawr y dyffryn i fferm Cae Fadog. Bu'n un o ddau yn cario'r post trwy'r ardal am dros ddeugain ml. ynghyd â ffermio. Bu'n flaenor am flynyddoedd yng Nghapel Celyn (MC) a pharhaodd yn y swydd hyd ddatgorffori'r capel. Pan ddaeth bygythiad i foddi'r cwm, etholwyd ef yn gadeirydd y Pwyllgor Amddiffyn a bu yn y swydd honno hyd yr awr dyngedfennol. Aeth gyda Gwynfor Evans a Dr. Tudur Jones i Lundain ac i Lerpwl i geisio achub y cwm. Ymdrechodd yn deg i atal Corfforaeth Lerpwl rhag dinistrio'i dreftadaeth. Bu'n weithgar iawn yn yr ardal ar hyd ei oes. Pan benderfynwyd yn derfynol fod anheddai'r cwm i gael eu dymchwel, symudodd i fyw i'r Bala. Bu f. 11 Hyd. 1965 ychydig amser cyn agor y gronfa ddŵr yn swyddogol. Claddwyd ei weddillion ym mynwent Llanycil ger y Bala. Goroeswyd ef gan Nell, ei briod, a'u mab.

Adnabyddiaeth bersonol; [*Y Cyfnod*, 15 Hyd. 1965, 1].

J.L.J.

ROBERTS, DAVID ('Telynor Mawddwy'; 1875-1956), telynor, datgeinydd ac awdur llawlyfrau gosod; g. 1 Awst 1875 yn Llannerch, Llanymawddwy, Meir., yr hynaf o saith o blant Robert Roberts a Chatrin (g. Pughe). Hanai o ddeuluoedd diwylliedig a cherddorol iawn ar y naill ochr a'r llall - ei dad yn hanu o deulu amryddawn Bwlch Coediog, Mallwyd. Pan oedd yn chwech oed, cafodd y frech goch, a gadawyd ef yn ddall am weddill ei oes. Meithrinwyd ei dalent cerddorol ar yr aelwyd ac yn y capel, a thaniwyd ei ddiddordeb mewn barddoniaeth yn ifanc iawn. Dechreuodd ganu'n gyhoeddus fel aelod o barti plygain Bwlch Coediog. Gan ei ddau ewythr, Eos Mawddwy ac Ioan Mawddwy, y dysgodd sut i osod pennill ar gainc, a'i drwytho yn yr hen osodiadau llafar a genid ar aelwydydd Mawddwy ac a oedd yn rhan o draddodiad 'canu penillion' y fro. Dysgodd y grefft o ganu cylch, ac enillodd lawryfon yn Eisteddfodau Cenedlaethol Blaenau Ffestiniog, 1898; Lerpwl, 1900; a Llanelli, 1903. Erbyn hynny yr oedd wedi dysgu canu'r delyn yn ogystal â'r ffidil, a chafodd wahoddiad i dreulio cyfnod ym Mhlas

Llanofer o dan hyfforddiant Pencerddes y De (Mrs. S.B. Griffith). Daeth nifer o lwyddiannau eisteddfodol pellach i'w ran ym maes canu'r delyn. Wedi gadael Llanofer ac ymbriodi yn 1909, symudodd i Abermaw, ac yno y treuliodd weddill ei oes yn diddanu ymwelwyr gyda'i delyn; ac yn gwasanaethu ei fro fel pregethwr lleyg. Bu'n hyfforddi myrdd o ddatgeiniaid ym Meirion. Cyhoeddodd *Ý tant aur* (1911), llyfryn sol-ffa o 49 o osodiadau llafar ei fro. Sylweddolodd mai amrwd a diddychymyg oedd llawer o'r gosodiadau, a chyda chymorth y Parch. P.H. Lewis, aeth ati i'w hailwampio ar gyfer yr ail argraffiad (1915). Yn y rhain gwelir llawer iawn mwy o gywirdeb a dychymyg cerddorol. Gyda P.H. Lewis eto, cyhoeddodd ganllaw pwysig arall i delynorion a datgeiniaid, sef *Cainc y delyn* (1916), llawlyfr o geinciau gosod wedi eu trefnu mewn hen nodiant ar gyfer y delyn, yn ogystal â geiriau wedi eu gosod arnynt. Yr oedd Telynor Mawddwy yn un o'r arloeswyr allweddol hynny a fu'n gyfrifol am adfywiad yr hen grefft o ganu gyda'r tannau ym mlynyddoedd cynnar yr 20 g. gan drawsnewid y gelfyddyd o'i hen ffurf lafar draddodiadol i gelfyddyd fwy bwriadus ac ysgrifenedig ein dyddiau ni. Heb *Y tant aur* fe ddichon na fyddai adfywiad yr hanner can mlynedd diwethaf wedi digwydd.

Bu iddo ef a'i wraig Jennie ddau fab a merch. Bu f. 21 Maw. 1956 yn ei gartref, Llys y Delyn, a chladdwyd ef ym mynwent Llanaber. Gosodwyd mainc goffa ar Rodfa'r Môr yn Abermaw gan Gymdeithas Cerdd Dant Cymru i goffáu ei gyfraniad unigryw, ac arni gwpled o eiddo W.D. Williams:

> Mainc adgof mwynhau cydgan
> Tonnau môr a'r tannau mân.

Ymchwil a gwybodaeth bersonol

A.Ll.D.

ROBERTS, DAVID JOHN (`Dewi Mai o Feirion'; 1883-1956), newyddiadurwr, bardd gwlad, gosodwr a hyfforddwr cerdd dant; g. 14 Mai 1883 yn Nhalweunydd, Blaenau Ffestiniog, Meir., yn fab i David a Catherine Roberts. Dechreuodd ymddiddori mewn canu gyda'r tannau pan oedd yn ifanc iawn, a bu ef, ynghyd â nifer o lanciau eraill o gylch y Blaenau, megis Ioan Dwyryd, Robert G. Humphreys, a W. Morris Williams, yn arfer cyrchu i fwthyn Llys y Delyn, Rhiwbryfdir, Blaenau Ffestiniog, lle trigai David Francis (`Telynor Dall o Feirion') ym mlynyddoedd cynnar yr 20 g. Gan David Francis, ac yng nghwmni ei gyfoedion, y dysgodd Dewi Mai sut i osod pennill ar gainc a sut i drafod y cynganeddion. Wedi cyfnod o fyw yn Lloegr, dychwelodd i Feirion, gan dreulio peth amser ym Mhenllyn cyn ymsefydlu yn nhref Dolgellau. Yno, tra'n dilyn ei waith fel newyddiadurwr, ymdaflodd i'r gwaith o ddysgu eraill i ganu penillion. Lluniodd gannoedd lawer o osodiadau, gan eu hanfon drwy'r post i bob rhan o Gymru. Trwy hyn bu'n gyfrwng i ennyn diddordeb llawer un a ddaeth yn eu tro yn ddatgeiniaid a gosodwyr amlwg. Cyhoeddodd dri llyfr o osodiadau, ac ef ei hunan oedd awdur llawer o'r cerddi sydd ynddynt: *Diliau'r plant* (1913), *Trysorau'r tannau* (1935), *Y patrwm* (1952). Ond er cymaint fu ei gyfraniad fel gosodwr a hyfforddwr, fe wnaeth ddau gyfraniad arall pwysicach a fu'n gwbl allweddol i ddatblygiad canu gyda'r

tannau. Trwy gydol 1933 ac 1934 bu'n ysgrifennu colofn wythnosol yn *Y Cymro* o dan y pennawd `Cornel y delyn'. Ynddi bu'n trafod pob agwedd o'r hen gelfyddyd, gan ddwyn sylw'r cyhoedd ati. Galwodd am sefydlu cymdeithas genedlaethol i hybu'r hen ddull hwn o ganu, a thrwy ei erthyglau bu'n braenaru'r tir er sicrhau llwyddiant Cymdeithas Cerdd Dant Cymru pan sefydlwyd honno yn y Bala ym mis Tach. 1934. Wedi sefydlu'r Gymdeithas, Dewi Mai o Feirion a luniodd y drafft cyntaf o'r Rheolau Cerdd Dant a fabwysiadwyd gan y Gymdeithas yn ddiweddarach, ac a bery hyd heddiw yn ganllawiau i osodwyr. Yr oedd ei gyfraniad ef i ddatblygiad y gelfyddyd o ganu gyda'r tannau rhwng 1920 ac 1956 yn holl-bwysig. Pr. â Kate Laura Ephraim. Bu f. 27 Tach. 1956.

Allwedd y tannau, 1956, 9-10; gwybodaeth gan ei fab, D.G. Roberts, Y Rhyl.

A.Ll.D.

ROBERTS, DAVID OWEN (1888-1958), addysgydd; g. 6 Hyd. 1888 yn 28 Church Row, Trecynon, Aberdâr, Morg., mab i Hannah (g. Jones) a Gethin Roberts. Addysgwyd ef yn ysgol elfennol Llwydcoed ac wedyn yn ysgol sirol Aberdâr. Treuliodd y blynyddoedd 1907-09 yn y Coleg Normal, Bangor, a chael Tystysgrif Addysgu yn 1909. Bu'n ysgolfeistr wedi hynny yn Ysgol y Comin, Trecynon, Ysgol Cwmdâr ac Ysgol Abernant, y tair yng nghyffiniau Aberdâr. Yn y cyfnod 1923-40, bu'n athro yn Ysgol Ganol y Gadlys yn Aberdâr, yn dysgu Cymraeg, daearyddiaeth a cherddoriaeth. Yn 1940 fe'i penodwyd yn brifathro'r ysgol, ac arhosodd yn y swydd hon hyd at ei ymddeoliad yn 1949.

Yn 1923-24 sylfaenodd Undeb Athrawon Cymreig, a bu'n ysgrifennydd yr Undeb hwnnw hyd ddiwedd Rhyfel Byd II pryd y ffurfiwyd Undeb Cenedlaethol Athrawon Cymru. Bu'n aelod hefyd o fwrdd golygyddol *Yr Athro* o'r dechrau yn 1928 hyd ei farw. Cynhyrchodd lyfrau tra defnyddiol i hyrwyddo dysgu Cymraeg, sef *Llwybr y Gymraeg 1, 2* a *3* a *Priffordd y Gymraeg 1, 2* a *3* (y ddau cyn 1930) a *Cynllun Newydd yn y Gymraeg* (1930). Cyfrannodd nifer o erthyglau a nodiadau ar ddysgu Cymraeg i *Yr Athro*. Byddai'n darlithio mewn llawer man ar ddysgu Cymraeg i blant, yn enwedig fel ail iaith. Yn 1932 daeth *Some Notes of Lessons for Teachers of `Priffordd y Gymraeg'*. Yn 1929-40 yr oedd yn brif ddarlithydd Undeb a Chymdeithasau Cymreig ar addysg ddwyieithog mewn ysgolion. Cydnabuwyd ei gyfraniad pwysig gan Brifysgol Cymru trwy ddyfarnu iddo radd M.A. er anrh. yn 1951.

Bu D.O. Roberts yn weithgar ym mywyd colegol ac eisteddfodol Cymru, yn yr Ŵyl Lyfrau Genedlaethol, ac ym mywyd cerddorol cwm Cynon. Byddai'n darlithio'n aml ar y radio, gan sylwi'n arbennig ar ddiwylliannau ac ieithoedd lleiafrifol yn Ewrop. Yr oedd ganddo ddelfrydau rhyng-genedlaethol a heddychol yn ogystal ag ymlyniad cadarn wrth achos hunanlywodraeth i Gymru.

Pr. ag Ann Edwards 23 Ebr. 1917 a bu iddynt fab a merch. Bu f. 29 Awst 1958.

Gwybodaeth gan y mab, Dafydd G.E. Roberts.

W.T.P.D.

ROBERTS, EMMANUEL BERWYN (1869-1951), gweinidog (EF); g. 31 Gorff. 1869 yn y Nant, Rhewl, plwy Llantysilio, Llangollen, Dinb., yn un o un-ar-ddeg o blant Morris a Jemima Roberts. Symudodd y teulu i ardal Carrog lle bu Emmanuel yn brentis crydd, ond bu farw ei fam pan oedd ef yn 12 oed, ac mewn cryn dlodi ymfudodd y teulu i Ben-y-groes lle cafodd ef a'i dad waith yng Nghoedmadoc, Y Gloddfa Glai, yn rybela. Yno dechreuodd bregethu ac aeth i gynorthwyo gweinidog y Wesleaid Cymraeg yn Hanley, Swydd Stafford, a gweithio mewn gwaith dur ac yn y pwll glo yno. Yn 1891 aeth yn Was Cyflog ar gylchdaith Corwen, gan fyw yn Tŷ Nant, ac yna i swydd gyffelyb yn Ninas Mawddwy. Aeth i Goleg Richmond yn 1893, ac oddi yno yn weinidog-ar-braw i Ben-y-cae, Glyn Ebwy, yn 1895 a Threharris yn 1896. Yn 1897 penodwyd ef i gynorthwyo'r Parch. John Evans, Eglwys-bach (*Bywg.*, 230) ym Mhontypridd, ac ef a fynnodd roi iddo'r enw canol, Berwyn, am na chredai y dylid galw neb yn Emmanuel. Wrth yr enw newydd yr adweinid ef byth wedyn. Pan fu farw John Evans aeth yntau i Bont-rhyd-y-groes, ac yn 1899 ordeiniwyd ef yng Nghymanfa gyntaf y Wesleaid ym Machynlleth. Aeth i Gorris yn 1900 ac yno pr. Annie Roberts, merch fabwysiedig i David ac Ellen Roberts, Waterloo House, Caernarfon. Bu iddynt bedwar o blant, dwy ferch a briododd weinidogion Wesleaidd, a dau fab a ddaeth yn bregethwyr cynorthwyol.

Gwasanaethodd mewn deuddeg o gylchdeithiau, bu'n ysgrifennydd Ail Dalaith Gogledd Cymru o 1914 hyd 1933, yn Gadeirydd y Dalaith o 1933 hyd 1936 ac yn Llywydd y Gymanfa Gymreig yn 1930. Daeth i amlygrwydd yn gynnar fel esboniwr a dyna nodwedd amlycaf ei bregethu. Cyhoeddwyd ei *Esboniad ar Ephesiaid* yn 1902, ar *Epistolau Petr* yn 1904 a dwy gyfrol ar *Efengyl Ioan* yn 1931. Bu f. ym Mae Colwyn, 26 Ion. 1951.

Gwybodaeth gan ei fab, Selyf Roberts.

G.R.T.

ROBERTS, Syr ERNEST HANDFORTH GOODMAN (1890-1969), barnwr; g. ym Mheny-fforddd, Ffl., 20 Ebr. 1890, yn unig fab i Hugh Goodman Roberts a'i wraig Elizabeth (g. Lewis). Addysgwyd ef yng Ngholeg Malvern a Choleg y Drindod, Rhydychen; yr oedd yn llywydd Undeb Rhydychen yn 1914. Yn ystod Rhyfel Byd I gwasanaethodd gyda'r Ffiwsilwyr Brenhinol Cymreig a chododd i reng capten. Bu'n gwasanaethu ym Mhalestina. Enwyd ef mewn cadlythyrau a bu'n swyddog llys milwrol. Yn y cyfamser galwyd ef i'r Bar (1916). Bu'n ymgeisydd am sedd sir y Fflint dros y Ceidwadwyr yn 1923 gan ei hennill yn 1924 a pharhau'n A.S. hyd 1929. Urddwyd ef yn farchog yn 1936 ac ef oedd Prif Ustus yr Uchel Lys yn Rangoon o'r fl. honno hyd 1948. Y fl. ddilynol gwnaed ef yn Gwnsler y Frenhines a bu'n gomisiynydd y Brawdlys mewn amryw gylchdeithiau ddeunaw gwaith, 1949-55, ac yn ddirprwy gadeirydd Sesiwn Chwarter y Fflint hyd 1961. Yr oedd yn aelod o Gorff Llywodraethol yr Eglwys yng Nghymru 1916-36 ac 1947-59, ac yn ganghellor esgobaethau Bangor, 1947-59, a Chelmsford, 1950-69. Cyhoeddodd *Principles of the law of contract*

(1923). Ni bu'n briod a bu f. 14 Chwef. 1969 yn ei gartref yn Llundain.

Www.

E.D.J.

ROBERTS, EVAN JOHN (1878-1951), `Y Diwygiwr'; g. 8 Meh. 1878 yn Island House, Bwlchmynydd, Casllwchwr, Morg. mab i Henry a Hannah Roberts. Bu'n gweithio fel glöwr yng Nghasllwchwr ac Aberpennar pan oedd yn ieuanc, a phrentisiwyd ef yn of yn 1902. Yr oedd yn ŵr ieuanc o dalentau uwch na'r cyffredin, a thrwy hunan-ddisgyblaeth cyrhaeddodd safon uchel o ddiwylliant. Câi brofiadau cyfriniol ar adegau, a thystiodd iddo weddïo am dair blynedd ar ddeg am ddeffroad crefyddol yng Nghymru. Dechreuodd bregethu ym Moriah, Casllwchwr, yn niwedd 1903, a derbyniwyd ef yn ymgeisydd am y weinidogaeth gan y Methodistiaid Calfinaidd. Yn niwedd Medi 1904 aeth i ysgol John Phillips, Castellnewydd Emlyn, i ddechrau'i gymhwyso'i hunan ar gyfer y weinidogaeth. Yr oedd cryn gyffro crefyddol yng ngodre Ceredigion y pryd hynny, yn sgil cyfres o gynadleddau i ddyfnhau bywyd ysbrydol yr eglwysi, a drefnwyd ar lun cynadleddau Keswick gan Joseph Jenkins (*Bywg.*, 411), ac eraill. Cafodd Evan Roberts brofiad ysgytwol yn un o'r cynadleddau hyn (ym Mlaenannerch), ac fe'i cymhellwyd i ddychwelyd i Gasllwchwr i genhadu cyn diwedd mis Hyd. Cafwyd cyfarfodydd cyffrous yn ardal Casllwchwr, ac ymhen amser byr - rhwng Tach. 1904 a Ion. 1906 - ymledodd deffroad crefyddol grymus dros Gymru gyfan. Ef oedd ffigur amlycaf Diwygiad 1904-05 (fel y'i gelwir). Cafodd ei feirniadu'n chwyrn gan rai gwŷr blaenllaw, a diau iddo wneud rhai camgymeriadau yng ngwres emosiynol a brwdfrydedd heintus y cyfarfodydd. Yr oedd ef ei hun yn hollol ddiffuant, a bu straen a gwasgfa'r misoedd hynny yn ormod iddo.

Y mae'n anodd mesur effaith a dylanwad y Diwygiad. Ychwanegwyd lluoedd mawr at aelodaeth yr eglwysi ym mhobman, a chodwyd to newydd o arweinwyr a gweinidogion yn yr eglwysi. Ymledodd y deffroad i rannau eraill o Brydain, ac i'r meysydd cenhadol hwythau. Bu rhwygiadau mewn rhai cylchoedd, ac un o'r canlyniadau oedd ffurfio cyrff crefyddol newydd, megis yr Eglwys Apostolaidd, mudiad `four-square' Elim, ac achosion Pentecostaidd. Parhaodd y dylanwadau'n hir mewn rhai cylchoedd, er i Ryfel Byd I lesteirio hynny a'i ddiffodd i ryw raddau. Gellir olrhain rhai o'r dylanwadau hyd at fudiadau carismatig ein dyddiau ni. Cred rhai hefyd i'r Diwygiad ddylanwadu ar dwf y mudiad Llafur ieuanc rhwng 1904 ac 1914.

Yn 1906, yn ei ludded a'i wendid corfforol, cafodd Evan Roberts ymgeledd yng nghartref Mrs. Jessie Penn-Lewis, yn Leicester, a bu'n byw yn Llundain hefyd am ysbaid. Aeth o'r golwg, ond cymerodd ran yn ysbeidiol mewn cyfarfodydd yng Nghymru yn y cyfnod 1925-30. Cafodd ymgeledd gan gyfeillion yn Mhorth-cawl, ac yn Rhiwbeina, Caerdydd, ac yno y bu f. 29 Ion. 1951; claddwyd ef ym meddrod y teulu ym Moriah, Casllwchwr. Dadorchuddiwyd cofeb iddo yn 1953 o flaen capel Moriah.

Yn ei gyfnod cynnar cyfansoddodd Evan

Roberts lawer o gerddi ac emynau, a cheir detholiad o'r rheini yn ei gofiant. Cyhoeddwyd casgliad o'i emynau yn Aberdâr yn 1905, a phan oedd yn byw yn Leicester cyhoeddodd lyfryn, *Gwasanaeth a milwriaeth ysbrydol* (1912).

T. Francis, yn *Y Diwygiad a'r diwygwyr* (1906), 9-47; Vyrnwy Morgan, *The Welsh religious revival* (1909); D.M. Phillips, *Evan Roberts a'i waith* (1912, 10fed arg. 1924); S. Evans a G.M. Roberts (gol.), *Cyfrol goffa Diwygiad 1904-1905* (1954), sy'n cynnwys llyfryddiaeth o'r Diwygiwr a'r Diwygiad; Eifion Evans, *The Welsh revival of 1904* (1969); E.M. Humphreys, *Gwŷr enwog gynt* (1953), 100-09.

G.M.R.

ROBERTS, Syr GEORGE FOSSETT (1870-1954), milwr, gwleidydd a gweinyddwr; g. 1 Tach. 1870 yn Aberystwyth, Cer., trydydd mab David a H.Maria Roberts. Bu ei dad yn aelod o Gyngor Tref Aberystwyth am 44 ml. ac yn faer y Fwrdeistref ar dri achlysur. Addysgwyd ef mewn ysgol breifat yn Cheltenham. Ymunodd â chwmni ei dad a gwasanaethodd fel cyfarwyddwr a rheolwr Bracty Trefechan o 1890 hyd ei ymddeoliad yn 1935.

Safodd yn aflwyddiannus fel ymgeisydd seneddol (C) yng Ngheredigion yn 1910, a pharhaodd i gefnogi'r Ceidwadwyr ar hyd ei oes. Fe fu'n Swyddog Staff yr *Embarkation Staff* yn ystod Rhyfel Byd I, ac ef oedd arweinydd *102nd Field Brigade* y *Royal Artillery* rhwng 1912 ac 1925.

Etholwyd ef yn aelod o gyngor tref Aberystwyth yn 1902, fe fu'n aelod ohono am 30 ml. ac yn faer yn 1912-13 ac 1927-28. Bu'n gadeirydd ar nifer fawr o'i bwyllgorau. Gwasanaethodd hefyd fel aelod o gyngor sir Ceredigion am 20 ml. Yr oedd yn amlwg yng ngweithgareddau'r Llyfrgell Genedlaethol; etholwyd ef yn aelod o'r Llys yn 1914 ac o'r Cyngor yn 1919, bu'n drysorydd rhwng 1939 ac 1944 pan ddewiswyd ef yn Llywydd i olynu'r Arglwydd Davies, Llandinam (*Bywg*.2, 8). Dewisodd ymddeol o'r swydd yn 1950. Bu hefyd yn is-lywydd Coleg Prifysgol Cymru, Aberystwyth. Yr oedd yn weithgar hefyd yng ngwasanaeth Ysbyty Cyffredinol Aberystwyth a bu'n gadeirydd Pwyllgor Rheoli Ysbytai Canolbarth Cymru, 1948-51. Yr oedd yn aelod o nifer fawr o bwyllgorau lleol, yn ŵr cyhoeddus yng nghyffiniau Aberystwyth ac yn weithgar yn eglwys Llanbadarn Fawr. Enillodd barch mawr oherwydd ei egwyddorion cadarn, ei garedigrwydd a'i haelioni, a'i gwrteisi di-ffael.

Dyfarnwyd yr O.B.E. iddo yn 1919, y T.D. yn 1922, urddwyd ef yn farchog yn 1935 a derbyniodd y C.B. yn 1942. Dyfarnwyd iddo radd LL.D. er anrh. gan Brifysgol Cymru yn 1947. Dewiswyd ef yn ynad heddwch dros Geredigion yn 1906, fe fu'n Uchel Siryf yn 1911-12 ac yn Ddirprwy Lifftenant y sir o 1929.

Pr., 29 Medi 1896, â Mary, merch hynaf John Parry, Glan-paith, Cer. Bu hi f. 26 Mai 1947. Bu iddynt ddwy ferch. Ymgartrefent yng Nglan-paith, Rhydyfelin, Aberystwyth, ac am gyfnod yn Laura Place yn y dref. Bu f. 8 Ebr. 1954 yng Nglan-paith, cafwyd gwasanaeth yn eglwys Llanbadarn a chladdwyd ei weddillion ym mynwent Aberystwyth. Ceir plac pres iddo yn Llyfrgell Genedlaethol Cymru.

Www; WwW (1933 ac 1937); *Camb. News*, 16 Ebr. 1954; *Times*, 10 a 14 Ebr. 1954; *Adroddiad blynyddol LlGC*, 1953-54; W.J. Lewis, *Born on a perilous rock* (1980); *WWP*.

J.G.J.

ROBERTS, GLYN (1904-62), hanesydd a gweinyddwr; g. 31 Awst 1904 ym Mangor, Caern., yn fab i William ac Ann Roberts. Addysgwyd ef yn Ysgol Friars o 1915 hyd 1922 pan enillodd ysgoloriaeth i Goleg Prifysgol Gogledd Cymru, Bangor. Astudiodd Hanes o dan John Edward Lloyd (*Bywg*.2, 40-42) ac Arthur Herbert Dodd a graddiodd gyda anrhydedd dosbarth I yn 1925. Dechreuodd ymchwilio i hanes seneddol bwrdeistrefi gogledd Cymru o 1535 hyd 1832 ac yn 1929 dyfarnwyd iddo radd M.A. a gwobr y Tywysog Llywelyn ap Gruffydd am ei draethawd sy'n arddangos dylanwad Lewis Namier. Yn 1929 penodwyd ef yn ddarlithydd cynorthwyol yng Ngholeg y Brifysgol, Abertawe lle'r arhosodd hyd 1939 pan ymunodd â'r Gwasanaeth Sifil. Erbyn 1942 yr oedd yn ysgrifennydd cynorthwyol yn y Weinyddiaeth Gyflenwi ac yn 1944 dyrchafwyd ef yn ddirprwy bennaeth y genhadaeth a anfonwyd i T.U.A. i sicrhau defnyddiau crai gogyfer ag anghenion Prydain. Ymestynnai o'i flaen yrfa ddisglair fel gweinyddwr o dan y Llywodraeth, eithr yn 1945 penderfynodd ddychwelyd i'w hen goleg ym Mangor fel Cofrestrydd. Bu iddo ran anhepgorol yn y gwaith o ad-drefnu'r coleg wedi'r rhyfel ac ychwanegwyd yn sylweddol at nifer y myfyrwyr. Yn 1949, ar ymddeoliad Robert Thomas Jenkins (gw. uchod), bu'r coleg yn ddigon doeth i'w wahodd i lanw cadair Hanes Cymru. Nis rhyddhawyd o bell fforddo alwadau gweinyddol mynych - bu'n ddeon y gyfadran ac yn is-brifathro am ddwy flynedd ar y tro - ac oddi allan i'r coleg bu'n gadeirydd Pwyllgor Hanes a Chyfreithiau Bwrdd Gwybodau Celtaidd y Brifysgol a hefyd o gyngor Cymdeithas Hanes sir Gaernarfon, yn aelod o gyngor Adeiladau Hanesyddol Cymru ac o'r pwyllgor gwaith a luniwyd i gynghori Meistr y Rholiau ar y polisi i'w fabwysiadu wrth gyhoeddi'r cofnodion cyhoeddus.

Er cynifer y gofynion hyn, ymserchai fwyfwy yn ei briod bwnc ac yn raddol ymestynnodd ei ddiddordebau'n ôl o'r ddeunawfed ganrif i gyfnod y Tuduriaid (arfaethai ar un pryd ysgrifennu cyfrol arno i Gyfres y Brifysgol a'r Werin), ac yn y man i'r Canol Oesoedd diweddar. Yr oedd rhyw swyn arbennig iddo yn y blynyddoedd anodd a chythryblus wedi 1282 hyd ddyfodiad y Tuduriaid - y cyfaddawdu, y plygu glin a'r cydweithio, ar y naill law, a'r ymwrthod, yr herio a'r gwrthryfela, ar y llall. Ei bapurau ar y cymhlethdodau hyn, sy'n taflu goleuni llachar ar gefndir teulu'r Tuduriaid, yw ei gyfraniad aeddfetaf i'w bwnc a rhoddant inni ragflas o'r campwaith a gawsem pe cawsai fyw. Cyhoeddwyd casgliad o'i brif ysgrifau wedi ei farw o dan y teitl *Aspects of Welsh History* (1969).

Yr oedd gan Glyn Roberts feddwl treiddgar, dadansoddiadol a fynnai ddatod pob cwlwm yn bwyllog cyn cyrraedd calon y mater, a dyma i fesur helaeth a gyfrif am ei lwyddiant fel athro a gweinyddwr. Deallai gymhellion ei gyd-ddyn yn well na'r cyffredin a chas oedd ganddo orbarchusrwydd a mursendod. Yn llawn hiwmor a hoff o straeon diddan a ffraethinebau parod, gŵr hoffus, rhadlon a chymwynasgar ydoedd yn y bôn.

Pr. ddwywaith: (1) â Mary Davida Alwynne Hughes ar 6 Medi 1933, ac wedi ei marwolaeth (2) â'i chwaer, Carys Eryl Hughes ar 28 Gorff. 1954. Bu f. 13 Awst 1962 ym Mhorthaethwy a chladdwyd ef ym mynwent Llantysilio, Ynys Môn.

A.H. Dodd a J. Gwynn Williams (gol.), *Aspects of Welsh History* (1969) a'r ffynnonellau a enwir ynddo; *Traf. Cymd. Hanes Sir Gaern.,* 1963; gwybodaeth bersonol.

J.G.W.

ROBERTS, GRIFFITH JOHN (1912-69), offeiriad a bardd; g. 2 Mawrth 1912 yn Arwenfa, Afon-wen, Caern., yn fab i Edward a Catherine Roberts. Derbyniodd ei addysg yn ysgol gynradd Chwilog, ysgol ramadeg Pwllheli, a Choleg y Brifysgol, Bangor, lle graddiodd yn B.A. mewn Hebraeg (anrh. dosb. II), 1934, ac M.A. 1936. Bu'n ddarlithydd cynorthwyol mewn astudiaethau Semitig yng Ngholeg y Brifysgol, Bangor, 1935-36. Aeth i goleg diwinyddol Lichfield, 1936-37. Ord. ef yn ddiacon, 1937, a'i drwyddedu'n gurad yn y Rhyl yn esgobaeth Llanelwy lle bu hyd 1941. Ord. ef yn offeiriad, 1938. Bu'n gurad-mewn-gofal plwyf Llanefydd, 1941-45, rheithior Nantglyn, 1945-48. Symudodd i esgobaeth Bangor yn rheithor Mellteyrn, Botwnnog a Bryncroes, 1948-51; ficer Blaenau Ffestiniog, 1951-56; ficer Conwy a'r Gyffin, 1956.

Cychwynnodd ei yrfa fel ymgeisydd am y weinidogaeth gyda'r MC, a throes at yr eglwys yn ystod dyddiau coleg. Yr oedd eisioes yn fardd telynegol, ac yn ôl un o'r beirniaid yn haeddu'r goron yn Eist. Gen. Rhoslannerch-rugog, 1945, am ei bryddest 'Coed Celyddon'. Enillodd y goron yn Eist. Gen. Bae Colwyn, 1947 am ei bryddest 'Glyn y Groes', a daeth ei awdl goffa i R. Williams Parry yn uchel yng nghystadleuaeth yr awdl yn Eist. Gen. Llanelli, 1962. Bu yntau'n beirniadu yng nghystad-leuaeth y bryddest fwy nag unwaith. Yr oedd yn aelod o Orsedd y Beirdd.

Llwyfannwyd ei ddetholiad o farddoniaeth, 'Y Siaced fraith', yn Eist. Gen. Llangefni 1957. Yn 1963 ef oedd cadeirydd pwyllgor llenyddiaeth Eist. Gen. Llandudno, a lluniodd 'Y Llinyn arian', rhaglen yn portreadu Dyffryn Conwy, a berfformiwyd yn yr eisteddfod honno. Ysgrifennodd ddrama-basiant, 'Deiniol Sant', 1959, i'w pherfformio yn eglwys gadeiriol Bangor. Yn eglwys Conwy y llwyfannwyd ei ddrama 'Goleuni y Byd' gyntaf, ac fe'i hail-berfformiwyd yn yr eglwys gadeiriol ym Mangor. Ym Meh. 1967 lluniodd wasanaeth dathlu 400 mlwyddiant y Testament Newydd Cymraeg yn y Gyffin, lle ganed yr esgob Richard Davies (*Bywg.,* 136).

Pan benderfynodd Esgob Bangor (John Charles Jones; gw. uchod) arwain pererindod esgobaethol i Enlli yn 1952, gofynnodd i G.J. Roberts drefnu'r daith a llunio cyflwyniad hanesyddol iddi. Yr oedd ymhlith yr ychydig a hwyliodd drosodd i Enlli rai dyddiau'n ddiweddarach. 'Enlli'r pererinion' oedd testun ei bryddest radio. Daeth ei lais yn adnabyddus trwy Gymru pan ddechreuodd ddarlledu'n gyson yn y rhaglen 'Wedi'r Oedfa' ar

nosweithiau Sul. Ysgrifennodd nifer o raglenni nodwedd i'r radio, e.e. 'Edmwnd Prys', 'Yr Esgob William Morgan', 'Ieuan Glan Geirionydd' etc. Bardd telynegol ydoedd yn canu yn y traddodiad Cristionogol. Cyhoeddodd *Wrth y Tân* (1944); *Coed Celyddon* (1945); *Gwasanaethau'r plant* (cyf.), (1953); *Hanes y Beibl* (1954); *Cerddi* (1954); *Yr esgob William Morgan* (1955); *Llyfr y Siaced Fraith* (1957); *Seintiau Cymru* (gydag E.P. Roberts), (1957); *Ymddiddanion llafar* (1961); *Sgyrsiau Wedi'r Oedfa* (1966); *Awdl Goffa R. Williams Parry* (1967); *Ysgrifau* (1968); *Cofnodion* (1970).

Pr. yn 1942 â Margaret Morris, merch Owen Morris ac Elisabeth Williams, Morfa Nefyn, a bu iddynt ddwy ferch. Bu f. 13 Chwef. 1969 a'i gladdu ym mynwent Abergwyngregin ar lan y Fenai, yn ôl ei ddymuniad.

Llawlyfr esgobaeth Bangor, 1968; *Llan,* 21, 28 Chwef. 1969; *Baner,* 20 Chwef. 1969; *Haul,* Gwanwyn 1969; *N. Wales Weekly News,* 20 Chwef. 1969; gwybodaeth gan ei weddw; adnabyddiaeth bersonol.

M.G.E.

ROBERTS, HUGH GORDON (1885-1961), llawfeddyg a chenhadwr; un o feibion David Roberts o Ddolenog, Llanidloes, Tfn., a'i wraig Jane Sarah, merch Thomas Price Jones o Lerpwl. Cofnodwyd ei enedigaeth yn Nosbarth Cofrestru Gorllewin Derby yn nhrydedd chwarter 1885, ond magwyd ef yn Lerpwl. Yr oedd yn orwyr i David Roberts (1788-1869), meddyg ym Modedern, Môn (gw. *Bywg.,* 806-7), ac yr oedd Syr William Roberts, F.R.S. (1830-99), a oedd yn feddyg blaenllaw ym Manceinion a Llundain, yn ewythr i'w dad. Cefnder iddo oedd Frederick Charles Roberts (1862-94) a fu farw'n ifanc o dwymyn pan oedd yn feddyg cenhadol yn Tientsin. Nid yw'n syndod, felly, iddo yntau newid ei feddwl ar hanner cwrs cyfrifydd i fynd yn feddyg cenhadol. Graddiodd yn M.B. a Ch.B. ym Mhrifysgol Lerpwl yn 1912 ac yn M.D. yn 1920. Wedi pr. Katharine (m. 9 Ion. 1966), merch John Jones, Lerpwl, yn 1913 aeth i weithio ym Mryniau Khasia, India. Bu iddynt fab a merch. Bu'n llawfeddyg sifil ym mhrifddinas Shillong ar fenthyg gan y Gymdeithas Genhadol (MC) i lywodraeth Assam, 1914-19. Rhoddodd hyn gyfle iddo i fesur a deall angen mawr y dalaith. Cyn ei ddydd ef meddyg teithiol fyddai gan y Genhadaeth, ond wedi'r rhyfel dychwelodd i Gymru i geisio gan yr eglwysi godi ysbyty yn Shillong. Rhoddodd £7000 ei hunan tuag ati ac agorwyd hi yn 1922. Ef oedd yr arolygwr a'r prif feddyg a llawfeddyg o'r cychwyn hyd 1942 pryd yr ymddeolodd oherwydd afiechyd. Trinid mwy o achosion llawfeddygol cymhleth yn yr ysbyty cenhadol nag yn holl ysbytai gwladol Assam gyda'i gilydd a daeth ei enw'n wybyddus i bawb drwy'r dalaith. Gyda chymorth Margaret Buckley ac eraill sefydlodd ysgol nyrsio yno. Bu'n aelod o Gyngor Deddfu Assam, 1921-24, yn arweinydd blaenllaw o Gyngor Meddygol Assam, 1920-43, a llywydd cangen Assam o Gymdeithas Feddygol Prydain, 1932-33. Daeth i Brydain yn 1945 a bu'n ysgrifennydd cyffredinol a golygydd Cymdeithas Genhadol Feddygol Llundain, 1946-48. Cryfhaodd ddigon i ddychwelyd i'r India yn 1949 i oruchwylio codi ysbyty newydd Jowai, rhodd Presbyteriaid Cymru i

Bresbyteriaid Assam. Wedi gorffen y gwaith yn 1953 dychwelodd i Brydain, a bu'n byw yn West Kirby ac yn Eastbourne. Bu f. 20 Rhag. 1961.

Anrhydeddwyd ef â'r C.I.E. yn 1928, cafodd fedal aur Kaisar-i-Hind yn 1925 a medal Jiwbili'r Brenin yn 1935. Ef oedd llywydd Cymdeithasfa'r Dwyrain, Eglwys Bresbyteraidd Cymru, yn 1937 a chafodd LL.D. er anrh. gan Brifysgol Cymru yn 1946.

P.A.C.F., 383; *Www; Blwyddiadur MC*, 1963, 270-1; John Hughes Morris, *The Story of our Foreign Mission* (1930), 54-5; gw. *Munk's Roll, iv*, 146-7 am fywgraffiad Syr William Roberts; Mary I. Bryson, *Fred C. Roberts of Tientsin: or, for Christ and China* (1895); [Arthur Hughes yn J. Meirion Lloyd (gol.), *Nine missionary pioneers* (1989).

E.D.J.

ROBERTS, JOHN (1879-1959), gweinidog (MC) a hanesydd; g. 16 Hyd. 1879 ym Mhorthmadog, Caern., mab John J. Roberts (`Iolo Caernarfon'; *Bywg.*, 817), ac Ann ei briod. Addysgwyd ef yn ysgol fwrdd Porthmadog, ysgol ramadeg y Bala, a Choleg Iesu, Rhydychen, lle graddiodd gydag anrhydedd yn y clasuron, ac wedyn mewn diwinyddiaeth. (Cafodd radd D.D., er anrh., a niwedd oes gan Brifysgol Cymru). Ord. ef yn 1905, a bu'n gweinidogaethu yn Aberdyfi (1903-06), David St., Lerpwl (1906-13), a Pembroke Tce., Caerdydd (1913-38). Galwyd ef i fod yn ysgrifennydd Cronfa Ganolog Sasiwn y De yn 1938; ymhen deng ml. unwyd cronfeydd y de a'r gogledd, ac ef oedd ysgrifennydd cyntaf y Gronfa Unedig. Pr., 1903, Annie Jones Lewis, Porthmadog; ganwyd iddynt bedwar mab a dwy ferch. Bu f. 29 Gorff. 1959.

Yr oedd John Roberts yn rheng flaenaf pregethwyr ei oes, er nad oedd ganddo lais addas ar gyfer y pulpud (gw. barn R.T. Jenkins arno fel pregethwr, *Cyfoedion* (1976); 39-41). Bu'n llywydd Sasiwn y De (1941), ac yn llywydd y Gymanfa Gyffredinol (1943). Traddododd y Ddarlith Davies yn 1930 ar `Athroniaeth hanes y Cyfundeb'; fe'i cyhoeddwyd yn 1931 dan y teitl *Methodistiaeth Galfinaidd Cymru,* `ymgais at athroniaeth ei hanes' (arg. Saesneg 1934). (Gw. eto farn R.T. Jenkins ar y gyfrol a'i rhoes yn rheng flaenaf haneswyr yr Hen Gorff, *ibid.*, 41-42.) Cyfrannodd lawer o ysgrifau i'r *Goleuad*, ac i gylchgronau'i enwad. Ei gyfraniad pwysicaf i'w Gyfundeb oedd sefydlu cynllun newydd trefn a chynhaliaeth y weinidogaeth. Datblygodd yn drefnydd a gweinyddwr dihafal. Yr oedd ganddo feddwl treiddgar a disgybledig a'i gwnâi'n feistr ar bopeth yr ymaflai ei law ynddo. Diddorol yw sylwi ar ei hobïau, sef herodraeth, darllen *Who's Who* a mapiau, a meistroli tablau amser y rheilffyrdd!

At yr uchod, *WwW* (1921), 414; *WwFC*, 323; *Blwyddiadur MC*, 1960, 271-72; W. Morris (gol.), *Deg o enwogion* (1965), 60-8; ac adnabyddiaeth bersonol.

G.M.R.

ROBERTS, JOHN HERBERT, BARWN CLWYD o ABERGELE (1863-1955), gwleidydd; g. yn 61 Hope Street, Lerpwl, 8 Awst 1863, yn fab i John Roberts, Lerpwl a Bryngwenallt, Abergele (A.S. dros fwrdeistref Fflint, 1878-92), a'i wraig Catherine Tudor, merch John Hughes (1796-1860, *Bywg.*, 360-1) gweinidog (MC), Lerpwl. Addysgwyd ef yng Ngholeg y Drindod,

Caergrawnt, lle y graddiodd yn B.A. yn 1884 ac M.A. yn 1888. Cyhoeddodd *A world tour* ar ôl treulio blwyddyn (1884-85) yn teithio'r byd, *Ymweliad â Bryniau Kasia* (ail arg. 1888), ac ymddangosodd `Tro yn yr Aifft' yn Y *Traethodydd*, 1896. Aeth i fyw i Abergele a bu'n ddiacon am 68 ml. yng nghapel Mynydd Seion (MC), ond daliodd gysylltiad â Lerpwl am gyfnod fel cyfarwyddwr cwmni David Roberts, adeiladwyr a marchnatwyr coed, a sefydlwyd gan ei daid.

Fel A.S. (Rh.) dros Orllewin Dinbych (1892-1918) yr oedd yn un o Gymry ieuainc dawnus, fel T.E. Ellis (*Bywg.*, 199-200) a David Lloyd George (*Bywg.* 2, 39-40). Cymerai ddiddordeb arbennig ym materion India a'r mudiad dirwest. Bu'n aelod o Gyngres Genedlaethol India, a chadeirydd ei phwyllgor Prydeinig. Bu'n llywydd Cymdeithas Ddirwestol Gogledd Cymru am flynyddoedd, ac yn aelod o'r Comisiwn Brenhinol ar y Deddfau Trwyddedu 1896-99. Ei dad a gyflwynodd fil cau tafarnai Cymru ar y Sul, a cheisiodd yntau ychwanegu deddfwriaeth wahanol i Gymru i gryfhau'r ddeddf. Cefnogodd fesurau datgysylltiad a bu'n gomisiynydd ar eiddo'r Eglwys Esgobol yng Nghymru o 1914. Bu'n ysgrifennydd i'r Blaid Ryddfrydol Gymreig ac yn gadeirydd, 1912-18. Yn 1922 bu'n aelod o Gomisiwn ysbytai gwirfoddol Cymru. Fe'i crewyd yn farwnig yn 1908 a dyrchafwyd ef yn Farwn Clwyd o Abergele yn 1919. Teithiai'n gyson o Abergele i Dŷ'r Arglwyddi tan oedd dros 90 ml. oed. Gwnaeth wasanaeth mawr mewn bywyd cyhoeddus na chlywodd y cyhoedd lawer amdano.

Pr. yng nghapel Clapham (A), 1 Awst 1893 â Hanna Rushton, merch William Sproston Caine, A.S. a gafodd ddylanwad trwm arno. Bu iddynt dri mab a bu f., 19 Rhag. 1955, yn Nhan-yr-allt, Abergele.

N. Wales Times, 31 Dec. 1955; G.E.C. (*Comp. Peerage*).

E.D.J.

ROBERTS, JOHN IORWERTH (1902-1970), ysgolfeistr, ysgrifennydd Eist. Gydwladol Llangollen; g. 8 Maw. 1902 yn Warrington yn fab i William John Roberts, gweinidog (MC), a'i wraig Harriet, merch Edward Roberts, gweinidog Engedi (MC), Brymbo a fu'n gadeirydd pwyllgor addysg sir Ddinbych. Symudodd y teulu i Bontrhythallt, Llan-rug, Caern. yn 1911 pryd yr aeth i ysgol Penisa'r-waun, ac wedyn i ysgol uwchradd Bryn'refail (1914-19) a'r Coleg Normal, Bangor (1920-22). Aeth yn athro mewn gwahanol ysgolion yn sir Ddinbych, gan gynnwys ysgol uwchradd y Grango, Rhosllannerchrugog ac ysgol elfennol Pen-y-cae, cyn ei benodi'n brifathro ysgol Pentredwr, ger Llangollen, lle y bu nes ymddeol yn 1964. Llwyddodd i droi'r ysgol honno'n batrwm o ysgol Gymraeg answyddogol. Gweithiodd yn ddiwyd fel ysgrifennydd ariannol Undeb Cymru Fydd a bu'n flaenor ac ysgrifennydd capel Rehoboth, Llangollen, am flynyddoedd. Yr oedd yn eisteddfodwr pybyr a bu'n gysylltiedig ag Eist. Gydwladol Llangollen o'i chychwyn yn 1947, gan wasanaethu fel ysgrifennydd a chadeirydd y pwyllgor cyllid am gyfnod. Yr oedd yn gyd-ysgrifennydd cyngor yr eist. pan fu farw. Cymerai ddosbarthiadau

Cymdeithas Addysg y Gweithwyr ar hanes lleol, a chyhoeddwyd y papur a ddarllenodd i Gymdeithas Hanes sir Ddinbych ar `Eisteddfod fawr Llangollen 1858' yng nghylchgrawn y Gymdeithas, 1959.

Pr. (1) yn Rehoboth, Llangollen ym mis Awst 1934 â Dilys Alwen Jones (m. 11 Gorff. 1965) a bu iddynt un ferch, Llinos, a br. â Gwyn Neale, ysgolfeistr Llanrwst; pr. (2) yng Nghapel (MC) King Street, Wrecsam yn 1969 â Dilys Jones, Y Twr, Llangollen. Yr oedd yn byw yn Isgaer, Birch Hill, Llangollen pan fu f. yn ddisymwth, 17 Mawrth 1970; claddwyd ef ym mynwent Llantysilio.

Wrexham Leader, 20 a 27 Mawrth 1970; *Gol.*, 22 Ebr. 1970; gwybodaeth gan ei chwaer Gwyneth Richards, Dinbych.

M.A.J.

ROBERTS, ROBERT (`Bob Tai'r Felin'; 1870-1951), canwr cerddi gwerin; g. 1 Medi 1870 yn Nhai'r Felin, Cwmtirmynach, Bala, Meir., yn fab o briodas Cadwaladr Roberts, Tai'r Felin, â Betsi Rowlands, Cae Gwernog, Capel Celyn. Dilynodd grefft ei dad gartref fel melinydd a ffermwr. Ymbriododd ag Elizabeth Jane Roberts, o fferm y Fron-goch gerllaw, a magasant dri o blant. Yng nghapel Presbyteraidd Cwmtirmynach bu'n codi canu am gryn hanner can mlynedd, yn athro ysgol Sul i ddosbarth o ferched, ac etholwyd ef yn flaenor. Cyfrannodd i ddiwylliant cryf y fro gan ddilyn cyngherddau, cyrddau cystadleuol ac eisteddfodau; byddai hefyd yn cystadlu yn lled gyson ar yr englyn yn y brifwyl. Oherwydd ei lais cwbl arbennig, ynghyd â'i gyflwyniad cartrefol, daeth yn nodedig fel meistr ar ganu cerddi gwerin. Yn Eist. Gen. Bangor, 1931 enillodd ar y gystadleuaeth cân werin. Tua'r cyfnod hwnnw y ffurfiwyd parti Tai'r Felin (sef Llwyd o'r Bryn (gw. Robert Lloyd uchod), John Thomas a'i ferch, Lizzie Jane, a Bob Roberts a'i ferch, Harriet), parti a fu'n diddanu ar lwyfannau Cymru, a hefyd rai troeon yn Lloegr. O 1944 ymlaen daeth i sylw cenedl gyfan wrth ganu ar Radio B.B.C. yn rhaglenni Sam Jones, `Noson lawen'. Recordiwyd nifer o'i ganeuon gan Gwmni Decca a Teldisc; erbyn hyn mae dwy record hir o'i berfformiadau gan Gwmni Sain. Yn 1949 bu'n cymryd rhan mewn ffilm (a wnaed yn y Parc, Bala, ac yn Llundain) gyda *Noson lawen* yn deitl i'r fersiwn Gymraeg, a *The harvest* i'r fersiwn Saesneg. Bu'n canu hefyd o flaen y camerâu teledu yn Alexandra Palace yn Llundain. Bu'r cyhoeddusrwydd a roddwyd i Bob Roberts yn fodd i boblogeiddio yn ogystal ag i ddiogelu'r cerddi hyn, rhai fel `Mari fach fy nghariad', `Moliannwn', `Gwenno Penygelli' etc., a bu cynnwys arnynt mewn detholiadau o ganeuon ar gyfer ysgolion. Yn 1959 golygodd Haydn Morris y llyfr, *Caneuon Bob Tai'r Felin*. Bu f. 30 Tach. 1951, a chladdwyd ef ym mynwent Llanycil gerllaw'r Bala. Yn 1961 sefydlodd Llwyd o'r Bryn gronfa i gofio'r melinydd a'i gân; bellach mae cofeb iddo ar fin y ffordd wrth lidiart Tai'r Felin.

Gwybodaeth bersonol; [Robin Williams *Y Tri Bob* (1970)].

R.O.G.W.

ROBERTS, ROBERT ALUN (1894-1969), Athro Llysieueg amaeth Coleg y Brifysgol Bangor, a naturiaethwr; g. 10 Mawrth 1894 yng Nglan Gors, Tan-yr-allt, Dyffryn Nantlle, Caern., yn fab i Robert Roberts (brawd Owen Roberts, tad y Dr. Kate Roberts) a Jane Thomas. Derbyniodd ei addysg gynradd yn ysgol Nebo a thrwy ysgoloriaeth enillodd le yn ysgol sir Penygroes. Am gyfnod, bu'n ddisgybl-athro cyn sicrhau lle iddo'i hun yng Ngholeg y Brifysgol, Bangor, yn 1911. Enillodd radd B.Sc. gydag anrhydedd yn 1915 a chwblhaodd ei radd Ph.D. yn 1927.

Ei swydd gyntaf oedd athro gwyddoniaeth yn ysgol Botwnnog (1915-17). Gwasanaethodd gyda'r Weinyddiaeth Amaeth o 1917 hyd 1919, ac wedi hynny yn ymgynghorydd mewn llysieueg amaeth iddynt hyd 1921, pan y'i penodwyd yn ddarlithydd yn Adran Llysieueg amaeth Coleg y Brifysgol, Bangor. Yn 1926 dyrchafwyd ef yn ddarlithydd annibynnol a phennaeth Adran Llysieueg amaeth y coleg. Rhwng 1941 ac 1944 rhyddhawyd ef o'i swydd yn y coleg a phenodwyd ef yn swyddog gweinyddol i'r Weinyddiaeth Amaeth dros sir Gaernarfon. Am gyfnod byr yn 1944 ac 1945 bu'n Arolygydd Ei Mawrhydi dros ysgolion gwledig, a chyfrannodd o'i brofiad i Ddeddf Addysg 1944. Yng Ngorff. 1945 dychwelodd i Goleg y Brifysgol a'i benodi'n Athro Llysieueg amaeth cyntaf coleg Bangor. Daliodd y swydd hon tan ei ymddeoliad yn 1960.

Gweithiodd Alun Roberts yn ddygn i sefydlu adran gref ym Mangor a llwyddodd i ddatblygu ei ddull dihafal ei hun o drosglwyddo gwybodaeth i'w fyfyrwyr. Cyfrannodd doreth o erthyglau a phapurau i gylchgronau gwyddonol. Am ddeng ml. bu'n darlithio mewn cwrs tiwtorial ar bynciau bywydegol, ac ef oedd aelod cyntaf panel y naturiaethwyr ar y rhaglen radio adnabyddus `Byd Natur'. Oherwydd ei wybodaeth eang am Gymru bu galw mawr arno i eistedd ar lu o gyrff a chomisiynau cenedlaethol, fel pwyllgor rheoli'r Amgueddfa Werin; cyngor amaethyddol Cymru; cyngor Cymru a Comisiwn Coedwigaeth (1946-53); cyngor Arglwydd Carrington ar Addysg Amaethyddol; cadeirydd cyntaf y Warchodaeth Natur (1953-56); aelod Cymreig o'r Comisiwn Brenhinol ar Dir Comin (1955-58); aelod o dîm ymchwil Sefydliad Nuffield ar Dir Comin yng Nghymru a Lloegr a Phwyllgor Adnoddau Dŵr i Gymru.

Bu'n Uchel Siryf sir Gaernarfon yn ystod y cyfnod 1955-56. Am ei waith i amaethyddiaeth fe dderbyniodd y C.B.E. yn 1962. Yr oedd i'w anrhydeddu â gradd D.Litt. yng Ngorff. 1969, ond bu f. yn ysbyty Môn ac Arfon, 19 Mai 1969. Gwasgarwyd ei lwch dros fynydd y Cymffyrch, dafliad carreg o'i hen gartref.

Yr oedd yn awdur nifer o lyfrau e.e. *Y tir a'i gynnyrch*; *Hafodydd brithion*; *Welsh Homespun*; *Y tyddynnwr-chwarelwr yn Nyffryn Nantlle* (Darlith flynyddol Llyfrgell Penygroes, 1968); *Yr elfen fugeiliol ym mywyd Cymru* (Darlith Radio 1968) a chyd-awdur *Commons and Village Green* (1967).

Pr. Jennie, merch Mr. a Mrs. John Morris Williams, Cae Mawr, Tan'rallt, yn 1924, a bu iddynt un ferch.

Ww 1969; *Gwyddonydd*, 2 (1964); Melfyn R. Williams, *Dr. Alun* (1977); gwybodaeth bersonol; ei lawysgrifau yn llyfrgell Coleg y Brifysgol (Bangor MSS 20811-21046).

M.R.W.

ROBERTS, ROBERT ELLIS VAUGHAN (1888-1962), prifathro ysgol a naturiaethwr; g. ym Mryn Melyn, Rhyduchaf, ger y Bala, Meir., 24 Mawrth 1888, yn fab i William Roberts. Addysgwyd ef yn ysgol Tŷ-Tan-Domen a graddiodd yn y gwyddorau yng Ngholeg y Brifysgol, Bangor, yn 1909. Cychwynnodd ar ei yrfa fel athro yn Ninbych, Clocaenog, a Rhosddu, Wrecsam, ac apwyntiwyd ef yn 1920 yn brifathro ysgol gynradd Llanarmon-yn-Iâl, flwyddyn ar ôl i Richard Morgan (*Bywg.*, 611) y naturiaethwr, ymddeol.

Yn 1942 fe'i penodwyd yn brifathro cyntaf ysgol dechnegol elfennol amaethyddol Llysfasi a bu yn y swydd hyd 1948 pan ddychwelodd i fod yn brifathro ysgol elfennol Llanarmon-yn-Iâl, hyd ei ymddeoliad yn 1953.

Bu'n gyfrannwr cyson i nifer o gylchgronau Cymraeg a Saesneg drwy gydol ei oes, yn cynnwys *Y Cymro*, *Yr Herald Cymraeg*, *Meirionnydd*, *Yr Athro*, *Llafar*, *Y Genhinen*, *Y Gymdogaeth*, *Countryside*, *Country Quest* a'r *Crynhoad*. Cyhoeddodd ddrama yn ymwneud â bywyd Cymreig ddoe a heddiw sef *'Stalwm*, ac hefyd *Llyfr Blodau* a gyhoeddwyd yn 1952.

Yr oedd yn aelod o Orsedd y Beirdd er 1923 ac adnabyddid ef o dan yr enw `Vaughan Tegid'. Bu hefyd yn aelod o Gymdeithas Canu Gwerin Cymru a chasglodd nifer o ganeuon, gan gyhoeddi rhai yn *Chwe chân werin Gymreig* (1938).

Bu'n gyd-olygydd a chyfrannwr i'r *Chester and North Wales Natural Society* o 1947 hyd 1954. Enillodd Fathodyn Coffa Kinsley yn 1934 `For meritorious contributions to several branches of natural science'.

Ef, ynghyd â'r Athro R. Alun Roberts (gw. uchod), oedd arbenigwyr cyntaf Seiat Byd Natur, y rhaglen radio a gychwynnodd yn Ion. 1951. Cafodd ergyd drom yn neng ml. olaf ei oes pan gollodd ei olwg, ond er hynny, parhaodd yn aelod o Seiat Byd Natur hyd ei farw ym Wrecsam, 3 Mawrth 1962. Fe'i claddwyd ym mynwent gyhoeddus Wrecsam.

Pr. Edith Mary Davies, Wrecsam, yn 1921 a bu iddynt fab.

Melfyn R. Williams, *Gwyddonwyr Sir Ddinbych* (1973), 19-20; gwybodaeth gan ei fab.

M.R.W.

ROBERTS, ROBERT MEIRION (1906-67), gweinidog (MC, ac Eglwys Bresbyteraidd yr Alban), athronydd a bardd; g. 28 Tach. 1906 yn Station House, Llandrillo, Meir., yn fab i Robert a Catherine Elizabeth Roberts. Addysgwyd ef yn ysgolion elfennol Llandrillo, a'r Pentre, gerllaw'r Waun, sir Ddinbych; ysgol sir Llangollen; Coleg y Brifysgol, Bangor (lle graddiodd gyda anrhydedd yn y dosbarth cyntaf mewn athroniaeth); ac yng ngholegau diwinyddol ei enwad yn Aberystwyth a'r Bala.' Dechreuodd bregethu yn 1924, ac ord. ef yn 1933. Bu'n gweinidogaethu ym Mhenuel, Glynebwy (1933-37) a St. David's, Belmont, Amwythig (1937-38). Bu'n diwtor mewn athroniaeth a seicoleg yng Ngholeg Harlech (1938-40) ac yn ddarlithydd dros-dro ym Mangor (1940). Bu'n gaplan yn y fyddin (1940-46), yn weinidog eglwys Gymraeg Laird St., Penbedw (1946-52), ac yn gaplan drachefn yn y fyddin (1952-58). Ymunodd ag Eglwys Bresbyteraidd yr Alban yn 1958, a bu'n

weinidog plwyf Applegarth a Sibaldie, swydd Dumfries, hyd ei farwolaeth. Pr. (1933) Daisy Harper o Lanrwst, a ganwyd iddynt ddau fab a thair merch. Bu f. 11 Ion. 1967, a chladdwyd ef ym mynwent Applegarth.

Ymhyfrydodd mewn astudiaethau athronyddol ar hyd ei oes, a chafodd enaid cytûn yn ei gyfnod yn y Bala ym mherson y Prifathro David Phillips (gw. uchod) - cyfrannodd ysgrif goffa iddo i'r gyfrol *Deg o enwogion* (1959). Cyfrannodd ysgrifau yn weddol gyson ar bynciau athronyddol a diwinyddol i'r *Efrydydd*, *Efrydiau athronyddol*, *Y Traethodydd*, *Y Llenor*, a'r *Drysorfa*. Bu'n aelod o'r *British Institute of Philosophy* o 1929 ymlaen. Yr oedd hefyd yn fardd o gryn fri, a cheir llawer o'i gynhyrchion barddonol yn rhai o'r cylchgronau uchod. Cyhoeddodd ddwy gyfrol o farddoniaeth, sef *Plant y llawr* (1946), ac *Amryw ganu* (1965). Detholwyd un o'i ganeuon i'r *Oxford Book of Welsh Verse* (1962).

WwFC (1951), 354; gwybodaeth gan ei briod, a'i chwaer Eurwen Jones, Llandudoch; adnabyddiaeth bersonol.

G.M.R.

ROBERTS, THOMAS (1884-1960), addysgwr ac ysgolhaig; g. 26 Rhag. 1884 yn y Pandy, Llanuwchllyn, Meir., yn fab i John Roberts. Addysgwyd ef yn ysgol Llanuwchllyn, ysgol sir y Bala a Choleg y Brifysgol, Bangor. Cafodd radd B.A. gydag anrhydedd yn y Gymraeg yn 1907, a gradd M.A. yn 1910. Bu'n athro ysgol yn Abertyswg, Myn., 1907-08, ac mewn ysgol yn Llundain 1908-10. Yna penodwyd yn athro Iaith a Llenyddiaeth Gymraeg yn y Coleg Normal, Bangor, ac yn is-brifathro yn 1920, a daliodd y swydd nes ymddeol yn 1949.

Dechreuodd Thomas Roberts ymddiddori'n gynnar yn hanes a gwaith Beirdd yr Uchelwyr, a pharhaodd ei ddiddordeb ar hyd ei oes. Testun ei draethawd M.A. yn 1910 oedd barddoniaeth Gruffudd ab Ieuan ap Llywelyn Fychan. Yn 1914 cyhoeddodd *Gwaith Dafydd ab Edmwnd* yng nghyfres The Bangor Welsh MSS Society. Casglwyd copïau o'r cerddi o lawer o lawysgrifau, ond nid amcanwyd at lunio testun safonol na rhestru darlleniadau amrywiol. Y mae'n amlwg fod y blynyddoedd hyn yn rhai prysur iawn i Thomas Roberts, oherwydd yn 1914 hefyd y bu'n cydweithio ag Ifor Williams i gynhyrchu *Cywyddau Dafydd ap Gwilym a'i gyfoeswyr*. Ef oedd yn gyfrifol am y rhagymadroddion ac am destun cywyddau'r cyfoeswyr - Gruffudd ab Adda, Madog Benfras, Gruffudd Gryg a Llywelyn Goch. Yn yr ail argraffiad yn 1935 ychwanegodd Thomas Roberts rai cywyddau a diwygiodd y rhagymadroddion. Yn 1925 cydweithiodd eto â Henry Lewis (gw. uchod) ac Ifor Williams (gw. isod) ar y casgliad *Cywyddau Iolo Goch ac eraill*, gan fynd yn gyfrifol am gerddi Gruffudd Llwyd ac Ieuan ap Rhydderch, ac ar gyfer yr ail argraffiad yn 1937 helaethodd y rhagymadroddion a diwygiodd destunau'r cywyddau. Bu bwlch go hir rhwng hyn a'r gyfrol nesaf, sef *Gwaith Tudur Penllyn ac Ieuan ap Tudur Penllyn* yn 1958. Dilynir yr un patrwm yma, sef rhagymadrodd llawn ar fywyd a theulu a chefndir y beirdd, trafod dilysrwydd y cerddi, ac un elfen newydd, sef ymdriniaeth â'r grefft fydryddol. Rhoir testun safonol wedi ei seilio ar bob llawysgrif oedd ar gael, ac yna nodiadau pur fanwl. Yn y gyfrol hon y gwelir y golygydd ar ei orau.

Yn ychwanegol at y cyfrolau hyn fe ysgrifennodd Thomas Roberts amryw o erthyglau ar ei ddewis faes. Yn ei holl waith yr oedd yn dra thrwyadl ac yn ofalus iawn i gynnal safonau uchaf ysgolheictod yn ddi-feth.

Pr. â Gwyneth Edwards o Landudno yn 1920, a bu iddynt un ferch. Bu f. 25 Awst 1960.

Gwybodaeth o archifau'r Coleg Normal a chan Llio Ellis Williams; gwybodaeth bersonol.

T.P.

ROBERTSON, EDWARD (1880-1964), Athro, ieithydd, a llyfrgellydd; g. 1880, yn Cameron, Fife, yr Alban, yn fab i John Robertson, yr ysgolfeistr lleol. Ar ôl bod yn ysgol ei dad yn Cameron ac yng Ngholeg Madras, S. Andrews, lle disgleiriodd mewn mathemateg, aeth i Brifysgol S. Andrews a graddio'n M.A. a B.D. ac ymlaen wedyn i Brifysgolion Leipzig, Berlin a Heidelberg; bu hefyd yn Syria am flwyddyn yn dysgu Arabeg. Dychwelodd i S. Andrews am flwyddyn (1905-06) i gynorthwyo'r Athro Hebraeg, ac yna bu'n Ysgolor ac yn Gymrawd Ymchwil Carnegie cyn mynd yn ddarlithydd mewn Arabeg ym Mhrifysgol Caeredin (1913-21). Daeth i Gymru yn Athro Hebraeg a Ieithoedd Semitig yng Ngholeg y Brifysgol, Bangor (1921-35). Yr oedd 'Jock', fel y gelwid ef, yn athro poblogaidd ym Mangor, a gwnaeth ymdrech lew i feistroli'r Gymraeg; anfarwolodd ei hun am iddo trwy lithriad bychan alw llyfrgellydd enwog y Coleg, y Dr. Thomas Richards (gw. uchod), yn 'llyfrgollydd'. Bu'n is-brifathro'r Coleg (1926-28) ac yn Ddeon Diwinyddiaeth (1922-34). Aeth o Fangor i Gadair Ieithoedd Semitig Prifysgol Manceinion (1934-45), lle bu hefyd yn rhag-is-ganghellor (1944); bu wedyn yn Llyfrgellydd Llyfrgell John Rylands (1949-62). Enillodd D.Litt. yn S. Andrews yn 1913, a chafodd nifer o anrhydeddau: ei wneud yn ddarlithydd Gunning Prifysgol Caeredin (1929-32), derbyn D.D. er anrh. gan Brifysgolion Cymru a S. Andrews, ac LL.D. gan Brifysgol Manceinion, a'i wneud yn llywydd Cymdeithas Efrydu'r Hen Destament. Llawysgrifau yn yr ieithoedd Semitig oedd ei faes, a chyhoeddodd amryw o astudiaethau'n ymwneud â hwy; bu hefyd yn olygydd Bwletin Llyfrgell John Rylands. Ar ôl ymddeol ymfudodd i Ganada at un o'i ddwy ferch, ac yno y bu f. 29 Ebr. 1964.

Www; Bull. John Rylands Library, 45 (1963), 273-5; 47 (1964), 1-2.

Gw.H.J.

ROBINSON, THEODORE HENRY (1881-1964) Athro, ysgolhaig ac awdur; g. 9 Awst 1881 yn Edenbridge, swydd Caint, yn fab i W. Venis Robinson, gweinidog (B), a'i briod Emily Jane. Cafodd ei addysg yn ysgol Mill Hill; Coleg S. Ioan, Caergrawnt; Coleg y Bedyddwyr, Regent's Park, Llundain; a Phrifysgol Göttingen. Yr oedd yn Litt.D. o Brifysgol Caergrawnt ac yn D.D. o Brifysgol Llundain. Bu am gyfnod yn Athro Hebraeg a Syrieg yng Ngholeg Serampore, Bengal. Daeth i Gymru yn 1915, yn ddarlithydd mewn ieithoedd Semitig yng Ngholeg y Brifysgol, Caerdydd; fe'i gwnaed yn Athro yng Nghaerdydd yn 1927 a

bu yno hyd ei ymddeoliad yn 1944. Bu'n Ddeon Diwinyddiaeth Prifysgol Cymru, 1937-40. Cafodd nifer o anrhydeddau, gan gynnwys ei ddewis yn ddarlithydd Schweich (1926), ei wneud yn D.D. er anrh. gan Brifysgolion Aberdeen a Chymru ac yn D.Theol. gan Brifysgol Halle-Wittemberg, a derbyn medal Burkitt am Astudiaethau Beiblaidd gan yr Academi Brydeinig. Gwnaeth enw iddo'i hun fel awdur nifer o lyfrau safonol a hollol angenrheidiol ym maes efrydu'r Hen Destament; yn eu plith y mae *Prophecy and the prophets in the Old Testament* (1923), *The decline and fall of the Hebrew kingdoms* (1926), *Hebrew religion* (1930) ac *A history of Israel* (1932), y ddau olaf gyda W.O.E. Oesterley. Cyhoeddodd nifer o lyfrau hefyd ar yr ieithoedd Hebraeg a Syrieg. Ei gyfraniad sylweddol arall oedd ei lafur enfawr dros Gymdeithas Efrydu'r Hen Destament; bu'n ysgrifennydd iddi am gyfnod maith (1917-46) ac yn llywydd ddwywaith (yn 1928 ac 1946). Pr. Marie Helen Joseph 6 Medi 1906. Ar ôl ymddeol aeth i fyw i Ealing, a bu f. 26 Meh. 1964.

Www; H.H. Rowley (gol.), *Studies in Old Testament prophecy* (1950; cyfrol gyfarch i T.H. Robinson ar ei ben-blwydd yn 65), vii-ix, a'i gyhoeddiadau, 201-6.

Gw.H.J.

ROCH, WALTER FRANCIS (1880-1965), gwleidydd a thirfeddiannwr; g. 20 Ion. 1880 yn ail fab i William Francis Roch, Y.H., Butter Hill, Penf. (bu f. 1889) ac Emily Catherine (bu f. 1938), ail ferch Walter R.H. Powell, Maesgwynne, Llanboidy, Caerf., yr aelod seneddol (Rh.) dros sir Gaerfyrddin, 1880-85, a Gorllewin y sir, 1885-89. Addysgwyd ef yn Harrow. Yn 1908, ac yntau'n 28 oed, cafodd ei ethol yn aelod seneddol (Rh.) dros sir Benfro, a pharhaodd i gynrychioli'r etholaeth yn y senedd hyd 1918. Daeth yn fargyfreithiwr yn y Middle Temple yn 1913. Er mai ar y meinciau cefn yr arhosodd, yr oedd yn aelod amlwg o'r llywodraethau Rhyddfrydol, a dewiswyd ef yn aelod o'r Comisiwn Brenhinol ar ymgyrch y Dardanelles yn 1917. Sonnid amdano fel prif weinidog posibl yn y dyfodol, ond dewisodd gefnogi Asquith yn hytrach na Lloyd George, a dyna ddiwedd ar ei yrfa wleidyddol. Ef oedd awdur *Mr. Lloyd George and the war* (1920). Yn 1934 cafodd ei benodi'n ynad heddwch dros sir Fynwy.

Pr. yn 1911 yr Anrhydeddus Fflorens Mary Ursula Herbert, unig ferch Syr Ivor Herbert, A.S. dros dde sir Fynwy, 1906-17, a'r cyntaf a'r olaf i gael y teitl Barwn Treowen. Treuliodd Roch a'i briod 25 ml. olaf ei fywyd yn Nhŷ'r Nant, Llan-arth, Raglan, Myn., yn llywyddu dros eu hystadau yn Llan-arth a Llanofer. Bu f. 3 Mai 1965.

Www; WwW (1921) ac (1933); *Times* 5, 13 a 19 Mai 1965; *Dod's Parliamentary Companion*; W.R. Williams, *The parliamentary history of the principality of Wales ... 1541-1895* (1895); *WWP*.

J.G.J.

ROCYN-JONES, Syr DAVID THOMAS (1862-1953), swyddog iechyd meddygol a gŵr cyhoeddus; g. yn Rhymni, Myn., 16 Tach. 1862, yn fab i David Rocyn Jones y bu ei dad (Thomas

Rocyn Jones, *Bywg.*, 489) yn aelod o deulu enwog o feddygon esgyrn o Faenordeifi, Penf. Addysgwyd ef yn Ysgol Lewis, Pengam, a Cholegau Prifysgol Caerdydd a Llundain, gan raddio yn M.B. ym Mhrifysgol Caeredin yn 1897. Cychwynnodd ar ei fywyd proffesiynol mewn practis yn Abertyleri. Ond, ar ôl ennill D.P.H. yn Rhydychen yn 1904, penodwyd ef yn swyddog iechyd meddygol sir Fynwy yn 1907, ac yno sefydlodd wasanaeth nodedig o feddygiaeth ataliol - yn enwedig yn erbyn y darfodedigaeth. Yr oedd yn un o bum sylfaenydd y *Welsh National Memorial Association* a ffurfiwyd i wrthsefyll yr afiechyd dinistriol hwn.

Gweithiodd lawer dros Goleg y Brifysgol, Caerdydd, y bu'n is-lywydd iddo. Cymerodd ran amlwg yn y trafodaethau a arweiniodd at sefydlu Ysgol Feddygaeth Genedlaethol Cymru (yn ddiweddarach Coleg Meddygaeth Prifysgol Cymru) yn sefydliad annibynnol. Ar y cychwyn yr oedd yn gadarn yn erbyn gwahanu'r Ysgol Feddygol a Choleg y Brifysgol, ond pan ddigwyddodd hynny rhoddodd gefnogaeth lwyr i'r fenter newydd. Gwasanaethodd gydag anrhydedd mewn amrywiol ffyrdd ar lawer o gyrff cyhoeddus a rhai proffesiynol yng Nghymru, megis Bwrdd Rhanbarthol Ysbytai Cymru, y Gymdeithas Feddygol Brydeinig a Brigâd Ambiwlans S. Ioan - yr oedd yn *Knight of Grace* Urdd S. Ioan. Hefyd, cadwodd gysylltiad agos ag Undeb Rygbi Cymru am 45 ml., ac ef oedd y llywydd pan fu farw.

Penodwyd Rocyn-Jones, a fu'n ynad y sir am lawer o flynyddoedd, yn Ddirprwy-Lifftenant sir Fynwy yn 1947. Urddwyd ef yn farchog y flwyddyn ddilynol; gwnaethpwyd ef yn C.B.E. yn 1920. Yr oedd yn Annibynnwr pybyr, a cheisiodd trwy gydol ei fywyd gryfhau'r cysylltiad rhwng ei sir enedigol a siroedd eraill de Cymru. Ystyrid ef bob amser yn dipyn o gymeriad.

Yn 1901 pr. Alla (bu f. 1950), merch S.N. Jones, Abertyleri. Aeth dau o'u pedwar mab yn feddygon; dilynodd Gwyn ei dad fel swyddog iechyd meddygol y sir, a daeth Nathan, yn addas iawn o ystyried cefndir y teulu fel meddygon esgyrn, yn llawfeddyg orthopaedig yng Nghaerdydd. Lladdwyd mab arall yn yr Eidal tua diwedd Rhyfel Byd II. Bu f. 30 Ebr. 1953.

Brit. Med. Jnl., 9 Mai 1953, 1054-5; *Lancet*, 8 Mai 1953, 954.

E.W.J.

ROWLANDS, Syr ARCHIBALD (1892-1953), gweinyddwr; g. 26 Rhag. 1892 yn Nhwynyrodyn, Lavernock, ger Penarth, Morg., yn un o dri o feibion David a Sarah (g. Thomas) Rowlands, a gadwai siop groser. Cafodd ei addysg yn ysgol sir Penarth ac oddi yno aeth i Goleg Prifysgol Cymru, Aberystwyth, yn 1911. Ar derfyn ei flwyddyn gyntaf rhagwelai'r Athro Hermann Ethé gwrs disglair iddo mewn Almaeneg, a graddiodd gyda dosbarth I yn y pwnc yn 1914 a chymryd yr un dosbarth mewn Ffrangeg yn 1915. Dangosodd y nodweddion a arweiniodd i'w yrfa ddisglair yn ystod ei gyfnod yn y coleg. Yr oedd yn un o fyfyrwyr mwyaf poblogaidd ei gyfnod, yn bencampwr ar redeg can llath, yn gefnwr ac yn gapten y tîm rygbi (dyluniad ohono yn y *Dragon*, XXVI, 221),

yn rhwyfwr medrus ac yn llywydd y myfyrwyr yn 1914-15 (darlun ohono yn ei lifrai yn y *Dragon*, XXVII, 18). Ceisiodd yr Athro Ethé ei berswadio i fynd i Gaergrawnt i astudio ieithoedd dwyreiniol ond i Goleg Iesu yn Rhydychen y dewisodd fynd. Ychydig amser a dreuliodd yno gan iddo ymuno â'r fyddin a throi cefn ar fywyd academaidd. Gwasanaethodd yng nghorfflu'r seiclwyr a chodi i reng capten a chael ei enwi mewn cadnegesau. Bu'n swyddog gwybodaeth yn Baghdad a bu ganddo ran yn llunio cytundeb cadoediad gyda'r Tyrciaid yn 1917. Enillodd yr M.B.E. filwrol.

Yn 1920 ymunodd ag adran weinyddol y Gwasanaeth Sifil ac erbyn 1937 yr oedd yn ysgrifennydd cynorthwyol. Bu'n ysgrifennydd preifat i dri Ysgrifennydd Gwladol yn y Swyddfa Ryfel, yr Is-ieirll Hailsham a Halifax a Duff Cooper. Treuliodd y flwyddyn 1936 yn yr *Imperial Defence College*. Yn 1937 aeth i'r India i gymryd gofal gwariant amddiffyn yno. Galwyd ef yn ôl i Lundain yn 1939 fel dirprwy is-ysgrifennydd i'r Weinyddiaeth Awyr, ac yn 1940 fe'i penodwyd yn ysgrifennydd parhaol cyntaf i'r Weinyddiaeth Cynhyrchu Awyrennau, ac i'w ynni dihysbydd a'i dreiddgarwch ef y mae llawer o'r clod am lwyddiant y gwaith hwnnw yn ystod Rhyfel Byd II. Ym mis Medi 1941 yr oedd ar genhadaeth Beaverbrook a Harriman ym Moscow. Yn 1943 fe'i dewiswyd i gynghori'r Arglwydd Wavell ar drefniadaeth filwrol yn yr India yn wyneb y rhyfel â Siapan. Yn dilyn y newyn yn Bengal penodwyd ef yn gadeirydd yr ymchwiliad i weinyddiaeth y dalaith. Enillodd edmygedd yr Indiaid. Yn 1945 fe'i hapwyntiwyd yn aelod cyllidol o Bwyllgor Gwaith y Rhaglaw. Chwaraeodd ran flaenllaw yn y trefniadau i ddirwyn y llywodraeth ymerodrol i ben. Yn 1946 gwnaethpwyd ef yn Ysgrifennydd Parhaol y Weinyddiaeth Gyflenwi, ond am y pum mis olaf o'r flwyddyn 1947 yr oedd ar ei drydydd ymweliad â'r India, y tro hwn fel cynghorwr cyllidol ac economaidd i'r Quaid-i-Azam Mahomed Ali Jinnah, llywodraethwr cyffredinol Pakistan, arwydd arall o ymddiriedaeth yr Indiaid yn ei allu trefniadol. Gwelwyd ffrwyth ei gyngor yng nghanoli'r llywodraeth yn Karachi, er iddo ragweld y gallai problemau godi yn nwyrain Bengal. Hyd nes ymddeol yn drigain oed yn 1953 yr oedd yn aelod o'r Bwrdd Cynllunio Economaidd. Fe'i cyfrifid yn disgleiriaf a'r mwyaf adeiladol o'i genhedlaeth yn Whitehall. Pan ymddeolodd o'i swyddi gwahoddodd Beaverbrook ef i ymuno â Bwrdd papurau newydd yr *Express*.

Yr oedd iddo bersonoliaeth gref ac atyniadol. Er ei fod ei hun yn weithiwr caled ac yn disgwyl yr un ymroddiad gan ei gynorthwywyr, yr oedd yn deyrngar i'r eithaf iddynt, yn hawdd dynesu ato, heb ddim derbyn wyneb, ac yn parchu'r delfrydau traddodiadol. Nid oedd ganddo amynedd tuag at ddiffyg moesgarwch, anniolchgarwch, crintachrwydd na chymryd mantais annheg; cwmnïwr diddan, llawn hiwmor. Gwelai ei gydweithwyr ynddo reddf farddonol a huotledd a berthynai, yn eu golwg hwy, i'w gefndir Cymreig. Gwnaethpwyd ef yn llywydd y Gymdeithas Gymreig yn Delhi Newydd. Cafodd ei wneud yn K.C.B. yn 1941 a G.C.B. yn 1947.

Pr. yn Abertawe, 15 Medi 1920, â Constance

May Phillips, un o'i gyfoedion coleg a merch Phillip Walter Phillips, rheolwr porthladd Abertawe. Ni bu iddynt blant. Bu f. o drawiad o'r parlys yn ei gartref yn Henley-on-Thames, 18 Awst 1953, heb sylweddoli ei fwriad o ymddeol i gyffiniau Llangadog, cartref ei hynafiaid, lle y gobeithiasai gael trin ei ardd ac adnewyddu ei berthynas â'i hen gyfeillion yn y Gymru Gymraeg, a meithrin ei enaid yno. Pe cawsai ei ddymuniad ond odid na byddai wedi ymfwrw i'r frwydr genedlaethol gyda'i hen gyfaill coleg, D.J. Williams (gw. isod) o Rydcymerau.

DNB; Www; Times, 20, 24 Awst 1953; teyrnged D.J. Williams iddo yn *Baner*, 6 Ebr. - 18 Mai 1955.

E.D.J.

ROWLANDS, EDWARD DAVID (1880-1969), ysgolfeistr ac awdur; g. 25 Tach. 1880 yn ffermdy Ty'n-y-fron, Llanuwchllyn, Meir., yn fab i Ellis Rowlands a'i wraig Catrin (g. Edwards). Addysgwyd ef yn ysgol y bwrdd Llanuwchllyn, ysgol ramadeg y Bala a'r Coleg Normal, Bangor (1899-1901). Bu'n athro i ddechrau yn ysgol Troed-yr-allt, Pwllheli (1901-08), ac yna'n brifathro yn olynol ar ysgolion elfennol Chwilog (1908-27) a Chyffordd Llandudno (1927-45). Heblaw ei ymroddiad fel ysgolfeistr, bu'n ddiwyd hefyd yn y byd llenyddol. Cyhoeddodd y gweithiau canlynol: *Prif-feirdd Eifionydd* (1914); *Dial y Lladron* (1934; `nofel boblogaidd i blant yn seiliedig ar fywyd yr unigeddau' - arobryn yn Eist. Gen., Aberafan, 1932); *Bro'r Eisteddfod* (1947; cyh. gan Bwyllgor Eist. Gen., Bae Colwyn); *Dyffryn Conwy a'r Creuddyn* (1948) ac *Atgofion am Lanuwchllyn* (1975; rhai o drigolion ei hen fro fu'n gyfrifol am gyhoeddi'r gyfrol hon). Bu'n weithgar hefyd ym mywyd cyhoeddus yr ardaloedd y bu'n byw ynddynt, a gwasanaethodd fel maer Conwy yn 1939-40.

Pr., 1906, Jennie Ellen Jones, Caernarfon (bu f. 1950), a ganed dau o blant iddynt, mab a merch. Bu f. yn Llandudno 26 Fbr. 1969 a chladdwyd ef ym mynwent eglwys Conwy.

Gwybodaeth gan ei nai, T.E. Rowlands, Dolgellau.

A.Ll.H.

ROWLANDS, JANE HELEN (`Helen o Fôn'; 1891-1955), ieithydd, athrawes a chenhades (gyda'r MC); g. 3 Ebr. 1891 ym Mhorthaethwy, Môn, yn blentyn ieuangaf Capten Jabez Rowlands, a'i wraig Martha. Arferai'r tad `fyned ar led' i bedwar ban byd ar longau hwyliau. Yr oedd yn ŵr o ddiddordebau eang a chanddo feddwl praff. Gwraig ddefosiynol a phiwritanaidd oedd y fam, a chadwai sefydliad gwnïadwaith yn y cartref, 1 Fair View Terrace. Aeth William, y plentyn hynaf i'r weinidogaeth a dod yn weinidog ar rai o eglwysi Saesneg Eglwys Bresbyteraidd Awstralia. Ef oedd dyfeisydd y *Leeds Memory Method*. Yr ail blentyn oedd Thomas John (`T.J.'), ysgolor o Goleg Iesu, Rhydychen, a raddiodd yn y clasuron. Er ei ord. gydag Egl. Bresb. Cymru fe droes at yr eglwys esgobol gan ddod yn rheithor Llandudno a chanon yng nghadeirlan Bangor. Bu dylanwad ei gweinidog ym Mhorthaethwy, Thomas Charles Williams (*Bywg.*, 1010) yn drwm ar Helen. Mynychai'r holl oedfaon ac ennill gwobrau yn yr arholiad

sirol. O ysgol ramadeg Biwmares enillodd ysgoloriaeth i Goleg Prifysgol Gogledd Cymru gan ymaelodi ym mis Hyd. 1908. Cyfeiria Dr. Kate Roberts, a gyd-oesai â hi, at ei `gallu anarferol'. Enillodd radd dosbarth I mewn Ffrangeg a dyfarnwyd Ysgoloriaeth George Osborne Morgan (*Bywg.*, 605-6) iddi i'w galluogi i fynd i Goleg Newnham, Caergrawnt, ond am dymor yn unig yr arhosodd yno. Mewn cyfyng-gyngor dychwelodd adref i drafod ei dyfodol gyda'i gweinidog. Rhwng Medi 1912 a Meh. 1913 bu'n dysgu Ffrangeg yn ei hen ysgol, gan fwrw'r haf yn Ffrainc. Ym mis Medi 1913 fe'i penodwyd yn athrawes yn ysgol ganolraddol y merched yn y Drenewydd. Bu'r newid hwn yn dyngedfennol gan iddi ymdaflu i weithgarwch cenhadol, ac yn raddol fe'i cafodd ei hun yn ymwneud fwyfwy â gwaith yr eglwys.

Yn 1915 penderfynodd ei chyflwyno'i hun yn gyfan gwbl i'r maes cenhadol. Yn y Gymanfa Gyffredinol yn Llundain ym Meh. 1915 fe'i derbyniwyd yn genhades. Dilynodd gwrs o hyfforddiant yng Ngholeg St. Colm, Caeredin, ac ar 23 Hyd. 1916, hwyliodd o Lerpwl a glanio yn Calcutta ar 28 Tach. Am 10 ml. bu'n gwasanaethu yn nosbarth Sylhet ar wastadeddau Khasia a Jaintia, lle'r oedd cyfundrefn *caste* yr Hindwiaid mewn grym a pharch i'r ferch yn isel. Erbyn Ebr. 1918 fe'i dyrchafwyd yn brifathrawes *The Williams Memorial School* a enethod a daeth yn rhugl yn Bengaleg. Dangosai allu anarferol fel athrawes a meddai ar ddawn trefnu. Penderfynodd ei huniaethu ei hun â'r brodorion gan fabwysiadu eu gwisg, eu harferion a'u bwyd. Ymwelai'n gyson â'i Zenanas. Pregethai yn y Fwngalei a dysgai'r merched i wau a gwnïo. Llewyrchai'r ysgol Sul o dan ei gofal. Yn 1927 aeth i Maulvi Bazaar gan aros yno am 2 fl. Fe'i gwahoddwyd i fod yn brifathrawes ar ysgol iaith yn Darjeeling o dan nawdd Cyngor Cristionogol Bengal ac Assam. Pan ymwelodd Gandhi â'r ysgol rhyfeddodd at ei meistrolaeth o'r iaith. Yn sgil ei disgleirdeb ieithyddol fe'i rhyddhawyd i astudio am radd M.A. ym Mhrifysgol Calcutta. Dyfarnwyd iddi'r radd yn y dosbarth I gyda gwobr y Brifysgol (gwerth £200 o lyfrau) a medal aur am ragori ym mhob testun. Hi oedd y myfyriwr disgleiriaf. Arhosodd yn yr ysgol iaith o 1925 hyd 1931.

Dychwelodd i Gymru ar *furlough* yn 1930 ac ymaelodi yn y Sorbonne ym Mharis a weithio am ddoethuriaeth. Ar bwys rhagoriaeth ei gradd M.A. a chymeradwyaeth arbennig yr Athro S.K. Chatterji, Calcutta, caniatawyd iddi gyflwyno ei thesis yn ystod y flwyddyn. Meddai ef amdani, `She is equipped for the work in a way which few foreigners can expect to be'. Enillodd D.Litt. (Paris) ar y testun `La Femme Bengalie dans la littérature du Moyen-âge'. Mae copi o'r traethawd yn llyfrgell Coleg y Brifysgol, Bangor. Cynigiwyd iddi gadeiriau Bengaleg gan brifysgolion ym Mhrydain, America ac India ond eu gwrthod a wnaeth a dychwelyd i Karimganj, Assam, i ddysgu, cyfarwyddo ac efengyleiddio. Derbyniodd swydd athro Saesneg a Bengaleg, er anrhydedd, yng ngholeg Llywodraeth India yn Karimganj. Gyda Dipti Nibash (Annedd Goleuni) y cysylltir ei henw, fodd bynnag, gan mai yno y sefydlodd gartref i ferched gweddwon ac amddifad diymgeledd. Yno y gwnaent jam, brethyn, hancesi, hosanau a thyfu reis heb sôn am drin y tir a chynhyrchu sidan. Hyfforddid y merched i ddefnyddio'r droell ac i fod yn hunan-gynhaliol.

Yr oedd hi'n gefnogol iawn i fudiad eciwmenaidd a amcanai at sefydlu eglwys Bresbyteraidd i India gyfan. Fel Swarajist credai mewn rhyddid a hunan-lywodraeth eglwysig, a llwyddodd i gael gwaith y chwiorydd yn drefniant ar wahân oddi mewn i'r Gymanfa. Cynlluniodd Pracharikas (urdd o efengylwyr ymhlith merched) a gweithredodd fel clerc y Gymanfa am 20 ml. Etholwyd hi'n llywydd Cymanfa'r Gwastadedd. Gohebai'n gyson â'r wasg, ac yn arbennig *Y Cenhadwr*, *Y Goleuad*, *The Treasury*, heb sôn am ei hadroddiadau i'r Genhadaeth Dramor. Cyhoeddodd gylchgrawn Saesneg *The Link* ar y cyd â'r Parch. Lewis Mendus. Cyfieithodd *Reality and religion*, *Search after reality* a *Sermons and sayings* Sadhu Sundar Singh i Fengaleg, ac ysgrifennodd hanes yr awdur. Cyfansoddodd ddwy ddrama genhadol, *Chumdra Hela* a *Dydd y pethau bychain*. Yr oedd yn gyfeillgar â Rabindranath Tagore ac R. Kanta Sen a chyfieithodd rai o'u cerddi i Gymraeg a Saesneg (gw. *Y Cenhadwr*, Chwef. 1930). Bu f. yn ddisyfyd yn Karimganj, 12 Chwef. 1955, ac yno o flaen y capel mae ei bedd. Enwyd llyfrgell coleg Karimganj yn 'Rowlands Hall' er cof amdani ac y mae cofeb iddi yng nghapel (MC) Porthaethwy.

G. Wynne Griffith, *Cofiant cenhades* (1961); Evelyn Roberts (gol.), *Pwy a'n gwahana? Llythyrau'r Dr. Helen Rowlands* (d.d.); *Cenhadwr*, Chwef. 1930; *Gol.*, Chwef. 1955; *Herald Cymr.*, Chwef. 1955; *Blwyddiadur MC*, 1956; *Ddraig Goch*, Pasg, 1964; *Baner*, Chwef. 1955; *Vancouver Province*, March 1955; *Cenhadwr*, rhifyn coffa, 1955; *Camb. News*, Chwef. 1955; *St. Colm's college mag.*; *Glad Tidings*, March 1955; *Tyst*, Chwef. 1962; *Juga Sakti*, Rhag. 1958; gwybodaeth gan Miss Evelyn Roberts, Morannedd, Porthmadog.

G.A.J.

ROWLANDS, ROBERT JOHN (`Meuryn'; 1880-1967), newyddiadurwr, llenor, bardd, darlithydd, pregethwr; g. yn Ty'n Derw, tyddyn yn Aber ger Bangor, Caern., 22 Mai 1880, yn fab i William a Mary Rowlands. Cyfarfu â damwain pan oedd yn blentyn tair oed; datgymalodd ei glun ac am na chafodd driniaeth lwyddiannus bu'n gloff dros weddill ei oes. Collodd ei dad pan oedd yn chwech oed. Fe'i haddysgwyd yn ysgol genedlaethol Aber ar gyfnod pan oedd y `Welsh Not' mewn grym. Wedi tro byr yn gweithio mewn siop yn Llanfairfechan aeth i Lerpwl i swyddfa argraffu a chyhoeddi Isaac Foulkes (*Bywg.*, 251), ond bu'n gweithio am sbel yn gwerthu polisïau yswiriant ym Mhorthmadog - yr oedd yn gyfaill mawr i Eifion Wyn (*Bywg.*, 974). Yn Lerpwl daeth yn ohebydd i'r *Darian* ac i'r *Herald Cymraeg* a daeth i ofalu am argraffiad Lerpwl o'r *Herald*. Bu'n amlwg ym mywyd Cymreig Lerpwl ac yr oedd yn un o sefydlwyr Undeb y Ddraig Goch ac yn hyrwyddwr i eisteddfod lewyrchus yr Undeb. Yn 1921 enillodd ei awdl `Min y Môr' y gadair yn yr Eist. Gen. yng Nghaernarfon ac ym mis Tach. 1921 daeth i Gaernarfon yn olygydd *Yr Herald Cymraeg* a *Papur Pawb*. Yn Ebr. 1937 unwyd cwmni'r *Herald* a chwmni'r *Genedl Gymreig* a fodolai'r drws nesaf i'w gilydd. Daeth yr *Herald* a'r

Genedl yn un papur ac unwyd hefyd *Papur Pawb* a'r *Werin a'r Eco* gyda Meuryn yn olygydd ar y cyfan hyd ei ymddeoliad fis Mawrth 1954. Yr oedd hefyd wedi olynu 'Eifionydd' (John Thomas, *Bywg.*, 896) yn olygydd *Y Geninen* yn 1923 gan barhau hyd nes y peidiwyd â chyhoeddi'r cyfnodolyn yn 1928. Pan atgyfodwyd *Y Geninen* yn 1950 bu Meuryn yn ei gyd-olygu, gyda S.B. Jones, hyd ei f. 2 Tach. 1967. Fe'i claddwyd ym mynwent Caernarfon. Gŵr gweddw ydoedd erbyn hynny: gadawodd 2 fab a 3 merch. Yr oedd yn ŵr eang ei ddiddordebau - yn naturiaethwr a ymddiddorai hefyd mewn llysieuaeth feddygol, yn dynnwr lluniau, yn chwaraewr gwyddbwyll - a *billiards* - pan oedd yn ifanc. Pregethai yn eglwysi ei enwad (EF) ar y Suliau a darlithiai i ddosbarthiadau y W.E.A. ar nosweithiau'r wythnos. Cyhoeddodd nifer o lyfrau yn amrywio yn eu cynnwys o farddoniaeth i storïau antur, i ddrama (gweler rhestr o'i weithiau, gan David Jenkins, yn *Y Genhinen*, Gaeaf 1967-8, sy'n rhifyn coffa i Meuryn). Fel newyddiadurwr a pherson yr oedd ganddo ei farn bendant iawn bob amser, a diddordeb mawr iawn mewn ysgrifennu Cymraeg cywir a graenus, a byddai'n dyrnu'r rheolau i benglogau'r gohebwyr. Bellach daeth ei enw barddol ef ei hun yn enw newydd yn yr iaith - `meuryn', sef y tafolwr mewn gornestau cynganeddu. Am flynyddoedd bu Meuryn yn cynnal dosbarthiadau nos ar y cynganeddion, a phan ddaeth Dr. Sam Jones a'i Ymryson y Beirdd ar y radio o Fangor, Meuryn oedd un o'r beirniaid yn y dechrau a'r unig feirniad yn y diwedd. Wedi ymddeol o swyddfa'r *Herald* bu'n helpu'r beirdd ifainc yn `Cerdd Dafod', ei golofn farddol yn *Y Cymro*.

Gwybodaeth bersonol; [Mairwen a Gwynn Jones, *Dewiniaid Difyr* (1983); *Herald Cym.*, 6 Tach., 20 Tach. 1967].

J.R.W.

ROWLEY, HAROLD HENRY (1890-1969), Athro, ysgolhaig ac awdur; g. 24 Maw. 1890 yng Nghaerlŷr, yn fab i Richard ac Emma Rowley. Aeth i Goleg y Bedyddwyr, Bryste, a Choleg Mansfield, Rhydychen, gan raddio'n M.A. ym Mryste, B.Litt. yn Rhydychen a D.D. o Brifysgol Llundain. Enillodd lu o wobrau ac ysgoloriaethau, gan gynnwys Gwobr Houghton mewn Syrieg. Bu'n weinidog ar gynulleidfa unedig y Bedyddwyr a'r Annibynwyr yn Wells, Gwlad-yr-Haf (1917-22) ac wedyn yn genhadwr yn Tsieina (1922-30), lle'r oedd yn Athro ym Mhrifysgol Gristionogol Shangtung. Daeth i Gymru yn 1930, yn ddarlithydd mewn ieithoedd Semitig yng Ngholeg y Brifysgol, Caerdydd, ac yna'n Athro Hebraeg a Ieithoedd Semitig yng Ngholeg y Brifysgol, Bangor (1935-45). Tra oedd ym Mangor bu'n is-brifathro'r Coleg (1940-45) ac yn Ddeon yr Ysgol Diwinyddiaeth (1936-45), ac fe'i cofir fel gweithiwr caled a disgyblwr llym. Symudodd i Gadair ieithoedd Semitig Prifysgol Manceinion yn 1945; bu yno hyd ei ymddeoliad yn 1956, a bu'n Ddeon Diwinyddiaeth y Brifysgol (1953-56). Bu hefyd yn llywydd Undeb Bedyddwyr Prydain (1957-58). Cyhoeddodd nifer helaeth o gyfrolau, yn eu plith *Darius the Mede and the four world empires in the Book of Daniel* (1935), *The relevance of the Bible* (1942), *The relevance of*

Apocalyptic (1944), *The Growth of the Old Testament* (1950), *The Biblical doctrine of election* (1950), *From Joseph to Joshua* (1950). Cyhoeddodd hefyd dri chasgliad o erthyglau, *The servant of the Lord* (1952), *Men of God* (1963) a *From Moses to Qumran* (1963), a bu'n olygydd i nifer o gyfrolau ac i'r *Journal of Semitic studies* (1956-60). Nodweddir ei waith gan droednodiadau helaeth, sy'n ffynonellau dihysbydd i ymchwilwyr. Yn ei ddydd yr oedd yn un o'r ysgolheigion mwyaf adnabyddus trwy'r byd ym maes yr Hen Destament, fel y gwelir oddi wrth yr anrhydeddau a dderbyniodd: doethuriaethau er anrh. gan Brifysgolion Durham, Cymru, Rhydychen, Manceinion, Caeredin, Uppsala, Zürich, Marburg, McMaster a Strasbourg; ei wneud yn aelod anrhydeddus o gymdeithasau ysgolheigaidd mewn gwahanol wledydd; ei ethol yn Gymrawd o'r Academi Brydeinig; medal Burkitt yr Academi Brydeinig am astudiaethau Beiblaidd. Ef yn anad neb a lwyddodd i gysylltu ysgolheigion yr Hen Destament â'i gilydd ar ôl Rhyfel Byd II; bu'n ysgrifennydd Cymdeithas Efrydu'r Hen Destament (1946-60), ac yn llywydd iddi (1950). Pr. Gladys B. Shaw yn 1918 a bu iddynt fab a 3 merch. Aeth i fyw i Stroud ar ôl ymddeol ac yno y bu f. 4 Hyd. 1969.

Www; Martin Noth a D. Winton Thomas (gol.), *Wisdom in Israel and in the Ancient New East* (*Supplements to Vetus Testamentum*, iii, 1955; cyfrol gyfarch i H.H. Rowley ar ei ben-blwydd yn 65), vii-x, a'i gyhoeddiadau, xi-xix.

Gw.H.J.

RUSSON, Syr WILLIAM CLAYTON (1895-1968), diwydiannwr; g. 30 Meh. 1895, mab William a Gertrude Emma (g. James) Russon, Selly Park, swydd Warwick. Cymraes oedd ei fam, ond ni wyddys o ba ardal yr hanai. Cafodd ei addysg yn Ysgol King Edward VI yn Birmingham, ac yna ymddiddorodd mewn radio a datblygu busnes radio ei hun. Yr oedd yn hoff iawn o arddio ac yn 1932 prynodd gwmni R. & G. Cuthbert a arbenigai mewn tyfu a gwerthu rhosod a phlanhigion eraill yn Waltham Cross. Erbyn dechrau Rhyfel Byd II yr oedd y cwmni'n gwerthu hadau gardd hefyd, ac yn 1940 symudwyd i Ddolgellau ac yna i'r Bermo ac i Langollen yn 1942-43. Ymdaflodd yntau i fywyd Cymru. Ef oedd cadeirydd cyntaf Cymdeithas Diwydiant Gogledd Cymru yn 1944, a'i llywydd yn 1947. Bu'n uchel siryf Meirion yn 1947-48 a 1965-66. Cymerodd ran flaenllaw yn sefydlu'r Eist. Gydwladol yn Llangollen fel ei llywydd cyntaf yn 1947. Bu'n gadeirydd pwyllgor Cynilion Cenedlaethol ym Meirion o 1939 i 1947 ac anrhydeddwyd ef am ei waith dros y mudiad â M.B.E. yn 1946 ac O.B.E. yn 1952. Ef oedd llywydd Gŵyl Gwerin Cymru yn 1958, yr oedd ar bwyllgor Chwaraeon yr Ymerodraeth a'r Gymanwlad yn yr un flwyddyn, a'r flwyddyn honno urddwyd ef yn farchog am ei wasanaeth cyhoeddus i Gymru. Gwasanaethodd ar Gyngor Cymru o 1949 i 1963 gan fod yn gadeirydd ei banel ar dwristiaeth. Bu'n aelod o Gorfforaeth Datblygu Cymru o 1958 i 1963, ac yn gadeirydd nifer o gwmnïau hadau a chwmni Phostrogen, Corwen. Gwasanaethodd Urdd St. Ioan fel swyddog o 1960 a chodi'n gomander yn 1962 a marchog yn 1968. Cafodd ryddfreiniaeth dinas Llundain.

Pr. â Gwladys Nellie, merch Henry Markham o Dulwich yn 1931. Gwnaethant eu cartref yng Nglanymawddach ger y Bermo. Bu f. 16 Ebr. 1968, a chladdwyd ef ym mynwent eglwys Caerdeon.

Gwybodaeth gan ei weddw.

D.B.C.J.

RHONDDA, 2il IS-IARLLES - gw. THOMAS, MARGARET HAIG isod.

RHYS, WALTER FITZURYAN, 7fed BARWN DYNEVOR (1873-1956); g. yn Dursley, swydd Caerloyw, 17 Awst 1873, yn fab i Arthur de Cardonnel, 6ed Barwn, a Selina Lascelles (o Ieirll Harewood). Addysgwyd ef yn Eton ac Eglwys Grist, Rhydychen. Dychwelodd i Gastell Dinefwr yn 1898 pan br. â'r Fonesig Margaret Child-Villiers, merch hynaf Iarll Jersey. Ni rwystrodd gofal yr ystad ef rhag gwasanaethu'r Llywodraeth fel ysgrifennydd preifat i Ysgrifennydd Gwladol yr India (1899-1903) ac i Brif Arglwydd y Morlys (1903-05). Bu'n A.S. (C) Brighton a Hove 1910-11 (ond ymddeolodd pan gafodd ei ddyrchafu i Dŷ'r Arglwyddi). Cynorthwyodd y Weinyddiaeth Arfau Rhyfel (*Munitions*), 1916-18; yr oedd yn Y.H., cynghorydd sir Gaerfyrddin 1919-35, cadeirydd y *Land Union*, 1920-37 ac yn Arglwydd Raglaw sir Gaerfyrddin, 1938-48. Effeithiodd y dirwasgiad yn drwm ar ystadau Dinefwr a Mynachlog Nedd, y naill a'r llall ohonynt yn ganolfannau glo a dur, a chofir teulu Dinefwr am ei elusengarwch, ac am gynnig gwaith a chymorth i'r tenantiaid a'r bobl leol. Yn 1939 cynigiwyd Castell Dinefwr i'r Swyddfa Ryfel at ddefnydd y fyddin ac o ganlyniad arbedwyd ef rhag y dinistr a ddaeth i ran llawer o blasau eraill. Er i'r fyddin adael yr ystad wedi'r rhyfel, marweiddio a dirywio a wnaeth Dinefwr oherwydd llesgedd cynyddol y barwn. Yr oedd ef yn ymwybodol iawn o'i etifeddiaeth Gymreig. Ef a gludodd y fodrwy pan arwisgwyd Edward yn Dywysog Cymru yn 1911, ac yn 1916 ailfabwysiadodd orgraff Gymraeg ei enw, Rhys, trwy drwydded brenhinol. Cyhoeddodd hanes ei deulu a'i ystad yn *Trees at Dynevor* (1934) a *History of the two castles of Dynevor* (1935); bu'n gohebu â Syr Cyril Fox ynglŷn â Newton House (Castell Dinefwr) a gofidiai am barhad gyr hynafol y parc o wartheg gwyllt gwyn. Bu f. 8 Meh. 1956 a chladdwyd ef yn eglwys Llandyfeisant ym Mharc Dinefwr.

RHYS, CHARLES ARTHYR URYAN, 8fed Barwn Dinefwr (1899-1962), oedd y mab hynaf; g. 21 Medi 1899. Addysgwyd ef yn Eton a Choleg Milwrol Brenhinol Sandhurst. Bu'n gapten yn y *Grenadier Guards* (*Reserve of Officers*), a gwasanaethodd yn y *British Expeditionary Force* yn Rwsia 1919. Derbyniodd y M.C. a'i ethol i Urdd S. Ann yn Rwsia. Bu'n A.S. (C) rhanbarth Essex a Romford 1923-29. Daeth yn ysgrifennydd seneddol i Ysgrifennydd Cyllidol y Swyddfa Ryfel (1924) ac i Is-ysgrifennydd Gwladol y Trefedigaethau (1926). Dyrchafwyd ef yn ysgrifennydd seneddol i'r Prifweinidog, Stanley Baldwin, o 1927 hyd nes iddo golli ei sedd. Yn ystod yr 1920au a'r 1930au aeth ystad Dinefwr â mwyfwy o'i amser, a chymerodd oddi ar ei dad ofal ystad Mynachlog Nedd. Yr oedd ganddo gysylltiad agos â diwydiant trwm ac yntau'n gyfarwyddwr gwaith alcam Richard Thomas a Baldwin ar yr ystad yn Jersey Marine. 1931-35 yr oedd yn A.S. (C) Guildford. Yn ystod Rhyfel Byd II gwasanaethodd y *Reserve of Guards* a bu'n ymgeisydd C. aflwyddiannus dros Ogledd Islington yn etholiad 1945. Cymerai ddiddordeb mewn ffermio ac yn enwedig mewn tyfu coed (yn 1954 yr oedd yn aelod o'r *Departmental Committee on Home Grown Timber*). Cychwynnodd raglen o blannu a chynaeafu conwydd ar ystad Dinefwr. Ar ôl y rhyfel darbwyllodd ei dad i ddod â'r cyflenwad trydan cyhoeddus i Ddinefwr, ac yn yr 1950au cychwynnodd adnewyddu'n helaeth Gastell Dinefwr ac ad-drefnu'n rhesymegol gyllid yr ystad a olygai orfod gwerthu rhannau ohoni. Yr oedd y diwygiadau'n fwy angenrheidiol fyth ar ôl marwolaeth ei dad oherwydd y dreth marwolaeth yr oedd yn rhaid ei thalu, ond bu Charles f. cyn cyflawni ei gynlluniau. Bu'n llywodraethwr Amgueddfa Genedlaethol Cymru, llywydd Coleg Prifysgol De Cymru ac yn aelod o'r Pwyllgor Ymgynghorol Cymreig ar Hedfan Sifil. Pr., yn 1934, â Hope Mary Woodbine Soames a bu iddynt un mab. Bu f. 15 Rhag. 1962.

Www, 1951-60, 1961-70; *Who's who*, 1956-62; *Debrett*, 1963; Walter Fitzuryan Rhys, *My reminiscences* (1934) a'r gweithiau y cyfeiriwyd atynt uchod; papurau ystad Dinefwr yn Archifdy Caerfyrddin; gwybodaeth gan Richard Fitzuryan Rhys, 9fed Barwn Dinefwr.

C.D.

RHYS, WILLIAM JOSEPH (1880-1967), gweinidog (B) ac awdur; g. 12 Chwef. 1880 yn fab i Thomas ac Esther Rees, Pen-y-bryn, Llangyfelach, Morg. Aeth ef a'i ddau frawd - M.T. Rees, Meinciau a D.H. Rees, Cyffordd Llandudno - i'r weinidogaeth. Perthynai ei dad i Morgan Rees a fu'n gyfrwng i godi Capel Salem, Llangyfelach yn 1777, tra oedd ei fam o linach Moses Williams, Llandyfân (*Bywg.*, 997). Aeth o'r ysgol i weithio mewn siop fwydydd yn Abergwynfi ond anogwyd ef i fynd i'r weinidogaeth, felly aeth i Ysgol y Gwynfryn, Rhydaman, yn 1901 a Choleg y Bedyddwyr, Bangor (1903-06) pryd y daeth o dan ddylanwad nerthol y diwygiad. Bu'n weinidog ar eglwysi Horeb, Maenclochog, a Smyrna, Cas-mael, Penf. (1906-25), a Dinas Noddfa, Glandŵr, Abertawe (1925-47). Ymddeolodd i'r Gelli, Rhondda.

Ymddengys iddo ddechrau ymddiddori yn hanes ei enwad pan oedd tua hanner cant oed. Dros y 30 ml. ar ôl cyhoeddi yn *Seren Gomer* (1934-35) 'Hanes dechreuad y Bedyddwyr yng Nglandŵr, Abertawe' cafwyd llif cyson o erthyglau ganddo yn *Seren Cymru*, *Trafodion Cymd. Hanes y Bedyddwyr*, a *Seren Gomer*, gyda cholofn 'Cronicl yr eglwysi' yn ymddangos yn gyson yn y cylchgrawn olaf o 1954 hyd 1966 pan gafodd ei daro gan y parlys mud. Ysgrifennodd erthyglau i'r *Bywgraffiadur Cymreig* hefyd. Dyfarnwyd gwobr iddo am waith ar 'Arweinwyr cymdeithasol Bedyddwyr Cymru' ac un arall am draethawd maith ar 'Fywyd a gwaith James Spinther James' (llsgr. LlGC 12603 D) yn 1938. Comisiynwyd ef i ysgrifennu hanes Coleg y Bedyddwyr yn Llangollen a Bangor; a hanes y Cymry a hyfforddwyd yng Ngholeg

Bedyddwyr Bryste. Cyhoeddodd *A brief history of the Baptists in Wales* (1956), a *Penodau yn Hanes y Bedyddwyr Cymreig, 1649-1949* (1949), cyfrol sy'n ffynhonnell werthfawr a dibynadwy o hanes yr enwad. Bu'n awdur neu olygydd hanes tua 50 o eglwysi, gan gynnwys dwsin a mwy o gyfrolau safonol megis *Hanes Seion, Treforus, 1845-1945*, a'r olaf a wnaeth, sef hanes Noddfa, Treorci, lle'r oedd yn aelod.

Pr. (1), yn 1910, â Bessie Gwen Morris (bu f. 6 Mawrth 1960), Treorci; a (2), 1961, ag Annie Lydia Williams (m. 19 Gorff. 1965), gweddw David Pryse Williams, gweinidog (B), Treherbert (gw. isod). Bu f. 22 Hyd. 1967 yn ei gartref, Y Wenallt, 14 Stryd Bute, Treherbert.

Llawlyfr Bed., 1968, 342; *Ser. G.*, 59 (1967), 89-90; *Ser. Cymru*, 1 Rhag. 1967, 5.

M.A.J.

RHYS-WILLIAMS, Syr RHYS (1865-1955), BARWNIG cyntaf creadigaeth 1918 a barnwr; g. 20 Hyd. 1865 yn fab hynaf i'r barnwr Gwilym Williams (*Bywg.*, 977) a'i wraig Emma (g. Williams), Meisgyn, Pont-y-clun, Morg. Aeth i Eton yn 1880 a Choleg Oriel, Rhydychen, a'i dderbyn yn fargyfreithiwr yn y Deml Fewnol yn 1890. Gweithiodd am gyfnod ar gylchdaith De Cymru gan ddilyn ei dad fel cadeirydd sesiwn chwarter sir Forgannwg yn 1906, swydd a lanwyd ganddynt am dros hanner can mlynedd. Dyrchafwyd ef yn farnwr yn 1913. Ymunodd â'r *Grenadier Guards* ar ddechrau Rhyfel Byd I gan symud i'r Gwarchodlu Cymreig pan ffurfiwyd y gatrawd honno yn 1915. Cynlluniodd ddyfais i rwystro bomiau rhag ffrwydro'n anfwriadol a chlwyfo'r milwyr â'u cludai, ond clwyfwyd ef ei hun ddwywaith a'i enwi ddwywaith mewn cadlythyrau, gan dderbyn D.S.O. yn 1915 a thlws Urdd S. Vladimir gan Rwsia yn 1916 am ei wrhydri. Gweithiodd yn y Swyddfa Ryfel yn hanner olaf 1917 ac wedyn am flwyddyn yn Swyddfa'r Llynges. Bu'n aelod seneddol dros Banbury (1918-22) fel Clymbleidiwr Rhyddfrydol. Yn ystod ei gyfnod byr fel ysgrifennydd seneddol i'r Gweinidog Trafnidiaeth, Syr Eric Geddes, lluniodd fesur i unoli'r rheilffyrdd yn bum prif grŵp. Yn 1922 gwnaed ef yn Recordydd Caerdydd (hyd 1930). Arno ef a'r prif gwnstabl Lionel Lindsay y disgynnodd y dasg o reoli'r heddlu yn ystod cyfnodau anodd streic hir y glowyr a'r streic gyffredinol yn 1926. Yr oedd yn gyfarwyddwr nifer o gwmnïau a threuliodd lawer o'i amser yn datblygu ei eiddo yn y Rhondda, lle y gweithiodd yn ddygn i geisio lleddfu effaith diweithdra. Pr., 24 Chwef. 1921, a bu iddo ef a'i wraig ddau fab a dwy ferch ond lladdwyd yr etifedd yn Rhyfel Byd II a bu yntau f. 29 Ion. 1955. Yn 1938 yr ychwanegodd Rhys at ei gyfenw.

Ei wraig oedd JULIET EVANGELINE, y Fonesig RHYS-WILLIAMS (1898-1964), awdures; g. yn Eastbourne 17 Rhag. 1898 yn ferch i Clayton Glyn a'i wraig, y nofelydd Elinor Glyn. Gadawodd Juliet yr ysgol yn 1914 i ymuno â'r Fintai Cymorth Gwirfoddol (*Voluntary Aid Detachment*), gan ddod yn ysgrifennydd i Rhys Williams yn 1919. Yn y 1930au gwnaeth waith gwerthfawr gyda'r gwasanaethau mamaeth a budd plant yn ne Cymru ac yn ddiweddarach bu'n gadeirydd Corfforaeth Datblygu Cwmbrân (1955-60).

Derbyniodd D.B.E. am y rhan a gymerodd mewn darparu Deddf Bydwragedd 1936. Er iddi fod yn ymgeisydd Rhyddfrydol aflwyddiannus mewn dau etholiad, gwasanaethodd y blaid fel cadeirydd y Pwyllgor Cyhoeddiadau a Hysbysebu (1944-46). Yr oedd o blaid undod ewropeaidd, gan fod yn ysgrifennydd ac aelod blaenllaw o'r Cynghrair Ewropeaidd er Cydweithrediad Economaidd. Fel cadeirydd y *National Birthday Trust Fund* bu'n weithgar am flynyddoedd lawer yn trefnu ymchwil meddygol a arweiniodd at gyhoeddi *Perinatal Mortality Survey Report* (1963). Ymhlith ei llyfrau mwyaf adnabyddus y mae *Something to look forward to* (1943) a amlinellai fodd i drefnu budd cymdeithasol, a *Taxation and incentive* (1952). Bu hi f. 18 Medi 1964.

Www, 1941-61; *Times*, 25 Chwef. 1921, 31 Ion., 1, 3, 4 Chwef. 1955, 19 Medi 1964; *West. Mail*, 31 Ion. 1955.

M.A.J.

S

SALTER DAVIES, ERNEST (1872-1955), addysgydd; g. 25 Hyd. 1872 yn fab i Thomas Davies, gweinidog (B) a llywydd Coleg y Bedyddwyr, a'i wraig Emma Rebecca, Hwlffordd, Penf. Mynychodd ysgol ramadeg Hwlffordd, a C.P.C. Aberystwyth, a chael ysgoloriaeth yn y clasuron i Goleg Iesu, Rhydychen. Am gyfnod maith bu'n drefnydd ac arweinydd blaenllaw ym myd addysg yn Lloegr. Cychwynnodd ar ei yrfa fel athro yn Academi Glasgow, 1895-96, ac wedyn bu yn ysgol ramadeg Cheltenham nes cael ei benodi'n arolygwr addysg uwch yn swydd Caint yn 1904 a'i ddychafu'n gyfarwyddwr addysg y sir honno yn 1918, swydd a lanwodd gydag anrhydedd hyd nes iddo ymddeol yn 1938. At hyn, bu'n gynghorydd addysg i'r fyddin yn 1918 a charchar Maidstone o 1923 hyd 1938 ac etholwyd ef yn llywydd nifer o gymdeithasau addysg a llyfrgelloedd. Cydnabuwyd ei wasanaeth trwy ei wneud yn C.B.E. yn 1932 a derbyniodd M.A. er anrh. gan Brifysgol Adelaide yn 1937.

Hyd yn oed wedi iddo ymddeol yn swyddogol parhaodd i fod yn weithgar a dylanwadol ym myd addysg. Gwasanaethodd fel aelod o'r pwyllgor ar Addysg Amaethyddol Uwch i'r Weinyddiaeth Amaeth yn 1940 ac ar Gyngor Canolog Darlledu i Ysgolion hyd 1948, gan fod yn gadeirydd ei Bwyllgor Ysgolion Gwledig. Bu'n gadeirydd llawer o gyrff eraill gan gynnwys Ymddiriedolaeth Carnegie yn y Deyrnas Unedig (1946-51), y bu'n ymddiried-olwr oes iddi er 1924.

Ymhlith ei gyhoeddiadau ceir *The Aim of Education* (National Adult School Union); *The Reorganisation of Education in England* (New Education Fellowship); *Education for Industry and for Life; Technical Education* (The Schools of England), a golygodd *Kenilworth* a *The Fortunes of Nigel* gan Scott ar gyfer ysgolion. Fel golygydd y *Journal of Education*, cynhaliodd enw da'r papur hwnnw o 1939 hyd o fewn ychydig fisoedd i'w farwolaeth yn 83 ml. oed.

Pr., 1900, Evelyn May Lile (m. 1951) o Ddinbych-y-pysgod a bu iddynt ddau fab. Bu f. 10 Meh. 1955 yn ei gartref yn 13 Chichester Road, East Croydon, Surrey.

Www; Times, 11 Meh. 1955, 10f.

M.A.J.

SAMUEL, HOWEL WALTER (1881-1953), barnwr a gwleidydd; g. 1881 yn Fforest-fach, Abertawe, yn fab i Thomas Samuel, gweithiwr tun yng ngwaith Cwmbwrla. Gadawodd ysgol y Cocyd yn 11 oed i weithio yng nglofa Charles, Fforest-fach. Cafodd ddamwain ac anafu un goes yn 1906 a bu'n gloff ac effeithiwyd ar ei iechyd weddill ei oes. Y ddamwain hon a newidiodd gwrs ei fywyd, gan iddo fagu blas at ddarllen yn ystod y misoedd y bu'n orweiddiog. Wedi ailddechrau gweithio aeth i bwll Garn-goch 3 lle yr oedd David Rhys Grenfell (aelod seneddol Gŵyr yn ddiweddarach) yn gydymaith iddo. Cymerodd ddiddordeb mewn gweithgareddau sosialaidd a bu'n un o ysgrifenyddion Cymdeithas Lafur Abertawe.

Mewn ysgol wyliau sosialaidd yn Caister-on-sea cyfarfu â Harriott Sawyer Polkinghorne, ysgolfeistres yn Llundain. Pr. hwy yn 1911 a bu hi'n symbylydd cryf iddo gyda'i astudiaethau yn y gyfraith a gwelodd ffrwyth ei hymdrechion pan alwyd ef i'r Bar yn y Deml Ganol yn 1915. Cafodd weld ei godi'n K.C. yn 1931, yn gofiadur Merthyr Tudful (1930-33) ac yn farnwr ar gylchdaith canolbarth Cymru i ddilyn Ivor Bowen (*Bywg.*, 41-2) yn 1933. Oherwydd y dyrchafiad olaf hwn bu rhaid iddynt symud i fyw i Landrindod. Yn y cyfamser daeth yn aelod seneddol Llafur cyntaf dros etholaeth gorllewin Abertawe gan drechu Syr Alfred Mond o 115 pleidlais yn Rhag. 1923, ond collodd y sedd i Walter Runciman yn Hyd. 1924, ei chael eto ym mis Mai 1929, a'i cholli eto o fwy na chwe mil i Lewis Jones (gw. uchod) yn Hyd. 1931. Tyfodd i fod yn un o fargyfreithwyr blaenaf ei gyfnod yng Nghymru. Bu'n amlwg gydag achosion iawndâl i weithwyr a bu'n gadeirydd tribiwnlys gwrthwynebwyr cydwybodol yn ne Cymru am rai blynyddoedd. Yr oedd yn alluog a dewr iawn, a chanddo'r ddawn i wneud cyfeillion ym mhob cylch.

Bu ei wraig f. yn Abertawe, 19 Awst 1939, a phr. yn Llandrindod 24 Ebr. 1941 ag Annie Gwladys, gweddw Syr Henry Gregg a merch David Morlais Samuel, Abertawe. Yr oedd hi'n aelod o Orsedd y Beirdd wrth yr enw `Morlaisa'. Bu ef f. 5 Ebr. 1953.

Www; Times, 7 Ebr. 1953; *WWP*.

E.D.J., M.A.J.

SAYCE, GEORGE ETHELBERT (1875-1953), newyddiadurwr a pherchen papurau; g. yn Llangua, Myn., ddydd Nadolig 1875, yn fab i George Sayce a'i wraig Athel (g. Miles). Cafodd hyfforddiant mewn newyddiaduraeth a bu'n dilyn cwrs o efrydiau llenyddol a masnachol yng Ngholeg y Brenin, Llundain, ac ennill cryn brofiad yn y maes rhwng 1898 ac 1914 yn arbennig yn swydd Efrog, lle y bu'n olygydd yr *York Observer*, y *Thirsk and District News*, a'r *Yorkshire Chronicle* hefyd am gyfnod. Yn 1914 prynodd y *Brecon and Radnor Express* a'r *Radnor County Times*. Yn 1933 cymerodd y *Brecon County Times* a'i gorffori yn y *Brecon and Radnor Express & County Times*. Bu'n gyfarwyddwr ar amryw gwmnïau masnachol ac yr oedd yn un o sylfaenwyr siambr fasnach Llanfair-ym-Muallt. Cymerodd ran flaenllaw mewn llywodraeth leol gan fod yn gadeirydd cyngor dosbarth trefol Llanfair-ym-Muallt a chadeirydd cymdeithas datblygu dyffryn Gwy. Gwnaeth lawer i hybu twristiaeth a chefnogi chwaraeon, yn arbennig golff. Cymerai ddiddordeb mewn ysbytai a'r gwasanaeth ambiwlans ac mewn addysg elfennol ac uwchradd, gan fod yn aelod o lysoedd colegau'r Brifysgol yn Aberystwyth ac Abertawe. Ef oedd llywydd cyntaf Cymdeithas Amaethyddol gogledd Brycheiniog a bu'n gadeirydd cymdeithas Ryddfrydol yr etholaeth. Bu'n siryf Brycheiniog ddwywaith - yn 1940-41 ac 1947-48, a gwasanaethodd fel ustus o 1932 hyd 1950. I gofnodi diwedd Rhyfel Byd II cyflwynodd ffenestr liw i eglwys Llanfair-ym-Muallt. Cyhoeddodd gyfrol o gerddi ei fam (*Poems by Athel Sayce*) yn 1915; *Guide to Llandrindod Wells*, *Day with the blind*, a *Rambles in Yorkshire*.

Pr. (1), yn 1901, ag Eleanor Richards (a fu f. 1910) a bu iddynt fab a thair merch. Pr. (2), yn 1914, â May Walsh a ganwyd iddynt fab a merch. Treuliodd ddiwedd ei oes ym Mhontrilas. Bu f. 7 Hyd. 1953 a chladdwyd ef yn Llangynidr (Kenderchurch), swydd Henffordd.

Who's who, 1941; *Brecon and Radnor Express*, 15 Hyd. 1953.

E.D.J.

SEAGER, GEORGE LEIGHTON (1896-1963; BARWN LEIGHTON o Laneirwg (St. Mellons), 1962), masnachwr a pherchennog llongau; g. 11 Ion. 1896 yn fab ieuangaf Syr William Henry Seager (sylfaenydd cwmni llongau W.H. Seager) a Margaret Annie (g. Elliot) ei wraig, Lynwood, Caerdydd, a brawd John Elliot Seager (gw. isod). Ar ôl gadael Coleg y Frenhines, Taunton, yn 16 oed aeth ar daith i Dde America ac ar y Cyfandir. Ar ddechrau Rhyfel Byd I cafodd gomisiwn gyda'r *Artists' Rifles* (catrawd Llundain) ac wedi hynny gwnaeth wasanaeth gwirfoddol gyda'r Weinyddiaeth Fwyd. Dychwelodd i Gymru i gynorthwyo'i dad a'i frawd hynaf ym musnesau niferus y teulu. Rhoddodd sylw arbennig i'r adran longau ac ni fu fawr o dro cyn cael ei ystyried yn arbenigwr yn y maes. Yn 1929 bu'n gynghorwr masnachol i'r Llywodraeth pan aeth gyda dirprwyaeth i Ganada. Daeth yn gyfarwyddwr llawer iawn o gwmnïau ac yn gadeirydd Cymdeithas Perchnogion Llongau Môr Hafren, Siambr Masnach Fôr y Deyrnas Unedig, yn ogystal ag amryw bwyllgorau yn ymwneud â diweithdra yng Nghaerdydd. Bu hefyd yn llywydd Siambr Fasnach Caerdydd. Bu'n hael a gweithgar gyda chymdeithasau elusennol, yn enwedig rhai er budd addysg ac iechyd morwyr. Gwasanaethodd fel Y.H. dros sir Fynwy ac ef oedd Is-lifftenant y sir o 1957 hyd ei farw. Urddwyd ef yn farchog yn 1938, gwnaed ef yn farwnig yn 1957 ac yn farwn yn 1962. Pr. yn 1921 â Marjorie, merch William Henry Gimson, Brych., a bu iddynt ddau fab a dwy ferch. Bu'n byw yn Marley Lodge, Llaneirwg a bu f. 17 Hyd. 1963.

Debrett, 1962, 775; *Www*; *WWP*; *Times*, 18 a 25 Hyd. 1963.

M.A.J.

SEAGER, JOHN ELLIOT (1891-1955), perchennog llongau; g. 30 Gorff. 1891, yn fab hynaf Syr William Henry Seager a Margaret Annie (g. Elliot), a brawd George Leighton Seager (gw. uchod). Pr., 26 Mai 1922, â Dorothy Irene Jones o Bontypridd, a bu iddynt bedwar o blant. Addysgwyd ef yn Ysgol Uwchradd Caerdydd a Choleg y Frenhines, Taunton, cyn ymuno â chwmnïau llongau ei dad lle y cafodd brofiad eang o oruchwylio'r gwaith, rheoli'r llongau masnach a'u darparu ar gyfer eu taith. Cyn hir daeth yn gyfarwyddwr tua deuddeg o gwmnïau llongau a rhai diwydiannol a bu'n gadeirydd nifer ohonynt. Am gyfnod bu'n gynghorwr mygedol yn y Weinyddiaeth Fwyd ar sicrhau nwyddau llongau. Bu'n Y.H. ac yn

Uchel Siryf Morgannwg, 1937-38. Cymerai ddiddordeb mawr mewn gwaith cymdeithasol ac elusennol, yn enwedig ar ran cymdeithasau ieuenctid ac ysbytai. Gweithiai'n ddiarbed a gwnâi bopeth yr ymgymerai ag ef yn drylwyr. Yn ystod Rhyfel Byd I ymunodd â'r *South Wales Borderers* ac enillodd M.C. Bu f. 8 Ion. 1955 yn ei gartref, Tŷ Gwyn Court, Caerdydd.

Www; *Times*, 10 Ion. 1955.

M.A.J.

SEYLER, CLARENCE ARTHUR (1866-1959), cemegydd a dadansoddydd cyhoeddus; g. yn Clapton, Llundain, 5 Rhag. 1866, yn fab hynaf Clarence Henry a Clara (g. Thies) Seyler. Cafodd ei addysg yn Ysgol y Priordy, Clapton, Coleg Prifysgol Llundain a choleg technegol y City & Guilds yn Finsbury. Cafodd athrawon disglair, megis Alexander W. Williamson, Syr William Ramsay, Syr Edwin Ray Lankester, a Daniel Oliver. Bu'n gynorthwyydd i W.M. Tidy, dadansoddydd dŵr yn Ysbyty Llundain ac wedyn i Syr William Crookes yn Kensington. Yn 1892 ymunodd â William Morgan, Ph.D., dadansoddydd cyhoeddus a chemegydd metelegol yn Labordai Abertawe lle'r oedd cyfarpar arbennig i hyfforddi myfyrwyr mewn cemeg, meteleg a mathemateg. Pan fu f. Morgan yn 1895 Seyler a'i dilynodd fel cyfarwyddwr y labordai hynny a thros 47 ml. ef oedd perchen a chyfarwyddwr y labordai yn Orange Street, a Nelson Terrace wedyn, lle bu'n gweithredu fel dadansoddydd cyhoeddus i fwrdeistref Abertawe a siroedd Morgannwg, Caerfyrddin a Phenfro. Gweithredai hefyd fel ymgynghorwr preifat i lawer o ffyrmiau diwydiannol yn ne Cymru a thu allan. O raid bu iddo gysylltiad agos â diwydiannau glo, nwy, haearn a dur, copr, sinc a metelau eraill ac arweiniodd hyn ef i arbenigo yn enrhifau caloriffig glo, ac wedi iddo ddarllen ei bapur arloesol ar ddosbarthiad cemegol glo i'r *South Wales Institute of Engineers* yn 1900 daethpwyd i'w ystyried fel yr awdurdod cydnabyddedig ar y pwnc yn ne Cymru. Wedi gorffen ei wasanaeth gyda'r R.A.S.C. yn 1918 penderfynodd ddatblygu ei ddadansoddiad o lo drwy ddefnyddio microsgop. Buasai o'r farn ers tro nad oedd yn ddigon dosbarthu mathau o lo yn unig ar gyfrif eu cydrannau o garbon, hydrogen ac ocsygen, ond fod yn rhaid eu dosbarthu yn betrolegol ac yn betrograffaidd. Yn ei farn ef nid oedd y dosbarthiad mwynyddiaethol rhyngwladol cydnabyddedig a ddefnyddid gan Marie Stopes a phalaeobotanegwyr eraill yn ddigon manwl, am mai litholegol ydoedd yn sylfaenol a bod yn rhaid i'r dosbarthiad fod yn ficrobetrolegol yn hytrach na phetrolegol foel er mwyn asesu'n briodol weddillion adeilaeth blanigol ym mhob math ohonynt. Ei syniad am wneud hyn oedd asesu cydrywiaeth y cyfansoddiau yr oedd iddynt briodweddau optegol pendant, a llwyddodd i wneud hynny drwy fesur adlewyrchiaeth samplau caboledig o bob 'math' o dan ficrosgop wedi ei gysylltu wrth ffotomedr Berek. Darganfu nad oedd archwiliad 'sych' o'r chwyddhad crisialograffig yn foddhaol, a chafodd ei ganlyniadau terfynol nodedig drwy ddefnyddio microsgopeg Kühlwein a Stach, lle rhoir y lens mewn cyswllt ag oeliau o enrhifau plygiant gwybyddus.

Galluogwyd ef drwy arsylwad maith a

thrylwyr i lunio `Siart Glo Seyler' a enillodd gymeradwyaeth ryngwladol. Trwy gyfrwng hon gellir casglu gwybodaeth am fater ehedog ac enrhifau caloriffig yn ddidrafferth. Ar gorn y gwaith tra arbenigol hwn dyfarnodd y *South Wales Institute of Engineers* ei fedal aur iddo yn 1931 ac ychwanegu bar ati yn 1937. Yn 1941 cafodd fedal aur Melchett gan y Sefydliad Tanwydd.

Ar ôl cryn betruso ymadawodd ag Abertawe, a fuasai'n wir dref fabwysiedig iddo am fwy na hanner can mlynedd di-fwlch, i gymryd at swydd ymgynghorwr cyffredinol i'r *British Coal Utilisation Research Association* yn 1942, ac yn bennaeth ar ei hadran Systemateg a Phetroleg glo. Daliodd y ddwy swydd nes ymddeol yn 1957. Tyst o'i enwogrwydd rhyngwladol oedd ei ethol yn 1955 yn llywydd cyntaf y Pwyllgor Rhyngenedlaethol ar Betroleg Glo. Ar ôl ymddeol parhaodd yn ymgynghorwr mygedol i B.C.U.R.A.

Cyhoeddwyd ei waith ar ddosbarthu gwahanol fathau o lo am y tro cyntaf yn 1907 fel rhagymadrodd i *Analysis of British coal and coke* Greenwell ac Elsden yn 1907. Ymhlith ei gyhoeddiadau y mae *Classification of coal*: World Engineering Congress, Tokyo (1929); *Petrography and the classification of coal*, I a II. (1931 ac 1937); *Fuel technology* (1931); *Description of Seyler's fuel chart* (1933); *Selection of coals for steam raising* (1934); *Recent progress in petrology of coal* (darlith Melchett, 1941); *Die Entwicklung der Kohlen-Petrographie* (1951); gyda W.H. Edwards, *The microscopical examination of coal* (1929), a chydag Illingworth a Wheeler, *Report on explosions in anthracite stoves* (1924).

Fel newid o'i astudiaethau gwyddonol hyfrydwch iddo oedd troi ei feddwl clir a threiddgar at hanes a hynafiaethau lleol ac enwau lleoedd, cyfrannu erthyglau ar y pynciau hyn neu baratoi darlithiau ar gyfer y Sefydliad Brenhinol yn Abertawe. Gw. ei erthyglau yn *Arch. Camb.*, e.e. `Early charters of Swansea and Gower', a `Stedworlango: the fee of Pen-maen in Gower' (1920), `Seinhenyd, Ystumllwynarth and Ynysgynwraid: some place-names and folk-lore in Wales' (1950). Cyfrannodd bapurau i drafodion Cymdeithas Peirianwyr de Cymru a'r Gymdeithas Frenhinol.

Yr oedd yn llywydd clwb Rotari Abertawe, 1929-30, Sefydliad Peirianwyr de Cymru, 1931-32, a Sefydliad Brenhinol Abertawe, ac yn aelod o gyngor yr Amgueddfa Genedlaethol ac o Gymdeithas Hynafiaethau Cymru a Chymdeithas Hynafiaethol Surrey. Yr oedd ganddo radd B.Sc. (Llund.) a chafodd D.Sc. (Cymru) er anrh. yn 1938. Yr oedd yn F.R.I.C.

Pr. Ellen Andrews yn 1895 a bu iddynt ddwy ferch. Chwaer iddo oedd Athène Seyler, C.B.E., yr actores, a fu farw yn 101 oed yn 1990. Bu f. ef 24 Gorff. 1959.

WwW (1937); *Www*; *Trans. S. Wales Inst. Engineers.*

W.C.R.

SIMON, JOHN ALLSEBROOK, yr IS-IARLL SIMON o Stackpole Elidor cyntaf (1873-1954), barnwr a gwleidydd; g. 28 Chwef. 1873 ym Manceinion, yn fab i Edwin Simon, gweinidog (A) o Stackpole, Penf., a Fanny (g. Allsebrook)

ei wraig. Addysgwyd ef yng Ngholeg Fettes, Caeredin a Choleg Wadham, Rhydychen. Ar ôl graddio yn y clasuron yn 1896 etholwyd ef yn Gymrawd Coleg yr Holl Eneidiau, Rhydychen. Yn 1898 enillodd Ysgoloriaeth Gyfraith Barstow a galwyd ef i'r Bar gan y Deml Fewnol y flwyddyn ddilynol. A chanddo feddwl trefnus, cof eithriadol, a gallu diguro i'w fynegi ei hun, penodwyd ef yn farnwr ar y Gylchdaith Orllewinol mor gynnar ag 1908; ond ei uchelgais oedd bod yn wleidydd. Yn 1906 etholwyd ef yn A.S. (Rh.) Walthamstow, Essex, ac ni fu fawr o dro cyn dod yn aelod o'r cabinet a gwnaed ef yn Ysgrifennydd Gwladol dros Faterion Cartref (1915-16) ond ymddiswyddodd am y gwrthwynebai orfodaeth filwrol. Dychwelodd fel A.S. Dyffryn Spen, 1922-40. Cyfrannodd araith o'i eiddo yn Nhŷ'r Cyffredin yn sylweddol at fethiant streic y glowyr yn 1926. Nid oedd llewyrch ar ei gyfnod fel Ysgrifennydd Gwladol dros Faterion Tramor o 1931 hyd 1935, ond bu'n fwy llwyddiannus yn ei ail dymor fel Ysgrifennydd Gwladol dros Faterion Cartref, 1935-37, cyn bod yn Ganghellor y Trysorlys, 1937-40. Gwasanaethodd ar nifer o gomisiynau'r llywodraeth, ac ef oedd cadeirydd Comisiwn Statudol yr India, 1927-30, a gynhyrchodd adroddiad nodedig ar weithrediad deddf 1919 ynglŷn â llywodraeth yr India. Yn 1940 dyrchafwyd ef i Dŷ'r Arglwyddi a daeth yn Arglwydd Ganghellor, swydd a lanwodd gyda chlod mawr. Daeth llawer o'i ddyfarniadau dilynol yn fodelau o ddehongliadau eglur a thrylwyr o'r gyfraith. Pr. (1), 1899, Ethel Mary Venables (bu f. 1902) a bu iddynt fab a dwy ferch; (2), 1917, Kathleen Manning (g. Harvey); bu ef f. 11 Ion. 1954. Ymhlith ei gyhoeddiadau ceir ei hunangofiant, *Retrospect* (1952), ac *Income Tax* (5 cyf., 1950).

Www; *Cymro*, 13 Meh. 1952; *Times* a'r *West. Mail*, 12 Ion. 1954; *WWP*.

M.A.J.

SKAIFE, Syr ERIC OMMANNEY (1884-1956), brigadydd a noddwr diwylliant Cymru; g. 18 Hyd. 1884, yn fab i Frederic a Josephine Skaife, Chichester, Sussex; addysgwyd ef yng Ngholeg Caer-wynt, a Sandhurst. Ymunodd â'r Ffiwsilwyr Brenhinol Cymreig fel is-lifftenant yn 1903. Gwasanaethodd yn Ffrainc yn Rhyfel Byd I a bu'n garcharor yn yr Almaen, lle y dechreuodd ddysgu Cymraeg a pherffeithio ei Rwsieg. Dychafwyd ef yn uch-gapten yn 1918 a gwasanaethodd yn y Swyddfa Ryfel ac yn Waziristan cyn dychwelyd yn gyrnol gyda'r Ffiwsilwyr Brenhinol Cymreig yn 1929. Bu'n gynrychiolydd milwrol i'r llysgenhadaeth ym Moscow, 1934-37, ac wedyn yn gadlywydd y Brigâd Cymreig yn y fyddin diriogaethol, cyn ymuno ag adran ymchwil y Swyddfa Dramor, 1941-44. Ef oedd awdur *A short history of the Royal Welch Fusiliers* (1924). Ymddeolodd i blas Crogen, Meir., cyn ymsefydlu yn Nolserau, Dolgellau. Yr oedd yn eisteddfodwr selog a chymerai ddiddordeb dwfn yn niwylliant y genedl Gymreig. Derbyniwyd ef yn dderwydd yng Ngorsedd y Beirdd wrth yr enw `Gwas Derfel' ac etholwyd ef yn is-lywydd Urdd Gobaith Cymru yn 1942. Yn 1946 cyflwynodd bum telyn, a enwyd yn `delynau Crogen', i Urdd Gobaith Cymru a defnyddiwyd hwy i gynorthwyo telynorion ieuainc i ddysgu eu crefft. Yr oedd ei feistrolaeth ar yr iaith Gymraeg yn gyfryw fel nad oedd raid iddo fritho'i anerchiadau â geiriau Saesneg. Eto, nid oedd yn ymadroddwr rhugl ac yr oedd acen Seisnig ar ei Gymraeg yn amlwg. Prynai bob llyfr a chylchgrawn Cymraeg fel yr ymddangosent a chasglodd lyfrgell helaeth. Yr oedd yn aelod o gorff llywodraethol yr Eglwys yng Nghymru. Bu'n gadeirydd Cymdeithas Geidwadol Meirion, yn ddirprwy raglaw'r sir, ac yn siryf yn 1956, y flwyddyn yr urddwyd ef yn farchog. Ni bu'n briod. Bu f. 1 Hyd. 1956 yn Largos yn yr Alban pan oedd yn cynrychioli'r Eist. a'r Orsedd yn y Mod. Ar garreg ei fedd ym mynwent eglwys S. Marc, Brithdir, y mae'r cwpled 'Yng Nghymru yr oedd fy nghalon,/Yn ei thir hi mae fy ngweddillion'.

Www; R.E. Griffith, *Urdd Gobaith Cymru*, I (1971), 262-4.

E.D.J.

SKEEL, CAROLINE ANNE JAMES (1872-1951), hanesydd; g. 9 Chwef. 1872 yn Hampstead, lle cartrefai'r teulu yn 45 Downshire Hill, y chweched o saith plentyn William James Skeel (1822-99) ac Anne, ei wraig (1831-95); g. y tad yn Castle Hill, plwyf Cas-lai, Penf., yn fab i Henry Skeel, ffermwr (m. 1847), a daeth yn fasnachwr llwyddiannus yn Llundain, gyda swyddfeydd yn Finsbury Chambers, ac yn gyfarwyddwr y *South Australian Land Mortgage and Agency Co. Ltd.* Merch Thomas a Martha James o Clarbeston, Penfro, oedd y fam, a chyfnither i'w gŵr. Addysgwyd Caroline i ddechrau mewn ysgol breifat ac yna yn ysgolion uwchradd de Hampstead (c. 1884-87) a Notting Hill (1887-90), ac yng Ngholeg Girton, Caergrawnt (1891-95). Daliai ysgoloriaeth S. Dunstan a chafodd ddosbarth cyntaf dwbl, yn y clasuron yn 1894 ac mewn hanes yn 1895. Dyfarnwyd iddi wobr Agnata Butler yn 1893 ac 1894, a gwobr goffa Thérèsa Montefiore yn 1895. Apwyntiwyd hi ar staff adran Hanes coleg Westfield, Llundain, yn 1895, a bu'n ddarlithydd yno o 1895 i 1907. Wedi cyfnod o seibiant oherwydd afiechyd, dyrchafwyd hi'n bennaeth Adran, 1911-19, yn ddarllenydd a phennaeth yr Adran, 1919-25, ac Athro Hanes yn y brifysgol, 1925-29. Yr oedd yn gymrawd o'r *R. Hist. Soc.*, 1914-28, a bu'n gweithredu ar ei chyngor ac ar ei phwyllgor cyhoeddi, 1921-27, ac yn aelod o Anrhyd. Gymd. y Cymmrodorion, y *Classical Assocn.* a'r *Hist. Assocn.* Dyfarnwyd iddi fedal Hutchison, 1914, a gradd M.A. (Cantab), 1926, ac yr oedd yn gymrawd ymchwil anrhydeddus Yerrow yng Ngholeg Girton, 1914-17.

Ei gwaith cyhoeddedig cyntaf oedd *Travel in the first century AD* (1901) a ysgrifennodd gyntaf am wobr Gibson yn Girton yn 1898. Troes at astudiaethau hanesyddol Cymreig gyda chyhoeddi ei phrif waith, *The Council in the Marches of Wales: a study in local government in the sixteenth and seventeenth centuries* (1904), ei thraethawd am radd D.Litt. ym Mhrifysgol Llundain yn 1903, a bu'n fyfyriwr mewnol, 1901-03. Dilynwyd y gwaith hwn gan nifer o erthyglau ac adolygiadau yn yr *E.H.R.*, *Arch. Camb.*, *Trans. Cymm.*, *Trans. R. Hist. Soc.*, *Shrops. Arch. and Nat. Hist. Soc.*, *History*, a *Camb. Hist. Jnl.* Y mae'r rhan fwyaf

ohonynt yn ymwneud â hanes Cymru a'r Gororau. Canmolwyd a beirniadwyd ei hail erthygl ar y diwydiant gwlân yng Nghymru (*Arch. Camb.*, 1924) gan A.H. Dodd ac atebodd hithau. Ar y pryd, yr oedd yn fwriad ganddi ysgrifennu llyfr ar y pwnc. Cyfrannodd bennod ar Gymru dan Harri VII i *Tudor Studies*, gol. R.W. Seton-Watson (1924), ac i *Memorials of Old Shropshire* T. Auden (1908). Cafodd Wobr Gamble yn 1914 am draethawd ar ddylanwad gwaith Syr John Fortesque. Yr oedd yn un o olygyddion cyfres testunau ar gyfer myfyrwyr a gyhoeddwyd gan yr S.P.C.K. a threfnodd ddetholiadau o weithiau Gerallt Gymro a Matthew Paris ar gyfer y gyfres.

Y mae pwysigrwydd ei chyfraniad i astudiaethau hanesyddol Cymreig yn amlwg oddi wrth ei chyhoeddiadau, ac fe'i cydnabyddir yn gyffredinol hyd heddiw, er fod awdurdod peth o'i gwaith wedi ei bylu gan ymchwil ysgolheigion diweddarach. Torrodd lawer o dir newydd ym meysydd hanes cymdeithasol ac economaidd Cymru pryd yr oedd y pynciau hyn yn cael eu hesgeuluso i raddau helaeth. Hi oedd un o'r merched cyntaf i ddal cadair prifysgol. Cydnabyddid yn rhwydd gan ei chydweithwyr a'i myfyrwyr ei gwasanaeth i'w choleg ac i Brifysgol Llundain, fel athrawes ddisglair a'i darlithiau'n nodedig am eu harabedd a'u hysgolheictod ac fel aelod o fyrddau a phwyllgorau'r Brifysgol. Wedi ymddeol yn 1929 symudodd o Hampstead i 34 Heald Crescent, Hendon, lle y bu'n byw'n ddirodres, braidd yn gynnil, yn gwisgo hytrach yn aflêr, gan ddadlau dros geiniogau gyda siopwyr. Edrychai ei chymdogion arni fel gwraig fechan fonheddig a welsai amser gwell. Mewn gwirionedd yr oedd yn gyfoethog iawn; yr olaf o'i theulu (buont oll farw yn ddi-briod) etifeddodd y ffortiwn a adawyd gan ei thad a'i brawd William Henry Skeel (m. 1925 gan adael £305,000). Bu f. 25 Chwef. 1951 ac amlosgwyd y corff yn Golders Green. Prisiwyd ei stad yn £269,386 gros. Yn ei hewyllys gadawodd symiau mawr i elusennau eglwysig, a'r gweddill, dros £50,000, i Goleg Westfield, lle y mae llyfrgell wych yn dwyn ei henw. Ar ôl ei m. dadlennwyd iddi roi'n ddi-enw yn ystod ei bywyd, tua £30,000 i deuluoedd tlawd ac i elusennau.

Times, 23 Mawrth 1899, 13 Hyd. 1925, 3 Mawrth 1951, 26 Mai 1951; *Daily Mirror*, 26 Mai 1951; *Girton College register*, 1869-1946 (1948); cofrestri plwy; papurau preifat Dorothy Skeel Meyler a'r Uch-gapten Francis Jones; archifau Coleg Westfield drwy law J. Sondheimer.

B.G.C.

SLINGSBY-JENKINS, THOMAS DAVID (1872-1955), ysgrifennydd cwmni llongau a dyngarwr; g. 25 Rhag. 1872, yn fab hynaf i Evan Jenkins, Bodhyfryd, Stryd-y-bont, Aberystwyth, a Mary ei wraig ond pan oedd yn ddwyflwydd oed collwyd ei dad ar y môr. Mynychodd ysgol ramadeg Jasper House a dechrau gweithio mewn swyddfa cyfreithiwr yn y dref cyn ymuno â chwmni llongau Mathias a'i Fab yng Nghaerdydd lle y daeth yn ysgrifennydd y cwmni. Bu'n aelod o fwrdd Cymdeithas Morwyr Prydain a rhoddodd yn hael tuag at y gymdeithas. Âi ei waith ag ef yn aml i'r Eidal lle y rhoddwyd iddo dlws yn 1940 gan frenin y wlad honno am feithrin cyfeillgarwch rhwng yr Eidal a Phrydain. Ond ni chollodd gysylltiad â'i sir enedigol. Bu'n ustus a siryf sir Aberteifi, ac yn aelod o lys llywodraethwyr a chyngor C.P.C., Aberystwyth. Cyflwynodd i'r coleg gerflun efydd o Ddug Windsor fel Tywysog Cymru, gwaith Mario Rutelli a'r unig gerflun mawr a wnaed o'r tywysog, a gwaddol i sefydlu ysgoloriaeth i ddysgyblion lleol. Bu ar lys a chyngor y Llyfrgell Genedlaethol ac yn noddwr hael iddi hithau hefyd. Ef a roddodd y cerflun marmor o Syr John Williams (*Bywg.*, 991-2) i'r Llyfrgell, y gofeb ryfel efydd i Eglwys y Tabernacl (MC), Aberystwyth, gan ddymuno i'r arian a gasglwyd gan aelodau'r Eglwys at y gofeb gael ei drosglwyddo i ysbyty'r dref i agor ward plant yno a bu ynglŷn â'r gofeb ryfel i dref Aberystwyth (y rhain eto o waith Rutelli). Gwasanaethodd Gymd. Cymmr. Llundain fel trysorydd (1934-49) ac is-lywydd, gan gyfrannu llawer tuag at gyhoeddi'r *Bywgraffiadur Cymreig hyd 1940*.

Newidiodd ei enw i Slingsby-Jenkins pan br. (1), c. 1937, â Roma Beatrice Evlyn Marie Slingsby (a fu f. 7 Chwef. 1948), a gwnaethant eu cartref yn 9 Victoria Square, Llundain a Phontarfynach. Pr. (2) yn yr Eidal ychydig wythnosau cyn ei f. â Margherita Vita, wyres cyfaill iddo, a bu f. yn ei chartref yn Imperia, 5 Ebr. 1955.

Trans. Cymmr., 1955; *Adroddiad Tabernacl (MC)*, Aberystwyth 1921, 29; *Calendar of grants of probate*, 1948 ac 1955; *Welsh Gaz.*, 7 Ebr. 1955.

M.A.J.

SMITH, WILLIAM HENRY (BILL; 1894-1968), llywydd Cwmni Opera Cenedlaethol Cymru; g. 9 Hyd. 1894, yr hynaf o dri o feibion William Henry ac Eliza Smith, Caerdydd. Mynychodd ysgol Albany Road cyn mynd yn brentis mewn siop ddillad. Dechreuodd astudio mewn dosbarthiadau nos yn y coleg technegol i ymbaratoi ar gyfer gyrfa yn y gyfraith ond ar ôl gwasanaethu yn y fyddin yn Rhyfel Byd I ymunodd â chwmni ceir modur yn Llundain. Yn 1932, cychwynnodd ef a David Bernard Morgan fusnes llewyrchus, Moduron Morsmith Cyf., yng Nghaerdydd, a llanwodd swyddi pwysig yn y fasnach foduron. Er iddo roi cefnogaeth werthfawr i chwaraeon lleol, Urdd Dramodwyr Cymru, Ymddiriedolaeth Theatr Newydd Caerdydd ac i Goleg y Brifysgol yng Nghaerdydd, am ei wasanaeth arbennig i fiwsig y cofir ef. Yn ystod yr 1920au, wedi iddo ymweld â La Scala, Milan, pryd y deffrowyd ei ddiddordeb mewn opera, daeth yn ysgrifennydd Cymdeithas Opera Caerdydd. Yn 1946 y cynhaliodd Cwmni Opera Cenedlaethol Cymru ei dymor cyntaf yng Nghaerdydd, a phan ffurfiwyd bwrdd rheoli ddwy flynedd yn ddiweddarach dewiswyd ef yn gadeirydd iddo, swydd a ddaliodd am ugain ml. Ar y cychwyn âi'r corws i ymarfer uwchben ei ystafell arddangos ceir. Wedi iddo lwyddo i gael gwahoddiad buan i'r cwmni i ymddangos yn Sadler's Wells, denodd lawer o ddilynwyr selog i'r opera yng Nghymru, cafodd gan Gyngor y Celfyddydau gynyddu'r grant gymaint â dengwaith, a darbwyllodd ddynion busnes ac yn agos i 60 o awdurdodau lleol i gefnogi'r cwmni. Cafodd y C.B.E. yn 1953 am ei waith, a

gradd LL.D. er anrh. gan Brifysgol Cymru yn 1961. Ychydig cyn ei f. ar 9 Meh. 1968 penodwyd ef yn llywydd cyntaf y cwmni opera. Pr. ag Elsie Allan yn 1924.

Www; *WWP*; *Welsh Music*, 3, rhif 3 (1968), 3-4; *Times* a *West. Mail*, 10 Meh. 1968.

M.A.J.

SNELL, DAVID JOHN (1880-1957), cyhoeddwr cerddoriaeth; g. 1 Awst 1880 yn 44 Dyvatty Terrace, Abertawe, mab Henry ac Eliza (g. Lewis) Snell. Yn 1900 ymsefydlodd mewn busnes yn Alexandra Arcade, Abertawe, yn gwerthu cerddoriaeth, offerynnau cerdd a recordiau. Ddeng ml. yn ddiweddarach, pan ymddeolodd y cyhoeddwr Benjamin Parry (1835-1910) a fuasai'n gweithio yn Abertawe er 1878, prynodd Snell ei stoc a'i hawlfreintiau a thrwy hynny ddechrau ar waith mawr ei oes. Yn 1916 talodd £1150 i weddw Joseph Parry (1841-1903, *Bywg.*, 694), am stoc a hawlfreintiau'r gweithiau a gyhoeddodd y cyfansoddwr, a thua'r un pryd prynodd fusnes David Jenkins (*Bywg.*, 406-7), Aberystwyth, a fuasai f. yn 1915. Yn ystod y dauddegau ychwanegodd at ei gatalog trwy brynu cynnyrch cwmnïau cyhoeddi a ddaethai i ben ynghyd â gweithiau cyfansoddwyr a gyhoeddai eu gwaith eu hunain, ac ailgyhoeddi'r cyfan o dan ei enw ei hun. Pwrcasodd ymhlith pethau eraill gynnyrch cerddorol y cyhoeddwyr Isaac Jones (1835-99), Treherbert; Daniel Lewis Jones (`Cynalaw'; 1841-1916), Llansawel ac Aberteifi; John Richard Lewis (1857-1919), Caerfyrddin; y *North Wales Music Co.*, Bangor; a'r Cwmni Cenedlaethol Cymreig, Caernarfon. Erbyn 1939 yr oedd ganddo gatalog sylweddol o bymtheg cant o eitemau, a byddai'n cynnig gwobrau i bwyllgorau eisteddfodol a ddewisai ei gyhoeddiadau yn ddarnau prawf. Ailgyhoeddodd weithiau poblogaidd megis `Myfanwy' (Joseph Parry) a `Yr hen gerddor' (David Pugh Evans, *Bywg.*, 212), ond cyhoeddodd hefyd ddarnau newydd o safon, gan gynnwys `Bugail Aberdyfi' (Idris Lewis, gw. uchod), `Paradwys y bardd' (W. Bradwen Jones; gw. Jones, William Arthur uchod) a *Saith o ganeuon* a `Berwyn' (D. Vaughan Thomas, *Bywg.*, 886). Bu'n gyfrifol yn ogystal am gyhoeddi cyfrolau o osodiadau cerdd dant gan Haydn Morris (gw. uchod) a Llyfni a Mallt Huws. Collodd gyfran helaeth o'i stoc yn y cyrchoedd awyr ar Abertawe yn 1941, ond daliodd i gyhoeddi wedi'r rhyfel. Yn wahanol i rai o'i ragflaenwyr yn y maes nid oedd Snell ddim amgen na chyhoeddwr, ac ni bu'n argraffu ei gynnyrch. Adweinid ef yn ŵr busnes gyda'r craffaf, ac fe'i galwid yn `Mr. Music' ei dref enedigol. Pr. 1906 ag Elizabeth Evans (bu f. Ebr. 1957) o Dalacharn, a bu iddynt bedwar mab. Bu ef f. 13 Ion. 1957.

Llsgrau. Snell a'i Feibion yn LlGC; ymchwil bersonol.

Rh.G.

SOMERSET, FITZROY RICHARD (1885-1964), 4ydd BARWN RAGLAN, milwr, anthropolegydd, ac awdur; g. 10 Meh. 1885 yn fab hynaf y 3ydd Barwn Raglan a'i wraig Ethel Jemima Ponsonby, merch y 7fed Iarll Bessborough, ac yn orwyr y Barwn Raglan cyntaf y rhoddwyd y teitl iddo yn 1852 pan oedd yn brif gadlywydd y lluoedd Prydeinig yn y Crimea. Addysgwyd ef yn Eton a'r Coleg Milwrol Brenhinol, Sandhurst. Yn unol â thraddodiad ei deulu ymunodd â'r fyddin yn y *Grenadier Guards* yn 1905, a daeth yn gapten yn 1914 ac uch-gapten yn 1915. Ei swydd gyntaf dros y môr oedd fel A.D.C. i lywodraethwr Hong Kong (1912-13). Yn 1913 ymunodd â byddin yr Aifft, ac arhosodd yn adran ddwyreiniol y Môr Canolдir tan 1921, gyda'r lluoedd Eifftaidd am y chwe bl. cyntaf, ac o hynny nes ymddeol yn 1922 fel swyddog politicaidd ym Mhalestina. Fel cydnabyddiaeth o'i wasanaeth i'r Aifft gwnaethpwyd ef yn swyddog o Urdd y Nîl.

Gellir edrych ar y wedd filwrol hon fel y wedd gyntaf ar ei fywyd, a dilynwyd hi gan wedd arall, ychydig yn wahanol, yn y 1930au. Ond yr oedd perthynas amlwg rhwng y ddwy wedd. Yn ystod ei wasanaeth gyda'r lluoedd Eifftaidd daeth i ymddiddori'n fawr yn archaeoleg yr hen Aifft ac yn anthropoleg gorfforol y milwyr brodorol. Fe'i swynwyd gan gorffoledd ysblennydd y negroaid Nilotig. Ar ôl dychwelyd i Brydain datblygodd y diddordebau hyn. Yn 1932 cymerodd ran weithgar gyda'i gyfaill, yr Athro C. Daryll Forde (Athro Daearyddiaeth ac Anthropoleg C.P.C., Aberystwyth) yn y cloddio ar fryngaer bwysig yr Oes Haearn ar Bendinas ger Aberystwyth. Erbyn 1933 yr oedd yn ddigon hyddysg mewn anthropoleg i lywyddu Adran H (anthropoleg) Y Gymdeithasfa Brydeinig er Hyrwyddo'r Gwyddorau, a thros y blynyddoedd 1945-47 cydnabuwyd ei ddiddordeb mewn anthropoleg gymdeithasol trwy ei ethol yn Llywydd y Gymdeithas Llên Gwerin. Ddeng ml. yn ddiweddarach yr oedd yn Llywydd Sefydliad Anthropolegol Brenhinol Prydain ac wedi ei ethol yn Gymrawd o Gymdeithas Hynafiaethwyr Llundain (F.S.A.). Yn y cyfamser troesai ei holl sylw at y maes archaeolegol yng Nghymru, gan ddal dilyniant o swyddi allweddol yn yr Amgueddfa Genedlaethol. Ef oedd cadeirydd y pwyllgor Archaeoleg a Chelfyddyd yno yn 1947-51, trysorydd yr Amgueddfa, 1950-52, is-lywydd 1952-57, ac yn olaf ei Llywydd yn 1957-62.

Wedi dychwelyd i Brydain, nid yn unig y bu'n aelod gweithgar o lawer cymdeithas ac ymddiddori mewn swyddi gweinyddol mewn sefydliadau cenedlaethol, ond bu hefyd yn brysur gyda chyhoeddi nifer helaeth o lyfrau a phapurau pwysig a diddorol mewn archaeoleg ac anthropoleg. Yn 1933 ymddangosodd *Jocasta's crime - an anthropological study*, a *The Science of peace; If I were a dictator* (1934); *The Hero - a study in tradition, myth and drama* (1936); *How came civilisation?* (1939). Wedi Rhyfel Byd II, dilynwyd y rhain gan nifer o astudiaethau ar grefydd gyntefig: *Death and rebirth* (1945); *The Origins of Religion* (1949); *The Temple and the house* (1964). Fel y daeth yn fwyfwy cysylltiedig â'r Amgueddfa Genedlaethol closiodd ei berthynas â'r cyfarwyddwr, Syr Cyril Fox (gw. uchod) ac yn y blynyddoedd 1951-54 ymddangosodd y *Survey of Monmouthshire houses* I a II ar y cyd rhyngddynt. Y mae i'r arolwg bwysigrwydd arloesol.

Derbyniad lled anffafriol yn gyffredinol a gafodd ei weithiau anthropolegol, a hynny i raddau am mai cynhennus, cymhleth a rhy eang eu cwmpas i'w trin o fewn cyfyngiadau un gyfrol oedd y pynciau a drafodir ynddynt, pynciau yr oedd yn demtasiwn rhoi atebion syml i sefyllfaoedd tra chymhleth. Credai amryw ddysgedigion hefyd ei fod, ac yntau'n ŵr diddorol a chyfareddol, yn hoff o gynhyrfu'n fwriadol y rheini a goleddai'n gryf syniadau croes i'r eiddo ef a gwylio'u hymateb gyda difyrrwch, tra'n parhau ar y telerau personol mwyaf cyfeillgar â'r rhai a anghytunai ag ef. Enghraifft o'r peth yw ei syniadau ynglŷn â thwf amlwg y teimlad cenedlaethol Cymreig wedi Rhyfel Byd II.

Y tu ôl i'w ddiddordebau milwrol, anthropolegol ac archaeolegol, a'i orchestion y mae agwedd arall ar fywyd yr Arglwydd Raglan i'w hychwanegu, h.y. y gwasanaeth maith ac ymroddgar a roddodd i'r hen sir Fynwy a Gwent oll. Yr oedd yn Y.H. dros y sir er 1909, a gwasanaethodd am 21 ml. (1928-49) fel aelod o gyngor sir Mynwy. Cymerodd ddiddordeb mawr ym mudiad y sgowtiaid, a bu'n gomisiynydd sirol am 27 ml. Gwnaethpwyd ef yn ddirprwy-raglaw yn 1930 ac yn arglwydd raglaw yn 1960.

Yn 1923 pr. yr Anrh. Julia Hamilton, merch yr 11eg Barwn Bellhaven. Bu iddynt 2 fab a 2 ferch. Cartref y teulu oedd Cwrt Cefntila, Brynbuga, Myn. Bu f. 14 Medi 1964.

Gwybodaeth bersonol; *Rep. Brit. Assn. Adv. of Science*, 1933.

E.G.B.

SOULSBY, Syr LLEWELLYN THOMAS GORDON (1885-1966), pensaer llongau; g. yn Abertawe, 24 Ion. 1885, yn fab i James C. Soulsby, mesurydd morwrol. Addysgwyd ef yn Jarrow-on-Tyne a phrentisiwyd ef yno yn bensaer llongau gyda chwmni Palmers. Ar ôl gweithio am gyfnod gyda John Thornycroft a'r Cwmni yn Chiswick, a arbenigai mewn gwneud llongau rhyfel i'r llynges, dychwelodd i Jarrow am bum ml. Pr. yn 1911 â Margaret Dickinson; ni fu iddynt blant. Cychwynnodd ar ei yrfa hir a nodedig yn y diwydiant atgyweirio llongau yn 1912 pan aeth i Gaerdydd yn rheolwr cynorthwyol i'r *Cardiff Channel Dry Docks and Pontoon Co.* Yn 1919 aeth i Gasnewydd yn rheolwr C.H. Bailey Cyf., gan ddychwelyd i Gaerdydd yn 1928 i fod yn rheolwr dros holl weithfeydd y *Channel Co.* yng Nghaerdydd, Casnewydd, Y Barri ac Avonmouth, nes i'r cwmni uno â chwmni Mountstuart 3 bl. yn ddiweddarach. Wedyn daeth yn rheolwr cyffredinol, ac yn ddiweddarach yn gadeirydd (1947), y cwmni newydd, *Mountstuart Dry Docks Ltd.* gan ymddeol yn 1961. Bu hefyd yn gadeirydd Stothert a Pitt Cyf., 1946-59, a bu'n flaenllaw gyda nifer o gymdeithasau cysylltiedig â'i waith. Yn ystod Rhyfel Byd II penodwyd ef gan y Morlys i swydd bwysig fel cyfarwyddwr rhanbarthol y diwydiant gwneud ac atgyweirio llongau masnach o gwmpas Môr Hafren a gogledd-orllewin Lloegr, 1941-47, a gwnaed ef yn farchog yn 1944 am ei wasanaeth clodwiw. Bu f. yn ei gartref, 77 Roath Court Road, Caerdydd, 9 Ion. 1966.

Www; *West. Mail*, 10 Ion. 1966; *Times*, 11 Ion. 1966.

M.A.J.

SOUTHALL, REGINALD BRADBURY (1900-65), cyfarwyddwr purfa olew; g. yn Bollington, swydd Caer, 5 Meh. 1900, yn fab i'r Parchg. George Henry Southall a Harriette ei wraig. Addysgwyd ef yn Ysgol West Monmouth. Ar ôl treulio ychydig flynyddoedd yn y diwydiant dur, aeth i weithio yn labordy'r Purfeydd Olew Cenedlaethol, (Purfa Olew Brydeinig (Llandarcy), Cyf., yn ddiweddarach), pan ddechreuwyd defnyddio'r burfa yn Llandarcy yn 1921 ac yno yr arhosodd ar wahân i ysbeidiau byr dramor. Tyfodd y burfa i fod yr ail fwyaf a feddai'r cwmni yn y Deyrnas Unedig, a daeth Reginald Bradbury Southall yn rheolwr y gwaith yn 1942, ac yn gyfarwyddwr yn 1950. Yn 1960 daeth hefyd yn gyfarwyddwr *British Hydrocarbon Chemicals Ltd*. a ddefnyddiai olew Llandarcy yn y gwaith ym Mae Baglan. Yr oedd yn gynghorwr doeth a weithiodd yn ddygn dros gymdeithasau diwydiannol Cymru fel aelod o Fwrdd Rhanbarthol Cymru dros Ddiwydiant, cyfarwyddwr Corfforaeth Datblygu Cymru, 1958-64, cadeirydd Pwyllgor Ymgynghorol Dŵr Cymru, ac aelod o Fwrdd Dociau Trafnidiaeth Brydeinig, 1963-65. Cynrychiolodd y Deyrnas Unedig yn Swyddfa Lafur Ryngwladol y Pwyllgor Diwydiant Olew o'r cychwyn yn 1947 hyd 1960.

Daeth yn ynad heddwch yn 1954 a bu'n llywydd Siambr Fasnach Abertawe, 1958-59. Cymerai ddiddordeb dwfn mewn addysg wyddonol a chyhoeddodd amryw erthyglau. Bu'n is-lywydd Coleg y Brifysgol, Abertawe, 1956-64, ac yn llywodraethwr Coleg Technoleg Uwch Cymru. Gwasanaethodd ar bwyllgor Robbins ar addysg uwchradd, 1961-63, a daeth yn aelod o'r Cyngor Hyfforddi Canolog newydd yn 1964. Yn 1956 etholwyd ef yn gadeirydd cyntaf Amgueddfa Diwydiant De Cymru. Gwnaed ef yn C.B.E. yn 1953 am ei waith cyhoeddus, a gradd LL.D. er anrh. gan Brifysgol Cymru yn 1962. Yn 1925 pr. â Phyllis May Hemming. Bu iddynt un ferch a gwnaethant eu cartref yn The Meadows, Llandeilo Ferwallt, ger Abertawe. Bu f. 1 Rhag. 1965.

Www; Times, 2 Rhag. 1965, 18f.

M.A.J.

STAPLEDON, Syr REGINALD GEORGE (1882-1960), gwyddonydd amaethyddol; g. 22 Mai 1882 yn Northam, gogledd Dyfnaint, yn fab ieuangaf William a Mary Stapledon. Cafodd ei addysg yn yr *United Services College*, Westward Ho, a Choleg Emanuel, Caergrawnt, a graddio yn M.A. mewn botaneg yn 1904. Gweithiodd yn swyddfa fasnachol y teulu yng Nghairo am tua dwy fl., ac ar ôl hynny bu'n ddisgybl am flwyddyn ar fferm fawr yn tyfu ffrwythau yng Nghaint. Yn 1908 aeth yn ei ôl i Gaergrawnt i ddilyn cwrs diploma mewn amaethyddiaeth, a hwn oedd y trobwynt yn ei hanes a'i cyfeiriodd at waith mawr ei fywyd gyda thir glas. Bu'n Athro Botaneg Amaethyddol yng Ngholeg Brenhinol Amaethyddol Cirencester, 1909-12, ac yn ystod y cyfnod hwn yr amlygodd ei ddiddordeb eithriadol mewn ecoleg tir glas, mewn perthynas, yn arbennig, ag effaith haf sych 1911 ar borfeydd cynhenid y Cotswolds. Fe'i penodwyd yn 1912 yn gynghorydd mewn botaneg amaethyddol dan y Bwrdd Amaethyddiaeth a Physgodfeydd i siroedd cylch coleg Aberystwyth, a dyna ddechrau'i gysylltiad hir ag amaethyddiaeth Cymru. Rhan

o'i ddyletswyddau yn ystod ei ddwy flynedd gyntaf yn y swydd honno fu gwneud arolwg o dir glas gogledd Ceredigion fel rhan o arolwg cyflawn gan Cadwaladr Bryner Jones (gw. uchod) ar amaethyddiaeth, O.T. Jones (gw. uchod) ar ddaeareg, ac R.A. Yapp ar fotaneg. Rhwng 1916 ac 1918 bu'n gyfarwyddwr yr Orsaf Swyddogol i roi Profion ar Hadau, a sefydlwyd yn y cyfnod hwnnw yn Llundain. Yna, yn 1919, fe'i penodwyd yn gyfarwyddwr cyntaf Bridfa Blanhigion Cymru ac yn bennaeth yr Adran Botaneg Amaethyddol a sefydlwyd bryd hynny yng Ngholeg Prifysgol Cymru. Yn y Fridfa rhwng 1919 ac 1942 gyda chydweithwyr ymroddedig o'i ddewis ei hun y cyflawnodd Stapledon waith mawr ei fywyd - gwaith a ddylanwadodd yn ddirfawr ar grefft a gwyddor ac, yn wir, ar athroniaeth tir glas ar bum cyfandir. Yn ystod y blynyddoedd hyn y sefydlwyd Biwröau Amaethyddol yr Ymerodraeth (y Gymanwlad ar ôl hynny) gyda Stapledon yn gyfarwyddwr yr un ar gyfer Tir Glas a Chnydau'r Maes a sefydlwyd yn Aberystwyth yn 1927. Ef ydoedd cyfarwyddwr y *Cahn Hill Improvement Scheme* a gychwynnwyd yn 1933 i droi canlyniadau mân arbrofion ar wella tir uchel ar fryndir Ceredigion yn waith ymarferol ar raddfa helaeth ar ran o ystad Hafod Uchtryd yng Nghwmystwyth. Gadawodd Aberystwyth yn 1942 er mwyn canolbwyntio ar ei swydd newydd fel cyfarwyddwr Gorsaf Gwella Tir Glas a sefydlwyd yn Stratford-on-Avon yn 1940, ac ar ôl ymddeol o'r swydd honno yn 1945 bu'n gynghorydd ac yn un o gyfarwyddwyr *Dunn's Farm Seeds Ltd*., Caersallog, tan i lesgedd a byddardod llwyr ei oddiweddyd yn ei flynyddoedd olaf. Nid oes amheuaeth nad Stapledon yn ei gyfnod ydoedd gwyddonydd amaethyddol mwyaf adnabyddus y byd a'r awdurdod pennaf ar dir glas. Dan ei arweiniad eneiniedig ef daeth Bridfa Blanhigion Cymru yn sefydliad ymchwil o'r pwys pennaf ym Mhrydain a thros y môr mewn astudiaethau tir glas a bridio planhigion. Fe'i hanrhydeddwyd â'r C.B.E. yn 1932, fe'i hurddwyd yn farchog ac yn Gymrawd o'r Gymdeithas Frenhinol (F.R.S.) yn 1939, a chafodd radd D.Sc. er anrh. gan Brifysgolion Cymru a Nottingham. Enillodd fedal aur Cymdeithas Amaethyddol Frenhinol Lloegr, ac ef oedd llywydd y Bedwaredd Gynhadledd Ryngwladol ar Dir Glas a gynhaliwyd yn Aberystwyth yn 1937. Cyhoeddodd liaws o ysgrifau gwyddonol ac amaethyddol, a golygodd gyfrolau ar dir glas ac ar wella tir. Cyhoeddodd (ymhlith pethau eraill): *Grassland, its improvement and management* (gyda J.A. Hanley, 1927); *A tour in Australia and New Zealand; grassland and other studies* (1928); *The hill lands of Britain: development or decay?* (1937); *The plough-up: policy and ley farming* (1941); *Make fruitful the land: a policy for agriculture* (1941); *The way of the land* (1943); *Disraeli and the new age* (1943). Ond, yn ddiamau, ei bennaf camp ydoedd ei lyfr *The land now and tomorrow* (1935).

Pr., 1913, Doris Wood Bourne, ond ni fu iddynt blant. Bu f. yng Nghaerfaddon 16 Medi 1960, a chynhaliwyd gwasanaeth coffa amdano ym Mridfa Blanhigion Cymru, ger Aberystwyth. Sefydlwyd Ymddiriedolaeth Goffa Stapledon i alluogi gwyddonwyr amaethyddol ieuainc o'r naill wlad i wneud gwaith ymchwil mewn gwlad arall o'r Gymanwlad.

Gwybodaeth bersonol; *Ww*; *Jnl. Brit. Grassland Soc.*, 15 Ebr. 1960; *Biog. Memoirs Fellows R.S.*, 7, 1961; Robert Waller, *Prophet of the New Age* (1962).

Ll.P.

STEEGMAN, JOHN EDWARD HORATIO (1899-1966), awdur llyfrau ar gelfyddyd a phensaernïaeth; g. 10 Rhag. 1899 yn ardal Brentford yn fab hynaf E.J. Steegman, meddyg gyda'r llynges, a Mabel (g. Barnet) ei wraig. Cafodd ei addysg yng Ngholeg Clifton, ac yng Ngholeg y Brenin, Caergrawnt lle y graddiodd yn M.A.. Bu'n swyddog-cadet yn 1918; ac yn ohebydd am gyfnod byr cyn cael ei benodi'n ddarlithydd a thywysydd yn y *National Portrait Gallery* yn Llundain yn 1925; bu'n geidwad cynorthwyol yno o 1929 i 1945. Rhoddwyd ef ar secondiad i'r Cyngor Prydeinig i weithio yn Sbaen, Portiwgal, Ynys yr Iâ a Phalestina yn ystod Rhyfel Byd II. Ymgartrefodd yng Nghaerdydd wedi ei benodi'n Geidwad Adran Celfyddyd Amgueddfa Genedlaethol Cymru yn 1945 ond gadawodd yn 1952 i fynd yn bennaeth Amgueddfa Celfau Cain ym Montreal, Canada, lle y bu hyd 1959. Bu galw mawr arno wedi hynny fel darlithydd yng Nghanada, T.U.A. ac Awstralia.

Yn ystod ei gyfnod yn yr Amgueddfa Genedlaethol daeth yr adran gelfyddyd yn ganolfan bwysig i astudio gwaith Richard Wilson (*Bywg.*, 1022), a bu'n gefnogaeth i gelfyddyd gyfoes yng Nghymru. Cyn gadael yr Amgueddfa gwnaeth gatalog o gymynrodd Gwendoline Davies (gw. uchod). Daeth i Gymru fel arbenigwr ar bortreadau Prydeinig, a'i gyfraniad pennaf i'r Amgueddfa oedd ei arolwg o bortreadau ym mhlasau Cymru. Cyhoeddwyd *Survey of portraits in North Wales houses* (1955) wedi iddo adael Cymru, a gorffennwyd arolwg de Cymru gan R.L. Charles a'i gyhoeddi yn 1961. Cyhoeddodd nifer o erthyglau a llyfrau eraill ar gelfyddyd gan gynnwys *Hours in the National Portrait Gallery* (1928) a *The artist and the country house* (1949). Yr oedd ef ei hun yn beintiwr dyfrlliw, a'i unig frawd Philip yn beintiwr portreadau. Ni bu'n briod a dychwelodd i fyw yn 9 Sloane Gardens, Llundain, ond bu f. yn Coffinswell, Dyfnaint, 15 Ebr. 1966. Cafodd O.B.E. yn 1952.

Www; gwybodaeth gan A.D. Fraser Jenkins.

E.D.J.

STEPHEN, DOUGLAS CLARK (1894-1960), golygydd papur newydd; g. yn Leicester, 1894, yn fab i John Thomson Stephen a'i wraig. Cychwynnodd ar ei yrfa newyddiadurol drwy gynorthwyo'i dad fel gohebydd chwaraeon a newyddion cyffredinol i'r *Press Association*. Ar ôl pum ml. o hyfforddiant ar y *Leicester Mail* penodwyd ef yn is-olygydd y *Sporting Chronicle* ym Manceinion, a bu'n gweithio ar y *North Star* yn Darlington am gyfnod byr cyn dod yn is-olygydd y *South Wales Echo* yn 1916. Penodwyd ef yn olygydd y papur hwnnw yn 1922 ar adeg pan oedd cystadleuaeth frwd rhwng y papurau lleol pryd yr unwyd y *South Wales News* â'r *Western Mail*, a'r *Evening Express* â'r *South Wales Echo*. O dan ei gyfarwyddyd cynyddodd maint, cylchrediad a

dylanwad yr *Echo* yn sylweddol. Disgwyliai safon broffesiynol uchel gan ei weithwyr a didwylledd llwyr. Rhoddodd gyngor, cefnogaeth a chymorth i newyddiadurwyr pob cenhedlaeth yn eu tro, a daeth nifer ohonynt, fel Percy Cudlipp (gw. uchod), yn enwau adnabyddus yn Fleet Street yn ddiweddarach. Yn 1946 yr oedd yn un o'r deg golygydd taleithiol a deithiodd drwy Ffrainc ar wahoddiad y Wasg Daleithiol Ffrengig. Etholwyd ef yn gymrawd Sefydliad y Newyddiadurwyr yn 1951 ac ef oedd llywydd y sefydliad ddwy fl. yn ddiweddarach. Yn 1955 etholwyd ef yn aelod o fwrdd cyfarwyddwyr y *Western Mail and Echo Ltd*. Ymddeolodd yn 1957 ond y flwyddyn ddilynol bu'n swyddog cynorthwyol y wasg yng Ngemau'r Ymerodraeth yng Nghaerdydd, a chafwyd canmoliaeth o bob cwr o'r byd i'r adnoddau a drefnwyd ganddo ar gyfer y wasg bryd hynny. Bu f. 4 Meh. 1960 yn ei gartref, 7 Holmwood Terrace, Cyncoed, Caerdydd, gan adael gweddw, Lucy Helena Stephen.

S. Wales Echo a *Times*, 6 Meh. 1960; *WWP*.

M.A.J.

STEPHEN, ROBERT (1878-1966), ysgolfeistr, cerddor, hanesydd a bardd; g. 30 Medi 1878 ym Mhen-y-groes, Caern., mab Urias Stephen, `railway signalman', a'i wraig Anne. Cafodd Robert ei addysg gynnar ym Mhen-y-groes, Clynnog, ac ysgol uwchradd Croesoswallt. Aeth i Goleg y Brifysgol, Bangor, yn Hyd. 1896. Yna bu'n dysgu yn ysgol elfennol y Gyffylliog yn 1899 a dychwelodd i Fangor, lle y graddiodd yn y Gymraeg yn 1903. Bu'n athro yn Llundain o 1903 hyd 1908. Yn 1907 enillodd radd M.A. Prifysgol Cymru am draethawd yn dwyn y teitl `The poetical works of Bedo Aerddrem, Bedo Brwynllys, and Bedo Phylip Bach'. Yn 1908 aeth yn athro i ysgol breswyl yn Taunton, ond gadawodd yno ymhen y fl. oherwydd iddynt fethu cynnig swydd iddo i fyw allan. Yn Ion. 1909 fe'i penodwyd yn athro yn ysgol ramadeg Pont-y-pŵl (*Jones's West Monmouthshire School*) a bu yno hyd ei ymddeoliad yn 1948

Yr oedd yn ŵr pur amryddawn. Dysgai Gymraeg, hanes, daearyddiaeth a mathemateg. Ym mis Awst 1913 aeth am gwrs mewn daearyddiaeth i Goleg Prifysgol Cymru, Aberystwyth, i'w alluogi ei hun i ddysgu hanes a daearyddiaeth fel pwnc cyfunol. Tystiai'r Athro H.J. Fleure (gw. uchod) fod ganddo agwedd meddwl ffres nas ceid ond yn anaml mewn athrawon a adawsai'r coleg ers dros ddeng ml. Pan aeth yr athrawon cemeg a ffiseg i'r fyddin yn ystod Rhyfel Byd I ymgymerodd â'r gwaith o ddysgu'r pynciau hynny drwy'r ysgol, gan gymryd diddordeb arbennig mewn ffiseg.

Bu'n gystadleuydd eisteddfodol brwd ar hyd ei oes. Enillodd y wobr gyntaf yn Eist. Gen. Llangollen yn 1908 am gasgliad o waith Guto'r Glyn dan feirniadaeth O.M. Edwards (*Bywg.*, 179-80). Cadwodd O.M. y gwaith gyda'r bwriad o'i gyhoeddi, ond nis gwnaeth. Yn Eist. Gen. Bae Colwyn yn 1910, dan feirniadaeth O.M. Edwards drachefn, rhannodd y wobr gyda'r Parch. D.R. Jones, Caerdydd, am `y casgliad gorau o weithiau anghyhoedd unrhyw fardd Cymreig yng nghyfnod y Tuduriaid, ynghyd â byr-hanes y bardd a nodiadau beirniadol ar ei waith'. Nid oes wybodaeth pellach am y gwaith hwn. Yn Eist. Gen. y Fenni, 1913, rhannodd y wobr gyda Peter Williams, `Pedr Hir' (*Bywg.*, 1000) am ddrama fydryddol ar fywyd a marwolaeth William Herbert, Castell Rhaglan, Iarll cyntaf Penfro. Bu'n ymhél â phrydyddu, yn farddoniaeth gaeth a rhydd, ac yn ysgrifennu dramâu ar hyd ei oes. Yr oedd yn gerddor da hefyd, ac o'r un cyff ag Edward (Jones) Stephen (`Tanymarian', *Bywg.*, 867) a Robert Stephen (`Moelwynfardd', 1828-79), a oedd yn swyddog gyda'r Heddlu yng Nghonwy. Enillodd y wobr yn Eist. Gen. Ystradgynlais, 1954, am drosiad i'r Gymraeg o *libretto Princess Ju Ju*. Perffurmiwyd ei drosiad o *The Bohemian girl* yn ei bentref genedigol, Pen-y-groes, ar 11 Rhag. 1947. Cyhoeddodd oddeutu dwsin i ugain o ddarnau cerddorol ar ei gost ei hun. Ef oedd ysgrifennydd cyffredinol Eist. Gen. Pont-y-pŵl, 1924, ac ysgrifennydd cyffredinol cyntaf gŵyl gerddorol Llandudno a gynhaliwyd yn Hyd. 1945, a'i hysgrifennydd droeon ar ôl hynny. Yr oedd yn aelod o Orsedd y Beirdd dan yr enw `Robin Eryri'.

Bu'n briod ddwywaith: (1) ag Alice Noel Jones, merch i gapten llong o Borth-y-gest. Bu iddynt dri o blant; (2) yn Caxton Hall, Llundain 8 Ion. 1942 â Mary Elizabeth Owen (gweddw y Capt. Ralph D. Owen, swyddog yn y fyddin, a merch Edmund ac Elizabeth Thomas, - Edmund Thomas yn fab i Samuel Thomas, Gelli Haf, Maesycwmwr). Yr oedd teulu Gelli Haf yn bur adnabyddus ym Mynwy, a rhyw gysylltiad rhyngddynt a theulu William Thomas (`Islwyn', *Bywg.*, 912).

Ar ôl ailbriodi dechreuodd ymddiddori yn y diwydiant lacar ym Mhont-y-pŵl. Yn 1947 cyhoeddodd erthygl ar y diwydiant hwnnw yn y cylchgrawn *Apollo* ac erthygl arall yn *Antiques* (Efrog Newydd) yn 1951. Cyfrannodd erthygl ar deulu Allgood i'r *Bywg.*, 5-6.

Y mae ei lsgrau. ar deulu Allgood a'r diwydiant lacar yn yr Amgueddfa Genedlaethol, Caerdydd, a'r gweddill o'i lsgrau. yn llyfrgell Coleg y Brifysgol, Bangor, ac eithrio'i gasgliad o weithiau'r tri Bedo sydd yn y Llyfrgell Genedlaethol.

Bu f. yn ei gartref ym Mae Colwyn, 2 Ion. 1966.

Gwybodaeth bersonol.

De.J.

STEPHENS, JOHN OLIVER (1880-1957), gweinidog (A) ac athro yn y Coleg Presbyteraidd, Caerfyrddin; g. yn Llwyn-yr-hwrdd, Penf., 12 Mai 1880, mab John Stephens, gweinidog Annibynnol Llwyn-yr-hwrdd a Bryn-myrnach, a Martha ei wraig. Derbyniodd ei addysg yn ysgol Tegryn, ysgol sir Aberteifi, y Coleg Presbyteraidd, Caerfyrddin (1900-02, 1906-09), Coleg y Brifysgol, Caerdydd (1902-06), Coleg Cheshunt, Caergrawnt (1909-12). Cafodd yrfa ddisglair; enillodd fwy nag un ysgoloriaeth ac ar ddechrau ei gwrs paratoawl yn y Coleg Presbyteraidd cyn mynd yn ei flaen i'r brifysgol cyfeiriodd un o'r arholwyr allanol ato fel gŵr ifanc o alluoedd anghyffredin. Graddiodd yn B.A. (anrhydedd mewn Athroniaeth), B.D. (Cymru), M.A. (Caergrawnt); yng Nghaergrawnt bu'n fyfyriwr i Syr James George Frazer. Yn 1912 ord. ef yn weinidog heb ofal eglwys yn Llwyn-yr-hwrdd

ac yn y flwyddyn honno fe'i hapwyntiwyd i Gadair Athroniaeth y Coleg Presbyteraidd. Ef hefyd oedd yn gyfrifol am ddysgu athrawiaeth Gristionogol, hanes crefyddau a moeseg Gristnogol a bu'n gyfrwng i ddwyn perswâd ar gyfadran diwinyddiaeth Prifysgol Cymru i sefydlu cwrs mewn moeseg Gristnogol yn annibynnol ar athrawiaeth Gristnogol. Dros gyfnod o bum ml. a deugain fel athro a dysgawdr cyflwynodd i genedlaethau o fyfyrwyr batrwm o ysgolheictod a diwylliant a oedd ymhell tu hwnt i ffiniau'r pynciau a ddysgid ganddo. Yr oedd yn hyddysg yn llenyddiaeth Gymraeg, Saesneg, Almaeneg a Ffrangeg ac mor gynnar ag 1914 plediodd dros roi mwy o sylw i'r celfyddydau cain yng Nghymru (gw. `Y prydferth yng Nghymru', *Y Geninen*, Hyd. 1914). Yn 1916 derbyniodd alwad i ofalu am eglwys Heol Undeb, Caerfyrddin; gwasanaethodd hi am un ml. a deugain. Bu'n llywydd Undeb yr Annibynwyr, 1942-43 ac yn ddeon cyfadran diwinyddiaeth Prifysgol Cymru, 1955-57.

Cyfrannodd yn helaeth i'r cyfnodolion Cymraeg: yn *Y Geninen* yn ychwanegol at yr adolygiadau a'r portreadau o wŷr megis George Essex Evans, Dewi Emrys, Dylan Thomas a Dyfnallt ceir ganddo gyfieithiad o stori fer Guy de Maupassant, `Le Retour' - `Y Dychweliad' (Ion. 1921), gwerthfawrogiad cynnes o gyfraniad yr Athro Edmund Crosby Quiggin, yr ysgolhaig Celtaidd, ac astudiaeth ar `Y Celtiaid a rhyfela' (Haf 1956: trosiad gan D. Eirwyn Morgan o `Keltic War Gods' a gyhoeddwyd yn *Religions*, Gorff. 1941). Trwy gyfrwng ei gyfraniadau cyson yn *Y Tyst* cyflwynodd feddyliau a golygiadau gwŷr fel Henri Bergson, Nicolas Berdyaev, Karl Barth a Leonhard Ragaz, ac yn y golofn `Myfyrgell y diwinydd' a ddechreuodd yn Chwef. 1939 trafododd yn ddeheuig doreth o bynciau yn cynnwys astudiaethau manwl ar `Grefydd fore Ewrob', `Gwareiddiad cynharaf Ewrob' ac `Ystyr ddwyfol hanes'. Yn *Y Dysgedydd* (Ion., Awst, Tach. 1955; Gorff. 1956) ymdriniodd â chyfraniad rhai o brif ddiwinyddion athronyddol Rwsia ac yn y cylchgrawn *Religions* (Hyd. 1940) cyhoeddwyd un o'i gyfraniadau mwyaf nodedig, `The True Quality of Prayer'. Yn 1940 ef a draddododd yr *Upton Lectures* a dewisodd yn bwnc `Crisis', mewn seicoleg gymdeithasol. Cyfrannodd hefyd erthyglau yn ymwneud â chymdeithaseg, egwyddorion Annibyniaeth ac â Chymry Awstralia. Ym mis Tach. 1927 hwyliodd i Awstralia i geisio adennill ei iechyd; croniclodd hanes ei daith yn `Blwyddyn yn Awstralia' (*Y Dysgedydd*, Chwef. 1931 - Mawrth 1932) ac mewn llyfr taith sydd yn y Llyfrgell Genedlaethol (N.L.W. 20591) - dwy ffynhonnell amhrisiadwy i'r sawl sydd am wybodaeth ynglŷn â chysylltiadau Cymraeg a Chymreig y cyfandir hwnnw. Ceisiwyd ei ddenu i ymgartrefu yno, ond dychwelodd i Gaerfyrddin ac i Gymru i gyfoethogi ei bywyd a'i diwylliant fel athro, diwinydd ac athronydd, a thrwy rym ei bersonoliaeth riniol i'w harddu hefyd. Bu f. 10 Mawrth 1957.

D.L.Trefor Evans yn Pennar Davies (gol.), *Athrawon ac Annibynwyr* (1971), Dewi Eirug Davies, *Hoff ddysgedig nyth* (1976), 211-15.

D.A.E.D.

STEPHENSON, THOMAS ALAN (1898-1961), swolegydd; g. 19 Ion. 1898 yn Burnham-on-Sea, Gwlad-yr-haf, mab Thomas Stephenson, D.D., gweinidog (EF.) a'i wraig Margaret Ellen (g. Fletcher). Addysgwyd ef yn Clapham; Wrecsam; ac Ysgol Kingswood, Caerfaddon, 1909-13. Yn 1915 derbyniwyd ef i G.P.C., Aberystwyth (lle y preswyliai'r teulu, 1914-19) ond methodd â mynychu'r coleg oherwydd afiechyd. Cafodd wersi preifat gan yr Athro Herbert John Fleure (gw. uchod) a'i penododd yn arddangosydd ac a gafodd iddo anemonïau môr a gasglwyd gan y *British Antarctic Expedition* yn 1910 i'w hastudio - pwnc ei bapur cyntaf a gyhoeddwyd yn 1916. Er nad oedd ganddo radd prifysgol, caniatawyd iddo gyflwyno papurau cyhoeddedig ar gyfer gradd M.Sc. a D.Sc. Etholwyd ef yn Gymrawd o'r Gymdeithas Frenhinol yn 1951. Yn 1922 penodwyd ef yn ddarlithydd mewn swoleg yng Ngholeg y Brifysgol, Llundain, a chydweithiodd gyda'i dad yn ystod 1920-24 i gyhoeddi papurau ar degeiriannau Prydain yn *Jnl. of Botany*. O dan ei ofal ef yr oedd yr adran o'r *Great Barrier Reef Expedition* 1928-29 a astudiai'r rîff ei hunan (*Reports*, cyf. 3), a gwnaeth gyfraniad mawr i'n dealltwriaeth o dyfiant y cwrel sy'n ffurfio rîff. Yn 1930 penodwyd ef yn Athro swoleg ym Mhrifysgol Cape Town, De Affrica. Yno trefnodd arolwg eang o ddosbarthiad planhigion ac anifeiliaid môr ar hyd 1800 milltir o'r arfordir. Yn 1941 daeth yn Athro swoleg C.P.C., Aberystwyth, a gwnaeth astudiaeth arloesol o arfordir gogledd America yn 1947, 1948 ac 1952. Yr oedd yn ddarlithydd cymeradwy ac y mae'r sylw a gymerai o gynllun a lliw mewn natur ynghyd â'i dalent gynhenid yn amlwg yn ei ddarluniau eglurhaol i'w ddwy gyfrol *The British sea anemones* (1928, 1935), a *Seashore life and pattern* (1944).

Yn 1922 pr. Anne Wood o Wlad-yr-haf a'r Barri a gydweithiodd yn agos ag ef yn ei ymchwil. Bu f. 3 Ebr. 1961.

Www; Biog. Memoirs Fellows R.S., 8, 1962, 137-46; gw. *ibid.*, 147-8 am lyfryddiaeth ei bapurau cyhoeddedig.

M.A.J.

STONELAKE, EDMUND WILLIAM (1873-1960), gwleidydd a ffigur allweddol yn hanes sefydlu'r Blaid Lafur yn etholaeth Bwrdeistrefi Merthyr; g. 5 Ebr. 1873 ym Merchant St., Pontlotyn, cwm Rhymni, Morg., yr olaf o ddeg plentyn George a Hannah Stonelake, a chafodd ei fam (g. yng Nghaerloyw) ddylanwad cryf arno. Magwyd ef ar aelwyd ddi-Gymraeg ac Anglicanaidd: deubeth a'i gosododd y tu allan i'r diwylliant Anghydffurfiol, Cymraeg, Rhyddfrydol a nodweddai faes glo de Cymru yn ystod y 19g. Gadawodd yr ysgol yn ddeg oed a dechreuodd weithio dan ddaear yn unarddeg wedi i'w fam, yn eu tlodi, newid manylion ei dystysgrif geni, ond bu rhaid ymadael â'r pwll ymhen mis ar ganfod hyn ac ailgychwyn pan oedd yn ddeuddeg. Tua diwedd 1888 symudodd ef a'i fam weddw at frawd hŷn yn Aberdâr oherwydd cyflogau uwch glofeydd yno a daeth i gyswllt â thraddodiad radicalaidd y cwm. Dywedai Stonelake fod y newid wedi 'achub fy enaid'. Oddeutu 1892 dechreuodd ar fywyd cyhoeddus gyda chymdeithas gyfeillgar leol, ac fel disgybl mewn dosbarth yng ngofal C.A.H.

Green (*Bywg*.2, 19), ficer Aberdâr. Erbyn 1895 ystyriai Stonelake ei hun yn Sosialydd, ac etholwyd ef i bwyllgorau'r Mudiad Cydweithredol, Neuadd y Gweithwyr a chyfrinfa'i lofa. Maes o law, aeth yn gadeirydd Pwyllgor Gwaith Glowyr Ardal Aberdâr. Yr oedd yn un o'r myfyrwyr cyntaf o Gymru i fynychu Coleg Ruskin yn Awst 1901. Gwnaeth y profiad argraff barhaol arno, ond dychwelodd i'r lofa yn Aberdâr ymhen pum mis. Bu wrth y talcen glo hyd 1913 pryd yr etholwyd ef gan ei gydweithwyr yng nglofa'r Bwllfa yn arolygydd diogelwch yn y pwll yn ôl Deddf Mwynau 1911. Ef oedd y person cyntaf ym Mhrydain i'w ethol felly, ond heriwyd ei hawl gan y cwmni a oedd ym meddiant teulu Syr D.R. Llewellyn (gw. Atod. isod) nes i Keir Hardie sicrhau ei awdurdod ar lawr Tŷ'r Cyffredin. Wedyn etholwyd ef yn gynrychiolydd cyflog isafswm ei gydweithwyr, a bu yn y swyddi hynn tan 1946. Erbyn 1897 yr oedd yn aelod o Gymdeithas Sosialaidd Aberdâr, a bu'n ysgrifennydd y Cyngor Undebau Llafur lleol, 1902-29. Ar awgrym y Cyngor hwn dechreuwyd yn 1902 enwebu ymgeiswyr Llafur yn rheolaidd i'w hethol i'r awdurdod lleol yn Aberdâr. Yn 1904 etholwyd Stonelake ei hun i'r awdurdod, a bu'n gadeirydd y cyngor lleol, 1909-10. Gwasgodd Stonelake a'r aelodau Llafur bolisi o fenter gyhoeddus ar yr awdurdod. Cychwynasant sustem tramiau cyhoeddus a chyflenwad trydan i oleuo tai a strydoedd; ac fel awdurdod addysg dan Ddeddf 1902 cychwynasant ysgol i blant dan nam corfforol a meddyliol (1913) a chlinig i fabanod (1915). Yr oedd Stonelake ei hun falchaf o benodi yn 1907 swyddog iechyd i ysgolion yr awdurdod, ac wedyn wasanaeth i fwydo disgyblion anghenus. Bu hefyd yn flaenllaw yn sefydlu Ysbyty Cyffredinol Aberdâr (1915). Rhwng 1904 ac 1914 arweiniodd ymgyrch gref yn erbyn cyflwr gwael tai'r ardal. O'r herwydd, dechreuodd y cyngor lleol godi tai cyhoeddus ychydig cyn y Rhyfel gan ailgychwyn yn 1918. Eithr costiodd sgandal am lygredd ariannol rhai o swyddogion tai y cyngor rhwng 1919 ac 1922 ac ddrud i Stonelake fel cadeirydd y pwyllgor tai; er nad oedd ganddo ran yn y drosedd collodd ei sedd am byth ar yr awdurdod yn 1922. Tanlinellwyd ei fod yn ddieuog pan benodwyd ef yn Ynad Heddwch yn 1928 (swydd a ddaliodd tan 1950). Ef oedd cydlynydd yr ymdrech i gynnal tua 10,000 o lowyr a'u teuluoedd yn ystod eu streic yn 1926 a barhaodd am chwe mis wedi i'r Streic Gyffredinol ddod i ben. Bu'n ysgrifennydd y Blaid Lafur yn yr etholaeth (1929-45), a threuliodd lawer o'i amser yn ystod gorthrwm yr 1930au yn trefnu gwrthdystiadau'r di-waith ac yn eu hyfforddi ar gyfer profion y *Court of Referees* oedd yn cyson herio'u hawl i fudd-dal.

Yr oedd ganddo'r dirmyg mwyaf tuag at C.B. Stanton (*Bywg*.2, 54) am iddo 'gilio o'i blaid' a bradychu Keir Hardie ar awr gyfyng yn 1914. Stonelake oedd Cynrychiolydd pob ymgeisydd a roed i fyny yn erbyn Stanton wedi marw Keir Hardie, ac mae ei sylwadau ar T.E. Nicholas ac etholiad 1918 yn arbennig o ddadlennol. Ni fu Stonelake yn ffigur cenedlaethol, eithr gwasanaethai arweinwyr eangach. Gweithiai'n ddygn dros wreiddio'r Blaid Lafur yn ddwfn yng nghanol maes glo de Cymru. Estynnodd rhychwant ei weithgaredd o ddyddiau ymylol yr I.L.P. ar ddiwedd y 19g.

hyd gyfnod y llywodraeth Lafur gyntaf i feddu mwyafrif sicr dan Attlee yn 1945. Y mae ei fywyd yn enghraifft glasurol o'r ymdrech a roes i'r Blaid Lafur oruchafiaeth yng ngwleidyddiaeth de Cymru yn yr 20 g.

Pr., yn 1895, Rebecca Hobbs (m. 1950) a bu iddynt chwe mab a dwy ferch. Bu f. 5 Ebr. 1960.

A. Mor-O'Brien (gol.), *The autobiography of E. Stonelake* (1981); *Aberdare Trades & Labour Council Jubilee Souvenir* (1950); *Morgannwg*, 26 (1982), 53-71; *Aberdare Almanack*, 1904-22; *WwW* (1921 & 1937); adneuon W.W. Price yn Llyfrgell Ganol Aberdâr; *Merthyr Express*, 8.8.1914; *Aberdare Leader*, 15.8.1914, 8.4.1922, 16.9.1922, 11.5.1929, 9.4.1960, 16.4.1960 a 7.5.1960; *Llafur*, 4, rhif 3 (1986), 31-54; *Welsh History Review*, 14, rhif 3 (1989), 399-416; gwybodaeth gan ei ŵyr.

D.L.D.

STRACHAN, GILBERT INNES (1888-1963), Athro meddygaeth; g. ym Mryste ym mis Awst 1888, mab James ac Agnes Strachan. Addysgwyd ef yn ysgol uwchradd a Phrifysgol Glasgow a graddio mewn meddygaeth yn 1910. Aeth i Ysbyty Llundain hyd Ryfel Byd I pryd y daeth yn gapten yn adran feddygol y fyddin. Daeth i Gaerdydd yn 1919 fel patholegydd cynorthwyol i astudio erthyliadau. Chwaraeodd ran fawr yn sefydlu ysgol glinigol yng Nghaerdydd. Yn 1932 penodwyd ef yn Athro obstetreg a gynaecoleg yn Ysgol Feddygol Cymru, a pharhaodd yn y swydd hyd nes ymddeol yn 1953. Yr oedd yn ddarlithydd rhugl, ac er ei fod yn athrawiaethol, symbylai ei wrandawyr, a gadawodd argraff ddofn ar genedlaethau o fyfyrwyr. Gweithiodd yn ddiflino yn yr ysbyty, a chynnal practis breifat. Arloesodd mewn trin cancr y groth gyda radiwm a chyfrannodd yn helaeth ar y pwnc i lenyddiaeth feddygol. Ysgrifennai'n rhwydd a chlir ar amryw destunau a chyhoeddodd werslyfr safonol, *Textbook of obstetrics* (1947). Gwasanaethai Brifysgolion Cymru, Birmingham, Bryste a Rhydychen fel arholwr yn ei bwnc. Aeth i Sydney a Melbourne, Awstralia, yn 1950 i ddarlithio ac arholi myfyrwyr ar ran y Coleg Brenhinol i Fydwyr a Gynaecolegwyr yr oedd ef yn aelod sylfaenol ohono ac y daeth yn is-lywydd iddo, 1952-55. Cymerai ddiddordeb brwd mewn gwleidyddiaeth a'r celfyddydau. Cyflwynodd lawer o'i gasgliad gwych o borslen Spode a Tseina i Amgueddfa Genedlaethol Cymru. Derbyniodd C.B.E. yn 1953.

Pr. Olive Andrews yn 1920 a bu iddynt un mab. Gwnaeth ei gartref yn 29 Cathedral Road, Caerdydd, lle y bu f. 9 Rhag. 1963.

Times, 14 Rhag. 1963.

E.D.J.

T

TELYNOR MAWDDWY - gw. ROBERTS, DAVID uchod.

THICKENS, JOHN (1865-1952), gweinidog (MC), hanesydd ac awdur; g. 9 Mawrth 1865 yn Aber-nant-cwta, Cwmystwyth, Cer., mab i David a Sarah Thickens. Bu farw'i dad pan oedd yn ieuanc, a symudodd y fam a'i theulu i'r Pentre, Cwm Rhondda, ac yno, yn eglwys Nasareth, y dechreuodd bregethu. Addysgwyd ef ar gyfer y weinidogaeth yng Ngholeg Trefeca. Ord. ef yn 1894, a'r un flwyddyn pr. Cecilia Evans o Ddowlais (chwaer Syr David W. Evans); ganwyd iddynt bump o ferched. Bu'n gweinidogaethu yn Libanus, Dowlais (1892-94) a'r Tabernacl, Aberaeron (1894-1907). Yno dechreuodd gyfathrachu â'i ewythr, brawd ei fam, Joseph Jenkins, (1861-1929, *Bywg.*, 411, *Bywg.*2, 111) a oedd yn weinidog yn y Ceinewydd; ffrwyth y gwmnïaeth honno oedd y cynadleddau yng ngodre Ceredigion a fu'n gychwyniad i Ddiwygiad 1904-05. Symudodd i Lundain yn 1907 i fugeilio eglwys Willesden Green, ac yno y bu nes iddo ymddeol yn 1945. Bu'n treiglo o le i le wedyn - Aberaeron, Castell-nedd, Llanwrtyd - gan luestu o'r diwedd yn Leamington Spa. Bu f. yno 29 Tach. 1952; hebryngwyd ei lwch o Amlosgfa Caergrawnt i fynwent Hen Fynyw ger Aberaeron.

Yr oedd yn bregethwr nodedig yn nyddiau'i nerth, a châi oedfeuon eirias ar adegau. Cyfrinydd ydoedd wrth natur, ac er cymaint oedd ei ddiddordeb mewn diwinyddiaeth, hanes ac emynyddiaeth, y cyfrinwyr oedd ei hoff fyfyrdod. Bu'n ŵr amlwg ym mywyd ei Gyfundeb; bu'n llywydd Sasiwn y De (1938), ac yn llywydd y Gymanfa Gyffredinol (1945). Cyhoeddodd esboniad ar Lyfr yr Actau yn 1925. Traddododd y Ddarlith Davies (1934), ac fe'i cyhoeddwyd yn gyfrol swmpus yn 1938 dan y teitl *Howel Harris yn Llundain*. Trwythodd ei hun yn hanes ac ethos Methodistiaeth Galfinaidd Cymru; ef oedd cadeirydd Pwyllgor Hanes y Cyfundeb (1939-52), a chyfrannodd lawer i *Gylchgrawn* y Gymdeithas Hanes. Ceir ei ysgrifau craff ar y 'tadau' Methodistaidd yn y llyfryn hardd a gyhoeddodd Henaduriaeth Llundain yn 1935 i ddathlu deucanmlwyddiant y Diwygiad Methodistaidd. Bu'n olygydd *Y Drysorfa* (1929-33), ac ysgrifennodd lawer i'r cylchgrawn hwnnw yn ogystal ag i'r *Traethodydd* a'r *Goleuad*; yr oedd ganddo reddf a thrylwyredd y gwir hanesydd; mynnai fynd i lygad y ffynnon bob amser; ei duedd oedd rhedeg ar ôl ambell ysgyfarnog, a hynny efallai yw gwendid ei Ddarlith Davies. Yr oedd ei arddull bedantig a gor-ramadegol hefyd yn faen tramgwydd i lawer o'i edmygwyr. Bu'n aelod o bwyllgor *Llyfr emynau'r Methodistiaid* (1927), a chwilotodd lawer ar hanes yr emynwyr a'u cynhyrchion. Ef a baratôdd y llawlyfr poblogaidd ar y casgliad uchod, *Emynau a'u hawduriaid* (1947; 1961, arg. newydd wedi ei ddiwygio, gydag ychwanegiadau', gan Gomer M. Roberts). Arfaethasai gyhoeddi cofiant i'w ewythr hyglod, Joseph Jenkins, a chyhoeddwyd yr hyn a baratôdd yn *Y Drysorfa*, 1961-63.

Trys. Plant, 1938, 68-71; *Drys.*, 1938, 90-4, ac Ebr. 1953; *Gol.*, 31 Rhag. 1952; *Blwyddiadur MC*, 1954, 232-33; S. Evans a G.M. Roberts (gol.), *Cyfrol Goffa Diwygiad 1904-1905* (1954), 25ff.; W. Morris (gol.), *Deg o enwogion* (1965), 27-34; gwybodaeth gan y Parch. D. Lewis Evans; adnabyddiaeth bersonol.

G.M.R.

THODAY, DAVID (1883-1964), botanegydd, Athro prifysgol; g. 5 Mai 1883 yn Honiton, Dyfnaint, yr hynaf o chwe phlentyn David a Susan Elizabeth (g. Bingham) Thoday. Ysgolfeistr oedd y tad, a symudodd y teulu i Lundain lle y cafodd y mab ei addysg yn ysgol ramadeg Tottenham, 1894-98, cyn ymaelodi yng Ngholeg y Drindod, Caergrawnt yn 1902. Arbenigodd mewn botaneg o dan gyfarwyddyd H. Marshall Ward, A.C. Seward a F.F. Blackman. Cafodd ddosbarth cyntaf yn nwy ran y Tripos yn 1905 ac 1906 ac enillodd Fedal Walsingham yn 1908. Wedi treulio dwy fl. (1909-11) yn Arddangosydd ('Demonstrator') Prifysgol mewn botaneg yng Nghaergrawnt penodwyd ef yn ddarlithydd mewn botaneg ffisiolegol ym Mhrifysgol Manceinion yn 1911 ac yna yn 1918 i Gadair Harry Bolas mewn botaneg ym Mhrifysgol Cape Town, De Affrica. Yn 1923 aeth i Goleg Prifysgol Gogledd Cymru, Bangor, yn Athro Botaneg, yn olynydd i Reginald W. Phillips, a bu yno nes iddo ymddeol yn 1949. Ar ôl ymddeol bu'n athro ffisioleg planhigion ym Mhrifysgol Alexandria, yr Aifft, ond dychwelodd i Fangor yn 1955.

Enillodd radd Sc.D. (Caergrawnt); etholwyd ef yn F.R.S. yn 1942 a dyfarnwyd iddo radd D.Sc. (Cymru) er anrh. yn 1960. Cyhoeddodd *Botany: a textbook for senior students* (1915; 5 argraffiad) a nifer o erthyglau pwysig yn ei faes gan gynnwys cyfres ar y planhigion suddlon *Kleinia articulata*, yn arbennig eu metabolaeth asidig. Yr oedd ei ddarlith lywyddol i'r *British Association*, Adran K, yn 1939, 'The interpretation of plant structures', yn arloesol.

Cynorthwywyd ef yn llawer o'i waith gan ei wraig a br. 15 Meh. 1910, hithau, dan ei henw Mary Gladys Sykes o Goleg Girton a chymrawd ymchwil Coleg Newnham, yn awdur nifer o bapurau ar destunau botanegol. Merch John Thorley Sykes o'r Orsedd, Dinb., oedd hi, a bu iddynt bedwar mab. Bu f. ei wraig yn 1943, a bu yntau f. yn Llanfairfechan 30 Maw. 1964.

Biog. Memoirs Fellows R.S., xi (1965), 177-83; gw. *ibid.*, 184-5 am lyfryddiaeth ei bapurau gwyddonol, 1905-63; *Times*, 1 Ebr. 1964.

E.D.J.

THOMAS, DAVID (1880-1967), addysgwr, awdur ac arloeswr y Blaid Lafur yng ngogledd Cymru; g. 16 Gorff. 1880 yn fab i David Thomas a'i briod Elizabeth (g. Jones), Quarry Cottage, Llanfechain, Tfn. Addysgwyd ef yn ysgolion Llanfechain a Llanfyllin gyda thymor yn ysgol ramadeg Croesoswallt cyn dechrau gweithio mewn siop ddillad yn Llanfyllin. Cyn hir aeth yn ddisgybl-athro (1895-99) yn yr ysgol Frytanaidd yno, a chael swydd athro didrwydded ym Mhen-sarn, ger Amlwch, Pen-y-bont ar Ogwr, a Walton-on-Thames. Manteisiodd ar y cyfle i fynychu dosbarth yn Llundain ar y Sadyrnau i'w baratoi ei hun ar gyfer arholiad i ennill tystysgrif athro. Bu'n dysgu wedyn yn Cradley; Rhostryfan (1905-09); Tal-y-sarn, Caern. (1909-20); ac Ysgol Ganolraddol Bangor (1922-45). Ac yntau'n wrthwynebwr cydwybodol, bu'n gweithio ar fferm ger Wrecsam yn ystod Rhyfel Byd I a threuliodd gyfnod byr (1920-22) yn ysgrifennydd Cyngor Llafur Gogledd Cymru, pryd yr ymgartrefodd yng nghyffiniau'r Drenewydd.

Wedi dychwelyd i Gymru, gweithiodd yn egnïol i ffurfio undebau llafur a changhennau o'r Blaid Lafur Annibynnol yng ngogledd Cymru, gan gynorthwyo i sefydlu Cyngor Llafur sir Gaernarfon yn 1912 a Chyngor Llafur Gogledd Cymru yn 1914 (bu'n ysgrifennydd iddo am gyfnod). Cymerodd ran flaenllaw mewn dadl ar Sosialaeth yn *Yr Herald Cymraeg* yn 1908 ac yn dilyn hynny cyhoeddwyd ei gyfrol gyntaf, *Y werin a'i theyrnas* (1910), a ddylanwadodd ar nifer o undebwyr a Llafurwyr Cymru. Cymerodd ddiddordeb mawr mewn addysg pobl mewn oed. Bu'n athro ar ddosbarthiadau Cymdeithas Addysg y Gweithwyr yn sir Gaernarfon am gyfnod hir (1928-59), a daliodd gysylltiad swyddogol â'r gymdeithas hyd ei f. Yn 1944 cychwynnodd *Lleufer*, cylchgrawn Cymdeithas Addysg y Gweithwyr a bu'n ei olygu hyd 1965. Cafodd radd M.A. am draethawd ar 'A study of a rural and maritime community in the nineteenth century, with special reference to the relation between agriculture and shipping' (Lerpwl, 1928), ac M.A. er anrh. Prifysgol Cymru yn 1960.

Yr oedd yn areithydd a darlledydd radio effeithiol iawn ac ysgrifennodd lawer, yn erthyglau, pamffledi a llyfrau, ar bynciau amrywiol, gan gynnwys: *Y Blaid Lafur a dinasyddiaeth y gweithiwr* (1912), *Y Cynganeddion Cymreig* (1923), *Y ddinasyddiaeth fawr* (1938), *Hen longau a llongwyr Cymru* (1949), *Cau'r tiroedd comin* (1952), *Llafur a senedd i Gymru; ysgrifau, llythyrau a sgyrsiau* (1954), cofiant *Silyn (Robert Silyn Roberts) 1871-1930* (1956), *Ann Griffiths a'i theulu* (1963); a cholofn 'Glendid iaith' yn *Y Faner* (c. 1957-62). Cyflwynwyd iddo gyfrol Ben Bowen Thomas (gol.), *Lleufer y werin; cyfrol deyrnged i David Thomas, MA* (1965), a chyhoeddwyd wedi ei f. ei hunangofiant, *Diolch am gael byw* (1968). Cedwir rhai o'i bapurau yn Llyfrgell Genedlaethol Cymru.

Pr., 26 Gorff. 1919, ag Elizabeth Ann Williams, New Broughton (bu f. 1955 ar ôl gwaeledd maith) a bu iddynt fab a merch. Bu f. yng nghartref ei ferch, gweddw Herman Jones (gw. uchod), yn 2 Pen-y-bryn, Burry Port, Caerf. ar 27 Meh. 1967.

Ei hunangofiant; D. Ben Rees, *Cymry adnabyddus 1952-72* (1978); WWP.

M.A.J.

THOMAS, DAVID EMLYN (1892-1954), gwleidydd ac undebwr llafur; g. 16 Medi 1892 ym Maesteg, Morg., yn un o naw o blant. Yr oedd ei dad James Thomas yn frodor o Gilgerran a'i fam o Gastellnewydd Emlyn. Treuliodd gyfnodau byr o'i blentyndod yng Nghilgerran ac Aberteifi. Addysgwyd ef mewn ysgolion cynradd ym Maesteg, a mynychodd ddosbarthiadau nos mewn mwyngloddio ac archwilio pyllau glo gan ennill cymwysterau mewn peirianyddiaeth. Yn 1906, ac yntau'n 13 oed, dechreuodd weithio fel clerc ym mhyllau glo Oakwood a'r Garth, symudodd i bwll glo yn Llantrisant ac yna i bwll glo'r Caerau, Maesteg. Daeth yn swyddog llawn-amser o Ffederasiwn Glowyr De Cymru yn 1919 a gwasanaethodd fel ysgrifennydd i Vernon Hartshorn (*Bywg.*, 323) a Ted Williams (gw. Williams, Syr Edward John isod). Yn yr un flwyddyn ymunodd â'r Blaid Lafur. Daeth yn ysgrifennydd rhanbarth Aberdâr o'r Ffederasiwn yn 1934, a symudodd ef a'i deulu i fyw i'r ardal. Yn 1936 etholwyd ef gyda mwyafrif llethol yn gynrychiolydd y glowyr yng nghymoedd Merthyr ac Aberdâr yn olynydd i Noah Ablett (*Bywg.*2, 67), a daeth yn aelod ymgynghorol o bwyllgor gwaith rhanbarth de Cymru o Undeb Cenedlaethol y Glowyr. Yr oedd yn arbenigwr ar yr iawndal a delid i weithwyr.

Ar 5 Rhag. 1946 mewn is-etholiad daeth yn A.S. (Ll) dros etholaeth Aberdâr yn olynydd George Hall (gw. uchod). Parhaodd i gynrychioli'r sedd hon yn y senedd hyd ei farwolaeth. Ailetholwyd ef gyda mwyafrif o bron 28,000 yn 1951. Yr oedd yn aelod tawel, diymhongar a wasanaethai'i etholwyr yn gydwybodol bob amser. Dewiswyd ef yn gadeirydd ar y grŵp Llafur Seneddol Cymreig yn Nhŷ'r Cyffredin yn 1949-50. Y mae ei bapurau gwleidyddol yn y Llyfrgell Genedlaethol. Yr oedd yn Gymro Cymraeg, yn ddiacon ac yn athro ysgol Sul yng nghapel Ebenezer (A), Trecynon, Aberdâr. Yr oedd yn weithgar mewn nifer o gymdeithasau diwylliannol yn y cwm, yn aelod o Undeb Corawl Trecynon ac amryw bwyllgorau eisteddfodol. Garddio oedd un o'i brif ddiddordebau.

Pr. yn 1923 â Bessie Thomas (bu f. 10 Medi 1953), ysgolfeistres ym Maesteg. Bu iddynt fab a dwy ferch. Yn dilyn trawiad ar y galon bu f. 20 Meh. 1954 yn ei gartref, 65 Broniestyn Terrace, Trecynon, Aberdâr.

Www; Dod's Parliamentary Companion; West. Mail, 31 Maw. 1936; *Merthyr Express,* 9 Awst 1947; *Aberdare Leader,* 14 Rhag. 1946, 19 Medi 1953 a 26 Meh. 1954; *Times,* 21 Meh. 1954; WWP.

J.G.J.

THOMAS, DAVID FFRANGCON (1910-63), sielydd; g. 19 Medi 1910 ym Mhlas-marl, Abertawe, mab W. Roger Thomas. Cafodd ei enw Ffrangcon ar ôl y canwr David Thomas Ffrangcon Davies (*Bywg.*, 108), un o arwyr ei dad. Pan oedd yn un ar ddeg oed dechreuodd ddysgu'r sielo gyda Gwilym Thomas, Port Talbot, ac ymhen dwy flynedd enillodd ysgoloriaeth i Ysgol Sielo Herbert Walenn yn Llundain. Cafodd wobrau yn Eisteddfodau Cenedlaethol Pont-y-pŵl (1924) ac Abertawe (1926). Wedi astudio ymhellach yn yr Academi Gerdd Frenhinol, lle'r enillodd fedalau efydd ac arian, ynghyd ag ysgoloriaeth Ada Lewis, bu'n aelod o nifer o gerddorfeydd, gan gynnwys Cerddorfa Ffilharmonig Llundain a Cherddorfa Simffoni y B.B.C. Bu'n perfformio hefyd yn Neuadd Wigmore ac yn y Tŷ Opera Brenhinol, Covent Garden. Yn ystod Rhyfel Byd II bu'n gwasanaethu yn y fyddin ac yna bu'n astudio ym Mhrâg wrth draed Pravoslav Sadlo a Rafael Kubelik. Cafodd yrfa brysur fel unawdydd ym Mhrydain a theithiodd i Awstralia a'r Dwyrain Pell. Ffurfiodd ddeuawd gyda'r telynor Ósian Ellis, gan ddarlledu a gwneud record i gwmni Delysé. Ymdrechodd i sefydlu cerddorfa Gymreig, a llwyddodd i gynnal pedair cyngerdd yn 1954-55. Pr. Dorothy C. Mallinson yn 1941 a bu iddynt ferch. Bu f. 10 Rhag. 1963 yn Llundain a chladdwyd ei lwch yn eglwys Nicholaston ym mro Gŵyr.

WWP; West. Mail, 11 Rhag. 1963; [Y Ddinas, (Llundain), 1, rhif 5, Chwef. 1947, 8].

Rh.G.

THOMAS, DYLAN MARLAIS (1914-53), bardd a llenor; g. 27 Hyd. 1914 yn Abertawe, yn fab i David John Thomas a'i wraig Florence Hannah (g. Williams); hanent ill dau o dras gwledig a Chymraeg yn siroedd Ceredigion a Chaerfyrddin. Bu'r tad, a oedd yn nai i Gwilym Marles (Bywg., 913), yn athro Saesneg yn ysgol ramadeg Abertawe o 1899 hyd 1936, a bu Dylan Thomas yn ddisgybl yno o 1925 hyd 1931. Dyna oedd yr unig gyfnod o addysg ffurfiol a gafodd. Aeth wedyn yn is-ohebydd i'r South Wales Daily Post am ryw bymtheg mis, ond gwelwyd ffrwyth ei ddiddordeb cynnar mewn barddoniaeth Saesneg eisioes yn y pedwar nodlyfr lle y cofnododd y cynharaf o'i gerddi aeddfed rhwng 1930 ac 1933. Y nodlyfrau hyn oedd prif ffynhonnell y cerddi a ymddangosodd yn y tair cyfrol gyntaf a gyhoeddodd: 18 poems (Llundain, 1934), Twenty-five poems (Llundain, 1936), a The map of love (straeon byrion a cherddi: Llundain, 1939). Canlyniad cyhoeddi cerddi unigol yng nghylchgronau Llundain oedd ei gyfrol gyntaf, a hyn yn ei dro a barodd iddo symud i Lundain ym mis Tach. 1934. Yn ystod y 1930au cafodd ei waith sylw cynyddol yn America yn ogystal ag ym Mhrydain, ac fe'i gwahoddwyd i adolygu llyfrau ar gyfer cylchgronau blaenllaw Llundain. Patrwm gweddill ei yrfa oedd symud ar yn ail rhwng cylch llenyddol-gymdeithasol Llundain a chyfnodau mwy creadigol yng Nghymru. Dechreuodd cyfeillgarwch agos rhyngddo a'r bardd Vernon Watkins yn Abertawe yn 1935.

Cyfarfu â Caitlin Macnamara yn 1936 a phriodasant y flwyddyn wedyn. Ym mis Mai 1938 symudasant i fyw yn Nhalacharn, Caerf., am y tro cyntaf; bu'r pentref hwn, sydd ynghlwm wrth ei enw bellach, yn ddylanwad cryf ar ei farddoniaeth a'i rhyddiaith ddiweddarach. Derbyniasai wobr barddoniaeth Blumenthal o America, ac yr oedd wrthi'n ysgrifennu'r straeon byrion hunangofiannol a gyhoeddwyd dan y teitl Portrait of the artist as a young dog (Llundain, 1940). Yr oedd realaeth smala'r straeon hyn yn wahanol iawn i'r elfen macabre a swrealaidd yn ei waith cynnar, a geir yn A prospect of the sea (Llundain, 1955). Ar ôl dechrau Rhyfel Byd II cychwynnodd ar y gwaith o lunio sgriptiau radio i'r B.B.C. a darlledu sgyrsiau a darlleniadau. Bu'n ddarlledwr poblogaidd hyd ddiwedd ei oes a gwelir ansawdd ei waith radio yn y gyfrol Quite early one morning (Llundain, 1954). O 1942 hyd ddiwedd y rhyfel fe'i cyflogwyd i lunio sgriptiau i Strand Films yn Llundain; enghraifft o'i waith yn y cyfrwng yma yw The doctor and

the devils (Llundain, 1953).

Yr oedd y rhyfel wedi ymyrryd â'i waith barddonol, er iddo ymgartrefu fwyfwy yng Nghymru tua diwedd y rhyfel. Yn Llan-gain a Cheinewydd yn 1944-45 cychwynnodd ar gyfnod newydd o waith creadigol fel bardd. Dyma oedd y cyfnod mwyaf cynhyrchiol ers y blynyddoedd cynnar yn Abertawe, a gwelwyd y ffrwyth yn Deaths and entrances (Llundain, 1946). Ar ddiwedd y rhyfel, fodd bynnag, dechreuodd ymddiddori hefyd mewn ymweld ag America, ac yr oedd y rheidrwydd i ennill bywoliaeth (yn bennaf trwy waith ar gyfer ffilmiau a radio) yn golygu byw o fewn cyrraedd i Lundain. O 1946 hyd 1949, felly, bu'r bardd a'i deulu yn byw yn Rhydychen neu'r cyffiniau. Ymwelodd â Phrâg yn 1949 ar wahoddiad llywodraeth Siecoslofacia.

Symudodd i fyw yn y 'Boat House' yn Nhalacharn ym mis Mai 1949, ac yno y ganwyd ei drydydd plentyn. Ei fwriad oedd sefydlu cartref parhaol yno, trwy gymorth ariannol ymweliadau ag America, o bosibl, lle yr oedd bri ar ei enw fel bardd. Chwef.-Meh. 1950 oedd cyfnod ei ymweliad cyntaf ag America, ac aeth deirgwaith yn rhagor yn 1952 ac 1953. Y gwaith unigol a gymerodd y rhan fwyaf o'i amser o 1950 ymlaen oedd y ddrama radio Under Milk Wood (Llundain, 1945), a ysbrydolwyd yn bennaf gan awyrgylch a thrigolion Talacharn ei hun. Yn ystod ei ail daith yn America cyhoeddwyd yr olaf o'i gyfrolau unigol o gerddi, yn America yn unig, sef In country sleep (Efrog Newydd, 1952). Dyma gwblhau'r rhestr o gyfrolau a oedd i'w cynnwys yn ei Collected poems 1934-1952 (Llundain, 1952), a enillodd wobr barddoniaeth Foyle. Ond o ganlyniad i'w yfed gormodol a'i agwedd anghyfrifol at arian profodd ansefydlogrwydd personol ac ariannol na allai hyd yn oed yr ymweliadau llwyddiannus ag America ei ddatrys, a hyn yn ei dro yn esgor ar lai a llai o gynnyrch newydd gartref. Bu f. yn Efrog Newydd ar 9 Tach. 1953, ac fe'i claddwyd yn Nhalacharn.

Walford Davies, Dylan Thomas (1972); [J. Alexander Rolph, Dylan Thomas: a bibliography (1974); George M.A. Gaston, Dylan Thomas: a reference guide (1987); Ralph Maud, Dylan Thomas in print (1970) a gw., ymhlith llawer o fywgraffiadau, Paul Ferris (1977), John Ackerman (1964,1991), G.S. Fraser (1964), Constantine FitzGibbon (1965), Daniel Jones (1977)].

W.D.

THOMAS, EVAN LORIMER (1872-1953), offeiriad ac ysgolhaig; g. 21 Chwef. 1872, mab David Walter Thomas, ficer S. Ann, Llandygái, Caern., a'i wraig Anna ('Morfudd Eryri') (Bywg., 886). Addysgwyd ef yn Ysgol Westminster ac yng Ngholeg Iesu, Rhydychen. Yr oedd yn ysgolor o'i goleg, fel ei dad. Cafodd hyfforddiant am urddau sanctaidd yn Ysgol y Clerigwyr, Leeds. Bu'n gurad eglwys y Santes Fair, Bangor, 1897-98, Wrecsam, 1898-1900, Cuddesdon, swydd Rhydychen, 1901-02, a Bae Colwyn, 1902-03. Pr. Mary Rice-Williams, Caergybi, yn 1903 ac yr oedd un mab o'r briodas.

Yn 1903 daeth yn Athro'r Gymraeg yng Ngholeg Dewi Sant, Llanbedr Pont Steffan. Yma llafuriai'n galed i sicrhau lle'r iaith yn y cwricwlwm ac ym mywyd y coleg. Ailddechreuodd gwrs anrhydedd yn y

Gymraeg, sefydlodd Lyfrgell Gymraeg, gan gynnwys Casgliad Cenarth a brynwyd gan y coleg yn 1904, a dechreuodd er mwyn y myfyrwyr Cymraeg Gymdeithas y Brythoniaid a oedd yn cyfarfod bob yn ail nos Sadwrn yn ei dŷ heb air o Saesneg. Ar brynhawn Sul cynhaliai ddosbarth Beiblaidd yn Gymraeg i'r myfyrwyr. Symudodd yn 1915 i swydd ficer Treffynnon, ac yn 1922 i'r un swydd ym mhlwyf Tywyn, Abergele. Cyhoeddodd esboniadau Cymraeg ar Efengyl Luc yn 1920 ac 1922 ac ar 1 Corinthiaid yn 1934. Daeth yn archddiacon Maldwyn a ficer Llansantffraid-ym-Mechain yn 1938. Ymddeolodd yn 1944 ac aeth i fyw yn Llanfairfechan. Dyn addfwyn a chadarn ydoedd, yn cael adloniant ym mhob math o chwaraeon, ond yn arbennig drwy bysgota ac mewn ornitholeg. Bu f. 9 Ebr. 1953, a'i gladdu yn S. Seiriol, Caergybi.

Www; archifau Coleg Prifysgol Dewi Sant.

D.T.W.P.

THOMAS, EVAN ROBERT (1891-1964), saer dodrefn ac arweinydd y Cymry yn Awstralia; g. 8 Ion. 1891 yn Yspyty Ifan, Dinb., yn fab i Robert E. Thomas a'i wraig Jane, ond symudodd y teulu i Drefriw, Caern., ac addysgwyd ef yn ysgol sir Llanrwst. Aeth i Awstralia *c.* 1908. Yr oedd yn saer coed crefftus iawn a cheir llawer o baneli pren o'i waith yn adeiladau cyhoeddus Melbourne.

Gan y gwyddai'r anawsterau a wynebai ymfudwyr âi i gyfarfod pob llong o Brydain a gofalu fod gan bob Cymro a ddeuai i'r lan lety i fynd iddo. Yr oedd yn weithiwr diarbed a brwdfrydig iawn ymhlith y Cymry. Bu'n ysgrifennydd (1932-58) y *Cambrian Society* a gyfarfyddai unwaith y mis yn Neuadd Dewi Sant, Stryd Latrobe, Melbourne, pryd y cynyddodd yr aelodaeth o tua 30 i dros 300, a bu'n llywydd yn 1958-59. Cyfrannai golofn i gylchgrawn y gymdeithas, *The Cambrian*, tra parodd (1939-46), ac i'r *Welsh Australian* cyn hynny (1938-39). Bu'n ysgrifennydd Undeb y Cymdeithasau Cymreig er 1932 ac ef, fel ysgrifennydd (1934-53) Cymdeithas Gŵyl Ddewi, a drefnai'r dathliadau blynyddol; ef oedd y llywydd yn 1955. Cadwai mewn cysylltiad â Chymru; etholwyd ef yn is-lywydd y Cymry ar Wasgar yn 1960 ac yn is-lywydd Anrh. Gymd. y Cymm. yn 1957. Pr. 7 Awst 1915 â Gwladys B. Davies, Maryborough, a bu iddynt bump o blant. Gwnaethant eu cartref yn Ael-y-bryn, 77 Stryd Murray, Caulfield, Victoria. Bu f. 6 Medi 1964 a chynhaliwyd y gwasanaeth angladdol yng Nghapel Cymraeg Stryd Latrobe. Claddwyd ef ym Mynwent Newydd Cheltenham.

Who's who in Australia, 1962; Myfi Williams, *Cymry Awstralia* (1961), 160-3; *Traf. Cymm.*, 1964, rhan ii, 350; *Age* (papur Awstralia), 7 Medi 1964.

M.A.J.

THOMAS, HENRY MORGAN STAFFORD (1896-1968), gweinidog (MC) a bardd; g. ef yn Glenview, Melin Ifan Ddu, Morg., 13 Gorff. 1896, mab Morgan a Margaret Thomas. Symudodd ei rieni i Borthmadog, ac yno - yn y Tabernacl - y dechreuodd bregethu. Bu yng ngharchar yn ystod Rhyfel Byd I fel gwrthwynebwr cydwybodol. Addysgwyd ef yn

ysgol ramadeg y Porth, Coleg y Brifysgol, Caerdydd (lle graddiodd), a Choleg y Bala. Ord. ef yn 1923, a bu'n gweinidogaethu ym Melingryddan, Castell-nedd (1923-26); Nasareth, Aberdâr (1926-27); Treffynnon a Bagillt (1927-32); Maenan, Penmaen-mawr (1932-65, a'r Gatws, Bangor, 1956-65). Pr. 1926 Blodwen Griffith, Llanfair Talhaearn, a bu iddynt un ferch. Bu f. 6 Rhag. 1968. Cyfrannodd lawer, mewn rhyddiaith a barddoniaeth, i'r *Goleuad* a'r *Drysorfa*. Cafodd wobrwyon yn yr Eist. Gen. am gerddi coffa i T. Gwynn Jones (1950) a Prosser Rhys (1952), ac am gywydd, 'Morgannwg', yn 1956.

WwFC 1951, 355; *Gol.*, 11 Rhag. 1968 a 29 Ion. 1969; *Blwyddiadur MC*, 289-90; gwybodaeth gan ei ferch, Beryl S. Williams, Bangor.

G.M.R.

THOMAS, HUGH HAMSHAW (1885-1962), palaeofotanegydd; g. 29 Mai 1885 yn Wrecsam, Dinb., ail fab o dri phlentyn William Hamshaw Thomas (dilledydd dynion) a'i wraig Elizabeth Lloyd. Addysgwyd ef yn ysgol ramadeg Grove Park, Wrecsam, a Choleg Downing, Caergrawnt lle'r aeth yn 1904. Ac yntau'n blentyn ysgol yr oedd wedi magu ddiddordeb deallus mewn botaneg a phlanhigion-ffosil, ac enillodd ddosbarth cyntaf yn rhan 1 y tripos Hanes Naturiol yn 1906. Aeth ymlaen i gymryd rhan 2 y tripos Hanes (2 ddos.) yn 1907 ar gyfer sefyll arholiad mynediad i'r Gwasanaeth Sifil yn 1908. Llwyddodd yn yr arholiad ond gwrthododd y swydd a gynigiwyd iddo gan ddewis gyrfa yn ymchwilydd ac ysgolhaig annibynnol yng Nghaergrawnt ac ymgynnal ar ddysgu a dwys-ddysgu personol. Penodwyd ef yn guradur Amgueddfa'r Ysgol Fotaneg 1909-23, yn Sublector Coleg y Drindod yn 1912, yn gymrawd o Goleg Downing yn 1914, ac yn ddarlithydd prifysgol yn 1923. Gwasanaethodd yn y *Royal Flying Corps* yn Ffrainc a'r Aifft yn ystod Rhyfel Byd I. Datblygodd dechnegau newydd mewn ffotograffio o'r awyr a gwnaeth ymchwil hefyd yn adran aeronawtig Caergrawnt. Enwyd ef ddwywaith mewn cadlythyrau a gwnaed ef yn M.B.E. Gwasanaethodd yn y R.A.F.V.R. gan ymwneud â dehongli ffotograffau o'r awyr yn 1939-43.

Cyhoeddodd ei bapurau cyntaf ar blanhigion ffosil yn 1908 a pharhaodd â'i astudiaethau o fflora Jurasaidd swydd Efrog a morffoleg planhigion; yr oedd llawer o'r ymchwil wedi'i sylfaenu ar ei gasgliadau maes ei hun yn hytrach nag ar gasgliadau amgueddfeydd. Ymddangosodd ei bapur pwysicaf a mwyaf creiddiol, ar y *Caytoniales*, yn 1925. Cyfraniad sylweddol i un o broblemau botaneg ffosilau, tarddiad planhigion blodeuol, ydoedd hwn, er bod ei syniadau ar forffoleg wedi achosi cryn sylw. Datblygodd ei ddiddordebau nid yn unig yn strwythur planhigion ffosil, lle'r oedd ei fethodoleg ddadansoddol yn newydd, ond hefyd ym meysydd lletach cyfnewidiadau esblygiadol a threfniadaeth corff y planhigyn gyda'r canlyniad fod ei gyfraniad i'r forffoleg planhigion 'newydd' yn ganolog. Daeth yn hanesydd syniadau mewn botaneg a bu iddo ran bwysig mewn sefydlu hanes gwyddoniaeth yn faes dewis yn y tripos Hanes Naturiol. Gŵr gwylaidd, anymwthgar, caredig ydoedd ond enillodd fri neilltuol, ac yng nghanmlwyddiant

Darwin-Wallace (1958) barnwyd ei fod ymhlith yr 20 biolegydd lledled byd a oedd wedi gwneud cyfraniad eithriadol i wybodaeth am esblygiad a chyflwynwyd iddo fedal coffa aur. Bu'n llywydd Cymdeithas Linnaeus, adran fotaneg y *British Association*, a Chymdeithas Brydeinig Hanes Gwyddoniaeth. Dyfarnwyd iddo fedal aur Cymdeithas Linnaeus yn 1906, Sc.D. Caergrawnt 1926, ac etholwyd ef F.R.S. 1934.

Pr. Edith Gertrude Torrance yn 1923 a bu iddynt 1 mab ac 1 ferch. Bu f. yng Nghaergrawnt 30 Meh. 1962.

DNB; Biog. Memoirs Fellows R.S., 9 (1963); *Dict. Scient. Biog.*

B.F.R.

THOMAS, IDRIS - gw. JENKINS, ROBERT THOMAS uchod.

THOMAS, IDRIS (1889-1962), gweinidog (B); g. 1889, yr hynaf o saith o blant Jenkin ac Ann Thomas, Cilfynydd, Morg. Pan oedd yn chwech oed symudodd y teulu i ardal Moreia, Aberystwyth, lle bu ei dad-cu, Jenkin Thomas (c. 1824-65), yn weinidog (B). Aeth i weithio mewn siop yn Aberystwyth yn 13 oed ond ymhen 3 bl. dychwelodd i'r de, i Abercynon, ac yno cymhellwyd ef i ddechrau pregethu. Aeth i Ysgol yr Hen Goleg, Caerfyrddin am 18 mis, ac i Athrofa Bangor (1911-14).

Ord. ef yn 1914 yn weinidog ar Seion, Nefyn a Chaersalem, Morfa Nefyn, ac yn fuan iawn daeth yn un o bregethwyr amlycaf yr enwad. Bu wedyn yn Ninas Noddfa, Glandŵr, Abertawe (1919-23); Rehoboth a Chlawdd-coch, Cilrhedyn, Caerf. (1923-37); a Thabernacl, Cefn-mawr, ger Wrecsam (1937-62). Ef oedd un o sêr disgleiriaf y Gymanfa. Yr oedd ei bregethau yn drefnus ac iddynt rym argyhoeddiad. Meddai lais dwfn a pheraidd a thraddodai mewn Cymraeg ystwyth a choeth.

Pr. yn 1923 â Nan Evans, Glanyrafon, Cenarth (a fu f. mewn damwain ar y ffordd, 28 Chwef. 1936). Bu ei chwaer, Rachel Ann Thomas, a ofalai amdano wedi hynny ym Mro'r Awelon, Acrefair, yn llywydd y Senana yng Nghymru. Bu ef f. 14 Meh. 1962, yn fuan wedi ei ddyrchafu'n llywydd cymanfa'r Bedyddwyr.

Llawlyfr Bed., 1963.

M.A.J.

THOMAS, IFOR OWEN (1892-1956), tenor operatig, ffotograffydd ac artist; g. yn Bay View, Traeth Coch, Môn, 10 Ebr. 1892, unig fab a thrydydd plentyn Owen Thomas ac Isabella (g. Morris), cantores o fri o Ddyffryn Nantlle. Symudodd y teulu i'r Pandy, Pentraeth, ac addysgwyd ef yn ysgol fwrdd y pentref cyn ei brentisio'n saer. Dechreuodd ganu dan hyfforddiant ei fam ac E.D. Lloyd (1868-1922), Bangor, ac ennill ysgoloriaeth agored allan o bedwar can ymgeisydd i'r Coleg Cerdd Brenhinol yn 1914. Gadawodd Lundain yn 1917 i astudio gyda Jean de Reszke ym Mharis a Benjamino Gigli ym Milan.

Agorodd prif neuaddau cyngerdd gwledydd Prydain eu drysau i'r 'Welsh Tenor', cyn agor yn La Scala, Milan yn 1925, symud i Monte Carlo a Nice a dod i Dŷ Opera Paris fel prif denor ar gyfer tymor 1927. Derbyniwyd ef yn aelod o Orsedd y Beirdd er anrh. fel 'Ifor o Fôn'

y flwyddyn honno, fis cyn hwylio am T.U.A.

Er iddo ymddangos gyda Chwmni Opera Philadelphia yn 1928, dychwelodd o fyd yr opera i fyd y llwyfan gyngerdd, darlledu a recordio i gwmnïau H.M.V. a Sanders. Daeth yn ffefryn mawr gyda Chymry'r Taleithiau ac fe'i galwyd 'yr ail Evan Williams gyda thinc o Garuso.' Canodd hefyd gyda phedwarawdau blaenllaw'r wlad gan ffurfio un ei hun o brif leiswyr Cymreig Efrog Newydd - 'The Four Aces.' Ar y llwyfan operatig canodd gyda mawrion fel Caruso (fel ei ddirprwy), Chaliapin a McCormack ym Milan, Roxas, Frances Alda a Kathryn Meisle.

Daeth ei yrfa gerddorol fel unawdydd i ben yn drychinebus yn 1929, oherwydd diffyg ar ei anadl (hen afiechyd a'i cadwodd o ysgol ramadeg Llangefni yn ei blentyndod). Ofer fu'r ymgais i wella'n llwyr yn yr Eidal yn 1931, er iddo berfformio ychydig yn 1932 cyn derbyn swydd fel ffotograffydd i gylchgrawn Colliers y flwyddyn ddilynol. Gwnaeth enw mawr iddo'i hun fel ffotograffydd yn enwedig gyda'i ddarluniau o'r Arlywydd F.D. Roosevelt, Winston Churchill a llu o sêr y byd ffilmiau. Wedi ymddeol yn 1948 trodd at arlunio a phaentio mewn olew a dyfrlliw ac arddangoswyd ei waith yn T.U.A. a Phrydain.

Yr oedd yn Gymro brwd, (Cymreigiodd ei enw canol yn Owain) a chroesawodd ugeiniau lawer o'i gydgenedl i'w gartref yn Efrog Newydd dros y blynyddoedd. Ystyrid ef yn un o brif gynheiliaid bywyd Cymreig y ddinas a'r capel Presbyteraidd Cymraeg, ac fel arweinydd Côr Merched Cymry'r ddinas o 1944 ymlaen.

Bu f. ar ddydd ei ben-blwydd yn 1956, wedi afiechyd hir. Daethai drosodd i Gymru am y tro olaf flwyddyn ynghynt. Claddwyd ef ym mynwent Forest Lawns, Delwanna, N.J.

Pr. ddwywaith. (1) gyda Ceridwen Evans yn 1920. Ganwyd merch o'r briodas a fu f. yn 1922. Diddymwyd y briodas gyntaf, ac yn (2) gyda Mildred Unfried, pianydd proffesiynol o Efrog Newydd, a'i goroesodd.

Drych, 1927-56; *Cloriannydd*, 1893-1956; *New York Times*, 11 Ebr. 1956; Gwasanaeth Archifau Gwynedd, Llangefni; gwybodaeth bersonol.

E.W.R.

THOMAS, IORWERTH RHYS (1895-1966), gwleidydd; g. 22 Ion. 1895 yn fab i David William Thomas, Cwm-parc, Morg. Derbyniodd addysg mewn ysgol gynradd, ac yn 1908, ac yntau'n 13 oed, dechreuodd weithio ym mhwll Dâr, Cwmdâr, Aberdâr. Mynychodd ddosbarthiadau nos mewn economeg a hanes er mwyn gwella ar ei addysg, ac ymunodd â'r Blaid Lafur yn 1918. Fe'i dyrchafwyd i swydd *checkweighman* yng Nghwm-parc yn 1922. Bu'n flaenllaw yn Ffederasiwn Glowyr De Cymru ac yn Undeb Cenedlaethol y Glowyr (NUM) am fwy na 30 ml., a daliodd nifer o swyddi yng nghyfrinfa'r Parc a'r Dâr, y fwyaf o fewn maes glo De Cymru. Fe'i dedfrydwyd i garchar am dri mis yn ystod streic y glowyr yn 1926 fel cadeirydd cyfrinfa'r Parc a'r Dâr ar ôl iddo gymryd rhan mewn cyffro diwydiannol. Etholwyd ef yn aelod o Gyngor Dinesig y Rhondda yn 1928, cadeiriodd nifer o'i bwyllgorau a gwasanaethodd fel cadeirydd y cyngor yn 1938-39. Parhaodd yn aelod hyd 1951. Gwasanaethodd hefyd ar nifer o gydbwyllgorau diwydiannol Cymru, a bu'n aelod o Fwrdd Trydan De Cymru rhwng 1947 ac 1949.

Yn 1950 etholwyd ef yn aelod seneddol (Llafur) dros Orllewin y Rhondda fel olynydd Will John, a daliodd i gynrychioli'r etholaeth hon hyd at ei f. yn 1966. Yr oedd ganddo ddiddordeb arbennig mewn materion economaidd a diwydiannol. Bu'n elyn cyson i genedlaetholdeb Cymreig ac ymladdodd yn ddygn yn erbyn mudiad Senedd i Gymru yn y 1950au. Ymosododd yn gyhoeddus ar Blaid Cymru ar nifer o achlysuron, ac yn Hyd. 1965 yr oedd yn hallt ei feirniadaeth o argymhellion adroddiad Hughes-Parry ar statws yr iaith Gymraeg. Yn 1960 cefnogodd fesur y llywodraeth Geidwadol i agor y tafarndai ar y Sul.

Pr. yn Hyd. 1920 Annie Mary, merch D.J. Davies. Bu hithau hefyd yn weithgar yng ngwleidyddiaeth Lafur yr ardal, a bu f. yng Ngorff. 1956. Bu iddynt un mab ac un ferch. Bu yntau f. 3 Rhag. 1966 yn ei gartref, 94 Park Road, Cwm-parc.

Www; Dod's Parliamentary Companion; Times a *West. Mail,* 5 Rhag. 1966; *WWP.*

J.G.J.

THOMAS, JAMES PURDON LEWES (1903-60), IS-IARLL CILCENNIN, A.S.; g. 13 Hyd. 1903 yn fab i J. Lewes Thomas, Cae-glas, Llandeilo Fawr, Caerf., a'i wraig Anne Louisa (g. Purdon). Addysgwyd ef yn Ysgol Rugby a Choleg Oriel, Rhydychen. Bu'n ymgeisydd (C) dros ranbarth Llanelli yn etholiad cyffredinol 1929, ond bychan fu'r gefnogaeth iddo; etholwyd ef yn A.S. dros ranbarth Henffordd yn 1931 a chadwodd y sedd tan 1955. Bu'n ysgrifennydd seneddol preifat mewn nifer o weinyddiaethau, 1930-40, ac yn arglwydd gomisiynydd y Trysorlys, 1940-43, ysgrifennydd i'r Trysorlys, 1943-45, ac Arglwydd Cyntaf y Trysorlys, 1951-56. Bu'n is-gadeirydd y Blaid Geidwadol, 1945-51, ac yn gadeirydd llywodraethwyr Ysgol Rugby yn 1958. Dyrchafwyd ef yn Is-iarll Cilcennin yn 1955 ac yn farchog yn 1958. Cyhoeddwyd ei gyfrol *Admiralty House, Whitehall* dri mis wedi ei f. ar 13 Gorff. 1960 pryd daeth y teitl i ben.

Www, 1951-60.

E.D.J.

THOMAS, JOHN LUTHER (1881-1970), gweinidog (A); g. 23 Ebr. 1881 yn Bigyn Road, Llanelli, Caerf., yn fab i Thomas ac Ann Thomas. Symudodd y teulu i Bontarddulais lle y mynychodd yr ysgol leol cyn dechrau gweithio yn y gwaith alcam. Yn 1894 derbyniwyd ef yn aelod o Eglwys Hope, a chymhellwyd ef gan yr eglwys i fynd i'r weinidogaeth. Mynychodd ysgol Watcyn Wyn, Rhydaman (WILLIAMS, WATKIN HEZEKIAH, *Bywg.,* 1011-2) a Choleg Bala-Bangor (1900-1903) cyn mynd yn weinidog ar eglwysi Seion, Conwy a Chyfford Llandudno (1903-21); Carmel, Tanygrisiau, Blaenau Ffestiniog (1921-30); Seion, Cwmafan (1930-45). Ymddeolodd oherwydd cystudd ei briod a dychwelodd i Bontarddulais at ei chwiorydd yn Gwynllys, Clayton Road, ond ailgydiodd yn y weinidogaeth a chymryd gofal o eglwysi Libanus, Cwmgwili a Llwyn-teg, Llan-non (1945-50) a Capel Newydd yr Hendy,

Pontarddulais (1950-58). Ar wahân i'w bregethu gloyw a'i lafur dihafal yn ei eglwysi, gweithiodd yn ddyfal dros y genhadaeth, yn olygydd adran Gymraeg y *Cronicl cenhadol* (1927-40), ac awdur pamphled *Y bwlch lle bu'r Sul* (1942) dros Gyngor Cymdeithas Cadwraeth Dydd yr Arglwydd. Yr oedd hefyd yn awdur nifer o lyfrau, yn eu plith: *Y byd a ddaw* (1918 ac 1920); *Yr ynys aur; Hanes Iesu Grist* (1930); *Dyn rhyfedd y groes* (1947); a'r *Iesu penwyn* (1962). Ceir ysgrifau ganddo yn y *Geiriadur Beiblaidd, Dysgedydd, Tyst,* a chyfnodolion enwadol eraill. Yn 1921 pr. ag Anne Grace Williams, Conwy. Er na fu un amser yn gryf ei iechyd, cafodd oes hir. Bu f. 4 Chwef. 1970 yn ei gartref, Lansdowne, Groves Ave., Langland, Abertawe ac amlosgwyd ei gorff yn Nhreforus.

E. Lewis Evans, *Eglwys Hope, Pontarddulais* (1969), 69-70; *WWP.*

M.A.J.

THOMAS, JOHN ROWLAND (1881-1965), arweinydd crefyddol a masnachwr amlwg; g. 2 Mawrth 1881 ym Mhenrhyndeudraeth, yn fab i Griffith ac Ann Thomas. Yn 1883 symudodd Griffith Thomas a'r teulu yn ôl i Ddwygyfylchi, Penmaen-mawr, i'w hen gynefin. O ysgol Pencae, Penmaen-mawr, enillodd John Rowland ysgoloriaeth i Ysgol Friars, Bangor, ond ar ôl dwy flynedd fe'i trosglwyddodd i ysgol newydd John Bright, Llandudno. O'r ysgol aeth i weithio am gyfnod byr gyda chwmni'r rheilffordd yng Nghyffordd Llandudno, ac yn ddeunaw oed aeth yn brentis am dair bl. i siop Cloth Hall, Bethesda. Oddi yno aeth i weithio yn adran sidan siop Thomas Lloyd (o Lanybydder) yn Llundain. Dyma ddechrau'r cyfnod a'i gwnaeth yn arbenigwr byd-enwog ym myd sidan. Wedi i gwmni Selfridges brynu siop Lloyd yn 1914, arhosodd gyda hwynt am bum ml. O 1919 hyd 1920 (deunaw mis) bu'n gynorthwywr i'r prynwr sidan yn Harrods; o 1920 hyd 1922 yn brynwr sidan cwmni Derry & Toms, Kensington; o 1922 hyd 1930 yn brynwr sidan Harrods; ac o 1930 hyd 1953 yn brif brynwr sidan Partneriaeth John Lewis, ac o 1935 hyd 1953 yn un o gyfarwyddwyr y cwmni. Gan fod adran sidan siop John Lewis yn Llundain ar ei phen ei hun yn cyflogi 130 o ddynion a bod i'r bartneriaeth nifer o siopau ledled y deyrnas, gellid ystyried 'J.R.' (fel y gelwid ef gan bawb) yn brif brynwr sidan Ewrob, ac, o bosibl, y byd. Teithiai'n gyson ar y Cyfandir ynglŷn â'i waith.

Bu'r un mor egnïol ym mywyd crefyddol a Chymreig Llundain. O 1902 hyd 1965 bu'n aelod o eglwys Y Tabernacl, King's Cross, yn ddiacon o 1921 hyd 1965 ac yn ysgrifennydd o 1940 hyd 1953. Ef hefyd oedd golygydd *Y Lamp,* cyfnodolyn yr eglwys, o'i gychwyniad. Yn ystod dirwasgiad y 1930au pan ddylifai Cymry i Lundain, yr oedd yn effro i'r angen am eglwysi Cymraeg ar eu cyfer ym maestrefi'r brifddinas. Ym Meh. 1936, ac yntau'n ysgrifennydd y cyfundeb, traddododd anerchiad i'r cwrdd chwarter ar y testun 'Ehangu'r Terfynau' a chanlyniad uniongyrchol hyn oedd sefydlu pwyllgor i ymgymryd â'r gwaith. Sefydlwyd eglwysi Annibynnol yn Slough, Luton a Harrow, a 'J.R.' ei hunan, yn anad neb, oedd yn gyfrifol am sefydlu'r achos yn Harrow yn 1937, eglwys a dyfodd yn gyflym dan ei arweiniad i fod yn agos i 200 o aelodau mewn llai na dwy fl. Gan iddo gael ei ethol yn ddiacon cyntaf ac yn ddiacon am ei oes gan yr eglwys a sefydlodd yn Harrow, bu, am wyth ml. ar hugain, yn ddiacon, ar yr un pryd, mewn dwy eglwys! Arweiniai hefyd yn enwad yr Annibynwyr. O 1941 hyd 1952 bu'n drysorydd Undeb yr Annibynwyr ac yn gadeirydd o 1949 hyd 1950, ei anerchiad o'r gadair yng Nghaernarfon ar y testun 'Yr alwad i symud ymlaen' yn amlygu'r un sêl genhadol a'r un anesmwythyd crefyddol ag a'i nodweddai gydol ei oes. Yr oedd yn un o gyfarwyddwyr gweithgar y Gymdeithas genhadol dramor (L.M.S.).

Hybai bopeth Cymreig a Chymraeg. Yn 1925 yr oedd ar y blaen yn cychwyn cymdeithas sir Gaernarfon yn Llundain a bu'n flaenllaw (c. 1930) yn sefydlu adrannau o Urdd Gobaith Cymru mewn nifer o eglwysi Cymraeg Llundain. Yr oedd yn un o is-lywyddion cyntaf Cwmni Urdd Gobaith Cymru. Bu'n llywydd Undeb Cymdeithasau Eglwysi Cymraeg Llundain ac yn gefnogwr selog ar hyd ei oes.

Pr. yn 1913 â Lily Anna Jones (a fu f. 1964), Cymraes a anwyd yn Llundain. Yr oedd drws agored yn eu cartref, 'Y Nant' yn Dollis Hill, i lu o Gymry ac yn arbennig i weinidogion yr efengyl. Bu iddynt dair merch; Morfudd, a br. J. Idris Jenkins, gweinidog cyntaf yr eglwys Annibynnol Gymraeg yn Harrow; Gwyneth; ac Eluned Marian a ymfudodd i Toronto, Canada, ac a fu'n llywydd Cymdeithas Cymanfa Ganu Genedlaethol Cymry Gogledd yr Amerig o 1976 hyd 1978. Bu ef f. 16 Ebr. 1965.

Dysg., Tach. 1932; Tywysydd, Tach. 1935; Ddinas, Gorff. 1956; London Welshman (olynydd Y Ddinas), Meh. 1965; Lamp Y Tabernacl, Gorff. 1965; Dysg., Gorff/Awst 1965; Gazette of the John Lewis Partnership, 24 Ebr. 1965; 'Cofnodion Cyfundeb Eglwysi Annibynnol Llundain', 3.

W.T.O.

THOMAS, JOSEPH MORGAN (LLOYD) (1868-1955), gweinidog (U) a Chatholig Rhydd, a chynghorwr a dyn cyhoeddus; g. 30 Meh. 1868, yn un o wyth o blant John ac Elizabeth Thomas, Blaen-wern, Llannarth. (Mabwysiadwyd yr enw 'Lloyd', enw morwynol ei fam, pan fu f. ei frawd o'r un enw). Addysgwyd ef yn ysgol ramadeg Ceinewydd a Choleg Crist, Aberhonddu. Cwblhaodd ei brentisiaeth yn y gyfraith gyda Mri. Walter J. Morgan a Rhys, cyfreithwyr, Pontypridd. Dechreuodd ymddiddori mewn crefydd, a chenhadu syniadau Undodaidd; yn un o dri yn sefydlu achos Undodaidd Pontypridd yn 1892, gan wasanaethu fel ysgrifennydd cyntaf yr eglwys honno; penderfynu mynd i'r weinidogaeth, a dilyn cwrs ar gyfer hynny yng ngholeg Undodaidd Manceinion, Rhydychen (1894-98); derbyn galwad i Eglwys Goffa (Gristionogol Rydd) Liscard, sir Gaer, yn 1898; ymbriodi (1899) ag Alice, merch David Evans (prifathrawes ysgol y merched, Pontypridd) Bodringallt, Rhondda. Ganwyd iddynt un mab a dwy ferch. Bu'n weinidog ar eglwys Undodaidd High Pavement, Nottingham, am ddeuddeng ml., 1900-12, a chwarae rhan amlwg yn sefydlu Undeb gwasanaeth cymdeithasol y mudiad Undodaidd, a chael ei ethol yn un o'i lywyddion cyntaf. Treuliodd weddill blynyddoedd ei weinidogaeth yn gofalu am yr Old Meeting House, Birmingham, 1912-32.

Cyfnod llwyddiannus a chythryblus fu hwn yn ei hanes ac yntau o dan ddylanwad rhesymoliaeth L. P. Jacks, ar y naill law, a chatholigiaeth W. S. Orchard ar y llaw arall, dau gyfaill mynwesol iddo. Daliodd i fod yn Undodwr eangfrydig, ond yr oedd eisoes wedi cyhoeddi pamffled ar A Free Catholic Church (1907), a gwelir datblygu'r syniadau hynny mewn pregeth a draddododd ym Mhontypridd ym mlwyddyn ei sefydlu yn Birmingham.

Yn 1916 dechreuodd gyhoeddi a golygu'r cylchgrawn, The Free Catholic, yn esbonio ac amddiffyn ei syniadau catholig. Dylanwadwyd arno gan y 'ddiwinyddiaeth newydd', ac yn yr un fl. cyhoeddodd ei bamffled, Free Catholic? A comment on R. J. Campbell's spiritual pilgrimage. Cafodd ei ddiwinyddiaeth yntau ddylanwad ar ei eglwys, canys yn 1918 cyhoeddodd bamffled, Tradition and outlook of the Old Meeting Church, ac yn 1921 bamffled arall, What the Old Meeting Church stands for. Diau mai ei waith yn y blynyddoedd hyn ar hunangofiant Richard Baxter a fu'n gyfrifol am ei freuddwyd o sefydlu eglwys gatholig yn cynnwys 'pob gwir Gristion yn y byd'. Cyhoeddodd ei dalfyriad o Reliquiae Baxterianae, gwaith pennaf ei fywyd, yn 1925, gyda chyflwyniad, nodiadau ac atodiad; ac yn 1928, pan sefydlwyd General Assembly yr Undodiaid ac Eglwysi Rhyddion Cristionogol, daeth cyfle iddo ef a'i gynulleidfa i dorri cysylltiad ag Undodiaeth, a oedd yn rhy enwadol yn ei olwg, a sefydlu enwad newydd o ysbryd eglwysig ac offeiriadol; galwai ei hun yn offeiriad Catholig rhydd, gan fabwysiadu arferion eglwysig, a llunio llyfr gwasanaeth cynhwysfawr, A Free Church Book of Common Prayer (1929), a'i gynnwys yn amrywio o Gredo Nicea i weddïau Martineau, ynghyd â'r Salmau a'r canticlau (yn y Cyfieithiad Awdurdodedig) wedi eu nodi'n gyflawn, am y tro cyntaf, ar gyfer eu llafar-ganu. Am gyfnod byr ni bu Lloyd Thomas heb ei edmygwyr a'i ganlynwyr, gan gynnwys rhai gweinidogion, a gwelwyd dylanwad ei syniadau uchel-eglwysig ar addurniadau ambell gapel Undodaidd (e.e. yn Bromwich ac Oldbury), eithr dihoeni a wnaeth y mudiad newydd yn ei fabandod, ac yn 1932 rhoes Lloyd Thomas y gorau i'r weinidogaeth.

Er na ddaeth dim o'i freuddwyd i uno'r enwadau teilynga'i alw'n arloeswr yn y maes hwnnw. Dychwelodd i fro'i febyd a threuliodd weddill ei oes yn 'Y Bwthyn', Llannarth, gan barhau i bregethu'n achlysurol, darlithio ac ehangu ei syniadau catholig, fel yn ei ddarlith Dr. Williams, yng Ngholeg Presbyteraidd Caerfyrddin (1941), ar Toleration and church-unity. Fel gŵr cyhoeddus, yn y cyfnod hwn, bu'n gwasanaethu ar gyngor sir Aberteifi ac yn gadeirydd ar ei bwyllgor ffyrdd; hybodd lwyddiant llyfrgell deithiol y sir a bu'n un o brif sefydlwyr Llyfrgell Ceredigion, a'i chadeirydd cyntaf. Gwasanaethodd ar bwyllgor addysg y sir, ac ar fwrdd llywodraethol ysgol ramadeg Aberaeron, fel aelod a chadeirydd. Cefnogodd Pauline Taylor, Blaen-wern, yr un a'i cynorthwyodd i olygu'r llyfr gwasanaeth, i arloesi ym myd addysg gerddorol yn ysgolion y sir, i sefydlu trecio merlod, a sicrhau parhad rhywogaeth meirch a gwartheg Cymreig.

Yr oedd yn broffwyd a gweledydd craff. Bu'n ŵr cydwybodol heb ofni pledio achosion y lleiafrif a'r amhoblogaidd; cefnogodd achos swffraget y merched, gan gyhoeddi pamffled o'u plaid, a chadeirio cyfarfodydd tanllyd Chrystabel Pankhurst; mentrodd fynegi peth cydymdeimlad ag achos y gelyn yng nghyfnod Rhyfel y Boer, ac yn ystod Rhyfel Byd I cyhoeddodd bamffled, *The immortality of non-resistance and other sermons on the war (1915).*

Er yn fodernwr rhybuddiai rhag moderniaeth arwynebol gul; ei syniad am addysg oedd dysgu meddwl yn onest, a rhybuddiai'r awdurdodau rhag mawrygu ysgolheictod ar draul esgeuluso dawn crefft a llafur dwylo, (cf. *What is education for?*, 1949). Yn ei femorandwm ar addysg grefyddol a ysgrifennwyd ar gais awdurdod addysg Ceredigion (1941), argymhellodd fwy o ddylanwad Cristionogol, mewn ysbryd gonest a goddefgar, gan rybuddio y gellid gweld yn sgîl y trydydd Rhyfel Byd (rhyfel syniadaeth a delfrydau) drai yn hanes crefydd a hunan-laddiad gwareiddiad byd. Yn ei bamffled, *The humanising of industry* (1919) rhagwelodd broblemau diwydiant, gan rybuddio rhag peirianeiddio dynion, cynhyrchu'r hyn sy'n diraddio a gwrthod cynrychiolaeth gweithwyr ar fwrdd rheolwyr a chyfarwyddwyr; mewn pregeth a gyhoeddodd yn 1944, *God and the land*, rhagwelodd broblemau cymdeithasol, gan rybuddio rhag wrbaneiddio'r wlad a difa gwreiddiau diwylliant a Christionogaeth sydd yng nghlwm wrth y tir.

Cyfrannodd yn gyson i gylchgronau, fel yr *Hibbert Journal* a'r *Free Catholic*, ac i bapurau fel y *Welsh Gazette* a'r *Western Mail.* Tua diwedd ei oes ymddiddorodd yng ngweithiau Kierkegaard. Ymhlith ei gyhoeddiadau y mae: *The autobiography of Richard Baxter, abridged with notes, introductory essay and appendix* (1925); *A Free Church Book of Common Prayer* (1929).

Ymhlith ei bamffledi y mae *Dogma or doctrine?* (1906); *A Free Catholic Church* (1907); *The emancipation of womanhood* (1913); *Administration of the Lord's Supper or The Holy Communion* (1914); *The immortality of non-resistance and other sermons on the war* (1915); *Free Catholic? A comment on the Rev. R. J. Campbell's "Spiritual Pilgrimage"* (1916); *Tradition and outlook of the (Birmingham) Old Meeting Church* (Birmingham 1918); *The crucifix - a sermon* (1918); *The humanising of industry* (1919); *A comprehensive Church, What the Old Meeting Church stands for?* (1921); *Religious instruction in schools* (1941); *Toleration and church-unity* (Dr. Williams' Lecture, 1941); *What is education for?* (1949); golygydd *The Free Catholic* (1916-27).

Bu f. 2 Gorff. 1955 ac amlosgwyd ei gorff yng Nglyntaf, Gorff. 6. Bu f. ei wraig yn 1945. Goroeswyd ef gan ei fab a'i ddwy ferch. Rhoesant hwy gopïau caligraffig o'i lyfrau gwasanaeth ar gadw yn Ll.G.C.

Ymofyn., Awst 1955.

D.E.J.D.

THOMAS, LAWRENCE (1889-1960), archddiacon; g. 19 Awst 1889 ym mhlwyf Gelli-gaer, Morg., yn fab i David ac Elizabeth Thomas. Cafodd ei addysg yn Ysgol Lewis, Pengam, a Choleg Dewi Sant, Llanbedr, lle graddiodd yn B.A. mewn diwinyddiaeth (dosb. II), 1911. Aeth i goleg diwinyddol S. Mihangel, Llandâf, a'i ordeinio'n ddiacon, 1912, a'i drwyddedu i guradiaeth S. Ioan, Canton. Cafodd ei ordeinio'n offeiriad 1913. Yn 1914 aeth yn gurad i Headington Quarry ger Rhydychen, ac yn aelod o Goleg S. Ioan, lle'r enillodd radd B.A. mewn diwinyddiaeth (dosb. III), 1916, ac M.A., 1920. Dychwelodd i Gaerdydd yn gurad S. Ioan, 1916-24. Cafodd fywoliaeth Llansawel (Briton Ferry), 1924, a bu yno hyd 1942, ond parhaodd i astudio ac ennill gradd B. Litt. Rhydychen, 1926; gradd B.D., yng Ngholeg y Drindod, Dulyn, 1929, a D.D. yn 1930. Yn 1930 hefyd y cyhoeddodd ei lyfr safonol *The Reformation in the old Diocese of Llandaff.* Yr un flwyddyn cyhoeddodd *The Life of Griffith Jones, Llanddowror*, llyfryn a baratowyd gan Gyngor Ysgolion Sul esgobaeth Llandaf i ddathlu daucanmlwyddiant cychwyn yr ysgolion cylchynol yn 1731. Cafodd fywoliaeth Bargod yn 1942 a'i benodi'n ganon eglwys gadeiriol Llandaf, 1944. Symudodd i Aberafan 1946, a phan ffurfiwyd archddiaconiaeth Margam yn 1948, ef a ddewiswyd yn archddiacon cyntaf. Yr oedd ei ddawn fel gweinyddwr yn ei alluogi i gyflawni'r swydd yn dra effeithiol. Ymddeolodd o'r ficeriaeth yn 1958.

Pr. yn 1923 â Beatrice Lilian Williams, Crucywel, a chawsant un ferch. Bu f. 19 Hyd. 1960, a'i gladdu ym mynwent Gelli-gaer.

Yr oedd ei wybodaeth am ddylanwad y chwyldro diwydiannol ar yr eglwys yn ne-ddwyrain Cymru yn drwyadl, a chredir mai baich ei ddyletswyddau beunyddiol a'i cadwodd rhag ysgrifennu llyfr ar y pwnc. Mewn hanes a hynafiaethau yr oedd ei ddiddordeb pennaf. Cyfrannodd erthyglau i'r *Bywg.* Yr oedd pob siars a draddododd yn anghyffredin a di-dderbyn-wyneb. Yr oedd yn gymeriad nodedig a lle cynnes iddo yng nghalonnau ei bobl.

Www; Hdbk. Church in Wales, 1959; *Llan*, 11 Tach. 1960; *Church Times*, 28 Hyd. 1960.

M.G.E.

THOMAS, LEWIS (1877-1955), arloeswr celfyddyd cerdd dant yn neheudir Cymru yn hanner cyntaf yr 20fed ganrif; g. ym Mhontyberem, Cwm Gwendraeth, Caerf., 30 Mai 1877, yr hynaf o naw bachgen William Thomas, glôwr, a Jane ei wraig. Bu'r mab yn y lofa am ychydig cyn cael ei brentisio'n grydd ac ennill ei le fel gwneuthurwr esgidiau a wneid yn lleol y pryd hwnnw. Pr. yn 1905 Mary Emiah Jones, athrawes ym Mhontyberem, ond yn enedigol o Lan-non, Llanelli. Ganwyd iddynt fab a dwy ferch. Codasant dŷ a siop ynghlwm wrtho, a chadw siop y bu am flynyddoedd a hyfforddi ei brentisiaid o gryddion mewn gweithdy y tu cefn i'r siop. Yn ddiweddarach bu'n gasglwr trethi dros awdurdod Llanelli. Yr oedd ef a'i briod yn flaenllaw gyda gweithgareddau diwylliannol a chymdeithasol yn y pentre, ef yn eisteddfodwr brwd o'i ieuenctid ac yn cystadlu ar adrodd a chyfansoddi traethodau, emyn-donau, anthemau i blant, a chorawdau. Fel rhai o'i frodyr ymddiddorai mewn cerddoriaeth, ac yr oedd organ fach neu harmoniwm yn y cartref. Enillodd dystysgrifau Coleg y Tonic Sol-ffa yn arholiadau'r mudiad a gynhelid yn festri capel Caersalem (A), lle'r oedd yn aelod. Tuag 1916-18 fe drodd ei ddiddordeb cerddorol at gerdd dant. Prynwyd telyn a chafodd wersi gan Delynores

Elli, a meistroli'r delyn yn ddigon da i gyfeilio i'w blant lle gynt y defnyddiai'r piano. Bu llawer o gerddorion proffesiynol yn ceisio'i gymorth a'i gael yn fwy na pharod i gyfrannu o'i ddysg. Dechreuodd gystadlu fel 'gosodwr', a bu ei gasgliadau o osodiadau'n fuddugol mewn mwy nag un Eist. Gen. - Caerffili, 1950, Aberystwyth, 1952, ac Ystradgynlais, 1954. Cyhoeddwyd yr olaf - *Hwiangerddi gyda'r tannau* - gan Gwmni Snell yn 1956. Cyfrannodd erthyglau a gosodiadau i *Allwedd y tannau* a'r *Athro*. Bu'n beirniadu'n gyson am flynyddoedd yn adran cerdd dant yr Eist. Gen., yr Wŷl Gerdd Dant, ac Eist. Gen. Urdd Gobaith Cymru. Am ei wasanaeth derbyniwyd ef yn aelod o Orsedd Beirdd Ynys Prydain yn Eist. Gen. Llanelli, 1930. Yr oedd yn aelod o'r Gymdeithas Cerdd Dant o'i chychwyn, darlithiai yn ei hysgol haf gyntaf, ac ef oedd yr ail i ddal ei llywyddiaeth. Gwnaed ef yn aelod anrhydeddus o'r gymdeithas.

Bu f. yn ysbyty Aberystwyth, 16 Mai 1955, a'i gladdu ym mynwent eglwys Llan-non, Llanelli.

Gwybodaeth gan ei ferch, y Fonesig Amy Parry-Williams; gwybodaeth bersonol; *Allwedd y tannau*, 15 (1956).

E.G.E.

THOMAS, LEWIS JOHN (1883-1970), cenhadwr yn yr India dan Gymdeithas Genhadol Llundain; g. 2 Chwef. 1883 yn Llangefni, Môn, yn fab Cefni a Mary (g. Williams) Thomas. Symudodd y teulu pan oedd ef yn 5 oed i Riwbryfdir, Blaenau Ffestiniog. Wedi cyfnod fel disgybl-athro a gweithio ar y rheilffordd, symudodd i Gorwen ac yna i Benbedw. Yno daeth dan ddylanwad diwygiad 1904-05 a dechreuodd bregethu. Bu'n awyddus i fod yn genhadwr er yn ifanc.

Wedi bod yng Ngholeg Paton, Nottingham, ord. ef yn Jerwsalem, Bl. Ffestiniog, 12 Hyd. 1911. Hwyliodd i'r India 4 Tach. 1911. Llafuriodd yn galed fel arolygwr nifer fawr o eglwysi yn y talcithiau lle siaredid Telugu. Ar ôl pr. â Hannah E. Mathews ym Madras, buont yn byw yn Cuddapah, Kamalapuram, Goety a Jammalamadugu. Ganed mab a merch iddynt. O 1927 hyd 1938 bu'n gyfrifol am seminâr i hyfforddi efengylwyr brodorol. O 1939 hyd 1949 bu'n ysgrifennydd-drysorydd i'r Gymdeithas Genhadol. Fel Annibynnwr digyfaddawd, bu'n wrthwynebydd i'r Eglwys Unedig er rhoi ei orau ymhob cydweithio.

Ymddeolodd yn 1949 o'r gwaith cenhadol ond derbyniodd ofalaeth eglwys Bresbyteraidd St. Andrews, Bangalore, lle'r oedd eu mab, Iorwerth, yn genhadwr a phennaeth ysgol ramadeg i fechgyn.

Collodd ei olwg yn 1954. Bu ei briod f. 13 Mai 1964 a bu yntau f. 17 Ebr. 1970 yn Bangalore lle claddwyd hwynt.

[Ymchwil bersonol].

H.E.

THOMAS, LOUIE MYFANWY ('Jane Ann Jones'; 1908-68), nofelydd; g. 29 Chwef. 1908 yn Primrose Cottage, Holway, Treffynnon, Ffl., yn unig b. Walter Owen Davies, 'master saddler' a'i wraig Elizabeth Jane (g. Jones). Bu f. y fam 3 Chwef. 1909 yn 26 ml. a daeth ei nain atynt am

gyfnod i'w magu. Symudodd y teulu i Yscawen, Rhuddlan (lle y cymerodd y tad waith fel groser) ac addysgwyd Louie Myfanwy yn ysgol elfennol yr Eglwys ac yn Ysgol Uwchradd Y Rhyl (1920-24) lle y cafodd *Senior Certificate* y *Central Welsh Board*. Credir iddi fynd i weithio i Gaernarfon, efallai i swyddfa bapur newydd, ar ôl treulio ychydig amser yn cynorthwyo'i thad yn y siop (cf. y stori 'Lol' yn *Storïau Hen Ferch*). Fe'i penodwyd yn glerc yn Adran Addysg Cyngor Sir Dinbych 17 Hyd. 1927, a daeth yn ysgrifenyddes i J. C. Davies, y Cyfarwyddwr Addysg ac i Edward Rees ar ei ôl. Yr oedd yn byw yn Arwynfa, Borthyn, Rhuthun ar y pryd. Erbyn 1935 cofnodir ei bod yn byw yn Llwyni, Ffordd Llanfair, Rhuthun. Y preswylwyr yr adeg honno oedd Emily, Louie Myfanwy, Mary a William Henry Davies. Brawd i'w thad oedd W. H. Davies a oedd yn bregethwr cynorthwyol gyda'r Wesleaid. Mary oedd ei wraig, ac Emily oedd ei ferch. Bu Louie Myfanwy yn byw yno am rai blynyddoedd fel un o'r teulu, ond nid oedd yn hapus yno. Ni allai ddygymod â chulni crefydd ei hewythr, tueddai yntau i fod yn sych-dduwiol tra oedd hithau'n fwy allblyg. Byddai yntau'n edliw iddi "God will provide", a hithau'n dannod iddo mai ei chyflog hi oedd yn darparu. Ceir adlais o hyn yn y stori 'Helaeth Fynediad' yn *Storïau Hen Ferch*, t.22.

.... bod Rhagluniaeth yn siwr o ofalu am Janet fel y gofalodd amdano ef yn y gorffennol. Ni sylweddolodd mai Janet oedd y Rhagluniaeth a'i cadwodd ef, ei dŷ a'i siop mewn trefn ar ôl marw ei wraig.

Y mae ei pherthynas hi â'i theulu yn Llwyni yn un bwysig, fodd bynnag, oherwydd ceir nifer helaeth o gyfeiriadau atynt (heb eu henwi) yn ei gwaith, yn enwedig yn *Y Bryniau Pell* ac i raddau llai yn *Diwrnod yw ein bywyd*. Yn wir, y mae nifer o ddigwyddiadau a sefyllfaoedd yn *Y Bryniau Pell* sy'n hunangofiannol a cheir ganddi sawl cyfeiriad dilornus at bregethu a'r weinidogaeth ac at ei sefyllfa hi ei hun pan oedd yn blentyn amddifad a phobl yn siarad amdani.

Pr. â Richard Thomas, Prif Glerc Adran Addysg Cyngor Sir Dinbych, mewn swyddfa gofrestru yn Bolton ar 5 Ebr. 1952, pan oedd yn 44 oed. (Trigai chwaer Richard Thomas a'i gŵr yno). Ail wraig ydoedd i Richard Thomas. Cafodd y ddau lety yn Stryd y Farchnad, Rhuthun cyn symud i fyw mewn fflat yn 6 Stryd y Ffynnon. Ymddengys i'r briodas fod yn un hapus, ond ni chawsant blant. (Yr oedd ganddo ddwy ferch o'i briodas gyntaf). Dioddefodd hi gryn salwch. Cafodd lawdriniaeth yng Nghaerdydd ond gwrthododd yn lân â chael llawdriniaeth ar gyfer y cancr y dioddefai ohono. Bu'n rhaid iddi ymddiswyddo yn 1959 oherwydd afiechyd, a symudodd hi a'i gŵr i Garmel, ger Treffynnon yn 1962 ond dychwelodd i Ruthun ddwy fl. yn ddiweddarach, ddau fis ar ôl marw'i gŵr o gancr ar yr ysgyfaint ym mis Medi 1964, a mynd i fyw i 115 Parc y Dre. Y mae Kate Roberts, yn ei hysgrif goffa yn *Y Faner*, 1 Chwef. 1968, yn nodi na welodd Louie Myfanwy Thomas ei gŵr cyn iddo farw ac na fu hi yn yr angladd oherwydd ei gwaeledd ei hun.

Bu'n aros gyda Mrs. Bishop, Knapp House, Eardisland ger Llwydlo, am gyfnod tra oedd yn gwella o'r llawdriniaeth a gawsai. Cadwai Mrs. Bishop dafarn o'r enw The White Swan. Yn ôl un hanes, ar hap y daeth o hyd i'r lle: ei bod wedi gofyn i yrrwr bws am le addas i aros ynddo, a bod hwnnw wedi cymeradwyo'r White Swan iddi. Ni ellir gwirio hynny, ond y mae'r lle yn arwyddocaol serch hynny, oherwydd yno, yn ôl y sôn, y dechreuodd Louie Myfanwy Thomas ysgrifennu (ond gweler y stori 'Lol' yn *Storïau Hen Ferch*). Gwelsai foch ar waelod yr ardd a dechreuodd ysgrifennu storïau amdanynt ar gyfer plant. (Tybed ai dyma darddiad rhai o storïau *Ann a Defi John* - 'Siw a'r Moch Bach' er enghraifft?) Cymharer hefyd y disgrifiad o'r bwthyn ger Amwythig a geir yn *Diwrnod yw ein bywyd*.

Ysgrifennai Louie Myfanwy Thomas dan yr enw Jane Anne Jones. Enw morwynol ei mam oedd Elizabeth Jane Jones ac mae'n bosibl bod Louie Myfanwy Thomas wedi seilio Jane Ann Jones ar hynny. Ni wyddys a ddaeth Louie Myfanwy Thomas i wybod yn ddiweddarach yn ei bywyd pwy oedd ei mam a gellir amau a fyddai wedi llwyddo i ddod o hyd i'w henw morwynol pe bai hynny o bwys. Mynnai Louie Myfanwy Thomas gadw'i bywyd llenyddol yn gyfrinach ac y mae'r enw Jane Ann Jones yn enw mor ddi-nod a chyffredin fel na fyddai neb yn ei gysylltu â hi. Dywed Kate Roberts yn ei hysgrif goffa yn *Y Faner*, 'Cadwyd yr enw "Jane Ann Jones" yn gyfrinach rhwng pedwar ohonom am flynyddoedd maith, ac ni châi neb wybod pwy ydoedd'. Ni wyddai ei theulu na'i chyfeillion, na'i chydweithwyr yn y swyddfa, am ei gyrfa lenyddol am rai blynyddoedd. Gwyddent y byddai'n darllen llawer - âi i'r llyfrgell yn aml i archebu llyfrau newydd a gawsai eu hadolygu yn y *Daily Post* er enghraifft - ond syndod i'r rhai a'i hadwaenai oedd darganfod ei bod yn awdur.

Enillodd gan punt am nofel yng nghystadleuaeth *Y Cymro* yn 1953 (gw. *Y Cymro*, 30 Hyd. 1953). Ei ffugenw oedd 'Jini Jos' a chyhoeddwyd mai Jane Ann Jones oedd yr enillydd. 'Y mae'r gyfrinach i'w chadw' medd *Y Cymro* ynglŷn â hi. (Y beirniaid oedd Islwyn Ffowc Ellis, John Roberts Williams a T. Bassett). Mae lle i gredu y bu'n cystadlu rywfaint yn yr Eisteddfod Genedlaethol oherwydd gyrrodd *Diwrnod yw ein bywyd* i gystadleuaeth y nofel yn Eist. Gen. Dolgellau 1949 dan y ffugenw Ffanni Lwyd, a chael beirniadaeth arni gan D. J. Williams, Abergwaun (gw. *Cyfansoddiadau a Beirniadaethau*, 153). Cyhoeddodd *Y Cymro* stori fer o'i heiddo ar 9 Ebr. 1954 - 'Trwy Ddrych Mewn Dameg' - stori a ddisgrifir fel 'stori gryno, gyflawn, stori ddwys. Stori grefftus. Stori ddidramgwydd ...' a bu'n ysgrifennu sgriptiau a dramâu ar gyfer y B.B.C. am tua 10-15 mlynedd ond rhoes y gorau iddi ar ôl i'r B.B.C. ofyn iddi newid neu addasu ei harddull.

Cyhoeddodd y llyfrau canlynol, i gyd o dan yr enw Jane Ann Jones: *Storïau Hen Ferch* (Gwasg Aberystwyth, 1937); *Y Bryniau Pell* (Gwasg Gee, 1949); *Diwrnod yw ein bywyd* (Hughes a'i Fab, 1954); *Plant y Foty* (George Ronald, Caerdydd, 1955); *Ann a Defi John* (Gwasg y Brython, 1958).

Yr oedd yn fwriad gan George Ronald, Caerdydd, gyhoeddi cyfres o lyfrau plant, sef 'Storïau Ann a Defi John'. Gwasg y Brython a gyhoeddodd *Ann a Defi John* (1958), fodd bynnag. Y mae'n ddiddorol fod George Ronald

wedi rhoi llun o Jane Ann Jones ar glawr cefn *Plant y Foty*, ac wedi enwi ei llyfrau eraill. Daeth y gath allan o'r cwd erbyn 1955 felly! Cofir amdani'n berson gwylaidd a thawel, hynaws a galluog, ond tystir gan rai nad oedd hi'n tybio fod Kate Roberts wedi bod yn garedig ynglŷn â dim a ysgrifennai. Yn ôl a ellir casglu o'i gwaith ei hun yr oedd yn wraig annibynnol ei meddwl a thuedd feirniadol ynddi. Bu f. yn ysbyty Rhuthun 25 Ion. 1968.

Ymchwil bersonol; *Baner*, 1 Chwef. 1968.

H. ab E.

THOMAS, MARGARET HAIG, IS-IARLLES RHONDDA (1883-1958), awdures, golygydd, a chadeirydd cwmnïau; g. 12 Meh. 1883 yn Bayswater, Llundain yn unig blentyn David Alfred Thomas (*Bywg.*, 884-5) a'i wraig, Sybil Margaret, merch George Augustus Haig, Pen Ithon, Maesd. Addysgwyd hi i ddechrau gan athrawesau preifat yn y cartref. Yna danfonwyd hi i ysgol uwchradd Notting Hill, lle y cychwynnodd gylchgrawn argraffedig, *The Shooting Star*, y cyfrannai ei pherthnasau iddo. Oddi yno aeth i Ysgol St. Leonard yn St. Andrews, yn yr Alban, gwlad ei theidiau Haig. Bu am ychydig yng Ngholeg Somerville, Rhydychen, ond ni bu'n gartrefol yno. Nid ymhoffai chwaith ym mywyd cymdeithasol dinas Llundain, gwell oedd ganddi unigeddau Sir Faesyfed o gylch Pen Ithon a thirionwch Llan-wern, ei chartref yng Ngwent. Ni ddysgodd ddim Cymraeg oddigerth brawddeg fer i'w defnyddio wrth ganfasio yn etholiadau ei thad ym Merthyr Tudful. Ymdaflodd i ddiddordebau diwydiannol ei thad, gan weithredu fel ysgrifennyddes iddo, darpariaeth fuddiol ar gyfer y cyfnod pan fu raid iddi gymryd ei lle ar fyrddau diwydiannol ei thad pan ddaeth galwadau gwaith llywodraeth yn drwm ar ei ysgwyddau, ac ar ôl ei f. yn 1918.

Yn 1908 pr. Humphrey Mackworth (barwnig ar farwolaeth ei dad yn 1914) yn Eglwys y Drindod ger Caerllion, Myn. Ieuad anghymarus oedd hon, ef 12 ml. yn hŷn na hi, heb nemor ddim diddordeb ar wahân i'w gŵn hela - ef oedd meistr erchwys Llangybi Fawr - hi'n ddarllenwraig fawr, yntau braidd fyth yn agor llyfr; ef yn Geidwadwr, hithau'n ferch i Ryddfrydwr blaenllaw, er iddi o ymdeimlad o ddyletswydd ymddeol o gyngor lleol y Gymdeithas Ryddfrydol pan briododd. Gwnaethant eu cartref yn Llansoar heb fod ymhell o dŷ ei rhieni. Cyn pen pedwar mis, ar waethaf anfodlonrwydd ei gŵr, yr oedd wedi ymdaflu i weithgareddau beiddgar canlynwyr Mrs Pankhurst gan orymdeithio gyda'i chyfnither Florence Haig yn Hyde Park. Ymunodd â'r *Women's Social and Political Union* a chymryd rhan yn yr ymgyrchoedd dros bleidlais i ferched. Neidiodd ar astell modur H. H. Asquith yn St. Andrews. Dysgodd sut i roi tân mewn blychau post cyhoeddus a gweithredu yng Ngwent nes cael dedfryd mis o garchar ym Mrynbuga. Gan iddi wrthod bwyta, fe'i rhyddhawyd ar ôl pum niwrnod. Hi oedd gohebydd cangen Casnewydd o'r mudiad.

Yr oedd hi a'i thad ymhlith y rhai a achubwyd pan suddwyd y *Lusitania* gan fad tanfor Almaenig yn 1915. Ar ôl dychwelyd adref bu'n gomisiynydd dros wasanaeth cenedlaethol merched yng Nghymru ac yn 1918 gwnaethpwyd hi'n brif reolwr recriwtio merched ym Mhrydian. Pan fu ei thad f. etifeddodd hithau'r is-iarllaeth yn unol â darpariaeth arbennig a wnaed gan Lloyd George pan ddyrchafwyd ei thad i'r is-iarllaeth ac yntau heb etifedd gwryw. Cyflwynodd hithau ddeiseb am gael gwŷs i Dŷ'r Arglwyddi yn 1920, ac er fod yr Arglwydd Hewart a'r Pwyllgor Breiniau o blaid, o dan arweiniad yr Arglwydd Birkenhead pleidleisiodd mwyafrif mawr y Tŷ yn erbyn caniatáu ei chais. Iddi hi datblygiad cwbl naturiol o'i hymdrechion dros gydraddoldeb i ferched oedd y ddeiseb. Er iddi fethu, llwyddodd yr un flwyddyn gyda grŵp o ferched o gyffelyb fryd i ffurfio cwmni cyhoeddi'r wythnosolyn dylanwadol *Time and Tide* fel papur cwbl annibynnol ar na sect na phlaid i gyfarfod â gofynion cyfnod newydd wedi'r rhyfel. Hi fu'n ei olygu am weddill ei hoes, a'i stamp hi oedd arno, er mai Helen Archdale a olygodd y rhifynnau cyntaf. Drwy *Time and Tide* y sylweddolodd hi un o freuddwydion ei hieuenctid. Llwyddodd i ddenu cyfranwyr o allu ac o fri i'r papur. Yng nghanol ei holl brysurdeb - yr oedd yn ynad heddwch ym Myn. ac yn 1926 yr oedd yn llywydd yr *Institute of Directors* - a galwadau trefnyddiaeth ddiwydiannol yn drwm arni a'i iechyd hithau'n fregus - mynnodd gadw golwg barcud ar holl gynnwys y papur am bron 38 ml. Ei gofal mawr yn ystod misoedd olaf ei bywyd oedd sicrhau i'r papur seiliau ariannol diogel, a llwyddodd yn ei hymdrech. Safai'n gadarn dros ryddid yr unigolyn. Iddi hi yr oedd pob bod dynol, gwryw neu fenyw, i'w drin fel unigolyn a chanddo enaid anfarwol. Cyhoeddodd *D. A. Thomas, Viscount Rhondda* (1921), *Leisured Women* (1928), *This was my world* (1933) a *Notes on the way* (1937). Bu'n llywydd Coleg y Brifysgol, Caerdydd o 1950 i 1958 a dyfarnwyd iddi radd LL.D. Prifysgol Cymru er anrh. yn 1955.

Cafodd ysgariad oddi wrth ei gŵr yn 1923. Ni bu iddynt blant a daeth y teitl i ben gyda'i marw hi yn ysbyty Westminster ar 20 Gorff. 1958.

West. Mail, Times a *Time and Tide*, Gorff. 1958; *DNB; G.E.C.*; gw. *WwW* (1921), 402 am restr o'r cwmnïoedd yr oedd yn gadeirydd neu'n gyfarwyddwr iddynt bryd hynny.

E.D.J.

THOMAS, MORRIS (1874-1959), gweinidog (MC), llenor a hanesydd; g. 8 Gorff. 1874 yn Nhal-y-sarn, Dyffryn Nantlle, Caern., yn fab i Robert Thomas, chwarelwr. Bu'r tad f. pan dorrodd Llyn Nantlle a boddi wyth o chwarelwyr, pan oedd Morris Thomas yn ddim ond 12 oed, ac yn yr oed hwnnw bu rhaid i'r bachgen fynd i weithio i'r chwarel. Canfu ei weinidog, William Williams, fod gallu arbennig ynddo, a bu'n ei galonogi a'i hyfforddi. Aeth i Goleg Clynnog ac oddi yno i'r 'adran' yng Ngholeg y Bala. Yn Hyd. 1901 aeth i Goleg y Brifysgol, Bangor, a graddio yn yr ail ddosbarth mewn Saesneg a 3ydd dosbarth mewn athroniaeth yn 1905.

Daeth dan ddylanwad Diwygiad 1904-05, ac yn hytrach na chwpláu cwrs y B.D. penderfynodd fynd yn fugail eglwys er iddo fod yng Ngholeg y Bala o 1905 hyd 1907. Yn 1908 ord. ef, a'i ofalaeth gyntaf oedd eglwys

Aber a'r Gatws ger Bangor. Bu'n weinidog wedi hynny ym Mhenmorfa ger Porthmadog, Trefeglwys a Llawr-y-glyn ym Maldwyn, Corris ac yna yn Nolwyddelan.

Ysgrifennodd gryn dipyn i gyhoeddiadau ei enwad. Enillodd yn Eist. Gen. y Fenni, 1913, am gyfieithiad i'r Gymraeg o nofel Robert Louis Stevenson, *Treasure Island* ac am 'draethawd beirniadol ar weithiau ac athrylith Islwyn'. Yn Eist. Gen. Pwllheli, 1925, bu'n gyd-fuddugol â'i nofel *Toriad y Wawr*, a gyhoeddwyd yn 1928 gan Hugh Evans a'i Feibion, Lerpwl. Yr enillydd arall oedd Lewis Davies, Cymer (gw. uchod) â'i nofel *Wat Emwnt* a gyhoeddwyd gan yr un wasg yn yr un fl. Yn Eist. Gen. Bangor, 1931, enillodd Morris Thomas y wobr gyntaf â'i nofel *Pen yr Yrfa*, a gyhoeddwyd yn swyddfa'r *Goleuad*, Caernarfon, yn 1932.

Cyfrifid ef yn hanesydd da a phenodwyd ef i ysgrifennu hanes henaduriaeth Llŷn ac Eifionydd, gwaith a adawyd heb ei orffen gan Henry Hughes, Bryncir (*Bywg.*, 354). Yn ôl ei dystiolaeth ef ei hun, diflasodd Morris Thomas ar y gwaith ac ar y dasg o geisio datrys nodiadau Henry Hughes, a throes y deunydd yn nofel. Hanes Methodistiaeth gynnar Llŷn yn nyddiau Morgan y Gogrwr yw *Toriad y Wawr*. Ysgrifennodd nofel arall, *Y clogwyn melyn*, ond nis cyhoeddwyd. Byddai'n arfer ganddo hefyd gyhoeddi stori fer yn rhifynnau Nadolig *Y Goleuad*.

Yr oedd ei briod, L. M. Thomas, genedigol o Lanarmon Dyffryn Ceiriog, yn chwaer i'r Athro Richard Morris, Coleg y Bala. Byddai hithau'n ysgrifennu llawer ar gyfer plant ac yn cyfrannu'n gyson i'r cylchgronau *Trysorfa'r Plant* ac *Y Gymraes*.

Ymddeolodd Morris Thomas yn 1945 ac aeth i fyw yn Nhal-y-bont, Dyffryn Conwy. Yno y bu f. ar 10 Awst 1959.

Llsgrau Bangor 15135-15206 yn Llyfrgell Coleg y Brifysgol; *Gol.*, 7 Hyd. 1959; *Blwyddiadur MC*, 1960; *Gymraes*, 37, rhif 10, Hyd. 1933; O. E. Williams, *Dringwn fel ein tadau: hanes eglwysi Moriah, Dolwyddelan* (1980); gwybodaeth bersonol.

De J.

THOMAS, Syr PERCY EDWARD (1883-1969), pensaer ac ymgynghorwr ar gynllunio; g. yn South Shields, 13 Medi 1883, yn drydydd mab a phumed plentyn Christmas a Cecilia (g. Thornton) Thomas. Mab fferm o ardal Arberth, Penf., a aethai i'r môr oedd y tad, ac erbyn geni Percy Edward yr oedd yn gapten ar long hwyliau. Hanai'r fam o Wedmore, Gwlad-yr-Haf. Pan oedd y bachgen yn ddeg oed symudodd y teulu i Gaerdydd, lle'r oedd y fasnach allforio glo lewyrchus yn atyniad i lawer tebyg. Addysgwyd ef yn ysgol breifat Hasland House nes i'w dad farw yn 1897, pan symudwyd ef i ysgol uwchradd Howard Gardens, ond yr oedd wedi gweld y byd yn ieuanc ar fordeithiau bron bob haf gyda'i dad, ac wedi gweld dinasoedd fel St. Petersburgh, Odessa, Istanbul, Genoa, Fiume a phorthladdoedd eraill. Mae'n sicr fod ei brofiadau cynnar wedi lliwio'i yrfa ddiweddarach. Ar y môr y bu'r tad farw, ac yn Leghorn y claddwyd ef. Cafodd y fam le i'r bachgen mewn swyddfa longau yn nociau Caerdydd, ond nid oedd y gwaith yn apelio ato. Cymerodd ficer Llandochau ef at ffrenolegydd a dedfryd hwnnw oedd mai pensaernïaeth oedd yr alwedigaeth briodol iddo. Cymerwyd erthyglau iddo yn swyddfa E. H. Burton, F.R.I.B.A., am bum ml., ond erbyn y bumed teimlai fod ei waith yn teilyngu tâl a chafodd goron yr wythnos yn hytrach na'i ryddhau o'r erthyglau. Mewn cystadleuaeth am gynllun i ysgol uwchradd yng Nghaerdydd curodd ei gynllun ef un ei feistr, ac enillodd y wobr flaenaf am gynllun pensaernïol yn Eist. Gen. Llanelli, 1903. Yn Ion. 1904 cafodd swydd gan J. C. Prestwich yn Leigh, sir Gaerhirfryn, ond ymhen y flwyddyn symudodd i Gaerfaddon yn gynorthwyydd i R. A. Brinkworth. Ar ôl dwy fl. yn gynorthwyydd yr oedd yn chwilio am swydd fwy cyfrifol ac atebodd hysbyseb â rhif bocs yn unig iddi. Er ei syndod, cafodd ei hun yn ôl gyda J. C. Prestwich fel prif gynorthwyydd iddo.

Yn 1906, symudodd drachefn, y tro hwn at Henthorne Stott ym Manceinion. Bu'n cydweithio ag Ivor Jones, Caerdydd, mewn cystadlaethau agored, ac yn 1911 i'w cynllun hwy ar gyfer coleg technegol yng Nghaerdydd y dyfarnwyd y wobr. Rhoes hynny gyfle iddo i ddychwelyd a mynd i bartneriaeth gydag Ivor Jones yn 1913. Torrwyd ar ei yrfa gan Ryfel Byd I gan iddo ymuno â'r *Artists' Rifles* yn niwedd 1915. Cafodd gomisiwn yn y *210 Field Company, Royal Engineers*, a chafodd ei hun ar y Somme, ac nid yn yr Aifft fel y gobeithiasai. Dyrchafwyd ef yn *Staff Officer R.E. XIII Army Corps*. Enwyd ef ddwywaith mewn cad negeseuau o'r maes a chafodd yr O.B.E. filwrol.

Wedi ei ryddhau o'r fyddin yn Chwef. 1919 dychwelodd at ei waith yng Nghaerdydd. Yn y cyfnod rhwng y rhyfeloedd enillodd lawer cystadleuaeth agored am gynlluniau pwysig, e.e. gorsafoedd tân a heddlu, Bryste, 1924, Newcastle, 1925, ac Accrington, 1930; canolfannau dinesig Abertawe, 1930, Tunbridge Wells a neuadd tref Swinton a Pendlebury, 1934, y drwy olaf mewn cydweithrediad ag Ernest Prestwich, Leigh. Yn ychwanegol at ei lwyddiant mewn cystadlaethau agored daeth comisiynau o bwys i'w ran, yn cynnwys swyddfeydd newydd i gyngor sir Morgannwg, adeilad y Deml Heddwch ar gomisiwn uniongyrchol yr Arglwydd Davies (*Bywg.*2, 8) - y ddau ym mharc Cathays, Caerdydd - swyddfeydd cyngor sir Gaerfyrddin, a llysoedd heddlu a gorsaf dân Caerwrangon. Edrychid arno fel arbenigwr cydnabyddedig mewn dylunio a chynllunio adeiladau cyhoeddus, a phenodwyd ef yn ymgynghorwr ar gynlluniau dinesig corfforaethau Caerdydd, Aberdeen, High Wycombe, Blackpool, bwrdeistref frenhinol Kensington, a chynghorau sir y Fflint ac Amwythig. Gwahoddwyd ef yn 1935 i ddylunio campws newydd Coleg y Brifysgol, Aberystwyth, a gweithredodd fel pensaer i rai o'r adeiladau, gan ddechrau gyda'r adeilad ymchwil amaethyddol a'r pwll nofio (lle y defnyddiwyd carreg y Ddena yn groes i'w gyngor), ac adeilad gwyddor llaeth. Yn 1935 penodwyd ef gan gwmni rheilffordd yr L.M.S. i ailgynllunio gorsaf Euston, ond pan dorrodd y rhyfel allan bu raid rhoi'r gorau i'r cynllun.

Etholwyd ef yn llywydd y *Royal Institute of British Architects* yn 1935 ac yn 1939 derbyniodd fedal aur frenhinol y sefydliad, un o'r ychydig benseiri a gafodd y ddau anrhydedd. Dyfarnwyd medal efydd yr

R.I.B.A. iddo am siop newydd James Howell yng Nghaerdydd, 1930, canolfan dinesig Abertawe, 1935, y Deml Heddwch, 1949, a neuadd tref Swinton a Pendlebury, 1938. Gwnaethpwyd ef yn aelod gohebol anrhydeddus o sefydliad penseiri America yn 1936, a bu hefyd yn llywydd undeb penseiri Ffrainc a Phrydain.

Dirwynwyd y bartneriaeth ag Ivor Jones i ben, drwy gydsyniad o'r ddeutu, yn 1937, a bu'n gweithredu ar ei ben ei hun tan 1946, pryd y cymerodd ei fab, Norman, i bartneriaeth gan ychwanegu William Marsden a Wallace Sweet yn 1952.

Rhoes Rhyfel Byd II ataliad neu ben ar bob cynllun adeiladu cyhoeddus, a thros y cyfnod ymgymerodd Percy Thomas â gwasanaeth llywodraeth yng Nghymru a pharhau hyd ddiwedd y 1950au. Yn 1940 gwahoddwyd ef gan Arglwydd Raglaw Morgannwg i weithredu fel swyddog rhanbarthol y Weinyddiaeth Gyflenwi yng Nghymru, a phan gymerodd yr Arglwydd Beaverbrook at y Weinyddiaeth hon, gwnaethpwyd ef yn rheolwr y rhanbarth. Pan ffurfiwyd Gweinyddiaeth Cynhyrchu yn 1942 daeth yntau'n rheolwr rhanbarthol ac yn gadeirydd bwrdd rhanbarth Cymru, swyddi a ddaliodd hyd derfyn oes y Weinyddiaeth. Gwahoddodd Syr Stafford Cripps ef i barhau fel cadeirydd annibynnol y bwrdd diwydiant Cymreig ac fel aelod o'r *National Production Advisory Council*. Daeth yn un o ffigurau mwyaf adnabyddus byd diwydiant Cymru a gelwid yn gyson arno i lywyddu cyfarfodydd a phwyllgorau llesiant, cyd-ymgynghoriad, a phroblemau diwydiant modern. Drannoeth apêl Anthony Eden am wirfoddolwyr ymunodd â'r L.D.F. a bu'n brif gynorthwyydd i'r Cyrnol Otto Jones mewn recriwtio i'r corff hwn ym Morgannwg. Yn ddiweddarach penodwyd ef yn is-gyrnol a chomander 22ain bataliwn Gwarchodlu Cartref Morgannwg.

Yn 1943 etholwyd ef eilwaith yn llywydd y R.I.B.A., peth na ddigwyddodd ond yn achos Syr William Tite a etholwyd am ail dymor yn 1867. Gwasanaethodd y cyngor am ddwy fl. a'i ethol am flwyddyn arall yn 1945; felly daliodd y llywyddiaeth am 5 ml. Ef a fu'n bennaf gyfrifol am gymodi buddiannau'r ymarferwyr preifat a rhai'r corff penseiri swyddogol a oedd erbyn hyn yn y mwyafrif, a thrwy hynny, gyda llaw, y trawsffurfiwyd y sefydliad o fod yn bennaf yn gorff Llundeinig i fod yn un gwirioneddol genedlaethol.

Ef a fu'n gyfrifol am lawer o'r dylunio diwydiannol yng Nghymru ar ôl y rhyfel, e.e. ffatri fawr *British Nylon Spinners* ym Mhont-y-pŵl, a gorsafoedd pŵer newydd Porth Tywyn ac Aberddawan. Fel pensaer ymgynghorol Cwmni Dur Cymru yr oedd yn gyfrifol gyda'r peirianwyr W. S. Atkins am felinau strip enfawr Aberafan a Llanelli. Ef oedd pensaer ymgynghorol y Weinyddiaeth Drafnidiaeth dros nifer o'u cynlluniau yng Nghymru ar ôl y rhyfel, e.e. pont osgoi Conwy, Pont Hafren, a ffyrdd osgoi Castell-nedd a Chasnewydd. Gwahoddwyd ef gan y peirianwyr Freeman, Fox a'u Partneriaid i'w cynghori ar gynllun pont dros harbwr Auckland yn Seland Newydd. Penodwyd ef yn bensaer ymgynghorol ysbytai unedig Caerdydd, prifysgolion Nottingham, Bryste a Chymru, yr Awdurdod Trydan Prydeinig dros ei holl waith yng Nghymru a

Ffederasiwn Diwydiannau Prydain dros ei bencadlys newydd yn Llundain.

Bu'n aseswr ar lawer cystadleuaeth bwysig mewn pensaernïaeth yn yr un cyfnod; y mwyaf diddorol ohonynt oedd un pencadlys y T.U.C. yn Great Russell Street, a chadeirlan Coventry. Fel ymgynghorwr i'r ysbytai yr oedd hefyd yn aseswr yn y gystadleuaeth am gynllun i'r ganolfan feddygol ar y Waun yng Nghaerdydd. Yn 1952 gwnaethpwyd ef yn gyrnol anrhydeddus i'r 109 *Army Engineer Regiment (Glam.) RE(TA)*, catrawd yr oedd ei fab yn brif swyddog arni.

Pr. Margaret Ethel, merch Henry Turner, o Benarth, yn 1906, a bu iddynt un mab, a thair merch. Bu hi f. ym mis Mai 1953. Yn 1961 cafodd yntau afiechyd difrifol ac wedi cyfnod byr fel ymgynghorwr i'r practis ymddeolodd yn 1963. Bregus fu ei iechyd hyd derfyn ei oes ar 17 Awst 1969.

Ar wahân i'w faes arbennig ei hun rhoes wasanaeth gwiw i gymdeithas, a daeth llu o anrhydeddau i'w ran, yn cynnwys LL.D. Prifysgol Cymru yn 1937, a'i urddo'n farchog, 1946. Yr oedd yn ynad heddwch yn ninas Caerdydd o 1946, yn ddirprwy raglaw Morgannwg o 1945, ac yn uchel siryf y sir honno yn 1949-50. Golygodd waith 4 cyfrol dan y teitl *Modern building practice*, 1936-37, a chyhoeddodd gyfrol hunangofiannol ddiddorol, *Pupil to president*, yn breifat yn Leigh-on-Sea yn 1963. Am ei weithiau pensaernïol dywedir fod iddynt dair nodwedd arbennig, eu bod yn gymesur, syml, a didwyll.

Gwybodaeth bersonol; *Pupil to president*.

N.T.

THOMAS, PERCY GORONWY (1875-1954), Athro ac ysgolhaig; g. 26 Tach. 1875 ym Mhenbedw, swydd Caer, yn fab i Josiah Thomas a Marianne (g. Jones, o Lanfyllin), wedyn o Lerpwl, ac ŵyr i John Thomas, gweinidog (A), Lerpwl (1821-92; *Bywg.*, 894-5). Addysgwyd ef ym Mhrifysgol Lerpwl a Choleg Caius, Caergrawnt, a chafodd Litt.D. Prifysgol Lerpwl *c.* 1925. Ei swydd gyntaf oedd fel darlithydd cynorthwyol mewn Saesneg yng Ngholeg Prifysgol Gogledd Cymru, Bangor (1903-6), ond treuliodd y rhan fwyaf o'i fywyd yn ddarlithydd Saesneg yn King's College, Prifysgol Llundain (1908-23), ac yn Athro iaith a llenyddiaeth Saesneg yr oesoedd canol yng Ngholeg Bedford (1923-42). Adnewyddodd ei gysylltiad â Phrifysgol Cymru fel arholwr allanol yn ystod 1927-30, a bu'n arholwr allanol Prifysgol Llundain, 1930-33. Ar waethaf ei swildod, ni allai ei fyfyrwyr lai na sylweddoli dyfnder ac ehangder ei afael ar ei faes, a deall eu bod wrth droed gwir ysgolhaig wrth iddo fwrw golwg dros y newidiadau ieithyddol a fu o'r bedwaredd ganrif ymlaen a chyflwyno cipolwg iddynt ar feysydd llên Germanaidd a Cheltaidd. Bu'n olygydd nifer o weithiau canoloesol a'r 16ed g., ac yn awdur llawer o gyfrolau, yn eu plith: *A glossary of the Mercian hymns* (gyda H. C. Wyld, 1903); *Alfred and the prose of his reign* (1907); *Greene's Pandosto* (1907); *Introduction to the history of the English language* (1920); *Middle English section in the Year's Work in English Studies* (1923 ac 1924); *English literature before Chaucer* (1924); *Aspects of literary theory and practice, 1550-1870* (1931); ac erthyglau yn *Modern Language Review* a chyfnodolion

ysgolheigaidd eraill.

Pr., 22 Awst 1918, Mary Pugh Jones, merch John Ivor Jones, Llangollen a Colombia, De America, a bu iddynt ddau fab. Bu f. yn ei gartref, Winfrith, 26 Forty Avenue, Wembley Park, Middlesex, 28 Mai 1954.

Www; WwW (1921); *Times*, 29 Mai a 9 Meh. 1954.

M.A.J.

THOMAS, Syr ROBERT JOHN (1873-1951), gwleidydd a pherchennog llongau; g. 23 Ebr. 1873 yn fab i William a Catherine Thomas, Bootle. Addysgwyd ef yng Ngholeg Bootle, Athrofa Lerpwl, a Choleg Tettenhall. Dechreuodd weithio yn y busnes teuluol fel brocer yswiriant llongau a daeth yn yswiriwr llongau yng nghwmni Lloyds. Gwasanaethodd fel aelod seneddol (un o Ryddfrydwyr y Glymblaid) dros etholaeth Wrecsam rhwng 1918 ac 1922, safodd yn aflwyddiannus yn sir Fôn yn 1922 ac etholwyd ef yno mewn is-etholiad yn Ebr. 1923 ar farwolaeth Syr Owen Thomas (*Bywg.* 2, 165). Parhaodd i gynrychioli sir Fôn yn y senedd hyd Mai 1929 pan ymddiswyddodd er mwyn medru rhoddi mwy o'i amser i'w ddiddordebau masnachol. Ei olynydd yn yr etholaeth oedd y Fonesig Megan Lloyd George (gw. Lloyd George, Teulu uchod). Aeth yn fethdalwr yn 1930, ac ni chafodd ei ryddhau tan 1935. Yr oedd yn aelod o gyngor sir Môn a gwasanaethodd fel uchel siryf dros y sir yn 1912. Ef oedd sylfaenydd y gronfa er cof am yr arwyr Cymreig; rhoddodd £20,000 iddi a gweithredodd fel ysgrifennydd mygedol am flynyddoedd. Ef hefyd a sefydlodd yng Nghaergybi y *Lady Thomas Convalescent Home for Discharged and Disabled Soldiers and Sailors*, a phrynodd yr offer ar ei gyfer. Yr oedd yn Gymro Cymraeg, yn aelod o gyngor Coleg Prifysgol Gogledd Cymru, Bangor, ac yn drysorydd mygedol cymdeithas eist. Môn am 15 ml. Urddwyd ef yn farchog yn 1918.

Pr. yn 1905 Marie Rose, merch Arthur Burrows, a bu hi f. yn 1948. Bu iddynt ddau fab ac un ferch. Ei etifedd oedd Syr William Eustace Rhyddland Thomas, (1909-57). Bu f. 27 Medi 1951 yn ei gartref, Garreg-lwyd, Caergybi, Môn.

Www; WwW (1921); *Times*, 28 Medi 1951; *Dod's Parliamentary Companion; WWP.*

J.G.J.

THOMAS, Syr ROGER (1886-1960), arloeswr amaethyddiaeth fodern yr India; g. 4 Mai 1886, y seithfed o 11 plentyn Lewis Thomas a'i briod, Sophia (g. James), Pen-yr-ardd, Clunderwen, Penf. Addysgwyd ef yn ysgol sir Arberth, a C.P.C. Aberystwyth, lle cafodd B.Sc. dosbarth cyntaf mewn botaneg, gyda daeareg yn bwnc atodol. Ac yntau'n *Victor Ludorum* mewn chwaraeon, rhedai dros y coleg. Wedi gadael yr ysgol yn 16 ml. oed a chyn mynd i'r coleg bu'n athro didrwydded yn ysgol elfennol Pontyberem, yn ysgol fwrdd Arberth ac mewn ysgol breifat yn Taunton. Ar ôl graddio yn 1913, penodwyd ef yn aelod o Wasanaeth Amaethyddol yr India. Ymunodd â'r Coleg Amaethyddol yn Coimbatore, De'r India, gan ddod yn Ddirprwy Gyfarwyddwr Amaethyddiaeth Madras. Yn 1917 aeth i Fesopotamia (Irac yn awr) fel Dirprwy

Gyfarwyddwr Ymchwil Amaethyddol. Yr oedd yn gapten yn y *Mesopotamia Expeditionary Force* er mwyn ei alluogi i wneud y gwaith. Dyrchafwyd ef yn gyrnol, a daeth yn Gyfarwyddwr Cyffredinol Amaethyddiaeth yn 1920. Yn 1925 ymddeolodd o wasanaeth y llywodraeth, a threuliodd beth amser yn teithio yn T.U.A., yr Aifft, Swdan, a Mecsico, yn astudio dulliau o dyfu cotwm. Yn 1927 ymunodd â'r *British Cotton Growing Association* yn Khanewal, Punjab, India. Prynodd dir yn Sind yn 1931 a chychwyn ffermio yn yr ardal oedd newydd ei dyfrhau gan Argae Sukkur, gyda'r amcan o wella ffermio yn gyffredinol, a chotwm yn arbennig. Yn Rhag. 1944 penodwyd ef yn Weinidog Amaethyddiaeth Llywodraeth Sind ond y flwyddyn ganlynol ymddeolodd oherwydd pwysau politicaidd cyn i'r wlad gael ei hannibyniaeth, ond parhaodd i wasanaethu fel Cynghorwr. Yn 1940 derbyniodd C.I.E. ac urddwyd ef yn farchog yn 1947. Cyn ac ar ôl Rhyfel Byd I bu'n aelod o lawer o bwyllgorau yn yr India cyn iddi ymrannu, ac yn Pacistân wedi hynny. Ymhlith ei waith cyhoeddedig ceir: *Planning for agriculture in India* (1944); *Drainage and reclamation of irrigated lands in Pakistan, including a report on a visit to the U.S.A. and Egypt 1949* (1949); *Report on the draft of the Pakistan five-year plan* (1956).

Yn 1939 pr. Margaret Ethelwynne Roberts o Ormskirk, sir Gaerhirfryn. G. eu hunig ferch, yn 1940. Bu ef f. 19 Medi 1960 a'i gladdu ym mynwent Blaenconin (B), Llandysilio, Clunderwen.

Gwybodaeth bersonol.

M.E.T.

THOMAS, ROWLAND (c. 1887-1959), perchen newyddiaduron; g. *c*. 1887 yng Nghroesoswallt, swydd Amwythig, yn fab i William Thomas. Addysgwyd ef yn lleol cyn iddo ddechrau gweithio mewn busnes newyddiadurol. Wedi Rhyfel Byd I dychwelodd i ddilyn camre ei dad yn brif gyfarwyddwr swyddfa Gwasg Caxton yng Nghroesoswallt a dod yn gadeirydd Woodall, Minshall, Thomas a'r Cwmni, Croesoswallt, a gynhyrchai'r *Border Counties Advertizer*. Sefydlodd y *Wrexham Leader* yn 1920 a chymryd at y *Montgomeryshire Express*, ac yn 1932 datblygodd *Y Cymro* (gynt o Ddolgellau) yn bapur cenedlaethol. Yn 1921 prynodd y cwmni cyhoeddi llyfrau Cymraeg, Hughes a'i Fab, ynghyd â Gwasg y Dywysogaeth (Principality Press), Wrecsam. Er na siaradai Gymraeg ei hun, gweithiodd yn ddygn i gynnal yr iaith. Gyda chyngor panel o ysgolheigion blaenllaw a chymorth awduron llwyddodd i argraffu a chyhoeddi cyflenwad cyson o lyfrau, cyfnodolion a newyddiaduron Cymraeg, a chydnabuwyd ei wasanaeth dros yr iaith trwy ei ethol yn aelod o Orsedd y Beirdd yn 1947. Datblygodd hefyd weithgarwch cerddorol y wasg. Yr oedd ef ei hun yn gerddorol, gydag ef a'i wraig, Elizabeth (g. Parry), yn organyddion Capel Oswald Road (MC), lle yr oedd ef yn flaenor. Yr oedd hefyd yn Ynad Heddwch, a bu'n is-gadeirydd mainc ynadon Croesoswallt. Trosglwyddodd y busnes cyhoeddi i'w fab, Eric Lionel Thomas, cyn ymddeol a symud i Landegfan, Môn. Bu f. yn ddisymwth, 17 Mai 1959, ar ei ffordd i ysbyty Harrogate.

Thomas Bassett, *Braslun o hanes Hughes a'i Fab* (1946), 51-55; *Cymro*, 21 Mai 1959; *Times*, 19 Mai 1959.

M.A.J.

THOMAS, WILLIAM (1891-1958), Is-ysgrifennydd y Weinyddiaeth Dai a Llywodraeth Leol; g. 27 Tach. 1891, yn fab i James a Catherine Thomas, Cymer, Rhondda, Morg. Addysgwyd ef yn ysgol uwchradd Porth a Choleg y Brifysgol yng Nghaerdydd lle y cafodd radd B.Sc. yn 1911 ac y bu'n arddangosydd mewn ffiseg am gyfnod. Yn ystod Rhyfel Byd I gwasanaethodd gyda'r *South Lancashire Regiment*, a bu ar Staff Cyffredinol yr *Egyptian Expeditionary Force*. Galwyd ef i'r bar gan y Deml Fewnol yn 1928. Ymunasai â'r gwasanaeth sifil yn 1914, ac ymhen y rhawg daeth yn aelod o Fwrdd Iechyd Cymru, 1945-51, ac yn Is-ysgrifennydd gyda gofal am Swyddfa Gymreig y Weinyddiaeth Dai a Llywodraeth Leol yng Nghaerdydd, 1951 hyd 1954, pryd yr ymddeolodd. Cyfrannodd erthyglau i'r *Fflam*, 1947, a cholofn Gymraeg y *Western Mail* (e.e. 25 Tach. 1954), ac yr oedd yn un o olygyddion *Bro*, 1954. Pr. yn 1925 â Mary Olwen Davies, Ynys-hir, Rhondda a symudodd o'r Cymer yn 1938 i 27 Heol Maesycoed, Y Waun, Caerdydd. Bu f. 20 Ebr. 1958.

Www; *WWP*.

M.A.J.

THOMAS, WILLIAM DAVIES (1889-1954), Athro Saesneg; g. 5 Awst 1889 yn fab William a Hannah Thomas, Abermiwl, Tfn., lle'r oedd ei dad yn of a phost-feistr. Addysgwyd ef yn ysgol sir y Drenewydd a Choleg Prifysgol Cymru, Aberystwyth, lle y graddiodd mewn Saesneg yn 1910. Bu'n aelod gwerthfawr o dimau pêl-droed y coleg a'r dref. Treuliodd flwyddyn arall yn Aberystwyth cyn mynd i Goleg Iesu, Rhydychen, lle cafodd radd M.A. yn 1913. Y flwyddyn honno penodwyd yn ddarlithydd yng Ngholeg y Drindod, Toronto, Canada, a daeth yn Athro Saesneg Hŷn ym Mhrifysgol Saskatchewan yn 1919, ar ôl gwasanaethu yn Ffrainc yn ystod Rhyfel Byd I. Yn 1921 dychwelodd i Gymru i fod yn Athro iaith a llenyddiaeth Saesneg cyntaf Coleg y Brifysgol oedd newydd ei sylfaenu yn Abertawe, a llanwodd y swydd gydag anrhydedd hyd ei farw. Bu'n gefn i'r coleg yn y dyddiau cynnar, gan wasanaethu'n ddoeth ar bwyllgorau a bod yn is-brifathro'r coleg, 1927-31. Yr oedd yn athro penigamp, yn hael ei gefnogaeth i'r myfyrwyr, ac yn feistr ar y grefft o arholi, nid yn unig wrth osod y papurau arholiad ond hefyd wrth fantoli'r atebion. Ymatebai'n rhwydd i syniadau ac ymboenai ynglŷn ag arddull. Ysgrifennai erthyglau bywiog, caboledig, ond ychydig iawn o'i waith a gyhoeddwyd gan mor feirniadol ydoedd o'i waith ei hun. Am flynyddoedd cynhaliodd ddosbarthiadau allanol llewyrchus yng Nghastell-nedd a'r cyffiniau ar lenyddiaeth Saesneg, a darlledodd sgyrsiau radio ar lenyddiaeth, barddoniaeth a phynciau eraill. Pr. ag Edith Mary, merch Richard Edwards, Maesycymer, yng nghapel Bedyddwyr Cymraeg Hengoed a bu f. yn ei gartref, 11 Clarendon Road, Sgeti, ar 6 Maw. 1954.

WWP; *West. Mail*, 8 Maw. 1954; *Times*, 9 a 17 Maw. 1954.

M.A.J.

THOMAS, WILLIAM JENKYN (1870-1959), ysgolfeistr ac awdur; g. 5 Gorff. 1870 yn fab i John Thomas, Bryncocyn, Llangywer, Meir., a Catherine ei wraig a fu f. pan oedd William yn blentyn, a symudodd y teulu i Blas Madog, Llanuwchllyn. Bu yn Ysgol Friars, Bangor, cyn ymaelodi yng Ngholeg y Drindod, Caergrawnt, fel *sizar* yn 1888; cafodd ysgoloriaeth yn 1890 a graddiodd yn B.A. (dosbarth I rhan I y tripos clasurol), ac M.A. 1896. Ar ôl bod yn ddarlithydd yn y clasuron ym Mangor, 1891-96, aeth yn brifathro ysgol sir Aberdâr. Yn 1905 penodwyd ef yn brifathro ysgol Cwmni'r Groseriaid yn Hackney Downs, Llundain, pan gymerwyd hi drosodd gan gyngor sir Llundain, a daliodd y swydd honno nes ymddeol yn 1945. Cymerodd ran flaenllaw yng Nghymdeithas y Prifathrawon. Yr oedd yn gyd-ysgrifennydd yr *Incorporated Association of Headmasters*, 1913-33, a gwnaethpwyd ef yn llywydd yn 1934 a'i ailethol am fl. arall. Yr oedd yn amddiffynnydd cadarn i'w alwedigaeth ac ni phetrusai gondemnio pob ymyriad gwleidyddol mewn addysg, fel pan wrthododd llywodraethwyr ysgol Pontypridd ganiatáu gŵyl i'r plant ar achlysur priodas frenhinol yn 1935, neu pan geisiodd y Blaid Lafur godi pwyllgor i ystyried ailysgrifennu llyfrau hanes yn yr un flwyddyn. Yr oedd yn llym ei feirniadaeth ar brifysgolion a'r wladwriaeth am gyndynrwydd i roi anrhydeddau teilwng i athrawon. Ysgrifennodd David Lloyd George (*Bywg.*2, 39) ragair o deyrnged i lyfryn swfenîr i ddathlu 30 ml. o'i brifathrawiaeth yn Hackney Downs. Cyhoeddodd gasgliad o benillion telyn yn 1894, a gydag E. Doughty *The new Latin Delectus* (1908-09). Golygodd ddetholiad o gerddi Sallust ac Ovid yn 1900, a dwy gyfrol i'r 'Cameos of Literature': *The harp of youth, a book of poetry for school and home* (1907) a *A book of English prose* (1909). Gyda Charles W. Bailey cyhoeddodd *Letters to a young headmaster* (1927). Er treulio oes yn Llundain nid anghofiodd anghenion Cymru. Golygodd *Cambrensia: a literary reading book for Welsh schools* (c. 1904), a chyhoeddodd *The Welsh fairy book* (1907 a nifer o adargraffiadau hyd 1995), *More Welsh fairy and folk tales* (1957), a llyfryn *Heroes of Wales* (1912) ar bwys y cerfluniau ohonynt yn neuadd y ddinas, Caerdydd. Ymddangosodd rhai o'i ysgrifau yn *Cymru* a *Wales* tuag 1894-95; ac yn *Wales*, 1911-15, cafwyd cyfres o fywgraffiadau ganddo o dan y teitl 'Forgotten Welshmen'. Rhoddodd ddarlith i Anrh. Gymd. y Cymm. yn 1941 o dan yr un teitl yn annog rhywrai i fynd ati i lunio a chyhoeddi bywgraffiadau o Gymry nodedig, prosiect y bu'n ei hargymell ers pum ml. neu ragor mewn darlithoedd i Urdd y Graddedigion ac ar y radio. Gwnaeth ei gartref yn 38 Windsor Road, Finchley, a magu dau fab (os nad rhagor o blant). Bu ei wraig Marian Rose (g. Dixon?) f. 22 Hyd. 1936 ac yntau 14 Maw. 1959.

WWP; Cyfrifiadau 1871, 1881.

E.D.J.

THOMAS, WILLIAM PHILLIP ('Gwilym Rhondda', 1861-1954), swyddog glofeydd; g. 27 Hyd. 1861 yn fab i Mary Thomas (g. Phillips) a'i gŵr, Treorci, Morg. Gadawodd yr ysgol leol yn 12 oed i weithio yn swyddfa cwmni *Ocean Coal* yn 1874; daeth yn rheolwr cyffredinol yn 1926,

gan ymddeol yn 1933 ond parhaodd i fod yn gyfarwyddwr y cwmni (1927-37) yn ogystal â chyfarwyddwr llawer o gwmnïau glo eraill. Yr oedd yn adnabyddus iawn fel trefnydd gweithgareddau cymdeithasol a diwylliannol. Derbyniwyd ef yn aelod o Orsedd y Beirdd wrth yr enw 'Gwilym Rhondda' yn Eist. Gen. Caerdydd yn 1883 am ei gefnogaeth i lên a cherddoriaeth. Cymerodd ran amlwg yn y bywyd crefyddol, gan wasanaethu Undeb y Bedyddwyr fel trysorydd (1924-28) a llywydd (1928); bu'n drysorydd Undeb Bedyddwyr Ieuainc Cymru, ac ysgrifennydd cymanfa Bedyddwyr cylch Rhondda Uchaf am dros 50 ml. Cymerodd ddiddordeb mawr mewn gwella amgylchiadau gwaith y glowyr a threfnodd ddosbarthiadau technegol llewyrchus iawn iddynt. Ac yntau'n ysgrifennydd ysbyty Pen-twyn, trefnodd eist. is-genedlaethol Treorci am 60 ml. yn ogystal ag wythnos ddrama flynyddol a gweithgareddau eraill er budd yr ysbyty. Bu'n Y.H. ac yn aelod o gyngor dosbarth trefol Rhondda am dros 25 ml., gan fod yn gadeirydd 1913-14. Pr., 1887 Elizabeth Devonald (m. 7 Awst 1955). Bu iddo fab a dwy ferch. Wedi iddo ymddeol ymgartrefodd yn Hafod, Victoria Avenue, Porth-cawl, Morg., lle y bu f. 2 Awst 1954 a chladdwyd ef yn Nhreorci.

Llawlyfr Bed., 1955; *Adroddiad Noddfa (B), Treorci*, 1943 ac 1955; *West. Mail*, 3 Awst 1954; *WWP*; cyfrifiad 1871, RG10/5384.

M.A.J.

TILLEY, ALBERT (1896-1957), cludydd byrllysg ('mace') cadeirlan Aberhonddu a hanesydd lleol; g. 8 Medi 1896 yng ngwesty'r Norton Arms, Widnes, sir Gaerhirfryn, un o saith plentyn Edmund Valentine a Caroline (g. Hawkins) Tilley. Addysgwyd ef yn ysgol Simmer Cross, Widnes, nes bod yn 15 oed. Yna symudodd i Lerpwl ac yn 1914 ymunodd â'r fyddin. Clwyfwyd ef ar y Somme. Danfonwyd ef i wella o'i glwyfau i Aberhonddu lle y cyfarfu â Constance Mary Watkins a'i phriodi ac ymsefydlu yno. Bu iddynt un ferch. Bu ei wraig f. yn 1940. Ym mis Mawrth 1923 apwyntiwyd ef yn fyrllysgydd cyntaf y gadeirlan newydd yn Aberhonddu, swydd a lanwodd gydag ymroddiad ac urddas anghyffredin am 33 bl. nes ei orfodi gan afiechyd i ymddeol ym mis Hyd. 1956. Trwythodd ei hun yn hanes, traddodiadau a phensaernïaeth yr eglwys. Gyda chefnogaeth gref Gwenllian E. F. Morgan (*Bywg.*, 606) a Syr John Conway Lloyd (gw. uchod) arbenigodd yn hanes y dref a'i sir fabwysiedig. Ymrôdd i gasglu defnyddiau ar hanes lleol, copïo arysgrifau mewn eglwysi a mynwentydd a defnyddiau eraill. Yr oedd ganddo ddawn artistig ac ymddiddorai yn herodraeth y sir ac yn achau ei theuluoedd. Yr oedd casglu *majolica* ymhlith ei ddiddordebau hamdden. Yr oedd ei wybodaeth am y gadeirlan a'i thrysorau yn arbennig, a rhwng ei barodrwydd i gyfrannu o'i ystôr o wybodaeth, a'i bersonoliaeth enillgar, swynodd filoedd o ymwelwyr â'r eglwys yn ystod cyfnod ei wasanaeth. Gyda mawr lafur a medr trefnai breseb Nadolig a gardd Basg yn nhalcen gorllewinol yr eglwys a fu'n destun edmyged cyffredinol am chwarter canrif. Pr. (2), 13 Medi 1950, â Doris Mary Davies. Bu f. 23 Medi 1957, a chladdwyd ef ym mynwent Aberhonddu ar ôl gwasanaeth angladdol yn y gadeirlan ar 25

Medi. Rhoddwyd ei bapurau a'i lsgrau. gan Ddeon a Chabidwl Aberhonddu i ofal y Llyfrgell Genedlaethol. Y mae'n gasgliad gwerthfawr o ddefnyddiau ar hanes, herodraeth, ac achyddiaeth Aberhonddu a Brycheiniog.

Brecon and Radnor County Times, Medi, Hyd. 1957; *Adroddiadau blynyddol LIGC*, 1964 ac 1965; gwybodaeth gan ei weddw.

E.D.J.

TOM NEFYN - gw. WILLIAMS, THOMAS isod.

TOMLEY, JOHN EDWARD (1874-1951), cyfreithiwr; g. 3 Chwef. 1874 yn fab Robert Tomley ac Esther (g. Weaver), Trefaldwyn. Addysgwyd ef yn Nhrefaldwyn a'r Amwythig; prentisiwyd ef gyda Charles S. Pryce a fu'n glerc tref Trefaldwyn, gan dderbyn clod uchel yn ei arholiad terfynol yn y gyfraith yn 1901; a daeth yn aelod o'r cwmni lleol, Pryce, Tomley a Pryce. Gwasanaethodd fel clerc i nifer fawr o gyrff gweinyddol cyhoeddus yn siroedd Trefaldwyn ac Amwythig. Yn 1950 ef oedd llywydd Cymdeithas Clercod Cynghorau Gweithredol Cymru. Bu'n aelod gweithgar o lawer o gyrff yn ymwneud â iechyd y cyhoedd ac yswiriant; e.e. bu'n aelod o lywodraethwyr, cyngor ac amryw bwyllgorau'r *Welsh National Memorial Association* a weithiai dros atal, trin a dileu darfodedigaeth. Cymerodd ran amlwg yn sefydlu Cymdeithas Pwyllgorau Yswiriant Cymru, gan ddod yn llywydd y gymdeithas yn ddiweddarach. Yr oedd hefyd yn aelod o Gorff Llywodraethol yr Eglwys yng Nghymru. Anrhydeddwyd ef trwy ei wneud yn C.B.E. yn 1920. Adlewyrchir ei amryfal ddiddordebau yn ei weithiau cyhoeddedig: *Place names* (c. 1891), *Forms of religious worship*, *The old age pensions act*, *The Castle of Montgomery* (1923), *The de-rating act* (1928), a nifer o erthyglau ystadegol.

Pr., 7 Mai 1902, Edith Florence Soley a bu iddynt un mab a dwy ferch. Bu f. yn ei gartref, The Hollies, Trefaldwyn, 14 Meh. 1951.

WwW (1937); *Www*; WWP.

M.A.J.

TREE, RONALD JAMES (1914-70), offeiriad ac ysgolfeistr; g. 30 Mawrth 1914, yn y Garnant, Caerf., yn fab i Frederick George a Susan Tree. Addysgwyd ef yn ysgol yr eglwys, Garnant, ysgol Dyffryn Aman a Choleg y Brifysgol, Abertawe, lle'r aeth gydag Ysgoloriaeth Powis. Cafodd ei radd B.A. (dosb. I) mewn athroniaeth, 1937, M.A. 1939, ac aeth i Goleg Newydd, Rhydychen gydag ysgoloriaeth agored; cafodd radd B.A. (dosb. I), 1939, a B.Litt., 1941. Bu yng Ngholeg Mihangel Sant, Llandaf, 1939-40. Ord. ef yn ddiacon, 1940, a'i drwyddedu'n gurad Cwmaman, 1940-44; urddwyd ef yn offeiriad, 1941. Bu'n gurad S. Mihangel, Aberystwyth, 1944-46, ac yn gaplan Cymdeithas y Myfyrwyr Anglicanaidd yn y coleg. Yn 1946 penodwyd ef yn ddarlithydd mewn athroniaeth yng Ngholeg Dewi Sant, Llanbedr, a'i ddyrchafu'n Athro yn 1950. Yr oedd yn brif diwtor a thrysorydd, 1956. Yn 1957 penodwyd ef yn Warden a Phrifathro Coleg Llanymddyfri, i olynu G. O. Williams (Archesgob Cymru'n ddiweddarach). Gwnaed ef yn ganon Mathri yng nghadeirlan Tyddewi, 1961.

Yn 1966 symudodd i fod yn ficer eglwys y Santes Fair, Hwlffordd, ac yn gyfarwyddwr addysg grefyddol yr esgobaeth. Symudodd i Dyddewi pan ddyrchafwyd ef yn archddiacon Tyddewi yn 1968.

Cyhoeddodd nifer o erthyglau ar bynciau athronyddol a hanesyddol yn *Efrydiau Athronyddol, Theology, Cylchg. Cymd. Hanes yr Eglwys yng Nghymru, Province*, etc. Yr oedd yn aelod o fwrdd golygyddol *Efrydiau Athronyddol* o 1949 ymlaen.

Bu'n chwaraewr rygbi yn yr ysgol a'r coleg a daliodd ei ddiddordeb yn y gêm; ei hoffter arall oedd gwaith coed. Yr oedd yn ŵr hynaws, ar ei orau'n cyfarwyddo myfyrwyr.

Pr. yn 1944 â Ceridwen, merch G. E. Thomas o Wauncaegurwen, a bu iddynt ferch a mab. Bu f. 28 Tach. 1970, a'i gladdu yn Nhyddewi.

Www; *St David's Diocesan Year Book*, 1969; *Llan*, 11 Rhag. 1970; *S. Wales Guardian*, 3 Rhag. 1970; *West. Telegraph*, 3 Rhag. 1970; adnabyddiaeth bersonol.

M.G.E.

TREFGARNE, GEORGE MORGAN, BARWN 1af. TREFGARNE o Gleddau (gynt GARRO-JONES, GEORGE MORGAN; 1894-1960), bargyfreithiwr a gwleidydd; g. 14 Medi 1894 yn Zion Hill House, Trefgarn, Penf., yn fab i David Garro-Jones, gweinidog (A), a Sarah (g. Griffiths). Addysgwyd ef yn Ysgol Caterham a gwasanaethodd gyda'r *Denbighshire Yeomanry*, 1913-14, ac yn Ffrainc gyda 10fed gatrawd y *South Wales Borderers* a'r *Royal Flying Corps*, 1915-17, gan ddod yn ddiweddarach yn gapten er anrh. yn y Llu Awyr Brenhinol. Yn 1918 aeth i'r Amerig yn swyddog ymgynghorol i Wasanaeth Awyr T.U.A., a dychwelyd i fod yn ysgrifennydd preifat i Syr Hamar Greenwood, 1919-21. Ac ef yn ŵr amryddawn, egnïol, galwyd ef i'r bar yn Gray's Inn yn 1923 tra oedd yn olygydd Llundain y *Daily Despatch*, ond ymddiswyddodd o'r olygyddiaeth ymhen dwy fl. pan etholwyd ef yn A.S. (Rh) De Hackney, 1924-29. Yn 1928 aeth i Nigeria fel aelod o Ddirprwyaeth Seneddol yr Ymerodraeth i ymchwilio i amgylchiadau masnach yno. Yn hwyr yn 1929 ymunodd â'r blaid Lafur (ond ailymunodd â'r Rhyddfrydwyr yn 1958), ac ef oedd y Cymro cyntaf i gynrychioli etholaeth Albanaidd pan etholwyd ef yn A.S. (Ll) Aberdeen, 1935-45. Yn y cyfamser cychwynnodd bractis yn 1939 ar Gylchdaith De Cymru. Bu am dair bl. yn ysgrifennydd seneddol i'r Weinyddiaeth Gynhyrchu, 1942-45, yn ddirprwy gadeirydd y Bwrdd Radio, yn gadeirydd Pwyllgor Ymgynghorol Teledu, 1946-49, a chadeirydd cyntaf Corfforaeth Datblygu'r Trefedigaethau o 1947 hyd 1950 pryd yr ymddeolodd wedi methiant Cynllun Wyau Gambia. Dyrchafwyd ef i'r arglwyddiaeth yn 1947. Cyhoeddodd *Jurisdiction of the railway rates tribunal* (1922), a'i brofiad yn y rhyfel yn *Ventures and visions* (1935). Pr., 9 Mai 1940, ag Elizabeth Churchill, a bu iddynt dri mab ac un ferch. Bu f. 27 Medi 1960.

Www; Burke (1970); WWP.

M.A.J.

TREFÎN - gw. PHILLIPS, EDGAR uchod.

TREGONING, WILLIAM EDWARD CECIL (1871-1957), diwydiannwr; g. 17 Chwef. 1871, yn ail fab John Simon Tregoning o Lanelli, Caerf., a Launceston, a'i wraig Sophia (g. Morris; o Lerpwl). Addysgwyd ef yn Harrow a Choleg y Drindod, Caergrawnt. Daeth yn wneuthurwr tunplat a chyfarwyddwr Cwmni John S. Tregoning Cyf. (un o weithfeydd tunplat cyntaf Llanelli), *Bynea Steel Works Ltd.*, *St. David's Tinplate Co.*, a chwmnïau eraill. Yr oedd yn un o sylfaenwyr ac ymddiriedolwyr y *Welsh Plate and Sheet Manufacturing Association*, yn aelod o'r *International Tinplate Association* a'r *National Food Canning Council* cyn Rhyfel Byd II. Bu'n hael ei gefnogaeth i'r Eglwys yng Nghymru, a'i gwasanaethu trwy fod yn aelod o'r llys llywodraethol ac yn drysorydd a chadeirydd Bwrdd Cyllid Esgobaeth Tyddewi o 1923 ymlaen. Bu'n gadeirydd nodedig o lys ynadon Llanelli am lawer o flynyddoedd ac ymddeolodd yn 1950 ar ôl bod yn Y.H. am 36 ml.

Pr. yn Hyd. 1901 â Nancy, merch J. Beavan Phillips, a bu iddynt bedwar mab a dwy ferch. Ymgartrefodd yn Portiscliff, Glanyfferi, Llanismel, Caerf., a bu f. 9 Maw. 1957.

Iron and steel, 30, 1957, 158; *Llanelly Star*, 16 Maw. 1957; *WWP*.

M.A.J.

TREHARNE, REGINALD FRANCIS (1901-67), Athro hanes; g. 21 Tach. 1901, ym Merthyr Tudful, yn fab i Lewis Treharne ac Ethel Mary (g. Hill) ei wraig. Addysgwyd ef yn ysgol ramadeg Ashton-in-Makerfield, sir Gaerhrifryn, a Phrifysgol Manceinion, lle y graddiodd yn 1922 gyda gwobr ac ysgoloriaeth ymchwil, ac M.A. gan ennill Cymrodoriaeth Langton yn yr un brifysgol yn 1923, a Ph.D. yn 1925. Penodwyd ef yn ddarlithydd cynorthwyol yn 1925 a'i ddyrchafu'n ddarlithydd yn 1927, ym Mhrifysgol Manceinion, ac yn 1930 symudodd i Aberystwyth i gadair Hanes yng Ngholeg y Brifysgol a threuliо gweddill ei oes gyda mawr barch yno. Etholwyd ef yn F.R.Hist.S. yn 1932. Bu'n flaenllaw yn y Gymdeithas Hanes ac yn llywydd iddi, 1958-61. Traddododd ddarlith Raleigh i'r Academi Brydeinig yn 1954. Daliodd Gymrodoriaeth ymchwil Leverhulme, 1946-47, a bu'n Athro ar ymweliad â Phrifysgolion Otago a Canterbury yn 1965. Bu'n olygydd *History* o 1947 hyd 1956. Cyhoeddodd nifer o lyfrau safonol ar hanes ac erthyglau niferus; yn eu plith *Baronial plan of reform 1258 to 1263* (1932), *The Battle of Lewes in English history* (1964), *The Glastonbury legends* (1967), *Essays on thirteenth-century England* (1971), a golygiadau o atlasau hanesyddol Muir. Bu'n is-brifathro'r coleg yn Aberystwyth, 1952-54, a thrachefn yn 1957, swydd a lanwodd gydag urddas. Yr oedd yn ddarlithydd gwych. Gwnaeth lawer i godi safon Adran Hanes y coleg a oedd yn bur isel cyn ei ddyfodiad yn ddyn ieuanc. Pr., 1928, Ellen, merch Arthur Roberts, Tyldesley, sir Gaerhirfryn, a bu hithau'n weithgar ym mywyd y dref a'r coleg, ac yn hael ei lletygarwch i fyfyrwyr. Yr oedd yn ynad heddwch am flynyddoedd. Bu iddynt un ferch. Bu'r Athro f. 3 Gorff. 1967.

Www; adnabyddiaeth bersonol.

E.D.J.

TREVOR, Syr CHARLES GERALD (1882-1959), arolygydd coedwigoedd; g. 28 Rhag. 1882, yn fab i Syr Francis Wollaston Trevor (o'r Trawscoed, Y Trallwng, Tfn.) a Mary Helen (g. Mytton). Addysgwyd ef yng Ngholeg Wellington a'r *Royal Indian Engineering College*, Coopers Hill. Yn 1903 ymunodd â Gwasanaeth Coedwigoedd yr India fel gwarchodwr cynorthwyol yn y Punjab. Yr oedd yn warchodwr coedwigoedd y Taleithiau Unedig yn 1920 a daeth yn is-lywydd ac Athro coedwigaeth yn *Forest Research Institute* Dehra Dun yn 1926, a'i ddyrchafu'n brif warchodwr coedwigoedd y Punjab a thalaith y *North West Frontier*, 1930-33. Ef oedd Prif Arolygydd Coedwigoedd Llywodraeth yr India o 1933 i 1937, a chynrychiolodd yr India yng Nghynadleddau Coedwigaeth yr Ymerodraeth yng Nghanada yn 1923, Awstralia a Seland Newydd yn 1928, a De Affrica yn 1935.

Cyhoeddodd *Revised working plan for the Kulu forests* (1920); ar y cyd ag E. A. Smythies, *Practical forest management* (1923); ac ar y cyd â H.G. Champion, *A manual of Indian silviculture* (1938).

Yn 1937 gwnaed ef yn farchog, ac ymddeolodd a dychwelyd i'r hen gartref yn y Trawscoed, Y Trallwng, Tfn., lle y cymerodd ddiddordeb byw yn ei fuches odro a'i fferm ddefaid, Fron y Fele, Cegidfa. Yno magodd ddiadell o ddefaid Ceri a chynehlladh amryw wobrau. Yr oedd yn aelod blaenllaw o Undeb Cenedlaethol yr Amaethwyr ac yn flaengar gyda phob gweithgaredd amaethyddol. Am 17 ml. gwasanaethodd fel ynad heddwch, ac ef oedd Uchel Siryf ei sir yn 1941. Yn 1912 pr. ag Enid Carroll Beadon a bu iddynt dair merch. Bu f. 20 Mai 1959.

Www; *Montgomeryshire Express*, 23 Mai 1959.

M.A.J.

TRUBSHAW, Dâm GWENDOLINE JOYCE (1887-1954), gweinyddwr cyhoeddus a gweithiwr cymdeithasol; bedyddiwyd 1 Ebr. 1887, yn ferch i Ernest a Lucy Trubshaw, Ael-y-bryn, Felin-foel, Llanelli, Caerf. Yn ystod Rhyfel Byd I bu'n gyfrifol am recriwtio merched i wasanaeth y rhyfel a chymerodd ddiddordeb dwfn yn eu lles, yn arbennig y rhai mewn gwaith arfau. Bu'n gadeirydd Pwyllgor Pensiynau De Orllewin Cymru, a derbyniodd C.B.E. yn 1920 am ei gwasanaeth fel ysgrifennydd mygedol y *Soldiers', Sailors' and Airmen's Families Association*. Etholwyd hi'n aelod o gyngor sir Caerfyrddin yn 1919, yn henadur yn ddiweddarach, a hi oedd y wraig gyntaf i fod yn gadeirydd y cyngor yn 1937. A hithau'n fawr ei diddordeb mewn addysg leol, bu'n llywodraethwr ysgolion sir Llanelli a chadeirydd Ysgol Gelfyddyd Llanelli. Bu'n weithgar iawn gyda nifer o gymdeithasau iechyd, gan fod yn aelod o Gymdeithas Deillion Sir Gaerfyrddin, ac aelod (a chadeirydd am 4 bl.) y *West Wales Joint Board for Mental Defectives*, a phan sefydlwyd Gwasanaeth Gwirfoddol y Menywod (W.V.S.) yn 1939 daeth yn drefnydd y mudiad yn ei sir ei hun. Yn 1946 yr oedd yn gadeirydd Pwyllgor Iechyd y Cyhoedd ar ôl bod yn aelod o'r pwyllgor am ymron i 27 ml., ac yn 1951 daeth yn aelod o'r *Central Health Services Council*. Urddwyd hi yn D.B.E. yn 1938. Er mai Cae Delyn, Llanelli, oedd ei chartref, yn Llundain y bu f., 8 Tach. 1954.

WwW (1921); *Www; Carm. Jnl.*, 12 Tach. 1954; *WWP*.

M.A.J.

TRUEMAN, Syr ARTHUR ELIJAH (1894-1956), Athro daeareg; g. 26 Ebr. 1894 yn Nottingham, yn fab Elijah Trueman a Thirza (g. Cottee). Addysgwyd ef yn ysgol High Pavement, Nottingham (1906-11) a Choleg Prifysgol Nottingham. Cafodd radd anrhydedd dosbarth cyntaf mewn daeareg yn 1914, M.Sc. yn 1916, a D.Sc. yn 1918 am waith ymchwil ar greigiau a ffosilau Jwrasig. Bu'n ddarlithydd cynorthwyol yng Ngholeg y Brifysgol, Caerdydd (1917-20), a wedyn, 1920-30, yn bennaeth Adran Daeareg Coleg newydd y Brifysgol, Abertawe; 1930-33 yn Athro daeareg a phennaeth Adran daearyddiaeth, Abertawe; 1933-37 Athro Chaning Wills mewn Daeareg, Prifysgol Bryste; ac 1937-46 yn Athro daeareg Prifysgol Glasgow. Yn 1946-49 yr oedd yn ddirprwy gadeirydd, ac 1949-53 yn gadeirydd, Pwyllgor Grantiau'r Prifysgolion ar adeg bwysig iawn yn hanes y prifysgolion wrth iddynt ehangu'n ddirfawr yn y trawsnewid o amgylchiadau rhyfel i heddwch. Bu'n gadeirydd Bwrdd yr Arolwg Daearegol, 1943-54, adeg ehangu'r Arolwg ar ôl y rhyfel, pan gynyddodd y gwaith ym meysydd glo Prydain yn ddirfawr. Bu'n llywydd Cymdeithas Ddaearegol Llundain, 1945-47, a dyfarnwyd iddo Fedal Bigsby y Gymdeithas honno yn 1939, a'r brif wobr, Medal Wollaston, yn 1955. Anrhydeddau eraill a gafodd oedd Medal Aur Sefydliad Peirianwyr De Cymru yn 1934, LL.D. er anrh. Prifysgolion Rhodes, Glasgow, Leeds a Chymru; a'i wneud yn Gymrawd Cymdeithas Frenhinol Caeredin (F.R.S.E.) yn 1938 ac F.R.S. yn 1942. Urddwyd ef yn K.B.E. yn 1951.

Enillodd fri ledled y byd am ei waith ymchwil mawr ar stratigraffi a phalaeontoleg Jwrasig, ond cofir ef yn bennaf am ei waith ar feysydd glo Prydain ac yn arbennig am ei ddefnydd o'r *lamellibranchs* anforol. Gwnaeth ei gwaith hwn, *The coalfields of Great Britain* (1954), gyfraniad sylweddol i ddatblygiad y meysydd glo brig yn ogystal â'r rhai dan yr wyneb. Cymerai ddiddordeb mewn poblogeiddio gwyddoniaeth ac ysgrifennodd yn eang ar ddaeareg a golygfeydd Lloegr a Chymru (1938, 1949).

Pr. Florence Kate Offler yn 1920 a bu iddynt un mab, Dr. E. R. Trueman, swolegydd enwog. Bu f. 5 Ion. 1956.

Proc. Geolog. Soc. London, rhif 1541 (1956), 146-9; *Proc. Geologists Assoc.*, 68 (1957), 101-4; *Biog. Memoirs Fellows R.S.*, 4 (1958), 291-301 (gw. 302-5 am lyfryddiaeth).

T.R.O.

TUDOR, STEPHEN OWEN (1893-1967), gweinidog (MC) ac awdur; g. 5 Hyd. 1893 yn Llwyn-y-gog, Staylittle, plwyf Trefeglwys, Tfn., mab Thomas a Hannah Tudor. Addysgwyd ef yn ysgol ramadeg y Drefnewydd, a bu'n gwasanaethu yn ystod Rhyfel Byd I yn Ffrainc gyda'r Gwarchodlu Cymreig. Cafodd brofiadau mawr yn ystod y rhyfel, a theimlodd yr alwad i'r weinidogaeth o'r herwydd. Aeth i Goleg y Brifysgol, Aberystwyth (lle graddiodd gydag anrhydedd mewn athroniaeth), ac i Goleg Lincoln,

Rhydychen (lle graddiodd gydag anrhydedd mewn diwinyddiaeth). Enillodd ysgoloriaeth David B. Mills, a'i galluogodd i barhau ei efrydiau yn yr *Union Theological Seminary*, Efrog Newydd, T.U.A. Bu'n gweinidogaethu am dymor fel bugail-fyfyriwr yn eglwys Marsden, Saskatchewan, Canada. Dychwelodd i Gymru, ac ord. ef yn 1927. Bu'n gweinidogaethu yn y Gaerwen a Phensarn Berw, Môn (1927-29); y Tabernacl, Porthmadog (1929-35), a Moriah, Caernarfon (1935-62). Yng nghyfnod Rhyfel Byd II gwasanaethodd fel caplan yn y fyddin. Ar ôl ymddeol, aeth i fyw i Fae Colwyn, gan fwrw golwg dros eglwysi Llanddulas a Llysfaen. Pr. 1927, Ann Hughes Parry o Fachynlleth; ganwyd dau fab a dwy ferch o'r briodas. Bu f. 30 Meh. 1967, a chladdwyd ei weddillion yn Llawr-y-glyn, Tfn.

Yr oedd yn ffigur amlwg ym mywyd ei Gyfundeb. Bu'n llywydd Sasiwn y Gogledd (1966), a thraddododd y Ddarlith Davies (1959) ar 'Athrawiaeth yr Ymgnawdoliad', ond nis cyhoeddodd. Yr oedd ganddo feddwl craff, a magodd argyhoeddiadau cryfion gan eu mynegi'n gadarn o'r pulpud ac yn y wasg. Ysgrifennodd lawer i'r *Traethodydd, Y Drysorfa, Y Brython* a'r *Goleuad*, a bu'n golofnydd cyson am flynyddoedd yn y ddau olaf, colofn hawl ac ateb, tan y ffugenw 'Theophilus' yn yr olaf. Cyhoeddodd nifer o gyfrolau ar faterion crefyddol: *Protestaniaeth* (1940), *Ein cymunwyr ieuainc* (1947), a *Beth yw Calfiniaeth?* (1957). Cyhoeddodd hefyd ddwy stori dditectif; *Cyfrinach yr afon* (1934), a *Tranc y rheolwr* (1937); a chyn diwedd ei oes cyhoeddodd gasgliad o ysgrifau, *Hen raseli ac ysgrifau eraill* (1966).

Blwyddiadur MC, 1968, 289-90; *Gol.*, 26 Gorff. 1967; *Drys.*, 1966, 70; a gwybodaeth gan ei weddw.

G.M.R.

TURBERVILL, EDITH PICTON - gw. PICTON-TURBERVILL, EDITH uchod.

TWISTON-DAVIES, LEONARD - gw. DAVIES, Syr LEONARD TWISTON uchod.

V

VAUGHAN, JOHN (1871-1956), cadfridog; g. 31 Gorff. 1871 yn ail fab i John Vaughan, Nannau, Dolgellau, Meir. (bu f. 1900) ac Elinor Anne, merch Edward Owen, Garthyngharad, Dolgellau. Medrai'r teulu olrhain ei dras o dywysogion Cymreig yr oesoedd canol. Addysgwyd ef yn Eton ac yn y Coleg Milwrol Brenhinol yn Sandhurst. Ymunodd â'r *7th Hussars* yn 1891, a gwelodd wasanaeth milwrol yn yr ymgyrch i ryddhau'r Matabele yn 1896, ym Mashonaland yn 1897 ac yn ymgyrch y Sudan yn 1898. Cafodd ei glwyfo yn ystod y rhyfel yn erbyn y Bweriaid, 1899-1901, enwyd ef deirgwaith mewn cadlythyrau, ac enillodd lu o anrhydeddau gan gynnwys y D.S.O. yn 1902. Daeth yn uchgapten yn y *10th Hussars* yn 1904 a rhwng 1911 ac 1914 gwasanaethodd fel penllywydd Ysgol Filwrol Netheravon. Ef oedd yn arwain y *3rd Cavalry Brigade* yn ystod Rhyfel Byd I; enwyd ef mewn cadlythyrau, enillodd y C.B. yn 1915 a bar i'r D.S.O. yn 1919, a daeth yn *Commander Légion d'honneur*. Cafodd ei ddewis i arwain y *1st Cavalry Brigade* yn 1919, ac ymddeolodd o'r fyddin y flwyddyn ganlynol.

Gwasanaethodd fel llywydd Cymreig y Lleng Brydeinig yn 1932, yr oedd yn arweinydd rhanbarthol y Gwarchodlu Cartref yn ystod Rhyfel Byd II, ac yn ddirprwy lifftenant yn Feirionnydd o 1943 hyd 1954. Fe fu hefyd yn Ynad Heddwch yn y sir. Cyhoeddodd gyfrol o hunangofiant, *Cavalry and sporting memoirs* (1955), lle ymosododd yn hallt ar arweinyddiaeth David Lloyd George (*Bywg.*2, 39) yn ystod Rhyfel Byd I. Yr oedd ganddo ddiddordeb mawr mewn pysgota a hela.

Pr., 22 Hyd 1913, â Louisa Evelyn, merch hynaf Capten J. Stewart, Alltyrodyn, Llandysul, Cer., a gweddw Harold P. Wardell, Brynwern, Pontnewydd-ar-Wy. Ni fu iddynt blant. Ymgartrefent yn Nannau. Bu f. 21 Ion. 1956 yn ei gartref ar ôl syrthio oddi ar ei geffyl.

Www; *WwW* (1921, 1933, ac 1937); *Times*, 23 a 26 Ion. 1956; Thomas Nicholas, *County families of Wales* (1875); *WWP*.

J.G.J.

VAUGHAN, WILLIAM HUBERT (1894-1959), giard rheilffordd a chadeirydd y *Welsh Land Settlement Society*; g. 21 Maw. 1894, yn fab Henry Charles a Catherine Vaughan, Tŷ-du (Rogerstone), Myn. Addysgwyd ef yn Eastern School, Port Talbot. Fel ei dad a dau o'i frodyr, cafodd waith ar y rheilffordd, lle treuliodd 51 ml., 34 ohonynt fel giard. Enillodd barch mawr fel gŵr cyhoeddus ac ymgymerodd â gwaith gwirfoddol amrywiol iawn. Bu'n aelod o gyngor bwrdeistref Port Talbot, 1927-48, ac yn faer Port Talbot, 1941, gwnaed ef yn Y.H. yn 1949 ac ef oedd dirprwy lifftenant sir Forgannwg, 1957. Cymerodd ddiddordeb byw mewn gwleidyddiaeth, gan wasanaethu fel ysgrifennydd Plaid Lafur Etholaeth Aberafon o 1934 hyd ddiwedd ei oes. Bu'n aelod o Weithgor Amaeth Morgannwg o 1939 ymlaen, ac yn aelod o Bwyllgor Coedwigaeth Cenedlaethol Cymru er 1945. Yn 1948 penodwyd ef yn gomisiynydd fforestydd. Ac yntau'n cynrychioli Cymru, gwnaeth lawer i hybu'r cynllun uchelgeisiol o blannu coed y credai y byddai o fudd mawr i'r wlad. Fel aelod o Gomisiwn y Parciau Cenedlaethol er 1952 ef oedd yn bennaf gyfrifol am ddynodi Bannau Brycheiniog yn ardal o harddwch eithriadol. Etholwyd ef yn gadeirydd y *Welsh Land Settlement Society Ltd*. yn 1953; penodwyd ef i Gyngor Ymgynghorol Cymru y B.B.C. yn 1957; yr oedd yn aelod o Fwrdd Gwarchodaeth Aberdaugleddau, 1958, ac o Fwrdd Afonydd Morgannwg. Cyfrannodd lawer o erthyglau i'r cyfnodolion Prydeinig, a chylchgronau gwleidyddol a rhai'r Undebau Llafur. Derbyniodd nifer o fedalau am wasanaeth yn y ddau Ryfel Byd, a gwnaed ef yn C.B.E. yn 1958 am ei wasanaeth cyhoeddus. Yn 1921 pr. May Bishop, a bu iddynt un ferch. Ymgartrefodd yn Wood Street, Tai-bach, cyn symud i Groeswen Ganol, Port Talbot. Bu f. yn ddisymwth yng ngorsaf Paddington, 17 Ebr. 1959, ar ei ffordd i un o gyfarfodydd y Comisiwn Coedwigaeth.

Www; *Times*, 20 (15b) a 22 (14c) Ebr. 1929.

M.A.J.

VILE, THOMAS HENRY (1882-1958), chwaraewr rygbi; g. 6 Medi 1882 yng Nghasnewydd, Myn. Cafodd yrfa hynod ym myd rygbi fel chwaraewr (8 cap dros Gymru 1908-21), dyfarnwr (12 gêm ryngwladol 1923-28) a gweinyddwr (llywydd Undeb Rygbi Cymru 1955-56). Yr oedd ei rawd fel chwaraewr yn hir i'w ryfeddu. Cafodd ei gyfle cyntaf gyda chlwb Casnewydd fel aelod o'r trydydd tîm yn 1900. Erbyn 1902 yr oedd yn fewnwr y tîm cyntaf. Yn 1904 aeth ar daith gyda'r tîm Prydeinig i Awstralia a Seland Newydd. Oherwydd presenoldeb Richard M. ('Dickie') Owen (*Bywg.*, 677) yn nhîm Cymru, bu rhaid iddo aros tan 1908 cyn ennill ei gap cyntaf. Gwnaed yn gapten clwb Casnewydd yn 1909, a datblygodd y bartneriaeth rhyngddo ef a Walter Martin yn un o'r disgleiriaf erioed. Yr oedd ganddo feddwl tactegol miniog. Llywiodd Gasnewydd i'w buddugoliaeth hanesyddol (9-3) dros Dde Affrica yn 1912. Er mawr syndod iddo ef a phawb arall, galwyd ef yn ôl i fod yn gapten tîm Cymru yn 1921, yn 37 oed. Cafodd yrfa nodedig fel milwr, gŵr busnes a gweinyddwr cymdeithasol. Bu'n Uchel-Siryf sir Fynwy yn 1944. Bu f. 30 Tach. 1958 yng Nghasnewydd.

W. J. T. Collins, *Rugby Recollections* (1948); *S. Wales Argus* a *West. Mail.*, 1 Rhag. 1958; *Times*, 2 Rhag. 1958.

G.W.W.

VIVIAN, ALGERNON WALKER HENEAGE - gw. WALKER-HENEAGE-VIVIAN, ALGERNON isod.

W-Y

WADE-EVANS, ARTHUR WADE (ARTHUR WADE EVANS; 1875-1964); offeiriad a hanesydd; g. 31 Awst 1875 yn Hill House, Abergwaun, Penf., yn fab i Titus Evans, capten llong, ac Elizabeth (g. Wade) ei wraig. Aeth i ysgol ramadeg Hwlffordd a graddiodd yng Ngholeg Iesu, Rhydychen (1893-96) cyn mynd yn offeiriad a'i ord. yn ddiacon yn Eglwys Gadeiriol S. Paul yn 1898. Ar 2 Medi 1899 cymerodd Wade-Evans yn gyfenw ac yn fuan wedyn pr., 12 Hyd. 1899, yn Eglwys S. George, Hanover Sq., Llundain, â Florence May Dixon (m. 16 Ion. 1953). Bu iddynt ddwy ferch. Ar ôl bod yn gurad yn Ealing, Oakley Sq., Paddington Green, Caerdydd, English Bicknor a Welsh Bicknor (1898-1909), daeth yn ficer France Lynch (1909-26). Yn ystod y cyfnod hwn ymgyrchodd dros ddatgysylltiad yr Eglwys yng Nghymru. Bu'n ficer Pottersbury ynghyd â Furtho a Yardley Gobion (1926-32), ac yn olaf yn rheithor Wrabness (1932-57) cyn ymddeol i Frinton-on-sea, Essex, lle y bu f. 4 Ion. 1964.

Yr oedd yn awdur toreithiog. Cyhoeddwyd erthyglau a llythyron niferus o'i eiddo yn *Notes and queries, Celtic Review, Y Beirniad, Guardian, Western Mail, South Wales News*, a llawer o gylchgronau a newyddiaduron eraill. Ysgrifennai ar bynciau amrywiol iawn, yn eu plith dafodiaith Abergwaun, materion hynafiaethol, a llestri arian eglwysig, ond fel hanesydd Prydain ym gynnar y gwnaeth ei gyfraniad pennaf. Credai fod yr hyn a ddysgid gan haneswyr cydnabyddedig ei gyfnod am y goncwest Sacsonaidd a'r modd y gyrrwyd y Brytaniaid ar ffo i'r gorllewin - Cymru a Chernyw - yn anghywir ac yn seiliedig ar gamddeall natur y testun *de excidio Britanniae* gan Gildas (*Bywg.*, 259). Aeth ati i archwilio a chyfieithu'r dogfennau a thestunau hanes cynnar ei hun mewn ymgais i gynnal ei ddamcaniaeth, gan gyhoeddi, yn fwyaf arbennig, *Nennius's 'History of the Britons'* (1938), *Coll Prydain* (1950), a'r esboniad llawnaf o'i ddaliadau *The emergence of England and Wales* (1956, 1959). Gwnaeth lawer o waith ar hanes yr eglwys Geltaidd, *Welsh Christian origins* (1934), *Parochiale Wallicanum* (1911), rhestr ddefnyddiol o eglwysi a chapeli Cymru, ac ar fucheddau'r saint mewn erthyglau yn *Y Cymmrodor* ac *Archaeologia Cambrensis*. Cafwyd ganddo ddadansoddiad llawn a chyfieithiad o destun Lladin buchedd Dewi yn *Life of St. David* (1923) a chyhoeddodd nifer o destunau Lladin a Chymraeg ynghyd â chyfieithiadau Saesneg (a feirniadwyd yn llym mewn rhai adolygiadau) yn *Vitae sanctorum Britanniae et genealogiae* (1944). Y mae ei *Welsh mediaeval law* (1909) yn dal yn destun da o Lyfr Cyfnerth, a chyfrannodd erthygl ar gyfraith Hywel i *Encyclopaedia Britannica* (1929). Daliodd Wade-Evans at ei ddamcaniaethau anuniongred a dadleuai'n fedrus drostynt gydol ei fywyd. Yr oedd yn awdurdod cydnabyddedig ar emynyddiaeth Gymraeg a Saesneg, ac y mae ei lsgr. o gyfrol arfaethedig o emynau, 'Proper hymns for the Christian year', yn Llyfrgell Genedlaethol Cymru, ynghyd â'i lsgrau. eraill a chyfrolau o'i lyfrgell gyda'i sylwadau ar ymyl y ddalen.

Bu brawd hŷn iddo, JOHN THOMAS EVANS ('Tomos ap Titus', 1 Awst 1869 - 10 Mai 1940), a addysgwyd yn Llanymddyfri, Coleg Diwinyddol Llundain a Choleg S. Ioan, Caergrawnt, yn rheithor Stow-on-the-Wold (1899-1939) a daeth yn adnabyddus am ei wyth cyfrol ar lestri arian eglwysi Cymru a Lloegr. Cedwir nifer o'i lsgrau. yntau yn LlGC.

WWP; Arch. Camb., 1964, 169-70; *Trans. Cymm.*, 1965, 257-271.

M.A.J., B.F.R.

WALKER-HENEAGE-VIVIAN, ALGERNON (1871-1952), llyngesydd; g. 4 Chwef. 1871 yn drydydd mab i'r Uchgapten Clement Walker Heneage, V.C., 8fed Hussars, o Compton Bassett, Wilts., a Henrietta Letitia Victoria, merch John Henry Vivian, Singleton, Abertawe. Pr. (1) yn 1912 Helen Mary, merch y Capten E. de V. du Boulay, gynt o'r R.H.A. a bu iddynt dair merch (ysgariad, 1931); pr. (2) yn 1931 Beryl, merch T. Stanley, Caerdydd. Mabwysiadodd yr enw Walker-Heneage-Vivian trwy Drwydded Frenhinol yn 1921. Addysgwyd ef yn Evelyn's ac yn Stubbington, Hampshire. Yn 1886, yn 15 ml. oed, cychwynnodd ar yrfa yn y Llynges Frenhinol, gan ymuno â HMS *Triumph* fel *Midshipman*, o dan reolaeth y Llyngesydd Syr Algernon Heneage, perthynas iddo. Dechreuodd arbenigo mewn dulliau o ymosod ar longau tanfor pan oedd yn gwasanaethu yn HMS *Royal Arthur* yn y Môr Tawel. Enillodd ddyrchafiad buan, gan fynd yn gomander yn 1900 yn 29 ml. oed. Gwasanaethodd mewn amryw rannau o'r byd, gan gynnwys gogledd Tseina. Bu'n is-reolwr catrawd y Llynges a ddanfonwyd gan HMS *Powerful* i amddiffyn Ladysmith yn Ne Affrica, ac fe'i cymeradwywyd mewn cadlythyrau. Effeithiodd y gwarchae ar ei iechyd, a bu'n ddifrifol sâl am gyfnod. Yn 1907 dyrchafwyd ef yn gapten ar HMS *Hyacinth*, llong gosod ffrwydrynnau. Bu'n bennaeth ar y Sgwadron Cyntaf o longau o'r fath yn 1908. Ar ddechrau Rhyfel Byd I gwasanaethodd yn Ne Môr Iwerydd, ac fel capten HMS *Albion* cyflawnodd orchwyl dirgel i gludo barrau aur o Dde Affrica i helpu Prydain yn y rhyfel. Wedyn cafodd y dasg o gynorthwyo'r Llynges yng nglaniadau Gallipoli (fe'i cymeradwywyd ddwywaith), ac o 1915 hyd 1916 bu'n gomodôr yn gyfrifol am longau bychain, gan gynnwys 160 o longau crynhoi ffrwydrynnau yn nwyrain y Môr Canoldir. Fel comodôr dosbarth cyntaf bu'n gyfrifol am warchae'r Cynghreiriaid dros gulfor Otranto, 1916-17. Yna aeth yn Swyddog Llyngesol Prydeinig Hŷn yn yr Eidal a dyrchafwyd ef yn ddirprwy-lyngesydd yn 1918. Bu'n A.D.C. i'r Brenin, 1917-18. Ymddeolodd o wasanaeth gweithredol yn 1920 ar ôl gyrfa hir a disglair. Gwnaeth ei gyfraniad arbennig wrth ddatblygu dulliau ymosod ar longau tanfor ac amddiffyn llongau cyffredinol rhag ffrwydrynnau. Dyrchafwyd ef yn is-lyngesydd yn 1923 ac yn llyngesydd yn 1927.

Wedi ymddeol ymsefydlodd yn Abertawe, yn gyntaf ym Mharc le Breos, Pen-maen, ystad a adawyd iddo gan Graham Vivian. Ond yn fuan etifeddodd Gastell Clun, ar farwolaeth Dulcie Vivian, ac ychwanegodd 'Vivian' at ei gyfenw. Cymerodd ran helaeth ym mywyd masnachol, cymdeithasol a diwylliannol yr ardal. Bu'n gyfarwyddwr a chadeirydd cwmni'r teulu, *Vivian & Sons Ltd.* (cynhyrchwyr metelau anfferrus), ac yn gadeirydd Banc Cynilo Deorllewin Cymru. Bu'n Ustus Heddwch, Dirprwy Raglaw Morgannwg ac yn 1926 yn Uchel Siryf Morgannwg. Bu'n gyrnol anrhydeddus uned y T.A. Amlygodd ei ddiddordeb mewn garddwriaeth wrth ofalu am ei erddi ei hun a thrwy ymuno â'r *Garden Society* a'r *Rhododendron Society*. Bu'n sylfaenydd a llywydd cyntaf Cymdeithas Bro Gŵyr (*The Gower Society*). Derbyniodd anrhydeddau niferus, gan gynnwys yr M.V.O. (1904), C.B. (1916), Swyddog y *Légion d'Honneur*, Urdd Codiad Haul Japan (ail ddosbarth), a Swyddog Mawreddog Coron yr Eidal. Yr oedd yn enwog am y croeso brwd a roddai i westeion pwysig yng Nghastell Clun. Bu f. 26 Chwef. 1952. Oherwydd trethi marwolaeth bu'n rhaid gwerthu Castell Clun (a brynwyd gan Goleg Prifysgol Abertawe) a llawer o'i gynnwys. Lluniwyd portread ohono gan Evan Walters (gw. isod) yn 1926, a chan Margaret Lindsay Williams (gw. isod) yn 1931.

Www; Ralph A. Griffiths, *Clyne Castle, Swansea* (1977); *Navy List*; *Kelly's Handbook*, 1938.

Don.M.

WALTERS, EVAN JOHN (1893-1951), arlunydd; g. 6 Ion. 1893 yn nhafarn y 'Welcome', Mynyddbach, Llangyfelach, ger Abertawe, Morg., yn fab i rieni Cymraeg, Thomas Walters a'i briod Elizabeth (g. Thomas). Wedi mynychu ysgol y pentref, aeth yn brentis peintiwr-addurnwr yn Nhrefonas, Abertawe. Yn 1910 aeth i Ysgol Gelf Abertawe, y pryd hynny o dan Grant Murray. Aeth ymlaen i Bolitechnig Regent Street ac i Ysgolion yr Academi Frenhinol yn Llundain. Ofnai y byddai'r Rhyfel Byd yn torri ar draws ei waith, ac ymfudodd i America yn 1916. Ond cafodd alwad i wasanaeth milwrol yno pan ymunodd America â'r rhyfel. Er hynny, fe'i gwrthodwyd ac aeth yn beintiwr cuddliw (*camouflage*). Wedi'r rhyfel dychwelodd i Abertawe i ailgydio yn ei yrfa arluniol. Gweithiai mewn olew, dyfrlliw, pastel, craion a phensil. I ddechrau portreadau oedd ei destunau'n bennaf, ond peintiai hefyd dirluniau a golygfeydd lleol, gwrthrychau llonydd (*still-life*) a ffurfiau dynol, a dyfeisiai gynlluniau ar gyfer addurno ystafelloedd tai. Yn 1920 cynhaliodd arddangosfa un-dyn yn Oriel Glynn Vivian, Abertawe, lle y cymerwyd sylw o'i waith gan ddyngarwraig leol, Mrs Winifred Coombe Tennant, Castell-nedd (gw. o dan COOMBE TENNANT uchod); daeth hi yn noddwraig iddo a threfnu iddo gwrdd â phobl ddylanwadol. Yr oedd galw am ei waith yn yr ardal, ar adeg pan nad oedd yn arferol prynu gwaith celf gweiddiol. Yn Eisteddfod Genedlaethol Abertawe 1926 enillodd wobr am beintiad o gastell Pennard, gan dderbyn clod mawr gan y beirniad, Augustus John (gw. uchod). Yn aml dangosai ei bortreadau lowyr a chymeriadau lleol, ond yr oedd ganddo eisteddwyr enwog, megis David Lloyd George (*Bywg*.2, 39-40), Ramsay MacDonald, Is-

lyngesydd Algernon Walker-Heneage (yn ddiweddarach Walker-Heneage-Vivian; gw. uchod) a'r Archesgob David Lewis Prosser (*Bywg*.2, 47). Tynnodd hefyd lawer o hunanbortreadau. Yr oedd ganddo'r gallu i gipio gwir olwg a phersonoliaeth yr eisteddwr. Dangoswyd ei waith yng Nghymru, Llundain a Brighton. Mae'n bosibl y byddai wedi parhau yn beintiwr portreadau llwyddiannus oni bai am ei awydd aflonydd i arbrofi. Nid oedd ei ddarlun o Gyfarchiad y Wyryf Fair mewn gwisg fodern wrth fodd ei feirniaid. Yna dechreuodd wironi ar y syniad o 'welediad dyblyg': hawliai fod gwrthrych yn ymddangos 'yn soled' i'r gwyliwr dim ond pan fyddai ei lygaid yn canolbwyntio arno, ac o ganlyniad y dylid dangos gwrthrychau eraill yn ddelweddau dyblyg. Dilynodd yr Argraffyddwyr (*Impressionists*) wrth geisio cyfleu hanfodion lliw. Yr oedd ei ddarluniau 'aneglur' yn llai poblogaidd, a phallodd ei fri. Cynhaliwyd ei arddangosfa olaf yn oriel yr Alpine Club, Llundain, yn 1950. Portread o Mrs Coombe Tennant oedd ei un olaf, ond mynnodd hi na ddylai hwn fod mewn 'gwelediad dyblyg'. Mynegodd David Bell yn ei feirniadaeth ar Walters fod ganddo dalent fawr, ond heb lwyddo, er gwaethaf ymdrech ymwybodol, i ddefnyddio ei allu aruthrol i greu celfyddyd a oedd yn dderbyniol gan unrhyw garfan o'i gyfoeswyr.

Yn fachgen swil cefn-gwlad ar y dechrau, mabwysiadodd Evan Walters yn ddiweddarach ddelwedd Fohemaidd, a'i wallt llaes a'i farf afraidd. Ni pharhaodd ei briodas yn 1935 â chyfeilles o fyfyrwraig, Marjorie Davies, ond ychydig o fisoedd. Yr oedd ef yn agos iawn at ei rieni, a gofalodd amdanynt yn eu blynyddoedd olaf. Bu f. yn Llundain 14 Maw. 1951 ac fe'i claddwyd yn Llangyfelach. Gadawyd llawer o weddill ei waith i Amgueddfa Genedlaethol Cymru ac i Oriel Glynn Vivian. Ceir enghreifftiau eraill yn Llyfrgell Genedlaethol Cymru, Amgueddfa Caerfyrddin a Pharc Howard, Llanelli.

David Bell, *Evan Walters memorial exhibition*, catalog gyda bywgraffiad (1952); Kirstine Brander Dunthorne, *Artists exhibited in Wales 1945-74* (1976); Michael Jacobs a Malcolm Warner, *Art in Wales* (1980); Erna Meinel, 'The visual wasteland', *The Studio*, Chwef. 1955; Evan Walters, 'Binocular vision', *Artist*, xix, Mawrth-Awst 1940, rhif 1-6.

Don.M.

WALTERS, THOMAS GLYN (WALTER GLYNNE; 1890-1970), tenor; g. 18 Ion. 1890 yn fab i David ac Elizabeth (g. Jones) Walters, Cefngorwydd, Tre-gŵyr, Morg., a chafodd ei addysg yn Ysgol Ramadeg Tre-gŵyr. Bu'n gweithio mewn banc cyn penderfynu dilyn gyrfa gerddorol, ac yn 1910 enillodd ysgoloriaeth i'r Coleg Cerdd Brenhinol yn Llundain. Gwasanaethodd yn y Gwarchodlu Cymreig yn ystod Rhyfel Byd I. Yn 1921, ar awgrym Syr Landon Ronald, ymgynghorwr cerdd HMV, cafodd gytundeb i recordio gyda'r cwmni. Yr oedd yn un o'r cantorion cyntaf ym Mhrydain i ddarlledu, ac am fod ei lais yn gweddu i'r meicroffon cafodd yrfa lwyddiannus yn y cyfrwng hwnnw. Bu'n canu yn y *lyric concerts* a roddid yn Llundain gan gwmnïau Boosey, Chappell a Cramer, a chyda chwmnïau opera Carl Rosa a D'Oyly Carte. Recordiodd yn helaeth iawn, gan ragori mewn canu telynegol; adweinid ef yn arbennig am ei ddehongliad o faledi, ond yr oedd hefyd yn denor oratorio da, ac yn 1935 recordiodd ariâu o *Messiah* Handel. Ymhlith ei recordiau Cymraeg ceir rhannau o *Blodwen* Joseph Parry a baledi, rhai ohonynt i gyfeiliant lleisiol y *Welsh Miners' Quartet* o gylch Llanelli. Cymerodd ran mewn recordiadau cyflawn o *Yeomen of the guard* Gilbert a Sullivan a *Hiawatha's wedding feast* Coleridge-Taylor. Gwnâi ei ganu disgybledig, ei donyddiaeth bur, a'i bersonoliaeth hawddgar ef yn ddatgeinydd poblogaidd iawn. Ymddeolodd yn 1947 a symud i Fro Gŵyr. Pr. yn 1921 â Lena Evans, Pontarddulais, a bu iddynt blant. Bu f. yn ei gartref yn Port Einon, Morg., 29 Gorff. 1970.

Welsh Music, gaeaf 1970, gwanwyn 1971, hydref 1971, gwanwyn 1975; Landon Ronald (gol.), *Who's who in music* (1935).

Rh.G.

WARLOW, EDITH - gw. PICTON-TURBERVILL, EDITH uchod.

WATCYN o FEIRION - gw. JONES, WATKIN uchod.

WATERHOUSE, THOMAS (1878-1961), diwydiannwr a gŵr cyhoeddus; g. 21 Mawrth 1878 yn Nhreffynnon, Ffl., yn ail fab i Thomas Holmes Waterhouse, Bradford a Threffynnon, diwydiannwr. Addysgwyd ef yn yr *Oswestry High School* o dan Owen Owen. Ar farwolaeth ei dad yn 1902 syrthiodd cyfrifoldeb yr *Holywell Textile Mills* ar ei ysgwyddau a rhwng 1909 ac 1957 bu'n rheolwr, cyfarwyddwr a chadeirydd y cwmni. Yn 1920 daeth yn llywydd y *Welsh Textile Manufacturing Association* ac yn ddiweddarach bu'n aelod ymroddgar o bwyllgor Prifysgol Cymru i geisio hybu'r diwydiant. Yn 1943 etholwyd ef yn gadeirydd y *North Wales Industrial Development Council*. Bu'n flaenllaw iawn mewn llywodraeth leol. Yn 1905 etholwyd ef ar gyngor rhanbarth drefol Treffynnon ac erbyn 1919 yr oedd ar y cyngor sir, prif faes ei weithgarwch. Crewyd ef yn henadur y cyngor sir yn 1931 a bu'n gadeirydd tra effeithiol o 1938 hyd 1940. Penodwyd ef yn Ustus Heddwch yn 1920 ac yn is-gadeirydd llys y Sesiwn Chwarter yn 1945. Yn 1942-43 ef oedd uchel siryf sir y Fflint ac yn 1945 gwnaed ef yn C.B.E.

Yr oedd yn Rhyddfrydwr i'r carn ac yn wrthwynebus i'r Rhyddfrydwyr hynny a ymunodd mewn clymbliaid o dan Lloyd George yn 1918, ond erbyn 1933 enynnodd gymeradwyaeth wresog Lloyd George am fynegi'n ddifloesgni mai dyletswydd Rhyddfrydwr ydoedd gadael y Llywodraeth Goalisiwn. Yn ystod Rhyfel Byd II yr oedd yn frwd o blaid yr ymgais i gael ysgrifennydd gwladol i Gymru a phasiwyd ei gynnig i'r perwyl yn unfryd gan gynhadledd yr awdurdodau lleol yn Amwythig ym Meh. 1943.

Yr oedd Thomas Waterhouse yn enghraifft dda o ŵr o gyff cwbl Seisnig a wreiddiodd yng Nghymru ac a'i gwasanaethodd yn ddeheuig a diflino. Gan nad oedd achos gan y Wesleaid Saesneg yn Nhreffynnon, ymunodd aelodau'r teulu â'r Annibynwyr Saesneg a buont yn gefn sylweddol i'r achos. Cymen ac urddasol yn ei ymarweddiad allanol, yr oedd gan Thomas Waterhouse feddwl clir, gwydn a theg, a sylweddolai'r sawl a'u hadnabu'n dda fod ganddo hefyd galon gynnes a hiwmor byw. Gŵr eofn, egwyddorol, annibynnol ydoedd a chynhaliodd am dros hanner canrif y safonau uchaf ym mywyd cyhoeddus ei sir a'i wlad. Pr. Doris Helena Gough, Olton, swydd Warwick, yn 1915 a bu iddynt bedwar mab ac un ferch. Bu f. 3 Gor. 1961. Ceir darlun ohono yn swyddfa cyngor sir y Fflint, yr Wyddgrug, ac un yng nghartref ei fab, Syr Ronald Waterhouse, Barnwr yr Uchel Lys.

Www; papurau Lloyd George yn Nhŷ'r Arglwyddi (G/34/1/12); gwybodaeth bersonol.

J.G.W.

WATKIN, MORGAN (1878-1970), ysgolhaig ac Athro; g. 23 Meh. 1878, yn ffermdy Pen-rhewllas, Mynydd Gelliwastad, Clydach, Morg., yn un o chwe phlentyn William a Barbara (g. Rhys) Watkin. Brawd iddo oedd William Rhys Watkin (gw. Atod. isod). Wedi bod yn ysgol elfennol Pen-clun, ger Rhydypandy, aeth yn 11 oed i weithio fel dryswr mewn pwll glo. Yn 1893 prentisiwyd ef am 3 bl. i John Griffiths, adeiladydd ym Mhontardawe, a phlesio hwnnw gymaint nes iddo roi tâl 3edd blwyddyn iddo ar derfyn y gyntaf. Bu'n gweithio wedyn fel adeiladydd yn ardaloedd Abertawe a Chwm Tawe, ac ar gronfeydd dŵr Elan a Clee ac yn Birmingham. Dysgodd Ffrangeg, Almaeneg ac Eidaleg mewn dosbarthiadau nos. Bu am flwyddyn yn Crookley a cherddai'r pedair milltir i ddosbarthiadau nos yn Kidderminster. Yno enillodd y wobr gyntaf mewn Ffrangeg o dan F. E. Von Dembski a dod yn uchaf o 600 o fyfyrwyr yn arholiad y *Midland Counties Union of Educational Institutions*. Meistrolodd Almaeneg hefyd a bu'n dysgu Cymraeg i'w athro. Aeth wedyn i Chatham lle bu'n naddu a rhychu meini yn iard llongau'r llynges a dysgu Lladin yn ei oriau rhydd. Yn 1903 aeth yn athro Ffrangeg yn y *Birkenhead Institute*, a symud wedyn i *Lime School*, Croydon. Yn 1905 symudodd i Gaerdydd fel athro Ffrangeg yn ysgol Gerddi Howard. Yn ei amser rhydd mynychai ddosbarthiadau'r coleg yng Nghaerdydd, ac yn 1910 graddiodd gydag anrhydedd mewn Ffrangeg a Chymraeg. Cafodd gymrodoriaeth y Brifysgol ac Ysgoloriaeth Gilchrist a'i galluogodd i fynd i Ffrainc, lle bu'n 'ddarllenydd Saesneg' yn y Lycée Louis-Le-Grand ac yn ddarllenydd iaith a llenyddiaeth Saesneg ym Mhrifysgol Paris. Yr Athro Vendryes, a oedd ar y pryd yn athro ieitheg gymharol yn y Brifysgol, a'i cymerodd fel darllenydd Cymraeg yno. Yr un pryd astudiai Gymraeg Canol o dan Joseph Loth, athro Celteg yn y Collège de France, a ffoneteg o dan yr Abbé Rousselot. Yn 1913 cafodd radd M.A. Prifysgol Cymru am draethawd ar *Ystorya Bown o Hamtwn*, yn 1914 *Licence ès Lettres* Prifysgol Rennes, ac yn 1916 radd Ph.D. Prifysgol Zürich, *summa cum laude*. Yn 1916 cafodd swydd darlithydd yn y Gymraeg yng Ngholeg Caerdydd o dan Thomas Powel (*Bywg.*, 726), a theitl darlithydd arbennig (di-dâl) yn y Ffrangeg o dan Paul Barbier. O 1917 i 1920 bu yn Neheudir Affrica yn Athro Ffrangeg ac Eidaleg yn Ysgol Mwynfeydd a Thechnoleg

Johannesburg. Yn 1920 penodwyd ef yn Athro Ffrangeg a Philoleg Romawns yng Ngholeg y Brifysgol, Caerdydd, ac o 1948 i 1950 daliodd Gadair Ffrangeg yng Ngholeg Abertawe.

Yr oedd yn ddeon cyfadran y celfyddydau yng ngholeg Caerdydd, 1923-25, ac yn is-brifathro, 1931-33, a bu am flynyddoedd yn brif arholwr mewn Ffrangeg ac Eidaleg i'r Bwrdd Canol Cymreig. Ymladdodd yn ddygn am gydraddoldeb Cymraeg a Saesneg yn arholiadau ymaelodi ym Mhrifysgol Cymru, a thros ddwyieithrwydd yng nghyfundrefn addysg Cymru. Cymerai ddiddordeb mawr yng Ngholeg y Bedyddwyr yng Nghaerdydd ac yng nghapel y Tabernacl (B), lle bu'n ddiacon o 1926 ymlaen. Bu'n aelod gweithgar iawn o Orsedd y Beirdd am dros 70 ml., ac ef oedd y Derwydd Gweinyddol o 1959 i 1964.

Cafodd anrhydeddau lawer: *Officier de l'Instruction Publique*, Rennes, 1911, *Cavaliere della Corona d'Italia*, 1920. *Chevalier de la Légion d'Honneur*, 1932, *Commandeur des Palmes Académique*, 1965, *Docteur ès Lettres*, Rennes, 1962, a D. Litt. (Cymru), 1961.

Yr oedd yn ysgolhaig o'r radd flaenaf mewn dau faes a astudia fel rheol ar wahân yn ei amser ef, sef y Gymraeg a'i hen lenyddiaeth, a'r Ffrangeg a'i hen lenyddiaeth hithau. Ef oedd un o'r rhai cyntaf i ddeall fod y gyfathrach agos yn yr Oesoedd Canol rhwng yr arglwyddi Normanaidd a'u llysoedd Ffrangeg eu hiaith ar y Gororau ac yn neheudir Cymru a'r arglwyddi o Gymry a'u llysoedd Cymraeg eu hiaith wedi cael effeithiau pwysig yn y ddwy ffordd: nid yn unig cafodd y chwedlau Celtaidd (ac yn eu plith y chwedlau Arthuraidd Cymraeg) ddylanwad mawr ar lenyddiaeth Ffrangeg yr Oesoedd Canol, a thrwy honno ar holl lenyddiaethau Ewrop, ond ar y llaw arall treiddiodd diwylliant ac iaith Ffrainc i gylchoedd eang o fonedd a gwŷr llên Cymru. Felly, yn syth o'r Ffrangeg i'r Gymraeg yr ymlwybrodd y rhan fwyaf o'r geiriau Hen Ffrangeg a fenthyciodd yr iaith lenyddol yn yr Oesoedd Canol, heb fynd drwy gyfrwng y Saesneg. Y mae hyn yn neilltuol amlwg yn y corff o lenyddiaeth Gymraeg Canol a gyfieithwyd yn uniongyrchol o'r Hen Ffrangeg (e.e. *Ystorya Bown o Hamtwn*), lle ceir yn aml yr un gair Ffrangeg yn y gwreiddiol ac yn y cyfieithiad. Credai Morgan Watkin hyd yn oed ei fod yn medru olrhain dylanwad priod-ddulliau Hen Ffrangeg yng nghystrawen rhai testunau Cymraeg Canol. Yr oedd ei feistrolaeth ar balaeograffiaeth hefyd yn ei alluogi i ganfod yn sgript y prif hen lsgrau. Cymraeg, a gopïwyd mewn mynachlogydd Sistersaidd, ddylanwad sgript Hen Ffrangeg y mam-abatai Ffrengig. Rhaid cydnabod yn deg fod ei adnabyddiaeth drylwr o'r cefndir Ffrengig-Normanaidd yn yr Oesoedd Canol wedi hudo Morgan Watkin weithiau i fynd i eithafion braidd, ac i or-brisio'r dylanwadau Ffrengig, yn enwedig yn yr hen ruddin o lenyddiaeth Gymraeg frodorol gysefin (e.e. *Culhwch ac Olwen*). Rhaid hefyd wrthod tarddiad Ffrangeg i air Cymraeg (pa mor ddifai bynnag y bo yn ôl rheolau ffoneteg) bob tro y bydd cymhariaeth â'r ieithoedd Celtaidd eraill yn profi ei fod yn Gymraeg o'r gwraidd. Ond y mae bron yn sicr fod corff mawr y geiriau Ffrangeg a fenthyciodd y Gymraeg hyd at ganol y 14eg g. wedi dod yn syth o'r Ffrangeg. Cymwynas fawr Morgan

Watkin oedd agor led y pen ffenestr newydd ar agwedd bwysig o lên y Cymru a oedd wedi aros yn rhy hir o dan lestr. Caiff ei ddilynwyr hidlo'i dystiolaeth a phwyso a mesur ei ddadleuon. Ond, bellach, ni fydd yn deg eu hanwybyddu.

Ei brif weithiau yw 'The French linguistic influence in Mediaeval Wales', *Trans. Cymm.*, 1920; 'The French literary influence in Mediaeval Wales', ibid., 1921; gyda V. E. Nash-Williams (gw. uchod) 'A pre-reformation inscribed chalice and paten, *B.B.C.S.*, 13 (1925); 'Albert Stimming's Welsche Fassung in the Anglonormanische Boeve de Hamtone, an examination of a critique', yn *Studies in French language and mediaeval literature presented to M.K. Pope*; 'Sangnarwy ac oed Kulhwch ac Olwen yn y Llyfr Gwyn', *B.B.C.S.*, 13 (1949) 'Testun Kulhwch a'i gefndir Ffrengig eto', ibid., 14 (1950); *Ystorya Bown de Hamtwn, cyfieithiad canol y 13eg ganrif o La Geste de Bown de Hamtone, gyda rhagymadrodd, nodiadau, a geirfa* (1958); 'The Chronology of the Annales Cambriae and the Liber Landavensis on the basis of their Old French graphical phenomena', *NLW Jnl.* (1960); *La Civilisation française dans les Mabinogion* (1962); 'The Chronology of the White Book of Rhydderch on the basis of its Old French graphical phenomena', *NLW Jnl.* (1964); 'The Book of Aneirin, its Old French remanients, their chronology on the basis of the Old French language', ibid. (1965); 'The Chronology of the Black Book of Carmarthen, on the basis of its Old French phenomena', ibid. (1965); 'The Black Book of Chirk and the *orthographia gallica anglicana*, The Chronology of the Black Book of Chirk on the basis of its Old French graphical phenomena', ibid. (1966).

Yn 1911 yng Nghaerdydd yng nghapel y Tabernacl (B) pr. Lucy Jenkins, gynt o'r Hendy, Pontarddulais, chwaer John Gwili Jenkins (*Bywg.*, 410). Bu f. 7 Medi 1970.

Gwybodaeth gan ei fab, Dr Iestyn Watkin; adnabyddiaeth bersonol.

E.B.

WATKIN-JONES, ELIZABETH (1887-1966), awdur llyfrau i blant; g. 13 Gorff. 1887 yn Nefyn, Caern., yn unig ferch Henry a Jane Parry. Capten llong oedd ei thad a bu foddi yn Ne America cyn i'w ferch ei weld. Cafodd ei haddysg yn ysgol Nefyn, ysgol sirol Pwllheli ac yn y Coleg Normal, Bangor, a bu'n athrawes plant bach yn Aberdâr, Onllwyn, Porthmadog, Trefriw, a Nefyn. Pr. â John Watkin-Jones yn Chwef. 1916. Ar ôl Rhyfel Byd I bu'n byw am gyfnod byr yn Merthyr cyn dychwelyd i Nefyn yn 1920 pan benodwyd ei gŵr yn brifathro yno.

Dechreuodd ysgrifennu storïau yn Saesneg i gylchgronau plant fel *Chuck's Own, Bubbles*, a *Fairyland Tales*, cyn troi i ysgrifennu yn Gymraeg. Rhwng 1939 ac 1949 enillodd amryw byd o wobrau yn yr Eist. Gen. am nofelau a straeon a dramâu byrion i blant; cyfrannodd lawer i *Tywysydd y plant, Trysorfa'r plant, Y Winllan, Cymru'r plant, Yr Athro*, ac yn arbennig i'r comic *Hwyl*; lluniodd hylltod o scriptiau ar gyfer rhaglenni plant y B.B.C., a dramâu byrion ar gyfer plant capel Soar (A.), Nefyn. Heblaw *Pwt a Moi* (1953), *Onesimus* (1947) a thri llyfryn arall o ddramâu byrion a gyhoeddwyd yn 1947, cyhoeddodd saith nofel neu stori hanesyddol ar gyfer plant - *Plant y mynachdy* (1939), ei ffefryn hi ei hun, *Luned bengoch* (1946), *Y cwlwm cêl* (1947), *Y Dryslwyn* (1947), *Esyllt* (1951), *Lois* (1955), a 'Lowri' yn *Storïau ias a chyffro* (1951). Mae pob un o'r rhain, ac eithrio *Y Dryslwyn*, wedi ei lleoli yn ardal Nefyn, ac yn sicrhau i'r awdur ei lle ymhlith prif awduron llyfrau i blant yn Gymraeg.

Bu f. ar 9 Meh. 1966 a llosgwyd ei chorff yn amlosgfa Bae Colwyn, lle mae ei llwch.

Herald Cymr., 13 Meh. 1966; Wenna Davies Hughes yn *Athro Arfon*, rhif 3, Rhag. 1969, 30-2; gwybodaeth gan H.D. Jones, Llangybi; [Mairwen a Gwynn Jones, *Dewiniaid difyr* (1983)].

B.L.J.

WATKINS, VERNON [PHILLIPS] (1906-67), bardd Eingl-Gymreig; g. 27 Meh. 1906 ym Maesteg, Morg., yn ail blentyn ac unig fab William Watkins, goruchwyliwr banc, brodor o Ffynnon Taf, a'i wraig Sarah (g. Phillips), hi o'r Sarnau yn sir Gaerfyrddin, y ddau yn Gymry Cymraeg. Symudodd y teulu i Ben-y-bont ar Ogwr ac yna i Lanelli cyn bod y plentyn yn 6 oed, ac ymsefydlu'n derfynol yn Abertawe. Ar ôl blwyddyn yn ysgol ramadeg y dref penderfynwyd ei ddanfon i ysgol baratoi yn Tyttenhanger Lodge, Seaford, swydd Sussex, ac oddi yno i Ysgol Repton, swydd Derby. O'i blentyndod magodd hoffter at feirdd rhamantaidd Lloegr (ni ddysgodd ei rieni ddim Cymraeg iddo) a gwnaeth oes aur arwrol o'i ddeunaw mis olaf yn Repton. Profiad siomedig iddo ef fu ei dderbyn i Goleg Magdalen, Caergrawnt, i astudio Ffrangeg ac Almaeneg. Er iddo fynd yn llwyddiannus drwy ei arholiad, gadawodd y coleg ar ben blwyddyn, wedi alaru ar yr ymagwedd gul academaidd at lenyddiaeth y teimlai ef a fyddai'n angau iddo fel bardd. Awgrymodd, yn ddi-rybudd, i'w dad y dylai gael blwyddyn o deithio yn yr Eidal, ond gan fod costau'r flwyddyn yng Nghaergrawnt wedi trethi adnoddau'r tad, gosododd hwnnw ef yn glerc ieuanc ym Manc Lloyd, Butetown, Caerdydd. Ymhen dwy fl., yn 1927, wedi ei lethu gan yr hiraeth o golli bywyd cyfareddol Repton, a methu dygymod â dylni anllenyddol byd oedolion, chwalwyd ei nerfau, ac uchafbwynt yr anhwylder hwn oedd ymweliad eto â Repton. Ar ôl chwe mis mewn cartref nyrsio yn Derby, cafodd ei symud i gangen S. Helen (Abertawe) o Fanc Lloyd er mwyn cael byw gartref, i ddechrau yn 'Redcliffe', Bae Caswell ac ar ôl hynny yn 'Heatherslade' ar glogwyni Pennard. Yr oedd yr adferiad ysbrydol i gymryd deuddeng ml., ac fe ddaeth y farddoniaeth a flagurodd wedyn (ar ôl ymweliadau â'r Almaen yn y 1930au cynnar) allan o'r 'gofid' hwn. Yr oedd yn ddilechddidol yn gyflwynedig i 'orchfygu amser', wrth yr hyn y golygai'r bardd, yn gyntaf, nad oedd raid i neb y gallai ei farddoniaeth ei anfarwoli gael ei anghofio, ac, yn ail (fel y datblygodd golygwedd neo-blatonaidd a mwy Cristionogol, yn dilyn ei gilydd, o'i baganiaeth ramantaidd gynharach), fod pawb yn anfarwol am y 'cyfiawnheir' pawb a bod yn rhaid edrych ar yr eiliad bresennol fel microcosm o'r holl eiliadau, gorffennol a dyfodol. Tyfodd Vernon Watkins i fod yn un, ac efallai yr enwocaf, o ychydig feirdd metaffisegol yr ugeinfed ganrif. Yn ystod

ei fywyd bu dan gysgod ei gyfaill gwibiog ddisglair, Dylan Thomas (gw. uchod), y cyhoeddodd ei lythyrau yn *Letters to Vernon Watkins* (1957). Yn unig yn eu cred ym mlaenoriaeth barddoniaeth yr oeddynt yn unfarn. Ond hyd yn oed wedi i Dylan fethu dod i'w briodas yn Llundain yn 1944 (â Gwendoline Mary Davies o Harborne, Birmingham, a oedd yn cydweithio ag ef yn y gwasanaeth Hysbysiaeth), ac yntau i fod yn was priodas iddo, ni fynnai Vernon roi terfyn ar y cyfeillgarwch. Datblygasai ystyfnigrwydd cred (mewn beirdd fel 'da', er enghraifft) a'i gwnâi yn fath o sant anuniongred mewn cyfathrachau personol.

Ei gyfrolau barddoniaeth, heb gyfrif argraffiadau a detholiadau Americanaidd, oedd: *Ballad of Mari Lwyd* (1941), *The lamp and the veil* (1945), *The lady with the unicorn* (1948), *The North Sea* (cyfieithiadau o Heine) (1951), *The death bell* (1954), *Cypress and acacia* (1959), *Affinities* (1962), a *Fidelities* (a gyhoeddwyd yn 1968 wedi ei farw). Crynhowyd *Uncollected poems* (1969) a *The breaking of the wave* o'r pentwr anferth o ddefnyddiau a adawsai safonau uchel y bardd heb eu cyhoeddi, a gwnaethpwyd dau ddetholiad newydd *I that was born in Wales* (1976), a *Unity of the stream* (1978), allan o weithiau argraffedig.

Ar wahân i'r cyfnod o wasanaeth rhyfel (1941-46) yn heddlu'r Awyrlu ac yn y gwasanaeth Hysbysiaeth, treuliodd Vernon Watkins ei holl fywyd o oedran gŵr yng Ngŵyr (ar ôl priodi) yn 'The Garth' a glogwyni Pennard, 'the oldest cashier', fel yr hoffai ef ei hawlio, yn y gwasanaeth bancio. Derbyniodd lawer gwobr lenyddol, cafodd radd D.Litt. gan Brifysgol Cymru yn 1966, a bu'n ysgolor Gulbenkian yng Ngholeg Abertawe. Bu f. 8 Hyd. 1967, wrth chware tennis yn fuan wedi cyrraedd Seattle yn T.U.A., am ei ail dymor (a oedd i fod yn flwyddyn y tro hwn) fel Athro ymweliadol mewn barddoniaeth ym Mhrifysgol Washington. Dadlennodd y *Times* wrth gofnodi ei farwolaeth fod ei enw ef gyda phump neu chwech arall dan ystyriaeth am swydd Bardd y Brenin.

Roland Mathias, *Vernon Watkins* (1974); Gwen Watkins, *Poet of the elegiac Muse* (1973); Dora Park, *Vernon Watkins and The spring of vision* (1977).

R.M.

WEBBER, Syr ROBERT JOHN (1884-1962), newyddiadurwr; g. 14 Tach. 1884 yn fab hynaf Charles a Hannah Webber, Y Barri, Morg. Addysgwyd ef yn ysgol sir y Barri ac Ysgol Gwyddoniaeth a Chelfyddyd Caerdydd cyn mynd yn glerc yn swyddfa rheolwr cyffredinol Rheilffordd y Barri. Yn 1908, yn 24 ml. oed, yr oedd yn un o 300 o ymgeiswyr am swydd ysgrifennydd preifat yn Stryd y Fflyd i George Riddell (Barwn Riddell yn ddiweddarach), cadeirydd *News of the World* ac un o brif gyfranddalwyr y *Western Mail*. Cafodd y swydd pan atebodd mai 'gwaith' oedd ei hamdden. Pan ddaeth angen rheolwr cynorthwyol ar y *Western Mail* ar gyfer y papurau newydd a'u busnes argraffu eang, crybwyllodd Syr George, cadeirydd y cwmni ar y pryd, enw Robert Webber. Ymhen tair bl., yn 32 ml. oed, penodwyd ef yn rheolwr cyffredinol y papurau a'r Tudor Printing Works ac, ymhen 3 mis, cafodd ei ethol i'r bwrdd. Yn ddiweddarach daeth yn gyfarwyddwr dros oes a chydreolwr-gyfarwyddwr gyda Syr William Davies (golygydd 1901-31; *Bywg.*, 149), swydd a gadwodd am 32 ml. hyd 1955. Yn 1937 etholwyd ef i fwrdd yr *Allied (Kemsley* yn ddiweddarach) *Newspapers*, perchnogion y *Western Mail*. Yn fuan wedi mynd i Gaerdydd gorfu iddo unioni effaith straen y rhyfel ar ddau bapur dyddiol y cwmni, y *Western Mail* a'r *Evening Express*. Yn 1928 goruchwyliodd uno cwmni'r *Western Mail Cyf.* a David Duncan a'i Feibion, cyhoeddwyr y papurau a gystadlai â hwy yng Nghaerdydd, y *South Wales Daily News* a'r *South Wales Echo*, gyda'r bwriad o ddiddymu'r *Express* a'r *News* a oedd yn rhedeg ar golled. Bygythiad Arglwydd Rothermere i gychwyn trydydd papur hwyrol yn y ddinas a'u gorfododd i uno, ond fel y digwyddodd, llwyddodd y cwmni newydd i gadw'r *Express* i fynd hyd 1930. Bu gan Robert Webber lais yn y penderfyniad i ddal ati i gyhoeddi'r *Western Mail* adeg y streic gyffredinol a chyflogi staff heb eu hyfforddi, gan mwyaf. Disgrifid ef fel meistr cyfiawn ond caled, er na ddisgwyliai i neb wneud dim na fuasai ef ei hun yn barod i'w wneud; canmolid ef am gefnogi gohebwyr ifainc. Cymerodd ran flaenllaw ym mywyd masnachol de Cymru; bu'n sylfaenydd a llywydd Clwb Busnes Caerdydd am 39 ml., hyd ddiwedd ei oes. Ac yntau'n adnabyddus trwy Brydain ym maes newyddiaduraeth (ymhlith safleoedd eraill bu'n llywydd y *Newspaper Society*, 1926-27, a chadeirydd y *Press Association*, 1932-33). Dangosai hefyd y gofidiai'n fawr am adfywio de Cymru adeg y dirwasgiad. Yn 1936 penodwyd ef yn un o wyth cyfarwyddwr cwmni newydd y *South Wales Trading Estate Co. Ltd.* (a ddatblygodd Ystad Fasnachu Trefforest) ac, yn 1948, yn gyfarwyddwr *Wales and Monmouthshire Estates Ltd.* Ymhlith ei gynlluniau yr oedd un yn 1937 i wneud priffordd o dde i ogledd Cymru er mwyn cyflogi glowyr di-waith ac atal yr ymfudo i Loegr. Yn y blynyddoedd cyn Rhyfel Byd II yr oedd yn gefnogwr pybyr i ddiwydiannau ifainc y drafnidiaeth awyr a moduron. (Rhif un o'i geir yn ddiweddarach oedd ANY 1). Yr oedd yn aelod o'r Seiri Rhyddion; yn 1947 etholwyd ef yn llywydd Cymdeithas Geidwadol Ganolog Caerdydd; ac urddwyd ef yn farchog yn 1934. Pr., 30 Rhag. 1911, Jane Bennet Perkins, Casgwent (bu f. 26 Meh. 1963) a bu iddynt un ferch. Bu ef f. 18 Rhag. 1962.

FRANK EDWARD WEBBER (1893-1963), rheolwr cyffredinol y *Western Mail and Echo Ltd.*; g. 8 Hyd. 1893, yr ieuengaf o dri mab Charles a Hannah Webber. Addysgwyd ef yn ysgol sir Y Barri a Choleg y Brifysgol, Caerdydd. Ymunodd â'r fyddin ym mis Awst 1914, cafodd gomisiwn ym mis Awst 1916 a'i wneud yn lifftenant yn Ail Fataliwn y *South Wales Borderers*; clwyfwyd ef ddwywaith, gan adael ei fraich chwith yn rhannol ddiffrwyth. Ar ôl ei ryddhau o'r fyddin dychwelodd i astudio'r clasuron, hanes a mathemateg ac ennill gradd B.A. Daeth yn gymrawd o'r Sefydliad Siartredig i Ysgrifenyddion yn 1926, a phenodwyd ef yn rheolwr cyffredinol y *Western Mail and Echo* yn 1940, yn gyfarwyddwr yn 1946, ac yn is-gadeirydd yn 1959. Ymddeolodd yn 1960. A chanddo ddiddordeb dwfn mewn addysg yng Nghymru,

yr oedd yn aelod o Lys Prifysgol Cymru a Chyngor Coleg y Brifysgol, Caerdydd. Yr oedd hefyd yn weithgar iawn yn myd busnes a gyda llawer o achosion da yn ne Cymru. Cafodd O.B.E. yn 1946 am ei waith dros Bwyllgor Cynilo Caerdydd. Yr oedd ei briod, Edith Clarissa (bu f. 1984) yn athrawes, a bu iddynt un mab. Bu f. 21 Ebr. 1963.

Www; West. Mail a Times, 19 Rhag. 1962 a 23 Ebr. 1963.

C.B.

WHEELER, Dâm OLIVE ANNIE (1886-1963), Athro addysg; g. yn 1886, yn ferch i Henry Burford Wheeler, Aberhonddu, Brych. Addysgwyd hi yn ysgol sir y merched, Aberhonddu, a C.P.C., Aberystwyth, lle bu'n llywydd y myfyrwyr. Graddiodd yn B.Sc. (1907) a M.Sc. (1911), ac etholwyd hi'n Gymrawd Prifysgol Cymru. Aeth yn fyfyriwr ymchwil i Goleg Bedford, Llundain, ac i Brifysgol Paris, a chafodd D.Sc. Prifysgol Llundain (1916) mewn seicoleg. Penodwyd hi'n ddarlithydd yng ngwyddor meddwl a moeseg yn *Cheltenham Ladies' College*, yna aeth yn ddarlithydd addysg ym Mhrifysgol Manceinion, lle gwasanaethodd hefyd fel deon y Gyfadran Addysg, cyn symud i Goleg y Brifysgol, Caerdydd. Yn 1925 daeth yn Athro addysg yno, a bu am gyfnod yn ddeon Cyfadran Addysg y coleg. Cymerai ddiddordeb arbennig yn y defnydd o seicoleg mewn dulliau dysgu. Ar ôl gweithio llawer ymhlith grwpiau ieuenctid a chymdeithasau myfyrwyr daeth yn gadeirydd Cyngor Ymgynghorol Cymru ar Gyflogi Ieuenctid yn 1947, a chadeirydd Adran De Cymru o Gymdeithas Addysg y Gweithwyr. Gwasanaethodd ar lawer o bwyllgorau a chynghorau ac urddwyd hi yn D.B.E. yn 1950 am ei gwasanaeth i addysg. Dair bl. ar ôl ymddeol yn 1951 aeth ar daith ddarlithio yng Nghanada. Yr oedd ei chyfraniad i ddamcaniaethau addysg yn hysbys mewn llawer rhan o'r byd trwy ei chyhoeddiadau niferus, sy'n cynnwys: *Anthropomorphism and science* (1916), *Bergson and education* (1922), *Youth* (1929), *Creative education and the future* (1936), 'The mind of the child' yn *Nursery school education* (G. Owen, gol., 1939), *The adventure of youth* (1945), rhan III o *Mental health and education* (1961); a phapurau mewn cylchgronau seicoleg ac addysg. Ymgartrefodd yn Woodlands, Heol Betws-y-coed, Cyncoed, Caerdydd, a bu f. yn ddisymwth, 26 Medi 1963.

Debrett; Www; West. Mail, 28 Medi 1963.

M.A.J.

WHELDON, Syr WYN POWELL (1879-1961), cyfreithiwr, milwr, gweinyddwr; g. 22 Rhag. 1879, yn fab i'r Parch. Thomas Jones Wheldon (*Bywg.*, 954) a Mary Elinor Powell, Bronygraig, Ffestiniog, Meir. Addysgwyd ef yn Ysgol Friars, Bangor, yn High School Croesoswallt, yng Ngholeg y Brifysgol Gogledd Cymru - ef oedd ysgrifennydd cyntaf Cyngor y Myfyrwyr, 1899 - B.A. 1900, ac yng Ngholeg Sant Ioan, Caergrawnt (B.A. a LL.B. yn 1903, M.A. yn 1920). Yn 1906 cychwynnodd ar ei yrfa fel cyfreithiwr yn 63 Queen Victoria Street, Llundain, EC. Ymaelododd â nifer o gymdeithasau Cymreig Llundain (yn eu plith Cymdeithas y Cymmrodorion) a buan yr adnabu'n dda Gymry dylanwadol y ddinas. Ymunodd â'r fyddin yn ebrwydd a dibetrus yn 1914 a gwasanaethodd ym Mataliwn 14, y Ffiwsilwyr Brenhinol Cymreig yn Ffrainc o ddiwedd 1915 hyd Rhagfyr 1918. Ac yntau'n is-bennaeth ac uchgapten, fe'i clwyfwyd, cyfeiriwyd at ei wrhydri mewn adroddiadau swyddogol ac enillodd y D.S.O. yn 1917. Ef oedd Ysgrifennydd a Chofrestrydd Coleg Bangor o 1920 hyd 1923 pan benodwyd ef yn Ysgrifennydd Parhaol Adran Gymreig y Bwrdd Addysg. Ymddeolodd yn 1945 ond ni bu pall ar ei weithgareddau cyhoeddus, ac enghreifftiau'n unig o'i wasanaeth gwiw yw'r swyddi a ganlyn: Cadeirydd Pwyllgor Cymru, *Festival of Britain*, 1951; Cadeirydd Cyngor Darlledol i Ysgolion Cymru; aelod o Lys a Chyngor Prifysgol Cymru, Is-lywydd Coleg Bangor a Llywydd Cymdeithas y Cymmrodorion. Urddwyd ef yn farchog yn 1939, yn K.B.E. yn 1952; rhoes Prifysgol Cymru iddo radd Doethur yn y Cyfreithiau (er anrhydedd) yn 1947 a Chymdeithas y Cymmrodorion ei Medal yn 1955. Bu farw ym Mhrestatyn 10 Tachwedd 1961 a phrofwyd ei ewyllys ar 18 Ionawr 1962.

Oherwydd ei graffter a'i gallineb yr oedd ar weinyddwr tan gamp a dawn ganddo i 'drefnu' pethau'n ddiffwdan. Cas oedd ganddo rodres ac ymffrost ac nid oedd flewyn ar ei dafod wrth anghymeradwyo gweithred ffolach na'i gilydd. Eithr gŵr twymgalon ydoedd yn y bôn a chyfaill cywir. Synhwyrai deimladau a dyheadau ei gydwladwyr, ar bwyllgor ac ar faes y gad, ar lwyfan ac mewn oedfa. Glynodd yn ffyddlon i'r Hen Gorff; o dan ei ewyllys (ac eithrio'r teulu) y Tabernacl, Bangor (hen eglwys ei dad) a elwodd fwyaf. Gŵr golygus, urddasol ydoedd, a cheir darlun pensel ohono gan S. Morse Brown, a phenddelw gan y Pwyliad Kustek Wojnarowksi (1958) (yn Ystafell y Cyngor, Coleg Bangor, ac un arall yn Archifdy Clwyd, Penarlâg).

Pr. Megan Edwards, Canonbury, Prestatyn, merch Hugh Edwards, Llundain, 31 Gorff. 1915. Ganed iddynt ddau fab, Huw Pyrs a Tomos Powell (a fu farw ychydig fisoedd cyn ei dad), a dwy ferch, Mair a Nans.

Ww, 1961; *Www*, 1951-60; *Debrett*, 1961; *Times*, 13 a 15 Tachwedd 1961; *Trans. Cymm.*, 1956, 11-17, 1962, 161-69. Gwybodaeth bersonol. [Y mae ei bapurau a'i ddyddiaduron yn Llyfrgell Prifysgol Cymru, Bangor].

J.G.W.

WHITEHEAD, LEWIS STANLEY (1889-1956), ysgrifennydd Corff Cynrychioliadol yr Eglwys yng Nghymru; g. 12 Ion. 1889 yn Stoke-on-Trent, yn fab i George Whitehead. Pedair bl. yn ddiweddarach symudodd y teulu i Gaerdydd, lle y cafodd ei addysg yn Ysgol Uwchradd Caerdydd. O 1910 hyd 1916 yr oedd yn rheolwr *Rank Mills* yn nhref Truro. Yr oedd yn hoff o gerddoriaeth a chanai yng nghôr yr eglwys gadeiriol yn Truro ac yn Llandaf. Ar ôl gwasanaethu gyda'r awyrlu o 1916 hyd 1919, daeth yn gynorthwyydd i Frank Morgan, Cymrawd Coleg Keble, Rhydychen, ac ysgrifennydd Corff Cynrychioliadol newydd yr Eglwys yng Nghymru. Daeth Whitehead yn ysgrifennydd ar ei ôl yn 1935. Braidd yn awdurdodol oedd Whitehead, fel Morgan, gan fod y swydd yn rhoi digon o awdurdod iddo mewn materion gweinyddol. Ef oedd yn

gyfrifol am lywio'r Eglwys trwy flynyddoedd caled Rhyfel Byd II ac enillodd achos cyfreithiol yn erbyn y *Tithe Redemption Commission*, 1943-44. Ystyrid ef yn drefnydd heb ei ail gan aelodau Comisiwn y Genedl a'r Llyfr Gweddi Cyffredin, 1946-49; ef oedd yn gyfrifol am weinyddu apêl yr Eglwys yng Nghymru, 1952-53, a hefyd am brynu Bush House, un o fuddsoddiadau mwyaf llwyddiannus yr Eglwys yng Nghymru yn y farchnad dai. Bu salwch ei wraig, Ada Marie (g. Thomas), yn ofid mawr iddo yn ei flynyddoedd olaf. Bu f. bedwar mis ar ei ôl, ar 17 Rhag. 1956. Y mae ei erthyglau yn chwarterolyn yr Eglwys, *Province*, ar 'Frank Morgan', 'Parsons' pay', a 'Bush House' yn ffynonellau defnyddiol ar hanes cynnar y Corff Cynrychioliadol.

West. Mail, 18, 20 Rhag. 1956; *Province*, Pasg 1950, Nadolig 1950, Pasg 1955; Denning, *Landmarks in the law* (1984).

O.W.J.

WIL IFAN - gw. EVANS, WILLIAM uchod.

WILDE, WILLIAM JAMES (JIMMY) (1892-1969), paffiwr, pencampwr pwysau pry'r byd (1916-23); g. 12 Mai 1892 yn 8, Station Road, Pont-y-gwaith, Tylorstown, Rhondda, yn fab i James a Margaret Wilde. Yn ifanc iawn amlygai gryn wydnwch wrth ei amddiffyn ei hun mewn ymrysonau pen-stryd, a phan aeth i'r pwll glo lleol cydweithiai â Dai Davies, hen ymladdwr bol mynydd, a ddysgodd lawer iddo am focsio a'i wahodd i'w gartref i ymarfer ar y llofft. Pan chwalodd y teulu, cafodd lety yn nhŷ Dai Davies, ac yn ddiweddarach pr. Lisbeth, merch y llety. Crwtyn eiddil ac ysgafn ydoedd, ond hynny neu beidio, ennill ei fywoliaeth wrth focsio oedd ei uchelgais. Yn bymtheg oed, cafodd ddamwain yn y gwaith, a bu ar ei gefn am flwyddyn a rhagor yn disgwyl i'w goes wella. Gan Jack Scarrott, perchennog y bwth bocsio, y cafodd ei gyfle cyntaf er i hwnnw hefyd fynegi amheuaeth ynglŷn â dyfodol pwtyn 5' 2½" na phwysai gymaint â 6 stôn y pryd hwnnw. Ar hyd ei yrfa anhygoel o 864 o ornestau (y ffigur a ddyfynnir amlaf), 7 stôn 10 pwys fu ei bwysau trymaf. Yn 1913, gadawodd y pwll i ganolbwyntio ar yrfa yn y sgwâr proffesiynol ar ôl perswadio Ted Lewis i weithredu fel ei reolwr. Yn Nhach. 1914, enillodd bencampwriaeth pwysau pry Prydain drwy guro Joe Symmonds. Yn Ion. 1915 collodd ei deitl i Tancy Lee yn y 17eg rownd. Honno oedd yr ornest gyntaf a gollodd, ond ymhen blwyddyn, yr oedd wedi curo Joe Symmonds i gipio'r teitl drachefn, ac yn Ion. 1916, talodd y pwyth yn ôl i Tancy Lee yn y 11eg rownd. Yr oedd y grym a gariai un mor ysgafn yn ei ddau ddwrn yn rhyfeddu'r arbenigwyr. Bocsio da yn hytrach nag unrhyw rym cyfrin, ynghyd ag amseru perffaith a digonedd o hunan-hyder, oedd esboniad arferol Wilde. Ddiwedd 1916, ac yntau erbyn hynny'n swyddog ymarfer corff yn y fyddin, trechodd Young Zulu Kid o T.U.A. yn yr 11eg rownd i ennill pencampwriaeth pwysau pry'r byd. Yr oedd y 'Mighty Atom', y 'Tylorstown Terror', yr 'Indian Famine' a'r 'Ghost with a hammer' wedi cyrraedd y brig. A'r rhyfel trosodd, trefnwyd gornestau tair rownd rhwng milwyr Prydain ac America. Yr ail noson, curwyd ef gan Pal Moore. Ar sail y dadlau a gafwyd wedi hynny, trefnwyd ail gyfarfod pan enillodd dros yr 20 rownd. Yn 1920, aeth ar daith focsio i T.U.A. a threchu pob un o'i wrthwynebwyr heb fawr o drafferth. Yn Ion. 1921, fe'i trechwyd yn y 17eg rownd gan Pete Herman o T.U.A. Y gobaith oedd y byddai'n ymddeol mewn pryd ond, am £15,000, penderfynodd fynd i Efrog Newydd i amddiffyn ei deitl yn erbyn Pancho Villa ym Meh. 1923. Ni fuasai ar gyfyl y sgwâr ers hydoedd, ac fe'i trechwyd gan Villa yn y seithfed rownd. Ar ôl ymddeol, bu o bryd i'w gilydd yn gysylltiedig â sawl menter aflwyddiannus. Ysgrifennodd ei hunangofiant *Boxing was my business* yn 1938, a bu am gyfnod yn ohebydd bocsio'r *News of the World*. Bu'n glaf am y pedair bl. olaf o'i oes, pan gollodd ei wraig, ac yn ysbyty'r Eglwys Newydd, Caerdydd, yn 76 mlwydd oed, bu f. ar 11 Mawrth 1969.

Ymchwil bersonol.

W.M.R.

WILLANS, JOHN BANCROFT (1881-1957), tirfeddiannwr, hynafiaethydd a dyngarwr; g. 27 Mai 1881 yn Lerpwl, unig blentyn John William (1843-95) a Mary Louisa Willans (g. Nicholson; 1847-1911), ac ŵyr i Benjamin Willans, Blaenau Gwent. Cafodd ei addysg yn rhannol gan athrawon preifat, yn cynnwys Syr Leonard Woolley, ac yn rhannol yn Haileybury. Cartrefodd dros ei oes o 1894 yng Ngheri, Powys, wedi i'w dad brynu stad Dolforgan gan deulu Walton. Gwasanaethodd yn anfilwrol, gan mwyaf yn yr Eidal, yn ystod Rhyfel Byd I. Wedi dychwelyd ymgyflwynodd i wasanaeth ei gymdeithas yn ei sir fabwysiedig, gan fod yn uchel siryf yn 1917 ac yn ynad heddwch o 1919, yn henadur sirol, 1904-07 ac 1910-19, aelod o'r cyngor sir o 1934 hyd ei farw, a chadeirydd pwyllgor cofysgrifau a phwyllgor llyfrgell Maldwyn. Cynrychiolodd y sir ar lys llywodraethwyr C.P.C., Aberystwyth, 1907-27 a dod yn llywodraethwr dros oes o 1919, ac aelod o'r cyngor, 1914-57, a bu'n cynrychioli'r coleg ar lys llywodraethwyr Amgueddfa Genedlaethol Cymru. Cynrychiolodd y sir hefyd ar lys Prifysgol Cymru o 1934 i 1957, ac ar lys C.P.G.C., Bangor, 1936-57. Bu'n aelod o lys llywodraethwyr Ll.G.C. o 1942 i 1957 ac o'i chyngor o 1945. Gorweddai ei brif ddiddordeb mewn henebion, achyddiaeth, cadwraeth yr etifeddiaeth genedlaethol a'r ffydd Undodaidd. Daeth yn aelod oes o Gymd. Hynafiaethau Cymru yn 1901, ac o'r Powysland Club yn 1899, ac ef oedd ei gadeirydd pan fu farw. Cyhoeddodd *The byways of Montgomeryshire* yn 1905, llyfr a adolygwyd yn garedig, ond gyda beirniadaeth gymhorthgar, gan D. R. Thomas (*Bywg.*, 885-6) yn *Mont. Coll.*, 1907. Cyfrannai'n gyson i'r cylchgrawn hwnnw rhwng 1910 ac 1951, ei erthyglau, gan mwyaf, ar agweddau ar hanes ardal Ceri wedi eu seilio ar ymchwil bersonol. Bu ei haelioni cyson, ond bob amser yn anymwthiol, tuag at yr achosion agosaf at ei galon, yn sylweddol, a hynny, yn ei flynyddoedd olaf, ar draul cryn aberth personol. Nid oedd yn syndod mai cymynroddion gweddill ei ystad oedd i C.P.C. (£11,000), Ll.G.C. a Chymanfa Gyffredinol yr Eglwysi Undodaidd a Christionogol Rhydd (£12,000 yr un, gyda £3,500 mewn cymynroddion i'r mudiad Undodaidd). Ni fyddai gwerthfawrogiad o'i ofal dros eraill yn gyflawn heb gyfeirio at ei haelioni nodedig tuag at fyfyrwyr ieuainc. O dan ysbrydiaeth ei gyfaill agos, yr Athro H. J. Fleure (gw. uchod), ni roddai dim fwy o bleser iddo na'u cynorthwyo'n ariannol gyda chefndir eu hastudiaethau, drwy roi iddynt fodd i ymgymryd â gwaith maes, ac yn aml eu cymryd, yn gyfan gwbl ar ei gost ei hun, ar ymweliadau diwylliannol â lleoedd o ddiddordeb yn Ewrob. Priodol felly oedd i C.P.C., Aberystwyth benderfynu cadw'i enw mewn cof parhaol drwy sefydlu darlith flynyddol J. B. Willans.

Cerdded, teithio, darllen helaeth, ei ardd a'i goedydd oedd cyfryngau ei adloniant. Ysgogid ef drwy gydol ei oes gan gydwybod gymdeithasol effro, ymwybyddiaeth o ddyletswyddau cyhoeddus, a ffydd grefyddol. Bu ei gyfraniad ym meysydd ei ddiddordeb i fywyd diwylliannol ac addysgol Cymru, a sir Drefaldwyn yn arbennig, yn sylweddol, er bob amser yn hollol ddi-ymffrost.

Bu f. 11 Ebr. 1957 a chladdwyd ef ym mynwent Ceri. Ni bu'n briod.

Burke, *Landed gentry*, 1937; *Mont. Coll.*, 54, 175-6; *Mont. County Times*, 20 Ebr. 1957; *S. Wales Echo*, 5 Medi 1957; gwybodaeth bersonol, a chofnodion swyddogol yr awdurdodau a'r sefydliadau perthnasol.

H.N.J.

WILLETT, Mrs - gw. COOMBE TENNANT, WINIFRED MARGARET uchod.

WILLIAMS, ALUN OGWEN (1904-70), eisteddfodwr; g. 2 Hyd. 1904 yn Well Street, Gerlan, Bethesda, Caern. yn fab i John Samuel Williams a Catherine (g. Thomas) ei wraig. Addysgwyd ef yn ysgol gynradd y Gerlan, ysgol sir Bethesda a Choleg Normal Bangor (1922-24), gan fynd oddi yno i Lanfairfechan (1924-26) a Phwllheli (1926-36) fel athro cyn ei ddyrchafu'n brifathro Pentre Uchaf (1936-42), Penmachno (1942-52) a Choed-llai (1952-63). Er iddo ymddeol i'r Rhyl yn 1963 parhaodd i ddysgu Cymraeg yn Ysgol Gyfun Clawdd Offa, Prestatyn hyd 1965. Pr. (1) â Lil Evans (a fu f. 2 Awst 1968) yn Llanbedr, Meir. yn 1932 a bu iddynt un mab. Pr. (2) â Gwladys Spencer Jones ym Mae Colwyn, Meh. 1970 ond bu f. prin ddeufis yn ddiweddarach ar 4 Awst, yn Nhreorci, lle y cynhelid yr Eist. Gen. y fl. honno.

Daeth i'r amlwg yn ifanc fel adroddwr a bu'n adroddwr, actor a beirniad adrodd drwy'i oes. Sefydlodd Barti Penmachno, parti cyngerdd a fu'n teithio trwy Gymru a Lloegr dros gyfnod Rhyfel Byd II ac wedi hynny. Ef oedd arweinydd ac adroddwr y parti. Bu'n aelod o Orsedd y Beirdd am ddeugain ml., gan wasanaethu fel ei hysgrifennydd am ddeng ml. ac ysgrifennydd Llys yr Eist. dros yr un cyfnod.

Gwybodaeth bersonol.

E.O.W.

WILLIAMS, BENJAMIN HAYDN (1902-65), swyddog addysg; mab Benjamin a Margaret Jane Williams; g. yn Rhosllannerchrugog, Dinb., 9 Hyd. 1902. Cafodd ei addysg yn yr ysgol sir, Rhiwabon. Bu'n ddisgybl-athro yn 1921-22; yna aeth yn efrydydd i Brifysgol

Lerpwl ac yn 1925 ennill gradd mewn gwyddoniaeth, gydag anrhydedd uchel mewn cemeg. Ym mhen dwy flynedd, graddiodd yn Ph.D. O 1927 hyd 1931, bu'n gwneud gwaith ymchwil gyda'r Adran *Scientific and Industrial Research* yn Llundain. Yn 1931, penodwyd ef yn ddarlithydd yng ngholeg technegol Wrecsam ac ef a fu'n gyfrifol am ddatblygu'r Adran gemeg yno, gan arbenigo ar yr ochr ddiwydiannol.

Yn 1938, daeth i sir y Fflint, yn ddirprwygyfarwyddwr addysg ac yn gyfarwyddwr yn 1941. Bu'n aelod o lys Prifysgol Cymru a gweithredu ar amryw o'r is-bwyllgorau, yn cynnwys Cyngor y Brifysgol. Bu'n gadeirydd cyngor Eist. Gen. Cymru, 1960-64. Daeth i'r amlwg fel un o arloeswyr yr ysgolion Cymraeg, ac ef, drwy yr egni a'r brwdfrydedd a'i nodweddai, a sefydlodd yn sir y Fflint y ddwy ysgol uwchradd Gymraeg gyntaf yng Nghymru. Cymerodd ran arbennig yn yr ymgyrch i hyrwyddo'r Gymraeg ar y teledu, ac yn 1961 daeth yn gadeirydd Cwmni Annibynnol 'Teledu Cymru', ond ni lwyddodd y fenter hon a daeth i ben ym mis Mai 1963.

Pr. 1929 â Sarah Hughes, o Rosllannerchrugog a ganed iddynt ddau o blant. Bu f. 29 Mai 1965.

Gwybodaeth bersonol; *Liv.D.P.*, 31 Mai 1965; *West. Mail*, 31 Mai 1965.

M.J.J.

WILLIAMS, CHRISTMAS PRICE (1881-1965), gwleidydd a pheiriannydd; g. 25 Rhag. 1881 yn fab i Peter Williams a Mary Price ei wraig, Brymbo Hall, Wrecsam, Dinb. Yr oedd ei dad yn gyfarwyddwr ac yn rheolwr Cwmni Dur Brymbo. Addysgwyd ef yn Ysgol Grove Park, Wrecsam, yn y Wyddgrug a Phrifysgol Victoria, Manceinion, lle graddiodd yn B.Sc. gydag anrhydedd mewn gwyddoniaeth ac yn M.Sc. Enillodd ei fywoliaeth fel peiriannydd yn Sheffield, Warrington a De Affrica, a daliodd nifer o swyddi gweinyddol uchel. Gwnaeth waith ymchwil ar ddatblygiad diwydiannol Canada. Yn 1924 cafodd ei ethol yn A.S. (Rh.) dros Wrecsam, ar ôl iddo sicrhau deallterwriaeth gyda'r Ceidwadwyr yn yr etholaeth, pan orchfygodd yr hanesydd Robert Richards (gw. uchod). Cafodd siom aruthrol pan ailenillodd Richards ei sedd yn 1929 a dyna ddiwedd ar ei yrfa wleidyddol. Gwasanaethodd fel ynad heddwch dros swydd Lincoln, yr oedd yn Annibynnwr a chanddo ddiddordeb mewn cerddoriaeth.

Pr., 23 Meh. 1909, Marion, merch Thomas Davies, Brymbo. Yr oedd hi yn awdur nifer o nofelau a dramâu. Ymgartrefent yn Sanddeth House, Gwersyllt, Wrecsam ac am gyfnod yn 42B Courtfield Gardens, Llundain. Bu f. 18 Awst 1965.

Www; *WwW* (1937); *Dod's Parliamentary Companion*; *Liberal year book*, 1928; *The Times House of Commons*, 1929; papurau Syr Henry Haydn Jones yn LlGC.

J.G.J.

WILLIAMS, DANIEL (1878-1968), gweinidog (EF) ac awdur; g. 17 Meh. 1878 yn fab i Richard Williams, 'gweithiwr prin ei geiniogau yng nghreigiau'r Penmaen', a'i wraig Anne, ym Modnant, Llanfairfechan, Caern. Addysgwyd

ef yn ysgol genedlaethol y pentre, a threuliodd ddwy flynedd yn ysgol Cynffig Davies, Porthaethwy, cyn iddo gael ei dderbyn yn ymgeisydd am y weinidogaeth Wesleaidd yn 1901. Gwasanaethodd am flwyddyn gyngolegol yn Llanbedr, Meirionnydd, cyn dechrau ar ei astudiaethau yng ngholeg ei enwad yn Headingley, Leeds. Ar ôl cwpláu gyrfa lwyddiannus yno anfonwyd ef i Benisa'r-waun, cylchdaith Caernarfon, lle'r arhosodd am gyfnod o dair bl. Ar wahân i ddwy flynedd, 1907-08, yng ngylchdaith Manceinion, treuliodd ei holl amser yn y weinidogaeth yn gwasanaethu ardaloedd yng ngogledd Cymru gan gynnwys Aberffraw, Corwen, Dolgellau, Llanfyllin, Llangollen, Penmachno, Rhyd-y-foel a'r Wyddgrug, lle'r arhosodd am saith ml. Ymddeolodd o'r gwaith cyflawn a mynd yn uwchrif yn 1943, a gwneud ei gartref ym Mhrestatyn, ond dychwelodd i'r gwaith rheolaidd yn 1948, a bu'n arolygwr cylchdaith Llangollen am flwyddyn, gan ymddeol drachefn a byw yn y dref honno, nes iddo symud i Hen Golwyn yn 1952.

Yr oedd yn bregethwr dawnus a phoblogaidd a chyhoeddodd *Gwerslyfr ar Efengyl Marc* yn 1934. Ond yn ogystal â'i gyfraniad sylweddol i fywyd crefyddol Cymru, yr oedd Daniel Williams yn adnabyddus fel llenor a hanesydd safonol. Cyhoeddodd bump o lyfrau plant: *Cario'r post a storïau eraill* (1932), *Dyrnaid o yd* (1924), *Llwyn y brain* (1930), *Pant y gloch* (1932) a *Plant y pentre* (1925), a chyfrannodd yn gyson i gylchgronau hynafiaethol. Yr oedd yn eisteddfodwr brwd ac enillodd gadair am bryddest yn Eist. y Sulgwyn, Pen-y-bont-fawr, Maldwyn, 1927, a'r wobr gyntaf ar y prif draethawd, 'Teithi meddwl Ann Griffiths', yn Eist. Talaith a Chadair Powys, 1932. Cafodd lawer o lwyddiant llenyddol yn yr Eist. Gen. a rhwng 1939 ac 1947 enillodd saith gwobr am draethawd neu ysgrif ar destunau amrywiol iawn. Yn 1952 fe'i hanrhydeddwyd pan estynnwyd gwahoddiad iddo draddodi'r ddarlith flynyddol yng Nghymanfa'r Eglwys Fethodistaidd a gynhaliwyd yn Llandeilo.

Yn 1909 pr. ag Annie Bartley Griffith, wyres i'r Archdderwydd 'Clwydfardd' (David Griffiths, 1800-94; *Bywg.*, 271-2) yng nghapel Ebeneser, Llandudno, a ganwyd iddynt bedwar o blant, tri mab ac un ferch. Bu f. 17 Mawrth 1968 yn ei gartref, Bron-y-garth, Wynn Avenue, Hen Golwyn, ac yn dilyn gwasanaeth preifat yng nghapel Bethesda, Hen Golwyn, llosgwyd ei weddillion yn Amlosgfa Bae Colwyn.

Dyddiadur EF, 1969, 29-30; *Gwyliedydd Newydd*, 4 Ebr. 1968; *Liv.D.P.*, 19-20 March 1968; *The minutes of the annual conference Meth. Church* (1968), 194-5; J. Henry Martin a J. Bernard Sheldon, *Ministers and Probationers of the Methodist Church... revised to Sept. 1st 1963* (1964), 331; Daniel Williams, 'Fy ngalwad i'r weinidogaeth', *Winllan*, 107 (1954), 201-5; [Mairwen a Gwynn Jones, *Dewiniaid difyr* (1983)]; gwybodaeth gan Alun W. Francis, Caernarfon.

Ri.E.H.

WILLIAMS, DANIEL HOWELL (1894-1963), aerodynamegydd; g. 27 Meh. 1894, yn Ffestiniog, Meir., yn fab i Griffith J. Williams, ysgolfeistr (*Bywg.*, 977), a'i wraig Mary Helena. Cofrestrwyd ef fel Daniel John ond mabwysiadodd yr enw Howell, cyfenw morwynol ei fam. Yr oedd yn nai i Syr Richard J. Williams (Maer Bangor, 1913-20); addysgwyd ef yn Ysgol Friars, Bangor, ac ym mis Hyd. 1912 aeth i Goleg Prifysgol Gogledd Cymru gydag ysgoloriaeth mynediad. Mathemateg oedd ei brif gwrs o dan yr Athro G. H. Bryan, F.R.S. Fel myfyriwr disglair enillodd nifer o ysgoloriaethau a gwobrwyon, yn cynnwys gwobr R. A. Jones mewn Mathemateg (1914). Gan fod ganddo galon wan caniatawyd iddo orffen ei astudiaethau ar waethaf y rhyfel. Graddiodd yn 1917 gydag anrhydedd dosbarth I mewn Mathemateg Bur a dosbarth II mewn Mathemateg Gymhwysol. Bu'n cydweithio dros dro ar broblemau ynglŷn â sefydlogrwydd awyrennau gyda'r Athro Bryan a Dr Selig Brodetsky o Fryste. Ym mis Hyd. 1917 ymunodd â staff Adran Aerodynameg y Labordy Ffisegol Genedlaethol yn Teddington, ac yno y bu nes ymddeol. Yr oedd yn aelod amlwg o Eglwys Gynulleidfaol Kingston gan fod yn arbennig o weithgar yn yr Ysgol Sul. Bu'n drysorydd cangen Llundain o'r Hen Fangoriaid am flynyddoedd, a dychwelai'n aml i Gymru. Ni bu'n briod a bu f. 27 Ion. 1963 yn Teddington, lle y bu'n byw gydag Enid ei chwaer.

Ar waith damcaniaethol a gwaith twnel gwynt ar awyrlongau y dechreuodd Dan Williams yn y Laborfy Ffisegol, gan gydweithio â Robert Jones (gw. uchod), ond symudodd yn fuan at astudiaeth twnel gwynt o berfformiad awyrennau. Y pryd hynny yr oedd y damcaniaethau cyffredinol a orweddai dan astudiaethau adenydd awyrennau yn dal i fod yn destun dadleuol. Yn 1924 cyflawnodd Williams ac L.W. Bryant arbrofion sylfaenol a gadarnhaodd, ymysg pethau eraill, ddeddf Kutta a Jonkowsky a gysylltai gyfodiad yr aden â chylchrediad yr awyr o'i chylch. Cyhoeddwyd y gwaith pwysig hwn yn y *Phil. Trans. Roy. Soc.* (1925). Yn dilyn colli'r awyrlong R.101 yn 1930 dychwelodd Dan Williams at waith ar awyrlongau. Ar gais y Llys Ymchwil gwnaeth ef ac A. R. Collar gyfrifiad, gam wrth gam, i bennu llwybr ehediad terfynol yr awyrlong. Cymerodd y gwaith anferth hwn tua 9 mis o ddefnyddio dulliau cymharol gyntefig o gyfrifiaduro a oedd ar gael ar y pryd ac esgorodd ar ddyfarnu Gwobr Goffa R.38 y *Royal Aeronautical Society* iddo. Derbyniodd Williams hefyd ddiolch Syr John Simon, cadeirydd y Llys Ymchwil, am ei waith. Am ran helaeth o'i yrfa ddilynol bu'n cynnal arbrofion gan ddefnyddio'r twnel awyr cywasgedig yn y Laborfy Ffisegol (gw. dan Robert Jones uchod). Yn ychwanegol at bapurau mewn cyfnodolion gwyddonol yr oedd yn awdur 36 o Adroddiadau a Memoranda a gyhoeddwyd gan yr *Aeronautical Research Council* gan hyrwyddo'n sylweddol dwf aerodynameg.

Aeronautical Research Council R. and M., Rhif 2570; *Old Bangorian*, 1963; gwybodaeth gan Miss Margaret G. Jones a'r Athro A. R. Collar; llsgrau. C.P.G.C., Bangor.

D.J.Wr.

WILLIAMS, DANIEL JENKINS (1874-1952), gweinidog (MC/Presb.) a hanesydd achos y MC yn America; g. 22 Rhag. 1874, yn Genesee Depot, mewn ardal amaethyddol a sefydliad bychan o Gymry, yn fab i Robert H. a Jane Mary (g. Jenkins) Williams. Dwyflwydd oed oedd y tad pan ymadawodd y teulu ag ardal Gwalchmai yn Ynys Môn yn 1846 ac ymsefydlu yn Wisconsin. Yn Wisconsin y ganwyd y fam hefyd a fu ar ôl i'w rhieni gyrraedd yno o Geredigion ac ymsefydlu yn y drefedigaeth fechan Gymreig yn swydd Waukesha yn 1850. Addysgwyd y mab yn ysgol bren leol yr ardal a alwyd Wales wedi i'r rheilffordd gyrraedd yno yn 1882, ac yng Ngholeg Carroll, a graddio ym Mhrifysgol Wisconsin, B.A. 1899, M.A. 1900, a chymryd ei B.D. yn yr *Union Theological Seminary* yn 1903. Yn 1904-05 bu'n dilyn cyrsiau yng Ngholegau Christ Church a Mansfield yn Rhydychen, gan ymddiddori mewn llenyddiaeth Geltaidd a phregethu yng Nghymru yn ystod y gwyliau. Parhaodd i bregethu yn Gymraeg a Saesneg ar hyd ei oes. Bu dylanwad eglwys Bethania (MC), Wales (Wisc.) yn drwm arno. Yn 1914 cafodd radd Ph.D. o Brifysgol Talaith Ohio, ac yn 1918 rhoes Coleg Carroll radd D.D. er anrh. iddo. Gwasanaethodd nifer o eglwysi wedi ei ord. yn Synod (MC) Wisconsin yn 1906: Arbor Vitae, Wis., 1905-07, eglwys (MC) Gymraeg Columbus, Ohio, 1908-11, Presb. 1, Oshkosh, Wis., 1911-15, Presb. 1, Wausau, Wis., 1915-20, Presb. 1, Cedar Rapids, Ia., 1920-23, Presb. Gymreig, Miami Ave., Columbus, O., 1932-33. Ymddeolodd yn 1933 i ganolbwyntio ar ysgrifennu hanes swyddogol eglwys MC America. Oherwydd gwaeledd ei wraig treulient y gaeafau yn Florida a'r hafau yn Wisconsin a byddai yntau'n gwasanaethu eglwysi yn ôl y galw. Wedi claddu ei wraig bu'n gofalu am eglwysi Presb. bychain gwledig Delafield a Stone Bank. Ef oedd llywydd synod Bresb. Wisconsin yn 1915. Yn ystod ei weinidogaeth yn Wausau sefydlodd gymanfa ganu a phregethu boblogaidd ar y bryn lle y preswyliai mewn tŷ a elwid Bryn Mawr, a thynnai filoedd o bellter ar ddyddiau o haf. Wedi ymddeol yn 1951 bu'n gaplan preswyl y *Masonic Hall and Eastern Star Hospital* ger Dousman, Wis. Bu f. 29 Mai 1952 yn Ysbyty Columbia, Milwaukee, a chladdwyd ef ar Feh. 2, wedi gwasanaeth yn eglwys Jerusalem, Wales, Wis. yn agos i fan ei eni. Bu iddo un mab, y Brigadydd Robert Hugh Williams, a fu f. yn 1983. Y mae ei dair cyfrol yn gyfraniadau pwysig tuag at hanes y Cymry yn y Taleithiau Unedig: *The Welsh of Columbus, Ohio: a study in adjustment and assimilation* (1913); *The Welsh community of Waukesha county, Wisconsin* (1926); a *One hundred years of Welsh Calvinistic Methodism in America* (1937), yr olaf yn hanes swyddogol Eglwys MC America o'i dechreuad hyd ei huno gydag Eglwys Bresbyteraidd America yn 1920.

Cofnodion synod Wisconsin, 1952; *Alumni Directory, Union Theological Seminary*; *Drych*, 15 Awst 1952; llythyrau gan ei fab Robert Hugh Williams, 21 Ion. 1983, a'i ferch-yng-nghyfraith, Alice Tuckerman Williams, 23 Chwef. 1983.

E.G.H.

WILLIAMS, DAVID JAMES (1870-1951), ysgolfeistr; g. 18 Chwef. 1870 yng Nghaerffili, Morg., yn fab i Thomas Williams glöwr, ac yn un o dri ar ddeg o blant. Er dechrau gweithio'n blentyn yn y pwll glo, dangosodd allu anghyffredin yn gynnar ac yn 1882 enillodd ysgoloriaeth Gelligaer i Ysgol Lewis, Pengam. Yng nghofrestr yr ysgol honno nodir ysgol fwrdd Bargod fel ei ysgol flaenorol a rhoddir cyfeiriad ei dad fel Greenfield Terrace, Bargoed. Ymddengys iddo gael ei osod yn y dosbarth canol. Yn 1883-84 yr oedd yn y dosbarth hŷn, ac yn arholiad yr haf daeth yn ail mewn dosbarth o 24. Yr oedd ar ben y rhestr o 27 yn arholiad haf 1885 wedi llwyddo yn arholiad lleol Caergrawnt y Nadolig cynt. Safodd yr un arholiad Nadolig 1885. Yn 1886 enillodd ysgoloriaeth i Goleg Llanymddyfri ac yno y blodeuodd ei ddawn fel mathemategydd. Yn y pwnc hwn yr enillodd ysgoloriaeth, gwerth £80 am bedair bl., yng Ngholeg Worcester, Rhydychen. Yno enillodd wobrau am ei waith yn y clasuron, diwinyddiaeth a mathemateg, cyn graddio gyda anrhydedd yn y dosbarth cyntaf yn 1893 yn yr olaf o'r pynciau hyn.

Yn union wedi graddio, cafodd swydd yn ei hen ysgol ym Mhengam a symudodd yn fuan fel athro i Goleg Tettenhall, Wolverhampton. Yn 1895 penodwyd ef yn brifathro cyntaf yr ysgol sir newydd ym Methesda a daliodd y swydd honno nes ymddeol ohono yn 1933.

Crefydd oedd ei ddiddordeb pennaf. Bu'n ddiacon ym Methesda (A), ac wedyn ym Methania, Bethesda. Cyfrannodd yn helaeth at waith yr Ysgol Sul ac yr oedd yn un o olygyddion y llawlyfrau modern newydd i blant a gyhoeddwyd gan Undeb yr Annibynwyr. Bu'n un o ysgrifenyddion yr Undeb hwn o 1924 i 1927 ac yn llywydd yn 1944-45. Bu'n ysgrifennydd cyffredinol Coleg Bala-Bangor o 1932 hyd 1951 a threuliodd gryn ugain ml. yn llunio bywgraffiadur o holl fyfyrwyr ac athrawon y Coleg. Ceir copïau o'r gwaith yn Ll.G.C. a Choleg Bala-Bangor.

Bu'n br. ddwywaith; (1) yn 1897, â Selina, merch John Evans, Minafon, Coed-duon, Myn., a (2) yn 1929 â'i chwaer Mary. Bu ganddo un ferch, a thri mab. Gŵr diymhongar oedd D. J. Williams a guddiai ei allu mawr a'i gydnabyddiaeth â llawer o flaenwyr y wlad y tu ôl i gochl ei swildod. Ond gadawodd ei ôl yn drwm ar Ddyffryn Ogwen.

Bu f. 1 Hyd. 1951 a chladdwyd ef ym mynwent Coetmor, Bethesda.

D.J. Williams, *Hanes Coleg Bala-Bangor* (teipysgrif); *Adroddiad* y Coleg am 1951-52; *Tyst*, 1 Tach. 1951, 6; gwybodaeth gan lyfrgellydd Ysgol Lewis, Pengam.

R.Td.J.

WILLIAMS, DAVID JOHN (1885-1970), llenor; g. ym Mhen-rhiw, ffermdy ym mhlwyf Llansawel, Caerf., 26 Meh. 1885, yr hynaf o ddau blentyn John a Sarah (g. Morgans) Williams. Symudodd y teulu i Aber-nant yn 1891 ac aeth ef i ysgol Rhydcymerau, 1891-98. Rhwng 1902 ac 1906 bu'n löwr yn Ferndale, y Rhondda; y Betws, Rhydaman a Blaendulais. Ailgydiodd yn ei addysg yn 1906 pan aeth i Ysgol Stephens Llanybydder. Bu'n ddisgybl athro yn ysgol Llandrillo, Edeyrnion, 1908-10 cyn mynychu Ysgol yr Hen Goleg, Caerfyrddin, 1910-11. Yn 1911 aeth i Goleg y Brifysgol yn Aberystwyth ac wedi graddio ac ennill Ysgoloriaeth Meyricke yn 1916 aeth i Goleg Iesu, Rhydychen, lle graddiodd yn 1918. Ar ôl tymor yn athro Cymraeg dros-dro yn Ysgol Lewis, Pengam, bu'n athro Saesneg ac addysg

gorfforol yn ysgol ramadeg Abergwaun o 1919 hyd 1936, ac yna'n athro Cymraeg yno o 1937 tan ei ymddeoliad yn 1945. Pr. Siân Evans, merch Dan Evans, gweinidog (A) Hawen, a Mary ei wraig, a chwaer i'r bardd William Evans, 'Wil Ifan' (gw. uchod), yn 1925 ac ymgartrefodd y ddau yn Abergwaun gan wneud eu haelwyd yn y 'Bristol Trader' yn gyrchfan i lu o ffrindiau. Codwyd D. J. Williams yn flaenor yn eglwys Pentowr (MC) yn 1954. Ni bu iddynt blant. Bu f. ei wraig yn 1965 a bu f. yntau'n ddramatig o briodol ar nos Sul, 4 Ion. 1970, ar ôl rhoi anerchiad gwladgarol mewn cyngerdd cysegredig yng Nghapel Rhyd-cymerau. Fe'i claddwyd ym mynwent y capel hwnnw gyda'i wraig. Dadorchuddiwyd cofeb iddo ar fur tŷ Aber-nant, 17 Medi 1977.

Flynyddoedd cyn ei f. yr oedd D. J. wedi tyfu'n chwedl ymhlith llengarwyr a chenedlaetholwyr Cymru. Yr oedd yn un o sefydlwyr Plaid Cymru yn 1925, a chyda John Saunders Lewis a'r Parch. Lewis Valentine treuliodd naw mis yng ngharchar Wormwood Scrubs yn ystod 1936-37 am losgi rhai o gytiau'r Ysgol Fomio ym Mhenyberth, ger Pwllheli. Y mae i'r protest sumbolig honno le canolog ym *muthos* y mudiad cenedlaethol. Ymroes ar hyd ei oes i ymgyrchu dros Gymru Rydd Gristnogol. Ysgrifennodd gannoedd o lythyrau i'r wasg a chyflwynodd ddau o'i arwyr, y Gwyddel 'A.E.' (George William Russell) a'r Eidalwr, Mazzini, i sylw ei gyd-Gymry. Cyhoeddodd *A. E. a Chymru* (1929); *Y bod cenhedlig: cyfieithiad gyda rhagymadrodd o 'The national being'* gan *A. E.* (1963) a *Mazzini: cenedlaetholwr, gweledydd, gwleidydd* (1954). Cronidodd ryw gymaint o hanes cynnar Plaid Cymru'n ogystal mewn pamffled, *Codi'r faner* (1968). Trwy'r cyfan ymdeimlir ag angerdd yr unplygrwydd a'i gwnâi'n dafodog mor argyhoeddiadol.

Yr unrhyw angerdd sy'n rhoi i'w lên greadigol ei harbenigrwydd. Gyda Kate Roberts gosododd fri ar y stori fer Gymraeg a chasglwyd y mwyafrif o'i storïau cyhoeddedig ynghyd yn *Detholiad o storïau'r tir* (1966). Ceir rhai o'i storïau cynharaf, ynghyda nifer o bortreadau ac ysgrifau sy'n fynegai i'w themâu pwysicaf, yn *Y gaseg ddu* (1970). Wfftiai ar rai o lenorion amlycaf Cymru na fynnent ran yn y frwydr i 'achub enaid' y genedl, rhai a oedd 'yn gallu sefyll o'r neilltu yn llipa heb wneud unrhyw osgo i gynorthwyo yn y frwydr mewn unrhyw fodd - fel petai rhyw barlys moesol wedi eu taro'. Mor ddiffygiol oeddent o'u cyferbynnu â'r proffwydi hynny yn Israel gynt, propagandwyr diedifar a roes fod i lenyddiaeth fawr. 'Llenorion dan angerdd cydwybod' a oedd ar Gymru eu hangen ac fel propagandydd o genedlaetholwr Cristnogol yr ymgymrodd D. J. â llenydda.

Llenor bugeiliol ydoedd yn ei hanfod, llenor y 'gweld cofus'. Yn ei ganol oed a'i henaint cynnar y lluniodd y cyfrolau a fydd o werth arhosol. Fel ei arwr, William Llewelyn Williams (*Bywg*., 1020), ymserchodd yn llwyr ym mywyd gwledig 'Shir Gâr', ond ni fodlonodd ar sentimenta. Gwelodd y Gymru a oedd iddo ef yn werth byw a marw drosti yn nrych ei 'filltir sgwâr'. Fe'i delfrydodd, mae'n wir, ond y mae'r un mor wir iddo ddangos y gymdeithas wâr, ymdrechgar, aml ei doniau a ddelweddodd yn *Hen wynebau* (1934) a *Storïau'r tir glas* (1936) yn graddol ymddatod yn *Storïau'r tir coch* (1941) a

Storïau'r tir du (1949) wrth i'r 'newyddfyd blin' gau amdani. Yr un weledigaeth a roes fod i'w ddwy gyfrol o hunangofiant, *Hen dŷ ffarm* (1953) ac *Yn chwech ar hugain oed* (1959). *Hen dŷ ffarm* yw ei gampwaith, hanes diwyllio tir Pen-rhiw, creu gardd a pherllan ac yna'n gadael am fod caledwaith yr ennill yn esgor ar afiechyd, a chroesterau o fewn teulu yn rhwystro parhad. Fel pob paradwys fugeiliol glasurol, difethir paradwys D. J., hefyd, o'r tu mewn yn ogystal ag o'r tu maes.

Ni all fod parhad i'r un baradwys ddynol, ond y mae'n rhaid i ddyn o hyd wrth baradwys i'w choledd. Y mae'n angen gwaelodol sydd mor hen â bodolaeth, a'i ymateb iddo sy'n peri fod D. J. Williams ar ei orau yn un o archstorïwyr y Gymraeg. Cydnabuwyd ei gamp yn 1957 pan roes Prifysgol Cymru radd D.Litt. iddo er anrh. Yn 1963 etholwyd ef yn Llywydd yr Academi Gymreig.

John Gwyn Griffiths (gol.), *D. J. Williams, Abergwaun: Cyfrol deyrnged* (1965); idem, *D. J. Williams, Abergwaun: Y Gaseg Ddu a gweithiau eraill* (1970); idem, *D. J. Williams 1885-1970*, Bro a bywyd 5, (1983); Dafydd Jenkins, *D. J. Williams* (1973).

H.T.Ed.

WILLIAMS, DAVID MATTHEW ('Ieuan Griffiths'; 1900-70), gwyddonydd, dramodydd ac arolygwr ysgolion; g. 3 Mai 1900 yng Nghellan, Cer., yn fab i John ac Ann (g. Griffiths) Williams, a brawd iau i Griffith John Williams (gw. isod). Aeth o ysgol gynradd Cellan yn 1911 i ysgol uwchradd Tregaron. Yn arholiad y Dystysgrif Uwch yn 1918 cafodd y marciau uchaf o bawb yng Nghymru mewn cemeg gan ennill i'r ysgol gydnabyddiaeth arbennig. O Dregaron aeth i Goleg Prifysgol Cymru a graddio'n B.Sc. gydag anrhydedd dosbarth cyntaf mewn cemeg yn 1921. Wedi tair bl. o ymchwil yn Aberystwyth ef yn 1924 oedd y myfyriwr cyntaf ym Mhrifysgol Cymru i ennill Ph.D. Hyd hynny, aelodau staff a gawsai'r radd honno. Bu'n athro cemeg yn ysgol ramadeg Glyn Ebwy, 1924-26 cyn dychwelyd yn ddarlithydd yn adran gemeg C.P.C., Aberystwyth. Yn 1932 penodwyd ef yn arolygwr o dan y Weinyddiaeth Addysg a bu'n gwasanaethu yn arolygwr ysgolion ym Myn., Caerfyrddin ac Abertawe, gyda chyfrifoldeb wedyn dros addysg dechnegol a hyfforddi athrawon dros Gymru gyfan. Trwy ei weledigaeth ef y symbylwyd sefydlu yr ysgol Gymraeg gyntaf o dan awdurdod lleol yn Llanelli yn 1947. Meithrinwyd ynddo gariad at lenyddiaeth gan S. M. Powell, yr athro Saesneg yn Nhregaron, a phan oedd yn y coleg ysgrifennodd ddramâu *Lluest y Bwci* a *Ciwrat yn y pair* ar anogaeth R. Idwal M. Jones (*Bywg.*, 477). Wedi hynny ysgrifennodd *Dirgel ffyrdd*, *Awel dro* ac eraill i Gwmni Wythnos Ddrama Abertawe, ac o leiaf un ddrama ar ddeg dan yr enw 'Ieuan Griffiths', gyda *Tarfu'r colomennod*, a *Dau dylwyth* yn eu mysg. Ysgrifennodd â chyfansoddi'r miwsig i opereta a berfformiwyd yng Nghasnewydd yn 1934.

Pr. ag Annie Rebecca Morris yng nghapel Dre-wen, Castellnewydd Emlyn, 6 Ebr. 1939 a bu iddynt ferch. Bu f. yn ei gartref, 42 Palace Avenue, Llanelli, 29 Tach. 1970.

Llanelli Star, 5 Rhag. 1970; *Gwrandawr*, Rhag.

1970, t. vii; *WWP*.

E.D.J., M.A.J.

WILLIAMS, DAVID PRYSE ('Brythonydd'; 1878-1952), gweinidog (B), llenor, a hanesydd; g. Ddydd Gŵyl Ddewi 1878 a'i fagu yn y Wenallt, plwyf Troed-yr-aur (Trefdreyr), Cer., ei dad Ivor Pryse Williams (1850-1920) yn fab i'r offeiriad llengar Benjamin Williams ('Gwynionydd'; 1821-91; *Bywg.*, 965) a'i fam Elizabeth yn ferch i deulu o Fedyddwyr yn eglwys Bethel, Dre-fach Felindre, a dau o'i brodyr, David Phillip Jones (1850-84), Felin-gwm a Llanfynydd, a Samuel Jones (1857-1935), Llaneirwg, wedi eu codi i'r weinidogaeth. Dilyn ei fam i gorlan y Bedyddwyr wnaeth y mab, dechrau pregethu yn 1903 a llwyddo gyda chlod y flwyddyn wedyn yn arholiadau'r enwad. Derbyniwyd ef yn 1908 i Goleg Efengylaidd (Bedyddiedig gan mwyaf) Dunoon yn Kirn, swydd Argyll, ac ar ben cwrs dwy fl. ord. ef, 21 Mai 1910, yn weinidog Ffynnonhenri, a'i gofrestru i fwrw dwy fl. ran-amser yng Ngholeg Presbyteraidd Caerfyrddin wrth draed M.B. Owen (1875-1949; *Bywg.*2, 46). Symudodd yn 1913 i Philadelphia, Abertawe (gan dreulio ysbaid fer yn ystod Rhyfel Byd I gyda'r Y.M.C.A. yn swydd Gaint), ac oddi yno yn 1920 i Libanus, Treherbert, lle'r arhosodd weddill ei oes yn uchel ei barch a'i ddylanwad. Gartref y bwriodd ei fywyd hyd at ei 30 oed, yn llenydda ac eisteddfota ac yn chwilota hanes y darn gwlad sy'n ymestyn o Gastellnewydd Emlyn i gyfeiriad y môr ym mhlwyf Penbryn, ac er gwaethaf pyliau mynych o wendid corff mae'n ddiau mai degawd cyntaf y ganrif oedd blynyddoedd mwyaf toreithiog ei ymchwil. Cyhoeddodd ffrwd o gerddi, ysgrifau a nodiadau ym mhapurau wythnosol Aberteifi ac Aberystwyth a chylchgronau megis *Seren Gomer*, *Yr Athraw*, *Arch. Camb.*, *Byegones* a'r *Geninen*, ond ni chyhoeddwyd ei draethawd ar Hanes Cenarth a wobrwywyd gan Syr John Rhŷs (*Bywg.*, 793-4) yn eisteddfod Castell-newydd Emlyn yn 1902. Yn y cyfnod hwn bu'n gohebu â nifer o brif ysgolheigion Cymraeg y dydd. Yn ystod ei gyfnod yn Nhreherbert llwyddodd i warchod archifau swyddogol y capel ac ysgrifennodd *Canmlwyddiant Libanus ... braslun o'r hanes* [1950]. O'i ddyddiau cynnar bu'n weithgar yn achub llyfrgelloedd enwogion a chyfoedion, ac ar brydiau'n troi'r deunydd yn sail cofiannau, e.e. ei dad 'Gwynionydd'; David James, 'Defynnog' (1865-1928) (gw. Atodiad isod), Lewis Jones, y cerddor o Dreherbert (m. 1882), William Evans Davies (1861-1945), Dre-fach, Rees Price (m. 1896), Cilfowyr, John Gomer Lewis (1844-1914) (gw. *Bywg.*, 521) a David Price (1865-1931), ill dau o Abertawe, ac Anthony Williams (1845-1913), Ystrad Rhondda; ac atynt hwy Rhys Jones Lloyd (1827-1904), mab plas y Bronwydd yn Llangunllo, rheithor Troed-yr-aur, a'i gymydog helyntus o Annibynnwr Thomas Cynfelyn Benjamin (1850-1925), Pen-y-graig, y bu D. P. W. â rhan yn y gwaith o godi carreg fedd iddo ym mynwent Llethr-ddu, Trealaw.

Pr., 1 Hyd. 1941, yn y Tabernacl, Caerdydd, ag aelod o'i eglwys, Annie Lydia, unig ferch David a Jane Morgan, Cedrwydd, Treherbert, dirprwy brifathrawes Ysgol Gynradd Penyrenglyn ac ysgrifenyddes Cymdeithas Cymrodorion Treherbert. Bu ef f. yn sydyn yn

Ysbyty Church Village, 27 Hyd. 1952 a'i gladdu yn Amlosgfa Glyn-taf.

Ei gasgliad llsgrau., LlGC 15622-963 a 15985-16039, a ffotograffau, 347-401; *Ceredigion*, 5 (1967), 347-401 (ysgrif ar 'Gwynionydd', yn cynnwys yr achau); Sidney Jenkins, *Hanes Eglwys y Bedyddwyr Ffynnonhenri* (1930), 60; llsgr. LlGC 10330 (cofrestr myfyrwyr Coleg Presbyteraidd Caerfyrddin), 261; *Ser. Cymru*, 21 Tach. 1952, 11 Chwef. 1955, 20 Awst, 10 Medi 1965; *Llawlyfr Bed.*, 1953, 180-1; *Bapt. hdbk.*, 1954, 341; *Traf. Cymd. Hanes Bed.*, 1964, 40-1, 48-9, 1967, 38-48, 1976-7, 42, 1987, 45-56; *West. Mail*, 31 Gorff. 1965; *Rhondda Leader*, 1, 8 Tach. 1952, 6 Awst 1965; gwybodaeth gan ei frawd-yng-nghyfraith, Parch. T. Haydn Morgan, Ystradmynach.

B.G.O.

WILLIAMS, Syr EDWARD JOHN (TED; 1890-1963), gwleidydd; g. 1 Gorff. 1890 yn Victoria, Glyn Ebwy, Myn., yn fab i Emanuel Williams ac Ada (g. James) ei wraig. Addysgwyd ef yn ysgol wirfoddol Victoria ac ysgol elfennol Hopkinstown, ac yn 1902, ac yntau'n 12 oed, dechreuodd weithio ym mhwll glo Waunllwyd, Glyn Ebwy. Mynychodd ddosbarthiadau nos a ddarperid gan Gyngor sir Morgannwg mewn mwyngloddio, economeg wleidyddol a chadw cyfrifon. Yna symudodd ef a'i rieni i ardal Pontypridd a bu'n ysgrifennydd cyfrinfa'r undeb ac yn gynrychiolydd cyflogau ar gyfer pyllau glo y *Great Western* rhwng 1909 ac 1913. Enillodd ysgoloriaeth i'r Coleg Llafur, Llundain, yn 1913; treuliodd ddwy fl. yno, a bu'n ddarlithydd rhanbarthol ar ran y coleg ar ôl iddo ddychwelyd i dde Cymru. Dioddefodd gyfnod o ddiweithdra yn 1916-17, dychwelodd i'r pyllau glo yn 1917 a dyrchafwyd ef yn *checkweighman* y flwyddyn ganlynol. Yn 1919 fe'i penodwyd yn gynrychiolydd y glowyr yn ardal y Garw o Ffederasiwn Glowyr De Cymru yn olynydd i Frank Hodges. Rhwng 1928 ac 1931 bu'n aelod o Gyngor sir Morgannwg a dewiswyd ef yn Ynad Heddwch dros y sir yn 1937. Yr oedd ganddo bob amser gydymdeimlad arbennig tuag at dlodi a chaledi. Etholwyd ef yn aelod seneddol (Llafur) dros etholaeth Ogwr yn 1931 yn olynydd i Vernon Hartshorn (*Bywg.*, 323). Bu'n ysgrifennydd seneddol preifat i'r Is-ysgrifennydd dros y Trefedigaethau, 1940-41, i'r Ysgrifennydd Cyllidol i'r Morlys, 1942-43, ac i'r Is-ysgrifennydd Gwladol am Faterion Tramor, 1943-45. Yr oedd yn Weinidog Hysbysiaeth yn 1945-46, swydd â statws y Cabinet iddi er nad oedd o fewn y Cabinet. Ymddiswyddodd o Dŷ'r Cyffredin yn 1946 pan benodwyd ef yn Uwch-Gomisiynydd yn Awstralia, swydd yr arhosodd ynddi hyd 1952. Cafodd estyniad o flwyddyn yn y swydd oherwydd y parch a enillodd ynddi, cam heb gynsail iddo. Cymerai ddiddordeb arbennig mewn cynlluniau i annog Prydeinwyr i ymfudo i Awstralia. Gwnaed ef yn Ynad Heddwch yn New South Wales yn 1950. Sicrhaodd swydd yn Swyddfa'r Gymanwlad ar Ddadleuon Diwydiannol rhwng 1953 ac 1959. Cyhoeddodd nifer o erthyglau mewn cylchgronau yn ne Cymru a phapurau'r glowyr. Daeth yn aelod o'r Cyfrin Gyngor yn 1945 a derbyniodd K.C.M.G. yn 1952. Daliodd yn deyrngar i'r Blaid Lafur ar hyd ei oes.

Pr. yn 1916 Evelyn, merch David James, Lanelay, Pontypridd. Bu iddynt ddau fab. Bu f.

16 Mai 1963 yn ei gartref, Canberra, 107 Grove Road, Pen-y-bont ar Ogwr, Morg., a llosgwyd ei weddillion yn amlosgfa Thornhill.

Www; *WwW* (1937); *Dod's Parliamentary Companion*; *Times*, 18 Mai 1963; *West. Mail*, 17 Mai 1963.

J.G.J.

WILLIAMS, ERNEST LLWYD (1906-60), gweinidog (B), prifardd a llenor; g. 12 Rhag. 1906 yn y Lan, ger pentref Efail-wen, Caerf. Addysgwyd ef yn ysgol gynradd Brynconyn, Llandysilio (wrth draed John Edwal Williams, tad ei gyfaill oes Waldo Williams) ac yn yr ysgol sir yn Arberth lle y dechreuodd ei yrfa wedyn yn brentis fferyllydd. Bedyddiwyd ef yn 1923 yn Rhydwilym, a bu traddodiadau'r eglwys hynafol honno a diwylliant bro'r Preselau yn ddylanwadau parhaol ar ei waith llenyddol. Wedi cwrs yng Ngholeg y Bedyddwyr, Bangor, 1928-31, ord. ef 2 Medi 1931 yn weinidog eglwys y Tabernacl, Maesteg. Sefydlwyd ef 10 Medi 1936 yn eglwys Ebeneser, Rhydaman, lle y bwriodd weddill ei oes. Yr oedd yn weinidog uchel ei barch ac yn bregethwr a galw cyson am ei wasanaeth yng ngwyliau ei enwad. Traddododd anerchiad yng Nghynhadledd Undeb Bedyddwyr Cymru, 1943, ar 'Y weinidogaeth hon'.

Daeth i fri yn bennaf ar gyfrif ei farddoniaeth; am gerddi buddugol yn yr Eist. Gen., yn arbennig am awdl 'Y Ffordd' yn 1953 a phryddest 'Y Bannau' yn 1954. Cyhoeddodd *Cerddi'r plant* (1936), ar y cyd â Waldo Williams; a detholiad o'i ganu *Tir Hela* (1956); a lluniodd gerddi ar gyfer W. Rhys Nicholas (gol.), *Beirdd Penfro* (1961). Un o nodweddion ei grefft brydyddu oedd ei ddawn i arbrofi eithr heb ymwrthod â thraddodiad. Ymddengys dau emyn wrth ei enw yn *Y Llawlyfr Moliant Newydd* (1955), ac ef, yn 1943, biau'r geiriau poblogaidd 'Pwy fydd yma 'mhen can mlynedd?'. Bu am gyfnod yn olygydd 'Colofn yr awen' yn *Seren Cymru*, ac yn aelod o dîm Ymryson y Beirdd sir Gaerfyrddin.

Bu'r un mor doreithiog ac o bosibl yn fwy arhosol ei gynnyrch ym myd rhyddiaith. Cyhoeddodd *Rhamant Rhydwilym* (1939), braslun hylaw o hanes yr achos (ar y cyd â'r ysgrifennydd John Absalom); *Hen ddwylo* (1941), yn cynnwys portreadau o 'gymeriadau' bore oes yng nghysgod y Preselau; *Tua'r cyfnos* (1943), nofel fuddugol yng nghystadleuaeth Llyfrau'r Dryw; cofiant *Thomas Phillips, 1868-1936* (1946), Prifathro Coleg y Bedyddwyr, Caerdydd (*Bywg.*, 718); *Dan y sêr*, rhaglen Urdd y Seren Fore ar gyfer Cynhadledd Undeb Bedyddwyr Cymru ym Mrynaman, 1948; a dwy gyfrol *Crwydro sir Benfro* (1958, 1960). Bu hefyd yn gyfrifol am golofn wythnosol, 'Yn y tŷ wrth y tân', yn y *South Wales Guardian*.

Pr., 11 Awst 1936, yn Rhydwilym, Eiluned James, Maenclochog, a ganed iddynt un ferch. Bu f. yn frawychus o sydyn 17 Ion. 1960, a chladdwyd ef ym mynwent Rhydwilym. Cynhaliwyd cyfarfod coffa iddo yn Rhydwilym, 5 Chwef. 1960, a llwyfannwyd rhaglen deyrnged iddo ym Maenclochog, 21 Mawrth 1979.

Ser. Cymru, 23 Hyd. 1931, 14 Awst, 25 Medi 1936, 20 Ebr., 13 Medi 1943, 28 Maw. 1958, 22, 29 Ion. 1960, a 24 Meh. 1966; *Ser. G.*, 1960, 17-22; *Cymro*, 28 Ion. 1960; *Baner*, 4 Chwef. 1960; *Llythyr* Cymanfa Caerfyrddin a Cheredigion, 1960, 17-18; *Llawlyfr Bed.*, 1961, 118-9; *Bapt. hdbk.*, 1961, 358; LIGC, deunydd o'i lyfrgell; Meic Stephens (gol.), *Cydymaith i lenyddiaeth Cymru* (1986), 623; gwybodaeth gan ei weddw a'i ferch; adnabyddiaeth bersonol.

B.G.O.

WILLIAMS, Syr EVAN, BARWNIG (1871-1959), perchennog glofeydd; g. 2 Gorff. 1871, yn fab i Thomas Williams, Llwyn Gwern, Pontarddulais, Morg., perchennog glofeydd. Wedi derbyn ei addysg yng Ngholeg Crist, Aberhonddu, a Choleg Clare, Caergrawnt, dychwelodd i sir Gaerfyrddin yn 1892 i gynorthwyo yng nghwmni glofeydd ei dad. Wedi'i ethol yn gadeirydd Cymdeithas Perchnogion Glofeydd sir Fynwy a De Cymru yn 1913 bu'n amlwg am gyfnod hir yn y diwydiant glo yn Ne Cymru a ledled Prydain. Fel aelod o Gomisiwn 'Sankey' ar y Diwydiant Glo yn 1919 yr oedd yn ffigur allweddol yn ystod blynyddoedd cythryblus 1919-21 ac 1925-26, yn bennaf ar gyfrif ei safle yn llywydd Cymdeithas Mwyngloddio Prydain Fawr, swydd yr etholwyd ef iddi yn 1919 ac a ddaliodd am gyfnod unigryw o 25 bl. Yr oedd yn negydwr cadarn a lwyddodd i sicrhau cyflogau ar oriau gwaith rhanbarthol yn hytrach na'r cytundeb cyflogau cenedlaethol a geisiai Cynghrair Glowyr Prydain Fawr.

Parhaodd yn rheolwr gweithredol y busnes teuluol, *Thomas Williams and Sons (Llangennech) Ltd.* hyd ganol y 1940au a daeth yn gyfarwyddwr rhai cwmnïau masnachol a diwydiannol mawr megis *Powell Duffryn*, *Rhymney Iron and Coal*, *Welsh Associated Collieries*, *Great Western Railway* a Banc Lloyd. Bu'n un o is-lywyddion Cynghrair Diwydiannau Prydain a gwasanaethodd ar nifer o gyrff swyddogol neu dechnegol yn gysylltiedig â'r diwydiant glo.

Pr. yn 1903 â Charlotte Mary, merch David Lockie, Y.H., Montrose. Ni fu iddynt blant. Yn 1922-23 bu'n Uchel siryf sir Gaerfyrddin ac yna'n ddirprwy-raglaw, yn Y.H. dros y sir, ac yn farwnig yn 1935. Bu f. 3 Chwef. 1959.

Dictionary of Business Biography, cyf. 5; Mon. and S. Wales Coalowners' Assocn. Minute Books (yn LIGC) MG12 et seq.; Julian Symons, *The General Strike* (1957); *Colliery Guardian*, 197 (1959), 208.

G.H.

WILLIAMS, GEORGE (1879-1951), cyfarwyddwr cwmnïau ac Arglwydd Faer Caerdydd; g. 2 Rhag. 1879 yn Hwlffordd, Penf., yn fab i Frederick a Mary A. Williams, ac addysgwyd ef yn ysgol ramadeg Hwlffordd. O 1920 hyd 1945 yr oedd yn fasnachydd defnyddiau adeiladu ac yn gyfarwyddwr nifer o gwmnïau, gan gynnwys Williams a Borgars Cyf., *Camrose Estates Ltd.* a *Whitehead's Electrical Inventions Ltd.*

Yn y 1930au bu'n flaenllaw iawn yn yr ymdrech i ddenu diwydiannau newydd i dde Cymru i leddfu effaith diweithdra yn dilyn dihoeni'r prif ddiwydiannau trwm. Bu'n gadeirydd y *National Development Council of Wales and Monmouthshire* o'i ddechreuad yn 1931 ac ef oedd awdur y cynllun y cymerodd y Llywodraeth ato wrth ffurfio'r *Special Areas Reconstruction Assocation* a chodi ffatrïoedd

parod. Ei syniad ef i raddau helaeth oedd Ystad Ddiwydiannol Trefforest. Ysgrifennodd lawer o erthyglau i'r wasg ar faterion diwydiannol ac economaidd cyfoes.

Rhoddodd lawer o wasanaeth cyhoeddus hefyd er budd dinas Caerdydd. Etholwyd ef yn gynghorydd (Rh.) ward Pen-y-lan yn 1928, gwnaed ef yn henadur yn 1948, a bu'n faer y ddinas, 1950-51. Bu'n gadeirydd y Bwrdd Masnach, y pwyllgor ystadau a phwyllgor y maes awyr, a chymerodd ran bwysig mewn prynu Castell Caerdydd a Meysydd Pontcanna i'r ddinas. Ac yntau'n un o brif gefnogwyr cais Caerdydd i fod yn brifddinas Cymru, prynodd Parc Cefn Onn a'i roi'n ddiweddarach i'r ddinas. Cafodd C.B.E. yn 1938.

Yn 1904 pr. â Margaret Jones (bu f. 1942) a bu iddynt ddau fab a dwy ferch. Bu f. yng Nghaerdydd 7 Hyd. 1951.

Www; *S. Wales Echo*, 8 Hyd. 1951; *West. Mail*, 9 Hyd. 1951.

W.D.J.

WILLIAMS, Syr GEORGE CLARK (1878-1958), BARWNIG a barnwr llys sirol; g. yn Llanelli, Caerf., 2 Tach. 1878, yn bedwerydd plentyn Samuel a Martha Williams. Yr oedd ei dad yn un o berchnogion cwmni gwerthu coed a chwmni alcam mwyaf y dref honno yn ei hanterth ddiwydiannol, sef Gwaith yr Old Lodge. Bu ewythr a chefnder iddo'n Uchel Siryfion y sir, a pherthynas iddo oedd Samuel Williams, un o feddygon y dref a waddolodd ysgoloriaethau i fyfyrwyr olraddedig Prifysgol Cymru. Annibynwyr selog oedd y teulu a phileri'r achos Saesneg yn Eglwys y Parc.

Cafodd George Clark Williams ei addysg gynnar yn Llanelli ac mewn ysgol breswyl yn Bishop's Stortford. Aeth i Goleg y Brifysgol, Aberystwyth ac yn 1898 derbyniodd radd B.A. o Brifysgol Llundain. Wedi prentisiaeth yn y gyfraith, cafodd ei dderbyn yn dwrnai gan ymuno yn 1902 â chwmni Roderick Richards a Williams, Llanelli, lle y bu am 6 bl. nes penderfynu mynd yn fargyfreithiwr. Galwyd ef i'r bar yn 1909 gan y Deml Fewnol ac ymunodd â Chylchdaith De Cymru a Chaer, gan ymsefydlu yn siambrau prysur Trevor Hunter yn Abertawe. Ar ôl gwasanaethu fel swyddog ym mhedwerydd bataliwn y Gatrawd Gymreig trwy gydol Rhyfel Byd I, ailgydiodd yn ei waith a magodd bractis helaeth fel arbenigwr yn ymwneud â'r Deddfau Iawndal i Weithwyr, profiad a fu o werth mawr iddo ar y fainc ymhen blynyddoedd. Yn 1934 symudodd i Lundain am gyfnod byr pan gafodd ei wneud yn Gwnsler Brenhinol, ond yn 1935 apwyntiwyd ef yn Farnwr Llys Sirol yng nghanolbarth Morgannwg ac yno y bu am 13 bl. nes derbyn swydd dirprwy Gomisiynydd Yswiriant Cenedlaethol. Ymddeolodd yn 1950.

Aflwyddiannus fu fel ymgeisydd seneddol (Rh.) yn etholaeth Llanelli yn 1922 ac ni chymerodd ran bellach mewn gwleidyddiaeth. Ef oedd Arglwydd Raglaw sir Gaerfyrddin 1949-53. Bu'n aelod o gyngor Coleg y Brifysgol, Abertawe, o 1943 tan ei f. ac yn is-lywydd y coleg am y ddwy fl. olaf o'i oes. Derbyniodd radd LL.D. er anrh. gan Brifysgol Cymru yn 1956. Y flwyddyn cyn hynny cafodd ei wneud yn farwnig. Bu f. yn ddibriod ar 15 Hyd. 1958 a daeth y teitl i ben.

Ar un adeg, bu ei fryd ar fynd i'r weinidogaeth ac er mai i fyd y gyfraith y trodd, daliodd gysylltiad agos â chapel trwy gydol ei oes. Dylanwadodd ei fagwraeth ar aelwyd grefyddol yn drwm arno yn ei ymddygiad fel bargyfreithiwr a barnwr. Yr oedd ei gwrteisi yn ddiarhebol a'i amynedd mewn llys a phwyllgor yn ddiball. Hoffai blant ac yr oedd yn hael ei gymwynas. Fel barnwr, yr oedd yn fawrfrydig, dawn a amlygwyd yn arbennig adeg Rhyfel Byd II pan eisteddai o bryd i'w gilydd fel cadeirydd rhai o Dribiwnlysoedd Gwrthwynebwyr Cydwybodol y de.

Www; Adroddiad Cyngor Coleg Abertawe, 1958-9; cyflwyniad y Prifathro Fulton, Seremoni Raddio 1956; manylion teuluol gan ei nai, W. R. Rogers; atgofion gan Aled Rhys Wiliam ac Urien Wiliam.

D.W.P.

WILLIAMS, GRIFFITH JOHN (1892-1963), Athro prifysgol ac ysgolhaig Cymraeg; g. yn Cellan Court (y Llythyrdy), Cellan, Ceredigion, ar 19 Gorff. 1892, mab hynaf John ac Anne (g. Griffiths) Williams; ei frawd iau oedd Dr David Matthew Williams (1900-70), arolygwr ysgolion (gw. uchod). Gof oedd y tad wrth ei grefft a chan fod pum erw o dir ynghlwm wrth y tŷ, cadwai fuwch neu ddwy a mochyn yn ogystal â gweithredu fel postmon yr ardal; bu'n arwain y canu yng Nghapel yr Erw (A) am dros 50 ml. a hefyd yn ysgrifennydd yr eglwys; bu farw yn 1931 yn 87 ml. oed. Yr oedd tad John Williams yn disgyn o'r Dafisiaid, teulu o ofaint yn Nyffryn Aeron a phriododd ferch teulu nodedig o seiri coed a cherddorion ym mro Cellan. O Ddyffryn Aeron hefyd y deuai mam G. J. Williams, hithau'n ferch i Elizabeth Griffiths, gwraig y dywedir ei bod yn prydyddu llawer, er nad ymddengys bod dim o'i gwaith wedi ei gadw.

Addysgwyd ef yn ysgol y cyngor, Cellan, ac ar 20 Medi 1905 ymaelododd yn ysgol ganolraddol Tregaron, lle'r oedd yn rhaid iddo letya dros ddyddiau'r wythnos. Collodd tua blwyddyn gyfan o ysgol yn gynnar yn ei yrfa yno oherwydd iddo orfod aros gartref er mwyn cryfhau ei iechyd. Dyna pryd y bu'n cynorthwyo'i dad i gario'r post a dechrau ymddiddori yn hanes y fro gan ddarllen pob math o lyfrau ar hanes lleol a chyffredinol. Yr oedd yn y cartref lyfrau megis *Y Gwyddoniadur, Hanes y Brytaniaid a'r Cymry, Cannwyll y Cymry, Difyr-Gampau ... Twm Shon Catti*, a chyfrolau wedi eu rhwymo o'r *Cennad Hedd* a'r *Diwygiwr*. Mynnai ei hen athro, S. M. Powell, mai yn ystod y flwyddyn honno, ac yntau'n rhydd o ormes addysg ffurfiol, y plannwyd hedyn yr ysgolhaig a flagurodd yn ddiweddarach.

Yn 1911 aeth i Goleg Prifysgol Cymru yn Aberystwyth gan ddal Ysgoloriaeth Cynddelw; bu'n astudio Mathemateg, Lladin, Hanes a graddio gydag anrhydedd yn y Gymraeg yn 1914. Bwriodd y ddwy flynedd nesaf yn athro yn ysgol sir Dolgellau (1914-15) ac yn ysgol sir y Porth, Cwm Rhondda (1915-16). Yna, cafodd ysgoloriaeth ymchwil a dychwelodd i Aberystwyth i astudio testunau Cymraeg Canol ac yn 1918 dyfarnwyd iddo radd M.A. am draethawd ar 'The verbal forms in the Mabinogion and Bruts'. Yn y cyfamser, ar anogaeth J. H. Davies (*Bywg.*, 128-9) a chyda

chymorth ysgoloriaeth ychwanegol aeth ati i astudio llawysgrifau Llanofer a drosglwyddwyd i'r Llyfrgell Genedlaethol yn 1917. Dyna sut y dechreuodd ymddiddori ym mywyd a gwaith Iolo Morganwg (Edward Williams, *Bywg.*, 971-2), ei brif faes ymchwil o hynny hyd ddiwedd ei oes. Yn 1918, yn Eist. Gen. Castell-nedd, enillodd wobr y prif draethawd ar y testun 'Beirdd Morgannwg hyd ddiwedd y Ddeunawfed Ganrif'. Yn 1919, cyhoeddodd ysgrifau yn *Y Beirniad* ar waith Iolo a dyfarnwyd iddo Gymrodoriaeth Prifysgol Cymru er mwyn iddo barhau â'i astudiaethau yn y maes hwn. Bu'n gweithio o dan gyfarwyddyd Syr John Morris-Jones (*Bywg.*, 1060) ym Mangor yn ystod sesiwn 1919-20 a threuliodd gyfnodau yn astudio llawysgrifau yn yr Amgueddfa Brydeinig yn Llundain, Llyfrgell Bodley, Rhydychen, Llyfrgell Rhydd, Caerdydd, yn ogystal â chofrestri plwyfydd Bro Morgannwg. Yn y cyfnod hwn hefyd, bu'n rhaid iddo amddiffyn ei ysgolheictod yn y wasg gyhoeddus yn wyneb ymosodiadau ffyrnig gwŷr amlwg megis W. Llewelyn Williams (*Bywg.*, 1020) na fynnai glywed y gwir am ffugiadau Iolo Morganwg. Parodd yr ymgecru cyhoeddus i drefnwyr Eist. Gen. Caernarfon, 1921, bennu'n destun y prif draethawd un agwedd benodol ar waith Iolo, sef ei gysylltiad â'r un-ar-bymtheg o gywyddau a gynhwyswyd yn 'Y Chwanegiad' i *Barddoniaeth Dafydd ab Gwilym* (1789). Dyma'r cywyddau a anfonasai Iolo i Lundain at Owen Myfyr (*Bywg.*, 469-70) a William Owen [-Pughe] (*Bywg.*, 767-8), golygyddion y llyfr, gan honni iddo eu copïo o hen lawysgrifau a ddiogelwyd ym Morgannwg. Y tri beirniad oedd John Morris Jones, T. Gwynn Jones (*Bywg.*2, 33-34) a W. J. Gruffydd (gw. uchod). Yr unig gystadleuydd oedd G. J. Williams a gyflwynodd draethawd maith a manwl yn profi'n derfynol mai gwaith Iolo Morganwg ei hun oedd pedwar-ar-ddeg o'r cywyddau. Yr oedd yn llwyr deilyngu'r wobr o £40.

Y mae llwyddiannau eisteddfodol G. J. Williams yn dangos y lle pwysig a oedd i'r Eist. Gen. ym mywyd Cymru a'r cyfraniad rhagorol a wnâi i hyrwyddo ysgolheictod Cymraeg cyn i'r Brifysgol gael ei thraed dani. Gwasanaethodd yr Eisteddfod fel ysbardun i G. J. Williams, nid yn unig fel ysgolhaig ond fel bardd hefyd. Soniai'n frwdfrydig hyd ddiwedd ei oes am ei ymweliad cyntaf â'r Eisteddfod pan aeth ei dad ag ef i Gaerfyrddin yn 1911 yn union cyn iddo fynd yn fyfyriwr i goleg Aberystwyth. Yn ystod y deng ml. nesaf, hoffai gystadlu ac enillodd yn Eist. Corwen yn 1919 ar y tair telyneg, y soned, y darn barddonol i'w adrodd ac ar gyfansoddi penillion telyn. Ac yn y Barri yn 1920 y gwobrwywyd ei delyneg 'Gwladys Ddu' a'i soned 'Llanilltud Fawr'. Yn wir, yn y cyfnod hwn, yr oedd yn cyflym ddatblygu'n fardd o bwys ac ymhlith ei bapurau ceir cyfrol sylweddol o gerddi yn llawysgrifen ei briod (gw. isod). Ond wrth ymroi i ymchwilio ar Iolo a'i benodi yn 1921 yn ddarlithydd yn Adran y Gymraeg yng Ngholeg y Brifysgol, Caerdydd, rhoes heibio farddoni a'i duedd yn ddiweddarach oedd edrych ar ei gerddi fel difyrrwch ei gyfnod bachgennaidd.

Rhoes o'i orau eithaf i'w waith fel darlithydd ac yn 1946 olynodd yr Athro W. J. Gruffydd yng Nghadair y Gymraeg, canys erbyn hyn yr oedd wedi datblygu'n un o brif ysgolheigion Cymraeg ei gyfnod. Er mwyn gwahanu'r us oddi wrth y grawn yn nysg enfawr a dychymyg toreithiog Iolo Morganwg, ymroes i feistroli pob agwedd ar ddysg yr iaith Gymraeg a'i thraddodiad llenyddol. Canlyniad hyn oedd iddo gyfrannu'n ddisglair mewn llawer maes. Yn *Gramadegau'r Penceirddiaid* (1933), ceir testun safonol o ramadeg y beirdd yn yr Oesoedd Canol gyda rhagymadrodd awdurdodol ar y ffynonellau llawysgrif ac ar addysg y beirdd. Gwnaeth astudiaeth drwyadl o waith ysgolheigion Cymraeg y Dadeni Dysg gan olygu argraffiadau o *Barddoniaeth neu Brydydddiaeth* (1593) Wiliam Midleton ac *Egluryn Phraethineb* (1595) Henri Perri. Eithr ei gampwaith yn y maes hwn oedd ei olygiad meistraidd o 'Ramadeg Cymraeg' Gruffydd Robert (1939), gwaith a olygodd ymchwiliadau yn y Biblioteca Ambrosiana ym Milan a llyfrgelloedd eraill yn yr Eidal. Hefyd, gwnaeth gyfraniadau gwreiddiol i lên a dysg yr 17eg ganrif, y 18ed a'r 19edd ganrif. Y mae ei gyhoeddiadau yn cynnwys astudiaethau safonol o waith Stephen Hughes, Charles Edwards, Edward Lhuyd, William Owen [-Pughe], ac eraill. Hoeliodd sylw ar le allweddol bwysig cymdeithasau Cymreig Llundain, yn enwedig y Cymmrodorion a'r Gwyneddigion, yn natblygiad llenyddiaeth Gymraeg y cyfnod diweddar. Dangosodd sut y gwelir hwy'n dilyn egwyddorion beirniadol Goronwy Owen a mudiad clasurol y 18ed ganrif ac yn sefydlu'r eisteddfod ddiweddar fel cyfrwng cynhyrchu llenyddiaeth a hyrwyddo ysgolheictod. Ymhellach, mynnodd mai 'Gorsedd Beirdd Ynys Prydain', creadigaeth Iolo, er mai ffug ydoedd yr hynafiaeth a hawliai iddi, a ramanteiddiodd yr eisteddfod a'i gwneud yn fudiad poblogaidd y werin yn ail hanner y 19eg ganrif a chael dylanwad aruthrol ar dwf yr ymwybod cenedlaethol a datblygiad llenyddiaeth a diwylliant yng Nghymru.

Y mae'n sicr mai ar draddodiad llenyddol Morgannwg y cyflawnodd G. J. Williams ei waith praffaf a llawnaf. Yn 1926, cyhoeddwyd traethawd buddugol 1921 o dan y teitl *Iolo Morganwg a Chywyddau'r Ychwanegiad*. Yn 1948, ymddangosodd *Traddodiad llenyddol Morgannwg*, a fwriadwyd ar y cyntaf yn bennod ragarweiniol i gofiant Iolo ond a dyfodd yn gyfrol o dros dri chan tudalen. Ac yntau'n barod i ymgodymu'n ddifrif â llunio ffurf derfynol ei gofiant arfaethedig, rhwng 1953 ac 1955, trosglwyddodd Iolo Aneurin Williams, un o ddisgynyddion Iolo, i'r Llyfrgell Genedlaethol focseidiau o lythyrau a llyfrynnau o waith Iolo Morganwg a fu ym meddiant y teulu ym Middlesborough a gogledd-ddwyrain Lloegr, ac yn Kensington, ond a fu ar goll nes i chwaer Iolo Aneurin Williams etifeddu'r tŷ y bu'r teulu'n byw ynddo cyn ei werthu i deulu arall, a chael hyd i'r llawysgrifau mewn cist a adawyd mewn cut yn yr ardd cyn gwerthu'r eiddo. Ar ôl meistroli'r deunydd ychwanegol hwn, ymddangosodd *Iolo Morganwg: y gyfrol gyntaf* yn 1956. Ysywaeth, dyma'r unig gyfrol a gyfansoddodd. Er iddo ymddeol o Gadair y Gymraeg yng ngholeg Caerdydd yn 1957, ni fynnai ymgyfyngu a chanolbwyntio ar orffen cofiant Iolo yn unig. Parhaodd i olygu *Llên Cymru*, y cylchgrawn hanner-blynyddol y bu ef yn bennaf gyfrifol am ei sefydlu yn 1950 er

mwyn cyhoeddi ffrwyth ymchwil i hanes llenyddiaeth Gymraeg. Yn 1959, traddododd y Ddarlith O'Donnell yng ngholegau Prifysgol Cymru. Ei destun oedd 'Edward Lhuyd', gwaith a olygodd lawer o ymchwilio yn Rhydychen. Beirniadai yn yr Eist. Gen., darlithiai i gymdeithasau lleol ac yn 1960, etholwyd ef yn llywydd cyntaf yr Academi Gymreig. Rhoddai lawer o'i amser hefyd i ymchwilio i hanes geiriau unigol yn rhinwedd ei aelodaeth o fwrdd golygyddol Geiriadur Prifysgol Cymru. Ymfalchïai'n fawr iawn fod R. J. Thomas (1908-76), un o'i hen ddisgyblion disgleiriaf, wedi cysegru ei yrfa'n gyfan gwbl i wasanaethu'r *Geiriadur* fel golygydd a bu'n hael ei gefnogaeth a'i gynhorthwy iddo. Hefyd, rhwng 1959 ac 1961, ef oedd cadeirydd Pwyllgor Amgueddfa Werin Sain Ffagan ac ymddiddorai'n fawr yn natblygiad yr Adran Traddodiadau Llafar a Thafodieithoedd. Pa un bynnag, yn ystod 1962 yr oedd wedi trefnu ei holl adysgrifau, nodiadau a mynegeion ar Iolo a'i waith ac yn barod i gychwyn ar y gorchwyl o gyfansoddi'r ail gyfrol. 'Iolo Morganwg' oedd ei ddewis bwnc pan wahoddwyd ef i draddodi darlith flynyddol y B.B.C. Saesneg o flaen cynulleidfa yn Y Bont-faen, Morg., yng ngwanwyn 1963. Ysywaeth, ni chafodd ei thraddodi ond i'w wraig yn nhawelwch ei stydi, a thra oedd yn newid geiriad y paragraff olaf, trawyd ef yn sâl wrth ei ddesg a bu f. ymhen ychydig ddyddiau ar 10 Ion. 1963.

Pr. yn 1922 ag Elizabeth Elen Roberts, Blaenau Ffestiniog, cyd-efrydydd yng ngholeg Aberystwyth (1910-14) a fu'n athrawes y Gymraeg yn ysgol sir y merched, Trefforest, Pontypridd (1914-18) ac yn ysgol sir Glynebwy, Mynwy (1918-22). Ni chawsant blant a bu hithau f. yn Ysbyty Dewi Sant, Caerdydd, ar 31 Ion. 1979 wedi ychydig ddyddiau'n unig o anhwylder. Bu hi'n gefn ac yn gynhorthwy ymarferol mawr i'w phriod ar hyd ei yrfa ac yn fawr ei gofal am yr iaith Gymraeg a holl fywyd Cymru. Meddiannwyd y ddau gan awydd angerddol i wasanaethu eu gwlad a'u cenedl. Gwnaethant eu cartref o 1922 hyd 1933 yn 9 Bedwas Place, Penarth, ac yno ar 7 Ion. 1924, y daeth Saunders Lewis a W. Ambrose Bebb (gw. uchod) at ei gilydd i sefydlu 'mudiad Cymreig newydd', penderfynu ar egwyddorion sylfaenol, a dewis 'W. Ambrose Bebb yn Llywydd y mudiad, Saunders Lewis yn Ysgrifennydd a G. J. Williams yn Drysorydd'. Dyma'r ffrwd o dde Cymru a ymunodd â'r ffrwd o'r gogledd i sefydlu Plaid Genedlaethol Cymru yn Eist. Gen. Pwllheli yn Awst 1925. Yn 1933, symudasant i Bryntaf, Gwaelod-y-garth, ac yn ei hewyllys gadawodd Mrs Williams y tŷ hwn i Blaid Cymru. Hefyd, yn 1968, cyflwynodd swm sylweddol o arian i Undeb Cenedlaethol Athrawon Cymru er mwyn sefydlu ymddiriedolaeth i gynorthwyo plant o dan anfantais sydd yn Gymry Cymraeg. Cafodd yr amcanion sêl a bendith y Comisiwn Elusennau ac y mae 'Ymddiriedolaeth Bryn Taf' wedi cynorthwyo nifer o blant o wahanol rannau o Gymru dros y blynyddoedd.

Bu G. J. Williams yn gasglwr brwd ar hen lyfrau Cymraeg trwy gydol ei oes ac yr oedd ganddo lyfrgell odidog a gynhwysai drysorau megis ei ddau gopi o rannau o Destament Newydd William Salesbury, *Y Drych Cristianogawl* (1585), copi Thomas Evans

Hendre Forfudd o Ramadeg Siôn Dafydd Rhys (1592) a fu wedi hynny'n eiddo i William Maurice o Lansilin, ynghyd â llawer o lyfrau eraill prin o'r 17eg ganrif a'r 18ed ganrif. Y mae llyfrgell G. J. Williams a'i bapurau ynghyd â'r silffoedd, y cypyrddau a'i ddesg yn awr yn y Llyfrgell Genedlaethol.

Ceir rhestr o'i gyhoeddiadau yn *Agweddau ar hanes dysg Gymraeg*, gol. Aneirin Lewis, Caerdydd, 1969, 279-86.

Ymchwil bersonol; [Aneirin Lewis yn W. Alun Mathias ac E. Wyn James (gol.), *Dysg a dawn* (1992), 30-37, 67-81; Ceri W. Lewis, *Griffith John Williams* (1994)].

A.L.

WILLIAMS, GWILYM IEUAN (1879-1968), gweinidog (MC); g. yng Nghaerdydd 3 Hyd. 1879, mab John Williams a'i briod, ill dau o sir Feirionnydd. Ar ôl gadael yr ysgol bu'n gweithio mewn swyddfa longau, ond ymhen ychydig flynyddoedd dechreuodd bregethu yn eglwys Heol y Crwys. Addysgwyd ef yng Ngholeg y Brifysgol, Caerdydd (lle graddiodd gydag anrhydedd mewn Saesneg), ac yng ngholegau diwinyddol ei enwad yn Nhrefeca ac Aberystwyth. Ord. ef yn 1909 a bu'n gweinidogaethu yn y Tabernacl, Ceinewydd (1908-20). Yn ystod y tymor yma bu'n gaplan yn y fyddin, gan wasanaethu yn yr Aifft a Phalesteina. Yn 1920 fe'i galwyd i eglwys Twr-gwyn, Bangor, ac yno y bu hyd 1966. Pr., 1939, Phyllis Roberts o Fangor. Bu f. 1 Chwef. 1968. Aed â'i lwch o Amlosgfa Bae Colwyn i feddrod y teulu ym mynwent Cathays, Caerdydd.

Yr oedd yn ŵr eang ei ddiwylliant a'i ddiddordebau, a bu'n amlwg ym mywyd ei Gyfundeb. Bu'n llywydd y Gymanfa Gyffredinol (1948), ac yn llywydd Sasiwn y Gogledd (1956). Bu hefyd yn gadeirydd a Symudiad Ymosodol, ac yn gadeirydd Pwyllgor Mawl ei Gyfundeb. Ymddiddorodd yn fawr mewn emyn a thôn, a bu'n cydweithio ag Evan Thomas Davies (gw. uchod) yn cyfieithu a threfnu amryw o gantawdau J. S. Bach, megis *Aros di gyda ni* (1919), *Amser Duw, goreu yw* (1922), *Iesu dyrchafedig* (1922), a'r *Short Passion (St. Matthew's Gospel)* (1931, 1932 ac 1933). Bu Dyfed (Evan Rees, *Bywg.*, 775-6) yn lletya yng nghartref ei rieni, a dysgodd yntau'r cynganeddion ganddo, gan lunio aml englyn, &c. Ysgrifennai'n achlysurol i'r *Drysorfa* a'r *Goleuad*. Bu'n aelod blaenllaw o gymdeithas y Rotariaid; bu'n llywydd cylch Merswy a gogledd Cymru, gan gynrychioli'r gymdeithas mewn cynadleddau yn America (1936) a Nice (1937).

Blwyddiadur M.C., 1969, 309-10; *Drys.*, 1948, 143-45, 1956, 51-3; T. Bowen, *Dinas Caerdydd a'i Methodistiaeth* (1927), 60; gwybodaeth gan Glenys Hughes Jones, Pen-y-groes, Arfon a Derwyn Jones, Bangor; adnabyddiaeth bersonol.

G.M.R.

WILLIAMS, GWLADYS PERRIE - gw. o dan MORRIS, Syr RHYS HOPKIN uchod.

WILLIAMS, HUGH (1862-1953), gweinidog (MC) ac esboniwr beiblaidd; g. ef yn 1862 yn y Rhos-goch, Rhos-y-bol, Môn. Dechreuodd bregethu *c.* 1885-86 yn y Gorslwyd, a bu'n

arolygu eglwys Rhos-goch am lawer o flynyddoedd. Addysgwyd ef yn ysgol Gwredog, ac fe'i noddwyd gan deulu Gwredog a'i alluogi i fynd i Goleg y Bala. Cymerodd y Prifathro Thomas Charles Edwards (*Bywg.*, 184-5) ddiddordeb ynddo, a bu'n ysgrifennydd preifat i'r gŵr hwnnw am dymor, - ef a drosodd i'r Gymraeg Ddarlith Davies y prifathro, *Y Duw-ddyn*. Aeth am daith i'r Almaen a meistroli'r Almaeneg i ryw raddau. Dychwelodd i Fôn a'i ord. yn 1897. Cyhoeddodd gyfres o wyth neu naw o esboniadau ar lyfrau'r Testament Newydd rhwng 1901 ac 1923, a bu cryn fri arnynt yn yr ysgolion Sul. Bu'n astudio Athrawiaeth yr Iawn am flynyddoedd, a thraddododd y Ddarlith Davies ar y maes hwnnw yn 1945 gan ei chyhoeddi dan y teitl *Grym y groes* yn 1948. Cafodd radd D.D. gan brifysgol Princetown (T.U.A.) ar sail traethodau ar yr athrawiaeth a drafodir yn y gyfrol honno. Bu f. 25 Awst 1953 yn Amlwch yn 91 mlwydd oed.

H. Owen (gol.), *Braslun o hanes M.C. Môn (1880-1935)* (1937), 95, 341; *Blwyddiadur MC, 1954,* 233; H. Ll. Williams, *Braslun o hanes Meth. Galf. Môn* (1977), 103-4.

G.M.R.

WILLIAMS, HUGH DOUGLAS ('Brithdir'; 1917-69), athro ac arlunydd; g. 7 Meh. 1917 yn 8 Albert Street, Bangor, Caern., yn fab i David Thomas Williams a Mary Jane (g. Williams) ei wraig, ond symudodd y teulu i 4 Regent Street yn yr un dref ac yno y magwyd ef. Enillodd ysgoloriaeth i Ysgol Friars, Bangor, pan oedd yn ddeg oed, ac oddi yno aeth i Goleg Celf Manceinion yn 1936, lle y cafodd ddiploma athro celfyddyd yn 1941. Bu'n llywydd undeb myfyrwyr y coleg 1939-41. O'r coleg aeth yn athro dros dro i ysgol ramadeg Whitefield, ac wedyn i ysgol uwchradd Birkenhead yn 1944 ac Ysgol King George V, Southport, yn 1945. Fe'i penodwyd i swydd athro celfyddyd yng Ngholeg Normal Bangor yn Ebr. 1948, ac yna yn bennaeth a phrif ddarlithydd yn yr adran. Pr. Mair Eiluned Williams yn Nhreharris 21 Awst 1945, a bu iddynt ddau fab. Yn aelod o Orsedd y Beirdd, gwasanaethodd am flynyddoedd ar bwyllgor celfyddyd a chrefft Cyngor yr Eisteddfod Genedlaethol, ac efallai mai ei bennaf cyfraniad i'r Eist. oedd cael gan bwyllgor lleol Llanrwst yn 1951 ddarparu pafiliwn pwrpasol ar gyfer yr arddangosfa flynyddol. Defnyddiwyd y pafiliwn hwnnw, gyda rhai eithriadau, ym mhob Eist. Gen. hyd 1975. Dyluniodd rai o brif dlysau'r Eist., ac arloesodd wrth argymell darlithoedd ar gelfyddyd a chrefft yn y Babell Lên. Darluniodd nifer o lyfrau plant (e.e. *Teulu'r cwpwrdd cornel* gan Alwyn Thomas) a siacedi llwch nifer o lyfrau eraill. Bu f. 5 Tach. 1969.

Adnabyddiaeth bersonol; gwybodaeth gan ei weddw. [Cedwir rhai o'i bapurau yn Ll.G.C.].

El.G.J.

WILLIAMS, HUW OWEN ('Huw Menai'; 1888-1961), bardd; g. yng Nghaernarfon yn 1888, yn fab Hugh Williams (a weithiai yn löwr yn ne Cymru) a'i wraig Jane. Gadawodd yr ysgol yn ddeuddeng mlwydd oed ond parhaodd i ddarllen yn eang, a gweithiodd mewn llawer o swyddi tymor byr i'w gynnal ei hun a'i fam. Aeth i dde Cymru i weithio yn y pyllau glo pan oedd yn un ar bymtheg, ond yr oedd yn 1906 pan symudodd yno gyda'i fam i fyw gyda'i dad yn Ynysowen (Merthyr Vale). Yno dechreuodd drefnu cyfarfodydd politicaidd ac annerch ynddynt, ac hefyd ysgrifennu erthyglau i'r *Social Democrat*, y *Social Review* a *Justice*. Yn fuan collodd ei swydd oherwydd ei weithgareddau politicaidd ond gan ei fod yn briod gyda theulu ifanc, derbyniodd swydd fel pwyswr (cynrychiolydd y cyflogwyr) a daeth ei waith politicaidd i ben (er i un o'i feibion, Alun Menai Williams, weithio yn y byd politicaidd, gan ymladd yn Rhyfel Cartref Sbaen).

Dechreuodd ysgrifennu barddoniaeth yn ystod Rhyfel Byd I; ymddangosodd ei waith mewn papurau lleol fel y *Merthyr Express* a'r *Western Mail* a chyhoeddwyd ei lyfr cyntaf *Through the upcast shaft* yn 1920. Dilynwyd hwn gan *The passing of Guto* (1927), *Back in the return* (1933) a *The simple vision* (1945). Er bod ganddo lawer o gyfeillion (gan gynnwys John Cowper Powys, gw. uchod) ymhlith llenorion Llundain, yr oedd yn ddi-waith yn aml ac yn 1949 pan oedd y *Port Talbot Forum* yn weithgar yn ennill pensiwn o'r Rhestr Sifil iddo, yr oedd yn byw ar £2.17s.0c. yr wythnos. Bu fyw yn ei flynyddoedd olaf yn Pen-y-graig yng Nghwm Rhondda. Erys ei hunangofiant heb ei gyhoeddi. Pr. Ann yn 1910. Bu ef f. 28 Meh. 1961.

Glyn Jones, *The dragon has two tongues* (1968), 140-53; Gwyn Thomas, *A Welsh eye* (1964); R. Felstead, *No other way* (1989), 36-41; *Trans. Port Talbot Hist. Soc.*, II, i, 68.

S.R.J.

WILLIAMS, IESTYN RHYS (1892-1955), prif gyfarwyddwr Adran Cysylltiadau Llafur y Bwrdd Glo Cenedlaethol; g. 1892 yng Nghaerdydd, yn fab i Augustus Frederick Williams, peiriannydd mwyngloddio, ac addysgwyd ef yn ysgol elfennol Parc y Rhath. Yn 1913 ymunodd â staff Cymdeithas Perchnogion Pyllau Glo De Cymru a Mynwy a phenodwyd ef yn gynorthwywr i'r ysgrifennydd Finlay A. Gibson yn 1922, gan ddod yn gydysgrifennydd yn 1936, y Cymro cyntaf i gael y swydd. Ystyrid ef yn un o'r rhai mwyaf gwybodus ynghylch y diwydiant glo yn ei ddydd, ac enillodd enw iddo'i hun fel dolen gyswllt rhwng y gweithwyr a'r meistri. Yr oedd yn negydwr neilltuol o dda, gan wasanaethu fel cydysgrifennydd Bwrdd Cymodi De Cymru, a pherchid ef yn fawr gan berchnogion pyllau glo yn ogystal â swyddogion undebau. Bu hefyd naill ai'n ysgrifennydd neu yn aelod o lawer o gyrff cysylltiedig â'r gwaith glo, yn arbennig pwyllgor De Cymru y Bwrdd Ymchwil i Ddiogelwch mewn Pyllau Glo. Cyn bwysiced â'i gyfraniad i'r diwydiant glo yn ne Cymru oedd ei ymroddiad yn pleidio achos y diwydiant yn ystod y dirwasgiad rhwng y ddau Rhyfel Byd. Ysgrifennodd lawer o erthyglau i gylchgronau'r fasnach lo er mwyn hyrwyddo'r diwydiant a bu'n gydysgrifennydd mygedol yr ymgyrch 'Back to Coal' yn ne Cymru. Ar ôl cenedlaetholi'r diwydiant glo yn 1947 penodwyd ef yn brif swyddog gweithredol Adran Cysylltiadau Llafur y Bwrdd Glo Cenedlaethol. Yn ddiweddarach yn y flwyddyn

daeth yn brif gyfarwyddwr yr adran, swydd a gadwodd hyd nes iddo ymddeol ym mis Meh. 1954.

Yn 1917 pr. (1) ag Edith Ellen Diamond (bu f. 1934) ac yn 1935 pr. (2) â Barbara Stamp. Yr oedd ganddo dri o blant, a bu f. yn ddisymwth pan oedd ar ei wyliau yng Nghernyw, 26 Awst 1955.

WwW (1937); *Colliery Guardian*, 1 Medi 1955; *West. Mail*, 30 Awst 1955.

W.D.J.

WILLIAMS, Syr IFOR (1881-1965), Athro prifysgol, ysgolhaig; g. ym Mhendinas, Tregarth, Caern., 16 Ebr. 1881, yn fab i John Williams a Jane ei wraig. Chwarelwr oedd ei dad. Ei daid ar ochr ei fam oedd Hugh Derfel Hughes (*Bywg.*, 356), ac ewythr iddo oedd H. Brython Hughes (*Bywg.*, 356). Ar ôl cael addysg elfennol yn ysgolion y Gelli a Llandygái, aeth i Ysgol Friars, Bangor yn 1894, ond ni fu yno ond ychydig dros flwyddyn, gan iddo gael damwain ac anafu ei gefn yn ddrwg. Bu'n orweiddiog am rai blynyddoedd. Ar ôl gwella aeth yn ddisgybl i Ysgol Clynnog yn 1901, sef ysgol dan nawdd Cyfundeb y Methodistiaid Calfinaidd i roi cychwyn i ymgeiswyr am y weinidogaeth. Y meistr ar y pryd oedd J. H. Lloyd Williams. Enillodd Ifor Williams ysgoloriaeth i Goleg y Brifysgol, Bangor, yn 1902, graddiodd gydag anrhydedd mewn Groeg yn 1905, ac anrhydedd mewn Cymraeg yn 1906. Treuliodd y sesiwn 1906-07 fel cynorthwywr i John Morris-Jones (*Bywg.*, 1060-61) yn yr Adran Gymraeg ac yn gweithio am radd M.A., ac yna yn 1907 penodwyd ef yn ddarlithydd cynorthwyol. Yn 1920 crewyd cadair iddo dan y teitl Athro Llenyddiaeth Gymraeg, a phan fu farw J. Morris-Jones yn 1929, diddymwyd y Gadair Lenyddiaeth, a gwneud Ifor Williams yn Athro Iaith a Llenyddiaeth Gymraeg. Ymddeolodd yn 1947.

Un o ddiddordebau ysgolheigaidd cyntaf Ifor Williams oedd Cymraeg Llafar. Enillodd am draethawd ar y pwnc yn Eist. Gen. Caernarfon yn 1906, a thraddododd ddarlithiau i lu o gymdeithasau trwy'r blynyddoedd. Diddordeb arall oedd enwau lleoedd. Cyfrannodd erthyglau ar enwau lleoedd y cylch i bapur Bethesda, *Y Gwyliwr*, yn 1907, a chasglodd gryn lawer o ddefnydd ar gyfer cyhoeddi onomasticon Cymreig. Er na chyflawnwyd y bwriad, parhaodd ei ddiddordeb yn hir, a chyhoeddodd lyfr defnyddiol dan y teitl *Enwau lleoedd* yn 1945. Yn 1949 ar gais I. A. Richards ac O.G.S. Crawford, ysgrifennodd ar 118 o enwau lleoedd yn y gwaith a elwir 'Ravenna Cosmography' (*Archaeologia*, 1949).

Gyda phwrpas hollol ymarferol y cyhoeddodd Syr Ifor ei lyfrau cynharaf - *Breuddwyd Maxen* (1908) a *Cyfranc Lludd a Llevelys* (1909) - sef er mwyn darparu testunau i'w hastudio yn yr ysgolion a'r colegau, ac yn gyffelyb yn ddiweddarach *Chwedlau Odo* (1926) a *Pedeir keinc y Mabinogi* (1930). Nid gyda'r un amcan y golygodd *Casgliad o waith Ieuan Deulwyn* (1909), gan mai argraffiad preifat o ddau gan copi yn unig oedd hwnnw. Ond dychwelodd at yr amcan cyntaf gyda *Cywyddau Dafydd ap Gwilym a'i gyfoeswyr* (1914, arg. diwyg. 1935) ar y cyd gyda Thomas Roberts (gw. uchod). Yr oedd wedi ymddiddori'n gynnar yn Nafydd ap Gwilym - bu'n trafod blynyddoedd ei einioes mewn dwy erthygl yn *Y Traethodydd* yn 1909 - a'r gyfrol yn 1914 oedd yr ymgais gyntaf i drin rhai o gerddi'r bardd mewn ffordd ysgolheigaidd, er bod rhai o'r cerddi'n annilys a rhai darlleniadau'n ansicr. O hyn aeth ymlaen i ddangos, mewn erthygl sylweddol yn *Nhrafodion* y Cymmrodorion 1913-14, ddylanwad barddoniaeth y Cyfandir ar Ddafydd ap Gwilym trwy'r *clerici vagantes*. Ymchwiliodd hefyd i hanes câr a chyfoeswr y bardd, Syr Rhys ap Gruffudd, ac arweiniodd hyn at drafodaeth ar Einion Offeiriad, cyfaill Rhys ac awdur y gramadeg cyntaf yn Gymraeg (*Y Cymmrodor*, 26). Yr oedd cyfraniad Syr Ifor i'r maes hwn yn newydd iawn ac yn dra gwerthfawr.

Yr un awydd i ddarparu testunau a barodd gyhoeddi *Cywyddau Iolo Goch ac eraill* yn 1925 gyda Thomas Roberts a Henry Lewis (gw. uchod). Golygodd Syr Ifor gerddi dau fardd a gasglwyd gan ddau ysgolhaig arall, sef Dafydd Nanmor (1923), casgliad Thomas Roberts (Borth-y-gest), a Guto'r Glyn (1939) casgliad J. Llywelyn Williams. Cyhoeddodd amryw byd o destunau, yn rhyddiaith a barddoniaeth, ym *Mwletin* y Bwrdd Gwybodau Celtaidd. Bu ganddo gryn ddiddordeb hefyd yn yr unfed ganrif ar bymtheg. Ysgrifennodd ar orgraff a geirfa William Salesbury (*Y Traethodydd*, 1946, 1949), ac ar y llyfr argraffedig cyntaf yn Gymraeg, sef *Yny lhyvyr hwnn*, gan fynnu mai 1547, nid 1546, oedd blwyddyn ei gyhoeddi. (Ond camgymeriad oedd hynny, fel y profwyd yn *B.B.C.S.*, 23).

Pethau ar yr ymylon oedd y rhain i gyd, oherwydd pwnc canolog holl ymchwil Ifor Williams oedd yr Hengerdd, y farddoniaeth a gysylltir ag enwau Aneirin, Taliesin a Llywarch Hen, ac ar yr Hengerdd yn uniongyrchol, neu ar faterion oedd yn taflu goleuni arni, y bu'n gweithio ers pan oedd yn bump ar hugain oed hyd o fewn ychydig flynyddoedd i'w farw. Ar ôl graddio yn 1906 cymerodd 'Y Gododdin', sef gwaith Aneirin, fel testun ymchwil am radd M.A., a chyhoeddodd nodiadau ar ystyron rhai geiriau yn y gerdd mor gynnar ag 1908 (*Y Geninen*, 26) a hefyd erthyglau yn cynnwys llawer o wybodaeth a oedd yn newydd ar y pryd yn *Y Beirniad* yn 1911 ac 1912.

Eithr yr oedd y maes yn dywyll iawn a dyrys, a chyn y gellid cyhoeddi'r hyn y gellid ei alw'n astudiaeth derfynol arno, rhaid oedd ystyried yn ofalus iawn hanes Cymru a gogledd Prydain, a hanes yr iaith Gymraeg hefyd yn y cyfnod rhwng y chweched ganrif a'r ddegfed. Dyna a benderfynodd batrwm ysgolheictod Syr Ifor ar hyd ei oes, patrwm cwbl daclus a rhesymegol. Astudiodd *Historia Brittonum* Nennius yn drwyadl, gan mai yno y ceir y crybwylliad cynharaf am y Cynfeirdd a hanes eu cyfnod, a gwnaeth awgrymiadau pwysig ynglŷn â dehongli'r gwaith hwnnw (*B.B.C.S.*, 6, 7, 9, 11). Dangosodd hefyd mewn darlith i'r Cymmrodorion fod rhai o ffynonellau Nennius mewn chwedlau llafar (*Trafodion*, 1946-47). Cwbl hanfodol oedd deall nodweddion yr iaith yn oes y Cynfeirdd, a'r peth cyntaf i'w wneud oedd astudio'n ofalus y dystiolaeth gyfoes wreiddiol, megis y glosau ar eiriau Lladin sydd i'w cael mewn rhai hen lawysgrifau. Trwy hyn fe helaethodd Syr Ifor lawer iawn ar ein gwybodaeth o'r Hen Gymraeg. Yr enghraifft

orau o hynny yw ei ymdriniaeth â'r darn a elwir 'Computus' (*B.B.C.S.*, 3), sef esboniad a ysgrifennwyd yng nghyfnod cynnar yr iaith ar sut i ddefnyddio dau ddabl seryddol. I ddehongli'r darn hwn yr oedd raid, nid yn unig wrth wybodaeth ieithyddol helaeth, ond hefyd wrth graffter a deallusrwydd i amgyffred sylwedd y cefndir. Defnydd arall a gafodd sylw Ifor Williams oedd yr arysgrifau ar gerrig, tystiolaeth bwysig iawn eto am gyflwr yr iaith yn y canrifoedd cynnar. Fel canlyniad i'r astudiaethau hyn ac eraill cyffelyb enillodd Syr Ifor wybodaeth eang iawn am ystyron geiriau Cymraeg. Ysgrifennodd nodiadau ar ugeiniau o eiriau, gan esbonio ystyron llu mawr ohonynt am y tro cyntaf, yn *Y Beirniad* a'r *Traethodydd* i gychwyn ac yna ym *Mwletin* y Bwrdd Gwybodau Celtaidd o 1921, pan sefydlwyd y cylchgrawn hwnnw, am dros bymtheg mlynedd ar hugain.

Yr oedd y gweithgarwch enfawr hwn wedi rhoi i Ifor Williams y ddawn a'r hawl i lefaru am yr Hengerdd, a dechreuodd gyda chyhoeddi ei sylwadau ar yr hawsaf i'w dehongli o'r farddoniaeth, sef yr englynion hynny y tybid unwaith eu bod yn waith Cynfardd o'r enw Llywarch Hen. Yn 1933 traddododd ddarlith goffa Syr John Rhŷs i'r Academi Brydeinig, a gwneud yn hysbys ei ddamcaniaeth am yr englynion. Cyhoeddwyd y testun gyda rhagymadrodd a nodiadau llawn yn y gyfrol *Canu Llywarch Hen* (1935). Yn wyneb y dehongliad a roir ar yr englynion, anffodus oedd eu galw'n ganu Llywarch Hen, oherwydd nid yr awdur oedd Llywarch fel y mae'r teitl yn awgrymu, ond un o'r cymeriadau y sonnir amdanynt. A mwy na hynny, y mae nifer mawr o'r englynion nad oes a wnelont ddim â Llywarch, ond yn hytrach â Chynddylan ap Cyndrwyn a'i chwaer Heledd. Yn ôl Syr Ifor yr oedd yn arfer gynt wrth adrodd chwedl neu gyfarwyddyd gynnwys ynddi ar dro neu i amcanion arbennig farddoniaeth ar ffurf englynion, a'r englynion hynny wedi eu cadw ar wahân yw'r rhain. Trist a hiraethus yw eu hansawdd - Llywarch yn ei henaint wedi colli ei feibion oll a'i gyfeillion, a Heledd yn galaru uwchben llys difrodedig Cynddylan ei brawd. Amserwyd y ddwy chwedl tua'r flwyddyn 850. (Dylid dweud fod rhai ysgolheigion diweddar yn anghytuno â'r ddamcaniaeth hon neu wedi diwygio lawer arni).

Gorchest fwyaf Ifor Williams oedd ei ddehongliad, yn y gyfrol *Canu Aneirin* (1938), o'r 'Gododdin' fel nifer o farwnadau byrion i aelodau'r fyddin fechan o drichant a anfonwyd gan Fynyddawg Mwynfawr, arglwydd Dineidyn, i geisio adennill Catraeth (Catterick heddiw) a oedd wedi ei feddiannu gan y Saeson, ond a oedd unwaith yn ganolfan bwysig. Methiant llwyr fu'r ymgyrch. Dangosodd y golygydd fod iaith rhannau o'r gerdd yn profi ei bod i'w chael yn ysgrifenedig yn y nawfed neu'r ddegfed ganrif, a diamau ei bod yn cylchredeg ar lafar ymhell cyn hynny. Dangosodd hefyd fod y ffeithiau sydd ynddi yn gytûn â'r hyn a wyddom am hanes y wlad a elwir heddiw yn ogledd Lloegr a deheudir yr Alban yn y chweched ganrif, ac felly y mae'n rhesymol credu fod brwydr Catraeth wedi ei hymladd tua'r flwyddyn 600, a bod cnewyllyn y 'Gododdin' yn coffáu'r frwydr honno.

Yr olaf o'r Cynfeirdd a drafodwyd gan Ifor

Williams oedd Taliesin. Dangosodd fod bardd o'r enw wedi canu i frenhinoedd ym Mhowys ac yn yr hen Ogledd yn y chweched ganrif, a bod rhyw ddwsin o'i gerddi ar gael heddiw. Profodd hefyd fod chwedlau am Daliesin wedi tyfu yn gynnar ac wedi para ar lafar gwlad hyd yr unfed ganrif ar bymtheg o leiaf. Cyhoeddodd *Canu Taliesin* (1960), a helaethiad Saesneg dan olygyddiaeth J. E. Caerwyn Williams, *The poems of Taliesin* (1968), a thrafodaeth ar y cymeriad chwedlonol, *Chwedl Taliesin* (1957).

Yn ychwanegol at ei waith mawr ar y Cynfeirdd, eglurodd Syr Ifor rai cerddi sy'n perthyn i'r 'bwlch' rhwng y Cynfeirdd a'r Gogynfeirdd, fel marwnad Cynddylan, mawl i Gadwallon, moliant Dinbych Penfro, 'Armes Prydain', a'r englynion hynny sydd i'w cael yn llawysgrif Juvencus yng Nghaergrawnt.

Rhoes y radio gyfle i Ifor Williams i ddatblygu'r ddawn arbennig oedd ganddo i lunio sgyrsiau ar lun ysgrifau difyr i'w darllen, a'r rheini'n fynych yn cyflwyno pwnc ysgolheigaidd neu'n athronyddu'n ysgafn. Casglwyd hwy'n dri llyfr - *Meddwn i* (1946), *I ddifyrru'r Amser* (1959) a *Meddai Syr Ifor* (1968).

Fel ysgolhaig ymroddedig ni bu iddo erioed ddifyrrwch mewn gwaith cyhoeddus. Gwasanaethodd ar gyrff dysgedig, fel cadeirydd Bwrdd Gwybodau Celtaidd y Brifysgol 1941-58, llywydd Cymdeithas Hanes Môn 1939-54 a Chymdeithas Hynafiaethau Cymru 1949. Derbyniodd fedal y Cymmrodorion yn 1938, ac etholwyd ef yn Gymrawd o'r Academi Brydeinig yr un flwyddyn. Gwnaed ef yn farchog yn 1947. Yn 1949 dyfarnodd Prifysgol Cymru y radd LL.D. er anrhydedd iddo. Yr oedd yn gynnyrch nodweddiadol o Ymneilltuaeth Cymru; bu'n pregethu'n gyson ar y Suliau am lawer o flynyddoedd. Bu'n darlithio ym mhob rhan o'r wlad, ac fel darlithydd, yn gyhoeddus yn ogystal ag i ddosbarthiadau coleg, yr oedd yn fedrus iawn ar ddifyrru ei wrandawyr. Fel Athro coleg, yr oedd ei ddysg eang a'i ddull diddorol o'i chyfrannu yn ysbrydoli ei ddisgyblion.

Pr. â Myfanwy Jones, Cae-glas, Pontlyfni, Arfon, yn 1913, a bu iddynt ferch a mab. Bu f. 4 Tach. 1965, a chladdwyd ef ym mynwent Brynaerau.

[Alun Eirug Davies, 'Bibliography', *Studia Celtica*, 4 (1969); I. Ll. Foster, 'Sir Ifor Williams', *Proc. Brit. Acad.*, 53 (1969); Thomas Jones yn A. T. Davies (gol.), *Gwŷr Llên* (1948); *Tr.*, 136 (1981)]; gwybodaeth bersonol.

T.P.

WILLIAMS, IOLO ANEURIN (1890-1962), newyddiadurwr, awdur a hanesydd celfyddyd, *Bywg*.2, 174; g. 18 Meh. 1890 ym Middlesborough, swydd Efrog, yn fab i Aneurin Williams, A.S., meistr haearn, a'i briod Helen Elizabeth (g. Pattinson). Pr. yn 1920 Francion Elinor Dixon o Golorado, T.U.A., a bu iddynt un mab a dwy ferch. Addysgwyd ef yn Ysgol Rugby ac yng Ngholeg y Brenin, Caergrawnt. O 1914 hyd 1920 gwasanaethodd gyda neu yn y fyddin, yn bennaf yn Ffrainc, gan ymddeol yn gapten. Yr oedd yn ddyn a diddordebau eang ganddo, yn ymestyn dros lenyddiaeth, llyfryddiaeth, celfyddyd, caneuon gwerin a byd natur. Yn debyg i'w dad, yr oedd

yn Rhyddfrydwr selog, a bu'n ymgeisydd seneddol ddwywaith, ond heb lwyddiant, am etholaeth Chelsea. Dechreuodd ei yrfa yn ohebydd llyfryddiaeth i'r *London Mercury* (1920-39), ac yna'n ohebydd celfyddyd ac amgueddfeydd i'r *Times* (1936 ymlaen). Gydag amser tyfodd yn awdurdod ar hanes celfyddyd ym Mhrydain; cyhoeddodd lyfr sylweddol a phwysig, *Early English watercolours* (1952). Trafododd yr agweddau Cymreig ar y pwnc hwn mewn erthygl 'Paul Sandby and his predecessors in Wales' yn *Traf. y Cymm.* (1961, Rhan I) (1962), 16-33). Yr oedd yn gasglwr deallus; fe roddodd 24 o'i ddarluniau i'r Amgueddfa Brydeinig a gadawodd iddi 65 yn ychwaneg yn gymynrodd. Gwelir ei weithgarwch llenyddol yn ei gyhoeddiadau niferus: cyfrolau o farddoniaeth (1915 ac 1919), llyfryddiaeth John Masefield (1921), *Byways round Helicon* (1922), *Shorter poems of the eighteenth century* (1923), *Seven eighteenth-century bibliographies* (1924). Golygodd ddramâu Sheridan (1926) ac ysgrifennodd lawlyfr anghyffredin *The elements of book collecting* (1927). Gweithiau eraill ganddo oedd *Poetry today* (1927), *Where the bee sucks* (1929) a *Points in eighteenth-century verse* (1934). Cyfrannodd i'r *Dictionary of national biography* ac i'r *Cambridge bibliography of English literature*. Bu'n is-lywydd y *Bibliographical Society* yn 1944, yn ysgrifennydd mygedol y *Folk Song Society* - ysgrifennodd *English folk song and dance* (1935) - ac yn is-lywydd y *Zoological Society of London* - ysgrifennodd *Flowers of marsh and stream* (1946). Yr oedd yn naturiaethwr profiadol yn y maes. Parchai goffadwriaeth ei gyndad Iolo Morganwg (Edward WILLIAMS, *Bywg.*, 971-2) y cyflwynodd gasgliad o'i bapurau i'r Llyfrgell Genedlaethol, trwy ymddiddori'n frwd mewn materion Cymreig, gan gynnwys yr iaith, a gwasanaethodd ar Gyngor Amgueddfa Genedlaethol Cymru ac ar Bwyllgor Cymreig Cyngor y Celfyddydau; fe'i gwnaed yn aelod o Orsedd y Beirdd er anrh. (1960). Bu f. 18 Ion. 1962, a thalwyd teyrnged iddo gan y *Times*, lle y crybwyllwyd ei osgo tal, a thuedd at grymu, yn ysgolheigaidd ei wedd ond yn esgeulus o'i ymddangosiad. Dywedwyd ei fod yn meddu ar onestrwydd Gladstonaidd, radicaliaeth lem a chefnogaeth ffyrnig dros ddirwest.

Www; Times, 19 Ion. 1962; ymchwil bersonol.

Don.M.

WILLIAMS, JOHN JAMES (1869-1954), gweinidog (A) a bardd; g. 8 Hyd. 1869 yn y Taigwynion ger Tal-y-bont, Cer., yn fab hynaf o 12 plentyn William ac Elizabeth Williams. Yr oedd y tad yn aelod yn eglwys Bethel (A), Tal-y-bont, a'r fam yn eglwys Pen-y-garn (MC). Mynychai ysgol Sul Pwll-glas a John Oliver, ei athro, a nododd iddo'r amser a'r lle i glywed 'clychau Cantre'r Gwaelod'. Yn ysgol Rhydypennau y cafodd ei addysg elfennol. Oherwydd diffyg gwaith yn ardal y mwynfeydd plwm bu raid i'w dad droi tua'r meysydd glo ac yn Aberpennar y bu am fisoedd yn 1879-80. Yn 1882 aeth y teulu cyfan i fyw ym Mhenrhiwceibr ac ymaelodi yng nghapel Carmel. Symudasant drachefn i Ynys-y-bŵl, ac yno yn y Tabernacl y dechreuodd y mab bregethu. Bu'n gweithio mewn pwll glo cyn mynd i academi Pontypridd o dan E. Dunmore Edwards a'i dderbyn i'r Coleg Coffa yn Aberhonddu yn 1891 gan dreulio'r flwyddyn gyntaf yng Ngholeg y Brifysgol yng Nghaerdydd lle y daeth yn uchaf yn ei ddosbarth mewn llenyddiaeth ac iaith Gymraeg. Ord. ef yn eglwys Bethania, Abercynon, 22 Gorff. 1895, gan symud i eglwys Moreia, Rhymni yn 1897. Derbyniodd alwad i eglwys Seilo, Pentre, Rhondda yn 1903 i ddilyn Lewis Probert (*Bywg.*, 754). Yn 1915 dechreuodd ar gyfnod maith fel gweinidog y Tabernacl, Treforys, lle yr arhosodd nes ymddeol ym mis Gorff. 1944. Yr oedd yn un o bregethwyr mwyaf poblogaidd ei ddydd ac etholwyd ef yn gadeirydd Undeb yr Annibynwyr yn 1935.

Dechreuodd gystadlu yn yr Eist. Gen. yn gynnar yn y ganrif ac enillodd y gadair ddwywaith, yn 1906 yng Nghaernarfon am awdl 'Y Lloer' (a ddaeth yn boblogaidd ar unwaith gyda'r rhediad esmwyth i'w llinellau), ac yn 1908 yn Llangollen am awdl 'Ceiriog'. Bu'n beirniadu'r awdl am tua chwarter canrif ac ef oedd yr Archdderwydd dros gyfnod 1936-39. Ysgrifennodd ddwy ddrama gerdd ysgrythurol, *Ruth* (1909) ac *Esther* (1911) a chyfansoddwyd y miwsig iddynt gan James Davies. Cyhoeddodd stori 'Cadair Tregaron' (1929), a gynhwyswyd yn *Straeon y Gilfach Ddu* (1931), yn nhafodiaith Morgannwg yn portreadu bywyd y glowyr yno. Ei gyfrol olaf oedd *Y lloer a cherddi eraill* (1936). Daeth rhai o'i gerddi a roddwyd ar gân yn adnabyddus iawn, megis 'Clychau cantre'r gwaelod' a 'Canu'r plant'.

Cyfansoddodd nifer o emynau ac yr oedd yn un o olygyddion yr emynau i'r *Caniedydd Cynulleidfaol newydd* (1921), a *Caniedydd newydd yr Ysgol Sul* (1930), a bu'n cynorthwyo paratoi'r *Caniedydd* (1960). Ef a olygodd gyfrol goffa Hedd Wyn, *Cerddi'r Bugail* (1918) a bu'n olygydd 'Congl y beirdd' yn *Y Tyst*, 1924-37, a'r *Dysgedydd*, 1933-36. Derbyniodd radd M.A. Prifysgol Cymru, er anrh., yn 1930.

Pr. (1), 1899, Claudia Bevan o Aberpennar. Bu hi f. ar enedigaeth mab a fu f. ymhen blwyddyn a phum mis. Pr. (2), 1903, Abigail Jenkins, Pontlotyn, chwaer i fam Syr Daniel Thomas Davies (gw. uchod). Bu hi f. 24 Meh. 1936 tra oedd ef ym Mangor yn trosglwyddo cadeiryddiaeth yr Undeb i John Dyfnallt Owen (gw. uchod). Bu yntau f. 6 Mai 1954.

Dysg., 1954, 157, 169-185; [Trebor Lloyd Evans, 'Y cathedral anghydffurfiol Cymreig' (1972), 95-122].

E.D.J.

WILLIAMS, LUCY GWENDOLEN (1870-1955); cerflunydd; g. yn 1870 yn New Ferry, ger Lerpwl, yn ferch i Henry Lewis Williams, offeiriad, a Caroline Sarah (g. Lee) ei wraig. Yr oedd ei thad yn fab i John Williams, Highfield Hall, Llaneurgain (Northop), Ffl., ond prin y gellid dweud bod Gwendolen Williams yn Gymraes o safbwynt ei hymrwymiad proffesiynol. Astudiodd gelfyddyd o dan Alfred Drury yng ngholeg celf Wimbledon cyn symud ymlaen i ysgolion yr Academi Frenhinol lle gweithiodd o dan Lantèri. Arddangoswyd ei cherfluniau am y tro cyntaf yn arddangosfa'r Academi yn 1893, a gweithiodd yn llwyddiannus hyd ganol Rhyfel Byd I yn Rhufain, lle adeiladodd weithdai iddi ei hun ac i

artistiaid eraill.

Dioddefodd o'i phlentyndod o afiechyd yn ei chefn a drodd yn arthritis, gan beri iddi roi'r gorau i'w gwaith. Wedi dychwelyd i Loegr, cafodd wellhad yng nghanol y dauddegau ac yn 1926 cwblhaodd ei gwaith pwysicaf o safbwynt Gymreig, sef y penddelw o Robert Owen (1771-1858, *Bywg.*, 678) i amgueddfa'r Drenewydd. Ailgydiodd yn ei gyrfa ac ymwelodd â T.U.A., ond ni lwyddodd i'w hailsefydlu ei hun ymhlith cerflunwyr amlycaf ei chyfnod. Bu fyw yn Llundain weddill ei hoes. Arbenigai mewn cerfluniau efydd, ysgafn a rhamantaidd, ar raddfa fach. Yr oedd yn hoff o gerflunio plant a chyflawnodd hefyd nifer o gomisiynau portread. Cedwir casgliad da o'i gwaith yn Llyfrgell Genedlaethol Cymru lle ceir copi o un o'i gweithiau gorau, 'Chasing the butterfly', ac y mae enghreifftiau hefyd yng nghasgliad Amgueddfa Genedlaethol Cymru. Arddangoswyd ei cherfluniau a'i dyfrlliwiau yn yr Academi Frenhinol, arddangosfeydd blynyddol Lerpwl, yn y Salon ym Mharis, ac yn Rhufain. Bu f. 11 Chwef. 1955.

Archif A.G.C.; *Alumni Cantab. 1752-1900*, 491; gw. *Www* am restr o'i harddangosfeydd.

P.L.

WILLIAMS, LLYWELYN (1911-65), gweinidog (A) a gwleidydd; g. yn Llanelli, 22 Gorff. 1911, yn un o bedwar plentyn William Williams, glöwr hyd nes i'w iechyd dorri ac iddo dreulio gweddill ei fywyd gweithio yn caglu gryniant, a'i wraig Jessie (g. Phillips). Magwyd y plant ar aelwyd ddiwylliedig yn 63 Marble Road, a thrwythwyd hwynt yn hawliau crefydd ac addysg, mewn cariad at Gymru a sêl dros ryddid cymdeithasol. Yr oedd Olwen Williams, cyn-brifathrawes ysgol Gymraeg Llanelli, yn chwaer iddo. Bu dylanwad cymdeithas Capel Als (A) yn drwm ar y plant, a diau i bregethu coeth y gweinidog Daniel John Davies (gw. uchod) arwain dau ohonynt i'r weinidogaeth. Addysgwyd Llywelyn yn ysgol gynradd Stebonheath ac ysgol ramadeg y bechgyn yn Llanelli. Aeth i Goleg y Brifysgol, Abertawe gydag ysgoloriaeth a graddiodd mewn Cymraeg ac athroniaeth yn 1933. Ar ôl cwrs diwinyddol yn y Coleg Presbyteraidd yng Nghaerfyrddin, ord. ef yn weinidog ym Methesda, Arfon yn 1936. Ymadawodd yn 1943 i'r Tabernacl, Abertyleri, ac ymhen tair bl. galwyd ef i olynu Howell Elvet Lewis (gw. uchod) yn y Tabernacl, King's Cross, Llundain. Yn 1950 etholwyd ef yn yr is-etholiad yn dilyn marwolaeth George Daggar (gw. yr Atod. isod) yn A.S. dros Abertyleri, ac enillodd bob etholiad wedyn gyda mwyafrifoedd o dros 20,000. Yn Nhŷ'r Cyffredin cafodd gyfle i droi ei sêl dros gyfiawnder cymdeithasol a heddwch byd i sianelau eang. Parhaodd ei ymroddiad o blaid buddiannau Cymru yr un mor gadarn, a gwnaeth ei areithiau gloyw argraff ddofn ar ei gydaelodau. Bu'n cynrychioli Prydain ar Gyngor Ewrop yn Strassburg yn 1954. Yn 1955 bu ar daith ddarlithio yn America ar bynciau'n cynnwys yr ymgyrch yn erbyn newyn, Cynllun Colombo, y Wladwriaeth Les ym Mhrydain, a Chyngor Ewrop. Yn 1957 dadleuodd dros wahodd Mao Tse Tung a Chou En-Lai i Brydain, ac yn 1958 yr oedd yn un o ddeuddeg A.S. a fu ar daith yn T.U.A. Yn 1963 yr oedd yn llywydd

Cymd. Hen Bensiynwyr Cymru. Bu'n gadeirydd Grŵp Llafur yr Aelodau Seneddol Cymreig.

Yng nghanol ei brysurdeb cyfrannodd i'r wasg yng Nghymru - Y Wers Gydwladol yn *Y Cyfarwyddwr*, 1941-42, teyrnged i Hugh Gaitskell yn *Barn* yn 1963, a Newyddion o'r Senedd i'r *Cymro* yn 1964-65. Ef oedd awdur *Hanes eglwys y Tabernacl, King's Cross, 1847-1947* (1947). Dioddefodd oddi wrth gyfres o ymosodiadau ar ei galon o 1960 ymlaen.

Pr. Elsie, merch yr Arglwydd Macdonald o Waunysgor (gw. uchod) ar 17 Awst 1938 yn Ashton-in-Makerfield, a bu iddynt fab a merch. Bu f. 4 Chwef. 1965 wedi ewyllysio ei gorff i Ysgol Feddygol Caerdydd ar gyfer ymchwil feddygol a chladdwyd ei weddillion ym mynwent amlosgfa Thornhill, Caerdydd.

Blwyddiadur A, 1966, 153-4; *Www*; *Times*, 6 Chwef. 1965; gwybodaeth gan ei chwaer, Olwen.

E.D.J.

WILLIAMS, MARGARET LINDSAY (1888-1960), arlunydd; g. 18 Meh. 1888 yn ferch i Samuel Arthur Williams, Doc Barri, Morg., a oedd â busnes llewyrchus yn ymwneud â llongau ganddo yng Nghaerdydd, a Martha Margaret (g. Lindsay) ei wraig. Cafodd addysg breifat cyn mynychu Coleg Technegol Caerdydd lle enillodd y fedal aur am gelf. Wedi blwyddyn o waith yn ysgol arlunio Pelham, Llundain, symudodd i'r Academi Frenhinol yn 1906 lle cafodd yrfa ddisglair iawn, gan ennill 4 medal arian, ysgoloriaeth deithio, gwobr dirlunio, ac yn 1911 y fedal aur am ei llun 'The city of refuge'. Derbyniodd nifer o gomisiynau cyhoeddus o bwys cyn iddi gyrraedd ei deg ar hugain oed gan gynnwys 'Lloyd George yn dadorchuddio'r cerfluniau cenedlaethol yng Nghaerdydd', a'r 'Gwasanaeth Rhyfel Cymreig yn Abaty Westminster'. Ymhlith ei gweithiau cynnar ceir tirluniau a lluniau testunol, a dengys rhai ohonynt ddychymyg rhyfedd a gwreiddiol megis 'The devil's daughter' a 'The triumph' a arddangoswyd yn yr Academi Frenhinol yn 1917. Serch hynny, trodd i'w fwyfwy at bortreadau wedi'r rhyfel a cheir ymhlith ei heisteddwyr gymeriadau mor amrywiol â Henry Ford, Field Marshal Slim ac Ivor Novello (gw. uchod), yn ogystal â nifer o eisteddwyr o'r teulu brenhinol.

Gweithiodd Margaret Lindsay Williams y rhan fwyaf o'i hoes yn Llundain, ond yr oedd ei hymrwymiad at Gymru a chelfyddyd Gymreig yn ddwfn. Bu'n agos at arweinwyr yr adfywiad cenedlaethol cyn Rhyfel Byd I, pan baentiodd destunau Cymreig megis y gyfres o ddyfrlliwiau 'Rhiain Llyn-y-fan'. Cefnogodd yr Eisteddfod Genedlaethol yn frwd, ac yr oedd William Goscombe John (gw. uchod) yn gyfaill iddi. Y mae'n briodol, felly, mai ymhlith y nifer sylweddol o Gymry a bortreadwyd ganddi, yr oedd Syr O. M. Edwards (*Bywg.*, 179). Hi a greodd y ddelwedd ohono sydd ar aros ym meddwl y cyhoedd hyd heddiw yn y portread a wnaed 26 o flynyddoedd ar ôl ei farwolaeth. Bu Margaret Lindsay Williams yn aelod o Gymdeithas Gelf De Cymru, Anrhydeddus Gymdeithas y Cymmrodorion a Gorsedd y Beirdd. Cedwir enghreifftiau o'i gwaith yn Amgueddfa Genedlaethol Cymru ac mewn casgliadau preifat a chyhoeddus ledled de

Cymru. Bu f. 4 Meh. 1960.

Www; archif A.G.C.; gw. ei hunangofiant, 'Life was my canvas', *West. Mail*, 3-11 Hyd. 1960.

P.L.

WILLIAMS, OWEN HERBERT (1884-1962), llawfeddyg ac athro llawfeddygaeth; g. 2 Ion. 1884 ym Modrwnsiwn, Llanfaelog, Môn., yn fab i Owen a Jane Williams, teulu o dras amaethyddol. Bu'r tad farw cyn i'r bachgen gyrraedd blwydd oed, ac ar hyd ei oes talai deyrnged i ymdrechion dygn ei fam i sicrhau addysg iddo. Ar ôl gorffen yn ysgol Llanfaelog aeth i ysgol ramadeg Beaumaris, ac oddi yno i Brifysgol Caeredin i astudio meddygaeth, a graddiodd M.B., Ch.B., yn 1906. Daeth yn F.R.C.S. (Caeredin) yn 1909, ac yn F.R.C.S. (Lloegr) yn 1923. Dechreuodd ei gysylltiad â'r Ysbyty Brenhinol Deheuol yn Lerpwl yn 1908, a pharhaodd yn ddi-fwlch (ar wahân i'w dymor gyda'r R.A.M.C. yn ystod Rhyfel Byd I) hyd ei ymneilltuad o'r swydd fel ei phrif lawfeddyg yn 1945. Yn ystod y blynyddoedd cynnar bu'n ddarlithydd mewn anatomeg ym Mhrifysgol Lerpwl, ac yn ddiweddarach mewn llawfeddygaeth; ac o 1939 hyd 1945 ef oedd yr Athro yn y pwnc yma. Yr oedd yn ŵr o natur hynaws a graslon, ac yn rhinwedd ei ddoniau meddygol disglair daeth ei enw, ac enw'r ysbyty, yn adnabyddus iawn trwy ogledd Cymru. Bu'n weithgar am flynyddoedd fel aelod o Fwrdd Ysbytai Cymru, a chymerodd ran amlwg gyda Choleg y Brifysgol ym Mangor lle y bu'n is-lywydd am gyfnod. Bu hefyd yn aelod o gyngor Ysgol Feddygol Cymru. Ar ôl ymddeol treuliodd lawer o'i amser yn Rhosneigr ac yr oedd i Fôn le cynnes iawn yn ei galon. Yn 1952 derbyniodd radd D.Sc. er anrh., gan Brifysgol Cymru.

Yn 1916 pr. ag Ethel Kenrick Thomas, merch William Thomas, perchen llongau o Lerpwl. Bu hi'n gymorth arbennig iddo oherwydd bregus ddigon oedd ei iechyd am y deng ml. ar hugain olaf o'i oes. Bu iddynt ferch a dau fab. Bu f. 6 Mawrth 1962 yn ei gartref yn Lerpwl, ac fe'i claddwyd ym mynwent Bryndu, Llanfaelog, 10 Mawrth 1962.

Brit. Med. Jnl., 24 Mawrth 1962; *Lancet*, 24 Mawrth 1962; gwybodaeth bersonol.

E.W.J.

WILLIAMS, PRYSOR - gw. WILLIAMS, ROBERT JOHN isod.

WILLIAMS, ROBERT DEWI (1870-1955), gweinidog (MC), prifathro Ysgol Clynnog a llenor; g. 29 Rhag. 1870 yn Llwyn-du Isaf, Pandytudur, Dinb., mab Isaac ac Elizabeth Williams. Bu'n ddisgybl yn ysgol Frytanaidd ei fro (Ysgol Blaenau Llangernyw, neu Ysgol y Pandy), cafodd ddeufis o addysg yn ysgol ramadeg ei gâr, Robert Roberts ('Y Sgolor Mawr'; 1834-85, *Bywg.* 823-4), yn Llanfair Talhaearn; bu mewn ysgol yn Llandudno ar ôl hynny, ac yn ysgol baratoawl y Bala - yno y dechreuodd bregethu. Bu am ysbaid yng Ngholeg y Brifysgol, Aberystwyth, ac yna cafodd bedair bl. o gwrs anrhydedd yng Ngholeg Iesu, Rhydychen (lle graddiodd). Ord. ef yn 1900, a bu'n gweinidogaethu yng Nghesarea, Llandwrog, Arfon (1898-1904) ac yn

Jerusalem, Penmaen-mawr (1904-17). Penodwyd ef, yn 1917, yn brifathro Ysgol Clynnog, a pharhaodd yn y swydd ar ôl symud yr ysgol i Goleg Clwyd, Y Rhyl; yno y bu hyd nes iddo ymddeol yn 1939. Bu'n byw yn Rhuddlan ym mlynyddoedd olaf ei oes. Perchid ef yn fawr gan ei fyfyrwyr. Y mae'n amlwg ei fod yn athro campus oherwydd ei wybodaeth o'r clasuron a phynciau eraill; hyfforddodd ddegau o fechgyn - rhai ohonynt yn ddigon anaddawol - oedd â'u bryd ar y weinidogaeth. Yr oedd ef ei hun yn bregethwr cymeradwy iawn, a chofid yn hir am ei gyffelybiaethau byw a bachog. Dyrchafwyd ef i gadair Sasiwn y Gogledd yn 1950. Yr oedd yn llenor gloyw hefyd, a chanddo reddf at rin geiriau ac ymadroddion. Cyhoeddwyd ei stori-fer hir, 'Y Clawdd terfyn', yn rhifyn cyntaf Y Beirniad, a'i chyhoeddi ar ôl hynny yn Clawdd Terfyn, straeon a darluniadau yn 1912 (ail arg. 1948); fe'i cyfrifir ef yn arloesydd y math yna o stori yn y Gymraeg. Ysgrifennodd hefyd i'r cylchgronau, a chasglwyd rhai o'i ysgrifau o'r Drysorfa dan y teitl Dyddiau mawr mebyd yn 1973. Pr. 1908 Helena Jones Davies, a ganwyd un mab o'r briodas. Bu f. 25 Ion. 1955 yn Rhuddlan.

Blwyddiadur MC, 1956, 265; Gol., 9 a 16 Chwef. 1955; Drys., 1950, 59-62; W. Morris (gol.), Ysgolion a cholegau y MC (1973), 61ff.; gwybodaeth gan Alford Pritchard, Pandytudur; [W. J. Edwards, Cerdded y clawdd terfyn (1992)].

G.M.R.

WILLIAMS, ROBERT JOHN (PRYSOR; 1891-1967), glöwr ac actor; g. 13 Ebr. 1891 yn Nhrawsfynydd, Meir. Saer oedd ei dad, Ellis, a fu f. yn ifanc; ei fam, Eliza, merch 'Eos Prysor', a'i cododd ef a'i chwaer gyda chymorth prin Bwrdd y Gwarcheidwaid. Addysgwyd ef yn ysgol Frytanaidd Trawsfynydd ond gadawodd yn ddeng ml. oed i ennill ei damaid fel gwas ffarm. Pan ailbr. ei fam symudodd y teulu i gymoedd glo y De, i Abertridwr gyntaf, lle cychwynnodd weithio dan ddaear yn 13 ml. oed ym mhwll Senghennydd, ac wedi hynny yn Nhreorci, ym mhwll Abergorci. Ymddiddorai mewn cerddoriaeth a drama a thrwy ei ymdrechion ei hun daeth yn godwr canu, yn organydd y capel (a'r sinema leol hefyd pan fyddai'n brin o arian), ac yn aelod amlwg o'r cwmni opera a'r cwmni drama. Yn Eist. Gen. Treorci 1928 cyfarfu â dau ddyn a oedd i ddylanwadu'n fawr arno, sef Daniel Haydn Davies, a ddaeth yn gynhyrchydd rhaglenni ysgolion yn y B.B.C., a hefyd un a fu'n gyfaill oes iddo, sef David Moses Jones, glöwr ac actor fel yntau. Yn 1936 gwahoddodd Thomas Rowland Hughes (Bywg.2, 22), y nofelydd a'r cynhyrchydd, y ddau i gymryd rhan mewn dramâu radio ac am y 30 ml. nesaf yr oedd llais Prysor Williams ymhlith y rhai mwyaf adnabyddus ar radio a theledu Cymru. Ar lwyfan hefyd, yn cynnwys perfformiadau yn yr Abbey yn Nulyn (Birds of a feather gan J. O. Francis; gw. uchod) ac yn y Globe, Llundain (Rhondda roundabout gan Jack Jones; gw. uchod). Cymerodd ran hefyd mewn pum ffilm; y fwyaf adnabyddus efallai oedd Blue scar o waith Jill Craigie. Pr. yn 1917 â Margaret Mary Walters a bu iddynt ddwy ferch. Bu f. 13 Hyd. 1967 yn Nhreherbert ac amlosgwyd ei weddillion yng Nglyn-taf.

Adnabyddiaeth bersonol a gwybodaeth gan ei ferch Betty Edwards, a Wyn Thomas, Caerdydd.

L.D.

WILLIAMS, THOMAS ('Tom Nefyn', 1895-1958), gweinidog (MC) ac efengylydd; g. 23 Ion. 1895 yn y Fronolau, Boduan, Caern., mab John Thomas ac Ann Williams - y tad yn fardd gwlad adnabyddus yn Llŷn. Symudodd y teulu i gyffiniau Nefyn, ac ymsefydlu wedyn ym Modeilas yn ardal y Pistyll lle y magwyd ef. Gadawodd ysgol elfennol Nefyn yn 1909 a bu'n gweithio yn chwarel ithfaen yr Eifl. Ymunodd â'r fyddin yn 1914, a gwelodd frwydro yn y Dardanelles, Ffrainc, yr Aifft a Chanaan, gan ddioddef caledi mawr a'i glwyfo. Cyfarfu â David Williams (Bywg.2, 173-4), a oedd yn un o gaplaniaid y fyddin, yn ystod ei wasanaeth yn y Dwyrain Canol. Byddai'n prydyddu yn y dyddiau hynny a chyhoeddodd ei gyfaill, William Williams o Gaernarfon, gasgliad bychan o'i ganeuon dan y teitl Barddoniaeth o waith Twm Nefyn (d.d.). Dychwelodd o'r rhyfel yn basiffist angerddol. Ymhen rhai blynyddoedd cyhoeddodd Dagrau Cain - dagrau Crist (1935), traethawd yn erbyn rhyfel, a chyhoeddodd Cymdeithas y Cymod blamffledyn o'r eiddo, At Suvla Bay: what a soldier learnt at Gallipoli (d.d.). Dechreuodd gynnal cyfarfodydd efengylaidd o gwmpas ei gartref, a chymhellwyd ef i ymgeisio am y weinidogaeth. Aeth i ysgol y Porth, Cwm Rhondda, i'w gymhwyso'i hun ar gyfer y gwaith dan gyfarwyddyd R. B. Jones. Bu wedyn yng ngholegau diwinyddol ei Gyfundeb yn Aberystwyth a'r Bala.. Ord. ef yn 1925, a'r un flwyddyn pr. Ceridwen Roberts Jones o Goedpoeth; ganwyd 3 o blant o'r briodas. Cafodd alwad i eglwys Ebeneser, y Tymbl, Caerf., ardal y glo carreg, lle bu llawer o wrthdaro diwydiannol a pholiticaidd yn y 1920au.

Cafodd Tom Nefyn amser cynhyrfus yn y Tymbl, a thynnodd ei bregethu ar faterion cymdeithasol - cyflogau, cyflwr tai'r glowyr, &c. - sylw mawr. Yr oedd ei syniadau am natur eglwys a'i olygiadau athrawiaethol hefyd braidd yn newyddol. Amheuai rhai o arweinwyr Henaduriaeth De Myrddin ei fod yn cyfeiliorni o ran ei athrawiaeth, ac aed â'i achos gerbron Sasiwn y De. Mynnai, ar lawr y sasiwn, gael gwybod beth oedd y safonau athrawiaethol y disgwylid iddo gydymffurfio â hwy. Llusgodd yr achos yn ei flaen o sasiwn i sasiwn, a rhoddwyd sylw mawr iddo gan y wasg ddyddiol ac wythnosol. Cyhoeddodd yntau faniffesto maith (80 tt.) yn 1928, dan y teitl Y ffordd yr edrychaf ar bethau, ac yn sasiwn Treherbert (Ebr. 1928) datganwyd fod ei olygiadau athrawiaethol yn groes, nid yn unig i safonau'r Cyfundeb, ond i ffydd hanesyddol yr eglwys Gristionogol. Gofynnwyd iddo ailystyried ei safle a chydymffurfio â safonau ei Gyfundeb neu ymddiswyddo fel gweinidog. Apeliodd nifer o weinidogion a lleygwyr blaenllaw'r Cyfundeb yn erbyn dyfarniad y sasiwn, a chyhoeddwyd pamffledyn o ble'r phrotest yn enw pump o flaenoriaid Ebeneser. Yn sasiwn Nantgaredig (Awst 1928) penderfynwyd 'ei fod i'w atal o holl waith y weinidogaeth' gan hyderu y câi ei arwain i ailystyried ei safle a chael ei le'n ôl fel gweinidog. Gorffennodd ei weinidogaeth yn Ebeneser yn nechrau Medi. Datgorfforwyd eglwys Ebeneser ac ailgorfforwyd eglwys yno i'r sawl a gydymffurfiai ag amodau'r Cyfundeb. Ymgasglodd ei gefnogwyr yn y Tymbl at ei gilydd, a chafwyd cymorth ariannol gan y Crynwyr i adeiladu 'tŷ cymdeithas' yn y pentref. Agorwyd Llain-y-Delyn yn niwedd Tach. 1929, ond siomwyd y cefnogwyr pan benderfynodd Tom Nefyn, ar ôl tymor o orffwys a myfyrdod yn sefydliad y Crynwyr yn Woodbrooke, Selly Oak, Birmingham, gael ei adfer fel gweinidog gan ei Gyfundeb. Teimlai'n barod bellach i dderbyn y 'Datganiad byr ar ffydd a buchedd' a fabwysiadwyd gan y Corff, a derbyniwyd ef yn ôl yn sasiwn Porthcawl yn Ebr. 1931 (gw. *The Tom Nefyn controversy*, pamffledyn a gyhoeddwyd gan The Welsh Review Co., Ltd., Tonmawr, Port Talbot (*c*. 1929); Tom Nefyn-Williams, *Yr Ymchwil* (1949); ac E. P. Jones, *Llain-y-Delyn, cymdeithas Gristnogol y Tymbl* (1970).)

Yn 1932 derbyniodd Tom Nefyn alwad i fugeilio eglwys Bethel, Rhosesmor, Ffl., a bu yno hyd 1937. Symudodd wedyn i'r Gerlan yn Arfon (1937-46); arolygu eglwysi Tarsis a South Beach, Pwllheli (1946-49); a gofalu am eglwysi Edern a'r Greigwen yn Llŷn (1949-58). Efengylai yn ei ddull arbennig ef ei hun ar hyd y blynyddoedd hyn, ac ni bu neb yn fwy effeithiol nag ef yn ei genhadaeth, nid yn unig mewn capel ond mewn neuaddau ac ysbytai a thafarnau ac yn yr awyr agored mewn ffeiriau ac ar gornel stryd a'r priffyrdd. Efengylai y ffordd y cerddai trwy ganu a phregethu a chynghori. Nid oedd yn un hawdd cydweithio ag ef, gan y mynnai ei ffordd ei hun; gellid dweud mai dyn unig ydoedd er ei fod yn caru'i gyd-ddynion yn angerddol. Ysgrifennodd lawer i'r *Goleuad*. Fel ei dad o'i flaen hoffai brydyddu, a cheir ei ganeuon yn *Yr ymchwil* ac yn y papurau wythnosol, &c. Bu f. yn ddisymwyth nos Sul 23 Tach. 1958, ar ôl cadw oedfa yng nghapel Rhydyclafdy, a chladdwyd ei weddillion yn Edern.

Y ffynonellau a nodir uchod, ynghyd â W. Morris (gol.), *Tom Nefyn* (1962); adnabyddiaeth bersonol.

G.M.R.

WILLIAMS, THOMAS OSWALD ('ap Gwarnant'; 1888-1965), gweinidog (U), llenor, bardd, gŵr cyhoeddus; g. 10 Mai 1888, yn un o bedwar o blant Rachel a Gwarnant Williams, ffermwr, bardd a gŵr cyhoeddus, fferm Gwarnant, plwyf Llanwenog, Cer. Cafodd ei addysg yn ysgol Cwrtnewydd ac ysgol Dafydd Evans, Cribyn (1901-02); a chael ei brentisio'n ddisgybl athro; am gyfnod o ddeng ml. bu'n is-athro yn ysgol Blaenau, Gors-goch, ac ysgol Cwrtnewydd. Yn 1911, 'heb awr o ysgol eilradd' aeth i Goleg y Brifysgol, Aberystwyth, lle graddiodd yn B.A. mewn Cymraeg (dosbarth cyntaf) yn 1915, o dan yr Athro Edward Anwyl (*Bywg.*, 12) yn ei flynyddoedd cyntaf; yn 1917 enillodd radd M.A. am ddraethawd ar y 'Mudiad llenyddol yng ngorllewin Cymru yn rhan fore'r ddeunawfed ganrif ynghyd â'i gysylltiadau crefyddol'. Gofalodd am Gapel y Cwm am gyfnod byr wedi gadael coleg, ac eglwysi Brondeifi a Chaeronnen am dair bl. cyn derbyn galwad yn 1918 i fod yn weinidog swyddogol arnynt, lle'r arhosodd tan ei f. yn 1963.

Yn ystod dyddiau coleg golygodd *Y Wawr*, cylchgrawn myfyrwyr Cymraeg coleg Aberystwyth; bu'n olygydd *Yr Ymofynnydd*, cylchgrawn Cymraeg yr Undodiaid yng Nghymru, o Ion. 1926 hyd Rhag. 1933, ac yn 1937 yn ystod salwch ei olynydd, y Parch. T. L. Jones; gwasanaethodd ar bwyllgor ymghynghori'r *Ymofynnydd* hyd ddiwedd ei oes, a chyfrannodd yn gyson iddo o dan ei enw ei hun, 'T.O.W.', 'O', 'Ap Gwarnant', 'E.W.O.', a 'Na N.', 'Gwalch Ogwr';, etc. Ysgrifennodd gyfres ar hanes 'Cewri'r enwad', 'Cartrefi'r enwad' a 'Chapeli'r enwad'; cyhoeddodd ran o'r gyfres olaf yn llyfryn poblogaidd, *Hanes cynulleidfaoedd Undodaidd sir Aberteifi* (1930); yn yr un cylchgrawn cyhoeddodd gyfres o ysgrifau beirniadol ar ei gyfoeswyr, 'Gwŷr blaenllaw yr enwad', o dan y ffugenw 'Gwalch Ogwr'. Cyhoeddodd *Hanes Caeronnen* yn 1954, a'i gyfrol gynhwysfawr, *Undodiaeth a rhyddid meddwl*, yn 1963. Traddododd amryw o ddarlithiau cyhoeddus a pherfformiwyd o leiaf un o'i ddramâu, *Gwyntoedd croes*. Bu'n 'eisteddfoda tipynach': cipiodd gadair eisteddfodau'r colegau ddwywaith a rhestrwyd ef 'yn uchel yng nghystadleuaeth y gadair a'r goron fwy nag unwaith'; dywed iddo ennill amryw wobrau am farddoniaeth yn yr Eist. Gen., ac un am draethawd ar 'Ryddid meddwl yng Nghymru'. Cydnabyddid ef yn ysgolhaig ac yr oedd glendid ei iaith ystwyth yn ddiarhebol, eithr ni fu heb ei feirniadu, fel un o brif olygwyr y *Perlau Moliant* diwygiedig a ymddangosodd yn 1929 (gw. *Ymof.*, 1928, 195). Er na fedrai nodyn yr oedd 'miwsig y nefoedd' yn ei enaid, a chyfansoddodd nifer o emynau pert ac eneiniedig; nid oedd ei arddull fel emynydd yn annhebyg i Iolo Morganwg, yn enwedig pan ganai am fyd natur ac i'r plant, fel yr emynau hynny: 'Melys rhodio 'nglas y gwanwyn', ac 'Anian wena 'nglas y dolydd'. Ef oedd prif hanesydd yr Undodiaid yng Nghymru ac ni lwyddodd neb i groniclo cymaint am y mudiad er mwyn, ys dywed, 'i'r dô sydd yn codi wybod am ein cariad at egwyddor a gwirionedd'. Fel hanesydd da mynnai fynd at ffynhonnell y ffeithiau, a chadwai feddwl agored pan na fyddai'r wybodaeth honno'n ddigonol; gwrthodai gredu fod 'y dysgedigion wedi traethu y cwbl' am Iolo Morganwg (*Ymof.*, 1925, 139) ac edrychai ymlaen pan gâi 'ddigon o brofion' i ddatgelu ochr arall 'Troad Allan' y Llwyn (*Ymof.*, 1929, 111).

Yr oedd yn gawr o gorff ac argyhoeddiad a rhedai chwys yr un arddeliad dros ei ruddiau wrth egluro rhesymeg dadleuon ei ffydd, fel wrth fynegi'i deimlad am 'Iesu, Ffrind Pechadur'.

Ni fu mewn coleg diwinyddol fel myfyriwr, er bod lle i gredu y gwnaethai athro da pe rhoddasid cyfle iddo, fel y dymunasai, yng Ngholeg Caerfyrddin. Bu'n llywydd Cymdeithas Undodaidd deheudir Cymru am ddwy fl. (1923-5), a gwnaethpwyd ef yn aelod anrhydeddus o Gyngor Cymanfa Gyffredinol (*General Assembly*) ei enwad yn 1963.

Fel gŵr cyhoeddus yn ei dref, ei ardal a'i sir, bu ei wasanaeth yn gyfoethog: bu'n aelod o gyngor bwrdeistref Llanbedr (1934-63), ac yn faer yr un fwrdeistref bedair gwaith (1940-41; 1941-42; 1950-51; 1959-60); yn 1954 fe'i hanrhydeddwyd â rhyddfraint y fwrdeistref. Cynrychiolodd y fwrdeistref ar lys llywodraethwyr Coleg Prifysgol Cymru ac ar gyngor sir Aberteifi yn 1951, ond buasai'n aelod cyfetholedig o bwyllgor addysg y sir cyn hynny. Gwasanaethodd fel cadeirydd amryw bwyllgorau pan oedd yn aelod o'r cyngor sir, gan gynnwys pwyllgor lles a phwyllgor cynllunio Ceredigion, pwyllgor cynllunio cylch Aberaeron a Llanbedr, pwyllgor ariannol a phwrpasau eraill, pwyllgor gwirfoddol yr hen bobl, a rheolwyr ysgol uwchradd Llanbedr. Ceisiodd gael 'Ysgolion Uwchradd Aberteifi i ddysgu pob testun drwy gyfrwng y Gymraeg', a llwyddodd i sefydlu cartref henoed, 'Hafan Deg', i Lanbedr a'r cylch.

Bu ei briod Daisy (g. Thomas) f. 4 Mai 1965. Bu iddynt ddwy ferch. Bu ef f. yn ysbyty Caerfyrddin 21 Hyd. 1965, yn 77 oed, a chladdwyd ef ym mynwent Brondeifi, Llanbedr.

Ymofyn. (rhifyn coffa), Hyd. - Tach. 1965; T. O. Williams, *Cae'ronnen* (1954), 47-8; *Year book of the Unitarian General Assembly* (1966), 105.

D.E.J.D.

WILLIAMS, VICTOR ERLE NASH - gw. NASH-WILLIAMS, VICTOR ERLE uchod.

WILLIAMS, WILLIAM ('Crwys'; 1875-1968), bardd, pregethwr ac archdderwydd; g. 4 Ion. 1875 yn 9 Fagwr Road, Craig-cefn-parc, Clydach, Morg., yn fab i John a Margaret (g. Davies) Williams. Crydd oedd y tad ac am rai blynyddoedd bu'r mab yntau yn dysgu'r grefft, ond penderfynodd newid cwrs ei fywyd a mynd yn weinidog. Codwyd ef i bregethu yn Eglwys Pant-y-crwys (A), ac wedi dwy fl. yn ysgol Watcyn Wyn (WILLIAMS, WATKIN HEZEKIAH, *Bywg.*, 1011), Rhydaman, derbyniwyd ef i Goleg Bala-Bangor yn 1894. O dan nawdd y coleg hwnnw bu'n fyfyriwr yng Ngholeg y Brifysgol, Bangor am flwyddyn cyn dechrau ar ei gwrs diwinyddol. Yn 1898 ord. ef yn weinidog yn Rehoboth (A), Bryn-mawr, Brych., a oedd yr adeg honno yn un o eglwysi Cymraeg Cyfundeb Mynwy. Yn yr un flwyddyn pr. â Grace Harriet Jones (bu f. 22 Rhag. 1937), cydfyfyriwr ag ef ym Mangor, a bu iddynt ddau fab a dwy ferch. Yn 1915 derbyniodd wahoddiad i ddilyn Dr. John Cynddylan Jones (*Bywg.*, 455) yn gynrychiolydd y Feibl Gymdeithas yn y de, a bu wrth y gwaith hwnnw hyd ei ymddeoliad yn 1940. Rhwng 1946 ac 1953 bu'n gofalu am eglwys Rhyddings (A. Saesneg), Abertawe. Bu f. 13 Ion. 1968 a chladdwyd ef ym mynwent Pant-y-crwys.

Bu'n amlwg yng ngweithgareddau'r Eist. Gen. dros lawer o flynyddoedd. Enillodd y goron yn 1910 ar y testun 'Ednyfed Fychan' ac yn 1919 ar y testun 'Morgan Llwyd o Wynedd'. Ond y bryddest 'Gwerin Cymru', a enillodd iddo goron 1911, yw'r fwyaf adnabyddus o'i waith. Etholwyd ef yn Archdderwydd yn 1938 a bu yn y swydd hyd 1947. Derbyniodd radd M.A. er anrh. gan Brifysgol Cymru ac anrhydeddwyd ef gan Gyngor Bwrdeistref Abertawe yn 1968 trwy roi penddelw ohono yn Llyfrgell y Dref. Yr oedd yn un o feirdd mwyaf cynhyrchiol a phoblogaidd ei gyfnod. Cyhoeddodd *Cerddi Crwys* (1920; cafwyd pum arg.), *Cerddi newydd Crwys* (1924; tri arg.), *Trydydd cerddi Crwys* (1935), *Cerddi Crwys, y*

pedwerydd llyfr (1944), a dau ddetholiad o'i gerddi (1953 ac 1956). Bu ei adroddiadau i blant ac oedolion yn boblogaidd iawn mewn eisteddfodau yn ail chwarter yr 20 g., ond fe'i cofir yn bennaf fel awdur telynegion adnabyddus fel 'Dysgub y dail', 'Melin Trefin', 'Siôn a Siân', 'Y border bach', a 'Y sipsi'. Y mae'n un o'r beirdd a lwyddodd i ymryddhau o gaethiwed arddull y 'Bardd Newydd'. Cyhoeddodd hefyd *A brief history of Rehoboth Congregational Church, Bryn-mawr, from 1643 to 1927* (1927), a dwy gyfrol o atgofion, *Mynd a dod* (1941) a *Pedair pennod* (1950). Ymysg y llawysgrifau a adawodd y mae deunydd cyfrol Saesneg, 'Hither and thither', sy'n cyfateb, fwy neu lai, i *Mynd a dod*.

Blwyddiadur A, 1969; D. Ben Rees, *Cymry adnabyddus 1952-72* (1978); Meic Stephens (gol.), *Cydymaith i lenyddiaeth Cymru* (1968); adnabyddiaeth bersonol; [W. Rhys Nicholas, *Crwys y Rhamantydd* (1990)].

W.R.N.

WILLIAMS, WILLIAM EMYR (1889-1958), cyfreithiwr ac eisteddfodwr; g. 24 Mai 1889 yn Llanffestiniog, Meir., yr hynaf o blant John Williams, gweinidog Engedi (MC), ac, wedi hynny, capten llong a blaenor yn y Tabernacl, Aberystwyth. Pan benodwyd John Williams yn ysgrifennydd cenhadaeth gartref y MC, symudodd y teulu i Wrecsam, ac o ysgol ramadeg Grove Park yn y dref honno yr aeth William Emyr i Goleg Prifysgol Cymru, Aberystwyth, lle'r enillodd radd LL.B. yn 1911. Cymerodd ran flaenllaw yng nghymdeithasau'r coleg a bu'n ysgrifennydd y Gymdeithas Ryddfrydol.

Ar ddechrau Rhyfel Byd I ymunodd â'r Ffiwsilwyr Brenhinol Cymreig a bu'n is-gapten ym myddin Allenby ym Mhalestina. Ar derfyn y rhyfel cadwyd ef ymlaen am rai misoedd fel barnwr mewn llys milwrol yn ystod yr helynt yn yr Aifft yn erbyn awdurdod Prydain. Wedi dod allan o'r fyddin cymerodd bartneriaeth gyda J. S. Lloyd a ffurfio ffyrm cyfreithwyr J. S. Lloyd ac Emyr Williams. Pr. Mary, merch J. E. Powell, Wrecsam.

Etholwyd ef yn aelod o gyngor bwrdeistref Wrecsam yn 1923. Ef oedd y maer yn 1933 ac ar yr un pryd yn gadeirydd pwyllgor gwaith yr Eist. Gen. yno. Bu'n ddirprwy-faer seithwaith, codwyd ef yn henadur yn 1935, ac etholwyd ef yn rhyddfreiniwr anrhydeddus yn 1951. Gwasanaethodd ar y cyngor am 35 mlynedd. Anrhydeddwyd ef â'r C.B.E. yn 1952 fel cydnabyddiaeth o'i waith cyhoeddus ac yn arbennig am hybu llwyddiant yr Eist. Gen. Daliai swyddi mewn amryw gyrff cenedlaethol adeg ei farw. Bu am flynyddoedd ar Gyngor Cymru, bu'n flaenllaw gyda sefydlu Cymdeithas Awdurdodau Lleol Cymru yn 1927 ac am chwarter canrif ef oedd ei llywydd. Bu'n un o is-lywyddion Anrh. Gymd. y Cymmr. Fel aelod o'r llys dangosodd gryn ddiddordeb yng ngwaith Prifysgol Cymru, a chefnogai'n frwd gangen gogledd-ddwyrain Cymru o Urdd y Graddedigion, a bu'n llywydd arni.

Rhoddodd flaenoriaeth i addysg leol, a gwnaeth pwyllgor addysg cylch Wrecsam ef yn gadeirydd. Testun balchter iddo oedd bod yn un o lywodraethwyr ysgol Grove Park. Cadwodd gysylltiad clos drwy gydol ei oes â gweithgareddau capel Seion (MC), Wrecsam, lle'r oedd yn flaenor ac arweinydd y gân. Dibynnai Bwrdd Eiddo Eglwys Bresbyteraidd Cymru'n drwm ar ei gyfarwyddyd fel ei gyfreithiwr a'i ysgrifennydd mygedol. Ar fwy nag un achlysur pwysodd yr Eist. Gen. ar ei arweiniad mewn cyfyngderau; yn ystod Rhyfel Byd II sylweddolwyd fod y sefydliad yn dioddef oddi wrth reolaeth ddeublyg yr Orsedd a Chymdeithas yr Eisteddfod, 'profodd ei weledigaeth a'i egni yn gaffaeliad grymus i'r cydbwyllgor a geisiai asio'r ddwy adran yn un corff llywodraethol; bu ei gadernid tawel a'i grafter cyfreithiol yn werthfawr wrth lunio cyfansoddiad i'r cyngor newydd yn 1937'. Yn ystod y rhyfel daeth eto i'r adwy fel cadeirydd y pwyllgor argyfwng a drefnai'r eisteddfodau. Etholwyd ef yn gadeirydd y cyngor ar farwolaeth Syr D. Owen Evans (*Bywg*.2, 14). Cefnogodd y 'rheol Gymraeg' fel callestr a theimlai'i gydeisteddfodwyr 'eu colled o arweinydd mawr i'r Eisteddfod, gŵr a'i gadernid cyson a'i bersonoliaeth urddasol yn dŵr o nerth i'r Eisteddfod gwbl-Gymraeg. Nid oedd ynddo ddim cyffredin na gwael'. Rhoddwyd iddo radd LL.D. Prifysgol Cymru er anrh. yn 1957.

Cafodd diwylliant ardal Llanbryn-mair afael cryf ar ei ffordd o feddwl a'i ffordd o fyw, gan iddo dreulio llawer o'i wyliau er yn fore ym Mhontdolgadfan, cartref ei dad-cu, William Williams, 'Gwilym Cyfeiliog' (*Bywg.*, 1017). Yr oedd ei ddewis o 'Emyr Cyfeiliog' fel ei enw yng Ngorsedd y Beirdd yn arwydd o'i ymlyniad wrth y cwmwd hwnnw.

Er dilyn galwedigaeth cyfreithiwr cysegrodd ei fywyd i wasanaethu cymdeithas. Yr oedd yn weinyddwr wrth reddf; yn gynnil ei eiriau, llywiai drafodaeth at gnewyllyn y pwnc gyda sicrwydd a chwrteisi. Carai'r celfyddydau. Credai â'i holl galon yn yr eisteddfod fel cyfrwng i'w meithrin ymhlith y Cymry a diogelu defnydd o'r iaith.

Bu f. yn ddi-blant 11 Gorff. 1958, a chladdwyd ef ym mynwent gyhoeddus Wrecsam.

Gwybodaeth bersonol.

G.E.

WILLIAMS, WILLIAM EWART (1894-1966), ffisegydd a dyfeisydd; g. 3. Maw. 1894 ym Modgarad, Rhostryfan, Caern., mab hynaf Ellis William Williams (goruchwyliwr chwarel y Cilgwyn) a'i wraig Jane, Llys Twrog, y Fron. Wedi mynychu ysgolion lleol ymaelododd yng Ngholeg Owens, Prifysgol Manceinion lle y cafodd Rutherford, Bohr a Darwin yn athrawon. Graddiodd gydag anrhydedd mewn ffiseg yn 1915 ac ennill M.Sc. (Manc.) yn 1926. Wedi hyfforddiant gyda *Barr Stroud Range Finder Makers*, Glasgow (1917-20) bu'n gyfrifol am ddatblygu offer sbectrol o gydraniad uchel ac offer polarimetrig i Adam Hilger Cyf., Llundain. Gyda chymeradwyaeth yr Athro O. W. Richardson (enillydd Gwobr Nobel) fe'i penodwyd yn ddarlithydd yng Ngholeg y Brenin, Prifysgol Llundain (1920-39). O dan gyfarwyddyd Appleton a Richardson dyfarnwyd iddo radd D.Sc. (Llundain) yn 1934. Ar bwys ei gyfraniadau i dechnegau mesuriadau manwl cydraniad uchel (*high resolution*) ym maes sbectrosgopeg cyflwynwyd iddo Fedal Duddell gan Gymdeithas Ffisegol Llundain yn 1935. Daeth yn Gymrawd Leverhulme yn 1936. Fis Mawrth 1938 ymddiswyddodd ac ymfudo i Dde California ac erbyn 1946 yr oedd yn ddinesydd Americanaidd. Ymyriaduriaeth (*interferometry*) oedd ei briod faes a daeth yn awdurdod byd-enwog yn y pwnc. Ystyrir ei gyfrol *Applications of interferometry* (1928, 1930, 1941, 1948, 1951), a gyfieithiwyd i nifer o ieithoedd, yn waith safonol. Yn 1949 gwerthodd ei labordy personol yn Pasadena i Lu Awyr y Taleithiau Unedig. Bu ynglŷn â dyfeisio math arbennig o ffenestr ar gyfer project Mercury i Gwmni Northrop. Yn 1952-53 ef oedd prif ymgymerwr *American Missile Control*. Yn 1953, wedi cyfnod o waeledd ac mewn cydweithrediad â'r meddyg, Dr Olive Hoffman, yn Sefydliad Ymchwil Pasadena, bu'n ymchwilio i sbectra bylchliw is-goch steroidiau a arweiniodd at ddatblygu math newydd o ocsimedr ond bu'r ddau farw cyn gweld ffrwyth eu llafur. Ymunodd â chwmni teiars *Firestone* (gwneuthurwyr y taflegryn *Corporal*) yn 1958. Cyfrannodd yn helaeth i drafodion y Gymdeithas Frenhinol a'r *London Physical Society* (1933); *Review of modern physics*, *Zeitschrift für Physik* (1929), *Nature* (1935), a.y.y.b. Derbyniwyd rhwng 30 a 40 o'i batentau gan wahanol gwmnïau yn y Deyrnas Gyfunol, yr Almaen a gwledydd eraill. Pr. Sarah Ellen Bottomley, New Hey, Rochdale. Ni bu ganddynt blant. Ieithydd oedd hi ac, fel ei gŵr, ymddiddorai mewn cerddoriaeth. Bu ef f. yn Pasadena 20 Ebr. 1966 a'i gladdu ym medd y teulu ym mynwent Pisga, Carmel, Caern. Gadawodd waddol hael i Brifysgol De California er mwyn sefydlu yno ysgoloriaeth i hwyluso myfyrwyr o dras Cymreig i dderbyn hyfforddiant lleisiol ac offerynnol. Bu brawd iddo, Robert Arthur Williams, yn Brif Arolygydd Cadwraeth Porthladd Sydney, Awstralia. Treuliodd ei frawd ieuengaf, Stanley Haydn Williams, Y Fron, dros hanner canrif yng ngweinidogaeth Eglwys Bresbyteraidd Cymru.

Gwybodaeth gan y Parchedig Stanley H. Williams.

G.A.J.

WILLIAMS, WILLIAM GILBERT (1874-1966), ysgolfeistr a hanesydd lleol; g. yn Nhŷ'r Capel, Rhostryfan, Llanwnda, Caern., 20 Ion. 1874, yn fab i John Williams, chwarelwr, a'i briod Catherine (g. Jones). Brawd iddo oedd 'J. W. Llundain' (gw. WILLIAMS, JOHN, Atod. isod). Gadawodd yr ysgol leol yn naw ml. oed i weithio yn chwarel y Cilgwyn ond dychwelodd yno yn ddisgybl-athro ac ennill ysgoloriaeth i fynd yn fyfyriwr i'r Coleg Normal, Bangor, 1892-94. Penodwyd ef yn ysgolfeistr cyntaf ysgol Felinwnda, Llanwnda, yn 1895, a bu mewn swydd gyffelyb yn Rhostryfan o 1918 hyd ei ymddeoliad yn 1934. Yr oedd yn arloeswr o ysgolfeistr, yn defnyddio'r Gymraeg yn gyfrwng addysg, a chael y plant i ymddiddori yn hanes a diwylliant eu bro. Disgrifiodd ei ffordd o ddysgu yn *Y Cymro bach* (1909). Bu'n amlwg ym mywyd cyhoeddus y sir fel cynghorwr lleol a sirol (1951-61). Etholwyd ef yn flaenor yn Horeb (MC) yn 1909, bu'n llywydd henaduriaeth Arfon, a derbyniodd fedal Gee c. 1962 am ei ddiwydrwydd gyda'r Ysgol Sul dros gyfnod maith.

Yr oedd yn hanesydd o bwys a ddarlithiodd lawer yn yr ardaloedd cylchynol ar hanes lleol, ac yr oedd yn un o sefydlwyr a llywydd (1947-57) Cymdeithas Hanes Sir Gaernarfon. Argraffodd rai o'i weithiau â'i law ei hun a'u rhwymo'n llyfrynnau. Cyfansoddodd ddwy ddrama mewn cynghanedd, cywyddau ac englynion di-rif. Ymhlith ei lyfrynnau niferus ceir *Cerddi gogan - beirdd newydd* (1904-06), *Hanes pentref Rhostryfan* (1926), *Breision hanes o 1688 hyd 1720* (1928), *Olion hynafol* (1944) a llyfr caneuon ysgol. Ymddangosodd llawer o'i erthyglau mewn cylchgronau a phapurau lleol, yn enwedig yn *Y Genedl*, lle y codai ambell anghydwelediad rhyngddo ef a'i ffrind Bob Owen (gw. OWEN, ROBERT, uchod) sydd yn amlygu dull mwy disgybledig ac academaidd Gilbert Williams o astudio hanes. Bu'n ysgrifwr i'r *Bywgraffiadur Cymreig hyd 1940* a chyhoeddwyd detholiad o'i waith (Gareth Haulfryn Williams, gol.) yn *Moel Tryfan i'r traeth* (1983). Cafodd M.A. er anrh. gan Brifysgol Cymru yn 1930 am ei gyfraniad helaeth i hanes y genedl. Cedwir rhai o'i lsgrau. yn archifdy Caernarfon a Llyfrgell Genedlaethol Cymru. Bu f., 10 Hyd. 1966, yn fab gweddw yn ei gartref, Tal-y-bont, Rhostryfan.

Herald Cymr., 17 Hyd. 1966; *Gol.*, 7 Rhag. 1966, 6; gwybodaeth gan Mair Eluned Pritchard, Pontllyfni; gw. *Y Casglwr*, rhifau 4, 5 a 12 am lyfryddiaeth ei bamffledi.

M.A.J., G.H.W.

WILLIAMS, WILLIAM JOHN (1878-1952), arolygwr ysgolion a chyfarwyddwr Cyngor Gwasanaeth Cymdeithasol Cymru a Mynwy; g. 1878, pedwerydd mab Richard ac Anne Williams, Hafod, Abertawe. Fe fu ei frawd Richard Trefor Williams, O.B.E., (bu f. 1932) yn Brif Arolygwr y Weinyddiaeth Iechyd yng Nghaerdydd. Addysgwyd ef mewn ysgolion yn Abertawe ac yng Ngholeg Prifysgol Cymru, Aberystwyth, lle graddiodd yn LL.B. ac yn M.A. Bu'n ysgolfeistr yn ysgol sir Tre-gŵyr, ysgol ganol Bootle ac ysgol sir Casnewydd-ar-Wysg. Daeth yn fargyfreithiwr yn y Middle Temple yn 1912 ac yn arolygwr ysgolion yn Adran Gymreig y Bwrdd Addysg yn 1915. Chwaraeodd ran bwysig mewn meithrin defnydd o'r Gymraeg yn ysgolion elfennol sir Gaerfyrddin. Yn 1933 olynodd Dr. O. Prys Williams yn Brif Arolygwr Ysgolion ac arhosodd yn y swydd hon hyd ei ymddeoliad yn Rhag. 1944. Cymerai ddiddordeb arbennig mewn efrydiau allanol, yn enwedig yng ngweithgareddau Cymdeithas Addysg y Gweithwyr a mudiad Adran Gweithwyr Coleg Harlech. Rhwng 1945 ac 1952 gwasanaethodd fel cyfarwyddwr Cyngor Gwasanaeth Cymdeithasol Cymru a Mynwy, corff yr oedd eisoes wedi ei wasanaethu fel aseswr er 1934.

Yr oedd yn aelod o nifer fawr o bwyllgorau, ac yn eu plith Bwyllgor Cymreig Cyngor Celfyddydau Prydain Fawr, Pwyllgor Cymreig y Cyngor Prydeinig, Pwyllgor Cymreig UNESCO a Phwyllgor Apêl y B.B.C. yng Nghymru. Fe fu hefyd yn gyfarwyddwr y Cwmni Opera Cenedlaethol ac yn is-lywydd Coleg Harlech o 1948 hyd 1952. Yn 1943 dyfarnwyd iddo radd LL.D. er anrh. gan Brifysgol Cymru.

Pr. yn 1906 â Maud, merch David Owen,

Y.H., ac Anne Owen, Treforys, Abertawe. Bu iddynt un mab. Ymgartrefent yn Llanelli ac yn ddiweddarach yn 4 North Road, Caerdydd. Bu f. 23 Ion. 1952 ac amlosgwyd ei gorff yn amlosgfa Glyn-taf.

Www; *Cymro*, 23 Tach. 1933; *Times*, 24 Ion. 1952; *Cardiff Times*, 25 Ion. 1952; *WWP*.

J.G.J.

WILLIAMS, WILLIAM MORRIS (1883-1954), chwarelwr, arweinydd corau, datgeiniad a beirniad cerdd dant; g. 17 Ion. 1883 yn Nhan-y-fron, Tanygrisiau, Meir., yn fab i William Morris Williams, chwarelwr, a Jane ei wraig. Yr oedd yn un o saith o blant. Bu'r tad yn godwr canu yn eglwys Bethel (MC), Tanygrisiau am 25 ml. a dechreuodd y mab gynorthwyo gyda'r gwaith pan oedd yn 17 oed. Pr. ef yn 1905 â Mair, merch Daniel a Mary Williams, Conglog, Tanygrisiau, a magasant deulu cerddgar - tri mab a dwy ferch. Tuag 1909 symudodd y teulu i Granville yn nhalaith Efrog Newydd a chododd ef gôr plant yno, ond gan na chafodd ei briod iechyd yn y wlad newydd dychwelodd y teulu i Danygrisiau yn 1911. Ymaelododd â chôr meibion y Moelwyn dan arweiniad Cadwaladr Roberts, ac ailgododd gôr plant a sefydlasai gyntaf yn y pentre yn 1905. Oherwydd amser gwan yn y chwareli symudodd y teulu yn 1915 i Abertridwr, lle y bu ganddo gôr llwyddiannus nes dychwelyd eto yn 1921 i ardal ei febyd. Cafodd waith yn chwarel Maenofferen, ac yno y bu hyd ei ymddeoliad yn 1941. Yn ystod y cyfnod sefydlodd gorau cymysg, corau plant, a chorau cerdd dant. Gyda chôr cymysg o tua chant o leisiau, a chyfeiliant cerddorfa amatur leol, cyflwynodd nifer o oratorïau, megis *Messiah, Judas Maccabeus* a *Creation*. Gan ddibynnu ar adnoddau lleisiol ei eglwys trefnodd berfformiadau o gantawdau, yr opereta *Esther* a'r opera *Blodwen*. Gyda rhai cantorion o'r tu allan ymwelodd cwmni *Blodwen* â 14 o ardaloedd yng Ngwynedd rhwng 1945 ac 1947. Ond y côr a ddaeth â'r enwogrwydd mwyaf iddo fel hyfforddwr ac arweinydd oedd côr plant Tanygrisiau. Enillodd hwnnw'r wobr gyntaf ym mhrif gystadleuaeth y corau plant droeon yn yr Eist. Gen. - Bangor, 1931, Aberafan, 1932, Castell-nedd, 1934, a Chaernarfon, 1935. Yn y tair cyntaf enillodd y côr hefyd Darian Goffa Iorwerth Glyndwr John am ganu trefniannau o alawon gwerin, a'i hennill yn derfynol. Enillodd y wobr gyntaf hefyd yn Eist. Gen. yr Urdd ym Mae Colwyn 1934. Daeth y Côr yn adnabyddus drwy Gymru gyfan mewn eisteddfod a chyngerdd, ac yr oedd yn un o'r corau cyntaf i ddarlledu rhaglen Gymraeg yn 1936. Ymhoffai W. M. Williams mewn cerdd dant a bu'n fuddugol fel datgeiniad yn yr Eist. Gen. yng Nghaernarfon, 1921, Yr Wyddgrug, 1923, a Phwllheli, 1925. Gyda chôr telyn Barlwyd enillodd wobrau cyntaf yr Eist. Gen. yn Rhydaman, 1922, Yr Wyddgrug, 1923, Pwllheli, 1925, a Threorci, 1928, heblaw buddugoliaethau mewn eisteddfodau yng ngogledd Cymru, 1922-25, a chynnal llu o gyngherddau yng Nghymru a Lloegr. Bu'n beirniadu cerdd dant yn eisteddfodau Gwynedd a'r Eist. Gen. yn Ystradgynlais, 1954, ac yr oedd yn un o sefydlwyr Cymd. Cerdd Dant. Hyfforddodd lu o unigolion a phartïon canu ei fro. Gwasanaethodd ei eglwys fel codwr canu, ysgrifennydd, ac athro Ysgol Sul am gyfnod hir. Bu f. 30 Rhag. 1954, a chladdwyd ef ym mynwent Bethesda, Blaenau Ffestiniog.

Gwybodaeth bersonol.

Me.E.

WILLIAMS, WILLIAM NANTLAIS (1874-1959), gweinidog (MC), golygydd, bardd ac emynydd; g. 30 Rhag. 1874 yn Llawr-cwrt, Gwyddgrug, ger Pencader, Caerf., yn ieuangaf o ddeg plentyn Daniel a Mari Williams. Cafodd addysg yn ysgol elfennol New Inn, ac yn 12 oed prentisiwyd ef yn wehydd gyda'i frodyr. Magwyd ef yn eglwys y New Inn, ac yno y dechreuodd bregethu yn 1894. Addysgwyd ef ar gyfer y weinidogaeth yn ysgol ramadeg Castellnewydd Emlyn ac yng Ngholeg Trefeca. Ymddiddorai mewn barddoniaeth yn ieuanc a chyhoeddodd gasgliad o'i ganeuon, *Murmuron y nant* (1898) pan oedd yn fyfyriwr. Enillodd gadair mewn eisteddfod yn Rhydaman yn 1899 dan feirniadaeth Watcyn Wyn, a chafodd alwad yn fuan ar ôl hynny i fugeilio eglwys ieuanc Bethany yn y dref honno. Ord. ef yn 1901, ac ym Methany y llafuriodd o'r flwyddyn 1900 hyd ei ymddeoliad yn 1944 (eithr bu'n bwrw golwg dros eglwys fechan y MC yn Llandybïe ym mlynyddoedd cyntaf y ganrif). Ei uchelgais oedd bod yn bregethwr cyrddau-mawr ac yn fardd llwyddiannus mewn eisteddfodau. Bu'n gyd-fuddugol ar chwech o delynegion yn Eist. Gen. Bangor (1902); cafodd gadair eist. Meirion yn 1903, a chadair eist. y Queen's Hall, Llundain, yn 1904. Y flwyddyn honno daeth y Diwygiad i Rydaman, a daeth Nantlais dan ddylanwad y cyffro hwnnw yn drwm. Penderfynodd gysegru ei fywyd bellach i efengyleiddio a hyrwyddo bywyd ysbrydol yr eglwysi. Pr. ddwywaith; (1) yn 1902 ag Alice Maud Jones (wyres yr hynod Thomas Job, Cynwyl), a ganwyd tri o feibion a dwy ferch o'r briodas; bu hi f. yn 1911; (2) yn 1916 ag Annie Price (prifathrawes ysgol Aberpennar a merch T. Price, gweinidog Brechfa). Bu f. 18 Meh. 1959, a chladdwyd ei weddillion o flaen capel newydd Bethany.

Ar ôl y Diwygiad cymdeithasai Nantlais â'r gwŷr blaenllaw a gyrchai i'r cynadleddau blynyddol efengylaidd yn Keswick a Llandrindod - E. Keri Evans (*Bywg*.2, 14-15), R. B. Jones, W. W. Lewis, Seth Joshua (Atod. isod), W. S. Jones, W. Talbot Rice, &c., ac yn 1917 sefydlodd gynhadledd flynyddol o'r un math yn Rhydaman (gw. J. D. Williams, *Cynhadledd y Sulgwyn Rhydaman* (Rhydaman, 1967). Bu llwyddiant mawr ar ei lafur ym Methany; codwyd ysgoldy ym Mhantyffynnon yn 1904, ac un arall yn Nhir-y-dail yn 1906 (corfforwyd eglwys yno yn 1911 (gw. W. N. Williams, *Y Deugain mlynedd hyn* (Rhydaman, 1921)). Adeiladwyd capel hardd newydd ym Methany yn 1930. Dyrchafwyd ef i gadair Sasiwn y De (1943), ac yn Llywydd y Gymanfa Gyffredinol (1940). Bu'n gohebu am flynyddoedd ag Eluned Morgan o Batagonia (*Bywg*., 605), ac ar ei thaer ymbil hi aeth Nantlais ar daith bregethu am dri mis i'r Wladfa yn 1938 (gw. yr ohebiaeth rhyngddo ac E. M. yn Dafydd Ifans, gol., *Tyred drosodd*, 1977).

Er i Nantlais ymwadu â chystadlu mewn eisteddfodau ar ôl y Diwygiad daliodd ati i lenydda, gan gysegru'i ddoniau a'i awen bellach

i genhadaeth yr Efengyl. Bu'n un o olygyddion *Y Lladmerydd* (1922-26), ac yn olygydd *Yr Efengylydd* (1916-33), a *Trysorfa'r Plant* (1934-47). Cyfansoddodd lawer o emynau ar gyfer y plant, yn wir ni bu nemor neb yn fwy llwyddiannus nag ef fel emynydd y plant. Ceir y rheini mewn tri chasgliad: *Moliant plentyn*, rhan I (1920); *Moliant plentyn*, rhan II (1927); a *Clychau'r Gorlan* (1942). Y mae graen ac eneiniad ar ei emynau eraill, a gwelir llawer ohonynt yn y casgliadau cyfoes o bob enwad. Ceir casgliad o'i brif emynau yn *Emynau'r daith* (1949), ac yn y casgliad *Clychau Seion* (a olygwyd ganddo c. 1952). Cyhoeddodd hefyd (gyda chydweithrediad Daniel Protheroe (*Bywg*., 754-5), David Evans (*Bywg*.2, 13-14), a J. T. Rees (*Bywg*.2, 48) nifer o ganeuon i blant ynghyd â gweithiau cerddorol eraill. Ni chollodd mo'i ddawn fel bardd telynegol ychwaith, er iddo ymwrthod â chystadlu, fel y dengys ei gasgliad o delynegion, *Murmuron newydd* (1926), a'i rigymau i blant, *Darlun a chân* (1941). Cyn diwedd oes, ar gyfrif ei gyfraniad llenyddol, cafodd radd M.A. er anrh. gan Brifysgol Cymru. Ceir trafodaeth arno fel emynydd a bardd, ynghyd â rhestr o'i holl gynhyrchion o'r wasg, ym *Mwletin Cymd. Emynau Cymru*, I, rhif 4 (1971), 77-99. Ysgrifennodd lawer i'r cylchgronau a olygwyd ganddo, ac i'r *Goleuad*. Ceir penodau o atgofion oes yn yr olaf (1955), a chyhoeddwyd y rheini yn 1967 dan y teitl *O gopa bryn Nebo*.

At y ffynonellau a nodir yng nghorff yr ysgrif, *WwFC* (1951), 358; *Drys*., 1944, 47-50; *Blwyddiadur MC*, 1960, 275-76; W. Morris (gol.), *Deg o enwogion* (1965), 51-9; adnabyddiaeth a gwybodaeth bersonol.

G.M.R.

WILLIAMS, WILLIAM OGWEN (1924-69), archifydd, Athro prifysgol,, g. yn Llanfairfechan, Caern., 12 Rhag. 1924, yr hynaf o ddau fab William Henry Williams a Margaret (g. Pritchard); addysgwyd yn yr ysgol genedlaethol, Llanfairfechan, 1928-35, Ysgol Friars, Bangor, 1935-42, Coleg Prifysgol Gogledd Cymru, 1942-47 (B.A., Hanes, dosbarth cyntaf, 1945), Prifysgol Llundain 1947-48 (diploma mewn Archifyddiaeth, 1949); penodwyd ef yn ddarpar-archifydd sir Gaernarfon, 1 Awst 1947, ac yn archifydd llawn y sir yn 1949, yn ddarlithydd rhan-amser mewn archifyddiaeth yng ngholeg y Brifysgol, Bangor, 1954, darlithydd mewn hanes trwy gyfrwng y Gymraeg ym Mangor, 1958-63, darlithydd yn hanes Cymru yng Ngholeg y Brifysgol, Aberystwyth, 1963-65, a darlithydd hŷn, 1965-67, cyn ei ddyrchafu'n Athro Hanes Cymru yno, 1967-69. Ar wahân i hyn bu'n olygydd cynorthwyol *Trafodion Cymdeithas Hynafiaethwyr Môn*, 1950-55, ac yn olygydd yr un *Trafodion*, 1955-69. Yr oedd yn nodedig am grafiter ei feddwl, ei barodrwydd i dderbyn cyfrifoldeb, ei ddawn i ennill ymddiriedaeth eraill; ei gwrteisi naturiol, ei arswyd rhag gwneud niwed i unrhyw un, ei angen am gwmnïaeth a'i hoffter ohono, a'i ddawn ryfeddol fel ymgomiwr a darlithydd.

Fel archifydd cyntaf sir Gaernarfon, llwyddodd nid yn unig i roi trefn ar archifau gwych y sir honno (fel y dengys ei *Guide to the Caernarvonshire Record Office*, 1952) ond hefyd i boblogeiddio'r archifau hynny. Y mae erthygl o'i eiddo - 'County Records' - a ymddangosodd mor gynnar ag 1949 yn *Nhraf. Cymd. Hanes Sir Gaernarfon* yn dyst o'i feistrolaeth ar yr archifau a'i ddawn i'w cyflwyno'n ddiddorol a dealladwy i gynulleidfa o leygwyr. Ond nid dyna'i gyfraniad pwysicaf o bell ffordd, oherwydd yn 1956 cyhoeddodd ei *Calendar of the Caernarvonshire Quarter Sessions Records 1541-1558*, sy'n cynnwys rhagymadrodd meistrolgar ar gefndir hanesyddol y dogfennau. Dichon mai dyma'r dadansoddiad gorau a gafwyd erioed o'r drefn weinyddol a chymdeithasol yng Nghymru yn Oes y Tuduriaid, ac ar ei gorn dyfarnwyd iddo radd M.A. Prifysgol Cymru yn 1956. Atgynhyrchwyd rhannau helaeth o'r rhagymadrodd ddwy flynedd yn ddiweddarach dan y teitl *Tudor Gwynedd*. Yn y *Calendar* daeth yr archifydd a'r hanesydd oedd ynddo yn un, megis, a'r ddau ar eu gorau.

Cyhoeddodd amryw erthyglau ar ôl y *Calendar*, 'The Survival of the Welsh Language, 1536-1642' (*Cylchg. Hanes Cymru*, 2, 1964) a 'The social order in Tudor Wales' (*Traf. Cymmr.*, 1967) yn eu plith, ond fel yr ymledodd ei orwelion ac y collodd gysylltiad ag archifau gwreiddiol llaciodd ei afael dipyn fel hanesydd. Gresyn nad ailgydiodd o ddifrif yn y gwaith o astudio uchelwyr Gwynedd. Yr oedd ganddo gyfraniad pwysig iawn i'w wneud yn y cyfeiriad hwn: rhoddodd ragflas inni o hynny yn ei erthygl awgrymog ar 'The Anglesey gentry as business men in Tudor and Stuart times' yn *Nhraf. Cymd. Hynafiaethwyr Môn* yn 1948.

Y chwarel ac ardal y chwareli oedd cefndir y teulu cyn i'w dad ddod i feddiannu siop yn Llanfairfechan; ond byd yr uchelwyr a'i cyfareddodd ef. Anghydffurfwyr brwd oedd ei rieni, eithr troi i'r eglwys a wnaeth ef (dan ddylanwad yr Archddiacon Henry Williams ac eraill) am gynhaliaeth ysbrydol. Rhyddfrydwyr mawr oedd ei dad a'i fam, ond gogwydd ceidwadol oedd i'w feddwl ef. Yr oedd yn ddigon cadarn i sefyll ar ei draed ei hun ar dir egwyddor a gweledigaeth. Goresgynnodd anfanteision corfforol: ganed ef â nam ar un glun ac un llygad (dyna a'i cadwodd o'r fyddin, er iddo'i gynnig ei hun i'r awdurdodau yn 1942) ond ni adawodd hynny i lywodraethu ei feddwl, nac i amharu un iot ar ei archwaeth at fwynhau bywyd, nac ychwaith i ymddangos i eraill eu bod yn boen iddo.

Bu f. mewn amgylchiadau trist: darganfuwyd ef wedi boddi ar draeth Ynys-las, ger Aberystwyth, 3 Mai 1969. Yr oedd yn ddibriod.

Archifau cyngor sir Gwynedd a Choleg y Brifysgol, Bangor; marwgofion yn *Traf. Cymd. hanes sir Gaern.* (1969), *Cylchg. hanes Cymru*, 4 (1969), a *Traf. Cymd. Hynafiaethwyr Môn* (1968-9); Dr. J. Aled Williams; a gwybodaeth bersonol.

K.W.J.

WILLIAMS, Syr WILLIAM RICHARD (1879-1961), arolygwr trafnidiaeth rheilffyrdd; g. 18 Maw. 1879 yn fab i Thomas Williams ac Elizabeth Agnes ei wraig, Pontypridd, Morg. Pr., 8 Ebr. 1902, â Mabel Escott Melluish ond ni fu iddynt blant. Yn un a adweinid mewn cylchoedd yn ymwneud â rheilffyrdd fel 'y dyn a lwyddodd i sylweddoli uchelgais bachgen ysgol i redeg rheilffordd', addysgwyd ef yng Nghaerdydd a chychwynnodd ar ei yrfa yn glerc bach i Gwmni Rheilffordd Rhymni yn 1893. Rhoddwyd yr Adran Drafnidiaeth yn ei ofal ef yn 1905, a daeth ei awr fawr, adeg adrefnu'r rheilffyrdd i ffurfio rhwydwaith y prif gwmnïau yn 1922, pan benodwyd ef gan y *Great Western Railway* yn Arolygydd Rhanbarthol Cynorthwyol yng Nghaerdydd. Urddwyd ef yn farchog yn 1930 am ei wasanaeth oes i'r rheilffordd yng Nghymru a'i wasanaeth dinesig yng Nghaerdydd. Ymddeolodd flwyddyn yn ddiweddarach. Dechreuodd gymryd rhan mewn gwleidyddiaeth leol yn 1913 pan etholwyd ef yn aelod o Gyngor Dinas Caerdydd. Bu'n ddirprwy Arglwydd Faer, 1921-22, yn Arglwydd Faer, 1928-29, ac yn 1954 cafodd ryddfreiniad y ddinas. Bu f. 28 Meh. 1961.

Www.

D.G.R.

WILLIAMS, WILLIAM RICHARD (1896-1962), gweinidog (MC) a Phrifathro'r Coleg Diwinyddol Unedig, Aberystwyth; g. 4 Ebr. 1896 ym Mhwllheli, Caern., mab Richard a Catherine Williams, ei fam o linach Siarl Marc o Fryncroes (*Bywg.*, 578). Addysgwyd ef yn ysgol ddyddiol yr eglwys, Penlleiniau, ac yn ysgol sir Pwllheli. Enillodd ysgoloriaeth Mrs Clarke, a'i galluogodd i fynd i Goleg y Brifysgol, Aberystwyth, lle graddiodd gydag anrhydedd yn y dosbarth cyntaf mewn Groeg ac ail ddosbarth mewn athroniaeth. Claddwyd ei dad yn 1912, a symudodd ei fam ac yntau i Aberystwyth, gan ymaelodi yn y Tabernacl lle y dechreuodd bregethu. Bu'n gwasanaethu yn y fyddin am dymor yn Rhyfel Byd I. Parhaodd ei addysg yng Ngholeg Lincoln, Rhydychen, lle graddiodd gydag anrhydedd yn y dosbarth cyntaf mewn diwinyddiaeth. Ord. ef yn 1921, a bu'n gweinidogaethu ym Methel, Tre-gŵyr, Morg. (1921-22) ac yn eglwys Saesneg Argyle, Abertawe (1922-25). Penodwyd ef yn ddarlithydd cynorthwyol yng Ngholeg Diwinyddol Aberystwyth (1925-27), a bu wedyn yn Athro athroniaeth crefydd (1927-28), a Groeg ac Esboniadaeth y T.N. (1928-49). Ef oedd prifathro'r coleg o 1949 hyd ei ymraeolaeth yn 1962. Pr., 1928, Violet Irene Evans o Abertawe, a bu iddynt un mab. Bu f. 18 Rhag. 1962.

Yr oedd yn ŵr amlwg yn ei Gyfundeb. Traddododd y Ddarlith Davies yn 1939 ar 'Yr Ysbryd Cenhadol yn yr Eglwys Fore', ond nis cyhoeddodd. Bu'n Llywydd y Gymanfa Gyffredinol (1960), ac yn llywydd Sasiwn y De (1962). Ymddiddorodd yn yr Ysgol Sul a'r Genhadaeth Dramor a Chartref; bu'n llywydd y Symudiad Ymosodol am flynyddoedd. Yr oedd yn un o brif hyrwyddwyr y mudiad eciwmenaidd yng Nghymru; ef oedd ysgrifennydd cyntaf Cyngor Eglwysi Cymru, a'i lywydd pan fu farw. Yn 1961 etholwyd ef yn gadeirydd pwyllgor Prydeinig y Cynghrair Presbyteraidd (*Presbyterian Alliance*). Yr oedd yn aelod o'r cydbwyllgor a benodwyd i baratoi cyfieithiad newydd o'r Beibl Saesneg, ac yn 1961 dewiswyd ef yn gyfarwyddwr y pwyllgor a benodwyd i baratoi cyfieithiad newydd o'r Beibl Cymraeg. Cyfrannodd i gylchgronau ei enwad, a chyhoeddodd dair cyfrol o esboniadaeth feiblaidd: *Arweiniad i Efengyl Ioan* (1930), *Yr Epistol at yr Hebreaid* (1932), ac *Epistol cyntaf Ioan* (1943).

WwFC (1951), 358; *Blwyddiadur MC*, 1964, 284-85; *Drys.*, 1960, 114-17; 1962, 64-7; Mai 1963; gwybodaeth gan ei fab, Parchg. Richard Williams; adnabyddiaeth bersonol.

G.M.R.

WILLIAMS-WYNN, Syr ROBERT WILLIAM HERBERT WATKIN (1862-1951) - gw. WYNN (TEULU), Wynnstay yn yr Atodiad.

WILLIAMSON, EDWARD WILLIAM (1892-1953), Esgob Abertawe ac Aberhonddu; g. 22 Ebr. 1892, unig fab Edward Williamson, twrne yng Nghaerdydd, a'i wraig Florence Frances Tipton. Cafodd ei addysg gynnar yn ysgol yr Eglwys Gadeiriol, Llandaf, ac aeth ymlaen i Ysgol Westminster, gydag Ysgoloriaeth Frenhinol, i Goleg Eglwys Crist, Rhydychen, lle graddiodd yn B.A. (dosb. II Lit. Hum.) 1914, ac M.A. 1917. Aeth i goleg diwinyddol Wells a chael ei ordeinio'n ddiacon yn 1914 a'i drwyddedu i guradiaeth St Martin, Potternewton, swydd Efrog, 1915-17. Ord. ef yn offeiriad, 1916. Bu'n gurad Lambeth, 1917-22, cyn ei benodi'n ddarlithydd yng Ngholeg Awstin Sant, Caergaint, 1922-23. Etholwyd ef yn gymrawd 1923 ac yn gymrawd anrhydeddus o 1936 ymlaen. Penodwyd ef yn Warden coleg diwinyddol S. Mihangel, Llandaf, yn 1926, ac yno y bu hyd nes ei ethol yn Esgob Abertawe ac Aberhonddu ym mis Tach. 1939. Yr oedd yn gaplan anrhydeddus i Esgob Llandaf, 1929-31, yn arholwr esgobaethol, 1931-39, yn ganon Caerau yn eglwys gadeiriol Llandaf, 1930-37, ac yn ganghellor 1937-39. Cysegrwyd ef yn Esgob Abertawe ac Aberhonddu yn eglwys gadeiriol Bangor, 30 Tach. 1939 gan Archesgob Cymru (Charles Green, *Bywg.*2, 19).

Er nad oedd yn Gymro carai Gymru, ei heglwys a'i phobl. Pan wahoddwyd ef yn nechrau 1953 i fod yn un o is-lywyddion Eist. Gen. Ystradgynlais, 1954, anfonodd lythyr Cymraeg yn derbyn yr anrhydedd. Ychydig funudau cyn ei farw yn ystod cyfarfodydd Corff Llywodraethol yr Eglwys yng Nhymru yn Llandrindod, gwnaethai araith gref yn gofidio fod tynfa i Eglwys Loegr yn amddifadu Cymru o'i hoffeiriaid ieuainc. Yr oedd ar ei orau'n llyfforddi mytyrwyr yng ngholeg Mihangel Sant, a dylanwadodd ei bersonoliaeth hawddgar a'i ysgolheictod disgybledig ar genedlaethau o ymgeiswyr am urddau.

Yr oedd yn hyddysg mewn pynciau hynafiaethol a dechreuodd astudio pensaerniaeth eglwysig pan oedd yn fachgen. Teithiodd y cyfandir i ddilyn ei ddiddordebau a gallai ysgrifennu'n ddifyr ar y pwnc. Pan oedd yn Llandaf lluniodd arweinlyfr i'r eglwys gadeiriol, *The Story of Llandaff Cathedral* (1930), ac aeth i bum argraffiad. Yr oedd yn aelod o Gymdeithas Hynafiaethau Cymru, ac yn Aberhonddu ym mis Awst 1951 etholwyd ef yn llywydd am 1951-52. Traddododd ei ddarlith o'r gadair ar y testun hanes saint Cymru yn ôl Llsgr. Vespasian A XIV. Golygodd *The letters of Osbert of Clare*, 1929. Yn 1946 cyhoeddodd *An anatomy of joy*, sef tair pregeth a draddododd yn Rhydychen pan oedd yn bregethwr dewisol yn 1944-45. Bu'n bregethwr dewisol yng Nghaergrawnt, 1951. Ym mis Ion. 1953 darlledodd y ddarlith radio, *Henry Vaughan*, a chyhoeddwyd hi gan y B.B.C.

Hen-lanc swil a thawedog ydoedd, ond yn

siaradwr cyhoeddus cytbwys a ffraeth. Gŵr glandeg, hoffus, gyda hiwmor annisgwyl a'i sancteiddrwydd yn amlwg i bawb. Bu f. 23 Medi 1953, a'i gladdu yn Aberhonddu.

Crockford, 1948; *Www*; *Province*, Autumn 1953; *Haul*, Hyd. 1953; *Arch. Camb.*, 101 (1951); *Church Times*, 25 Medi, 2 Hyd., 1953; *West. Mail*, 3 Tach. 1939.

M.G.E.

WILLIS, ALBERT CHARLES (1876-1954), llywydd Plaid Lafur Awstralia; g. 24 Mai 1876 yn Nhonyrefail, Morg. Addysgwyd ef yn ysgol y bwrdd, Bryn-mawr, Coleg y Brenin, Llundain, a Choleg Ruskin, Rhydychen. Yr oedd yn gweithio fel glöwr yn sir Forgannwg pan benderfynodd ymfudo i Awstralia yn 1911. Sicrhaodd waith iddo'i hun fel glöwr a dangosodd ddiddordeb dwfn yng ngweithgareddau'r undebau llafur. Dewiswyd ef yn 1913 yn llywydd cymdeithas glowyr Illawarra, New South Wales. Rhwng 1916 ac 1925 ef oedd ysgrifennydd cyffredinol cyntaf yr *Australian Coal and Shale Employees' Federation*. Yn 1923 sefydlodd y papur Llafur *Labor Daily* yn Sydney a bu'n un o'i gyfarwyddwyr. Yr oedd hefyd yn llywydd Plaid Lafur Awstralia, New South Wales, 1923-25. Daeth yn aelod o gyngor deddfwriaethol New South Wales yn 1925 a pharhaodd yn aelod hyd 1933. Penodwyd ef yn Gynrychiolydd Cyffredinol ar gyfer New South Wales yn Llundain yn 1931, ond dychwelodd i Awstralia pan ddaeth ei swydd i ben y flwyddyn ganlynol. Sicrhaodd swydd yn yr Awdurdod Canolog am Lo yn 1943, a rhwng 1944 ac 1947 ef oedd Comisiynydd Cymodi'r Gymanwlad a'r Awdurdod Diwydiannol Canolog, swydd a sefydlwyd dan Ddeddf Cynhyrchu Glo (amser rhyfel) 1944. Ymddeolodd yn 1947. Pr. Alice Maud Parker a bu iddynt un mab a dwy ferch. Ymgartrefent yn Bryn Eirw, Gannon's Road, Burraneer Bay, New South Wales. Bu f. 22 Ebr. 1954 mewn ysbyty yn Cronulla ger Sydney.

Www; *Times*, 24 Ebr. 1954; *West. Mail*, 14 Mai 1931; *WWP*.

J.G.J.

WOOD, MARY MYFANWY (1882-1967), cenhades yn Tsieina, 1908-1951; g. 16 Medi 1882 yn Llundain. Hanoedd ei thad (Richard) o Fachynlleth a'i mam, (? Margaret), o Abertawe; bu iddynt bedwar o blant. Ymaelododd ei rhieni yn eglwys y Boro (A), Llundain, a derbyniwyd hi'n gyflawn aelod yno yn 1896. Aeth i Goleg St. Mary, Cheltenham, a thra oedd yn paratoi i fod yn athrawes ysgol penderfynwyd cwrs ei bywyd ar ôl gwrando ar W. B. Selbie yng nghynhadledd haf Mudiad Cristnogol y Myfyrwyr yn 1903. Yn ystod ei chyfnod yn athrawes yn Herne Hill, dilynodd astudiaethau yn King's College a neilltuodd ei horiau hamdden am flwyddyn i gynorthwyo'r gwaith yn Crossway Central Mission, Llundain.

Hwyliodd ym mis Tachwedd, 1903, am Siao Chang yng ngogledd Tsieina a llafuriodd am saith ml. yn ysgol breswyl y merched a gwasanaethu'r ardaloedd cyfagos o gwmpas. Treuliodd flwyddyn ei hegwyl, 1915-16, mewn coleg yn Llundain cyn dychwelyd i Peiping (Peking), ac apwyntiwyd hi'n brifathrawes ar ysgol ganol y merched. Bu ei chyfraniad i ddatblygiad addysg i ferched yng ngogledd Tsieina yn un sylweddol. Cyfetholwyd hi ar Gyngor Ymgynghorol Tsieina ynglŷn â hyfforddi gwragedd. Yn 1921 fe'i rhyddhawyd am gyfnod byr gan Gymdeithas Genhadol Llundain i gynorthwyo C.Y. Cheng ac E. C. Lobenstine i drefnu cynhadledd genedlaethol Cristionogion Tsieina a gynhaliwyd yn Shanghai yn 1922. Yn 1926 apwyntiwyd hi'n ddarlithydd yn Adran addysg grefyddol i ferched ym Mhrifysgol Peiping a chyn dychwelyd yno yn 1923 fel pennaeth yr adran, ymwelodd â Choleg Newydd, Llundain, Coleg Unedig Efrog Newydd, a Phrifysgol Columbia i astudio dulliau addysg grefyddol ac i ymgyfarwyddo ymhellach â datblygiadau ym myd diwinyddiaeth. Ymddeolodd o'r maes yn 1941.

Ar gyfrif ei gwybodaeth am Tsieina a'i hiaith bu galw am ei gwasanaeth gan fwy nag un awdurdod yn ystod Rhyfel Byd II. Ym Mai 1945 aeth i'r India gyda'r Y.M.C.A. Cyn diwedd y flwyddyn cyrhaeddodd ogledd Tsieina mewn awyren ac i ganol dioddefwyr y terfysg a fu yno. Disgwylid iddi ymddeol yn 1943 ond dychwelodd i'w hen faes ym Mhrifysgol Peiping. Ymhen blwyddyn dadwreiddiwyd y coleg a dilynodd y staff a'r myfyrwyr i Brifysgol Cheeloo, yn Shantung. Erbyn 1951, er maint ei hawydd i aros yn y wlad a oedd mor agos at ei chalon, peryglid diogelwch ei chyfeillion gan ei phresenoldeb. Polisi'r llywodraeth newydd oedd bwrw estroniaid allan o'r wlad. Er hynny, croesawodd y chwyldro, heb fod yn ddall i'w ddiffygion a'i beryglon. O'i hanfodd, gadawodd y wlad yn Awst 1951.

Am ddwy fl. cyflawnodd waith dirprwyol ar ran y Gymdeithas Genhadol yn eglwysi Cymru a Lloegr. Yn 1954, yn 72 oed, ordeiniwyd hi yn weinidog eglwys fechan Hambleden, gerllaw Henley. Bu'n ddiwyd yn y maes hwn am wyth ml. ac ar ôl ymddeol symudodd i Lomas House, Worthing, cartref o eiddo'r Gymdeithas Genhadol i genhadon ar derfyn eu gwasanaeth. Yng Ngorff. 1962, cafodd radd M.A., er anrh. gan Brifysgol Cymru. Bu f. 22 Ion. 1967 yn Ysbyty Southend, Shoreham-by-Sea. Amlosgwyd ei chorff yng nghrematoriwm Downs, Brighton, 26 Ion., a chynhaliwyd gwasanaeth coffa yn eglwys y Boro 2 Chwef. 1967.

E. Lewis Evans, *Cymru a'r Gymdeithas Genhadol* (1945); *Tyst*, 26 Ion. 1967; N. Goodall, *A History of the London Missionary Society, 1895-1945* (1954); *Congl. year book 1967-8*; *Cofnodion Bwrdd Cymdeithas Genhadol Llundain*, 1967.

K.E.J.

WYNDHAM-QUIN, WINDHAM HENRY, 5ed IARLL DUNRAVEN a MOUNT-EARL (1857-1952), milwr a gwleidydd; g. 7 Chwef. 1857 yn Llundain, mab hynaf Capten yr Anrhydeddus W. H. Wyndham-Quin (ail fab Iarll Dunraven) a Caroline, merch y Llyngesydd Syr George Tyler, Cottrell, Morg. Addysgwyd ef yn Eton a'r Coleg Milwrol Brenhinol, Sandhurst. Ymunodd â'r *16th Lancers* yn 1878 a bu'n ymladd yn y rhyfel yn erbyn y Bweriaid yn 1881 pan oedd yn gysylltiedig â'r *Inniskillin Dragoons*. Daeth yn gapten yn 1886 a gwasanaethodd fel gweinydd cadfridog i'r Anrhydeddus Robert Bourke, ewythr ei wraig, ym Madras, hyd 1889. Bu'n

adjutant gyda'r *Royal Gloucester Hussars* rhwng 1890 ac 1894 a chafodd ei ddyrchafu'n uchgapten yn y *16th Lancers* yn 1893. Yn yr ymladd yn Ne Affrica yn 1900, soniwyd amdano mewn cadlythyrau, enillodd Fedal y Frenhines gyda thair clesbyn a'r D.S.O. Daeth yn *Companion of the Bath* yn 1903 a gwasanaethodd fel is-gyrnol yn y *Glamorgan Imperial Yeomanry*.

Etholwyd ef yn A.S. (C) dros etholaeth De Morgannwg yn 1895 pan orchfygodd A. J. Williams a pharhaodd i gynrychioli'r etholaeth hon yn y senedd hyd 1906 pan gollodd ei sedd i William Brace (*Bywg*.2, 4-5). Fel gwleidydd yr oedd yn hynod foneddigaidd a chwrtais. Bu'n Uwch Siryf yn sir Kilkenny yn 1914 ac yn benllywydd gwarchodlu yn y *Lines of Communication* yn 1915. Yr oedd yn un o gyfarwyddwyr y *Great Western Railway Company*. Ym Meh. 1926 olynodd ei gefnder Windham Thomas Wyndam-Quin (gw. Atod. isod) fel Iarll Dunraven. Yr oedd hefyd yn Farwn Adare ac yn Is-Iarll Mount-Earl. Treuliodd lawer iawn o'i amser yng nghastell Dwn-rhefn a daeth yn gymeriad hoffus a phoblogaidd yn ne Cymru. Yr oedd yn aelod o Lys Llywodraethwyr yr Amgueddfa Genedlaethol ac fe fu'n llywydd Eist. Gen. Pen-y-bont ar Ogwr yn 1940.

Cyhoeddodd nifer o gyfrolau gan gynnwys *The Yeomanry Cavalry of Gloucester and Monmouth* (1898), *Sir Charles Tyler, G.C.B., Admiral of the White* (1912), *The Foxhound in county Limerick* (1919) ac *A history of Dunraven Castle* (1926).

Pr., 7 Gorff. 1885, â'r Fonesig Eva Constance Aline Bourke, merch 6ed Iarll Mayo. Bu hi f. 19 Ion. 1940. Bu iddynt ddau fab a merch. Treuliodd ei flynyddoedd olaf yn ei gartref Adare Manor, Limerick. Bu f. 23 Hyd. 1952 yn ei gartref yn Limerick yn 95 oed. Ei etifedd oedd ei fab hynaf Richard Southwell Windham Robert, Is-iarll Adare (1887-1965).

Www; WwW (1921, 1933, 1937); *Dod's Parliamentary Companion; The Complete Peerage; Burke's Peerage; Times*, 24 Hyd. 1952; *West. Mail*, 14 Awst 1895.

J.G.J.

WYNNE-FINCH, Syr WILLIAM HENEAGE (1893-1961), milwr, tirfeddiannwr; g. 18 Ion. 1893, ail f. yr is-gyrnol Charles Arthur Wynne-Finch o'r Foelas a Chefnamwlch, Caern., a'i wraig Maud Emily (g. Charteris). Addysgwyd ef yng ngholeg Eton ac ymunodd â'r Gwarchodlu Albanaidd. Gwasanaethodd yn Rhyfel Byd I a chael ei glwyfo ddwywaith ac ennill M.C. Gwasanaethodd ym myddin yr Aifft 1919- 25 a'r *Sudan Defence Force* 1925-26 gan gael ei anrhydeddu ag Urdd y Nîl. Dychwelodd i weithredu'n gomander ail fataliwn y Gwarchodlu Albanaidd 1931-35 gyda rheng is-gyrnol a dyrchafwyd ef yn gyrnol yn 1935. Gwasanaethodd yn Rhyfel Byd II yn swyddog hyfforddi i'r Adran Diriogaethol yn Llundain a gyda'r Gwarchodlu Albanaidd.

Cymerai ddiddordeb deallus mewn amaethyddiaeth ac yn ei ystadau, a bu'n llywydd Cymdeithas Amaethyddol Frenhinol Cymru. Bu'n gadeirydd Pwyllgor Addysg Amaethyddol y sir a rhan bwysig ganddo mewn sefydlu'r coleg Amaeth ym Mhlas

Glynllifon. Yn 1945 penodwyd ef yn Arglwydd Raglaw sir Gaern., swydd a ddaliodd hyd 1960; fel *Custos rotulorum* a Phrif Ustus gosodai bwys mawr ar gadwraeth archifau'r sir. Bu iddo ran allweddol yn sefydlu Swyddfa Archifau sir Gaern. a than ei gadeiryddiaeth ef o'r Pwyllgor Archifau y cyhoeddwyd y *Calendar of the Caernarvonshire Quarter Sessions Records 1541-50* yn 1956. Bu'n llywydd Cymdeithas Hanes sir Gaern. o 1957 hyd ei farw. Cyflawnodd nifer o swyddi eraill ym mywyd gweinyddol a chyhoeddus y sir. Gwnaed ef yn farchog yn 1960 a bu f. 16 Rhag. 1961. Pr. yn 1929 â Gladys, m. John I. Waterbury a'i wraig, New Jersey, T.U.A. ond ni bu iddynt blant.

Traf. Cymd. Hanes sir Gaern., 23 (1962); WWP.
E.D.J.

YORKE, SIMON (1903-66), y pumed o'r enw hwn o ddisgynyddion Simon Yorke (1606-82), groser cyfanwerthol o Dover, a oedd yn daid i Iarll Hardwicke; g. 24 Meh. 1903 yn fab hynaf i Philip Yorke (1849-1922), Erddig, Dinb., a'i ail wraig Louisa Matilda (g. Scott). Cafodd ei addysg ym Moorland House, Heswall; Coleg Cheltenham; a Choleg Corpus Christi, Caergrawnt. Graddiodd yn B.A. mewn coedwigaeth yn 1927. Etifeddodd Erddig ger Wrecsam yn 1922. Bu'n Uchel Siryf sir Ddinbych yn 1937. Er iddo fod yn lifftenant yn y *Denbighshire Yeomanry*, pan ddaeth Rhyfel Byd II ymunodd fel milwr cyffredin yn y *North Staffordshire Regiment*. Yn unol â'i ddymuniad arhosodd fel *sapper*, heb geisio na chael dyrchafiad.

Nid oedd ei berthynas â'i denantiaid yn hapus. Gwrthodai iddynt gael trydan na theliffon yn eu ffermydd. Er nad ydoedd yn heliwr, dilynai'r cŵn hela ar gefn beic a gwyddai bob amser ymhle yr oedd y llwynog. Cafwyd ef yn f. o fethiant y galon ym Mharc Erddig, 7 Mai 1966, a chladdwyd ef ym mynwent eglwys Marchwiel. Nid oedd yn briod a bu f. yn ddiewyllys. Etifeddwyd Erddig gan ei frawd Philip Scott Yorke (1905-76).

Merlin Waterson, *The servant's hall* (1980).
Jo.G.J.

YOUNG, JAMES JUBILEE (1887-1962), gweinidog (B); g. 15 Mai 1887 (blwyddyn Jiwbilî y frenhines Victoria) yn fab Thomas ac Eunice Young (brodyr iddo oedd y Parchedigion Jabes, Glasnant ac Owen Young). G. ef ym Maenclochog, Penf., ond yn Aberafan, Morg., y magwyd ef, a symudodd i weithio mewn siop dilledydd yn Nhonypandy, cwm Rhondda, yn llanc ifanc. Dechreuodd bregethu yn 1906 wedi ymaelodi ym Moreia (B), Tonypandy, ac aeth i ysgol yr Hen Goleg, Caerfyrddin, y flwyddyn ganlynol. Ord. ef yn weinidog Capel Rhondda, Pontypridd yn 1910, a bu'n bugeilio eglwysi'r Felinganol (1914), a Seion, Llanelli (1931). Ymddeolodd yn 1957. Amlygodd ei ddoniau fel pregethwr nerthol o'r dechrau cyntaf a daeth yn un o dywysogion y pulpud Cymraeg. Gwahoddid ef yn gyson i bregethu yng Nghymanfaoedd ei enwad; pregethodd yn yr oedfa Gŵyl Ddewi yn y City Temple, Llundain, yn 1922, yn y Central Hall, Lerpwl, yn 1923 , a'r oedfa Gymraeg yn Undeb Bedyddwyr Prydain Fawr yng Nghaerdydd, 1924. Bu'n llywydd Cymanfa Penfro, 1929, a llywydd Undeb Bedyddwyr Cymru, 1946. Bu f. 23 Ion. 1962 gan adael gweddw Mya (g. Jones, o Gapel Rhondda) ac un mab.

Llawlyfr Bed., 1963; *Portreadau'r Faner*, i, 7-9; record (Qualiton, DAF 212, 1969) ohono'n traddodi un o bregethau Christmas Evans.
B.F.R.

ATODIAD

ADAMS, DAVID (*Bywg.*, 3; *Bywg*2, 67). Bu f. 5 Gorff. 1922. Gw. *Dysg.*, Medi 1922.

ANWYL, JOHN BODVAN (*Bywg.*2, 1). O Anwyliaid Caerwys, Ffl., yr hanai; nid oedd Anwyl yn gyfenw yn Llŷn. Claddwyd ef ym mynwent Penllech, Caern., nid Benllech (Môn).

AP HEFIN - gw. LLOYD, HENRY isod.

ARFRYN - gw. THOMAS, GEORGE ISAAC isod.

BERGAM, Y (14 g.), bardd, daroganwr. Fe'i gelwir yn y llawysgrifau 'Y Bergam o Faelor' ac mewn stent a wnaed i'r Tywysog Du yn 1352 cyfeirir at 'Gafael mab Bergam' wrth sôn am Bennant yn Eifionydd. Yr oedd ei ddaroganau'n un o ffynonellau'r cywyddau brud. Gw. Enid Griffiths, *Early vaticination in Welsh* (1937).

Ymchwil bersonol.

R.W.E.

BERRY, JOHN MATHIAS - gw. BERRY (TEULU) uchod.

BONAPARTE (*Bywg.*, 40; *Bywg*.2, 69). Gw. B. F. Roberts, *Traf. Cymm.* (1996) a'r cyfeiriadau yno at lyfryddiaeth Bonaparte.

BRADNEY, Syr JOSEPH ALFRED (*Bywg.*, 43). Cyhoeddodd hefyd *Noctes Flandricae* (Llundain), casgliad o gerddi a rhyddiaith a gyfansoddwyd gan mwyaf yn Fflandrys yn 1917. Cyhoeddwyd cyfrol 5 o *History of Monmouthshire* (gol. Madeleine Grey) yn 1993.

Gw. *NLWJ*, 14 (1965-66), 114.

BRUCE, CHARLES GRANVILLE (1866-1939), mynyddwr a milwr; g. 7 Ebr. 1866 yn Llundain, mab ieuengaf H. A. Bruce, yr Arglwydd Aberdâr cyntaf (*Bywg.*, 49) a'i ail wraig, Norah. Aeth i'r ysgol i Harrow ac yna Repton ond yn wahanol i'w frawd W. N. Bruce (*Bywg.*, 49-50) nid ymroddodd i addysg: trwy'r milisia, yn hytrach na Sandhurst, y cafodd gomisiwn yn yr *Oxfordshire and Buckinghamshire Light Infantry* yn 1887. Wedi ymuno â'r 5ed *Gurkha Rifles* yn 1889, daeth yn feistr ar ryfela mynydd cyffindir gogledd-orllewin yr India. Enwyd ef deirgwaith mewn cadlythyrau, a'i ddyrchafu'n is-gyrnol erbyn 1913. Ym Mai 1914, penodwyd ef yn bennaeth y 6ed Gurkhas, ac enwyd ef deirgwaith eto mewn cadlythyrau cyn cael ei glwyfo'n arw yn Gallipoli. Yna anfonwyd ef yn ôl i'r India i arwain brigâd annibynnol y cyffindir. Cyn gorfod ymddiswyddo oherwydd afiechyd, yn frigadydd, yn 1920, yr oedd wedi ei enwi ddwywaith eto mewn cadlythyrau a gwasanaethu yn nhrydydd Rhyfel Afghanistan. Penodwyd ef yn gyrnol er anrhydedd y 5ed Gurkhas yn 1931.

Sail llwyddiant Bruce fel milwr oedd ei feistrolaeth ryfedd ar ieithoedd y Gurkhas a'u cymdogion, ei afiaith yn eu plith a'i gryfder diarhebol. Fel un o arloeswyr pennaf oll mynyddoedd yr Himalaya y cofir ef fwyaf. Yr oedd gyda Conway ar yr ymgyrch gyntaf i'r Karakoram yn 1892, gyda Younghusband yn Hindu Kush yn 1893, a chyda Mummery ar Nanga Parbat yn 1895. Yn 1898, chwiliodd gyffiniau Nun Kun, gyda'i wraig ac 16 Gurkha.

Mynyddoedd is na'r 20,000 troedfedd oedd gwir hyfrydwch Bruce ond, wedi sôn am gael golwg ar Everest er 1893, trefnodd i roi cynnig arno trwy Dibet gyda Longstaff a Mumm yn 1907. Rhwystrwyd hwy gan Swyddfa Dramor Prydain ac aethant i gyffiniau Nanda Devi, gan lwyddo i esgyn Trisul (7,100 metr); nid esgynnwyd mynydd uwch tan 1931. Ymwelodd Bruce â Nepal a Sikkim yn 1908 a dechrau trefnu i gyrchu Everest o'r deau. Gwrthodwyd caniatâd iddo eto ond ef oedd trefnydd ac arweinydd y ddwy ymgais gyntaf (o'r gogledd) yn 1922, pryd y torrodd (y Cadfridog) John Geoffrey Bruce (g. 4 Rhag. 1896 a mab i'w gefnder Syr Gerald Trevor Knight-Bruce, o St. Hilari, Morg.) record uchder y byd ar 8,300 metr, ac yn 1924, pryd y collwyd Mallory ac Irvine ar y llethrau terfynol. Ni allai Bruce ddringo'n uchel iawn ei hun erbyn hyn ond yn ôl Longstaff yr oedd yn 'arweinydd delfrydol'. Prin fod medr technegol mor bwysig yn yr Himalaya yn ei gyfnod ef â'r ddawn i fod yn gwbl gartrefol yn yr ucheldir anhygyrch ac ymhlith ei bobloedd amrywiol. Cyfraniad mwyaf Bruce, efallai, oedd darganfod gwerth y mynyddwr brodorol, yn enwedig y Sherpa. O'r cychwyn mynnodd hyfforddi milwyr Gurkha i fod yn arweinwyr mynydd, gan ddod ag ambell un adref i Gwmdâr ac i'r Alpau. Etholwyd ef yn llywydd y Clwb Alpaidd yn 1923 ac yn aelod anrhydeddus o Glwb Alpaidd y Swistir, ymhlith clybiau eraill. Derbyniodd wobr goffa Gill gan y Gymdeithas Ddaearyddol Frenhinol yn 1915, a bathodyn aur y Sylfaenydd yn 1925. Derbyniodd ddoethuriaethau oddi wrth Brifysgolion Cymru (D.Sc.), Rhydychen (D.Sc.), Caeredin (D.C.L.) a S. Andrews (LL.D.). Penodwyd ef yn M.V.O. yn 1903 ac yn C.B. yn 1918.

Cyhoeddodd y llyfrau a ganlyn: *Twenty years in the Himalaya* (1910), *Kulu and Lahoul* (1914), *The assault on Mount Everest 1922* (1923) a *Himalayan wanderer* (1934). Yn yr olaf, dywed am ei fachgendod yn y Dyffryn, Cwmdâr; 'Treuliais fy holl amser yn rhedeg o gwmpas y bryniau, gan sugno i fewn o'm dyddiau cynharaf gariad tuag at y mynydd-dir a dod i'w ddeall heb sylweddoli hynny . . . gan fod fy nhad yn caru ei gymoedd a'i fryniau ei hun gyda'r cariad mwyaf perffaith.' Cyn ymuno â'r fyddin, yr oedd wedi cerdded gyda (Syr) Rhys Williams o Feisgyn 'o Dde Cymru i'r Gogledd' a dod i 'addoli' mynyddoedd gwyllt Cymru. Ffermwr o'r cwm oedd ei athro ym mhethau'r wlad ac yn ôl Longstaff arferai Bruce ganu alawon Cymreig gydag arddeliad.

Pr. Finetta Madeline Julia, trydedd ferch y cyrnol Syr Edward Fitzgerald Campbell yn 1894. By f. eu hunig blentyn, mab, yn ifanc. Bu f. Mrs. Bruce yn 1932 a'r cadfridog ei hun ar 12 Gorff. 1939. Yn 1942 gosodwyd cofeb iddo yn eglwys Abbottabad (Pakistan) gan y 5ed a'r 6ed Gurkhas.

Kenneth Mason, *Abode of snow: A history of Himalayan exploration and mountaineering* (1955); *DNB*, 1931-40, 107; *Alpine Jnl.*, 52 (1940) a 53 (1941-42); T. G. Longstaff, *This my voyage* (1950); Claire-Éliane Engel, *Les batailles pour l'Himalaya, 1783-1936* (1936).

I.B.R.

BUCKLAND, BARWN, y 1af - gw. BERRY (TEULU), HENRY SEYMOUR BERRY uchod.

CAPELULO - gw. WILLIAMS, THOMAS (c. 1782-1855) isod.

DAGGAR, GEORGE (1879-1950), undebwr llafur ac aelod seneddol; g. 6 Tach. 1879, yng Nghwm-brân, Myn., mab Jesse Daggar, glöwr, a'i wraig, Elizabeth. Yn ei blentyndod symudodd y teulu i Abertyleri ac addysgwyd ef yno yn yr ysgol Frytanaidd. Dechreuodd weithio pan oedd yn ddeuddeg oed ym mhwll Arael Griffin, Six Bells, ger Abertyleri. Taflodd ei hun i waith undebaeth llafur ac yn ei ddauddegau fe'i hetholwyd yn is-gadeirydd Cyfrinfa Rhif 5, Arael Griffin. Yn 1911 aeth yn fyfyriwr i'r *Central Labour College* yn Llundain ac yn y blynyddoedd dilynol bu'n ddarlithydd poblogaidd ar bynciau economaidd a diwydiannol yng nghymoedd sir Fynwy. Mynychodd gynhadledd flynyddol y Blaid Lafur yn 1917, etholwyd ef yn aelod o gyngor dosbarth trefol Abertyleri yn 1919 ac yn gynrychiolydd y glowyr (*miners' agent*) yng nghymoedd gorllewinol sir Fynwy yn 1921, pan ddewisiwyd ef hefyd yn aelod o gyngor gwaith Ffederasiwn Glowyr De Cymru. Yn 1929 fe'i hetholwyd yn A.S. Llafur Abertyleri; fe'i hail-etholwyd yn ddiwrthwynebiad yn 1931 ac 1935, ac yn etholiadau cyffredinol 1945 ac 1950 enillodd ganran uwch o'r bleidlais na'r un ymgeisydd arall yng Nghymru. Yn ŵr hynaws a thrugarog, yr oedd yn eithriadol gymwynasgar yn ei ymwneud â'r etholwyr, a deuai tyrfaoedd o bobl i'w gyfarfod ac i gael cyngor ganddo wrth iddo ddychwelyd i'w etholaeth bob nos Wener. Bu'n gydwybodol yn ei ddyletswyddau yn Nhŷ'r Cyffredin; rhwng 1929 ac 1931, er enghraifft, bu'n bresennol mewn 525 pleidlais allan o 526. Perthynai i'r canol-chwith yn y Blaid Lafur a chyfrannai'n gyson i drafodaethau'r Senedd ar bynciau megis diogelwch yn y pyllau, diweithdra, y prawf moddion a phensiynau. Bu'n aelod o'r Pwyllgor Dewis ar Ymsuddiant Mwyngloddiol (*Mining Subsidence*), yn is-gadeirydd y Blaid Lafur Seneddol ac yn gadeirydd y Blaid Seneddol Gymreig. Pr. Rachel Smith, gwniyddes, yn 1915; ni bu iddynt blant. Cyhoeddodd gyfrol, *Increased production from the workers' point of view* yn 1921 a phamffled, *Has Labour redeemed its pledges?* yn 1950. Bu f. yn ei gartref yn Six Bells ar 14 Hyd. 1950.

Joyce M. Bellamy a John Saville (gol.), *Dict. Lab. Biog.*, 3 (1976), 54-55; *Times*, 16 Hyd. 1950; *West. Mail*, 16 Hyd. 1950.

J.D.

DAVIES, DAVID JOSHUA (1877-1945), dramodydd; g. yn Troed-y-rhiw, Llanwenog, 26 Rhag. 1877 yn fab i John Davies a Mary (g. Evans) ei wraig. Cafodd ei addysg yn ysgol gynradd Mydroilyn ac ysgol 'tutorial' Ceinewydd. Bu bron â cholli ei olwg yno, ond wedi'i adfer aeth yn brentis i siop 'ironmonger' yn Abertawe. Yn 1910 cymerodd dyddyn, ac yn ddiweddarach y siop a'r swyddfa bost, ym Mhont-rhyd-y-groes, lle treuliodd weddill ei oes. Pr. ag Annie Davies o Geinewydd yng nghapel St. Paul, Aberystwyth, 6 Ebr. 1904 a chodi teulu o bedwar o blant. Daliodd swyddi pwysig yn ei enwad (Y Wesleaid) a'r cyngor sir lle daeth yn gadeirydd y pwyllgor addysg. Ysgrifennodd lawer i'r wasg leol ar bynciau

gwleidyddol, ond ei fri mwyaf oedd ennill y wobr yn Eist. Gen. Castell-nedd 1918 am ei ddrama *Maes y Meillion*. Erys ei ddrama *Owen Glyndŵr* heb ei chyhoeddi. Bu f. 8 Ion. 1945 a chladdwyd ef yng Ngheinewydd.

Gwybodaeth gan ei ferch, Mrs. J. T. Owen; gwybodaeth bersonol.

G.R.T.

DAVIES, GRIFFITH (*Bywg.*, 114-5; *Bywg.2*, 79). Datblygodd fethod o rannu arian rhwng partneriaid mewn bargen pan oedd rhai wedi bod yn absennol yn ystod y mis. Gofynnwyd iddo fod yn llywydd cyntaf yr *Institute of Actuaries* ond gwrthododd. Disgrifiwyd ef fel "The father of the present race of actuaries". Un o'r ymgeiswyr ar gyfer y swydd yn y 'Guardian' pan benodwyd Griffith Davies oedd Benjamin Gompertz a oedd eisoes yn Gymrawd o'r Gymdeithas Frenhinol. Dywedir bod gwrthwynebiad iddo oherwydd ei fod yn Iddew, a bod Nathan Rothschild wedi sefydlu swyddfa'r Alliance ar ei gyfer! Mae tystiolaeth i'r perwyl bod Telford wedi gwneud camgymeriadau wrth gynllunio Pont y Borth dros afon Menai a bod Griffith Davies wedi ail-wneud llawer o'r cyfrifiadau. Yr oedd yn weithgar gyda'r Methodistiaid Calfinaidd. Bu'n aelod o bwyllgor Trefeca a dywedir ei fod wedi gosod sylfeini ariannol cadarn i'r enwad. Yr oedd yn credu yn gryf mewn addysg. Bu'n aelod o'r hen *London Mathematical Society* hyd ddiwedd y Gymdeithas, ac yn aelod o bwyllgor Cymdeithas Lenyddol a Gwyddonol Islington lle bu'n byw.

Ll. G. Chambers, 'Griffith Davies (1788-1855) F.R.S. Actuary', *Trans. Cymm.*, 1988.

Ll.G.C.

Ychwaneger iddo dderbyn medal arian fawr y *Royal Society of Arts* yn 1820 am gerfio deial haul gywrain allan o ddarn o lechen. Ar 16 Meh. 1831 (nid 1832) yr etholwyd ef yn F.R.S. Cedwir nifer o'i bapurau yn Llyfrgell yr *Institute of Actuaries*, yn eu plith *An investigation of the bases for calculating life contingencies &c* sef 24 adroddiad a ysgrifennodd yn 1831, a *A paper on the construction of logarithms* (1849). Rhwng 1829 ac 1832 bu'n aelod o'r Cymreigyddion, ac yn 1837 codwyd ef yn flaenor yn eglwys Jewin (MC), Llundain. Etholwyd ef yn Gymrawd o Gymdeithas Ystadegol Ffrainc yn 1833. Yr oedd yn un o ladmeryddion yr *Institute of Actuaries* ac ef oedd yr aelod cyntaf i'w ddyrchafu'n Gymrawd o'r sefydliad hwnnw. Parheir i ddefnyddio un o'i ddulliau cyfrifyddol heddiw. Cedwir 105 o flociau o'i allwedd i *Bonnycastle's Trigonometry* yn Ll. G. C. ynghŷd â nifer o lythyrau oddi wrtho. Y mae rhai hefyd yn llyfrgell Prifysgol Cymru, Bangor.

Trans. R. S. A., 38 (1820); cofnodion y *Royal Soc.* (1831); llyfrgell yr *Inst. of Actuaries*; papurau yn Ll. G. C., Coleg Bangor a swyddfa *Guardian Royal Exchange Assurance*, Llundain.

G.A.J.

DAVIES, HUGH EMYR (1878-1950), gweinidog (MC) a bardd; g. 31 Mai 1878 ym Mrynllaeth, Aber-erch, Caern., mab Tudwal ac Annie Davies. Addysgwyd ef yn ysgol sir Pwllheli, Ysgol Clynnog, C.P.C., Aberystwyth a Choleg y Bala. Ord. ef yn 1909, a bu'n gweinidogaethu yn Llanddona, Môn (1909-12), Lodge, Brymbo a'r Frith (1912-20), a Llanfechell, Môn (1920-29). Yr oedd yn bregethwr melys i'w ryfeddu, ond fel bardd y daeth i amlygrwydd. Enillodd gadair ym Mhwllheli pan oedd yn 16 ml. oed, ac ar ôl hynny cipiodd 22 o gadeiriau eisteddfodol. Meistrolodd y cynganeddion, ond yn y mesurau rhydd y rhagorai. Cyhoeddwyd casgliad o'i weithiau yn 1907 dan y teitl *Llwyn Hudol*. Cafodd y goron yn Eist. Gen. Caernarfon (1906) am bryddest, 'Branwen ferch Llŷr'; a thrachefn yn Llangollen (1908) am bryddest, 'Owain Glyndŵr'. Enillodd hefyd gadair Eist. Gen. America yn 1929. Bu'n beirniadu ar gystadleuaeth y goron droeon yn yr Eist. Gen.

Pr., 1910, Sydney Hughes o'r Bala, a bu iddynt un ferch. Ar ôl ymddeol bu'n byw yng Nghaergybi ac ym Mhorthaethwy. Bu f. 21 Tach. 1950 yn Llandegfan.

WwW (1937); *Blwyddiadur MC*, 1951, 250-1; *Gol.*, 13 Rhag. 1950.

G.M.R.

DAVIES, JOHN (1882-1937), ysgrifennydd rhanbarth de Cymru o Gymdeithas Addysg y Gweithwyr; g. 5 Mai 1882, ym Mryn-bedd, Blaenpennal, Cer., yn fab William a Jane Davies. Symudodd y teulu yn 1883 i Gwm Rhondda, a lladdwyd y tad yn nhanchwa pwll y Maerdy, 1885. Dychwelodd y fam a'i phlant i Geredigion, ac yn Llangeitho y magwyd John a'i frawd, Dan. Adweinid ef fel 'John Mardy' gan ei gyfoedion. Daeth yn drwm dan ddylwanwad traddodiad crefyddol yr ardal. Addysgwyd ef yn ysgol Frytanaidd Llangeitho hyd ei brentisio yn 13 oed i ddilledydd yn y Porth, Rhondda. Ddwy flynedd yn ddiweddarach collodd ei iechyd ac am weddill ei oes gorfodwyd ef gan wendid ei frest i dreulio cyfnodau maith i atgyfnerthu yn Llangeitho, a pharhaodd i ymweld â'r pentre tra bu ei fam byw. Gelwid arno i siarad yn y seiadau yng nghapel Gwynfil, ac yr oedd graen ar ei gyfraniadau bob amser.

Dychwelasai i'r Rhondda erbyn 1898 a deffrôdd streic y glowyr, a barhaodd am chwe mis o'r flwyddyn honno, ei ddiddordeb mewn materion cymdeithasol a diwydiannol. Tyfodd i fod yn ddarllenwr brwd ac ymffrostiai'n ddiweddarach mai ef oedd y cyntaf i ddarllen copi llyfrgell gyhoeddus y Porth o *Das Kapital* o glawr i glawr. Erbyn 1903 symudasai o'r Rhondda i Abertawe i weithio yn siop fawr Ben Evans ac i gymryd rhan flaenllaw yn Undeb y Gweithwyr Siopau. O 1904 i 1908 gweithiodd mewn siopau yn Llundain, a datblygodd ddiddordeb oes yno ym mhroblemau ymfudwyr o Gymru i ddinasoedd Lloegr. Trwy ei aelodaeth yn eglwys Willesden Green (MC) cafodd ddiwygiad 1904-05 ddylanwad mawr arno. O 1906 i 1914 bu'n byw yng Nghwm Tawe gan gymryd rhan amlwg yng ngwaith y Blaid Lafur Annibynnol. Yr oedd yn un o sefydlwyr Cynghrair Sosialaidd Cwm Tawe, yn ysgrifennydd Cyngor Masnach Abertawe, ac, o 1909, yn aelod o staff yr wythnosolyn sosialaidd, *Llais Llafur*. Wedi ei wrthod ar gyfer gwasanaeth milwrol gweithiodd o 1914 i 1917 gyda'r Y.M.C.A. ar Salisbury Plain. Yn 1917 bu'n arwain ymchwil, dros Seebohm Rowntree, i gyflwr tai yng ngorllewin Cymru, ac yn 1918 daeth yn drefnydd Undeb y Gweithwyr

Amaethyddol yn siroedd Penfro ac Aberteifi.

Ym mis Rhag. 1919 dewiswyd ef, allan o 131 o ymgeiswyr, yn ysgrifennydd rhanbarth de Cymru o Gymdeithas Addysgol y Gweithwyr, a daethpwyd i'w adnabod fel 'John Davies WEA'. Bu yn y swydd honno hyd ei farw yn 1937. Yn ystod blynyddoedd cynnar ei ysgrifenyddiaeth yr oedd gan y Gymdeithas broblemau ariannol anodd, ac erbyn 1922 yr oedd cyflog chwe mis yn ddyledus iddo. Daeth yn feistr ar gasglu cyllid oddi wrth gyfoethogion, gan fod ar yr un pryd yn ofalus fod y Gymdeithas yn cael ei gweld ar ochr y dosbarth gweithiol yn awyrgylch bolaryddol y 1920au, e.e. ef oedd ysgrifennydd cofnodion Pwyllgor Streic Caerdydd a defnyddiai offer y Gymdeithas i ddyblygu bwletin lleol y streic. Nid oedd ei ddulliau gweinyddol yn ôl y patrwm, a cheryddwyd ef gan y pencadlys am beidio â chydymffurfio â rheolau trefnu canghennau. Serch hynny, cynyddodd gwaith y W.E.A. yng Nghymru yn gyflym o dan ei arweiniad, a chododd rhif y myfyrwyr a fynychai ddosbarthiadau a chyrsiau o ryw 250 yn 1919-20 i fwy nag 8,000 yn 1937. Yn y frwydr rhwng y Gymdeithas a'r *National Council for Labour Colleges* am flaenoriaeth mewn addysg gweithwyr yn ne Cymru yng nghyfnod ei ysgrifenyddiaeth ef yr oedd nifer dosbarthiadau ac aelodaeth y W.E.A. yn cael y blaen yn bendant ar rai'r *National Council*. Heblaw ei waith gyda'r W.E.A. yr oedd John Davies yn gyd-ysgrifennydd Pwyllgor Dosbarthiadau Tiwtorial Prifysgol Cymru ac yn cydweithio'n glòs gyda Thomas Jones (gw. uchod) yn sefydlu Coleg Harlech. Bu'n aelod o gyngor y Coleg hwnnw o'r dechrau. Yr oedd yn aelod o'r Pwyllgor Addysg Wledig yng Nghymru a sefydlwyd yn 1927 gan Lywydd y Bwrdd Addysg. Yn ystod dirwasgiad y 1930au cymerodd ran weithgar yn yr ymdrechion i liniaru effeithiau tlodi ym meysydd glo'r de, gan weithredu fel cadeirydd pwyllgor gwaith Tŷ Cymuned Senghenydd, ac fel ysgrifennydd Pwyllgor de Cymru y Cyngor Cenedlaethol dros Wasanaeth Cymdeithasol. Ef oedd un o'r ychydig sosialwyr yn y cyfnod rhwng y ddau Ryfel i feddu gwybodaeth bersonol eang o Gymru ddiwydiannol a gwledig fel ei gilydd. Ystyrid ei adnabyddiaeth o Gymru yn hollgynhwysol, ac yn ei flynyddoedd olaf gwnaeth ddefnydd da o'r adnabyddiaeth hon yn y golofn glecs a gyfrannodd bob wythnos, dan y ffugenw 'Watchman' i rifyn dydd Sadwrn argraffiad Cymru'r *Daily Herald*. Er cael ei ystyried gan rai yn berson anodd ac ecsentrig yr oedd ganddo anian gyfeillgar, tosturi diorffwys tuag at y difreintiedig, a ffydd anniffodd ym mhosibiliadau addysg oedolion.

Yn 1928 pr. Ruby Part o Wlad-yr-Haf, trefnydd cenedlaethol merched Undeb y Gweithwyr. Ni bu plant o'r briodas. Bu f. 5 Rhag. 1937, a chladdwyd ef ym mynwent Capel Gwynfil, Llangeitho. Cyhoeddwyd cyfrol goffa iddo yn breifat gan Wasg Gregynog.

John Davies (Gwasg Gregynog, d.d.); *S. Wales Voice*, 11 a 18 Rhag. 1937; *Llenor*, 16, 4; Peter Stead, *Coleg Harlech, the first fifty years* (1977); Richard Lewis, 'Leaders and Teachers, the origins and development of the Workers' Educational Movement in Wales 1908-40', traethawd Ph.D. Prifysgol Cymru (1980).

J.D.

DAVIES, JOHN BREESE (1893-1940; *Bywg.,* 127), llenor ac arbenigwr ym maes cerdd dant; g. 22 Chwef. 1893 yn y Gwynfryn, Dinas Mawddwy, Meir., yn fab i Thomas Tegwyn Davies, awdur *Dinas Mawddwy a'i hamgylchoedd* (1893). Yr oedd ei fam, Elisabeth, yn hanfod o deulu Breesiaid Llanbryn-mair. Fe'i haddysgwyd yn ysgol elfennol Dinas Mawddwy ac am gyfnod yn ysgol ramadeg Dolgellau pryd y goddiweddwyd ef gan afiechyd a'i cadwodd yn orweiddiog am bum mlynedd a'i adael am weddill ei oes yn gloff o'i glun. Yn ystod y pum mlynedd darllenodd yn helaeth gan ymgydnabod nid yn unig â hanes a llên Cymru ond hefyd ag ieithoedd a llên gwledydd eraill. Yn y cyfnod hwn, ymwelodd Syr Owen M. Edwards (*Bywg.,* 179-80) ag ef a'i annog i ysgrifennu i'w gylchgrawn, *Cymru.* Ufuddhaodd, a pharhau ar hyd ei oes i gyfoethogi llên ei genedl, a'r un pryd i'w ddiwyllio'i hun trwy fynychu ysgolion haf yng Nghymru a Lloegr a dosbarth allanol Coleg Aberystwyth yn y Dinas. Trigai gyda'i chwaer ym Minllyn, Dinas Mawddwy (lle y cadwent siop), a buont ill dau yn gynheiliaid diwyd i ddiwylliant eu bro.

Cyhoeddwyd llawer o'i ysgrifau yn *Cymru, Y Geninen, Yr Eurgrawn* a'r *Cerddor,* ac yn 1949 cyhoeddwyd detholiad ohonynt yn y gyfrol *Ysgrifau John Breese Davies.* Fel llenor, meddai ar arddull raenus, medrusrwydd celfydd, cynildeb ymadrodd a chyfoeth o rinweddau'r gwir ysgolhaig. Ef ydoedd ysgrifennydd pwyllgor llên yr Eist. Gen. ym Machynlleth yn 1937, ac y mae ei ysgrif ar fro Ddyfi fel rhagymadrodd i restr testunau'r eisteddfod honno yn gampwaith o'i bath. Er hynny, ei gampwaith eisteddfodol pennaf oedd mynnu sefydlu yn yr Eist. Gen. o 1938 ymlaen gystadleuaeth y Fedal Ryddiaith. Llafuriodd yr un mor galed, fel athro, beirniad ac arweinydd, i sefydlu'r safonau uchaf posibl i'r canu gyda'r tannau ac edrychid arno ef a J. E. Jones fel cymwynaswyr pennaf eu dydd yn y maes hwn. Yr oedd yn un o sefydlwyr Cymdeithas Cerdd Dant ac yn olygydd ei chylchgrawn, *Allwedd y tannau,* o'r rhifyn cyntaf hyd 1940. Fel y gellid disgwyl, yr oedd yn amlwg ym mywyd ei fro – yn aelod o gyngor sir Feirionnydd, yn gadeirydd llywodraethwyr ysgol ramadeg Dolgellau, yn llywydd ac yn ysgrifennydd Cyngor Eglwysi Rhyddion Dyffryn Dyfi ac yn oruchwyliwr cylchdaith Fethodistaidd Dinas Mawddwy. Bu f. 4 Hyd. 1940.

Adnabyddiaeth bersonol; Robin Gwyndaf, 'Cyfraniad John Breese Davies i Gerdd Dant: cipolwg ar gasgliad o'i lawysgrifau (yn Amgueddfa Werin Cymru)', *Allwedd y tannau,* 32 (1973), 10-24.
I.C.P.

DAVIES, JOHN LLEWELYN (1826-1916; o dan John Davies (1795-1861), *Bywg.,* 124). Yr oedd yn un o 31 aelod gwreiddiol y Clwb Alpaidd ac yn un o ddringwyr cynnar mwyaf llwyddiannus yr Alpau. Ef, gyda'r tywysydd Johann Zumtaugwald a thywysyddion eraill, oedd y cyntaf i ddringo'r Dom (14,942 tr.), y mynydd uchaf a berthyn i'r Swistir yn unig (hyn ar 11 Medi 1858) ac, yn 1862, y Täsch-horn (14,700 tr.). Esgynnodd y Finsteraarhorn mor gynnar â 29 Awst 1857. Dim ond un ysgrif ar fynydda a gyhoeddodd, 'An ascent of one of the

Mischabel-Hörner, called the Dom' (*Peaks, passes and glaciers,* cyfres gyntaf, 1859) ond yr oedd yn fawr ei barch gan Leslie Stephen, ysgrifwr mynydd gorau'i gyfnod, a fu'n ddisgybl iddo.

DNB, 1912-21, 147; A. L. Mumm, *The Alpine Club register, 1857-1863* (1923), 85-7; *Alpine Jnl.,* 30, 324-30.
I.B.R.

DEE, JOHN (*Bywg.,* 154). Yr oedd yn ŵyr i Bedo Ddu o Nant-y-groes, Pyllalai (Pilleth), Maesd. a chadwodd ei gysylltiad â'r ardal. Galwai Thomas Jones, 'Twm Siôn Cati' (*Bywg.,* 483; isod) yr oedd yn ymwneud tipyn ag ef, 'cousin'.

Joseph A. Bradney, *Radnorshire Soc. Trans.,* 3 (1933), 10. [Ar Dee gw. J. Roberts ac Andrew G. Watson, *John Dee's Library Catalogue* (1990); P. J. French, *John Dee, the world of an Elizabethan magus* (1972); Gwyn A. Williams, *Welsh Wizard and British Empire: John Dee and Welsh identity* (1980)].
Ll.G.C.

DEFYNNOG - gw. JAMES, DAVID isod.

DEWI ARFON - gw. JONES, DAVID HUGH isod.

DEWI ELFED - gw. JONES, DAVID BEVAN isod.

DEWI HIRADDUG - gw. EVANS, DAVID DELTA isod.

E.T. - gw. MORGAN, EDWARD isod.

EDWARDS (TEULU), Cilhendre (*Bywg.,* 169). Dylid dileu 'sylfaenydd teulu'r Heyliniaid'.
P.C.B.

EDWARDS, PETER (PERCY); ('Pedr Alaw'; 1854-1934; *Bywg.,* 180). Derbyniodd radd Mus. Bac. (Toronto) cyn 1906. Wedi ymfudo a chymryd urddau eglwysig bu'n gweinidogaethu yn eglwysi Westminster ac Ideal, South Dakota, Monango and Lisbon, North Dakota, Malta and Roundup, Montana, a bu'n offeiriad cynorthwyol yn eglwys gadeiriol Helena ym Montana. Cyfansoddodd lawer ac arwain grwpiau corawl. Adweinid tri o'i feibion yn Wisconsin fel y 'Welsh boy singers'. Ymhlith ei gyfeillion yr oedd Daniel Protheroe (*Bywg.,* 754-55) a Bransby Williams. Diogelir llawer o'i waith cerddorol yn y Llyfrgell Brydeinig a Ll.G.C.. Cyflwynodd ei *Beatitudes* (1906), cantawd gysegredig, i'w gyfaill, John Owen, Esgob Tyddewi (*Bywg.,* 672-3). Erbyn hyn yr oedd wedi mabwysiadu'r enw Percy Edwards.

Gwybodaeth gan ei fab, Merlin D. Edwards, Minneapolis, a Huw Williams.
E.D.J.

EDWARDS, THOMAS DAVID (*Bywg.,* 185). G. 15 Gorff. 1874, yn ôl *Gol.,* 24 Chwef 1989.
H.W.

EINION OFFEIRIAD (bu f. 1353; *Bywg.,* 189). Gellir bod yn fwy pendant ynglŷn ag Einion Offeiriad. Yr oedd un o'r enw yn berson Llan-rug. Bu ef f. yn 1349. Y mae'n bosibl mai gwybod am ei enw ef a barodd i Thomas Wiliems leoli awdur y gramadeg yng Ngwynedd. Ond mewn erthygl yn *Mwletin Bwrdd y Gwybodau Celtaidd*, 20, tt. 339-347, dadleuir yn gryf gan J. Beverley Smith dros uniaethu'r gramadegydd â'r Einion Offeiriad a gafwyd yn euog o fod yn gyfrannog yn llofruddiaeth Iorwerth ab Iau gan Ruffudd ap Morgan ab Einion ym Mabwynion neu Gaerwedros yn 1344. Yng nghyfrifon profost cwmwd Mabwynion am y flwyddyn 1352-53 cofnodir ymhlith tiroedd sièd a oedd yn llaw'r brenin un erw o dir a fuasai'n eiddo i Einion Offeiriad, ac ymhlith cyfrifon siambrlen deheudir Cymru am 1354-55 cofnodir taliad am selio gweithred a ddyddiwyd ar ddydd olaf Ionawr 1354 i drosglwyddo tir a fu'n eiddo i Einion Offeiriad yng nghwmwd Gwidigada. Tybir mai'r un Einion a ddaliasai dir ym Mabwynion a Gwidigada. Bu hwn f. yn ôl pob tebyg yn 1353.

B.B.C.S., 20, 339-47; 10, 151; T. Parry, *The Welsh Metrical Treatise attributed to Einion Offeiriad* (1961).

E.D.J.

ELLIOT, Syr GEORGE (1815-93), BARWNIG, perchennog a datblygydd glofaydd; g. yn Penshaw, Gateshead, swydd Durham, ym mis Mawrth neu Feb. 1815 yn un o chwe phlentyn Ralph Elliot, is-reolwr pwll glo Whitefield, a'i wraig Elizabeth (g. Braithwaite). Yn 9 oed dechreuodd weithio 14 awr y dydd dan ddaear. Yn 19 oed aeth fel disgybl addawol i swyddfa Thomas Sopwith, archwiliwr tanddaearol yn Newcastle-upon-Tyne, gan ddychwelyd i Whitefield ymhen chwe mis a dod yn 'overman'. Yn 1837 gwnaed ef yn is-reolwr glofa Monkswearmouth, Sunderland, pwll dyfnaf Lloegr ar y pryd, ac yn rheolwr yn 1839. Yn 1840 prynodd mewn partneriaeth bwll Washington, ac yn 1843 ei bwll cyntaf ar ei liwt ei hun yn Usworth, ac un Whitefield yn 1864. Fe'i penodwyd yn 1851 yn brif ymgynghorydd a pheiriannydd mwyngloddiau Ardalydd Londonderry ym maes glo Durham. Wedi ymddiswyddo tuag 1860 prynodd gwmni *Kuper & Co.*, Gateshead, gwneuthurwyr gwifrau diwydiannol a fu ar fin methu yn 1849. Aeth i bartneriaeth â Richard Glass, dyfeisydd gorchudd gwifrau tanfor, i ail-greu'r cwmni yn *Glass & Elliot*, neu o 1864 y *Telegraph Construction & Maintenance Co.*, y cwmni a gynhyrchodd y gwifrau tanfor cyntaf rhwng Ewrop ac America (1866), a'r India ac Awstralia.

Dyma'r cyfnod y mentrodd i faes glo de Cymru. Bu'n gyfrifol yn 1864 am godi partneriaeth o Saeson ac Albanwyr a brynodd am £365,000 holl lofeydd y diweddar Thomas Powell o'r Gaer, Casnewydd (*Bywg.*2, 145-6), oddi wrth ei feibion, a sefydlu'r *Powell Duffryn Steam Coal Co.* a dyfodd yn gwmni glo mwyaf de Cymru cyn ei wladoli yn 1947. Daeth rhyw 16 pwll ym Morgannwg a Mynwy o feddiant teulu Powell i ddwylo'r cwmni newydd, ac ni chollodd Elliot gyfle i ymestyn a phrynu glofeydd gerllaw Aberdâr. Wrth brynu glofa gyfoethog a gwaith haearn Crawshay Bailey (*Bywg.*, 19-20) yn y gymdogaeth cafodd Powell Duffryn afael ar gnewyllyn hen ystad Mathewiaid Aberaman, cangen o deulu hynafol Radur a Llandaf (*Bywg.*, 582) a oedd yn uchelwyr yr ardal cyn eu difodiant yn 1788. Yno, yn eu plasdy (a adnewyddwyd yn helaeth

gan bwrcaswr cynharach, Anthony Bacon II, *Bywg.*, 18), yr ymgartrefodd Elliot yn ysbeidiol; ac yno, ar ôl ei ddyddiau, y creodd Powell Duffryn eu pencadlys.

Aeth cwmni Powell Duffryn yn ei flaen dan arweiniad Elliot a'i olynwyr a sicrhau glofeydd pellach yng nghwm Aberdâr, a phyllau eraill yng nghwm Rhymni. Bu'r cwmni hefyd yn datblygu rheilffyrdd yng nghymoedd Aberdâr a Rhymni er hybu allforion, a gweithfeydd golosg, trydan a nwy. Yn 1920 cafodd P.D. feddiant ar hen Gwmni Haearn Rhymni, a'i ystad eang, a phrynodd y cwmni filoedd o erwau yn ardal Llantrisant. Bu busnes tramor y cwmni gymaint erbyn 1914 nes sefydlu cangen gyfandirol, y *Compagnie Francaise des Mines Powell Duffryn*. Llifodd y twf o weledigaeth ac egni Elliot. Ef oedd rheolwr gweithredol y cwmni, 1864-77 ac 1880-88; a'r cadeirydd, 1886-89. Enwyd Elliotstown, cwm Rhymni, ar ei ôl, a strydoedd er cof amdano ef a'i wraig yn Aberaman. Er cof am ei wraig talodd am eglwys newydd yno yn 1882-83, a gwaddolodd eglwys newydd yn Whitby, Durham, yn 1886.

Eithr ni fu heb wrthwynebiad. Bu ymddiriedolwyr Ardalydd Bute yn gyndyn i ganiatáu iddo bopeth a geisiai, ac felly cymerodd ddiddordeb yn natblygiad dociau Casnewydd er osgoi eu gafael ar Gaerdydd. Ef oedd prif hyrwyddwr doc gogleddol Alexandra yng Nghasnewydd a agorwyd yn 1875 ac a roes sail i dwf diweddarach y dref; a chafodd awdurdod seneddol i osod yn ystod 1878-83 y *Pontypridd, Caerphilly & Newport Railway* i'w wasanaethu ag allforion glo. Bu'n frwd dros ddyfodol y diwydiant glo tan y diwedd. Tri mis cyn ei farw cyhoeddodd gynllun ar gyfer ymddiriedolaeth i feddu ar holl adnoddau'r diwydiant ym Mhrydain, gyda'r perchnogion yn meddu ar y siarau ond yn rhannu eu helw â'r gweithwyr ac â chronfa yswiriant.

Bu Elliot yn ffigur cyhoeddus amlwg hefyd. Bu'n A.S. (C) dros Ogledd Durham 1868-80 ac 1881-85; a thros Drefynwy, 1886-92. Yr oedd yn Dori wrth fodd calon Disraeli, ac yn 1874 fe'i gwnaed yn farwnig am ei wasanaeth i'w blaid ac am ei 'fywyd defnyddiol'. Rhannai'r ddau ddiddordeb yn yr Aifft. Bu Elliot yno yn 1874 ac 1875-76 yn cynllunio rheilffyrdd ac yn ymgynghorydd cyllidol i lywodraeth simsan y Khedive. Yn 1878 aeth yn swyddogol i archwilio Ynys Cyprus wedi i Dwrci ei hildio i Brydain. Bu'n ddirprwy-raglaw siroedd Durham a Mynwy ac yn ynad dros Durham, Mynwy a Morgannwg. Yn 1882 cafodd radd D.C.L. er anrh. gan Brifysgol Durham, ac ef oedd llywydd yr *Association of Mining Engineers*. Noddai sefydliadau addysg a'r eglwys Anglicanaidd yng ngogledd Lloegr a de Cymru, a bu'n ffigur amlwg ymysg y Seiri Rhyddion. Cafodd ei benodi gan Dywysog Cymru yn *Provincial Grand Master* Adran Ddwyreiniol De Cymru yn Aberdâr yn 1877.

Pr. yn 1836 â Margaret Green (bu f. 1880) o Rainton, Houghton-le-Spring, Durham. Bu f. 23 Rhag. 1893, a chladdwyd ef ym mynwent eglwys Houghton. Bu iddynt ddau fab a phedair merch.

Olynwyd Syr George Elliot fel barwnig gan ei ail fab, Syr George William Elliot, yn 1893 (buasai'r mab cyntaf farw yn 1874) ac yr oedd yntau'n A.S. (C), 1874-95, pan fu f. Aeth y teitl wedyn i'w fab yntau, Syr George Elliot, y trydydd barwnig, ac yn 1904 i'w frawd ef, Syr Charles Elliot. Difodwyd y teitl ar farwolaeth y pedwerydd barwnig yn 1911.

Gwelir tri phrif arwyddocâd yng ngyrfa Elliot. Yn gyntaf, wrth godi yn ôl ei ymdrechion ei hun o waelodion cymdeithas i'w brig cynrychiola'n drawiadol egni a hyder Oes Fictoria yn y maes diwydiannol. Yn ail, bu ganddo ran hynod bwysig yn natblygiad maes glo de Cymru, gan bersonoli ynddo'i hun y newid a fu wrth i glymbleidiau o gyfalafwyr Seisnig brynu cwmnïau a glofeydd amryw fentrwyr cynhenid Cymreig a oedd wedi eu rhagflaenu. Yn drydydd, yr oedd ei yrfa wleidyddol fel 'self-made man' yn enghraifft ragorol o'r Blaid Dorïaidd newydd yr oedd Disraeli am ei chreu. Ef oedd yn bennaf gyfrifol am ostwng oriau gwaith gweithwyr tanddaear o 12 i 9 awr y dydd a bu'n ganolwr pwysig rhwng y meistri a'r dynion yn streic fawr 1871 yn ne Cymru. Honnai yn 1874 ei fod wedi cysegru rhan helaeth o'i oes i les y dosbarth gweithiol ac eto, ni fynnai gael ei weld fel A.S. dros y dosbarth hwnnw 'gan fod diddordebau eraill i'w cynrychioli'.

Durham County Advertiser, 29 Rhag. 1893; *The Durham Directory*, 1882 ac 1895; *Times*, 25 Rhag. 1893; William D. Lawson, *Tyneside celebrities* (1873); Frank H. Rushford, *Houghton-le-Spring: a history* (d.d.); *History of the Powell Duffryn Steam Coal Co.* (1914); A. P. Barnett a David Willson-Lloyd, *The south Wales coalfield* (1921); C. Wilkins, *The south Wales coal trade* (1888); Elizabeth Phillips, *A history of the pioneers of the Welsh coalfield* (1925); W.W. Price yn *Powell Duffryn Review* (1942-43) ac *Old Aberdare*, 4 (1985); R. L. Galloway, *Annals of coal mining* (1904); A. Dalziel, *The colliers' strike in south Wales* (1872); Arthur C. Fox-Davies, *Armorial families* (1895); M. Stenton, *Who's who of British members of parliament* (1976).

D.L.D.

ELLIS, RICHARD, llyfrgellydd a llyfryddwr (*Bywg.*, 196); gw. bellach astudiaeth Brynley F. Roberts (*Trans. Cymm.*, 1977) ar yrfa a gwaith Ellis ar Edward Lhuyd (*Bywg.*, 529) sy'n cywiro a llanw bylchau yn yr erthygl. 27 Rhag. 1865 oedd dyddiad ei eni. Credir iddo dderbyn ei addysg gynnar yn ysgol ramadeg breifat David Samuel (*Bywg.*, 847) yn Aberystwyth cyn mynd i Goleg y Brifysgol yno yn 1889. Yn 1893 cafodd ysgoloriaeth i Goleg Iesu Rhydychen ond nid aeth yno tan 1898 oherwydd amgylchiadau teuluol. Yn y cyfamser bu'n athro yn ysgol David Samuel. Dyfarnwyd ysgoloriaeth eto iddo ar gymeradwyaeth R. L. Poole yn 1899. Graddiodd yn B.A. yn 1902 ac M.A. yn 1908. Yn Rhydychen dechreuodd weithio ar lawysgrifau a llythyrau Edward Lhuyd gan fwriadu eu cyhoeddi. Yn 1908 penodwyd ef yn olynydd i J. Glyn Davies fel llyfrgellydd Cymraeg yng Ngholeg Aberystwyth, a symud i'r Llyfrgell Genedlaethol pan agorwyd hi yn 1909. Anhapus fu ei gyfnod yno a dychwelodd i Rydychen yn 1912 gydag ysgoloriaeth ymchwil. O 1916 i ddiwedd Rhyfel Byd I ef oedd yr unig lyfrgellydd cynorthwyol yn Llyfrgell Codrington yng Ngholeg yr Holl Eneidiau. Yn gynnar yn y 1920au dychwelodd i Aberystwyth. Treuliodd rai wythnosau yn Nulyn yn 1927 i ddilyn ei ymchwil ar Lhuyd. Yr un perwyl a'i harweiniodd drachefn i Rydychen yng Ngorff. 1928 ac yno y bu f. Yn 1903 y cyhoeddwyd ei *Facsimiles of Letters of Oxford Welshmen* ar

bapur Whatman. Ychwaneger facsimile arall a gyhoeddwyd ganddo yn 1907 – *Carol o gyngor yn galennig i'r Cymru 1658, Mathew Owen*. Argraffwyd detholiad o'i gerddi Saesneg yn astudiaeth Dr Roberts.

E.D.J

EVANS, DAVID CLEDLYN (1858-1940), ysgolfeistr, daeaaregydd a hynafiaethydd; g. yn Llanwenog, Cer. yn 1858. Pan oedd yn 11 oed prentisiwyd ef yn fasiwn ond ymhen rhyw 5 ml. ymbaratôdd i fod yn athro. Yn 1876 dechreuodd ddysgu yng Ngwernogle, gan ddod ymhen hir a hwyr yn brifathro ysgol cyngor yn Sanclêr (1889-1923) ar ôl cyfnodau byr yng Nghwrtnewydd, Llwynyrhydowen, Llandysul, Trefilan a Llanddowror. Yr oedd yn amryddawn iawn, yn fiolinydd, organydd a chorfeistr, yn feirniad eisteddfodau, a rhoddai wersi canu a gwersi offerynnol. Ond yn anad dim yr oedd yn hynafiaethydd a daeaaregwr gwych. Cyhoeddwyd yn *The Quarterly Jnl. of the Geological Soc.* yn 1906 ei bapur nodedig ar greigiau Ordofigaidd gorllewin Caerfyrddin a ddarllenwyd ganddo gerbron y Gymdeithas Ddaearegol. Cynhwysa fap lliw o'r ardal, nifer o drychluniau, a dau dudalen o enwau'r ffosilau a ddarganfuwyd yn y calchfaen-Bala sydd yn Robeston Wathen a Sholeshook. Yn ddiweddarach archwiliodd ddaeareg yr ardal rhwng Brechfa a'r Glog, a Llanybydder a Llangrannog, gan ddarganfod fod cerrig Stonehenge yr un fath yn union â'r rhai sydd ar fynyddoedd y Preselau. Gallodd ddangos ar ei fap o'r ardal y ffin rhwng y creigiau Ordofigaidd a'r rhai Silwraidd ac er na orffennodd ei adroddiad ei hun o'r gwaith hwn, caniataodd i'r llinell derfyn bwysig hon gael ei chopïo ar fap yr arolwg daearegol swyddogol. Mewn gwerthfawrogiad o'i waith etholwyd ef yn gymrawd o'r Gymdeithas Ddaearyddol a chafodd radd M.Sc. gan Brifysgol Cymru.

Bu ei wraig f. *c.*1924; bu iddynt bump o blant. Bu yntau f. 11 Meh. 1940 a chladdwyd ef ym mynwent Bethlehem, Sanclêr.

Carms. Antiq., 1941, 11-20; *Carm. Jnl.*, 21 Meh. 1940, 8.

M.A.J.

EVANS, DAVID DELTA ('Dewi Hiraddug'; 1866-1948), newyddiadurwr, awdur, gweinidog (U); g. yn 1866 a'i fagu yn Ochr y Marian, rhwng Diserth a'r Cwm, Ffl. yn un o saith plentyn Joseph Evans, mwynwr, ac Ann ei wraig. Fe'i dygwyd i fyny yn bur dlawd a bu'n rhaid iddo ddechrau fel gwas fferm pan nad oedd ond deg oed. Yna bu'n gweithio ar bapur newydd yn y Rhyl, *The Rhyl Record*. Bu hefyd mewn cysylltiad â'r *Faner* o dan Thomas Gee (*Bywg.*, 257). Aeth i Lundain yn bedair ar bymtheg oed a chymryd rhan flaenllaw yn yr ymgais gyntaf i sefydlu cynulleidfa Undodaidd Gymraeg yn y ddinas honno, ac wedi sefydlu honno yn 1937 parhaodd ei ddiddordeb ynddi dros weddill ei oes. Ysgrifennodd dipyn o'i waith diweddaraf mewn lloches yn ystod cyrchoedd awyr ar Lundain pan gollodd ei gartref. Treuliodd flwyddyn olaf ei fywyd yn nhŷ ei chwaer yn Niserth. Bu f. yn Ysbyty Goffa'r Rhyl, 22 Mai 1948, a chladdwyd ef ym mynwent eglwys Diserth.

Yn 1901 yr oedd yn genhadwr cynorthwyol yn Lerpwl. Y flwyddyn ganlynol penodwyd ef yn olygydd y *Christian Life* (a'r *Unitarian Herald*), a bu'n llwyddiannus iawn yn y swydd hyd onid unwyd y cylchgrawn gyda'r *Inquirer* yn 1929. Ystyriwyd diddymu'r *Christian Herald* yn golled fawr, oherwydd nid oedd apêl yr *Inquirer* mor eang. Cyhoeddodd Delta rifyn arbennig yn 1913 i ddathlu canmlwyddiant Deddf y Drindod, ac fe werthwyd 25,000 copi o fewn wythnos. Bu'n gweinidogaethu yn Southend-on-Sea, 1905-07; Portsmouth High Street, 1909-10; Llundain, Woolwich, 1913-17; Bermondsey, 1921-29; Ilford, 1929-32. Ymwelai â chyfarfodydd y Gymdeithas Undodaidd yn siroedd Aberteifi a Morgannwg.

Ymddangosodd llawer o'i ysgrifau yn y *Gwyliedydd Newydd* a brithwyd rhifynnau'r *Ymofynnydd* gan ei gyfraniadau, wedi'u sgrifennu dan yr enwau Delta, D D E, a Dewi Hiraddug. Enwau eraill a ddefnyddiai oedd 'Cadfan Rhys', 'Deiniol Ddu', ac 'An old sinner'. Mabwysiadu'r enw 'Delta' a wnaeth. Dafydd Evans oedd ei enw gwreiddiol. Ysgrifennai golofn wythnosol i'r *Kentish Independent* am flynyddoedd o dan yr enw 'An old philosopher'. Cyfrannodd erthygl ar 'Phrenyddeg' yn ail argr. *Y Gwyddoniadur Cymreig*, 1896.

Mae ei gynhyrchion yn doreithiog. Yn eu plith y mae dwy nofel, *Daniel Evelyn, heretic* (1913) a *The Rosicrucian* (1918). Gweithiau eraill ganddo yw *Pethau newydd a hen* (1900); *The ancient bards of Britain* (1906); *Hiwmor synnwyr a halen* (1937); *Rhedeg ar ôl cysgodion* (1940); *Saviours of men; An argosy of common sense; At y Golygydd* (detholiad o lythyrau i'r wasg, 1937-42); *Days of youth* – hunangofiant ar ffurf nofel; *Athrofa Mab y Saer; Jesus the Galilean; Ymdaith Pererin;* a *Why do we pray?* Ceir nifer o'i weithiau yn Llyfrgell Coleg Bangor, yn eu plith eiriau'n cymeradwyo *Ymdaith Pererin* a chywydd i Delta gan Thomas Gwynn Jones (*Bywg*.2, 33) yn 1942, a hefyd lythyr ato yn gwerthfawrogi *Rhedeg ar ôl cysgodion* yn 1941. Mae'n debyg ei fod yn rhugl mewn Esperanto a Hindustani. Yr oedd yn ddadleuwr pybyr ac yn gymeriad tanllyd.

Ymofynnydd, Gorff. 1948; gwybodaeth gan Alwyn Thomas a Derwyn Jones.

                                          A.J.M.

EVANS, DAVID EMLYN (*Bywg.*, 211), mab Evan Evans (1817-1902) a'i wraig Mary (1816-84) a gladdwyd ill dau yn hen fynwent Tre-wen, Cwm-cou, Cer. Yr oedd mam Evan Evans (g. Peregryn) o linach Huguenot ac yn disgyn o deulu Francis, Dinas Ceri a Chwmsylltyn ac yn berthynas i Enoch Francis (1688/9-1740; *Bywg.*, 253) a bu ei dad yn y frwydr yn erbyn y Ffrancod yn Abergwaun yn 1797, a chedwid y cledd a ddefnyddiodd ger y lle tân yng nghegin Brynderwen, Castellnewydd Emlyn. Cymerodd Evan Evans ran yn Helynt Beca, gan ddefnyddio cleddyf ei dad. Bu'n oruchwyliwr yng ngwaith dur Cyfarthfa. Arferai fynychu arwerthiannau mewn hen dai a ffermdai a chasglodd lyfrgell dda.

                                          E.P.E.

EVANS, DAVID LEWIS MOSES – gw. MOSES-EVANS, DAVID LEWIS isod.

EVANS, EVAN KERI (*Bywg.*2, 14-5). Mab Evan

Evans a Mary ei wraig, a brawd D. Emlyn Evans (*Bywg.*, 211; uchod). Enillodd gadair yn Eisteddfod Crymych pan nad oedd ond 17 oed, a dywedir iddo gael ei gario adref ynddi bob cam i Gastellnewydd Emlyn. Tra oedd ym Mhrifysgol Glasgow enillodd hefyd ysgoloriaeth Snell i'w dal yng Ngholeg Balliol, ond gan nad oedd athro athroniaeth yn Rhydychen (ac eithrio T. H. Green) cafodd ganiatâd senedd Prifysgol Glasgow i'w dal yn Leipzig lle oedd Wilhelm Wundt yn athro athroniaeth. Bu raid iddo roddi ei swydd yn y Coleg Presbyteraidd i fyny oherwydd esgeuluso'i ddarlithiau yng ngwres y Diwygiad. Yn ddiweddarach cafodd gynnig prifathrawiaeth y Coleg Coffa yn Aberhonddu, ond fe'i gwrthododd.

                                          E.P.E.

EVANS, EVAN (EVANDER) WILLIAM (1827?-1874; *Bywg.*, 218). Cyfeirir ato weithiau fel Evander William Evans. G. ef yn Llangyfelach, yn f. William a Catherine (g. Howell) Evans. Bu'n astudio diwinyddiaeth yn New Haven ar ôl graddio a bu'n brifathro y *Delaware Institute*, Franklin, Efrog Newydd, am flwyddyn. Gadawodd Marietta College yn 1864 er mwyn ei iechyd ac er mwyn gwella ei amgylchiadau. Bu'n llwyddiannus iawn yn y diwydiant olew yn West Virginia.

Llsgrau. Bangor 25616, 36485.

                                          Ll.G.C.

EVANS, JOHN (1796-1861; *Bywg.*, 228-9). Ymhlith ei ddisgyblion yr oedd Lewis Edwards (*Bywg.*, 178), Henry Richard (*Bywg.*, 798), David Charles Davies (*Bywg.*, 106) a 'Ieuan Gwyllt' (John Roberts, *Bywg.*, 815). Pan fu Lewis Edwards yn cadw ysgol yn Aberystwyth nid ystyriai hi'n 'gyd-ymgeisydd' ond yn 'ymbaratoad' i ysgol Evans.

J. H. Davies, *Cymru*, 44 (1913), 45; D. Samuel, *Cymru*, 21 (1901), 91.

                                          Ll.G.C.

EVANS, JOHN THOMAS ('Tomos ap Titus', 1869-1940) – gw. o dan WADE-EVANS, ARTHUR WADE (1875-1964) uchod.

EVANS, LEWIS (*Bywg.*, 232-3). Gw. *Casglwr*, rhif 34, Maw. 1988; Lawrence Henry Gipson, *Lewis Evans* (1939) a *Gwreiddiau Gwynedd*, Ebr. 1987.

EVANS, MARY JANE ('Llaethferch'; 1888-1922), adroddwraig; g. 3 Chwef. 1888, mewn tŷ yn Reed Row, Godre'r-graig, Cwm Tawe, yn ferch i Charles Francis, arweinydd seindorf Ystalyfera, a'i wraig Mary Ann (g. Hutchings). Yr oedd y tad yn fedrus ar offerynnau cerdd fel ei dad, George Francis, a ddaethai i Ystalyfera o ardal Caerllion yng Ngwent. Yr oedd Thomas Hutchings, tad Mary Ann, hefyd yn gerddor. Daethai ei rieni o Fryste i gadw ysgol yn Abertawe, ac wedi marw ei dad symudodd ei weddw i gadw ysgol 'y College' ger Ystradgynlais. Wedi crwydro'r gwledydd ymsefydlodd Thomas Hutchings yn Ystalyfera a gweithio yng ngwaith alcan yr ardal. Yr oedd ei wraig hefyd, ar ochr ei mam, o deulu cerddorol, teulu Anthony o Gwm Aman. Bu'r ddau ohonynt yn gweithio'n blant yn y gwaith alcan. Pan oedd Mary Jane tua 5 oed symudodd y teulu at rieni'r fam yng Nhwm Tawe Villa, a chadw ychydig wartheg a gwerthu llaeth. Byddai'r eneth yn cario dwy ystên o laeth i'r cwsmeriaid ar ei ffordd i ysgol Pant-teg, gan fod ei thad erbyn hyn yn gweithio yng ngwaith alcan Ynysmeudwy. Dyna paham y mabwysiadodd yr enw 'Llaethferch' yn nes ymlaen. Er iddi dderbyn hyfforddiant cerddorol gan athrawon o'r cylch nid at offerynnau yr oedd ei thuedd hi. Ceisiwyd ei denu at ganu lleisiol o dan hyfforddiant William Asaph Williams, ond ar ddarllen a llenyddiaeth yr oedd ei bryd hi, a dechreuodd gystadlu ar adrodd a chymryd rhan yng nghyfarfodydd 'pen chwarter' Ysgolion Sul cylch Pant-teg. Yn ystod Diwygiad 1904-05 derbyniwyd hi yn aelod o eglwys (A) Pant-teg; ac yr oedd yn un o'r nifer a ollyngwyd i ffurfio'r eglwys yng Ngodre'r-graig yn 1905. Cafodd hyfforddiant mewn adrodd gan David Thomas Jones ar awgrym ei gweinidog Ben Davies (*Bywg.*, 101). Dechreuodd adrodd mewn cyfarfodydd llenyddol a chystadlu mewn eisteddfodau. Daeth yn adnabyddus fel 'Llaethferch', gan ennill cadeiriau a chwpanau lu. Yn Ebr. 1909 aeth i Ysgol yr Hen Goleg yng Nghaerfyrddin o dan Joseph Harry (gw. isod), a gwerthwyd y gwartheg i dalu am yr hyfforddiant. Gosodwyd hi yn nosbarth y disgyblion o athrylith a threfnwyd cwrs arbennig mewn llenyddiaeth iddi. Dechreuodd bregethu yng Ngodre'r-graig, 8 Gorff. 1909. Ei dull oedd cynnwys adroddiad gyda'r bregeth yn y gwasanaeth. Yn 1912 eisteddodd arholiad mewn areithyddiaeth ac ennill gradd A.E.V.C.M. yn y *Victoria College of Music*. Bu am gyfnod yn athrawes yn ysgol Tro'rglien, Cwm-twrch, ac aeth am ddau derm i'r Academi Gerdd Frenhinol yn Llundain, a pherffeithio'i Saesneg, ond o brinder adnoddau ariannol penderfynodd beidio â dychwelyd yno yn Ion. 1916. Dechreuodd ymddiddori yn y ddrama a ffurfiodd gwmni yn Ynysmeudwy. Bu'n perfformio gyda Gunstone Jones a Gwernydd Morgan, a bu mynd ar ei chwmni hi ei hun gyda *Gruffydd o'r Glyn* gan Alarch Ogwy, ond yr oedd ei hysfa am gystadlu yn ei gwneud yn anodd ei chael i ymarfer gyda chwmni. Yna dechreuodd gynnal cyfarfodydd adrodd dramatig ar ei phen ei hun, neu gydag unawdydd i roi ambell gyfle iddi i gael seibiant a newid hefyd i'r gynulleidfa. Daeth galw eithriadol am y cyfarfodydd hyn o bob rhan o Gymru a rhannau o Loegr o 1918 hyd 1922. Yr oedd ganddi ddefnyddiau helaeth ac amrywiol i'w rhaglenni a hynny yn Gymraeg a Saesneg. Ei darn mwyaf poblogaidd yn Gymraeg oedd 'Cadair Tregaron' J. J. Williams (gw. uchod). Ar ei phapur ysgrifennu yn 1921 disgrifid hi fel enillydd un goron, 11 cwpan, 68 cadair, 396 o wobrwyon mewn eisteddfodau. Ni chafodd lawer o lwyddiant fel adroddwraig yn yr Eist. Gen., ond cafodd rodd yn Abertawe yn 1907, a bu'n beirniadu yn y Barri, 1920, a Chorwen, 1921. Dechreuodd feddwl am estyn ei chylchdeithiau i Lundain, America a Siapan, ond profodd y pedair blynedd o berfformio drwy Gymru gyfan yn ormod o dreth ar gorff nad oedd o'r cryfaf. Bu f. 25 Chwef. 1922 yn ei chartref yn Stryd yr Ysgol yn y Maerdy, Cwm Rhondda. Cludwyd ei chorff i gartref ei rhieni yn y Wigfa ger Ynysmeudwy y dydd Iau

canlynol a chladdwyd hi ar y dydd Sadwrn, Mawrth 4, ym mynwent Godre'r-graig. Ysgubodd fel seren wib drwy neuaddau a chapeli Cymru gan gyfareddu a swyno cynulleidfaoedd dros dymor o lai na phedair blynedd, ond yn y cyfnod byr hwnnw hi oedd y ferch enwocaf yng Nghymru.

Pr., heb yn wybod i'w rhieni, 5 Mawrth 1919, â William David Evans, athro yn ysgol elfennol y Maerdy, a ryddhawyd o'r fyddin yn dioddef oddi wrth effeithiau nwy gwenwynig yn Ýpres. Bu ef yn llwyddiannus fel canwr penillion gyda'r delyn gan fod yn fuddugol yn yr Eist. Gen. Bu'n arweinydd Côr Undebol y Maerdy.

Ben Davies (gol.), *Llaethferch. Er Cof* (1923).

E.D.J.

EVANS, WILLIAM (1869-1948), gweinidog a chenhadwr ym Madagascar; g. 31 Hyd. 1869 yn Y Meysydd, Glandŵr, Abertawe, yn fab i Thomas a Mary Evans. Yr oedd ei dad yn berchennog ar waith glo bychan yn yr ardal. Perthynai ei fam i'r un ysgol Sul â Griffith John, Tsieina (*Bywg.*, 414-5) ac ar wasanaethu yn y wlad honno yr oedd ei fryd yntau. Ord. ei frawd David yn weinidog yn Rehoboth (A), Brynmawr, yn 1871. Addysgwyd William mewn ysgol breifat a gynhelid gan W. S. Jenkins, ei weinidog. Wedi hynny bu yn ysgol fwrdd Heol Sant Helen, Abertawe. Ar ôl gweithio am ychydig fel pwyswr yng nglofa'i dad, fe'i prentisiwyd yn fferyllydd. Dechreuodd bregethu dan weinidogaeth G. Pennar Griffiths (*Bywg.*, 285). Bu'n fyfyriwr yn Ysgol y Gwynfryn, Rhydaman, dan ofal Watcyn Wyn, ac ar ôl hynny aeth i goleg Plymouth (a symudodd yn ddiweddarach i Fryste). Derbyniwyd ef gan Gymdeithas Genhadol Llundain i wasanaethu ym Madagascar yn 1898. Cafodd ei ord. yn Siloam, Pentre-estyll, Abertawe, 18 ac 19 Meh. 1899. Pr. â Margaret, merch R. E. Williams, Ynys-lwyd, Aberdâr, gweinidog (B). Wedi glanio ym Madagascar ddiwedd 1899 cafodd ei apwyntio yn weinidog i eglwys Ambatonakanga yn y brifddinas. (Sefydlwyd hon gan David Jones, o'r Neuadd-lwyd; *Bywg.*, 426). Ar wahân i'w deithiau i'r gogledd ar ran y Gymdeithas, treuliodd ei yrfa yn gwasanaethu eglwysi yn y brifddinas, Antananarivo, a'r cylch, a gynhwysai ar un adeg 57 o eglwysi. Bu ei flynyddoedd cynnar ar yr ynys yn rhai anodd a pheryglus oherwydd y gwrthryfel (1900-01), pryd y lladdwyd llawer o Gristnogion a rhai cenhadon. Bu William Evans yn arbennig o lwyddiannus ar ôl i'r cyfnod blin hwn basio. Meistrolodd yr iaith mor dda nes iddo gael ei wahodd i hyfforddi pregethwyr mewn rhethreg yn y coleg unedig. Yr oedd hyn oll yn ychwanegol at wasanaethu Cymdeithas Genhadol Llundain fel cyfarwyddwr eglwysi Imerina. Cyflawnodd waith anhygoel wrth ddwyn trefn ar fywyd eglwysi oedd eto'n ieuanc yn y ffydd. Wedi marw ei briod ym Meh. 1914, ymbriododd yn Awst 1918 â chenhades gyda Chymdeithas y Crynwyr o'r enw Phoebe Joyce Hall, genedigol o Benarth a nith Silvester Horne. Cyflawnodd waith mawr hefyd fel ysgrifennydd yr *Intermissionary Congress of Protestant Missions* o 1913 ymlaen. Cyhoeddodd gyfieithiad newydd o *Taith y Pererin* (Gwaith David Johns (*Bywg.*, 416-7) oedd y cyfeithiad cyntaf). Cyhoeddodd argraffiad wedi ei gywiro o'r Beibl yn y Falagaseg ar gyfer canmlwyddiant ymddangosiad y cyfieithiad cyntaf (1835). Ond ei gampwaith oedd cyhoeddi *Geiriadur Beiblaidd* yn y Falagaseg yn seiliedig ar Eiriadur Hastings. Cymerodd y dasg hon 21 ml. iddo ef a'i gyd-weithiwr, y Parch. Henri Randzavola. Un o'i broblemau gyda'r gwaith hwn oedd bathu geirfa ddiwinyddol mewn iaith heb y fath draddodiad. Bu'n olygydd cylchgronau yn y Falagaseg, megis *Teny Soa* ('Geiriau da') ac *Impanolo Tsaina* ('Cynghorwr'). Dengys hyn, a gweithiau golygyddol eraill, gymaint meistr oedd ar yr iaith.

Ymddeolodd fel cenhadwr ddiwedd 1936. Bu f. yn Abertawe 1 Gorff. 1948, ac fe'i claddwyd ym mynwent Bethel, Sgeti, yn y ddinas honno.

D. Brinley Pugh, *Triawd yr Ynys* (1954), 9-32; *Congl. Year Book* 1949, 498; llythyrau, etc. yn y Swyddfa Genhadol, Tŷ John Penry, Abertawe; *Tywysydd y Plant*, Medi 1941.

I.S.J.

EVANS, WILLIAM DAVIES (1790-1872), dyfeisiwr symudiad agoriadol mewn gwyddbwyll; g. 27 Ion. 1790, ar fferm Musland, Llandudoch, mab John Evans, amaethwr, a'i wraig Mary (g. Davis) a hanai o blwy Nanhyfer. Credir mai yn ysgol ramadeg Hwlffordd yr addysgwyd ef, ond yn anffodus dinistriwyd coflyfrau'r ysgol. Aeth i'r môr yn 1804 a gwasanaethu yn y llynges tan ddiwedd rhyfeloedd Napoleon yn 1815. Yna aeth drosodd i'r gwasanaeth post. Yn 1819 ef oedd capten y llong bost *Auckland* a hwyliai rhwng Aberdaugleddau a Waterford. Yn y cyfnod hwn bu'n chwarae gwyddbwyll yn aml gyda'r is-gapten Harry Wilson, RN, chwaraewr gwyddbwyll o fri. Tuag 1824, ar long bost ager, y dyfeisiodd yr agoriad mewn gêm wyddbwyll a adweinir drwy'r holl fyd fel agoriad Evans ('The Evans gambit'). Tuag 1826 creodd Evans gyffro ym myd gwyddbwyll drwy ddefnyddio'i agoriad mewn gêm enwog yn Llundain a churo Alexander McDonnell, y chwaraewr cryfaf a fagwyd erioed yn Iwerddon.

Yn Ion. 1840, ymddeolodd ar bensiwn a threuliai'i amser yng nghlybiau gwyddbwyll Llundain a chrwydro'r gwledydd. Bu f. 3 Awst 1872 yn 29, Rue Christine, Ostend, Gwlad Belg, a chladdwyd ef yn hen fynwent y dref honno. Yn yr arysgrif ar ei garreg fedd cofféir ef fel cyn-gomander yn y *Post Office and Oriental Steam Services*, goruchwyliwr y *Royal Mail Steam Company*, a dyfeisiwr y cynllun goleuni trilliw i longau, ac awdur 'agoriad Evans'. Ysywaeth, gwnaethpwyd camgymeriad wrth roi ei oed yn bedwar ugain mlwydd a chwe mis.

Ymchwil bersonol; a gwaith W. R. Thomas yn y *British Chess Magazine*, 1928.

D.J.M.

EVANS, WILLIAM MEIRION (*Bywg.*, 243-4; *Bywg.*2, 89). Cl. ef yn 'The Old Cemetery' yn Ballarat.

C.G.

FOULKES, HUMPHREY (*Bywg.*, 250). Bu f. 1737.

FOXWIST, WILLIAM (*Bywg.*, 252). Profwyd ewyllys William Foxwist, St. Albans, dyddiedig

1673, y fl. honno. Camarweiniol yw awgrymu iddo f. yn gynnar ar ôl 1660.

G.H.W.

FRANCIS, MARY JANE – gw. EVANS, MARY JANE uchod.

GLASGOED – gw. HUGHES, OWEN isod.

GRENFELL (TEULU), diwydianwyr yn ardal Abertawe, ond yn wreiddiol o St. Just, Cernyw. Drwy gysylltiad priodasol â theulu St. Leger, arddelent berthynas â Syr Richard Grenville (y *Revenge*) a Richard de Granville, sefydlydd Mynachlog Nedd. Pr. Syr Richard, a oedd yn disgyn yn uniongyrchol oddi wrth Richard de Granville (*Visns. of Cornwall*, gol. J. L. Vivian) â Mary, merch Syr John St. Leger. Pr. PASCOE GRENFELL (1761-1838) â Georgina St. Leger, merch yr Is-iarll Doneraile I (o'r ail greadigaeth), fel ei ail wraig, yn 1798. Charles Kingsley, perthynas arall drwy briodas, oedd y cyntaf i olrhain y cysylltiad. Yr oedd y teulu eisoes yn farsiandwyr a bancwyr llwyddiannus yn y 18g. Yn 1803 ymunodd Pascoe Grenfell mewn contract gydag Owen Williams i fasnachu mewn copr a datblygodd fusnes yn Llundain, Lerpwl, Abertawe a sir y Fflint. Ffurfiwyd ffyrm Pascoe Grenfell a'i Feibion yn yr 1820au. Yr oeddynt yn berchen gweithfeydd copr y Middle a'r Upper Bank yn rhan isaf Cwm Tawe, ac, ar eu man uchaf, cyflogent 800 o ddynion. Yr oedd ganddynt longau'n hwylio'n gyson rhwng Abertawe a'u gweithfeydd ar lannau Dyfrdwy yn sir y Fflint. Gwerthwyd y gweithfeydd yn Abertawe i'w cymdogion, William, Foster a'u Cwmni, yn 1892.

Yn y 1840au ymsefydlodd PASCOE ST. LEGER GRENFELL (1798-1879), Dirprwy Raglaw, Y.H., mab hynaf Pascoe a Georgina, yn Abertawe ac adeiladu plas Maes-teg ar odre bryn Cilfái. Pr. (1), yn 1824, Catherine Anne Du Pre, merch hynaf James Du Pre o Wilton Park, swydd Buckingham, ac wyres Josias Du Pre, llywodraethwr Madras; ac (2), yn 1847, Penelope Frances Madan, merch Deon Chichester. Yr oedd Pascoe St. Leger yn ddyngarwr eiddgar a chododd dai model (yn ôl safonau'r oes honno) i'w weithwyr, sefydlodd eglwys yr Holl Saint yng Nghilfái, ac arolygodd yr ysgol a gedwid gan Richard Gwynne (gw. GWYNNE (Teulu) isod). Ef oedd cadeirydd yr Ymddiriedaeth harbwr a bu'n ddiwyd yn natblygiad dociau Abertawe. Bu iddo 4 mab a 5 merch o'i wraig gyntaf: Madelina Georgina (1826-1903), Pascoe Du Pre (1828-96), St. Leger Murray (1830-60), Arthur Riversdale (1831-95), Gertrude Fanny (1834-80), Elizabeth Mary (1836-94), Francis Wallace (1841-1925), Katherine Charlotte (1843-1906), Eleanor Catherine (1845-1928). Pr. MADELINA â Griffith Llewellyn (1802-88), Neuadd Baglan, yn 1850. Daeth ef yn gyfoethog drwy ei lofeydd yn y Rhondda, a chyfrannodd hi'n sylweddol mewn elusenau. Hi fu'n gyfrifol am adeiladu eglwys S. Catharine, Baglan, ac eglwys S. Pedr, Pentre, am adnewyddu eglwys Fair, Aberafan, ac am waddoli elusendai Llewellyn yng Nghastell-nedd ac Ysbyty Llygaid Abertawe. Parhaodd y cof am (ELIZABETH) MARY yn hir yn Abertawe ar gyfrif ei gwasanaeth cyhoeddus. Cymerodd ei hyfforddi yn nyrs gyda'r bwriad o wasanaethu yn y rhyfel rhwng

Ffrainc a Phrwsia, ond yn lle hynny dychwelodd i Abertawe i weini'n ymroddgar ar y tlodion. Yn ôl papurau newydd y cyfnod aeth 10,000 o bobl heb eu cymell i'w hangladd ym mynwent Dan-y-graig yn 1894. Hi oedd yn gyfrifol am sefydlu eglwys S. Thomas yn nwyrain Abertawe, lle y mae ffenestr liw i'w choffáu.

Y 4ydd mab, FRANCIS WALLACE, y Cadlywydd Arglwydd GRENFELL o Gilfái, enillodd enwogrwydd cenedlaethol, a'i wneud yn aelod o'r Cyfrin Cyngor, K.C.B., 1886, G.C.M.G., 1892, G.C.B., 1898, LL.D. (Caeredin), 1902, a Chaergrawnt, 1903, ac F.S.A. G. ef yn Llundain, 29 Ebr. 1841 (cywirer *DNB* ar hyn) ond treuliodd ei blentyndod ym mhlas Maes-teg. Addysgwyd ef yn ysgol Milton Abbas, swydd Dorset. Ymunodd â'r *60th Rifles* (*King's Royal Rifle Corps*, yn ddiweddarach) yn 1859.

Gwasanaethodd yn Iwerddon yn ystod cythrwfl y Ffeniaid yn y 1860au ac ar ôl hynny ym Malta, Canada, a'r India. Aeth i Dde Affrica yn 1873 fel A.D.C. i'r Cadfridog Syr Arthur Cunynghame. Yn 1875 cymerodd ran yn yr ymgyrch a hawliodd Griqualand West (safle meysydd diemwnt Kimberley) dros Brydain, ac yr oedd yn un o'r fintai fechan a adfeddiannodd gorff y Tywysog Ymerodrol, unig fab Napoleon III, a laddwyd mewn sgarmes tra'n ymladd gyda lluoedd Prydain yn Rhyfel y Zulu yn 1879. Cymerodd ran ym meddiannu'r Aifft gan Brydain yn 1882, ac yn Ebr. 1885, olynodd Syr Evelyn Wood fel sirdar (prif gomander) byddin yr Aifft, y bu raid ei hailsefydlu o'r gwaelod an ôl digwyddiadau 1882. Ymladdodd â'r Mahdi a'i olynydd, y Khalifa, mewn aml frwydr. Y mae'r faner a gipiodd ym mrwydr Toski yn 1889 yn eglwys S. Pedr, Pentre. Byddin ail-ansoddedig Eifftaidd Grenfell a ymladdodd o dan Kitchener ym mrwydr Omdurman yn 1898. Gadawsai Grenfell yr Aifft i gymryd at swydd dan y Swyddfa Ryfel yn 1892, ac er ei fod yn ôl yn yr Aifft yn 1898 bu'n ofalus i beidio â llyffetheirio dull y Kitchener enwog a oedd yn is ei reng nag ef. Yr oedd Grenfell yn archaeolegydd amatur brwdfrydig a rhoes gychwyn ar gloddio pwysig yn Aswan, ac y mae rhai o'r gwrthrychau a ddarganfu yn amgueddfa Abertawe. Aeth o'r Aifft i Malta fel llywodraethwr (1899-1903) ac i Iwerddon fel prif gomander, 1904-08. Yno, bu raid iddo fynd i'r afael â therfysg difrifol yn Belfast. Cynrychiolodd Fyddin Prydain ym mhriodas y Tsar olaf, Nicholas II, yn 1896 ac ysgrifennodd lyfr, *Three weeks in Moscow*, ar ei brofiadau yno. Dyrchafwyd ef yn Barwn Grenfell o Gilfái yn 1902, a gwnaethpwyd ef yn gadlywydd yn 1908.

Cyflwynodd ei flynyddoedd olaf i wasanaeth y *Royal Horticultural Society* (ef oedd ei llywydd) a'r *Church Lads Brigade*. Parhaodd ei ddiddordeb yn Abertawe a chafodd ryddfreiniad y dref yn 1889. Pr. (1) yn 1887, ag Evelyn Wood, merch y Cadfridog Blucher Wood, a fu f. yn ddi-blant yn 1899, a (2) yn 1903, â Margaret Majendie, merch Lewis Ashunt Majendie, A.S. Bu iddynt ddau fab a merch. Disgynnodd y teitl i'w fab hynaf, Pascoe (1905-76), ar farwolaeth y tad ar 27 Ion. 1925. Claddwyd ef yn Beaconsfield, swydd Buckingham, wedi angladd mawr gyda chynrychiolaeth i'r Teulu Brenhinol ynddo.

Yn olaf o'r teulu i fyw ym mhlas Maes-teg

oedd KATHERINE (KATE), merch St. Leger Murray Grenfell; cadwai hi ysgol yno. Chwalwyd y tŷ yn fuan wedi Rhyfel Byd I i wneud lle i ystad dai Parc Grenfell.

Lladdwyd dau o wyrion Pascoe St. Leger yn Ffrainc. Efeilliaid oeddynt, plant ieuengaf ei fab hynaf, Pascoe Du Pre, Francis (1880-1915) a enillodd y V.C., a Riversdale (1880-1914), yr ysgrifennodd John Buchan fywgraffiad iddynt. Yr oedd y bardd rhyfel enwog, Julian Grenfell (1888-1915) mab yr Arglwydd Desborough, y mabolgampwr Olympaidd, yn gefnder iddynt. Coffér yr efeilliaid ac aelodau eraill o'r teulu yn eglwys yr Holl Saint, Cilfái.

Mems. of Field-marshall Lord Grenfell, 1925; Burke; *Cambrian*, 4 Ebr. 1879, 16 a 23 Mawrth 1894, 15 Meh. 1894; *Times*, 28 Ion. a 2 Chwef. 1925; *DNB Supplement*, 1922-30; papurau Grenfell, Llyfrgell Coleg Prifysgol Abertawe; papurau Llewellyn, Archifdy Morgannwg, Caerdydd; [gw. hefyd Muriel E. Chamberlain, 'The Grenfells of Kilvey', *Glam. Hist.*, 9, 123-42].

M.E.C.

GRIFFITH, ROBERT (1847-1911, *Bywg.*, 279). Ar 8 Hyd. 1909 y bu f.

Adroddiad eglwys Moss Side.

GROVE, Syr WILLIAM ROBERT (*Bywg.*, 290). Gw. ymhellach Colin Matheson, *Glam. Hist.*, 9 (1973), 96-104.

GWALLTER DYFI – gw. REES, EDWARD WALTER isod.

GWERFULYN – gw. JONES, THOMAS ROBERT isod.

GWILYM GLAN LLWCHWR
GWILYM MEUDWY – gw. OWEN, WILLIAM isod.

GWYNFOR – gw. JONES, THOMAS OWEN isod.

GWYNNE (TEULU), Cilfái, Abertawe.
RICHARD GWYNNE (1822-1907), ysgolfeistr; g. 18 Mawrth 1822 yn Abertawe. Dechreuodd ei yrfa fel cysodydd ond yn 1841 cymerodd hyfforddiant athro yn ysgol fodel Gray's Inn Road a Norwood. Yn yr un fl. dechreuodd ddysgu yn ysgol (babanod) gwaith copr Cilfái. Yn ddiweddarach daeth yn brifathro ysgolion gwaith copr Cilfái a pharhau yn y swydd tan 1892. O dan ei brifathrawiaeth tyfodd yr ysgol iau o 40 i fwy na 600, a chyfeiriai'r arolygwyr at ysgolion Cilfái yn gyson fel y rhai gorau yng nghylch Abertawe. Yr oedd yn efrydydd brwd mewn daeareg a hanes ac am dros ddeugain ml. bu'n is-lywydd Sefydliad Brenhinol De Cymru. Pr. yn 1857 â Charlotte Lloyd (1825-1908), a fu unwaith yn ysgolfeistres yng Nghilfái. Bu iddynt 5 mab a merch. Pan apeliodd ei gyfeillion am bensiwn iddo yn 1891 pwysleisient iddo wario'i holl gynilion i roi addysg i'w feibion. Bu f. yn Langland, 28 Tach. 1907, a chladdwyd ef ym mynwent Ystumllwynarth.

Cambrian, 6 Rhag. 1907; *Rep. on the State of Educn. in Wales*, 1847; L. Wynne Evans, 'Copper-work schools in South Wales during the nineteenth century', *Cylchg.*

LIGC, 11 (1959-60), 1-32; papurau Grenfell, Coleg Prifysgol Abertawe.

Enillodd dau o'r meibion enwogrwydd cenedlaethol.

LLEWELLYN HENRY GWYNNE (1863-1957), esgob, C.M.G., 1917, C.B.E., 1919, D.D. (Glasgow) 1919, LL.D. (Caergrawnt) 1920; g. yng Nghilfái. Addysgwyd ef yn ysgol ramadeg Abertawe a Neuadd S. Ioan, Highbury. Bu'n gurad S. Chad, Derby, 1886-89, a S. Andreas, Nottingham, 1889-92. Tra oedd yn Derby ef oedd yr unig chwaraewr amatur yng nghlwb pêl-droed y sir. Penodwyd ef yn ficer Emmanuel, Nottingham, yn 1892. Yn 1899 aeth yn genhadwr i'r Swdan o dan y C.M.S. Yn 1908 gwnaethpwyd ef yn esgob swffragan cyntaf Khartoum a oedd y pryd hwnnw yn rhan o esgobaeth Ierwsalem. Pan dorrodd Rhyfel Byd I allan aeth o wirfodd i Ffrainc fel caplan a phenodwyd ef yn ddirprwy gaplan cyffredinol yno yn Awst 1915. Yr oedd yn aml yn y llinell flaen. Disgrifiodd un o'i gynorthwywyr, F. R. Barry, Esgob Southwell wedi hynny, ef fel sant ond ychwanegodd 'Yet in all my life I have never encountered anybody less like a saint in painted windows. A burly man, and a Welsh footballer, he was every inch masculine, a man's man'. Ar ôl y rhyfel gallasai gael llawer dyrchafiad ond dewisodd ddychwelyd i'r Swdan. Pan rannwyd esgobaeth Ierwsalem yn 1920 ef fu esgob Anglicanaidd cyntaf yr Aifft a'r Swdan. Parhaodd ei weinidogaeth yno nes bod heibio'i bedwar ugain, ac ymddeolodd yn 1946. Ef fu'n gyfrifol am adeiladu'r cadeirlannau Anglicanaidd yn Cairo a Khartoum, a bu'n gweinidogaethu i'r 8fed fyddin yn ystod Rhyfel Byd II. Bu'n pregethu yn Abertawe yn y 1950au. Bu f. 3 Rhag. 1957.

Times, 4 Rhag. 1957; *Www*; *Crockford*, 1957; F. R. Barry, *Period of my life* (1970).

HOWELL ARTHUR GWYNNE (1865-1950), newyddiadurwr, C.H., 1938; g. yng Nghilfái, 3 Medi 1865. Addysgwyd ef yn ysgol ramadeg Abertawe (Ysgolor Sylfaenol) ac yn yr Yswistir. Ef oedd gohebydd *The Times* yn y Balcanau yn y 1890au cynnar. O 1893 i 1904 yr oedd yn ohebydd arbennig i asiantaeth Reuter. Yn eu gwasanaeth hwy yr aeth i Ashanti yn 1895, mynd gyda Kitchener i Dongola yn 1896, adrodd ar ryfel Twrci a Groeg yn 1897, ac ar gyrch Kitchener i Berber yn yr un flwyddyn. Yr oedd yn Peking ar ddechrau helyntion y Boxer o Ion. 1898 i Fai 1899. Ef oedd yn gyfrifol am drefnu gwasanaethau Reuter yn Ne Affrica yn ystod Rhyfel y Boeriaid. Yn syth ar ôl y rhyfel hwnnw dychwelodd i Dde Affrica gyda Joseph Chamberlain, a ddaeth yn gyfaill mynwesol iddo. Am ysbaid yn 1904 bu'n gyfarwyddwr tramor i Reuter cyn dod yn olygydd y *Standard* o 1904 i 1911. Yna bu'n golygu'r *Morning Post* nes ei uno â'r *Daily Telegraph* yn 1937. Yr oedd yn angerddol yn ei safiad dros annibyniaeth olygyddol y *Morning Post*, er iddo gymryd agwedd Dorïaidd gref ar bolisi tramor, y fyddin a'r ymerodraeth. Rhoes ei gyfeillgarwch personol â Chamberlain, Kitchener, Syr Edward Carson, Haig, Kipling, Alfred Milner, ac eraill gryn ddylanwad tu ôl i'r llenni iddo. Soniai'r *Times* amdano fel 'a talented Welshman' a oedd 'a little incongruous amid the sober compromises of the English political scene.' Cyhoeddodd *The army on itself* (1904) a *The Will and the Bill* (1923), yr olaf yn ddychan gwleidyddol. Pr. ag Edith Douglas, merch Thomas Ash Lane, yn 1907. Ni bu iddynt blant. Bu f. 26 Meh. 1950.

Times, 27 Meh. 1950; *Www*; *DNB Supplement*, 1941-50; W. Hindle, *The Morning Post*, *1772-1937* (1937); G. Storey, *Reuter's century*, *1851-1951* (1951) (yn cynnwys darlun ohono); llsgrau. Gwynn yn Llyfrgell Bodley, Rhydychen; coflyfrau ysgol ramadeg Abertawe; Llyfrgell Coleg y Brifysgol, Abertawe.

Aeth dau fab arall i'r offeiriadaeth: RICHARD LLOYD GWYNNE (1859-1941), g. yng Nghilfái, Chwef. 1859; addysgwyd yn ysgol ramadeg Abertawe, a choleg diwinyddol Llundain; curad Barrow, sir Gaer, 1882-85, Winsley, Wilts., 1885-86, a S. Ioan, Tunbridge Wells, 1891-1909; rheithor Little Easton yn esgobaeth Chelmsford, 1915-37.

CHARLES BROOKE GWYNNE (1861-1944), g. yng Nghilfái, Gorff. 1861; addysgwyd ef yn ysgol ramadeg Abertawe, a Choleg Crist, Caergrawnt, graddiodd (B.A.), 1884, a M.A., 1888. Bu'n gurad Timperley, 1885-88, a Christ Church, Claughton, 1888-90; ficer Holy Trinity with St. Matthews, Birkenhead, 1891-96, Bollington, 1896-1909, Neston 1909-20, a rheithor West Kirby, 1920-32. Yr oedd yn ganon mygedol Caer., 1919-34, a chanon emeritus ar ôl hynny. Bu'n ficer Wendover Ambo, ger Saffron Walden, 1932-33. Yr oedd yn broctor yn y Confocasiwn a chyhoeddodd *Criticisms on the consecration in the new Prayer Book* (1931).

Crockford, 1941, ac atodiad 1942-4.

M.E.C.

HARRIS, GRIFFITH (*Bywg.*, 318-9). Yn ôl carreg fedd y teulu yng nghapel Heol-y-dŵr, Caerfyrddin, g. ef 15 Gorff. 1811, m. 1 Tach. 1892.

H.W.

HARRIS, JOSEPH (*Bywg.*, 320). Bedyddiwyd ef 16 Chwef. 1703/4. Ysgrifennodd amryw o weithiau seryddol a mathemategol yn ddienw a dyfeisiodd y 'New Azimuth Compass' a'r 'Forestaff'. Cynghorodd lawer ar weinidogion y llywodraeth (heb fod hynny'n wybyddus oherwydd ei swildod) a derbyniodd bensiwn o £300 y flwyddyn gan y brenin yn 1753. Ef, i raddau helaeth, fu'n gyfrifol am safoni pwysau a mesurau'r deyrnas ganol y 18 g.

Cylch. Cymd. Hanes MC, 13 (1928), 85; J. Thickens, *Howell Harris yn Llundain* (1934), 9; Richard Bennett, *Blynyddoedd cyntaf Methodistiaeth* (1909), 37; *Report from the Committee appointed to enquire into the original Standards of Weights and Measures* (House of Commons 2 June 1758, 49 (12 Apr. 1759), 7.

Ll.G.C.

HARRY, GEORGE OWEN (*Bywg.*, 322). Ceir ymdriniaeth lwyr o waith cylch cyfeillion George Owen Harry gan B. G. Charles, *George Owen of Henllys: a Welsh Elizabethan* (Aberystwyth, 1973), ac ymdriniaeth fanwl o fywyd a gwaith yr achydd a hynafiaethydd gan E. D. Jones 'George Owen Harry', *Pembrokeshire Historian*, 6 (1979), 58-

75. Ar sail ei dystiolaeth mewn achos yn 1613-14 bernir ei fod wedi ei eni tuag 1553. Gwnaeth ei ewyllys (lle y gedy gryn offer ym mhlwyf Reynoldston, Gŵyr) ar 8 Chwef. 1611-12, a bernir ei fod wedi marw erbyn haf 1614. Dywedir gan E. D. Jones nad oes dystiolaeth bod gwaith George Owen Harry *The Well-spring of True Nobilitie* wedi ei gyhoeddi'n llyfr, ond bod Thomas Salesbury wedi cyhoeddi'r darn yn ymwneud ag ach y brenin Iago I yn Llundain yn 1604. Fodd bynnag, fe gyflwynwyd llawysgrif o'r cyfan, bron, o lyfr *The Well-Spring* i'r Llyfrgell Genedlaethol yn 1956 gan Syr Michael Dillwyn-Venables-Llewelyn, llawysgrif sydd yn gopi da a wnaethpwyd yn gynnar yn yr 17 g. Mae'n ddrych o ddiddordebau hynafiaethol a hanesyddol George Owen Harry.

Yr oedd George Owen Harry yn un o dri o blant Owen Harry a briododd dri o blant Thomas Lucas, The Hills, Reynoldston, Gŵyr, sydd yn awgrymu cysylltiad cryf iawn â'r fro honno. Dywed George Owen Harry ei hun yn yr ach a roes yn 1597 i Lewys Dwnn (Dwnn, *Heraldic Visitations*, i, 32-3) fod ei gyndadau yn dod gan mwyaf o Lanelli, er bod ei fam yn ferch i ŵr o dir Gŵyr a oedd yn briod ag aelod o deulu Crump, a oedd â'u cartref yn Sanctuary, Pen-rhys. Fe gredid yng Ngŵyr mai dyn oddi yno oedd George Owen Harry, ac nid o sir Gaerfyrddin. Wrth ddisgrifio Reynoldston i Edward Lhuyd yn y 1690au (F. V. Emery, *Trafodion y Cymmrodorion*, 1965, 103) dywed Isaac Hamon, 'In this parish Sr. Geo: Owen clerke, was born, called by some, George Owen Harry, he was the third son of Owen Harry Owen a freeholder of this parish'. Mewn llsgr. achyddol (LlGC, Castell Gorfod llsgr. 8, f. 141) a wnaed tuag 1700 a nodiadau a gasglwyd gan Isaac Hamon o bosib, fe roddir George Owen Harry yn drydydd mab Owen Harry o Reynoldston. Mae'n debyg bod Isaac Hamon yn bur gyfarwydd ag ŵyr George Owen Harry, John Owen, ficer Pennardd yng Ngŵyr, a fu farw yn 1690. Fe seiliwyd yr ach a roddir gan lsgr. Castell Gorfod 8, mae'n debyg, ar lyfr achau William Bennett o gastell Pen-rhys, a wnaed ganddo tuag 1630. Mae'r llsgr. yn y *Royal Institution of South Wales*, Abertawe. (Gweler y mynegai i lyfr Bennett gan G. Grant Francis, tt. 158, 188, 189). Yma y ceir George Owen Harry yn bedwerydd mab Owen Harry o Reynoldston, ac y mae'r ddwy ach yn mynd â'r llinach yn ôl at Morris de Novo Castro neu Morris Castell o Lanelli yn amser Edward II, ac yn naturiol, yn cadarnhau bod tri phlentyn Owen Harry wedi priodi â phlant Thomas Lucas o Reynoldston.

Nid oes modd cysoni'r achau hyn â'r ach a roddir yn llyfr Lewys Dwnn, ond ni ellir anwybyddu'n llwyr y dystiolaeth a geir gan William Bennett, gan ei fod yn byw yn yr un cyfnod â George Owen Harry ac yn byw o fewn tafliad carreg i bentref Reynoldston.

F.M.G., P.M.

HARRY, JOSEPH (1863-1950), athro a gweinidog (A); g. yn ardal Glandŵr ger Abertawe 17 Awst 1863. Ar ôl cwrs yn ysgol baratoi Coleg Arnold, Abertawe, o dan Edwin Williams, ymunodd â'r Coleg Presbyteraidd yng Nghaerfyrddin. Er ei fagu gyda'r MC, o'i gariad at ryddid ymaelododd yn eglwys (A)

Heol y Prior, ac fel aelod o'r eglwys honno y derbyniwyd ef i'r coleg yn 1881. Ymadawodd â'r coleg yn 1884 a threuliodd beth amser yng ngholeg sir Gaerhirfryn ym Manceinion. Erbyn 1887 yr oedd yn ôl drachefn yng Nghaerfyrddin y tro hwn fel athro gyda J. C. Thomas yn ysgol Parcfelfed. Yn 1888 ord. ef yn weinidog ar eglwys (A) Saesneg Mount Pleasant, Hirwaun. Ymddeolodd o'r ofalaeth yn 1892, pan enillodd ysgoloriaeth mewn gwyddoniaeth o dan Goleg y Brifysgol yng Nghaerdydd. Ymddengys iddo fynd gyda J. C. Thomas i Weston yn 1894, ond yn 1895 yr oedd yn ôl eto yng Nghaerfyrddin yn ymuno â W. Roberts a T. Wedros Jones i barhau Ysgol yr Hen Goleg yno. Bu'n brifathro'r ysgol o 1895 hyd 1913 a rhoes genedlaethau o fechgyn ieuainc ar ben y ffordd i'r weinidogaeth a'r proffesiynau. Derbyniodd alwad i eglwys Salem (A), Llanymddyfri yn 1913 a bu yno nes ei orfodi i ymddeol ar gyngor meddygol yn 1922. Collai ei lais bob gwanwyn ac wedi ymddeol aeth i fyw at ei ferch a'i phriod, Dan Davies, ym Mansfield Road, Ilford. Buasai'n fawr ei barch yn Llanymddyfri fel yng Nghaerfyrddin cyn hynny. Ar ei ymadawiad â Llanymddyfri cyflwynwyd set o'r *Encyclopaedia Britannica* yn rhodd iddo. Cymerasai ran flaenllaw ym mywyd cyhoeddus bwrdeistref Caerfyrddin, a bu'n aelod o'r cyngor ac yn ynad heddwch. Wedi symud i Lundain bu'n gofalu am eglwys (A) Thames Ditton o 1925 hyd i ddiffyg iechyd ei rwystro yn 1930.

Wedi ymddeol i Loegr ei brif bleser oedd llenydda. Buasai'n cystadlu mewn eisteddfodau'n gynnar yn y ganrif a dadleuodd lawer ar faterion orgraff y Gymraeg ar dudalennau'r *Tyst*. Enillodd gadeiriau a choronau yn eisteddfodau Meirion, Llundain, Powys a Birkenhead. Bu'n cystadlu'n bur gyson am y gadair a'r bryddest yn yr Eist. Gen. Ffrwyth cystadlu yw rhai o'i gyhoeddiadau, e.e. *Orgraff y Gymraeg: llawlyfr i blant ysgol* (1925); *Anfarwoldeb*, pryddest y Goron yn Eist. Powys, 1925; *Priod-ddulliau'r Gymraeg* (1927), a enillodd yn Eist. Gen. Abertawe yn 1926; ac *Elfennau beirniadaeth lenorol* (a ddaeth yn ail-orau i draethawd D. J. Davies, Treorci, yn Eist. Gen. Treorci yn 1928, ond traethawd Harry a ddewisodd Cwmni Foyle i'w gyhoeddi yn 1929). Cafodd y wobr am gyfieithu tair telyneg o'r Almaeneg i'r Gymraeg yn Eist. Gen. Pont-y-pŵl yn 1924, a rhoes Cynan ganmoliaeth i'w delynegion yn Eist. Gen. Dolgellau yn 1949.

Treuliodd y blynyddoedd rhwng 1940 ac 1949 yn Llandrindod ond erbyn 1950 yr oedd yn ôl yn Llundain. Bu f. ar wyliau yn Westcliffe-on-Sea, 23 Meh. 1950, a chladdwyd ef yn Surbiton.

Yr oedd yn bregethwr sylweddol ond fel athro a hyfforddwr ieuenctid y disgleiriodd. Yr oedd ganddo bersonoliaeth ddeniadol, yn gyfuniad naturiol o ysgolheictod, amynedd a digrifwch.

Blwyddiadur A, 1951; *Congl. year book*, 1951; D. Edgar Jones, *Ysgrifau a cherddi* (teipysgrif drwy gwrteisi'r diweddar Barch. Kenneth E. Jones: copi yn LlGC).

E.D.J.

HEYCOCK, GEORGE REES – gw. REES, GEORGE isod.

HEYLIN, ROWLAND (*Bywg.*, 335). Aelod o deulu Heylin, Pentreheilyn, Llanymynech, a hawliai eu tras o Frochwel Ysgithrog, oedd Rowland Heylin. Nid oedd perthynas rhwng y teulu hwn a theulu Heylin, Pentreheilyn, Ellesmere, a ddisgynnai o Rys Sais. Gw. George Vernon, 'Life of Peter Heylin' yn *The Historical and Miscellaneous Tracts of . . . Peter Heylin* (1681). Dylid dileu'r cyfeiriad at Rys Sais (a *Powys Fadog* yn y llyfryddiaeth). Ymddengys mai cefnder, nid nai, Rowland Heylin, oedd Henry Heylin, a rhaid amau a oedd Grono ab Heilyn yn un o hynafiaid y teulu. Gw. eto y cywiriadau i EDWARDS (Cilhendre), a HOLBACHE, DAVID.

P.C.B.

HOLBACHE (HOLBECHE), DAVID (*Bywg.*, 338). Dylid darllen 'o Bentre Heilyn, yn Ellesmere' a dileu'r cyfeiriad at HEYLIN, ROWLAND.

P.C.B.

HOOSON, ISAAC DANIEL (*Bywg*.2, 21). Cafodd radd M.A. er anrh. gan Brifysgol Cymru yn 1948. Gw. W. R. Jones, *Bywyd a Gwaith I. D. Hooson* (1954).

A.Ll.H.

HOWARD, JAMES HENRY (1876-1947), pregethwr, awdur a sosialydd; g. 3 Tach. 1876 yn Abertawe, mab Josuah George a Catherine (g. Bowen) Howard. Daliai ei dad ei fod yn ddisgynnydd uniongyrchol o John Howard, diwygiwr y carcharau. Amddifadwyd ef o'i rieni pan oedd yn blentyn, ac fe'i magwyd am beth amser gan deulu ei fam. Yna, fe'i rhoddwyd yn y *Cottage Homes* yn y Cocyd, ger Abertawe. Wedi iddo gyrraedd oedran llanc fe'i cymerwyd i'w fagu gan löwr a'i wraig, Thomas a Mary Davies, Bôn-y-maen, Llansamlet, a bu am gyfnod yn löwr ei hun. Cawsai ei addysg gynnar yn ysgol Cocyd, ond pan benderfynodd ei gyflwyno'i hun i'r weinidogaeth aeth am addysg bellach i Ysgol y Gwynfryn, Rhydaman, a gedwid gan Watcyn Wyn (*Bywg.*, 1011-12) ac wedyn i academi Castellnewydd Emlyn a gedwid gan John Phillips, mab yr enwog Evan Phillips (*Bywg.*, 713-4). Oddi yno aeth i Goleg y Brifysgol, Caerdydd, a Choleg Trefeca. Derbyniodd alwad i eglwys Bresbyteraidd (S) Terrace Road, Abertawe, cyn cwpláu ei gwrs coleg ac ord. ef yng nghymdeithasfa'r Porth yn 1905. Am gyfnod byr bu'n gofalu am eglwys Terrace Road cyn symud i'r Tabernacl, Cwmafon (1905-09); wedi hynny bu'n weinidog Wilmer Road, Birkenhead (1909-15); eglwys Bresbyteraidd (S) Bae Colwyn (1915-27); Catherine Road, Lerpwl (1927-41) a derbyniodd alwad eilwaith i eglwys Bresbyteraidd (S) Bae Colwyn yn 1941. Bu yno hyd 1947 pan ymddeolodd oherwydd afiechyd.

Pr. Annie Mathilda Davies, Parc, Rhydaman, a bu iddynt fab a merch.

Yn ystod ei weinidogaeth, yn enwedig yn Lerpwl, gwnaeth lawer o waith cymdeithasol, ac fe'i hadweinid fel 'Down-and-out Jim' oherwydd fe'i gwelid yn fynych yn ymuno â chiw'r di-waith er mwyn cael cyfle i gasglu gwybodaeth am broblemau cymdeithasol. Yr oedd yn sosialydd brwd, yn amlwg gyda'r mudiad Llafur, ac yn gyfaill personol i rai fel Ramsay MacDonald, Philip Snowden, Arthur Henderson a George Lansbury. Bu'n

ymgeisydd seneddol dros y Blaid Lafur yn sir Feirionnydd yn etholiad 1931. Yr oedd hefyd yn heddychwr o argyhoeddiad, a gwnaeth lawer dros wrthwynebwyr cydwybodol yn ystod Rhyfel Byd I trwy siarad drostynt ac ymweld â hwy mewn gwersylloedd milwrol, megis Cinmel. Yr oedd yn bregethwr poblogaidd yn enwedig ymhlith cynulleidfaoedd y De, ac er mai Saesneg oedd ei iaith gyntaf, daeth yn llefarwr ac ysgrifennwr llithrig yn y Gymraeg yn ogystal. Pwysleisiai'r agweddau cymdeithasol ar ddysgeidiaeth yr Efengyl, ac fe'i hystyrid ar un cyfnod yn ddiwygiwr cymdeithasol pur danbaid, ond erbyn iddo ddychwelyd i Fae Colwyn yn 1941 yr oedd wedi tymheru cryn dipyn ar ei syniadau.

Ymddiddorodd yn fawr yn hanes deddfau'r tlodion, ac enilloddd radd M.A., Prifysgol Lerpwl, yn ystod sesiwn 1920-21 am draethawd ar 'Phases of Poor Law policy and administration, 1760-1834, with special reference to Denbighshire and Caernarvonshire vestries'. Yn 1936 anrhydeddwyd ef â gradd D.D. gan Princeton Theological Seminary, T.U.A. Ysgrifennodd lawer i'r wasg ar grefydd a phynciau cymdeithasol, a chyhoeddodd nifer o lyfrau a fu'n boblogaidd iawn yn eu cyfnod, gan gynnwys hunangofiant diddorol, *Winding Lanes*. Ei brif gyhoeddiadau yw: *Y Bywyd llawn o'r Ysbryd* (gan *John Macneil*) wedi ei gyfieithu gan y Parch. J. H. Howard . . . ynghyda rhagymadrodd gan y Parch. J. Phillips ac A. Murray (1906); *Cristionogaeth a chymdeithas gyda rhagair gan y gwir anrhydeddus D. Lloyd George* (1914); *Life beyond the veil* (1918); *Which Jesus? Young Britain's choice* (1926); *Perarogl Crist: cofiant a phregethau y Parch. William Jones, Treforis* (1932); *Jesus the agitator: foreword by the Rt. Hon. George Lansbury* (1934); *Winding lanes: A book of impressions and recollections* (1938).

Bu f. mewn ysbyty preifat ym Mae Colwyn 7 Gorff. 1947 a chladdwyd ef ym mynwent Brony-nant, Bae Colwyn, 9 Gorff.

Winding lanes; Blwyddiadur MC, 1948; *Gol.,* 10 Medi 1944; gwybodaeth gan ei fab Ieuan Davies Howard, Brynsiencyn; a gwybodaeth bersonol.

De.J.

HOWELL, JOHN HENRY (1869-1944), arloeswr addysg dechnegol yn Seland Newydd; g. yn Frampton Cotterell, ger Bryste yn 1869, yn drydydd plentyn William Mends Howell (1838-73), gweinidog capel (A) yn y pentref hwnnw a anwyd yn Arberth, Penf., a'i wraig Harriet (g. Brown); addysgwyd ef yn ysgol Lewisham (Caterham), ac y mae ei enw ddwywaith ar restr anrhydedd yr ysgol. Er ennill ysgoloriaeth ar derfyn ei yrfa yn yr ysgol nid oedd yn ddigon i'w gynnal yng Nghaergrawnt, a'i fam erbyn hyn yn weddw, ac fe'i dysgu mewn ysgolion preifat yn Ilfracombe, Llundain a Paignton. Yn Hyd. 1889 eisteddodd arholiad am ysgoloriaeth (£40) y Prifathro yng Ngholeg Prifysgol Cymru, Aberystwyth, ond trechwyd ef gan T. K. Brighouse a chynigiwyd yr ail ysgoloriaeth iddo, honno £10 yn llai. Cynigiodd y prifathro fenthyg iddo fel y codai'r galw, ond ni bu galw gan iddo ennill trwy gynyrud disgyblion a chynorthwyo yn ysgol yr Hen Fanc yn y dre. Ar derfyn y flwyddyn yr oedd wedi cwpláu cwrs B.A. Llundain a dechreuodd ddysgu eto mewn ysgol breifat yn Llundain. Cyn pen blwyddyn galwyd ef yn ôl i Aberystwyth i gynorthwyo'r Athro R. W. Genese a dechrau ar gwrs B.Sc. Penderfynodd ennill digon i fynd i'r Almaen i arbenigo mewn Ffiseg ac aeth i ddysgu mewn ysgol breifat yn Clifton. Llwyddodd i fynd i Brifysgol Strassburg yn Hyd. 1893 a threulio'r gaeaf yno mewn dygn galedi. Cafodd gynnig swydd athro mewn ysgol fodern o dan aden Coleg y Brenin yn y Strand a dilyn dosbarthiadau yn y prynhawnau yng Ngholeg Prifysgol Llundain. Cafodd anrhydedd yn y dosbarth cyntaf yn arholiadau terfynol B.Sc. yn 1897. Trefnodd fynd i Gaergrawnt i weithio dan J. J. Thomson yn 1898, ond collodd ei iechyd ac o Hyd. 1898 i Ebr. 1899 bu'n ailennill nerth yn St Moritz a threulio'r haf mewn ymchwil wyddonol yn Zurich. Gan i'r meddygon wrthod caniatáu iddo ddychwelyd i Gaergrawnt trodd eto i Aberystwyth i dreulio dwy flynedd fel athro gwyddoniaeth yn yr ysgol sir, ac ailafael ym mywyd llenyddol y dre a gwaith cymdeithasol yn y Progress Hall.

Penderfynodd ymfudo i Seland Newydd er mwyn ei iechyd a derbyniodd swydd athro gwyddoniaeth yn ysgol ramadeg Auckland yn haf 1901. Yn 1905 penodwyd ef gan gymdeithas dechnegol Christchurch yn gyfarwyddwr i drefnu a hyrwyddo cynllun dosbarthiadau nos. Ymunodd â'r Crynwyr yn 1906. Cymerodd ddiddordeb arbennig yn addysg merched ac yn 1911 cododd hostel hyfforddi merched mewn gwyddor cartref a magu plant. Rhoddodd Syr Ernest Shackleton hanner elw darlith i greu cnewyllyn cronfa at y gwaith. Yn 1913 penderfynodd llywodraethwyr Coleg Technegol Christchurch (a ddatblygodd o'i waith ef gyda'r dosbarthiadau nos i fod y gyntaf o ysgolion technegol uwchradd y wlad yn 1907) ei ddanfon ar daith drwy orllewin Ewrop ac America, ond oherwydd Rhyfel Byd I ni fedrodd ymweld â dim ond America a Phrydain. Bu cyfnod y rhyfel yn anodd iddo ef fel heddychwr digymrodedd, a cheisiwyd ei ddiswyddo. Dechreuasai ei goleg gyda dim ond 56 o fyfyrwyr ond erbyn 1919 yr oedd dan ei ofal 600 o fyfyrwyr llawn-amser a 1300 o fyfyrwyr rhan-amser. Yn ystod yr ymosod ar ei heddychiaeth yn Christchurch gwasgwyd arno i dderbyn swydd prifathro coleg technegol newydd yn Wellington. Derbyniodd yr her a chyn pen pum ml. yr oedd yr adeilad ar ei draed ac erbyn iddo ymddeol yn 1931 yr oedd nifer y myfyrwyr wedi cyrraedd 1033. Ef oedd cynllunydd ac adeiladydd colegau Christchurch a Wellington a'i ddisgyblion ef a'i gydweithwyr a fu'n gyfrifol am ddatblygiad pellach addysg dechnegol yn Seland Newydd.

Pr. ym mis Medi 1894 â Nellie Wheeler, a fu'n amlwg yn nghylchoedd sosialaidd Bryste, gwraig o'r un delfrydau ag yntau. Ni bu iddynt blant a gadawodd draean o'i ystad rhwng y coleg yn Aberystwyth, er cof am y Prifathro Thomas Charles Edwards (*Bywg.*, 184-5), ac Undeb Cynulleidfaol Lloegr a Chymru, at addysg plant gweddwon (A), a deuparth tuag at wasanaeth Cymdeithasol y Crynwyr. Bu f. 20 Meh. 1944. Yr oedd ganddo ddwy chwaer, Esther Mary, a fu'n ddiacones yn Dudley 1897-1900, Manceinion a Salford, 1900-02, ac o 1902 hyd 1944 yng nghenhadaeth Whitefields, Tottenham Court Road. Bu'r chwaer arall, Mary Emma, yn athrawes yn nheulu Syr Richard

Martin yn Llansamlet, ac yn nyrs yn Ysbyty Abertawe am gyfnod o 1895, ac yna mewn ysbytai milwrol yn Ne Affrica, India a'r Aifft, ac yn bennaeth ar Ysbyty Clefydau Heintus dan lywodraeth yr Aifft.

Gwybodaeth gan Esther Mary Howell; *Dysg.*, Awst-Medi 1956.

E.D.J.

HOWELLS, REES (1879-1950), cenhadwr a sefydlydd y Coleg Beiblaidd yn Abertawe; g. ym Mrynaman, Caerf., 10 Hyd. 1879 yn chweched plentyn Thomas a Margaret Howells. Ychydig o fanteision addysg a gafodd a gadawodd ysgol elfennol Brynaman pan oedd yn 12 oed gan ddechrau gweithio ym melin gwaith alcan y pentref. Ymfudodd i'r America yn 1901 gan weithio mewn gweithfeydd alcan yn Pittsburgh a Connellsville, Pennsylvania, lle daeth dan ddylanwad efengylydd o Iddew o'r enw Maurice Reuben. Dychwelodd i Frynaman yn 1904 a bu'n gweithio fel glöwr yn yr ardal gan fynychu cynadleddau efengylaidd yn Llandrindod a Keswick. Yn fuan wedi pr. Elizabeth Hannah Jones o Frynaman ar 21 Rhag. 1910 aeth i'r Coleg Presbyteraidd yng Nghaerfyrddin gan fwriadu mynd i'r weinidogaeth Annibynnol, eithr drylliwyd ei gynlluniau pan dderbyniodd wahoddiad i fynd i'r maes cenhadol. Hyfforddwyd ef a'i wraig mewn colegau yng Nghaeredin a Llundain ac yng Ngorff. 1915 ymunodd y ddau â Chenhadaeth Gyffredinol De Affrica gyda chyfrifoldeb arbennig am orsaf genhadol Rusitu. Treuliasant bum ml. yno gan ddychwelyd i Gymru yn 1920. Yn dilyn taith efengylu yn America yn 1922 penderfynodd sefydlu Coleg Beiblaidd yng Nghymru, a hynny ar batrwm Sefydliad Beiblaidd Moody yn Chicago, gyda'r bwriad o hyfforddi gweithwyr ar gyfer y maes cenhadol. Er nad oedd ganddo'r cyfalaf angenrheidiol – yn wir, dywedir mai un swllt ar bymtheg yn unig a feddai ar y pryd – prynodd ystad Glynderwen yn Abertawe ac agorwyd y coleg yn swyddogol ar ddydd Llun y Sulgwyn 1924. Honnai iddo dalu am y fenter drwy ffydd a gweddi am gyfraniadau ariannol, ac yn ystod y 1930au prynodd stadau eraill yn ardal Abertawe, megis Sceti Isaf a Derwen Fawr gan addasu'r adeiladau yn ysbyty ac yn ysgol breswyl i blant cenhadon. Daeth ystad John Dillwyn-Llewelyn (*Bywg.*, 159) ym Mhenlle'r-gaer i'w feddiant yn niwedd y 1930au, a'i fwriad oedd addasu'r adeilad yn ysgol ar gyfer noddedigion Iddewig, ond rhwystrwyd y cynllun hwn gan y rhyfel. Treuliodd Haile Selassie, Ymherodr Abyssinia fel yr oedd bryd hynny, gyfnod ym Mhenlle'r-gaer ar wahoddiad Rees Howells yn 1939 pan alltudiwyd ef o'i wlad gan Benito Mussolini. Yn 1940 cyhoeddodd Howells ei *God Challenges the Dictators*, cyfrol yn proffwydo diwedd y rhyfel a thynged Adolf Hitler. Ehangodd ei weithgarwch fel Cyfarwyddwr y Coleg Beiblaidd yn ystod y blynyddoedd wedi'r rhyfel, a sefydlwyd canghennau ym Mharis, Palesteina ac India. Y mae hanes ei yrfa ryfedd, ei bwyslais cyson ar nerth gweddi, a'r modd y llwyddodd i osod sylfeini cadarn i'r Coleg Beiblaidd yn wyneb anawsterau ariannol a diffyg cyfalaf yn brawf nad gŵr cyffredin mohono. Bu f. 13 Chwef. 1950, a dilynwyd ef fel –

Cyfarwyddwr y Coleg gan ei fab, Samuel Rees Howells.

S. *Wales Evening Post*, 12 Chwef. 1950; Norman P. Grubb, *Rees Howells: Intercessor* (1952); Idem, *The Intercession of Rees Howells* (1973).

H.Wa.

HUGHES, JANE (*Bywg.*, 359). Yn ôl copi John Hughes o lyfr bedyddiadau Capel Uchaf Pontrobert (yng nghasgliad llsgrau. D. Teifigar Davies yn Ll.G.C.) ymddengys mai trydydd plentyn (a thrydedd ferch) John a Ruth Hughes oedd hi, ac iddi gael ei geni ar 25 Meh. a'i bedyddio ar 2 Gorff. 1811 gan Evan Griffiths, Meifod, a oedd newydd ei ordeinio ym Meh. 1811 yn y Bala.

E.Wy.J.

HUGHES, JOHN (1873-1932; *Bywg.*2, 106). Ni fu'n swyddog yn adran drafnidiaeth y *Great Western Railway* ond yn hytrach ym mhwll glo'r Great Western ym Mhontypridd. Gw. Huw Williams yn *Gol.*, 22 Meh. 1990, 6.

HUGHES, JOHN GRUFFYDD MOELWYN (*Bywg.*2, 21). Gw. Brynley F. Roberts (gol.), *Moelwyn: Bardd y Ddinas Gadarn* (1996).

HUGHES, OWEN ('Glasgoed'; 1879-1947); swyddog rheilffordd, masnachwr a bardd; g. yn y Glasgoed, Cwm Prysor, Meir., yn un o 10 plentyn William a Mary Hughes. Cafodd ychydig addysg yn ysgol Tŷ Nant a Maentwrog Uchaf, ond bu raid iddo fynd allan i weithio yn 9 oed. Symudodd i weithio ym mhyllau glo Cwm Rhondda yn 1900. Bu yno am tua 6 bl. gan ddod o dan ddylanwad Diwygiad 1904-05 fel y dengys ei emynau. Dychwelodd i'w hen ardal yn 1906, a'r flwyddyn honno enillodd gadair eisteddfod Rhosesmor. Ymfudodd i Winnipeg wedyn, ac yno y bu am 20 ml. yn weithgar yn yr eglwys Gymraeg a chyda Chymdeithas Dewi Sant. Bu'n swyddog gyda Rheilffordd Genedlaethol Canada, ac yna sefydlodd fasnach lwyddiannus. Symudodd i Galifornia a thrachefn i Vancouver. Enwogodd ei hun ar feysydd chwarae gan ennill cwpanau a gwobrau. Medrai siarad a darllen 8 iaith. Mabwysiadodd yr enw barddol 'Glasgoed' oddi wrth ei gartref ym Meirion. Enillodd fwy o gadeiriau ac awdlau rhwng 1923 ac 1940 na neb arall yn America. Yr oedd yn fardd meddylgar ac yn gynganeddwr gwych. Pr. Kate Elliss o Gaernarfon a fu f. yn 1941. Bu yntau f. 29 Awst 1947, a chladdwyd ef yn Vancouver. Mae llsgr. o'i weithiau yn Ll.G.C.

Genh., 4, 168-74.

E.D.J.

HUGHES, ROBERT OWEN ('Elfyn'; *Bywg.*, 368). Gw. O. Trevor Roberts, *Elfyn a'i waith* (1993).

HYWEL TUDUR – gw. ROBERTS, HOWELL isod.

J. W. LLUNDAIN – gw. WILLIAMS, JOHN isod.

JAMES, DAVID ('Defynnog'; 1865-1928), athro, addysgydd a threfnydd Ysgolion haf, ac awdur;

g. 17 Awst 1865 yn Libanus, plwyf Defynnog, Brych. Mab ydoedd i David James, gweinidog (B) a'i wraig Mary, chwaer 'Myfyr Emlyn' (*Bywg.*, 880-1), y bardd-bregethwr. Bu ganddynt bedwar mab a phedair merch. Addysgwyd Defynnog yng Nghynwyl Elfed, Caerf. a Dinas, Penf. lle'r oedd ei dad yn weinidog. Rhoes ei fryd ar fod yn athro ac, ar ôl bwrw cyfnod fel disgybl-athro, fe'i derbyniwyd fel athro trwyddedig. Llwyddodd yn arholiad *matriculation* Prifysgol Llundain (1889) ac enillodd amryfal dystysgrifau mewn nifer o bynciau dysgu. Ymaelododd â'r *University Correspondence College*, Caergrawnt, gan lwyddo yn arholiadau 'Intermediate Arts' mewn Lladin, Groeg, Ffrangeg, Mathemateg a Saesneg. Daeth i'w ran hefyd wobrau yn yr Eist. Gen. Yn Eist. Merthyr Tudful (1901) enillodd am astudiaeth o 'Kymric Literature' ac yn Eist. Bangor (1902) dyfarnwyd y wobr gyntaf iddo am ymdriniaeth feirniadol ar nofelau Daniel Owen. Derbyniwyd ef yn aelod o Orsedd y Beirdd ac yn feirniad cenedlaethol. Treuliodd gyfnodau fel ysgolfeistr yn Eglwyswrw, Cwmifor, Templeton, *Pupil Teacher Centre*, Rhondda, Dwn-rhefn a Threherbert (1908-26). Er ei fod yn fathemategydd da, fel ei frawd John, troes ei olygon at wella dulliau o ddysgu Cymraeg. Pan benodwyd ef ar 1 Hyd. 1902 yn ysgrifennydd Cymdeithas yr Iaith Gymraeg manteisiodd ar y cyfle i hyrwyddo'i genhadaeth trwy Gymru. Ymroes i ysgrifennu llyfrau darllen, llawlyfrau dysgu, cynlluniau dysgu iaith a geiriadur plant. Cyfrannodd yn helaeth i *Cymru, Cymru'r Plant, Y Darian, Ysbryd yr oes, Y Geninen, Seren Gomer, The Welsh Outlook*, a *The Welsh Leader*. Yn fwy na dim ef a gychwynodd yr Ysgol Haf Gymraeg yn 1903. Yr oedd yn drefnydd penigamp a llwyddodd i wahodd rhai o ddysgedigion y genedl i annerch aelodau'r ysgolion haf ar ddysgu Cymraeg a hanes llên. Enillodd edmygedd a chefnogaeth gwŷr fel Syr Isambard Owen (*Bywg.*, 665-6), Syr O. M. Edwards (*Bywg.*, 179-80) a Syr J. E. Lloyd (*Bywg.*2, 40-2). Fe'i gwahoddwyd i ymuno â chomisiwn addysg Mosely yn 1903 a ymwelodd â Thaleithiau Unedig America a Chanada. Cyhoeddodd lyfr o'i argraffiadau, *American methods of organisation and instruction* (1908). Credai'n gryf yn y dull union o ddysgu iaith a chymeradwyai ef (trwy'r Gymdeithas) i sylw ysgolion yr ardaloedd Seisnigedig. Cafodd y *Scheme of instruction in Welsh* a luniasai ar y cyd â H. Howells, sêl bendith pwyllgor addysg y Rhondda. Ni allai oddef athrawon diog na roddai ystyriaeth lawn i hybu'r iaith. Gofid iddo oedd gweithred y Pwyllgor Adrannol ar le'r Gymraeg mewn addysg a bywyd (1925), yn esgeuluso cenhadaeth a gweithgarwch Cymdeithas yr Iaith Gymraeg er yn ystyriwyd gwahoddi Syr Isambard i weithredu ar y pwyllgor. Ni fodlonai Defynnog ar fwyta bara seguryd hyd yn oed ar ôl ymddeol. Parhâi i ysgrifennu'n ddyddiol fel golygydd colofn Gymraeg y *South Wales News* nes i afiechyd ei lesteirio. Yr oedd o blaid sefydlu ysgrifenyddiaeth wladol i Gymru. Bu f. 1 Rhag. 1928 yn Abertawe a chladdwyd ef ym mynwent Llethr Ddu, Porth, y Rhondda. Ni bu'r newyddiaduron yn fyr eu clodydd iddo gan ganmol ei garedigrwydd, ei haelioni a'i ymroddiad a'i sêl ysol dros yr iaith Gymraeg. Pr. Sarah Harris a bu iddynt un mab. Ar ôl marw Sarah pr. Mrs Sarah Williams ar 7 Awst 1920, gwraig weddw gyda thair merch. Ganwyd iddynt fab, David Geraint.

JAMES, JOHN. Brawd i Ddefynnog oedd ef a fu'n gyfarwyddwr addysg Morgannwg o 1903 i 1929. Cafodd yrfa academaidd hynod ddisglair ar ôl gweithio mewn siop groser yn y Rhondda. Ac yntau ond yn 16 mlwydd oed aeth yn fyfyriwr (ar bwys ysgoloriaeth agored) i Goleg y Brifysgol, Caerdydd. Ar ôl ennill gradd dosbarth cyntaf Prifysgol Llundain yno, ymaelododd yng Ngholeg Balliol, Rhydychen, lle'r enillodd drachefn radd dosbarth cyntaf mewn mathemateg. Cymerodd radd ymchwil B.Sc., o'r un Brifysgol ac wedi treulio cyfnod fel myfyriwr ymchwil ym Mhrifysgol Erlangen yn yr Almaen dyfarnwyd iddo radd Ph.D. ym maes trydaneg. Gwnaeth lawer i hybu dysgu Cymraeg yn ysgolion sir Forgannwg.

Gwilym Arthur Jones, 'David James (Defynnog) 1865-1928 in the context of Welsh education', *Trans. Cymm.*, 1978, 267-84 (gyda llyfryddiaeth).

G.A.J.

JAMES, FRANK TREHARNE (1861-1942), cyfreithiwr, beirniad celfyddydol; g. ym Merthyr Tydful. Derbyniwyd ef yn gyfreithiwr yn 1884, a bu'n Glerc Bwrdd Gwarcheidwaid Merthyr am ddeugain mlynedd. Daeth yn aelod o Gyngor Tref Merthyr yn 1904, gan barhau'n aelod hyd ei farwolaeth; ef oedd y maer am y flwyddyn 1907-08. Cafodd gomisiwn yn 3ydd *Volunteer Battalion* y *Welch Regiment* yn 1890, ond trosglwyddodd i'r *Territorials* yn 1907 gan ymddeol yn 1910 yn uchgapten. Bu'n gadeirydd Bwrdd Dŵr Taf Fechan yn 1925, 1926, 1941 ac 1942. Cymerodd ddiddordeb dwfn yn Llyfrgell Genedlaethol Cymru fel llywodraethwr ac aelod o'r Cyngor. Yn ogystal â bod yn llywodraethwr ac aelod o Gyngor Amgueddfa Genedlaethol Cymru bu'n Gadeirydd ei Phwyllgor Celf ac Archaeoleg. Bu hefyd yn gadeirydd Pwyllgor Amgueddfa Merthyr. Anrhydeddwyd ef yn M.B.E. yn 1919. Bu f. 15 Chwef. 1942. Y mae penddelw efydd ohono gan Syr William Goscombe John (gw. uchod) yn Amgueddfa Genedlaethol Cymru.

Gwybodaeth bersonol.

A.H.L.
(adolygwyd gan W.Ll.D.)

JERMAN, HUGH (1836-95), arlunydd a cherddor; g. yn Church St., Llanidloes, Tfn., 28 Medi 1836, yn fab i saer coed, Richard Jerman a'i wraig Mary. Addysgwyd ef yn ysgolion y dref ac yn yr ysgol genedlaethol yno cyn mynd yn fyfyriwr i Goleg Battersea a'i hyfforddi'n athro, 1854-55; bu'n dysgu yn swydd Lincoln, Cei Connah, Ceri, a Kirby Fleetham a Well, swydd Efrog. Yn 1877 dychwelodd i Lanidloes ac agor ysgol breifat Severn Grove, lle y bu'n hyfforddi llawer o fechgyn pobl mwyaf cefnog y dref a'r sir hyd tuag 1890.

Yr oedd yn gerddor dawnus ac enillodd nifer o wobrau mewn eisteddfodau. Yn Eist. Gen. Conwy yn 1861 enillodd y wobr gyntaf am anthem 'Deus misereatur'. Bu'n arweinydd côr medrus yn y dref. Fe'i dysgodd ei hun i chwarae'r ffidil a'r piano. Dysgid llawer o bethau yn ei ysgol, ond fel arlunydd y daeth i'r amlwg, yn fedrus mewn olew a dyfrlliw, ac erys

llawer o'i luniau mewn dwylo preifat. Ei waith mwyaf adnabyddus yw 'The Glanyrafon Hunt' a wnaeth i Edward Bennett, brawd Nicholas Bennett (*Bywg.*, 28), yn 1885. Mae tri o'i ddarluniau yn y Llyfrgell Genedlaethol. Yr oedd yn arlunydd portread effeithiol hefyd.

Pr., yn 1859, Elizabeth Salter, Ceri, a bu iddynt ddau fab a phum merch. Yr oedd ei fab, Richard Henry Jerman, 1866-1951, yn arlunydd dawnus. Brawd-yng-nghyfraith iddo oedd Edward Salter (g. 1831), ysgolfeistr ac arlunydd a thad E. H. Langford Salter, 1870-1949, a gychwynnodd fusnes cerddoriaeth a gwneuthur organau yng Nghastell-nedd. Bu f. 8 Mai 1895 a chladdwyd ef ym mynwent plwyf Llanidloes.

David Davies, *Musicians of Llanidloes* (1931); gwybodaeth bersonol.

E.R.M.

JOHN, GWENDOLEN MARY (1876-1939), arlunydd; g. yn Hwlffordd, Penf., 22 Meh. 1876, ail blentyn Edwin William John ac Augusta (g. Smith) ei wraig, a chwaer hŷn Augustus John (gw. uchod). Addysgwyd hi yn Ninbych-y-pysgod, lle'r aeth y teulu i fyw wedi m. ei mam yn 1884. Bu'n tynnu lluniau o'i phlentyndod, a'i phaentiadau olew cynharaf i oroesi yw'r portread o Winifred ei chwaer iau (amgueddfa Dinbych-y-pysgod) a golygfa o harbwr Dinbych-y-pysgod. Dilynodd gamre ei brawd, Augustus, i ysgol gelfyddydd Slade, Prifysgol Llundain (1895-98). Gwnaeth ffrindiau oes yn yr ysgol hon, ac ynddi y datblygodd ei hagwedd at arlunio, er iddi ddysgu mwy gan ei chyd-ddisgyblion na'i hathrawon. Rhannai lety ag Augustus ar y cychwyn, ond aeth wedyn i fyw ar ei phen ei hun mewn ystafelloedd yn ardaloedd Fitzroy a Bayswater, Llundain, a chymerodd ystafelloedd cyffelyb ym Mharis a Meudon yn ddiweddarach. O'i hunan-bortreadau a'r lluniadau ohoni gan Augustus gwelir mai un fain, o daldra cyffredin ydoedd, a chanddi wallt gwinau; gwisgai'n drwsiadus bob amser, gan ddangos hoffter o dlysau a lês. Cofiai Edna Waugh hi'n siarad ag acen sir Benfro. Sylweddolir fod yr hyfforddiant a geid yn ysgol Slade yn wahanol i'r hyn a welwn erbyn hyn fel ei harddull hi, oherwydd dysgid yno wahanu lluniadau a phaentio, gan bwysleisio'r blaenaf. Er iddi wneud ychydig luniadau yn null Henry Tonks, ei hyfforddwr, portreadau o ferched cyfoed yw ei lluniadau gorau, yn enwedig y rhai o Winifred. Yn 1898 treuliodd chwe mis ym Mharis i fynychu ysgol Whistler. Cymerodd ar yr esiampl a roddai Whistler o fynnu rheolaeth fanwl ar y lliwiau a ddewisai a chymryd un person ar ei ben ei hun mewn ystafell fel testun dewisol.

Dychwelodd i fyw yn Lloegr, am y tro olaf, hyd 1903.

Arddangoswyd gan y *New English Art Club* ei phaentiadau prin a amlygai ddatblygiad yn ei thechneg realaidd a'i synnwyr o gytbwysedd mewn arlliwiau, fel oedd gan Whistler. Yn 1903 gadawodd Brydain i fynd ar daith gerdded trwy Ffrainc gyda Dorelia McNeill, cariadwraig Augustus, ac ennill eu tamaid trwy wneud portreadau ar y ffordd. Bwriadent fynd i Rufain, ond yn Chwefror 1904 cyraeddasant Baris yn lle hynny. Cynaliasant eu hunain yno fel modelau arlunwyr ym Montparnasse. Cofnodwyd bywyd Gwen John ym Mharis o 1904 ymlaen mewn llythyron i Brydain, yn arbennig mewn cyfres at yr arlunydd Ursula Tyrwhitt (yn LlGC) ac yn ei llythyron dibrin i'r cerflunydd Rodin, ei chariad am gyfnod wedi iddi weithio iddo fel model yn 1904. Ni wyddai neb am y gyfathrach a fu rhyngddynt nes i Michael Holroyd gyhoeddi bywgraffiad o Augustus (1934), ond daeth yn wybyddus wedi i Susan Chitty drafod y llythyron sydd ym *Musée Rodin* a dyfynnu ohonynt (1981). Hyd ei f. yn 1924 cynhaliwyd hi gan John Quinn, casglwr o Efrog Newydd, a brynai gymaint ag a fyddai'r arlunydd anfoddol yn barod i'w gollwng o'i dwylo; rhoddai hefyd fudd-dâl blynyddol iddi. Dechreuodd amgueddfeydd yr Amerig brynu rhai o'i lluniau hefyd.

Yn gynnar yn 1913 derbyniwyd hi'n aelod o'r Eglwys Gatholig. Paentiodd bortreadau o ddwy leian o leiandy ym Meudon (yn y dref lle trigai Rodin, a lle y symudodd hithau i fyw yn 1911) ynghyd â chopïau lawer o luniau sefydlwyr eu hurdd. Paentiodd set o luniau bychanig mewn *gouache* o bobl mewn eglwys ac o blant, ac yna gwneud atgynhyrchiadau cywir, ymron, ohonynt. Bu'n arlunio'n ddiwyd yn y cyfnod 1918-24, gan arddangos mwy o'i gwaith. Dyma pryd y gwnaeth ei chyfres eithriadol ac unigryw o bortreadau gyda chyffyrddiadau o liw trwchus ar gefndir o arlliwiau ysgafn yn ymdoddi'n esmwyth. Ei thestun yn aml oedd merch ifanc yn eistedd yn ei hystafell. Mewn nodiadau o'i heiddo (yn LlGC) ymdrecha i berffeithio'i chwmpas o liwiau ac ystyried eu haddasrwydd ar gyfer blodau.

Cynyddodd mewn bri'n gyson er pan gynhaliwyd arddangosfa gofiannol o'i gwaith yn adeilad Matthieson yn 1946. Yng nghatalog Cyngor y Celfyddydau yn 1968 i'r arddangosfa adolygol yn Llundain, Sheffield a Chaerdydd y rhoddwyd g ddisgrifiad manwl cyntaf o'i gwaith. Yr union adeg y dechreuwyd gwerthfawrogi merched o arlunwyr o'r newydd o safbwynt y mudiad ffeministaidd y daethpwyd i'w hystyried hi yn un o arlunwyr Prydeinig gorau'r ugeinfed ganrif; ac ystyrir hi felly yn yr Amerig hefyd.

Bu f. ar 18 Medi 1939 yn Dieppe lle yr aeth gyda'r bwriad, mae'n debyg, o ddychwelyd i Brydain cyn Rhyfel Byd II. Etifeddwyd ei lluniau gan ei nai Edwin, a oedd yntau'n arlunydd dyfrlliw. Yn 1976 prynodd Amgueddfa Genedlaethol Cymru weddill a chasgliad ganddo, yn cynnwys dros fil o'i luniadau.

Susan Chitty, *Gwen John, 1876-1939* (1981); Cecily Langdale a David Fraser Jenkins, *Gwen John: an Interior Life* (1985); [Mary Taubman, *Gwen John* (1985); Cecily Langdale, *Gwen John* (1987); Ceridwen Lloyd-Morgan, *Gwen John papers* (catalog o holl ddaliadau LlGC, 1988) a *Gwen John papers at the National Library of Wales* (1988)].

A.D.F.J.

JONES, Syr ALFRED LEWIS (*Bywg.*, 418). Gw. ymhellach P. N. Davies, *Sir Alfred Jones* (1978).

JONES, CALVERT RICHARD (1802-77), ffotograffydd arloesol, artist ac offeiriad; g. 4 Rhag. 1802 yn Verandah, Abertawe, Morg., yn fab i Calvert Richard Jones. Ef oedd y trydydd o'r teulu i ddwyn yr un enw. Etifeddodd ei daid

ran o ystad 'Herbertiaid Abertawe' yn y 18fed g. Yr oedd ei dad (1766-1847) ac yntau yn wŷr amlwg yn Abertawe ac yn gymwynaswyr i'r dref. Addysgwyd ef yn Eton ac yng Ngholeg Oriel, Rhydychen, lle graddiodd yn y dosbarth cyntaf mewn mathemateg. Wedi'i ord. yn offeiriad bu ganddo fywoliaethau Casllwchwr a'r Rhath (Caerdydd) am gyfnod, ond treuliai lawer o'i amser yn teithio Ewrop neu'n ymddiddori mewn celfyddyd a cherddoriaeth. Yn Rhydychen bu'n gyd-fyfyriwr â Christopher Rice Mansel Talbot (*Bywg.*, 873), etifedd ystad fawr Margam a Phen-rhys, a bu'r ddau yn gyfeillion agos ar hyd eu hoes. Drwy deulu Talbotiaid Pen-rhys daeth i wybod yn fuan iawn am ddarganfyddiadau eu cefnder William Henry Fox Talbot o Abaty Lacock, Wiltshire (*Bywg.*, 873), dyfeisiwr y dull positif-negatif o wneud ffotograff. Oherwydd problemau ymarferol gyda phroses Talbot cymerodd yn gyntaf at broses y 'daguerrotype' a'i feistroli'n llwyr erbyn 1841. Yn ystod yr 1840au bu'n cydweithio gyda Talbot a chyda Ffrancwyr megis Hippolyte Bayard, ac yn ddolen gyswllt pwysig rhwng arloeswyr Ffrainc a Lloegr. Erbyn 1846 yr oedd wedi troi at broses 'calotype' Talbot. Ei waith mwyaf adnabyddus yw'r ffotograffau calotype a dynnodd ddiwedd yr 1840au ar Ynys Malta, yn yr Eidal ac o gwmpas Prydain, gan ddanfon y negyddion at Talbot i'w printio a'u gwerthu.

Etifeddodd ystad Heathfield, Abertawe, yn 1847, ac adeiladu strydoedd sydd bellach yng nghanol y ddinas, gan goffáu ei hanner brawd yn enw Stryd Mansel a'i ail wraig yn enw Stryd Portia. Gadawodd Abertawe yn 1853 a byw ym Mrwsel am gyfnod cyn ymsefydlu yng Nghaerfaddon, lle bu f. 7 Tach. 1877. Claddwyd ef yn y capel teuluol yn Eglwys y Santes Fair, Abertawe, ond chwalwyd y cyfan yn Rhyfel Byd II. Bu iddo un ferch o'i briodas gyntaf a dwy o'r ail briodas.

Cyn troi'n ffotograffydd yr oedd Calvert Jones wedi dangos ei fod yn arlunydd medrus ac y mae ei waith dyfrlliw yn dangos teimlad cryf am liw a ffurf. Yr oedd ganddo ddiddordeb mawr yn y môr a'i bethau, a llongau yw hoff destun ei beintiadau a'i ffotograffau. Cyfansoddai ei luniau yn ofalus ond yn fentrus ac ystyriai ei waith ffotograffig yn gynnyrch artistig. Ganrif ar ôl ei f. y dechreuwyd sylweddoli eglurdeb ei weledigaeth a'i gydnabod yn un o arloeswyr pwysicaf ffotograffiaeth.

Y mae casgliadau o'i waith yn Llundain yn yr Amgueddfa Wyddonol Genedlaethol, Amgueddfa Victoria ac Albert a'r Amgueddfa Forwrol, ac yng Nghymru yn y Llyfrgell Genedlaethol, Aberystwyth, ac yn Oriel Glynn Vivian a chasgliad y Sefydliad Brenhinol, Abertawe. Cedwir ei lythyrau at Fox Talbot yng nghasgliad Abaty Lacock.

Rollin Buckman, *The photographic work of Calvert Richard Jones* (1990); Adran Llawysgrifau LlGC; Cardiff MSS 2.839 (achau teuluol); Casgliad Abaty Lacock; Bath City Reference Library MSS 1010-1012 (dyddiadur ei wraig gyntaf); [I. M. Jones, *Traf. Cymm.*, 1990, 117-72].

I.M.J.

JONES, DAFYDD RHYS (1877-1946), ysgolfeistr a cherddor; g. 10 Meh. 1877, ym Maes Cornet, Drofa Dulog, Patagonia, yn un o ddeg o blant

Dafydd Jones a Rachel (g. Williams) ei wraig. Yr oedd y tad yn y fintai gyntaf i lanio ar draethau Patagonia. Hanai o ardal Blaen-porth, Cer., o'r un teulu â John Jones, Blaenannerch (1807-75; *Bywg.*, 452). Ymfudasai teulu'r fam o Brynmawr i'r wladfa Gymreig yn Rio Grande yn Brazil ac yr oedd hi'n rhugl mewn Portwgaleg a Chymraeg. Pan chwalwyd y wladfa fechan honno symudasant i Batagonia. Yr oedd y nain yn gymeriad nodedig yn hanes crefyddol y Wladfa ac yn un o sefydlwyr achos y MC yn Nhre-lew. Etifeddodd ei hŵyr lawer o'i nodweddion anturus hi.

Wedi bod yn ysgol Richard Jones Berwyn (*Bywg.*, 30) danfonwyd y llanc 15 oed drosodd i gael addysg yng Nghymru, yn ysgol fwrdd Aberteifi, ysgol Ardwyn, Aberystwyth, ac ysgol ramadeg Castellnewydd Emlyn. Yng Nghastellnewydd yr oedd ganddo gyfoedion o Bont-rhyd-y-groes, William a David Davies, ac ar wyliau gyda hwy y dechreuodd ei gysylltiad maith â'r fro honno. Yng Ngholeg Aberystwyth y bu'n paratoi am dystysgrif athro, a bu'n athro yng Nghorris, Bryn-mawr, ac Aberdâr. Ym mis Rhag. 1902 ymadawodd ag ysgol bechgyn y Comin, Aberdâr, i gymryd gofal ysgol Cwmystwyth. Yn niwedd mis Mawrth 1906 gadawodd Gwmystwyth a dychwelyd i Batagonia i fod yn brifathro cyntaf yr ysgol ganolradd yno. Rai wythnosau ynghynt ymwelsai Eluned Morgan (*Bywg.*, 605) â'r ysgol yng Nghwmystwyth ac annerch y disgyblion yno. Mae'n debyg fod cysylltiad rhwng yr ymweliad hwn â phenodiad y prifathro i'r ysgol yn y Gaiman, lle y treuliodd wyth mlynedd yn fawr ei lwyddiant a'i ddylanwad. Yn 1914 'yr oedd yn ôl ym Mhrydain ac yn athro yn Henffordd. Yr oedd G. J. Williams prifathro ysgol Cwmystwyth (a chefnder i'r Athro Griffith John Williams, gw. uchod) wedi ei alw i'r fyddin, a phrifathrawon dros dro yn cymryd ei le. Yn Ion. 1917 yr oedd Dafydd Rhys yn dechrau ar ail dymor fel prifathro yn ei hen ysgol, a bu yno nes i'r prifathro parhaol ddychwelyd yn niwedd Ion. 1920, a thrachefn am rai wythnosau yn Ebr. a Mai wedi i G. J. Williams gymryd swydd gyffelyb ym Mhontrhydfendigaid. Yna penodwyd ef yn brifathro ysgol Ysbyty Ystwyth ac yno y bu nes cyrraedd oedran ymddeol yn 1941.

Yr oedd yn eisteddfodwr brwd a bu'n arweinydd côr plant enwog a chôr cymysg Pont-rhyd-y-groes ac Ysbyty Ystwyth am dros ugain ml. a chipio gwobrwyon lawer. Yr oedd yn adroddwr gwych a galw mawr arno mewn cyngherddau, ac fel beirniad cerdd a llên mewn eisteddfodau. Cefnogai'r ddrama gan fod yn weithgar ar lwyfan ac fel beirniad, gan gydweithio â'i gyfaill David Joshua Davies, awdur *Maesymeillion* (gw. uchod). Cymerodd ran flaenllaw ym mywyd addysgol Ceredigion a bu'n gadeirydd undeb athrawon y sir. Yr oedd yn bregethwr cynorthwyol cydnabyddedig gyda'r Annibynwyr (ei aelodaeth yn eglwys Baker Street (Seion), Aberystwyth). Buasai'n pregethu yn y Wladfa hefyd, a rhoddai ei wasanaeth i eglwysi pob enwad. Yr oedd yn genedlaetholwr cadarn, a bu'n weithgar dros Undeb Cymru Fydd fel cadeirydd cylch y Glennydd am flynyddoedd. Gwnaeth lawer i feithrin cyfathrach rhwng Cymru a Phatagonia. Ei syniad ef oedd sefydlu Cymdeithas Cymry Ariannin yn yr Eist. Gen. yn Ninbych yn 1939,

a gwnaethpwyd ef yn llywydd arni.

Wedi ymddeol bu'n ffermio ym Maesybeudy, Pont-rhyd-y-groes, a chymerai ddiddordeb arbennig mewn amaethyddiaeth.

Bu'n briod ddwywaith: (1) yn 1902 â Jane merch John a Mari Morgan, Hafodnewydd, a fu f. yn 1904; bu iddynt un ferch; (2) yn 1927 â Daisy merch John a Jane Jones, Llundain. Bu f. 9 Ion. 1946, a chladdwyd ef ym mynwent Ysbyty Ystwyth.

Baner, Camb. News, a'r *Welsh Gaz.*, Ion. 1946; llyfrau lòg ysgol Cwmystwyth; gwybodaeth gan Kathleen Hughes.

E.D.J.

JONES, DAVID BEVAN ('Dewi Elfed', 1807-63), gweinidog (B ac Eglwys Iesu Grist a Saint y Dyddiau Diwethaf - Mormoniaid); g. 1807 yn fab i John a Hannah Jones, Gellifaharen, Llandysul, Cer. a bed. ef 30 Meh. 1807. Ymaelododd yng Nghapel Pen-y-bont (B), pl. Llanfihangel-ar-arth c. 1822 ond codwyd ef i bregethu gan Eglwys Ebeneser, Llandysul. Bu'n weinidog yn Seion (B), Cwrtnewydd, Cer. (1841-6); Jerwsalem, Rhymni, Myn. (1846-48); a Gwawr, Aberaman, Morg., o tua dechrau 1849. Cydiodd yn y dasg o orffen codi capel Gwawr a gorffolwyd yn achos ym Meh. 1848. Newidiodd Dewi les y capel gan ddileu enw'r Parchg. Ddr Thomas Price (*Bywg.*, 745-6) a chyfaill iddo ac ychwanegu ei enw ei hun a chefnogwr. Dyma ddechau'r gynnen rhyngddo ef a Price ond byrdwn yr anghydfod oedd cyhuddiad fod Dewi yn defnyddio'i swydd fel gweinidog Bedyddiedig i hyrwyddo daliadau'r Saint; o bardduo'i gyd-weinidogion; o wadu undod y Drindod a natur unigryw y Beibl ar achubaeth; o bregethu posibilrwydd gwyrthiau yn uniongyrchol o ddwylo'r sawl a gafodd yr Ysbryd; o ddysgu milenariaeth ac o'i alw ei hun yn apostol. Ni wyddys i sicrwydd na sut na phryd y daeth Dewi dan ddylanwad Mormoniaeth. Ond hyd yn oed cyn iddo ymadael â Rhymni bu sôn amdano'n coleddu syniadau anuniongred i gyfeiriad Undodaeth. Cynhaliwyd ymchwiliad gan Gymanfa Bedyddwyr Morgannwg yn Aberdâr, Tach. 1850, a diarddelwyd ef a chynulleidfa Gwawr o aelodaeth yn y Gymanfa. Yn 1851 aeth at William Phillips, llywydd y Saint yng Nghymru, a derbyniodd fedydd y Mormoniaid (gyda phedwar arall) yn afon Cynon, 27 Ebr. 1851, gerbron tyrfa o tua 2,000 cyn dychwelyd i'r capel lle y gwnaed ef yn offeiriad ymysg Saint y Dyddiau Diwethaf. Dyma un o uchafbwyntiau'r genhadaeth Formonaidd yng Nghymru a roes iddynt gapel a gweinidog Bedyddiedig a môr o gyhoeddusrwydd. Bu ymrafael cyfreithiol rhwng y Saint a'r Bedyddwyr, ac yn sesiwn haf 1851 o frawdlys Morgannwg dyfarnwyd o blaid y Bedyddwyr. Yn Nhach. 1851 trefnodd y Bedyddwyr orymdaith o 2,000 dan arweiniad Price er adfeddiannu Gwawr gan fod Dewi Elfed wedi gwrthod ildio'r adeilad iddynt er gwaethaf dedfryd y llys.

Anfonwyd Dewi Elfed gan y Saint fel cenhadwr huawdl a hysbys trwy Forgannwg a Gwent i ledaenu'r ffydd. Yn Hyd. 1852 penodwyd ef yn drysorydd y genhadaeth; ac yn Ion. 1853 penodwyd ef yn llywydd Cynhadledd Llanelli, a'i fab Aneurin yn ysgrifennydd iddo.

Yn Awst 1854 symudodd i Abertawe ar ei benodiad yn llywydd Cynhadledd Gorllewin Morgannwg. Cyd-darodd hyn â phenderfyniad Daniel Jones (1811-61, *Bywg.*, 422) i symud pencadlys y Saint Cymreig o Ferthyr i Abertawe ym Medi 1854. Daeth ei lywyddiaeth yno i ben yng Ngorff. 1855 pan gyhuddwyd ef o dwyll ariannol a'i esgymuno. Er iddo gymodi â'i eglwys a'i harweinwyr yn Ebr. 1856, ni roddwyd swydd iddo byth wedyn yng ngweinyddiad y Genhadaeth Gymreig. Yn hytrach, manteisiwyd ar ei ddawn diamheuol fel pregethwr a dadleuwr miniog i'w anfon o gwmpas de Cymru i atgyfnerthu ffyddloniaid a cheisio tröedigion newydd.

Pr. erbyn 1833 a bu pump o blant o'r briodas. Ym Mai 1860 ymfudodd ef, ei wraig a'u dau blentyn ifancaf o Lerpwl ar fwrdd y *William Tapscott* i Efrog Newydd, a buont yno am ddwy fl. cyn teithio am bedwar mis ar draws y paith gydag arloeswyr Mormonaidd eraill a chyrraedd Dyffryn y Llyn Halen Mawr Hyd. 1862. Ymsefydlodd yn Logan, tua 100 m. i'r gogledd o Ddinas y Llyn Halen, ond bu f. o'r darfodedigaeth ym mis Mai neu Feh. 1863.

Cyhoeddodd: *Eos Dyssul* (1838); *Can newydd yn dangos niweidiau meddwdod* (d.d.); a *Serch gerdd* (d.d.). Ymddangosodd ei waith yn bennaf yng nghyfnodolion y Bedyddwyr a'r Mormoniaid (*Seren Gomer* ac *Udgorn Seion* yn arbennig); eithr uchafbwynt ei lenydda yn ddiau yw ei ryddiaith bolemaidd ddiweddar er hyrwyddo cenhadaeth y Saint a dychanu Ymneilltuaeth yn yr ohebiaeth eirias rhwng Thomas Price a Dewi yn *Yr Amserau* ac *Udgorn Seion*.

Dewi Elfed oedd un o gymeriadau mwyaf lliwgar a helbulus cenhadaeth ddadleuol y Mormonaid Cymreig ynghanol y 19 g. Trwy ei bregethu, ysgrifennu, dadlau a'i emynau cyfrannodd yn helaeth at eu hymdrech genhadol. Eithr ei gyfraniad pennaf oedd ei dröedigaeth ei hun, gan mai ef oedd yr unig weinidog o blith y prif enwadau anghydffurfiol i droi'n Sant. Cymeriad annisgybledig ydoedd, gyda dawn i gorddi cyfaill yn ogystal â gelyn. Dengys ei fywyd yr elyniaeth lem a wynebai'r Saint yng Nghymru'r oes; ond hefyd ymroddiad a disgyblaeth ryfeddol Cenhadaeth Gymreig y Mormoniaid ynghanol y 19 g.

D. L. Davies, 'From a *Seion* of Lands to the Land of Zion: the Life of David Bevan Jones' yn Jansen a Throp (gol.), *Mormons in early Victorian Britain* (1989), 118-141.

D.L.D.

JONES, DAVID HUGH ('Dewi Arfon'; 1833-1869), gweinidog (MC), ysgolfeistr a bardd; g. 6 Gorff. 1833 yn y Tŷ Du, Llanberis, Caern., yn fab i Hugh ac Ellen Jones. Ef oedd yr hynaf o bedwar o blant, a brawd iddo oedd Griffith Hugh Jones ('Gutyn Arfon', *Bywg.*, 437) awdur y dôn 'Llef', a gyfansoddwyd er cof am 'Dewi Arfon'. Pan oedd Dewi Arfon tua phump oed aeth i ysgol a gynhelid gan ŵr o'r enw Ellis Thomas yn y Capel Coch, Llanberis. Ar ôl hynny bu mewn ysgol a gedwid gan John Evans, Ceunant Coch. Ymadawodd â'r ysgol yn un ar ddeg oed ac aeth gyda'i dad i weithio yn y chwarel. Astudiodd yn ddyfal yn ystod ei oriau hamdden a meistroli rheolau barddoniaeth, cerddoriaeth, rhifyddeg a gramadeg Cymraeg a

Saesneg. Yng ngwanwyn 1853 cafodd oerfel a bu'n wael iawn ddechrau'r haf hwnnw. Dychwelodd i ysgol Frytanaidd Dolbadarn, a gedwid gan David Evans (Parch. David Evans, Dolgellau wedi hynny) gyda'r bwriad o ymbaratoi ar gyfer bod yn ysgolfeistr. Ar ôl ymgynghori â John Phillips, Bangor (1810-67; *Bywg.*, 715), penderfynodd fynd i Goleg Borough Road, Llundain, a rhoddwyd tysteb iddo yn Ion. 1856 ar yr achlysur gan gymdeithas lenyddol y Capel Coch, Llanberis. Aeth i Goleg Borough Road ar ei gost ei hun ac ymhen blwyddyn enillodd dystysgrif athro, yn yr ail ddosbarth. Yna bu am bedair bl. yn athro yn ysgol Frytanaidd Llanrwst, lle y daeth yn gyfeillgar iawn â Threbor Mai (*Bywg.*, 1004) a beirdd eraill y cylch. Tra oedd yn Llanrwst y dechreuodd ymddiddori mewn barddoniaeth. Ef oedd yr athro pan ddechreuodd John Lloyd Williams, y cerddor a'r llysieuydd, fel disgybl ynddi.

Tua therfyn y cyfnod hwn y dechreuodd bregethu. Ond yn y Capel Coch, Llanberis, ym Medi 1861 y codwyd ef i bregethu'n swyddogol gan ei enwad, ac yn 1862 aeth yn ddisgybl i ysgol Eben Fardd (*Bywg.*, 886-7) yng Nghlynnog. Derbyniwyd ef fel pregethwr i holl gylch henaduriaeth Arfon yn 1863. Yn ystod gwaeledd Eben Fardd ymgymerodd â gwaith athro yn yr ysgol ac ef a olynodd Eben Fardd yn y swydd. Ord. ef i waith cyflawn y weinidogaeth yng nghymdeithasfa Llangefni ym Meh. 1867. Rhagorai ar Eben Fardd fel athro oherwydd ei ddull effro yn yr ysgol. Codwyd ysgoldy a thŷ ar ei gyfer, ond bu farw cyn mynd ohono i'r naill na'r llall.

Gŵr bregus ei iechyd ydoedd a gorfu iddo adael Clynnog a dychwelyd adref i'r Tŷ Du, Llanberis, ac yno y bu farw fore'r Nadolig 1869. Claddwyd ef ym mynwent Nant Peris, a defnyddiwyd yr arian a gasglwyd yn dysteb iddo yn ystod ei waeledd i godi maen coffa ar ei fedd. Adroddir am ddigwyddiad hynod ynglŷn â'i farwolaeth. Galwodd ei chwaer ato rhwng pump a chwech y bore a gofyn iddi osod y cloc larwm i daro am naw o'r gloch ac am naw i'r eiliad bu farw. Cyfrifid ef yn gerddor medrus er nad oedd yn lleisiwr, ac yr oedd yn boblogaidd iawn fel beirniad cerddoriaeth a barddoniaeth. Ystyrid ef yn fardd da, ac yn ôl ei gofiant safai ei awdl 'Tywylltiad yr Ysbryd Glân ar Ddydd y Pentecost' yn uchel yn y gystadleuaeth yn eist. Dinbych 1860. Dengys dyfyniad o'r gerdd yn y feirniadaeth mai ef oedd 'Awenydd' a ystyrid yn drydydd o'r pedwar ymgeisydd. Rhagorai Dewi Arfon fel englynwr, yn arbennig fel englynwr bedd-argraffiadau, a'i englyn mwyaf adnabyddus yw ei feddargraff i John Jones, Tal-y-sarn ('Clogwyni coleg anian' &c). Nid yw'r englyn hwnnw ar fedd John Jones (*Bywg.*, 450-1) ym mynwent Llanllyfni ond yn hytrach ar y gofgolofn ger Tanycastell, ei hen gartref yn Nolwyddelan.

Gweithiau Dewi Arfon . . . a chofiant . . . gan y Parch. J. Owen, Penyberth (dan olygyddiaeth ei frawd Gutyn Arfon, 1878); *Y Gwyddoniadur Cymreig* (2 arg.), 10, 538; *Asaph* (Em.W.); Anthropos, *Camrau llwyddiant: trem ar fywyd Dewi Arfon* (1901); William Hobley, *Hanes Meth. Arfon* (1910); Carnedog, 'Tri Chyfaill', *Cymru*, 14 (1898), 176-178; *Y Drys.*, Mawrth 1870, 114-115; G. H. Arfon ('Gutyn Arfon'), *Manion: penill englyn ac adgof* (1919); *Y Gwyneddigion:*

Cyfansoddiadau buddugol eist. Dinbych 1860 (1862), 11; John Lloyd-Williams, *Atgofion tri chwarter canrif,* 1 (1941), 30.

De.J.

JONES, EDWARD ALFRED (1871-1943), arbenigwr ar lestri arian; g. 1871 yn un o bedwar o blant Thomas (bu f. 1877) a Mary Jones, tafarn Cross Keys, Llanfyllin, Tfn. Symudodd y fam i Borthmadog (*c*. 1895) a Phwllheli (*c*. 1910). Cafodd y mab addysg breifat cyn ymuno â'r Ffiwsilwyr Brenhinol Cymreig ond ni ddilynodd y llwybr hwnnw ac ymddiswyddodd o'r fyddin. Magodd ddiddordeb dwfn mewn hen bethau aur ac arian. Dechreuodd ysgrifennu i'r *Cymmrodor* ac *Archaeologia Cambrensis* yn 1904 a bu'n gyfrannwr cyson hyd ddiwedd ei oes i gylchgronau fel y *Burlington Magazine* (e.e. 'Some old silver plate in the possession of Lord Mostyn', 1907), *Connoisseur* (e.e. 'Welsh goldsmiths', 1941), *Apollo, Athenaeum* ac *Art in America. The church plate of the diocese of Bangor* (1906) oedd ei gyfrol gyntaf a dilynwyd hon yn fuan gan nifer o gyfrolau a chatalogau yn ymdrin â thrysorau aur a llestri arian eglwysi Lloegr ac Ynys Manaw, a cholegau Caergrawnt a Rhydychen, casgliad brenhinol yn Nhŵr Llundain, a llawer o gasgliadau preifat. Mynychodd amgueddfeydd a chartrefi ar y Cyfandir, Rwsia a Thaleithiau Unedig America a chyhoeddi ffrwyth ei astudiaeth yn *The old English plate of the Emperor of Russia* (1909), *The old silver of American churches* (1909), *Old silver of Europe and America, from early times to the nineteenth century* (1928) a chyfrolau eraill. Gwnaed ef yn Athro cynorthwyol mewn celfyddyd gain ym Mhrifysgol Iâl, T.U.A. a derbyniodd radd M.A. er anrh. gan bedair prifysgol (Cymru; 1918); etholwyd ef yn gymrawd nifer o gymdeithasau ysgolheigaidd; derbyniodd ryddfraint dinas Llundain; a gwnaed ef yn aelod o Orsedd y Beirdd. Bu f. yn Llundain 23 Awst 1943 yn fab gweddw.

Www; Casglwr, 32, Awst 1987, 18-19; OPCS, Gorff. - Medi 1871.

M.A.J.

JONES, EVAN ('Ieuan Buallt'; 1850-1928; *Bywg.*, 435). Ceir casgliad helaeth o'i lsgrau. yn Amgueddfa Werin Cymru, Sain Ffagan - rhifau 1793/1-654, 2038/1-137 a 2384/1-186.

A.Ll.H.

JONES, HUMPHREY OWEN (1878-1912; *Bywg.*, 441). Er iddo ddechrau dringo'n gymharol hwyr yn ei oes, yr oedd yn y rheng flaenaf oll. Yn ôl Geoffrey Winthrop Young, dringwr enwocaf y cyfnod, yr oedd yn 'gymrawd delfrydol' a'i ddringo yn 'batrwm o symudiadau gwisgi, manwl a lluniaidd'. Ymddengys iddo ymweld â Zermatt yn 1906 a dechrau dringo creigiau o ddifrif yn Eryri, tan arweiniad J. M. Archer Thomson, prifathro Ysgol John Bright, Llandudno, y flwyddyn ddilynol. Yn fuan yr oedd yn helpu'r archddringwr hwnnw i gwblhau arloesi creigiau'r Lliwedd ac i ddarganfod clogwyni dringo Crib y Ddysgl, Llechog a Chreigiau Gleision. Gan ddechrau yn 1907, arweiniodd Jones nifer o ddringfeydd newydd yn Eryri sy'n dal mewn bri, gan gynnwys rhai 'anodd iawn' fel

Paradwys ar y Lliwedd (1909) ac ambell un rwydd, boblogaidd fel y Griafolen ar Tryfan (1910). Yn 1911 bu'n creu dringfeydd newydd yn y Cuillin gyda'i chwaer Bronwen ac Archer Thomson. (Yn ôl Young, Bronwen Ceridwen Jones (Mrs. Mawson wedyn; 1890-1981) oedd y gyntaf i ddangos sut y gall dringreg ragori ar ddyn trwy gamu cytbwys yn lle defnyddio nerth braich; hyhi a gyfrannodd yr ysgrif ar ddillad dringo i ferched yn arg. cyntaf ei *Mountain craft*).

Pob haf o 1908 ymlaen, canolbwyntiai Jones ar ochr ddeheuol y Mont Blanc, gan gwblhau amryw o esgyniadau cyntaf, nifer ohonynt yng nghwmni Young a'r tywysydd Joseph Knubel: ymhlith y pwysicaf yr oedd yr Aiguille Blanche de Peuterey o'r gorllewin (1909), llwybr arferol Crib Brouillard ('anterth ei waith arloesol ar y Mont Blanc', chwedl Young), crib orllewinol y Grandes Jorasses ac wyneb gorllewinol y Grépon (1910) a L'Isolée (1912). Yr oedd ei wraig hithau yn ddringreg fedrus: arweiniodd Grib y Pinaclau ar Sgurr nan Gillean heb gwmni dyn. Etholwyd Jones i'r Clwb Alpaidd ac i Glwb y Dringwyr Cymreig yn 1910 ac yr oedd ar bwyllgor yr olaf. Cwbl ffeithiol yw'r ychydig a gyfrannodd i'r cylchgronau dringo ond darllenai waith awduron Cymraeg fel O. M. Edwards. Y mae cofeb iddo yn Ysgol Lewis, Pengam. La Pointe Jones yw'r enw ar gopa gogleddol yr Aiguille Blanche (4104 m.) yn *Guide* Vallot (arg. 1930).

N. Wales Chron., 16 a 23 Awst 1912; G. W. Young, *On high hills* (1927) ac yn *Alpine Jnl.*, 27 (1913); W. Idris Jones yn *Gwyddonydd*, 7, 4 (1969) - gw. yr ysgrif hon am fanylion pellach o'i waith fel 'un o ymchwilwyr cemegol mwyaf pwysig a ffrwythlon ei ddydd'; Alan Hankinson, *The mountain men, an early history of rockclimbing in North Wales* (1977); John Shorter, 'Humphrey Owen Jones (1878-1912)', *Climber and Rambler*, 18, 2 (Chwef. 1979); idem. 'Humphrey Owen Jones, F.R.S. (1878-1912) chemist and mountaineer', *Notes and records of the Roy. Soc. of London*, 33, 2 (Mawrth 1979); gwybodaeth am ei lyfrgell gan Dr. R. Elwyn Hughes, Caerdydd.

I.B.R.

JONES, HUMPHREY ROWLAND (1832-95; *Bywg.*, 441)

Hugh Jones oedd enw ei dad. Nid 'yn Gwarcwm Bach' y g. ef, ond yng nghofrestr y plwy cofnodir ei fedyddio ar 10 Tach. yn fab i Hugh ac Elizabeth Jones, 'Trerddol alias Yniscapel'. Fe'i ganwyd naill ai yng nghartref rhieni ei fam, yr Half-way Inn, Tre'r-ddôl, neu yng nghartref rhieni ei dad, ffermdy Ynyscapel. Yr oedd y plentyn rywle rhwng 4 a 6 oed pan symudodd y teulu i Warcwm Bach, rhwng 1836 ac 1838.

Papur Pawb, Rhif 80, Meh. 1982, 6. Ychwaneger Eifion Evans, *Humphrey Jones a Diwygiad 1859* (1980) at y llyfryddiaeth.

E.D.J.

JONES, JOHN (1773-1853), clerigwr; g. 31 Mawrth 1773, yn fab i Thomas a Lowri Jones, Dolgellau, Meir.; yr hynaf o dri ar ddeg o blant. Gŵr busnes ac ariannwr oedd Thomas Jones, sefydlydd y banc cyntaf yn Nolgellau a pherthynas i David Richards 'Dafydd Ionawr' (*Bywg.*, 799). Addysgwyd John Jones yn Nolgellau, ysgol ramadeg Rhuthun a Choleg

Iesu, Rhydychen lle graddiodd yn B.A. yn 1796 (M.A. yn 1800). Bu wedyn yn gurad yn Nhremeirchion rhwng 1797 ac 1799 ac yna yn Llanyblodwel ger Croesoswallt. Tra oedd yno, cyfarfu â Walter Davies, 'Gwallter Mechain' (*Bywg.*, 145), John Jenkins, 'Ifor Ceri' (*Bywg.*, 409) a rhai eraill o gylch y 'personiaid llengar' ac o hyn ymlaen bu'n un o'r cylch hwnnw. O Lanyblodwel aeth yn gurad i Wrecsam ond yn 1811 fe'i hurddwyd yn ficer plwyf Llansilin. Yn 1819, fe'i penodwyd yn ysgrifennydd *Cambrian Society* talaith Powys ond oherwydd symud i gymryd ficeriaeth Rhuddlan yn 1820, gwrthododd y swydd. Ond o hyn ymlaen bu'n amlwg fel noddwr a beirniad yn yr eisteddfodau taleithiol. Yn 1819, pr. â Margaret Morris, aeres Plas a stad Llanrhaeadr-yng-Nghinmeirch, Dinb. O Ruddlan symudodd i reithoraeth Llandderfel yn 1828 a bu yno hyd 1840 pryd y symudodd drachefn i blwyf Llanaber, Meir. Ymddeolodd yn 1843 a mynd i fyw i Borthwnog ger Penmaen-pŵl lle treuliodd weddill ei oes. Bu f. 6 Ebr. 1853 a chladdwyd ef ym mynwent Llanelltud.

Yr oedd yn ddyn cyfoethog a hael ac ef oedd Maecenas yr offeiriaid llengar. Rhoes gymorth ariannol a chefnogaeth hefyd i gychwyn gyrfa Evan Evans, 'Ieuan Glan Geirionydd' (*Bywg.*, 216) a John Blackwell, 'Alun' (*Bywg.*, 35). Yr oedd hefyd yn ysgolhaig ac yn 1834 cyhoeddodd ail argraffiad o *British antiquities revived* Robert Vaughan, Hengwrt (1662) (*Bywg.*, 944-5). Oddi wrth ambell gyfeiriad yn ei lythyrau, gwelir ei fod hefyd yn bur feirniadol o ysgolheictod John Williams, 'Ab Ithel' (*Bywg.*, 989) a'i dderwyddaeth Ioloaidd. Talodd am gofgolofn 'Dafydd Ionawr' yn hen fynwent Dolgellau ac iddo ef y cyflwynwyd argraffiad 1851 o *Gwaith Dafydd Ionawr*.

D. Tecwyn Lloyd, 'Dyddiaduron y Parch. John Jones, M.A.', *Cylch. Cymd. Hanes Sir Feirionydd*, 1970, 148-72; D. Tecwyn Lloyd, 'Y Parch. John Jones, M.A., Borthwnog', *Cylch. Cymd. Hanes Sir Feirionydd*, 1971, 245-66.

D.T.Ll.

JONES, JOHN (1786-1865), argraffydd a dyfeisiwr; bedyddiwyd 7 Mai 1786, yn fab i Ismael Davies a'i wraig Jane (yr oedd Ismael yn fab i Dafydd Jones, Trefriw (1708?-85, *Bywg.*, 423). Wedi marwolaeth Dafydd Jones yn 1785, parhaodd Ismael Davies gyda gwaith argraffu ei dad ym Mryn Pyll, Trefriw. Yn ôl traddodiad y teulu, prentisiwyd John Jones yn of, ond dysgodd grefft argraffydd hefyd, ac o 1810 ymlaen y mae gwelliant amlwg yn safon cynnyrch gwasg Trefriw y gellir ei briodoli i waith John, er na welir ei enw wrth y cynnyrch (heblaw am englynion cyfarch) hyd 1817, pan fu f. Ismael. Pr. Jane Evans yn 1824; yn 1825 symudodd i 29, Station Road, Llanrwst, ac oddi yno yn 1836 i 30, Heol Dinbych. Bu'n cadw siop lyfrau a phapur, a gwneud llawer o fân waith argraffu'r fro. Rywbryd (?cyn 1817) fe adeiladodd dair gwasg argraffu ar batrwm a elwir yn Wasg Ruthven yn ôl enw'r dyfeisiwr cyntaf, Alexander Ruthven, a gwnâi ei holl waith ar y gweisg hyn. Dysgodd hefyd sut i lunio teip argraffu, a defnyddiai lawer o'i lythrennau ei hun weddill ei oes. Dyfeisiodd hefyd, tua diwedd ei oes, beiriant torri papur. Y mae'r peiriant hwn ac esiamplau o'i deip yn

Amgueddfa Sain Ffagan, ynghyd â llawer o'r lluniau a ddefnyddiwyd yn y baledi; y mae un o'r gweisg yn Amgueddfa Gwyddoniaeth South Kensington. Yr oedd yn un o'r argraffwyr baledi mwyaf toreithiog, ac un o'i lyfrwerthwyr teithiol oedd Thomas Williams, 'Capelulo' (gw. isod). Gwasg Trefriw/Llanrwst oedd yn gyfrifol am gyfres hir o Almanaciau yn dwyn y teitl '*Y Cyfaill* . . .' Y mae'r argraffnod yn honni eu bod wedi eu hargraffu yn Nulyn, ond ystryw i osgoi'r dreth oedd hynny. Pan ddaeth y dreth i ben yn 1834, argraffwyd yr almanaciau yn agored yn Llanrwst. Argraffodd John Jones waith awduron cyfoes pwysig megis William Williams ('Caledfryn'), Robert Jones, Rhoslan, Ieuan Glan Geirionydd, John Elias, Gwilym Hiraethog (*Bywg.*, 1018, 478, 216, 189-90, 782), yn ogystal â chlasuron megis *Drych y prif oesoedd*, *Egluryn ffraethineb* a nifer o weithiau Twm o'r Nant (*Bywg.*, 183). Yr oedd hefyd yn gyfrifol am nifer o gylchgronau a llawer o lyfrynnau od, difyr neu annisgwyl, megis fersiwn o *Robinson Crusoe*, *Hanes Judas Iscariot*, *Hanes y lleuad*, *Bywyd Turpin leidr* a *Faunula Grustensis*, yn ogystal â *Gwaith Aristotle* (a argraffwyd gyntaf oll gan ei frawd Robert (1803-50) yng Nghonwy yn 1826; bu Robert yn argraffu hefyd ym Mhwllheli a Bangor). Cynhyrchodd John Jones y llyfrau lleiaf a wnaed yn Gymraeg erioed, ond ei gampweithiau argraffu oedd *Mawl yr Arglwydd* John Ellis (1816) a *Gronoviana* (1860), sef yr argraffiad cyntaf o holl waith Goronwy Owen. Casglwyd y gwaith gan ei fab Edward (1826-81), tad Griffith Hartwell-Jones, awdur *Celtic Britain and the Pilgrim Movement* (1915). Yr oedd John Jones, a oedd yn gwmnïwr diddan a diwylliedig, yn barddoni dan yr enw 'Pyll'. Wedi ei farwolaeth ar 19 Maw. 1865, parhaodd ei fab Owen Evans-Jones y fusnes, heb lawer o frwdfrydedd, hyd ei f. yn 1887. Wedi hynny bu ym meddiant ei ŵyr J. J. Lloyd hyd 1935, pan gaewyd y siop, wedi i'r teulu fod yn argraffwyr tros bum cenhedlaeth o 1776 hyd 1935. Yr oedd Evan Jones (1830-1918), ail fab John Jones, yn argraffydd ym Mhorthmadog.

Gerald Morgan, *Y dyn a wnaeth argraff* (1982); ymchwil bersonol; llsgrau. LlGC 12,004-12,021.

Ge.M.

JONES, JOHN (1820-1907), gweinidog (B) a hanesydd; g. yn ffermdy Lower Trelowgoed, Cefn-llys, Maesd., 10 Mai 1820, yn fab hynaf o ail briodas James Jones, gweinidog (1829-60) capel y Rock ger Crossgates a deiliad y fferm. Digon prin, mewn ysgol leol, fu addysg ffurfiol John a bu'n ffermio gyda'i dad, ac, wedi derbyn bedydd argyhoeddiad yn 1840, yn ei gynorthwyo gyda'i waith eglwysig a phregethu. Ymhen pedair bl., ar gymeradwyaeth William Jenkins, gweinidog eglwys y Dolau, Nantmel, fe'i derbyniwyd yn un o un-ar-bymtheg o fyfyrwyr am y weinidogaeth o dan y Prifathro Thomas Thomas (1805-81; *Bywg.*, 907) yng Ngholeg (B) Pont-y-pŵl. Fe'i hord. yn 1847 i ofalaeth yr eglwysi yn Llanfair Llythynwg (Gladestry) ac Evenjobb. Drwy ymdrechion ei dad y codasid y capel yn Llanfair yn 1842, a thrwy ymdrechion y mab y codwyd capel Evenjobb yn 1849. Cadwai ysgol ddyddiol yng nghapel Llanfair ar gyflog o elusen Edward Gough. Yn 1849 pr. Anne Roberts (g. 1825 yn

Cheltenham o deulu Methodistaidd yn ardal Abaty Cwm-hir). Am rai blynyddoedd cyn ei marw yn 1864 bu hi'n cadw ysgol i ferched yng Ngheintun. Cawsant wyth o blant, chwech yn marw yn ieuanc.

Bu John Jones yn fugail ar eglwysi ym Mrynbuga (1850-53), Corsham, Wilts. (1853-55) a Towcester, Northants. (1856-61). Tua diwedd 1861 derbyniodd alwad i eglwys y Rock a ddaethai'n wag ar farwolaeth ei dad yn 1860. Parhaodd i fyw yng Ngheintun hyd oni chodwyd tŷ gweinidog helaethach yn y Rock, lle y bu ef a'i ail wraig Anne (g. Rogers o Rotherhithe yn 1825) yn byw hyd 1888. Bu'n gyfrifol am adeiladu capeli yn y Dolau (lle y gweinidogaethodd am 11 mlynedd) yn 1870, a Llandrindod yn 1876. Yno yn 1890 y bu f. ei ail wraig yn y tŷ y symudasent iddo o'r Rock ddwy flynedd cyn hynny. Yn 1891 rhoes y Rock i fyny, a chanolbwyntio ar Landrindod dros weddill ei yrfa fugeiliol hyd oni orfodwyd ef gan henaint i fyw'n fwy hamddenol yn 1897. Eto, cynhaliodd wasanaeth yn Nhŷ Cwrdd y Crynwyr yn Llandrindod o fewn 5 wythnos i'w f. ar Ddygwyl Dewi, 1907. Gadawodd ferch a mab.

Teithiodd yn helaeth yng Nghymru a Lloegr i gasglu at glirio dyledion capeli y bu'n gyfrwng i'w hadeiladu. Yng Nghymru a'r Gororau adweinid ef fel Jones y Rock, ac fe'i disgrifiwyd fel 'esgob' anghydffurfiol sir Faesyfed. Cyhoeddodd ddwy gyfrol fechan o'u bregethau nad oes ynddynt lawer o deilyngdod. Ei unig waith llenyddol gwerthfawr yw ei *History of the Baptists in Radnorshire* y dechreuodd arno cyn 1876 ond nas gorffennodd tan 1895 gan bwysau gwaith bugeiliol. Am y cyfnod cynnar dibynnodd ar ffynonellau argraffedig fel gweithiau Thomas Rees (*Bywg.*, 780-1) a Joshua Thomas (*Bywg.*, 897-8), ac am y cyfnod 1795-1895 tynnodd ar ei wybodaeth bersonol ac ar atgofion ei dad a'i gyfeillion am ddatblygiad yr achos bedyddiedig yn y sir. Er gwaethaf esgeulustod gyda'r proflenni a diffyg mynegai erys y gyfrol yn anhepgorol i efrydwyr hanes y Bedyddwyr yng Nghanolbarth Cymru.

Jones, *History of the Baptists in Radnorshire* (1895); *Bapt. Rec.*, 1906; archifau capel (B) Llandrindod o 1897; llyfrau cyfrifiadau 1851 (Brynbuga), 1861 (Towcester), 1871 (Llanbadarn Fawr, Maesyfed); *Hereford Times*, Gorff. 1876; *Radnor Express*, Mawrth 1907; gohebiaeth â'i ddisgynyddion.

R.C.B.O.

JONES, JOHN EIDDON (*Bywg.*, 456). Cefnogwr D. LLOYD GEORGE (*Bywg.*2, 39-40). Mewn llythyr cydymdeimlad a ddanfonwyd at ei weddw o'r *National Liberal Club* 16 Hyd. 1903 cydnabu'r gwladweinydd mai Eiddon Jones oedd y cyntaf i ofyn iddo sefyll etholiad dros fwrdeistrefi Arfon.

G.A.J.

JONES, JOHN TYWI (1870-1948), gweinidog (B) a newyddiadurwr; g. 7 Ion. 1870 yn Henllys Lodge ger Llanymddyfri, Caerf., yn fab i Thomas a Rachel Jones. Mynychodd yr ysgol Frytanaidd yn Llanymddyfri nes i'r teulu symud yn gyntaf i Ferthyr Tudful ac wedi hynny i Aberdâr a oedd yn ganolfan pwysig i'r wasg yng Nghymru. (Ar ddechrau'r 20g. yr oedd yno ddeunaw gwasg ar waith ar yr un pryd). Bu'n gweithio tan ddaear am gyfnod ac yng ngwaith haearn Cyfarthfa. Dechreuodd bregethu yng Nghalfaria (B) Aberdâr, lle bu'r Parch. Thomas Price, Ph.D. (*Bywg.*, 745-6) yn weinidog tan ei farw yn 1888 ac yn olygydd *Y Gwron*, newyddiadur radical na fu byw yn hir. Trwy gryn ymdrech enillodd Tywi Jones addysg yn y *Trecynon Seminary*, sef ysgol baratoi Rees Jenkin Jones (*Bywg.*, 474), ac aeth yn ei flaen i goleg y Bedyddwyr ym Mangor lle yr oedd yn gyfoed â Gwili (*Bywg.*, 410) ac ag E. Cefni Jones. Ord. ef yn Llanfair a Phentraeth, Môn, yn 1897 a bu yno hyd 1906 pan dderbyniodd alwad i Peniel, y Glais. Gweinidogaethodd yno'n ddiwyd a llafurus hyd ddechrau 1935.

Er pan oedd yn ieuanc cyfrannodd o bryd i'w gilydd i *Tarian y Gweithiwr*, a gyhoeddid yn Aberdâr, ac a oedd ar ryw gyfrif yn olynydd i'r *Gwron*; maes o law cyfrannodd ato'n gyson dan enw 'Llewelyn'. Sosialydd cristnogol oedd, carwr Cymru a'r Gymraeg, cenedlaetholwr, eisteddfodwr ac aelod o Orsedd y Beirdd. Fel T. E. Nicholas (A) ei gyd-weinidog yn y Glais, safodd yn gadarn dros iawnderau gweithwyr ac nid ofnodd amhoblogrwydd na gwrthwynebiad. Am yr iaith, dywedodd 'Nid oes dim yng nglŷn â chenedl sydd yn bwysicach na'i hiaith. Y mae cyfoeth bywyd a delfrydau cenedl yn drysoredig yn ei hiaith a'i llenyddiaeth. Tlawd yw iaith yw y genedl nad oes ganddi iaith sydd yn werth ei chadw na llenyddiaeth sydd yn werth ei meithrin.' Ac eto, 'Y mae ein hiaith ni heddiw yn fyw . . . Y mae hefyd yn ddigon byw i fyw os ewyllysia Cymru. Dibrisier hi, a byddwn wedi torri'r cymundeb â goreu bywyd y genedl yn y gorffenol.'

Gyda'r seisnigeiddio a oedd ar gerdded cynhwyswyd yn *Tarian y Gweithiwr* ambell adroddiad yn Saesneg, a hyn a barodd i J. Tywi Jones ffurfio cwmni (*The Tarian Publishing Co. Ltd.*) i gadw'r papur ar ei draed yn newyddiadur cwbl Gymraeg, ac ef a'i golygodd o 1914 hyd ddarfod o'r papur yn 1934. Yn ogystal â hynny ysgrifennodd nifer o ddramâu gan gynnwys rhai yn ymwneud â'r iaith ac â Chymreictod (megys *Dic Sion Dafydd*, 1913), ynghyd â storïau i blant ac oedolion, a gweithiau diwinyddol (e.e. *Y Bedydd Ysgrythurol*, 1900). Gwelir ysgrifau niferus o'i eiddo yn *Seren Gomer* ac emynau o'i waith yn *Llawlyfr Moliant.*

Pr. ddwy waith: (1) ag Ellen merch Herbert Davies, teiliwr, Aberdâr, a fu f. yn 1915; (2) ag Elizabeth Mary Owen ('Moelona', gw. uchod), yn 1917. Bu iddo ferch o'r briodas gyntaf. Yn 1935 ymddeolodd a symudodd Moelona ac yntau i Geinewydd. Yn *Who's Who in Wales* yn 1937 cyhoeddodd mai cefnogydd Plaid Genedlaethol Cymru oedd o ran gwleidyddiaeth, ac mai garddio a dringo mynyddoedd (yng Ngheinewydd) oedd ei ddiddordebau yn ei amser hamdden. Bu f. 18 Gorff. 1948 a chladdwyd ef ym mynwent Ainon, Birchgrove, Llansamlet.

Ser. Cymru, 30 Gorff. 1948; *Llawlyfr Bed.*, 1949.

D.Je.

JONES, JOSEPH (1799-1871), offeiriad Catholig. Ag Ysgeifiog y cysylltir enw Joseph Jones. Yno, mae'n debyg, y ganwyd ef yn 1799 ac yno, neu heb fod ymhell oddi yno, y bu'n byw am ran o'i oes wedi dod i oedran dyn. Fel eraill o ardaloedd y mwyngloddiau yn sir y Fflint, symudodd Joseph Jones hefyd, yn laslanc, i'r Mwynglawdd (Minera) i weithio yn y gweithydd plwm am fod yno, bryd hynny, well cyfle gwaith i fwynwyr. Yn y Mwynglawdd ymaelododd â'r Methodistiaid Wesleaidd, yn eglwys Pen-y-bryn, un o'u heglwysi cyntaf. Dewiswyd Joseph Jones yn flaenor yn yr eglwys. Ni wyddys ai yr amser hwnnw y dechreuodd bregethu ond dywedir iddo ddechrau pregethu 'yn dra ieuanc'.

Mewn cyfarfod taleithiol yn Amlwch, 13 Mai 1824, derbyniwyd Joseph Jones, yn ôl arfer a threfn yr ÉF, i'r weinidogaeth deithiol er nad aeth i gylchdaith ar unwaith. Y flwyddyn ddilynol penodwyd ef i gylchdaith Caernarfon eithr cyn diwedd y flwyddyn gyfundebol yr oedd wedi encilio o'r weinidogaeth.

Aeth yn ôl i Ysgeifiog a'i gysylltu ei hun â chylchdaith Wesleaidd Treffynnon. Bu'n 'cadw ysgol yma a thraw', praw o'r hyn a ddywedwyd amdano, ei fod yn 'ddyn o gryn allu, ac yn fardd gwych'. 'Caradog' oedd ei enw barddol ac y mae hanes amdano'n cyfarch eist. yng Nghaernarfon gyda chyfres o englynion.

Mewn cyfarfod chwarter, cylchdaith Treffynnon, cwynid yn ei erbyn ei fod yn 'ochri at Babyddiaeth' ac er i Joseph Jones fod yn daer i wadu'r cyhuddiad mae'n siwr nad oedd yn gwbl ddi-sail oherwydd yn fuan wedyn ymunodd, yn gyntaf, â'r eglwys sefydledig cyn iddo, yn ddiweddarach, ymaelodi â'r Catholigion.

Bu am beth amser 'o dan olygiad offeiriad Jesuitaidd Treffynnon . . . ac anfonwyd ef dros dymor i goleg yn Ffrainc.' Dywed y *Catholic Directory, Almanack and Ecclesiastical Register* am 1846 i Joseph Jones gael ei benodi'n genhadwr i'w gydwladwyr yng Nghymru, y cenhadwr Cymraeg cyntaf o blith offeiriaid yr eglwys Gatholig. Yn 1847 penodwyd ef i Abergele i weithio, dros dro, ymhlith gweithwyr o'r Iwerddon a oedd wrthi'n agor y rheilffordd o Gaer i Fangor. Wedyn, symudwyd ef i Wrecsam a'r Wyddgrug (i fyw yn Wrecsam). Yn 1851 yr oedd Joseph Jones yn Aberhonddu, yr amser y codwyd yno addoldy newydd. Bu am dymor ym Mangor ac yn fawr ei barch, 'braidd yn cael ei addoli yno gan y Pabyddion Gwyddelig yn gweithio ar reilffordd Caergybi'. Symudodd o Fangor i Dukinfield, sir Gaer lle y bu o 1860 i 1863, yna aeth i Gaergybi am flwyddyn cyn mynd i Bant Asaph yn 1866. Ar ôl tymor byr yn Seacombe yn 1870 symudwyd ef i'r Trallwm ac yno y bu f. 2 Rhag. 1871. Claddwyd ef ym Mhant Asaph. Ceir marwgoffa iddo yn *The Tablet* dyddiedig 23 Rhag. 1871. Yn ei ewyllys (o dan yr enw James Jones) ceir cyfeiriad at frodyr, William a Robert, a chwiorydd, Mary a Sarah. Gadawodd Joseph Jones arian i'r *Catholic Orphanage* yn Fflint (? Treffynnon) ac i drysorfa offeiriaid Pabyddol yn esgobaeth Amwythig.

Hugh Jones, *Hanes Wesl. Gymr.*, 1, 478, 2, 487; *Traeth.*, Hyd. 1846, 361-3; Samuel Davies, *Cofiant y Parch. Thomas Aubrey* (1887) ccxxiii; *Cylchgrawn chwarterol cylchdaith Coed-poeth*, 35, rhif 2, 177; *Cath. Dir. &c.*, 1846.

Er.E.

JONES, LEIFCHILD STRATTEN LEIF (*Bywg.*, 488 o dan JONES, THOMAS, 1819-82). Bu yn Scotch College Melbourne cyn mynd i Rydychen lle y graddiodd yn M.A. yn 1889. Daeth yn aelod o'r Cyfrin Gyngor yn 1917; bu'n llywydd yr *United Kingdom Alliance* (mudiad dirwestol) 1906-32, a llywydd y *Liberal Council* 1934-37. Newidiodd ei enw i Leif-Jones 11 Ion. 1932.

L. G. Pine, *New extinct peerages 1884-1971*, 229; *Times*, 27 Medi 1939; *Who's who British MP*.

Ll.G.C.

JONES, LEWIS ('Rhuddenfab'; *Bywg.*, 463). Darll. Llanfwrog yn lle Llandwrog.

JONES, OWEN GLYNNE (1867-99), mynyddwr ac athro ysgol; g. 2 Tach. 1867 yn 110, Clarendon St., Paddington, y pedwerydd o chwe mab David Jones, saer maen, a'i wraig Eliza (g. Griffiths) y ddau o Abermaw, Meir. Bu f. ei fam yn 1882 (a'i dad yn 1890) a chafodd Owen a'i unig chwaer Neli (Margaret Ellen) gartref gyda chyfnither a'i gŵr, yr Henadur John Evans, 11 Brogyntyn, Abermaw. Cymraeg oedd iaith yr aelwyd hon. Y mae'n debyg i Owen fod yn yr ysgol yn Abermaw yn ogystal ag yn Llundain cyn ennill ysgoloriaethau i Goleg Technegol Finsbury ac i'r *Imperial Institute (Imperial College)* lle graddiodd (B.Sc.) yn y dosbarth cyntaf yn 1890. Wedi cyfnod yn ddarlithydd yn yr Institute, penodwyd ef yn athro gwyddoniaeth *City of London School* yn 1892, y cyntaf i ddal y swydd honno. Ceisiodd am Gadair ffiseg Coleg Aberystwyth yn 1891 ac yn ôl Syr Owen Saunders, F.R.S., mab ei chwaer a Phrifathro *Imperial College*, 1946-67, cyflawnodd waith ymchwil nodedig.

Ym Mai 1888, heb wybod mwy am fyd dringo nag a ddarllenodd mewn llyfrau ar yr Alpau, esgynnodd Jones grib ddwyreiniol y Cyfrwy ar Gadair Idris ar ei ben ei hun. Prin fod dringo creigiau wedi cychwyn o ddifrif yn Eryri ond yr oedd W. P. Haskett Smith ac eraill wedi bod wrthi yn Ardal Llynnoedd Lloegr ers rhyw 8 mlynedd. Aeth Jones i Wasdale yn 1890 a tharo ar rai o'r arloeswyr. Yn wyneb ei gryfder eithriadol, ei ddawn dringo 'oruwchnaturiol bron' a'i agwedd wyddonol, buan y rhagorodd arnynt, nid yn unig wrth arwain dringfeydd newydd ond wrth ddatblygu'r grefft o ddringo. Yn 1894 cyfrannodd adran ar Gadair Idris a'r Aran i ail gyfrol *Climbing in the British Isles* Haskett Smith, ac yna aeth ati i baratoi cyfrol lawer mwy sylweddol a dylanwadol ei hun: llyfr ar ddringfeydd craig a gyfunai fanylder disgrifiadol gyda hanes ac anturiaethau. Yn Ebr. 1896, ymwelodd â'r brodyr George ac Ashley Abraham, ffotograffwyr proffesiynol o Keswick, a'u hudo i'r creigiau. Ffrwyth partneriaeth gyda hwy oedd clasur Jones, *Rock-climbing in the English Lake District* (1897) a chyfrol y brodyr, *Rock-climbing in North Wales* (1906). Gwyddai'r brodyr fod Jones yn paratoi cyfrol arall, daeth rhai o'i nodiadau i'w meddiant ar ôl ei farwolaeth ac aethant ymlaen i 'gyflawni ei ddymuniad ef'. Erbyn hyn yr oedd George Abraham wedi pr. cyfnither Jones, Winifred Davies, merch David Davies, brawd 'Mynorydd' (*Bywg.*, 148) - hithau hefyd yn ddringreg fedrus ac yn raddedig o Brifysgolion Cymru (Bangor) a Chaergrawnt: hyhi yn wir a ysgrifennodd lyfrau niferus George Abraham ar sail nodiadau ei gŵr. Ond llyfr Jones a roes gychwyn i'r arfer o raddio dringfeydd ac a ddechreuodd boblogeiddio dringo creigiau fel y cyfryw.

O 1891 ymlaen, ymwelai Jones â'r Alpau yn flynyddol. Torrodd dir newydd trwy ddringo yn y gaeaf ond ni ddaeth o hyd i gydymaith cyson o'r safon uchaf, yn dywysydd nac yn amatur. Lladdwyd ef ar 28 Awst 1899, pan gwympodd y tywysydd ar ei ben ar grib orllewinol y Dent Blanche, gan dynnu pedwar o'r parti o bump i lawr y dibyn. Claddwyd ef ym mynwent Evolène a gosodwyd cofebau iddo yn *City of London School*, yn eglwys Saesneg Zermatt, a ger drws 11 Brogyntyn, Abermaw.

Gwasanaethodd Jones ar bwyllgor cyntaf y *Climbers' Club*, a ffurfiwyd yn 1898, ac etholwyd ef i'r *Alpine Club*. Ni dderbyniwyd ef yn llwyr gan gylch mewnol, dethol dringwyr Lloegr, fodd bynnag, a chafodd yr enw ganddynt o fod yn swta. Ond dringai Jones yn aml gyda'i chwaer, ei gefndryd, ei gyd-athrawon, ei gyd-letywr yn Llundain, W. J. Williams (*Bywg.*2, 63) a gyda'r Abrahamiaid (Ymneilltuwyr o dras gwerinol fel yntau) - mae eu tystiolaeth hwy yn hollol i'r gwrthwyneb: felly hefyd y cof amdano ym Meirionnydd. Fel athro yr oedd yn ymroddedig a gafaelgar; fel dringwr credai y dylai pawb ddringo a bod dringo o les i bawb. Erbyn hyn daeth byd dringo llai uchelwrol i'w gydnabod yn arloeswr pennaf y grefft o ddringo creigiau yng ngwledydd Prydain, o ran techneg ac o ran agwedd meddwl. Bwriadai ddringo mynyddoedd uchaf y byd; ychydig cyn ei f. gwahoddasai G. W. Young i ymuno ag ef 'for Everest'. Ond yr oedd ei gariad at Gadair Idris yn ddihareb a cheryddai Saeson am gam-ynganu enwau Cymraeg.

Ymhlith ei esgyniadau cyntaf anhawsaf yr oedd Kern Knotts Crack ar Great Gable (1897) a'r Terrace Wall Variant ar Tryfan (1899): ond y ddringfa fwyaf poblogaidd a grewyd ganddo yw llwybr cyffredin bwtres y Garreg Filltir, lle mae Tryfan yn cyfarfod yr A5 wrth Lyn Ogwen.

Ysgrifau gan Jones yn *Alpine Jnl.*, 16, 18 a 19; W. M. Crook, bywgraffiad byr yn *Rock-climbing in the English Lake District* (1900, ail arg.); adolygiadau yn *Alpine Jnl.*, 19, 385 ac 20, 228; H. C. Bowen, *Alpine Jnl.*, 19, 583-5 ac F. C. Hill, ibid., 590-3; cyfrolau G. D. Abraham, yn enwedig *Mountain adventures at home and abroad* (1910); A. E. Douglas-Smith, *The City of London School* (1937), 294 a 313; Claire-Eliane Engel, *They came to the hills* (1952), pennod arno; R. W. Clark ac E. C. Pyatt, *Mountaineering in Britain: a history from the earliest times to the present day* (1957), pennod; Ioan Bowen Rees, *Galwad y mynydd* (1961), pennod; idem, *Mynyddoedd* (1975), 82-90; Alan Hankinson, *Camera on the crags* (1975), 1-21; idem, *The mountain men, an early history of rock climbing in North Wales* (1977), 61-2, 70-80, 157-9; rhaglen deledu BBC Cymru, 30 Hyd. 1967; gwybodaeth gan Nancy Harper (merch ei chwaer), Megan Williams (merch ei gyfnither, Mrs. John Evans) ac Enid Wilson (merch George Abraham).

I.B.R.

JONES, PRYCE - gw. PRYCE-JONES, Syr PRYCE isod.

JONES, REES CRIBIN (1841-1927), gweinidog (U) ac athro; g. ym Melin Talgarreg, Cer., 9 Medi 1841, yn un o bedwar o blant; mab y Rhandir, Talgarreg, oedd David Jones, ei dad, a merch Caer foel, Ystrad, oedd ei fam. Bu'n fugail a chafodd ei addysg yn ysgol Dewi Hefin, Cribyn, ysgol John Davies, Three Horse Shoes, Cribyn, ysgol Pont-siân (1860-63), a'r Coleg Presbyteraidd, Caerfyrddin (1863-67). Gwas-anaethodd yn achlysurol yn eglwys Undodaidd Cefncoedycymer, a bu'n weinidog ar eglwysi Pen-y-bont ar Ogwr a'r Betws (1867-68), Cribyn (1869-76), Caeronnen (1871-1915), Ty'nrheol a Brondeifi (1874-1915) - y tair eglwys olaf yn ardal Llanbedr. Yn ystod ei dymor yn y weinidogaeth (1867-1915) bu'n gyfrwng i sefydlu hen achos Ty'nrheol (1874) a chodi capel Brondeifi (1876), ynghyd â thŷ ac ysgoldy. Magodd wyth o fechgyn i'r weinidogaeth: J. Hathren Davies, D. J. Williams, T. J. Jenkins, E. O. Jenkins, D. Rhoslwyn Davies, J. Carrara Davies, J. E. Jones, D. Cellan Davies. Tan 1879 bu'n cynnal ysgol ynghyd â gweinidogaethu yn Newton Notais, yng Nghribyn ac yn Llanbedr. Gwasanaethodd yn Llanbedr fel 'gŵr cyhoeddus', yn aelod o'r Bwrdd Lleol, Bwrdd Ysgol, a Bwrdd y Gwarcheidwaid. Cymerai ddiddordeb mewn ysbrydegaeth. Plentyn o'i briodas gyntaf â Mari Jones (10 Ion. 1873) oedd Watcyn Samuel Jones (gw. uchod); bu hi f. 11 Mawrth 1898. Bu f. ei ail wraig, Mary Ann, ar 8 Chwef. 1945 ac yntau 11 Awst 1927. I'w lysfam y cyflwynodd y mab ei lyfr, *Helyntion hen bregethwr a'i gyfoedion*, 1940.

W.S. Jones, *Helyntion hen bregethwr a'i gyfoedion* (1940); *Ymofynnydd*, rhifyn coffa, Medi 1927; Tach. a Rhag. 1964.

D.E.J.D.

JONES, RICHARD (1848-1915), llyfrwerthwr teithiol; g. 24 Awst 1848 yn Nhy'n-y-fron, Clipiau, Aberangell, Meir., yn fab i Richard Jones a'i wraig Lowri (g. Hughes). Hanai ei fam o Gwmtirmynach, Y Bala. Bwriadodd ddilyn ei frawd hynaf, Robert, yn y weinidogaeth ond oherwydd afiechyd a diffygion addysgol bu'n rhaid iddo newid ei gynlluniau. Perswadiwyd ef gan gyfeillion i fynd yn llyfrwerthwr teithiol. Ymaflodd yn yr awgrym a daeth ymhen blynyddoedd yn un o'r llyfrwerthwyr teithiol enwocaf, os nad yr olaf, yng ngogledd Cymru. Hen lanc ydoedd a lletliai o'i lety ym Machynlleth, ac yn ddiweddarach yng Nghemaes, gylchoedd Maldwyn a de Meirionnydd. Cerddodd gannoedd o filltiroedd yn ystod ei yrfa a'i ysgrepan yn llawn o lyfrau ar ei gefn. Gwelid ef yn rheolaidd gyda'i stondin lyfrau yn ffeiriau Dinas Mawddwy. Deliai â Thomas Gee ac â Chwmni Hughes a'i Fab, Wrecsam. Rhoddai Richard Jones bwyslais ar i bawb ddarllen llyfrau chwaethus a darllenai'r holl lyfrau ei hun yn gyntaf cyn eu cymell i'w gwsmeriaid. Dosbarthai gylchgronau poblogaidd y cyfnod megis *Trysorfa'r Plant*, *Cymru*, *Cymru'r Plant*, cofiannau, llyfrau diwinyddol etc. Yn 1914 apeliwyd am Dysteb iddo i gydnabod ei wasanaeth. Yr oedd yn berson arbennig o grefyddol ei natur. Bu f. 18 Tach. 1915 a chladdwyd ef yng Nghemaes, Tfn.

Gwybodaeth gan ei nith, Annie Lloyd, Southerndown (gynt o Aberfan); Llsgrau. A.W.C. 1755/36-37; *Cymru*, 50 (1916), 209-10, 62 (1922), 97-99; *Cylch. Cymd. Hanes Sir Feirionydd*, 8 (1980), 447-49.

A.Ll.H.

JONES, ROBERT AMBROSE ('Emrys ap Iwan'; *Bywg.*, 480). G. ef 24 Mawrth 1848 (a'i chwaer

Priscilla 10 Rhag. 1849) yn un o dai Ffordd-las, Abergele. Mam 'Emrys ap Iwan' oedd Maria Jones, hithau'n ferch i Margaret Coates a oedd yn ferch i George Coates, mwynwr yng ngwaith copr Drws-y-coed (1769-72) cyn symud i fyw i Landdulas. Rhith yw'r Ffrances o hennain y buwyd yn tybied ei bod ganddo.

Gw. W. Wynne-Woodhouse, *Hel Achau*, 1987.

JONES, THOMAS ('Twm Shon Catti'; *Bywg.*, 483). Yn ôl Dyddiadur John Dee (*Bywg.*, 154; uchod) g. ef 1 Awst 1532 (J. Roberts ac Andrew G. Watson, *John Dee's Library Catalogue* (1990), 45-46). Ymwelodd Thomas Jones â Dee yn Llundain yn 1590 a Manceinion yn 1596, a buont yn gohebu yn 1597: galwai Dee ef 'my cousin'.

J. O. Halliwell, *The private diary of John Dee*, 1842; gw. hefyd Dafydd H. Evans yn D. P. Davies (gol.), *Coleg Dewi a'r Fro* (1984), 8-22; *Yr Aradr*, 7 (1996) 174-89.

JONES, THOMAS (1742-1803; *Bywg.*, 485). Cyhoeddwyd ei 'Ddyddlyfr Bywgraffyddol' gan A. P. Oppé (gol.), 'Memoirs of Thomas Jones, Penkerrig, Radnorshire', *Walpole Soc.*, 32 (1951).

[Gw. hefyd R. C. B. Oliver, *The family history of Thomas Jones the artist of Pencerrig, Radnorshire* (1970).]

Ll.G.C.

JONES, THOMAS (1756-1807; *Bywg.*, 486). Erys ansicrwydd ynghylch ei rieni. Yn ôl y traddodiad a gofnodir gan Williams, *Mont. Worthies*, yr oedd yn fab gordderch i Owen Owen, Llifior, Aberriw a cheir cofnod yng nghofrestr bedyddiadau Aberriw 29 Meh. 1756 'Thomas son of Catherine Evans of Llivior'. (Yr oedd Owen wedi priodi aeres Llifior.) Yn 1760 bu achos yn erbyn 'Catherine, wife of Mathew Jones of Trefeen, Kerry' a oedd wedi bod mewn gwasanaeth yn Nhynycoed Llifior. Eithr yn mhapurau Glansevern (LlGC) 17840 nodir 'Jones of Trefeen illegitimate son of Davies of Ty'ncoed cousin to Miss Davies who married Owen "Welch Uncle" to David Owen Senior Wrangler'.

Ll.G.C.

JONES, THOMAS (1777-1847), cyfieithydd, athro ysgol a gweinidog (MC); g. yn Llanfwrog, Môn, yn 1777. Fe fu'n ffodus i gael ychydig addysg mewn ysgol gyda gŵr eglwysig yn ei fro enedigol. Bu ef a dau o'i frodyr, sef Rice Jones o Ben-clawdd, Morg., a Robert Jones, gweinidog (A) yng Nghorwen, yn bregethwyr yr efengyl. Yn 1803 aeth ef a'i briod, Margaret, i fyw i Dy'n-yr-efail, Llanynghenedl, a ganed iddynt o leiaf wyth o blant. Dewiswyd ef yn flaenor yn Nghaergeiliog a dechreuodd bregethu gyda'r Methodistiaid yn 1808. Erbyn 1816 yr oedd wedi symud i fyw i Ben-yr-allt, Bodedern, ac oddi yno'n ddiweddarach i Lain-llwyd, ger Amlwch, lle y diweddodd ei oes. Fe gadwai ysgol yn Amlwch ac yno fe gyhoeddodd lyfr ar rifyddeg, sef *Rhifiadur* (1827), ac ef a ddilynodd David Griffiths fel athro i ofalu am ysgol yr anghydffurfwyr. Yn ystod ugain ml. olaf ei oes aeth ati i gyfieithu nifer o weithiau Saesneg ac yn eu mysg gyfrolau gwyddonol i'r darllenydd uniaith Cymraeg. Yn 1842

cyhoeddwyd *Yr Anianydd Cristionogol* gan Thomas Dick; *Traethawd ar Ddaearyddiaeth* yn 1844 a chyfrolau diwinyddol fel *Scot ar y Prophwydi* a *Hanes gwaith y Prynedigaeth* yn 1829.

Bu f. 6 Gorff. 1847 yn 70 oed, wedi bod yn pregethu am 39 o flynyddoedd, a chladdwyd ef ym mynwent Llanfwrog, ei blwyf genedigol.

Drys.; 1848; *Enw. Ff.; Trans. Angl. Antiq. Soc.*, 1964, 39.

M.R.W.

JONES, THOMAS LLOYD ('Gwenffrwd'; *Bywg.*, 1056). Gw. Huw Williams, *Thomas Lloyd Jones* (1989).

JONES, THOMAS OWEN ('Gwynfor', 1875-1941), llyfrgellydd, dramodydd, actor a chynhyrchydd; g. 19 Ion. 1875, ym Mhwllheli, Caern., mab William ac Ellen Jones, Stryd Newydd. Derbyniodd ei addysg yn ysgol y cyngor yn y dref honno, a'i brentisio wedyn mewn siop groser leol. Rhwng 1916 ac 1917 bu'n cadw busnes ei hun yn nhref Caernarfon nes ei benodi'n llyfrgellydd y sir ar gyflog o £130 y flwyddyn. Hon oedd y llyfrgell sir gyntaf i'w sefydlu yng Nghymru. Lleolwyd hi mewn dwy ystafell ym Mhlas Llanwnda, Stryd y Castell, Caernarfon. Ymddengys mai penodiad dros dro oedd hwn yn y lle cyntaf, ond ymwelodd Gwynfor â phencadlys Ymddiriedolaeth Carnegie yn Dunfermline am ychydig amser er mwyn ymgymhwyso rhywfaint ar gyfer y swydd newydd hon, a hynny mewn cyfnod pan na osodid fawr ddim pwys ar fod yn llyfrgellydd proffesiynol. Ym myd y ddrama yr oedd rhagoriaeth Gwynfor a daeth yn enwog trwy Gymru gyfan fel actor a chynhyrchydd i'w gwmni drama 'Y Ddraig Goch'. Cyhoeddodd nifer o'i ddramâu ei hun: *Y Briodas ddirgel* (1915), *Trem yn ôl* (1920; ail arg.), *Perthnasau* (1922), *Y llo aur a lloi eraill* (1925), *Eiddo pwy?* (1935), *Troi'r byrddau* (1935), a *Tywydd mawr* (1939), a chyfrol o ryddiaith - *Straeon* (1931). Yr oedd yn gwmnïwr diddan a chanddo stôr o draddodiadau am y Maes yng Nghaernarfon. Yr oedd yn eisteddfodwr brwd ac yn feirniad drama yn yr Eist. Gen. droeon. Daeth ei ystafell yn y llyfrgell yn gyrchfan boblogaidd i bobl llengar y cylch - yn eu plith rai o ffigyrau amlwg y dydd fel E. Morgan Humphreys, Meuryn, (Rowlands R.J.), a Chynan, (Jones, Syr Cynan), (gw. uchod). Ef oedd un o'r rhai cyntaf i ddarlledu yn Gymraeg o Fanceinion yn y 1930au. Bu f. 22 Awst 1941 ac fe'i claddwyd ym mynwent Llanbeblig, Caernarfon, lle gwelir ar ei garreg fedd y geiriau 'Actor da, Cymro da, Cristion da'.

'Caernarfonshire and its libraries; development of the first County Library in Wales', *Trans. Caerns. Hist. Soc.*, 1972; O. Llew Owain, *Hanes y ddrama yng Nghymru, 1850-93* (1948); papurau lleol.

T.E.G.

JONES, THOMAS ROBERT ('Gwerfulyn'; 1802-1856), sefydlydd mudiad dyngarol y Gwir Iforiaid; g. ym Maes Gwerful, Llannefydd, Dinbych, yn 1802. Yn grydd wrth ei alwedigaeth bu'n dilyn ei grefft yn Rhiwabon, y Cefn-mawr a Llansantffraid Glyndyfrdwy, lle pr. ag Elizabeth, merch Evan Price, gweinidog (B) yn Llanfyllin yn 1834. Sefydlodd gymdeithasau Cymreigyddol ymhob un o'r ardaloedd hyn a bu'n cyfrannu'n gyson i gylchgronau Cymraeg y Bedyddwyr. Cafodd y syniad o sefydlu cymdeithas a fyddai'n cynorthwyo ei haelodau yn ariannol yn ogystal â diogelu a hyrwyddo'r iaith Gymraeg. Mynegodd Robert Davies, 'Bardd Nantglyn' (*Bywg.*, 138), a William Owen Pughe (*Bywg.*, 767-8) eu parodrwydd i'w noddi ond bu farw'r ddau cyn cael cyfle i'w helpu. Mentro ymlaen a wnaeth Jones gan sefydlu 'Cymdeithas Undebawl a Gomeraidd dan arwydd y Drylliau Croesion' yn Wrecsam ar 6 Meh. 1836. Ychydig iawn a wybodaeth sydd ar gael am y gymdeithas yn y cyfnod cynnar hwn, ond erbyn 1838 yr oedd aelodaeth y gyfrinfa gyntaf yn 252, deuddeg cyfrinfa arall wedi'u sefydlu yn y gogledd, a chyfrinfa gyntaf y de wrth yr enw 'Dewi Sant' wedi ei hagor yng Nghaerfyrddin ar 24 Ebr. y flwyddyn honno. Ond cododd annealltwriaeth rhwng T. R. Jones a'r mudiad erbyn Meh. 1840, ymadawodd â chyfrinfa'r Drylliau Croesion a sefydlodd gyfrinfa sbeit. O ganlyniad penderfynodd cyfrinfa Dewi Sant a'r Undeb a dyfodd o'i chwmpas mai hi bellach oedd prif gyfrinfa Cymru gyfan a bu brwydro ffyrnig rhyngddi hi ar y naill law a T. R. Jones a'i ganlynwyr ar y llaw arall. Ond cyfrinfa Dewi Sant a orfu yn y diwedd ac yn 1845 symudwyd canolfan y mudiad o Gaerfyrddin i Abertawe. Yr oedd Iforiaeth (a alwyd wrth enw Ifor ap Llywelyn - neu Ifor Hael o Fasaleg) bellach ar gynnydd trwy Gymru, a gellir ystyried y cyfnod rhwng 1840 ac 1850 fel oes aur y gymdeithas. Yr oedd gan yr Urdd reolau pendant i aelodau ynglŷn â moesau ac ymddygiad, coleddai'r Gymraeg, ac yn y cyfnod rhwng 1850 ac 1870 ni bu blwyddyn bron heb eisteddfod Iforaidd. Ond odid mai'r gweithgarwch diwylliannol hwn a esyd a mudiad mewn dosbarth ar ei ben ei hun ymhlith ei gymheiriaid, ac nid cynorthwyo'r tlawd a'r anghennus oedd ei unig amcan. Er i T. R. Jones sefydlu cyfrinfa arall a chymryd arno i ddewis swyddogion i bob talaith yng Nghymru, edwino a wnaeth ei ddylanwad ar ôl 1845. Treuliodd y ddwy fl. olaf o'i oes yn Birkenhead lle bu farw gan adael gweddw a phedwar o blant ym Mai 1856.

Greal, Gorff. 1856, 165-167; *Ser. G.*, 1840, 303-305; *Ceredigion*, 1956-1959, 25-26.

H.Wa.

JONES, WILLIAM (1675?-1749; *Bywg.*, 491). G. ef yn 1674 neu 1675, yr un flwyddyn â thad y Morysiaid. Bu f. 1 Gorff. 1749, nid 3 Gorff. 1749, ac fe'i claddwyd yn Eglwys St. Paul, Covent Garden ar 7 Gorff. 1749. Bu'n briod ddwywaith. Pr. (1) â gweddw'r marsiandïwr a'i cyflogodd ar ôl iddo fynd i Lundain. Gall hyn egluro sut y cafodd yr arian a gollodd yn nes ymlaen; a (2) â Mary Nix ar 17 Ebr. 1731 pan oedd ef yn 56 a hithau yn 25.

Gadawodd ei ôl ar fathemateg mewn amryw o ffyrdd. Yn ei lyfr *Synopsis Palmarorium Matheseos* a gyhoeddwyd yn 1706, defnyddiwyd, am y tro cyntaf erioed, y symbol π ar gyfer y gymhareb cylchedd/diamedr cylch. Ef, yn ei argraffiadau o weithiau Newton, a ddefnyddiodd y dot fel arwydd differu yn y calcwlws. Hefyd yn un o'i bapurau yn Nhrafodion y Gymdeithas Frenhinol ffurfiodd reol adlog a bu amryw o fathemategwyr cyfoes

yn gofyn ei farn am eu gwaith.

Yn ei ewyllys, gadawodd ei lyfrgell o ryw 15,000 o weithiau, a dros 50,000 o dudalennau mewn llawysgrif, gan gynnwys cannoedd o dudalennau yn sôn am y rhai yr oedd yn eu hadnabod, ac amryw o lawysgrifau Newton, i'r 3ydd Iarll Macclesfield, ac mae'r rhan fwyaf ohonynt yn dal yng nghartref yr Iarll, Castell Shirburn.

Hugh Owen (gol.), *Additional letters of the Morrises of Anglesey (1753-86)*, *Cymmrodor*, 49 (1947-9), 253; *General Advertiser* (3 Gorff. 1749) 4585; Cofrestr eglwys St Paul, Covent Garden; Cofrestr St Lawrence Jewry and St Mary Magdalen, Milk Street; D. T. Whiteside (gol.), *The Mathematical papers of Sir Isaac Newton* (1967), 400; S. J. Rigaud (gol.), *Correspondence of Scientific Men of the Seventeenth Century* (1841), 256; Llythyrau gan D. T. Whiteside (CPGC 2659A); Charles Hutton, *Mathematical Tables* (1785), 117.

Ll.G.C.

JOSHUA, SETH (1858-1925), gweinidog (MC); g. 10 Ebr. 1858 yn Nhŷ Capel (B Cymraeg), Trosnant Uchaf, Pont-y-pŵl, Myn., yn fab i George Joshua a Mary (g. Walden) ei wraig. Pr. â Mary Rees, Llantrisant yng Nghastell-nedd, Morg., 23 Medi 1883, a bu iddynt wyth o blant (bu un mab, Peter, yn weinidog ac efengylydd poblogaidd yn yr Amerig a mab arall, Lyn, yn gyfrifol gyda Mai Jones (gw. uchod) am y gân 'We'll keep a welcome'. Mynychodd yr ysgol Brydeinig leol. Bu'n cydweithio'n agos gyda'i frawd Frank (gw. isod) yng Nghastell-nedd yn sefydlu'r achos yn y Mission Hall. Yr oedd yn efengylwr o fri gan deithio trwy Brydain a mynd ar daith yn T.U.A. Ord. ef yn weinidog (MC) yn 1893 a gweithiodd gyda'r Symudiad Ymosodol, braich Cenhadaeth Gartref y Cyfundeb, yn sefydlu canolfannau efengylu ym Morgannwg a Gwent. Bu f. 21 Mai 1925 a chladdwyd ef ym mynwent y Cyngor, Llanilltud Fach, Castell-nedd.

Brawd iddo oedd FRANCIS JAMES JOSHUA (FRANK; 1861-1920), gweinidog (MC); g. 15 Rhag. 1861. Aeth ef a Seth i Gastell-nedd yn 1883 i gynnal Ymgyrch Efengylaidd o dan nawdd y Genhadaeth Rydd, Cinderford. Yn 1901 daeth Eglwys y Genhadaeth Rydd yng Nghastell-nedd o dan nawdd y Methodistiaid Calfinaidd fel cangen o'r Symudiad Ymosodol ac ord. ef yng nghymdeithasfa Cilfynydd (MC) yn 1903. Treuliodd ei holl weinidogaeth yng Nghastell-nedd lle y cododd eglwys gref a llewyrchus. Adweinid ef yn y dref fel 'S. Francis of Neath'. Bu f. 13 Medi 1920 yn fab gweddw a chladdwyd ef ym mynwent eglwys Llanilltud Fach, Castell-nedd.

T. Mardy Rees, *Seth Joshua and Frank Joshua, the renowned evangelists* (1926); gw. hefyd lyfryn canmlwyddiant Mission Hall, Castell-nedd; Howell Williams, *The romance of the Forward Movement* (1949); John Morgan Jones, *Hanes Symudiad Ymosodol y Methodistiaid Calfinaidd* (1931); Annie Pugh Williams, *Atgofion am y Dr. John Pugh* (c. 1944); Robert Ellis, *Living echoes of the Welsh revival 1904-5* (1951); atgofion Peter Rhys Joshua yn *Treasury*, 1978.

R.L.J.

LEIF-JONES, LEIFCHILD STRATTEN – gw. LEIFCHILD STRATTEN (LEIF-) JONES (*Bywg.*, 488) o dan JONES, THOMAS (1819-82); a JONES, LEIFCHILD STRATTEN LEIF uchod.

LEWIS o GAERLEON (*Bywg.*, 512). Yr oedd yn feddyg i Elizabeth, gweddw Edward IV, Margaret Iarlles Richmond ac i Harri Tudur. Gwnaeth lawer i hybu'r briodas rhwng Harri ac Elizabeth m. y frenhines Elizabeth. Y cyfeiriad olaf ato yw hwnnw yn roliau'r Trysorlys 1493-94. Cyfansoddodd dablau mathemategol a seryddol yn ymwneud â diffygion ar yr haul a'r lleuad.

D.N.B.; P. Kibre, *Isis*, 43 (1952), 100.

Ll.G.C.

LEWIS, DAVID (1890-1943) – gw. LEWIS (TEULU) uchod.

LEWIS, DAVID JOHN ('Lewis Tymbl'; 1879-1947), gweinidog (A), pregethwr a darlithiwr poblogaidd; g. yn y Mynydd-bach, tyddyn ger pentre Hermon ym mhlwy Llanfyrnach, Penf., 28 Rhag. 1879, yn ail fab o bump o blant Dan a Mari Lewis. Bu'r tad yn gweithio yng ngwaith mwyn plwm Llanfyrnach nes i hwnnw gau a'i orfodi yntau i fynd i chwilio am waith yn Aberdâr, lle y cafodd ddamwain ddifrifol a'i gorfododd i roi'r gorau i'w waith. Bu f. yn 43 mlwydd oed o glefyd y gwaith plwm. Serch hynny, cafodd y plant fagwriaeth dda a chyfle i ymddatblygu, dau ohonynt i gyrraedd safleoedd o barch mewn addysg a bancio, ond y pregethwr oedd cyfraniad mwyaf nodedig y Mynydd-bach.

Cafodd David John ei addysg gynnar yn ysgol elfennol Hermon, lle y buasai'r Prifathro Thomas Rees (*Bywg.*, 781) yn ddisgybl ryw ddeng mlynedd o'i flaen. Derbyniwyd ef i'r ysgol ar 7 Gorff. 1884; yr oedd T. E. Nicholas yn un o'i gyfoedion yno. Y prifathro ar y pryd oedd John Davies o'r Felin-foel, disgyblwr llym, a ddilynasai Robert Bryan (*Bywg.*, 50) yn 1883. [Yn ôl yr erthygl honno bu Bryan yn ysgolfeistr yn yr Hendy-gwyn ar Daf, ond cyfeiriad post ysgol Hermon oedd hwnnw.] Pwysicach na'r ysgol hon yn natblygiad y pregethwr oedd dylanwad Ysgol Sul Brynmyrnach. Yn 14 oed prentisiwyd ef yn deiliwr gyda Dafydd Jones, Brynawel, Hermon. Yr oedd yn un o naw o brentisiaid nodedig am eu talentau. Adlewyrchid disgyblaeth y grefft hon yn niwyg drwsiadus y pregethwr dros weddill ei oes. Ffynnai crefydd a diwylliant yn y fro honno, ac o dan ddylanwad cryf ei fam, ysbrydiaeth gwŷr llên yr ardal, Brynach Davies yn enwedig, a gweinidogion praff fel John Stephens, Llwyn-yr-hwrdd, tad yr Athro J. Oliver Stephens (gw. uchod), O. R. Owen, Glan-dŵr, a Ben Davies, Tre-lech (*Bywg.*, 101), taniwyd ef â'r awydd i fod yn bregethwr.

Wedi tymor yn ysgol Myrddin (Ysgol yr Hen Goleg) yng Nghaerfyrddin derbyniwyd ef yn 1901 i'r Coleg Coffa yn Aberhonddu. Wedi peth anhawster gyda'i fathemateg cwplaodd amodau derbyniad i Brifysgol Cymru a dechreuodd ar gwrs gradd yng Ngholeg Caerdydd yn 1903. Graddiodd gydag anrhydedd (dosbarth 2) mewn Hebraeg yn 1905. Am y ddwy fl. nesaf bu'n dilyn cyrsiau B.D. yn y Coleg Coffa. Cafodd farciau llawn yn arholiad Groeg y T.N. yn 1906 a chlod arbennig gan yr arholwr ar athroniaeth crefydd. Cwplaodd ail flwyddyn y B.D. yn haf 1907, ond erbyn hynny yr oedd eglwys ieuanc frwdfrydig Bethesda, Y Tymbl, wedi rhoi galwad iddo ers mis Chwefror. Ord. ef yn weinidog arni 3 Gorff. 1907, ac yno yr arhosodd i gario'r enw 'Lewis Tymbl' dros weddill ei oes. Buan y daeth yn anwylyn pulpudau Cymru, gydag apêl ei bersonoliaeth fagnetig yn fwy bron na'i bregethu. Pregethau un pwynt oedd ganddo bob amser, a hwnnw'n cyrraedd uchafbwynt wrth gloi gyda sydynrwydd annisgwyl. Daeth galw mawr am ei wasanaeth o bob rhan o Gymru. Ei bregethau enwocaf a mwyaf adnabyddus oedd 'A fynni di dy wneuthur yn iach?' ('Roll up the mat'); 'Mair yn torri'r blwch ennaint' ('She smashed the alabaster box'); 'Bwrw dy fara ar wyneb y dyfroedd'; 'Hwy a aethant i'w gwlad ar hyd ffordd arall'; ac 'Yn y flwyddyn y bu farw y brenin Useia y gwelais i yr Arglwydd'. Yn cydgerdded â'i bregethau yr oedd ei ddarlithiau poblogaidd - 'Y gelf o fyw'; 'David Livingstone'; a 'Shôn Gymro'. Oddi ar nodiadau ar gardiau post y pregethai a chas oedd ganddo ysgrifennu dim, na chael ei gyfyngu i sgript. Dyna paham y gwrthodai bregethu ar y radio ar ôl un tro.

Ef oedd cadeirydd Undeb yr Annibynwyr am 1945-46, a thraddododd ei anerchiad 'Bwrw'r draul', yn Ebenezer, Abertawe ym Meh. 1945. Cyhoeddwyd hwnnw yng nghofiant Ieuan Davies, a hefyd un o'i bregethau yn *Llef y Gwyliedydd* (gol. E. Curig Davies 1927). Ni ellid trosglwyddo'i bersonoliaeth fyw i bapur.

Ni bu'n briod a threuliodd ei ddeugain mlynedd mewn dau lety yn y Tymbl. Cymerwyd ef yn wael ym mis Rhag. 1946, a bu dan driniaeth lawfeddygol yng Nghaerdydd. Ni chafodd bregethu wedyn, a bu f. 10 Mawrth 1947 yn ysbyty Treforus. Claddwyd ef ym mynwent Crymych ar Sul 16 Mawrth wedi i'r storm eira fwyaf o fewn cof atal yr angladd y diwrnod cynt. Cyhoeddwyd llyfryn coffa.

Gwybodaeth bersonol; [Ieuan Davies, *Lewis Tymbl* (1989)].

D.P.J.

LEWIS, y Fonesig RUTH (1871-1946), un o arloeswyr cofnodi alawon gwerin Cymru, cefnogydd mudiadau addysgol, crefyddol, dirwestol a dyngarol; g. 29 Tach. 1871, yn 16 Alexandra Drive, Lerpwl, yn drydedd plentyn William Sproston Caine (*DNB*, 1901-50), a'i wraig Alice, merch Hugh Stowell Brown, gweinidog eglwys (B) Myrtle Street, Lerpwl. Wedi ethol ei thad yn A.S. dros Scarborough yn 1880 symudodd y teulu i fyw yn Llundain, ysgol uwchradd y merched yn Clapham y cafodd ei haddysg gynnar nes ymaelodi yng Ngholeg Newnham, Caergrawnt. Cwplaodd gwrs gradd yno ond gan na chaniatéid rhoi gradd i ferch yn y brifysgol honno y pryd hynny derbyniodd radd M.A. Prifysgol Dulyn. Wedi graddio treuliodd rai bl. yn gweithio yn y *Caine Mission Hall* yn Vauxhall, gan ymddiddori mewn dirwest a gwaith gyda merched ieuainc. Pr. â John Herbert Lewis (*Bywg.*, 521) yn Clapham yn 1897. Thomas Gee (*Bywg.*, 257) a weinyddai yn y briodas. Ymsefydlodd y ddau ym mhlas Penucha, Caerwys, a chadw tŷ hefyd yn 23 Grosvenor Rd, Llundain. Yn 1898 ganwyd eu merch, Kitty, a'u mab, Mostyn, yn 1901. Dysgodd y fam Gymraeg yn drwyadl, a chodwyd y plant yn Gymry rhugl. Yr oedd y teulu'n addoli'n gyson mewn capeli Cymraeg yng Nghaerwys ac yn Llundain. Uniaethodd Ruth Lewis ei hun â'r bywyd Cymreig, ymfwriodd i wasanaeth cyhoeddus a chymryd diddordeb ymarferol yng ngwaith ei gŵr. Meddai ar ddawn areithio a bu'n gefn i lawer mudiad. Bu galw cyson arni i annerch cyfarfodydd, yn arbennig yn y mudiad dirwestol o dan aden Undeb Dirwestol Merched Gogledd Cymru. Bu'n hael ei chroeso a'i chymorth i ferched a ddeuai i weithio yn Llundain yn ei chartref ac yng nghapel (MC) Charing Cross.

Yn ystod Rhyfel Byd I yr oedd ganddi gantîn i filwyr ym mwrdeistref Westminster. Hwn oedd y cantîn cyntaf i'w gadw ar agor drwy'r nos at alwad y milwyr a gyrhaeddai orsaf Victoria. Am y gwasanaeth hwn anrhydeddwyd hi â'r O.B.E. Penodwyd hi'n ynad heddwch yn y fwrdeistref - y wraig gyntaf i'w rhoi ar gomisiwn heddwch sir y Fflint, ac eisteddai'n gyson ar fainc Caerwys.

Yr oedd ganddi ddiddordeb arbennig mewn cerddoriaeth ac yr oedd ymhlith aelodau cyntaf Cymdeithas Alawon Gwerin Cymru a sefydlwyd yn 1906. Trwy gyfrwng y ffonograff llwyddodd hi gyda Dr Mary Davies (*Bywg.*, 131) a Mrs R. Gwyneddon Davies i achub llawer alaw a oedd ar fin diflannu ar wefusau'r werin yn nechrau'r 20 g. Cyfrannodd lawer i gylchgrawn y gymdeithas. Hi oedd yn gyfrifol am ddiwygio rheolau'r gymdeithas yn 1927, ac yn 1930 fe'i hetholwyd yn llywydd. Cyhoeddodd, ar ei thraul ei hun, gasgliad o alawon gwerin sir y Fflint. Etholwyd hi'n aelod o Orsedd y Beirdd. Bu'n weithgar yn Eglwys Bresbyteraidd Cymru yn y gogledd ac yn Llundain. Yn 1923 cyflwynwyd anerchiad goreuredig iddi hi a'i gŵr i gydnabod eu cyfraniad nodedig i wahanol weithgareddau'r corff. Yn yr un flwyddyn treuliodd y ddau naw mis ar y maes cenhadol yn Lushai, lle'r oedd eu merch yn genhades.

Ar ôl marw ei gŵr yn 1933 etholwyd hi'n aelod o gyngor sir y Fflint dros ranbarth Ysgeifiog a Chaerwys. Gweithredodd hefyd ar bwyllgor addysg y sir. Yr oedd hefyd yn aelod o lysoedd colegau Prifysgol Cymru ym Mangor ac Aberystwyth ac o lysoedd a chynghorau'r Amgueddfa a'r Llyfrgell Genedlaethol. Yr oedd ei diddordeb yn fawr yn llyfrgell sir y Fflint ac yn Sefydliad y Merched. Bu'n llywydd y sefydliad hwnnw a'r gymdeithas nyrsio yng Nghaerwys. Bu f. 26 Awst 1946, a chladdwyd hi ym mynwent y Ddôl ar Awst 29.

Cylch. Cymd. Alawon Gwerin, passim; *Chester Chronicle*, 31 Awst 1946; *Gymraes*, 1921; a gwybodaeth gan ei merch, Kitty Idwal Jones.

E.D.J.

LEWIS, WILLIAM JAMES (*Bywg.*, 528). Bu'n dysgu yng Ngholeg Cheltenham yn ystod 1870-71 ac am gyfnod o 1862 bu'n un o olygyddion y *Messenger of Mathematics*.

Proc. Roy. Soc. A, 111 (1926), xliv; *Nature*, 117 (1926), 628.

Ll.G.C.

LEWIS, WILLIAM MORRIS (1839-1917), gweinidog (MC); g. 9 Mai 1839 yn Abergwaun, Penf., mab y Parch. Enoch Lewis. Addysgwyd ef yn seminari'r Dr George Rees; Coleg y Bala, Coleg Normal Abertawe a Choleg Trefeca. Dechreuodd bregethu yn 1856, ac ord. ef yn 1863. Pr., 1859, Lettice Maria Lloyd, ac ymsefydlodd y ddau yn y Tŷ Llwyd ger

Treffynnon, plwyf Llan-lwy, Penf. Codwyd ganddynt gapel Treffynnon yn ymyl eu cartref, a buont yn gefn mawr i'r achos. Bu'n llywydd Sasiwn y De yn 1893-94. Cyfrifid ef yn ei ddydd yn gryn ddiwinydd ac ysgolhaig Beiblaidd, a bu'n gohebu ag ysgolheigion megis Adolf Harnack ac H. M. Gwatkin; cyfeillachai hefyd â Thomas Charles Edwards (*Bywg.*, 184-5). Cyfrannodd lawer i'r *Traethodydd*, *Y Drysorfa*, ac i gylchgronau Saesneg. Cyhoeddwyd ei Ddarlith Davies, ar *Edifeirwch*, a draddodwyd yng Nghymanfa Gyffredinol 1900. Troswyd ei esboniad ar *Yr Epistol at yr Hebreaid* i'r Almaeneg, ac addefai W. M. Ramsay rym ei ddadl mai Paul oedd ei awdwr. Bu f. 26 Mai 1917, a chladdwyd ei weddillion ym mynwent Treffynnon.

Monthly Treasury, Tach. 1901; *Blwyddiadur MC*, 1918; G. M. Roberts, *Capel Treffynnon* (1967).

G.M.R.

LEWIS LLOYD, EMMELINE (1827-1913), un o'r merched cyntaf oll i ddringo yn yr Alpau; g. 18 Tach. 1827, yn ail ferch Thomas Lewis Lloyd o Nantgwyllt (y plasty yng Nhwm Elan lle bu Shelley yn aros yn 1812 ond a foddwyd wrth greu cronfa'r Caban Coch) a'i wraig Anna Eliza Davies, merch Treforgan ger Aberteifi. Ar ôl gadael cartref, bu Emmeline yn ffermio a magu merlod mynydd yn Llandyfaelog Fach ger Aberhonddu. Gyda'i sêl am bysgota, hela'r dyfrgi a chrwydro'r bryniau, ystyrid hi yn dipyn o gymeriad ac yr oedd wrth ei bodd yn adrodd hanes ei theithiau a'i gorchestion. Ei hynodrwydd pennaf yw iddi fynd i'r Alpau i ddringo mynyddoedd yn gyson yn ystod yr 1860au a'r 1870au. Rhyw lawner dwsin o ferched yn unig a ddringai yn y cyfnod hwn ac ar wahân, efallai, i Lucy Walker o Lerpwl (1835-1916) y mae'n amheus a ymroddodd yr un ohonynt i ddringo o'i blaen hi. Dringai Lucy Walker yn ddieithriad gyda'i thad a'i brawd, ond merch arall, Isabella Straton, oedd cydymaith arferol Emmeline. Bu hefyd yn dringo gyda'i chwaer ieuengaf, Bessie, a briododd William Williams, ficer Llandyfaelog. Treuliodd ei thywysydd arferol, Jean Charlet o Argentière, flwyddyn yn wastrawd yn Nantgwyllt: flynyddoedd wedyn pr. Isabella. Ychydig o fanylion ynghylch esgyniadau Emmeline sydd ar gael ond hyhi oedd yr wythfed ferch i ddringo'r Mont Blanc ac ar 22 Medi 1871, hyhi (yn 44 oed) gydag Isabella a'r tywysydd Joseph Simond a gyflawnodd esgyniad cyntaf yr Aiguille du Moine (3412 m. neu 11,194 tr.) ger Chamonix. Yr un flwyddyn dringodd y ddwy ferch Monte Viso gyda Jean Charlet. Rhoddodd y ddwy gynnig aflwyddiannus ar y Matterhorn mor gynnar ag 1869, 4 bl. ar ôl yr esgyniad cyntaf alaethus. Bu f. 22 Medi 1913, yn Hampstead Hill Gardens, Llundain, a'i chladdu yn Llansanffraid Cwmteuddwr, lle mae cofeb iddi yn yr eglwys.

Radnor Expr., 2 Hyd. 1913; Herbert M. Vaughan, *The South Wales squires, a Welsh picture of social life* (1926), pennod XIV; Ronald Clark, *The Victorian mountaineers* (1953), 178-81; *Guide Vallot: La Chaine du Mont Blanc*, 3 (1965); Nea Morin, *A woman's reach* (1968), Appendix 2: 'A survey of some notable feminine ascents'; gwybodaeth oddi wrth y Cadfridog Robert S. Lewis, Rhaeadr Gwy (gor-nai).

I.B.R.

LEWIS TYMBL – gw. LEWIS, DAVID JOHN (1879-1947) uchod.

LYNE, HORACE SAMPSON (1860-1949), llywydd Undeb Rygbi Cymru 1906-1947; g. yng Nghasnewydd, Myn., 31 Rhag. 1860 yn fab i Charles Lyne, maer y dref yn 1856 ac 1884. Addysgwyd ef yn Plymouth a'r *Royal Naval College.* Cyfreithiwr ydoedd wrth ei alwedigaeth. Chwaraeodd dros glwb rygbi Casnewydd fel cefnwr yn 18 oed, ond fel blaenwr deallus yr enillodd ei blwy fel capten y clwb 1883-84, a 6 chap dros Gymru 1883-1885. Fel cynrychiolydd y gêm yng Nghymru, bu'n un o sylfaenwyr y Bwrdd Rygbi Rhyngwladol yn 1886-87, a bu ei wasanaeth iddo'n ddi-dor, 1887-1938. Bu'n Llywydd urddasol Undeb Rygbi Cymru am gyfnod hwy na neb. Ef a Walter E. Rees (gw. isod) a lywiodd rhyngddynt faterion rygbi yng Nghymru gydol hanner cyntaf yr ugeinfed g. Bu'n amlwg ym mywyd cyhoeddus Casnewydd, ac urddwyd ef â rhyddfraint y dref yn 1934. Penodwyd ef yn ganghellor Esgobaeth Mynwy yn 1938, a bu'n aelod o Gorff Llywodraethol yr Eglwys yng Nghymru. Bu f. 1 Mai 1949 yng Nghasnewydd.

David Smith a Gareth Williams, *Fields of Praise* (1980); *West. Mail,* 2 Mai 1949; *S. Wales Argus,* 7 Mai 1949.

G.W.W.

LLAETHFERCH – gw. EVANS, MARY JANE uchod.

LLEWELLYN, Syr DAVID RICHARD (1879-1940), BARWNIG, perchennog glofeydd; g. 9 Maw. 1879 yn Aberdâr, Morg., yn fab hynaf Rees ac Elizabeth (g. Llewellyn) Llewellyn, Bwllfa House, yntau'n rheolwr cyffredinol y *Bwllfa & Merthyr Dare Collieries,* swydd a ddaliwyd gan ei fab, William Morgan Llewellyn, ar ei ôl. Addysgwyd D. R. Llewellyn yn Aberdâr a Choleg Llanymddyfri cyn dilyn cwrs mewn peirianneg mwyngloddio yng Ngholeg y Brifysgol, Caerdydd (1901-03). Aeth i T.U.A. am 2 fl. i ennill rhagor o brofiad a phan ddychwelodd yn 1905 dechreuodd brynu a pherchnogi glofeydd lleol, ac yna ar raddfa eangach yn ne Cymru, gan arloesi yn nefnydd y peiriannau torri newydd a welsai yn America. Yn 1916, yn gadeirydd cwmni glo Gwauncaegurwen, daeth i gyswllt â Henry Seymour Berry, Arglwydd Buckland (gw. uchod o dan BERRY, TEULU) a'r *Cambrian Combine,* a thrwy hyn bu ganddo ran yn natblygiad maes y glo caled. Daeth yn gyfarwyddwr lliaws o ymgymeriadau yn y fasnach lo, yn arbennig *Vale of Neath, Amalgamated Anthracite Collieries, Guest, Keen & Nettlefolds* ac yn gadeirydd *Welsh Associated Collieries* ac yn ddiweddarach yn is-gadeirydd y cwmni unedig Powell Duffryn Associated Collieries (dan gadeiryddiaeth Edmund Hann). Erbyn tuag 1920 gellid honni ei fod yn dal neu'n rheoli tua 1/7 o faes glo de Cymru. Chwaraeodd ran bwysig yn natblygiad dulliau rheoli'r diwydiant glo ac yn nhwf cwmnïau unedig. Yr oedd yn ffigur dylanwadol yn y *Coalowners Association* rhanbarthol (yn arbennig tuag 1925-30), a chydnabyddid ef yn arweinydd cymedrol ei safbwynt. Trôi ef a'i frawd William Morgan Llewellyn ymhlith eu gweithwyr a chadwyd y cyswllt personol a lleol.

Tra oedd ei gartref yn Aberdâr (Goytre, Llewellyn St., yna Fairfield House) yr oedd yn weithgar ar y Cyngor Tref (cadeirydd 1920), yn Uwch Gwnstabl Cantref Meisgyn, ac yn Rhyddfrydwr ac Undodwr amlwg (Hen-dŷ-cwrdd, Aberdâr). Bu'n drysorydd Coleg y Brifysgol, Caerdydd, 1922, ac yn llywydd y coleg 1924. Dyfarnwyd barwnigaeth iddo yn 1922, ac LL.D. er anrh. Prifysgol Cymru yn 1929. Symudodd i fyw i The Court, Sain Ffagan. Ei brif hobïau oedd hela (bu ef a'i frawd yn feistri helfa'r Bwllfa) a cheffylau. Pr. Magdalene (merch Henry Harries, 'Afonwy', gweinidog (B), Treherbert) 1905 a bu iddynt 4 mab a 4 merch. (Wedi m. eu mab hynaf, Rhys, 1978 etifeddwyd y farwinigaeth gan yr ail fab, Henry (Harry) Morton a ddaeth i fri ym myd marchogaeth ceffylau.) Bu f. yn nhŷ ei frawd, Tynewydd, Hirwaun, Morg., 15 Rhag. 1940.

Dict. of Business Biography; WwW (1921), lle y rhestrir ei gwmnïau; *Times,* 16 Rhag. 1940; *Aberdare Leader,* 21 Rhag. 1940, 1 a 6.

B.F.R.

LLINOS MORGANNWG – gw. SUSANNAH WESLEY REES (g. DAVIES) o dan REES, BOWEN isod.

LLOYD (TEULU), Maesyfelin (*Bywg.,* 540). Unwaith yn unig y pr. FRANCIS LLOYD (m. 1669). Goroeswyd ef gan ei wraig, Mary (g. Vaughan). Bu hi f. yn S. Martin's in the Field; profwyd ei hewyllys yn Llundain 31 Rhag. 1677. Yr oedd Bridget Leigh yn fam i dri phlentyn Francis Lloyd (y ddau fab, a'i ferch, Frances). Pr. Bridget wedi i Francis farw (a chyn 1676) ag un John Farrington.

Dogfennau Ffynnonbedr yn LlGC.

M.A.J.

LLOYD, EMMELINE LEWIS – gw. LEWIS LLOYD, EMMELINE uchod.

LLOYD, HENRY ('Ap Hefin'; 1870-1946), bardd ac argraffydd; g. 23 Meh. 1870 yn Nhyddyn Ifan, Islaw'r Dref, Dolgellau, Meir., i David a Margaret Lloyd. Derbyniodd beth addysg yn ysgol Arthog, ond mwy, medd ef, trwy gymdeithasau llenyddol yr eglwysi a'r Temlwyr Da. Symudodd i Gwm Bwlch-coch, Dolgellau, yn 1878. Ar ôl ei brentisio'n argraffydd yn swyddfa'r *Dydd* aeth i Aberdâr yn 1891 yn gysodydd i swyddfa'r *Darian.* Symudodd i Ferthyr yn 1893 i swyddfa'r *Tyst* ac yn 1902 dychwelodd i Aberdâr i swyddfa'r *Darian* a'r *Aberdare Leader.* Yn ddiweddarach sefydlodd ei fusnes argraffu ei hun a pharhau ynddi nes ymddeol yn 1940. Bu'n is-olygydd *Y Tyst* am dros ddeng ml. ac yn olygydd *Y Darian* am beth amser. Golygodd golofn farddol *Y Darian* am ugain ml.; bu'n athro cerdd dafod, yn gefn cyson i bob mudiad Cymraeg a llenyddol yn ei ardal, yn bregethwr cynorthwyol (EF) am dros hanner canrif ac yn ddarlithydd poblogaidd. Yr oedd yn fardd a chynganeddwr medrus iawn, yn enillydd nifer o gadeiriau eisteddfodol a channoedd o wobrwyon. Cyhoeddodd ddeunaw o lyfrau - cofiannau, pregethau, storïau, ond yn bennaf ei gerddi ei hun. Daeth ei englyn i 'Liwiau'r Hydref' yn adnabyddus, a rhai o'i emynau, megis 'Arhosaf yng nghysgod fy Nuw' ac 'I bob un sy'n ffyddlon'. Pr. yn 1896 â Sarah Ann Gravell a chawsant bedwar o blant. Bu f. 14 Medi 1946 a'i gladdu ym mynwent Aberdâr.

Gwybodaeth bersonol; [D. Jacob Davies, *Cyfoeth cwm* (1965), 91-2; *Cymro*, 23 Ebr. 1938; *Eurgrawn*, 1946, 36].

G.R.T.

LLOYD, Syr **WILLIAM** (1782-1857), milwr ac un o'r Ewropeaid cyntaf i esgyn i ben unrhyw fynydd eiraog yn yr Himalaya; g. 29 Rhag. 1782, yn fab hynaf Richard Lloyd, banciwr o Wrecsam a'i wraig Mary, ac yn or-ŵyr i Thomas Lloyd y geiriadurwr (*Bywg*.2, 131). Addysgwyd ef yn ysgol Rhuthun ac yna, rhwng 1798 ac 1825, gwasanaethodd ym myddin yr *East Indiar Company*, gan gyrraedd gradd uchgapten yn y *Bengal Infantry*. Ef oedd pennaeth gwarchodlu *Resident* Nagpur rhwng 1806 ac 1820. Ymenwogodd nid yn unig wrth frwydro (yn 1817 clwyfwyd ef bedair gwaith yn Rhyfel y Mahratta) ond fel mapiwr. Yn 1822 aeth ar daith hir trwy is-fynyddoedd yr Himalaya cyn belled â Bwlch Boorendo (neu Buan Ghati) ar ffin orllewinol Tibet, yn rhannol yng nghwmni arloeswr enwocaf y cylch, Alexander Gerard (1792-1839) o Aberdeen a'i frodyr Patrick a James. Wedi iddynt babellu yn yr eira wrth droed y bwlch a threulio noson arall annifyr ar y bwlch ei hun, dim ond Lloyd aeth ymlaen i ben copa gorllewinol Boorendo (16,880 tr.) ar 13 Meh., a gweld 'an assemblage . . . of all the mountains in the world'. Mae'n amheus a fu neb ond y brodyr Gerard i ben mynydd mor uchel â hyn o'r blaen. Yn bwysicach, dyma'r tro cyntaf i odid neb ddringo copa eiraog yn yr Himalaya er mwyn y peth ei hun yn hytrach nag wrth y gwaith o fapio. Yn bwysicach fyth, achubodd Lloyd y blaen ar ddringwyr Alpaidd canol y ganrif trwy gofnodi ei brofiadau mewn dull byw, rhamantus. 'I had longed ardently to see them, to be upon them, to know them', ebe Lloyd am yr Himalaya, 'The very impulse brought back to me my schooldays among the purple hills of the Vale of Clwyd.' Yn 1840, cyhoeddwyd dwy gyfrol yn Llundain tan olygyddiaeth ei fab George sy'n cynnwys *The narrative of a journey from Cawnpoor to the Boorendo Pass*, wedi ei seilio ar ddyddiadur Lloyd, ynghyd â gweithiau byrrach gan Alexander a James Gerard. Cyhoeddwyd ail arg. un-gyfrol yn 1846. Wedi ymddeol, dychwelodd Lloyd i Wrecsam a fyw ar ystad Bryn Estyn, arwain y *Denbighshire Hussars Yeomanry* a chwarae rhan amlwg ar ochr y Chwigiaid ym mywyd gwleidyddol a chymdeithasol y cylch. Urddwyd ef yn farchog yn 1838 a phenodwyd ef yn is-gyrnol er anrhydedd yn 1854. Bu f. 16 Mai 1857 a'i gladdu ym mynwent hen eglwys Llandudno - yr oedd ganddo dŷ yn y dref.

Credir mai plentyn anghyfreithlon o fam Indiaidd oedd ei fab GEORGE LLOYD (1815-43), g. 17 Hyd. 1815. Yn seithmlwydd oed, yr oedd gyda'i dad yn ystod wythnosau cyntaf ymgyrch 1822 ond gadawyd ef ar ôl yn Kotgarh. Bu hefyd yn crwydro'r Alpau gyda'i dad. Yn ogystal â golygu gwaith ei dad, golygodd *An account of Koonawur in the Himalaya* (1841), hanes holl deithiau Alexander Gerard. Dywedir iddo gyhoeddi cyfrol o farddoniaeth. Bu f. 10 Hyd.

1843, yn ymyl Thebes yn yr Aifft, wedi 'damwain gyda dryll'.

R. H. Phillimore, *Historical records of the survey of India*, 2, 1800-15 (1950), 417, a 3, 1815-30 (1954), 42 a 451-2; Ioan Bowen Rees, *Mynyddoedd* (1975), 90-3; D. Leslie Davies, 'Sir William Lloyd of Bryn Estyn', *Traf. Cymd. Hanes Sir Ddinb.*, 25 (1976) a 26 (1977).

I.B.R.

LLYWELYN ap IORWERTH, (*Bywg.*, 566). Nid mab Ranulf, iarll Caer, oedd John gŵr Helen ferch Llywelyn. Nid oedd ganddo fab. Yr oedd yn nai fab chwaer iddo. John le Scot mab David, iarll Huntingdon, ydoedd ef, a'i fam oedd Mawd chwaer Ranulf.

MATTHEWS, ABRAHAM (1832-99), gweinidog (A) ac un o arloeswyr y Wladfa ym Mhatagonia; g. yn Llanidloes, Tfn., Tach. 1832 yn fab i John Matthews, gwehydd, ac Ann Jones, ond magwyd ef gan Edward ac Ann Lewis, amaethwyr cyfagos a symudodd i Flaencwmlline, plwyf Cemaes. Yn 12 ml. oed prentisiwyd ef i ffatri yng Nghwmlline am dair bl., ac yna bu'n grefftwr o gwmpas Maldwyn a de Meirionnydd. Yn 22 oed, penderfynodd ei gynnal ei hun fel myfyriwr gyda meistr ysgol Frytanaidd Cemaes am na chafodd addysg ffurfiol pan oedd yn blentyn. Gadawodd Eglwys Llanwnnog (A), lle y bu'n aelod ers pan gafodd drŏedigaeth yn 17 ml. oed, ac ymunodd ag Eglwys Samah (A). Dechreuodd bregethu yno cyn mynd i Goleg y Bala (1856-59) a dod o dan ddylanwad Michael D. Jones (*Bywg.*, 466). Ord. ef yn weinidog Horeb, Llwydcoed (1859-65) ac Elim, Cwmdâr (cwm Cynon, 1859-60), a bu'n weinidog Adulam, Merthyr Tudful (1861-65). Pr. yng nghapel Ynys-gau, Merthyr, Mai 1863, â Gwenllian Thomas, chwaer i un o brif ffigurau'r Wladfa, John Murray Thomas.

Ni fennodd ei fywyd cyhoeddus ddim ar yr awch gwladfaol a fuasai ynddo ers pan fu wrth draed M. D. Jones. Felly, ym mis Mai 1865 ymddiswyddodd o'i ofalaethau i ymuno â'r fintai gyntaf a hwyliodd ar y *Mimosa* o Lerpwl y mis hwnnw i gychwyn gwladfa Gymreig ym Mhatagonia. Cyrhaeddodd New Bay ar 28 Gorff. 1865 a glanio ym Mhorth Madryn. Bu'n fain arnynt oll, a bu Matthews yn 'beryglus wael' ar ôl croesi'r paith rhwng Porth Madryn a Dyffryn Camwy. Aeth pethau mor galed yn niwedd 1866 fel yr aeth Matthews a saith gŵr arall i Buenos Aires i geisio cymorth y llywodraeth i symud y Cymry i dalaith Santa Fé. Pwysodd y gweinidog cartref, Dr. Rawson, arnynt i dreulio blwyddyn arall ar lan Camwy, ac yn Ebr. 1867 dychwelodd tri o'r wyth i holi barn eu cyd-Gymry ar hyn. Yr oedd Edwyn Roberts ac R. J. Berwyn am aros; ond credai Matthews mai doeth fyddai symud. Cytunai mwyafrif y sefydlwyr ag ef, ac anfonwyd y tri yn ôl i'r brifddinas i geisio llong i'w cymryd oll oddi yno. Yn nhreflan Patagones digwyddodd iddynt gyfarfod â Lewis Jones, a berswadiodd Matthews i newid ei feddwl a dychwelyd i Ddyffryn Camwy. Darbwyllodd ef y mwyafrif i aros yno am flwyddyn arall ac ef ar y awr dyngedfennol honno a achubodd y fenter rhag chwalu. Erbyn hynny ef oedd y prif (os nad yr unig) ŵr cyhoeddus yno. Cynhaliai ei deulu trwy amaethu; ond ymroes o'i wirfodd am flynyddoedd i fugeilio eglwysi Dyffryn Camwy, yn enwedig rhai Trerawson, Glyn Du, Moriah a Thair Helygen. Dywedir mai'r unig dâl a gafodd am ei weinidogaeth i'r fintai gyntaf oedd eu cymorth i amgau'r tir wrth drofa'r afon lle'r ymsefydlodd. Galwodd ei gartref yn 'Barc yr Esgob', â chyfeirid ato ef fel 'esgob y Wladfa'.

Gwelai'r angen am waed ac ysbryd newydd os oedd gwladfa Patagonia i barhau. Aeth i Gymru yn Ion. 1873, i T.U.A. ym mis Awst, ac i Gymru eilwaith ym mis Tach. hyd Ebr. 1874 i ddarlithio ac ailennyn y tân gwladfaol. Canlyniad hyn fu codi dwy fintai yn 1874, y naill yn cael ei gludo gan yr *Electric Spark* o Efrog Newydd (33 person) a'r llall gan yr *Hipparchus* o Lerpwl (49 person); a hefyd finteoedd o Gymru yn 1875 a ddaeth â 500 o ymfudwyr i atgyfnerthu'r sefydlwyr gwreiddiol a threblu'r boblogaeth. Ymwelodd â Chymru ddwywaith eto yn 1889-90 ac 1891-94 pryd yr ymgymerodd â gofal Capel Severn Rd., Caerdydd (1893) ac ysgrifennu *Hanes y wladfa yn Patagonia* (1894). Hon yw cyfrol fwyaf cynhwysfawr a gwrthrychol y cyfnod ar y pwnc.

Bu'n aelod o'r Cyngor cyntaf a etholwyd i'r Wladfa ac yn un o'i llefarwyr allweddol wrth drafod â Buenos Aires, a bu ar bwyllgor Oneto (cynrychiolydd llywodraeth Ariannin) er rheoli cymorth i'r Wladfa yn 1875-76. Bu'n hwb cyson i gychwyn ysgolion elfennol Cymraeg yn Nyffryn Camwy a bu'n ynad heddwch deirgwaith. Yr oedd yn aelod hefyd o'r pwyllgor a lywiodd safiad y Cymry yn erbyn gorchymyn y llywodraeth ganol ar i bob brodor dros 18 oed ddrilio ar y Sul; a chafodd ei restio ynghyd â gweddill y pwyllgor gan swyddogion lleol yn Chwef. 1899 o'r herwydd. Ef oedd golygydd *Y Dravod*, 1896-99. Bu f. 1 Ebr. 1899 a chladdwyd ef ym mynwent Moriah lle bu'n weinidog am ugain ml. Gadawodd weddw, ddau fab a dwy ferch.

Ŵyr iddo yw'r hanesydd Matthew Henry Jones, Trelew, awdur dwy gyfrol ar hanes y ddinas honno: *Trelew: un desafio Patagonico* (1981 ac 1989).

Bangor, llsgr. 8060; *Gwladgarwr*, 1865-74; *Dravod*, Ebr. 1899; *Tyst*, Mai 1899; *Tarian y Gweithiwr*, Awst 1899; A. Matthews, *Hanes y wladfa yn Patagonia* (1894); Lewis Jones, *Y wladva Gymreig yn Ne America* (1898); R. Bryn Williams, *Y Wladfa* (1962 ac 1969); ymchwil bersonol.

D.L.D.

MAURICE, MATHIAS (*Bywg.*, 588). Bu f. 1 Medi 1738. Cyhoeddodd nifer o lyfrau Saesneg, yn eu plith *Monuments of Mercy* (1729), *A modern question affirmed and approved* (1739).

G.T.S.

MILLER, WILLIAM HALLOWES (*Bywg.*, 596). Gorfu iddo gymryd gradd M.D. yn 1841 gan fod stadudau'r coleg yn mynnu athrawon yn feddygon neu'n glerigwyr. Etholwyd ef yn F.R.S. yn 1838 a bu'n ysgrifennydd y Gymdeithas Frenhinol yn 1856. Bu'n weithgar gyda'r comisiwn a fu'n ystyried safonau mesurau a phwysau'r Deyrnas yn 1843 a bu'n aelod o'r *Commission internationale du Mètre* yn 1870.

Proc. Roy. Soc., 31 (1881), ii; S. Markelyne, *Nature*, 22 (1880), 247.

Ll.G.C.

MILLS, ROBERT SCOURFIELD - gw. VAUGHAN, ARTHUR OWEN, *Bywg.*, 941, *Bywg.* 2, 169 ac isod.

MORGAN, DAVID JENKINS (1884-1949), athro a swyddog amaeth; g. ym Mlaendewi, Llanddewibrefi, Cer., 23 Medi 1884, yn ail blentyn a mab hynaf Rhys Morgan, gweinidog eglwys Bethesda (MC), yn y pentre, a Mary ei wraig (g. Jenkins). Ar ddydd olaf Awst 1887 derbyniwyd ef i'r ysgol fwrdd leol, chwe diwrnod ar ôl ei chwaer a oedd 14 mis yn hŷn nag ef, a bu yno hyd 14 Mai 1897. Agorwyd ysgol sir Tregaron yn neuadd y dre dridiau'n ddiweddarach. Yr oedd ei fam yn un o lywodraethwyr yr ysgol newydd, a dechreuodd yntau yno ar y diwrnod cyntaf. O Dregaron aeth i'r coleg yn Aberystwyth. Penodwyd ef yn athro gwyddoniaeth yn ei hen ysgol ond dychwelodd i'r coleg i ddilyn cwrs mewn amaethyddiaeth a graddiodd yn B.Sc. yn 1907. Penodwyd ef wedyn yn swyddog amaeth dros Geredigion, swydd a lanwodd dros a rhwng y ddau ryfel byd. Yn ystod ei gyfnod fel athro yn Nhregaron bu'n cydweithio â Samuel Morris Powell i sgrifennu, cynhyrchu, ac actio dramâu gwaith cartre ar hanes yr ardal, ac ef y rhan amlaf a chwaraeai ran yr arwr. Wedi ei benodi i'r swydd amaethyddol ymsefydlodd yn Llanbedr Pont Steffan ac oddi yno y bu'n teithio i gyrrau Ceredigion, gan ymgydnabod â'i hanes a'i thraddodiadau a threiddio'n ddwfn i serch ac ymddiriedaeth y ffermwyr. Daeth ei fodur tair olwyn Morgan yn gynefin â phriffyrdd a chefnffyrdd mwyaf anghysbell y sir. Bu ei ddylanwad ar amaethyddiaeth y sir yn enfawr. Y mae ei ysgrifau wythnosol o dan y pennawd 'Pant a bryn' yn y *Welsh Gazette* at ei gilydd yn ffynhonnell werthfawr ar ddatblygiad amaethyddiaeth a bywyd cymdeithasol yng Ngheredigion dros ran helaeth o hanner cynta'r ganrif hon, a'r cyfan wedi ei ysgrifennu mewn arddull hapus garlamus. Cyhoeddwyd detholiad ohonynt yn *Pant a bryn* (1953).

Pr., 7 Gorff. 1915, Annie, merch John a Jane Jones, Tŷ-llwyd, Bryn-mawr (yn wreiddiol o Swyddffynnon). Bu f. yn sydyn ar 18 Mai 1949 yn ysbyty Charing Cross, Llundain. Amlosgwyd ei gorff yn Golders Green a dychwelwyd ei lwch i Landdewibrefi i'w gladdu yno.

Welsh Gaz., 26 Mai 1949; gwybodaeth gan Mair Livingstone.

E.D.J.

MORGAN, EDWARD ('E.T.'; 1880-1949), chwaraewr rygbi. g. 22 Mai 1880 yn Aber-nant, cwm Cynon, Morg., ac addysgwyd ef yng Ngholeg Crist, Aberhonddu ac Ysbyty Guy, Llundain. Dr. 'Teddy' (felly 'E.T.') Morgan sgoriodd y cais mwyaf hanesyddol yn hanes y gêm yng Nghymru, os nad yr enwocaf erioed. Ef oedd piau'r cais a sicrhaodd fuddugoliaeth o 3-0 i Gymru dros Grysau Duon Seland Newydd yng Nghaerdydd ar 16 Rhag. 1905. Nid yn unig yr oedd yn eithriadol o gyflym ond gallai dwyllo gwrthwynebwyr trwy ffugio ac ochrgamu'n gelfydd. Gallai daclo a chicio'n dda. Daeth i sylw'r dewiswyr cenedlaethol pan sgoriodd dri chais dros Gasnewydd yn erbyn Blackheath ym mis Hyd. 1901. Gyda'r Cymry yn Llundain ac Ysbyty Guy y cysylltir ef fwyaf.

Sgoriodd 14 cais yn ei 16 gêm ryngwladol rhwng 1902 ac 1908. Gyda'i gyd-ddisgybl o Goleg Crist, William Morris Llewellyn (Pen-y-graig), ffurfiodd y bartneriaeth orau a welwyd erioed ar ddwy asgell Cymru. Yn 1904 sgoriodd ym mhob gêm ryngwladol, ac aeth ar daith i Awstralia a Seland Newydd gyda'r tîm Prydeinig. Chwaraeodd yn erbyn De Affrica yn 1906. Bu f. 1 Medi 1949 yn North Walsham, swydd Norfolk.

Bu ei frawd WILLIAM LLEWELLYN MORGAN (9 Maw. 1884-11 Ebr. 1960) yn chwarae rygbi dros Gymru yn 1910, a'i nai William Guy Morgan, hefyd, 1927-30.

David Smith a Gareth Williams, *Fields of praise* (1980); *S. Wales Echo*, 1 Medi 1949; *West. Mail* a *Times*, 2 Medi 1949.

G.W.W.

MORGAN, (neu **YONG**), JOHN (*Bywg*., 608; *Bywg*.2, 135). Ceir ei ach yn llsgr. Peniarth 131, t. 255; person gwahanol yw'r un y rhoddir ei ach ar d. 251 a *Bywg*.2. Mam yr esgob a hanai o'r Dwniaid.

P.C.B.

MORGAN, WILLIAM (1750-1833; *Bywg*., 618). G. ef 26 Mai 1750. Bu'n brentis gyda dau apothecari yn Llundain a hefyd yn fyfyriwr yn Ysbyty St Thomas. Yn 1772, dychwelodd i Ben-y-bont i gymryd practis ei dad ar ôl iddo farw. Yn 1773 aeth i Lundain ac mae'n bosibl ei fod wedi cadw ysgol am gyfnod. Penodwyd ef i'r *Equitable* ar 17 Ebrill 1774.

Prisiodd yr *Equitable* yn 1775, y tro cyntaf erioed i swyddfa gael ei phrisio, a'r *Equitable* yn 1800, yng nghyfnod Morgan, oedd y swyddfa gyntaf erioed i ychwanegu bonws at yr arian a delir allan ar bolisi. Heblaw ei waith gyda'r *Equitable* bu'n cynghori swyddfa'r *Scottish Widows* adeg ei sefydlu. Yn ôl pob tebyg, ef oedd y cyntaf i gynhyrchu pelydrau X pan basiodd drydan trwy diwb gydag ychydig iawn o awyr ynddo.

Bu ei fab Arthur yn actiwari yn *Equitable* o 1830 hyd 1870, ac yn Gymrawd o'r Gymdeithas Frenhinol. Bu mab arall, William a fu farw yn ifanc, yn actiwari cynorthwyol am gyfnod byr a bu ŵyr iddo, William, yn actiwari cynorthwyol o 1870 hyd 1892.

Peter H. Thomas, *Glamorgan Historian* (1963), 89; Maurice Edward Ogborn, *Equitable Assurances* (1962); Sir Herbert Maxwell, *Annals of the Scottish Widows Fund Life Assurance Society during One Hundred Years 1815-1914* (1914), 34; William Morgan, *Philosophical Transactions of the Royal Society (abridged)*, 15 (1781-1785), 699; J. G. Anderson, *The birth-place and genesis of Life Assurance* (1940), 43; [a gw. hefyd *Walford's Insurance Cyclopaedia* (1973) ii, 630].

Ll.G.C.

MORRIS, ROBERT DAVID (1871-1948), llyfrwerthwr teithiol ac awdur; g. yn y Nant, Coed-poeth, Dinb., 18 Rhag. 1871, yn fab i Dafydd a Hannah Morris. Gadawodd yr ysgol yn gynnar a mynd i weithio i'r pwll glo. Wedi rhai blynyddoedd yno, agorodd siop lyfrau Gymraeg a phapur newydd ar y Stryd Fawr yng Nghoed-poeth. Yn 1920au dechreuodd deithio drwy siroedd gogledd Cymru yn gwerthu llyfrau Cymraeg. Byddai'n eu casglu o Wasg y

Brython (Hugh Evans a'i Feibion, Lerpwl) a Hughes a'i Fab, Wrecsam. Daeth ef a'i fodur bach yn adnabyddus i rai cannoedd o bobl yng nghefn gwlad, a galwai heibio i ffermydd a thyddynnod diarffordd yn gyson. Daliodd ati hyd ei farw, ac yr oedd yn un o'r llyfrwerthwyr teithiol olaf yng Nghymru.

Er na chafodd ond ychydig addysg ffurfiol, pan welodd yr angen am lenyddiaeth ysgafn Gymraeg, ceisiodd gwrdd â'r angen hwnnw. Meddai yn y rhagair i'w ail nofel: 'esgus yr ieuanc darllengar yw, - nad oes digon o nofelau Cymraeg i'w cael fel ag i'w di-esgusodi rhag darllen y nofelau Saesneg sydd mor boblogaidd yng Nghymru. Diau un o'r moddion effeithiolaf i gael y Gymraeg yn ôl yw y nofel.' Bu cryn ddarllen ar ei nofel gyntaf *Derwyn* (1924). Fe'i dilynwyd gan *Serch Gwalia* (1925), *Merch y castell* (1928) a *Llwybr y merthyr* (1935). Cyhoeddodd ddwy gomedi, *Ffordd Sera Parri* a *Gŵr Betsan Huws*, a'r ddrama *Y Clwyf* yn cyflwyno darlun o alanas Rhyfel Byd I ar deulu arbennig. Bu amryw byd o gwmnïoedd ar hyd a lled Cymru yn perfformio'i gomedïau.

Yr oedd ynddo awydd cryf i newid pethau yng Nghymru. Bu'n un o arweinwyr yr I.L.P. yn ei ardal. Gwrthryfelai yn erbyn y drefn a wnaeth y Gymraeg yn iaith crefydd a chapel ac a orseddodd y Saesneg yn iaith addysg a masnach. Mynnai siarad Cymraeg yn siopau Wrecsam oedd wedi coleddu'r ffasiwn newydd. Cyflwynodd ei nofel gyntaf i'r A.S., E. T. John 'am ei sêl a'i ymdrech dros Gymru'.

Bu'n athro Ysgol Sul am flynyddoedd lawer ar ddosbarth o ddynion ieuanc yn Salem, Coed-poeth. Dysgodd y bechgyn hynny i gasáu pob rhyfel, a thaniodd amryw ohonynt â'i weledigaeth o fyd mwy cyfiawn.

Pr. ag Elizabeth Roberts, Nant, Coed-poeth, a fu f. yn 1906; ac ag Elizabeth Hughes o Flaenau Ffestiniog. Bu f. 1 Awst 1948 yn 77 ml. oed. Fe'i claddwyd ym mynwent gyhoeddus Coed-poeth.

Gwybodaeth bersonol; *Porfeydd*, 1978.

D.M.J.

MOSES, DANIEL LEWIS (1822-93; *Bywg*., 632). Cywirer i David a gw. MOSES-EVANS, DAVID LEWIS isod.

MOSES-EVANS, DAVID LEWIS (1822-93; *Bywg*., 632). Adnabyddid ef ar lafar ym Mrynaman fel Dafydd Moses, ond tuag 1860, wedi ymchwil i hanes ei deulu ychwanegodd y cyfenw Evans, a'r cyfenw hwnnw a ddefnyddiai'r pump neu'r chwech ieuengaf o'i naw plentyn a gyrhaeddodd oedran teg, 4 mab a 5 merch. Mary, ei ferch, oedd llysfam J. Lloyd Thomas, a fu'n brifathro ysgol ramadeg Llanfyllin, a mam Dafydd Arafnah Thomas, gweinidog. Gw. erthygl T. J. Morgan ar Feirdd Eisteddfodol Cwmaman a Chwmtawe yn *J.W.B.S*., 9, tt. 162-85, am ei gyfraniad fel hyfforddwr beirdd y gymdogaeth, a thystiolaethau Watcyn Wyn a Gwydderig yn yr un erthygl. [Gw. hefyd Huw Walters, *Canu'r Pwll a'r Pulpud*, tt. 94-103 yn arbennig]. I T. Moy Evans, un o'i feibion a fu'n brifathro Ysgol Coleg Dewi Sant yn Llanbedr cyn mynd yn gyfreithiwr yn Rhydaman, yr ewyllysiodd Gwydderig (Richard Williams, 1842-1917, *Bywg*., 1002) ei lawysgrifau. Bu mab arall John

M(oy) Evans yn gyfreithiwr amlwg yn Abertawe, yn aelod o gyngor y dref ac yn gadeirydd Pwyllgor y llyfrgell a'r *Royal Institution* yno. Bu ef yn llywydd Cymanfa Undodaidd Deheudir Cymru. Golygodd gyfrol o storïau Hirnos Gaeaf a chyfresi yn y *Cambrian Daily Leader*. Mab arall oedd D. L. Moses-Evans, cyfreithiwr yn Ystalyfera ac E. Tudor Moses-Evans, ficer Monkton, Penfro, a chanon Tyddewi.

J.Ll.T.

OWEN (TEULU), Glansevern (*Bywg.*, 653). Bed. DAVID OWEN (1(b)) 16 Medi 1754 a WILLIAM OWEN (1(c)) 22 Awst 1758 yn eglwys Aberriw. Disgrifiwyd y tad yn 'gent. of Keel' (Cil) ac yr oedd gan y teulu lawer o eiddo yn yr ardal. Cyn i David fynd i Gaergrawnt bu yn ysgol ei ewythr yn Warrington. Yng Nghaergrawnt enillodd brif wobr Smith yn 1777 a graddiodd yn M.A. yn 1780. Bu f. 10 Rhag. 1829. Bu William yng Ngholeg Iesu, Rhydychen am gyfnod byr rhwng ysgol Warrington a Choleg y Drindod. Bu f. 10 Tach. 1837.

Alumni Cantab. (1951), 611, 614; Cofrestri Plwyf Aberriw yn LlGC.

Ll.G.C.

OWEN, Syr DAVID JOHN (1874-1941), rheolwr dociau; g. yn Lerpwl ar 8 Maw. 1874 yn fab i R. Ceinwenydd Owen, gweinidog (MC), ac Elizabeth Jane (g. Jones). Pr. (1), yn 1899, â Mary Elizabeth (bu f. 1906) merch Capten William Owen, Caernarfon; pr. (2), yn 1908, â Marian Maud, gweddw J. H. Thomas, Caerfyrddin, a merch William Williams Hwlffordd, ond ni fu iddynt blant. Addysgwyd ef yn y *Liverpool Institute* a chychwynnodd ar ei yrfa yn gweithio gyda *Mersey Docks and Harbour Board*, Lerpwl. Yn 1904 daeth yn rheolwr ac ysgrifennydd i'r Brodyr Paul, melinwyr blawd yn Lerpwl a Phenbedw, a phenodwyd ef yn rheolwr cynorthwyol Dociau Goole yn 1908, a'i ddyrchafu'n rheolwr yno yn 1915. Ymhen y flwyddyn daeth yn rheolwr cyffredinol ac ysgrifennydd i Gomisynwyr Harbwr Belfast, swydd a gadwodd nes iddo gael ei benodi'n rheolwr cyffredinol Awdurdod Porthladd Llundain yn 1922, a chadwodd y swydd honno hyd 1938. Yn ystod y cyfnod hwn gwasanaethodd nifer o gymdeithasau cenedlaethol ac etholwyd ef yn llywydd y *National Confederation of Employers' Organisations*. Yr oedd yn aelod o'r Comisiwn Brenhinol ar Hap Chwarae a Betio, 1932-33, a'r *Holidays with Pay Committee*, 1937, a bu'n gadeirydd *Merchant Shipping Reserve Advisory Committee* y Bwrdd Masnach yn 1939. Bu hefyd yn gadeirydd Pwyllgor Cyflogau Amaethyddol sir Fôn a Chaernarfon ac yn aelod o'r Pwyllgor Dŵr Ymgynghorol Canolog. Urddwyd ef yn farchog yn 1931. Galluogodd ei gysylltiad hir â phrif borthladdoedd Prydain iddo gyfrannu at ddealltwriaeth o'u hanes trwy ei gyhoeddiadau: *A short history of the Port of Belfast* (1917), *History of Belfast* (1921), *The Port of London yesterday and today* (1927), a *The origin and development of the ports of the United Kingdom* (1939). Bu f. 17 Mai 1941.

Www.

D.G.R.

OWEN, HENRY (*Bywg.*, 662). G. ef yn Nyffrydan, tua 3 milltir o Ddolgellau. Enw ei fam oedd Jonet(te).

Cofrestri Plwyf Dolgellau yn LlGC.

Ll.G.C.

OWEN, MORFYDD LLWYN (*Bywg.*, 674; *Bywg.*2, 142). Cyhoeddwyd bywgraffiad gan Rhian Davies, *Eneth ddisglair annwyl: Never so pure a sight* (1994).

OWEN, WILLIAM ('Gwilym Alaw'; *Bywg.*, 1061). Ei ddyddiadau yw 1762-1853. Gw. Huw Williams, *Tr.*, 1982.

OWEN, WILLIAM ('Gwilym Meudwy' neu 'Gwilym Glan Llwchwr'; 1841-1902), bardd cocos a chrwydryn; g. yn Aber Cenfi, plwyf Llandybïe, Caerf., 23 Gorff. 1841 yn fab i William a Sarah Owen. Hanai'r teulu o Faldwyn a bu'r tad yn wehydd yng Nghil-y-cwm, Llanwrda a Llanymddyfri cyn symud i weithfa wlân Cwmllwchwr yn 1836. Yn ôl Watcyn Wyn (*Y Diwygiwr*, 1902, t. 262) yr oedd William Owen yn or-ŵyr i John Owen, Machynlleth (*Bywg.*, 670-1), awdur y gerdd hir *Troedigaeth Atheos*. Prentisiwyd Gwilym Meudwy i saer coed yn ardal y Trap ger Llandeilo yn 1856, ond dychwelodd at ei dad i'r ffatri wlân ymhen tair bl. Bu f. ei dad yn 1865 a'i fam yn 1877, a chrwydryn fu Gwilym Meudwy fyth wedyn. Treuliai'r haf yn y ffynhonnau yn Llanwrtyd a Llandrindod, gan ddychwelyd i ardaloedd Brynaman, Llanelli ac Abertawe dros fisoedd y gaeaf. Ar y pererindodau blynyddol hyn y gwerthai gynnyrch ei awen, a bu'n cadw argraffwyr Aberdâr, Llandeilo, Ystalyfera, Llanelli a Rhydaman yn brysur am gyfnod o ddeng mlynedd ar hugain. Cyhoeddwyd tua deunaw o lyfrynnau o'i waith rhwng 1879 ac 1902, a chynnwys y rhain ddefnyddiau amrywiol fel dadleuon dirwestol, ymddiddanion, baledi a mân draethodau, ond fel marwnadwr y gwnaeth y Meudwy enw iddo'i hun. Canodd gerddi coffa i ddegau lawer o hoelion wyth yr enwadau ymneilltuol ac i wleidyddion, yn ogystal â baledi yn coffáu'r rheini a laddwyd mewn damweiniau glofaol. Cyffredin, a dweud y lleiaf, yw ansawdd y cynhyrchion hyn, ond mae'r bardd yn haeddu'i gofio fel un o'r olaf o'i fath yng Nghymru a enillai ei damaid drwy werthu cynnyrch ei awen. Bu f. yn Rhydaman 21 Meh. 1902 a chladdwyd ef ym meddrod y teulu ym mynwent eglwys y plwyf, Llandybïe. Brawd iddo oedd Joseph Pugh Owen a fu'n ysgolfeistr yn Torrington Square, Llundain. Brawd arall oedd John Owen a briododd â chwaer i D. Avan Griffiths, gweinidog Troedrhiwdalar (A), a phlant o'r briodas hon oedd William Pugh Owen a fu'n offeiriad ym Melbourne, Awstralia, a Dr John Griffith Owen a fu'n feddyg yn Kingston-upon-Thames. Mab i chwaer y rhigymwr oedd Edmund Owen Rees o San Francisco a fu'n Gonswl Prydeinig Nicaragua.

Casglwr, 8 Awst 1979 (gan gynnwys rhestr o'i weithiau); G. M. Roberts, *Hanes Plwyf Llandybïe*, 235; *S. Wales Guardian*, 21 Awst-11 Medi 1975.

H.Wa.

PARRY-WILLIAMS, HENRY (1858-1925), ysgolfeistr a bardd; g. 11 Meh. 1858, yn fab i Thomas a Mary Parry, Gwyndy, Carmel, Caern. Yr oedd yn hanner brawd i Robert Parry, tad y bardd R. Williams Parry (gw. uchod). Ychwanegodd y cyfenw Williams at ei enw yn gynnar yn ei oes am mai dyna gyfenw ei daid ar ochr ei dad, Henry Williams. Cafodd ei addysg elfennol yn ysgol Bron-y-foel, ac arhosodd yno am bum ml. fel disgybl athro. Yna aeth yn ddisgybl i'r *Holt Academy* o dan James Oliver Jones. Treuliodd bedwar mis olaf 1876 yn athro dros dro yn ysgol Loveston, ger Arberth, Penf. Yn 1877 derbyniwyd ef yn fyfyriwr yn y Coleg Normal, Bangor, ac ar ddiwedd ei gwrs yn 1879 penodwyd ef yn ysgolfeistr Rhyd-ddu, ac yno y bu nes ymddeol yn 1923.

Ysgrifennodd Parry-Williams lawer o farddoniaeth yn unol â safonau ei gyfnod, gan gynnwys tair pryddest a enillodd gadeiriau mewn eisteddfodau lleol. (Gw. *Y Geninen Eisteddfodol*, 1892, 1893, 1897). Unwaith yn unig yr enillodd yn yr Eist. Gen., sef ym Mae Colwyn yn 1910 am naw o delynegion ar y testun 'Y bywyd pentrefol'. Ond ei brif gynnyrch oedd cerddi yn dathlu digwyddiadau ei ardal, a rhai cerddi telynegol. (Gw. *Cerddi Eryri*, gol. Carneddog). Fel ysgolfeistr gwnaeth waith nodedig a phrin iawn yn ei ddydd, yn arbennig mewn ysgol elfennol, sef gwneud llenyddiaeth Gymraeg yn rhan o addysg y plant - rhoi hanes y Cynfeirdd a'r Gogynfeirdd, ac enghreifftiau o weithiau'r prif rai ymysg Beirdd yr Uchelwyr, a rhyddiaith y Dadeni, a Morgan Llwyd ac Ellis Wynne. Hyn i gyd, medd ef, am fod gwerth addysgol ynddo, ac i wneud y disgyblion yn falch o'u gwlad. Un gweithgaredd anghyffredin arall oedd derbyn i'w gartref yn yr haf wŷr dysgedig o'r Cyfandir a oedd am ddysgu Cymraeg.

Yn 1899 y dechreuodd, gyda'r Athro Heinrich Zimmer o Brifysgol Greifswald yn yr Almaen, ac yna ysgolheigion Celtaidd enwog eraill fel Hermann Osthoff o Heidelberg, Rudolf Thurneysen o Freiburg, ac A. G. van Hamel o Utrecht.

Pr. Henry Parry-Williams ag Ann Morris, Glangwyrfai, Rhyd-ddu, yn 1885, a bu iddynt ddwy ferch a phedwar mab. Un ohonynt oedd T. H. Parry-Williams. Bu f. ddydd Nadolig 1925, a'i gladdu ym Meddgelert.

Gwybodaeth bersonol; *Genh.*, 28, 66-70; *Cymru*, 20, 112-4; *The Place of Welsh in the curriculum of Elementary Schools: an address delivered by Mr Parry Williams, Rhyd-ddu, to the Carnarvonshire Teachers' Association, on Saturday, April 8, 1911.* (Argraffwyd y pamffled hwn yn Swyddfa'r *Herald*, Caernarfon, ond heb enw cyhoeddwr).

T.P.

PASTOR DAN – gw. WILLIAMS, DANIEL POWELL, isod.

PEDR ALAW – gw. EDWARDS, PETER (PERCY) uchod.

PENSON, RICHARD KYRKE (*Bywg.*, 702), g. 19 Meh. 1815 yn Owrtyn, Ffl. ac nid yng Nghroesoswallt. Frances (g. Kirk) oedd ei fam a Clara Maria oedd enw ei wraig. Trigai yng Nghilyrychen, Llandybïe, Caerf., yn 1871.

PHILLIMORE, EGERTON GRENVILLE BAGOT (*Bywg.*, 710). Ar 'Welsh Aedoeology' gw. *Studia Celtica*, 6 (1971), 99-102.

PRICE, PETER (1864-1940), gweinidog (A); g. 11 Gorff. 1864, yn y Dewisbren-isaf, tyddyn tua 3 milltir o Ddolgellau, Meir., yr hynaf o ddeg plentyn Thomas a Jane Price. Mab hynaf Peter a Catherine Price, y Fronolau, ffermdy amlwg ar fin y ffordd serth o Ddolgellau i Groesffordd Gwanas, oedd Thomas Price. Dyma ardal y Tir Stent enwog yn hanes y Crynwyr ym Meirionnydd yn ystod 17 a'r 18 g. Pan giliodd y Crynwyr o Dyddyn-y-garreg a'r capel a godwyd ganddynt gerllaw yn 1792, Peter Price, y Fronolau, a oedd yn ddiacon gyda'r (A) yn Nolgellau o dan weinidogaeth Cadwaladr Jones (*Bywg.*, 420) fu'r prif gyfrwng i sicrhau'r capel hwnnw i'r enwad (A) ar rent yn 1847, a'i brynu yn niwedd 1854, a'i alw yn Tabor. Cysylltir y teulu oll â Tabor, a hawlient eu bod o'r un llinach ag Edmund Prys (*Bywg.*, 757-8). Yr oedd dylanwad y Crynwyr yn drwm ar Peter Price, Dewisbren-isaf.

Symudodd ei rieni i fyw ym Mhlas y Brithdir pan agorodd Thomas Price fasnach gwerthu blawd yn Nolgellau. Yn ysgol ramadeg Dolgellau dan y prifathro S.S.O. Morris, ysgolor o Gaergrawnt, y cafodd Peter Price ei addysg nes ymadael ar ôl tymor byr i gynorthwyo'i dad. Dechreuodd bregethu yn Nhabor yn 1881. Aeth yn fyfyriwr i Goleg y Brifysgol Aberystwyth ac astudio athroniaeth dan Thomas Charles Edwards (*Bywg.*, 184-5). Ymadawodd yn 1885, ond yn hydref yr un flwyddyn yr oedd ym Mangor, yng Ngholeg y Brifysgol, lle'r enillodd dystysgrif *matriculation* ac ysgoloriaeth o £10. Gadawodd y coleg yn 1887, ar ganol ei gwrs gradd, i fod yn weinidog ar eglwys Ebeneser, Trefriw, ac ordr. ef yno ar 14 a 15 Rhag. Yn 1896 sefydlwyd ef yn weinidog ar eglwys ifanc Great Mersey Street, Lerpwl. Derbyniwyd ef i brifysgol Caergrawnt (heb gyswllt colegol) Hydref 1897, ac ymhen blwyddyn ymaelododd yng Ngholeg y Breninesau, Caergrawnt, a graddio gydag anrhydedd mewn athroniaeth yn 1901. Cafodd radd M.A. yn 1939. Ailgydiodd yn ei weinidogaeth yn 1901. Pr. yn Ion. 1902 â Letitia Williams, Tŷ Gwyn, Llanrwst.

Symudodd i Fethania, Dowlais, yn haf 1904, eglwys o dros 600 o aelodau, lle'r oedd y cerddor Harry Evans (*Bywg.*, 220-1) yn organydd. Yr oedd Diwygiad 1904 yn cynhyrfu'r wlad erbyn hyn. Ymwelodd y diwygiwr, Evan Roberts (gw. uchod), â Bethania. Cyffrowyd Peter Price, a mentrodd feirniadu'r Diwygiad a dulliau Evan Roberts, yn arbennig, mewn llythyr lled rodresgar a helaeth yn y *West. Mail*, 31 Ion. 1905. Cysylltwyd enw Peter Price byth wedyn yn hanes crefyddol Cymru â'r brotest hon a'r cynnwrf a'i dilynodd. Yn Hyd. 1910, sefydlwyd ef ym Methlehem, Rhosllannerchrugog. Treuliodd 10 ml. llafurfawr yno, yn cynnal dosbarthiadau amrywiol, ac yn annerch cyfarfodydd gwleidyddol. Un o'i gynorthwywyr selocaf oedd y Dr Caradog Roberts (*Bywg.*, 808). Aeth i T.U.A. yn 1913 ac yn fuan wedi hynny derbyniodd radd D.D. er anrhydedd gan Brifysgol Washington.

Symudodd i weinidogaethu yn Baker Street, Aberystwyth, yn Nhach. 1920, ac ni phallodd y genhedlaeth honno o fyfyrwyr Coleg y Brifysgol â mawrygu daioni a dyfnder ei ddylanwad ar eu bywyd. Ymddeolodd yn 1928, oherwydd afiechyd ei briod ac yntau, ac ymgartrefasant yn Abertawe, Llanfairfechan a Phrestatyn. Yno y bu f. 8 Gorff. 1940, ac ym mynwent Prestatyn y claddwyd ef.

Yr oedd Peter Price yn ŵr cadarn, cryf ei feddwl ac angerddol ei deimladau, a hanner addolid gan ei edmygwyr ond a wnâi elynion yn hawdd hefyd; pregethwr nerthol a gweinidog dylanwadol, yn heddychwr ac yn bersonoliaeth wreiddiol. Cyhoeddodd ddau bamffledyn, *Tarian yr ynfyd (Defence and delusion)*, 1936, *Y Fuddugoliaeth ddiarf* (o'r *Dysgedydd*), 1937.

West. Mail, 31 Ion. 1905; R. H. Davies, *Y Gloch goll* (1947); Penry Jones, *Peter Price* (1949); D. J. Roberts, *Cofiant Peter Price* (1970); *Alumni Cantab.*, *1752-1900*, V. ii, 194.

D.J.R.

PRICE, RICHARD (*Bywg.*, 742). Rhoddodd lawer o gymorth i John Howard ar gyfer ei lyfr *The State of Prisons*. Golygodd bapurau Thomas Bayes ar egwyddorion tebygolrwydd ar ôl iddo farw yn 1761. Mae'n debyg bod hyn wedi arwain at ddiddordeb Price mewn egwyddorion yswiriant a blaendaliadau. Yr oedd yn gynghorydd i 'A society for equitable assurances on Lives and Survivorships' (bellach *The Equitable Life Assurance Society*) ac ef oedd yn gyfrifol mai'r Equitable oedd y swyddfa gyntaf erioed i sicrhau bod blaendaliadau yn dibynnu ar oed y sawl a yswiriwyd, a'u bod yn ddigonol i ateb gofynion y dyfodol. Bu'n gefnogol i'r syniad o bensiynau henoed a thâl salwch ac yn 1789 gofynnodd Pwyllgor Tŷ'r Cyffredin iddo lunio tablau ar gyfer hyn.

Bu'n diwtor am gyfnod yn yr Academi anghydffurfiol a sefydlwyd yn Hackney yn 1768, a bu'n trafod materion fel blaendaliadau a *Principia* Newton gyda rhai o'r myfyrwyr yno.

Carl B. Core, *Torchbearer of Freedom: The influence of Richard Price on eighteenth century thought* (1952); Maurice Edward Ogborn, *Equitable Assurances* (1962); Caroline E. Williams, *A Welsh family from the beginning of the 18th century* (1893), 63. [Ceir llyfryddiaeth o weithiau Price gan D. O. Thomas, J. Stephens, P. A. L. Jones (*Bibliography* . . . 1993); a dechreuwyd ar y gwaith o olygu a chyhoeddi ei ohebiaeth gan B. Peach a D. O. Thomas, 1983-1994].

Ll.G.C.

PRICE, THOMAS (TOM; 1852-1909), Prifweinidog De Awstralia; g. ym Maelor View, Brymbo, ger Wrecsam, Dinb., 19 Ion. 1852 yn fab i John a Jane Price. Yn flwyddyn oed symudodd y teulu i fyw yn ardal Everton yn Lerpwl. Ymaelododd y rhieni yn eglwys y Wesleaid yn Burrough's Gardens cyn symud i gapel newydd yn Boundary Street ac yno y cafodd Tom, y plentyn, ei fagwrfa grefyddol a bu'n barod i gydnabod ei ddyled i'r eglwys honno gydol ei oes, ac yn enwedig ei ddyled i'r Ysgol Sul y bu ynddi yn athro ac yn arolygwr.

Ar ôl dyddiau ysgol aeth y mab i ddilyn ei dad fel saer maen ac yna, wedi cwpláu ei brentisiaeth, ymgymerodd â pheth o faich busnes ei dad. Pr., 14 Ebr. 1881, ag Anne Elizabeth, merch Edward Lloyd a chyfnither Syr

Alfred T. Davies (*Bywg.*2, 7). Pan wanychodd ei iechyd penderfynodd Tom Price a'i briod ymfudo i Awstralia a glaniodd y ddeuddyn, gyda'u plentyn cyntafanedig, yn Adelaide, Mai 1883.

Yn Awstralia bu Tom Price yn naddu meini i'w gosod yn y senedd-dŷ yr etholwyd ef iddo ym mhen deng mlynedd wedi iddo lanio yn y wlad, fel A.S. yn enw'r Blaid Lafur. Bu'n ysgrifennydd i Undeb yr Adeiladwyr a phenodwyd ef yn arweinydd ei blaid. Yn 1905 dewisiwyd ef yn Brifweinidog rhanbarth De Awstralia a chadwodd y swydd hyd ei farw. Bu'n boblogaidd fel areithiwr hwyliog ar lwyfan, yn debyg yn hynny o beth, yn ogystal ag yn ei edrychiad, i Lloyd George. Yr oedd yn Gymro gwlatgar, parod i arddel ei genedl. Dyn ei gyfnod ydoedd ac, fel llawer o bobl ei gyfnod, yn llwyrymwrthodwr. Wedi ei ddyrchafu'n Brifweinidog ni chelodd y ffaith iddo fod yn perthyn i gymdeithas ddirwestol ar hyd ei oes. Nid yw'n debyg o gael ei gyfrif ymhlith a mwyaf o wladweinwyr, ond, yn ei ddydd, fe wnaeth waith canmoladwy gydag ychydig fanteision. Nid anghofiodd ei fagwraeth grefyddol, yn enwedig yr Ysgol Sul yn ei flynyddoedd cynnar. Cadwodd ei gysylltiad â'r Wesleaid - bu'n bregethwr cynorthwyol - a magodd ei blant, saith ohonynt, yn yr un traddodiad crefyddol. Bu f. 31 Mai 1909 a'i gladdu mewn mynwent yn Adelaide.

The Cententary history of South Australia; Percival Serle, *Dict. Austral. Biog.*; *Australian Christian Commonwealth*, 4 June 1909, 8-9; T. H. Smeaton, *From Stone Cutter to Premier*; *Eurgrawn*, 169 (1977), 154-159.

Er.E.

PRICE, THOMAS GWALLTER ('Cuhelyn'; *Bywg.*, 746). Yr oedd Price yng Nghaliffornia erbyn 1858 ac ymfudodd i Victoria, Ynys Vancouver, ddechrau 1859 gan adael ei wraig i werthu'r busnes. Wedi cyfnod eto yng Nghaliffornia yn 1860 cyrhaeddodd ef a'i wraig y Cariboo, tua 300 milltir i'r gogledd o Vancouver, yn 1862 (bu'n dysgu elfennau barddoniaeth i 'Tal o Eifion' yno yn 1863) a dychwelodd i'r dwyrain yn 1865. Bu f. 13 Mai 1870 (*Y Drych*, 26 Mai 1870, 11 Awst 1870). Gw. Alan Conway, 'Welsh miners in British Columbia', *British Columbia Historical Quarterly* (1957-58), 51-74.

G.I.L.

PRICHARD, THOMAS JEFFERY LLEWELYN (*Bywg.*, 749). Ffugenw oedd Jeffery Llewelyn ar y cychwyn (gw. rhai cyfieithiadau o gerddi Cymraeg ganddo yn *Cambro-Briton*, (1819-20), 393-94) a gyfunwyd â'i enw bedydd yn *Welsh Minstrelsy*. G. ef, fe ymddengys, yn Llanfair-ym-Muallt yn 1789 neu 1790, yn f. Thomas Prichard, 'lawyer', a'i wraig Anne. Crwydrodd lawer - i Lundain lle y daeth i gyswllt â rhai Cymry adnabyddus tuag 1819, Aberystwyth, Y Fenni, Llanfair-ym-Muallt (lle y pr. Naomi Jones yn 1826 ac aros hyd tuag 1839). Bu'n catalogio llyfrgell Llanover 1841-1854 ond bu f. mewn tlodi mawr yn Abertawe yn Ion. 1862 yn 72 ml. Gw. erthyglau Sam Adams yn *Anglo-Welsh Rev.*, 23 (1974), 21-60, *Brycheiniog*, 21 (1984-85), 52-63.

PRYCE-JONES, Syr PRYCE (PRYCE JONES hyd 1887; 1834-1920), arloeswr busnes archebu drwy'r post; g. yn Pryce Jones, 16 Hyd. 1834, ail fab William Jones, cyfreithiwr yn Y Drenewydd, Tfn., a Mary Ann Goodwin, merch cefnder Robert Owen, y diwygiwr cymdeithasol (*Bywg.*, 678). Wedi ei brentisio yn 12 oed i ddilledydd yn Y Drenewydd sefydlodd ei fusnes ei hun yn 1859, y flwyddyn y pr. Eleanor Rowley Morris. Cychwynnodd ei fusnes archebu drwy'r post drwy anfon patrymau at foneddigion lleol, wedyn restri o nwyddau ac yn ddiweddarach gatalogau at bobl o bob dosbarth ym mhob rhan o'r byd, gan wahodd archebion drwy'r post. O'r 1860au ymlaen bu'n arddangos gwlanen enwog Y Drenewydd yn yr Eist. Gen. ac mewn arddangosfeydd pwysig yn ninasoedd mwyaf y byd - Paris, Brwsel, Berlin, Fienna, Melbourne, a Philadelphia yn eu plith - gan ennill nifer o wobrwyon a denu llawer iawn o archebion nes y gallai honni fod ganddo dros 300,000 o gwsmeriaid ledled y byd, gan gynnwys Florence Nightingale, y Frenhines Victoria, ac aelodau o ymron bob teulu brenhinol yn Ewrob. Gwnaeth ddefnydd helaeth o'r rheilffyrdd i ddosbarthu ei nwyddau, gan ddatblygu ei system post parseli ei hun a rhoi cyngor i'r llywodraeth cyn iddynt gyflwyno Mesur Parseli'r Swyddfa Bost 1882. Yn 1879 agorodd ystordy newydd, gwych ger gorsaf rheilffordd Y Drenewydd.

Urddwyd ef yn farchog ym mlwyddyn jiwbili'r Frenhines Victoria (1887), pryd y newidiodd ei enw i Pryce Pryce-Jones. Cynrychiolodd Fwrdeistrefi Trefaldwyn fel A.S. (C) 1885-86 ac 1892-95, a bu'n Uchel Siryf ei sir yn 1891. Bu f. yn y Drenewydd 11 Ion. 1920, a chladdwyd ef ym mynwent eglwys Llanllwchaearn.

The Biograph (1880), 206-8; amryw rifynnau o'r *Montgomeryshire Express.*

M.R.

QUIN, WINDHAM THOMAS WYNDHAM – gw. WYNDHAM-QUIN, WINDHAM THOMAS Isod.

RAINE, ALLEN – gw. PUDDICOMBE, ANN ADALISA, *Bywg.*, 762-3.

REES, ABRAHAM (*Bywg.*, 774). Bu am gyfnod cyn 1753 ym Mhencerrig, Llanelwedd, gyda John Evans, tiwtor preifat Thomas Jones, yr arlunydd (1742-1803; *Bywg.*, 485; uchod). Yn ôl Thomas Jones a fu'n gyd-ddisgybl ag ef yn Llanfyllin yn 1758 yr oedd yn '*deeply engaged in Hebrew, Algebra, Logarithms and Fluxions*' - ac yntau'n 15 ml. oed! Dywedir mai ef oedd yr olaf o weinidogion anghydffurfiol Llundain i wisgo wig wrth wasanaethu. Daliodd ei gysylltiad â Chymru trwy fynychu cymanfaoedd yr Annibynwyr a phregethu yn Gymraeg.

A. P. Oppé (gol.), 'Memoirs of Thomas Jones, Penkerrig, Radnorshire', *Walpole Soc.*, 32 (1951), 4; S. Rees yn *Cymru*, 25 (1903), 217; *DNB*.

Ll.G.C.

REES, BOWEN (1857-1929), cenhadwr; g. 16 Mawrth 1857, yn nhafarn yr Ivy Bush, Llandybïe, Caerf., yr ieuengaf o chwe phlentyn Jacob Rees, saer maen, a'i wraig Margaret, merch y tafarnwr Richard Bowen. Symudodd y teulu i Ystalyfera, Morg., a dechreuodd weithio mewn gefail yn naw oed. Yn 1874, ar ôl clywed anerchiad gan Thomas Morgan Thomas, 'Thomas Affrica' (*Bywg.*, 907), rhoddodd ei fryd ar y genhadaeth. Wedi cyfnod yng Ngholeg y Bala (1880-84), ord. ef ym Mhant-teg (A), Ystalyfera, 22 Mai 1884 a'i anfon gan Gymdeithas Genhadol Llundain i Lyn Tanganyika. Yn dilyn cwrs brys yn ysgol feddygol Prifysgol Caeredin, trosglwyddwyd ef i wlad yr Ndebele, gan ymsefydlu yn Inyathi ym Mawrth 1888: rhwng 1892 ac 1918 Susanna Wesley (Davies gynt) ei wraig (y soprano Llinos Morgannwg, g. Merthyr Tudful 5 Gor. 1863, yn ferch i weithiwr haearn, bu f. Abertawe 9 Ebr. 1933) ac yntau oedd yr unig genhadon yno - hithau hefyd o Ystalyfera ac yn pregethu ar ei chylchdaith E.F. er yn 22 oed. Pr. hwy yn Capetown 9 Maw. 1890: g. iddynt saith o blant ond collwyd tri yn ifanc yn Inyathi. A'r Brenin Lobengula (a'i olynwyr) wedi arbed eu bywydau wrth i Brydain ymosod ar ei wlad yn 1893, eu heithrio o'r gyflafan ar ddechrau Gwrthryfel 1896, a dal i'w cefnogi wedyn, bu cryn lewyrch ar eu cenhadaeth dros ardal o faint Dyfed. Ceisiodd Bowen Rees amddiffyn yr Ndebele rhag rhaib y *British South Africa Co.*: rhoddodd wybodaeth i'r Crynwr, John Ellis A.S., aelod o'r Pwyllgor Ymchwil i'r *Jameson Raid*, a thystiolaeth i'r *Aborigine Protection Society* ar gyfer achos cyfreithiol a benderfynodd, yn 1918, nad oedd gan y cwmni hawl i dir yr Ndebele. Yr oedd yn nodedig o ryddfrydig ei safbwynt gan alluogi'r Ndebele i dderbyn yr efengyl a'r addysg newydd heb droi cefn yn llwyr ar yr hen draddodiad: priodolir y ffaith fod yr Annibynwyr yn dal yn rym yn eu plith i'w agwedd ef a Susanna, yn ogystal ag i'w gwasanaeth maith. Penodwyd Bowen Rees yn athro yng ngholeg hyfforddi pregethwyr Tiger Kloof ger Vryburg, De Affrica, yn 1918 ond ymddeolodd i Abertawe yn 1922 a bu f. yno ar 7 Mawrth 1929 a'i gladdu yn Ystumllwynarth, Morg.

D. G. Williams, *Y Parch. Bowen Rees, Pant-teg ac Affrica* (c 1939); *Tyst,* 14 Mawrth 1929; *Cymro.* 10 Ebrill, 1929; *Gwyliedydd Newydd*, 27 Ebr. 1918; N. Bhebe, *Christianity and Traditional Religion in Western Zimbabwe* (Llundain, 1979); Marieke Clarke, 'Land, Missionaries and the Road to the North; aspects of the origins of the Nkayi District, 1893-1918'; Terence Ranger, 'Violence and Memory: Zimbabwe, 1896 to 1996', *BZS Zimbabwe Review*, 96 (1995), 5-7; Joan Bowen Rees, 'Surviving the Matabele Rebellion', *Planet*, 120 (1996-97), 82-91; 'Cenhadon olaf Lobengula', *Tyst*, 1, 8 Awst 1996; gohebiaeth yr LMS yn llyfrgell SOAS, Llundain; gwybodaeth bersonol a llsgrau. teuluol, rhai ohonynt yn Archifdy Gwynedd, Caernarfon.

I.B.R.

REES, EBENEZER (1848-1908), argraffydd a chyhoeddwr; g. yn Sirhywi, Myn., yn 1848. Gadawyd ef yn amddifad ac fe'i magwyd gan berthnasau i'w fam - David Clee a'i wraig yng Nghwm-twrch. Ni chafodd fawr o ysgol a dechreuodd weithio yn un o lofeydd yr ardal pan oedd yn saith oed. Gadawodd Gwm-twrch yn ddeunaw oed, a bu'n gweithio mewn glofeydd yn Aberdâr ac Aberpennar, ond dychwelodd i ardal Ystalyfera yn 1868 pan briododd â Jane, merch Dafydd a Rachel James (bu hi f. 18 Medi 1916). Gwelwyd twf mewn undebaeth lafur yng nghymoedd Morgannwg yn ystod y cyfnod hwn a bu Ebenezer Rees yn flaenllaw gyda'r mudiad ym mlaenau cwm Tawe. Fe'i diswyddwyd ac erlidiwyd ef oherwydd ei ddaliadau, ac ymfudodd i Carbondale, Pennsylvania, yn 1869. Dychwelodd i Gymru yn 1872, bu'n cadw siop lyfrau am gyfnod ac yn 1877 agorodd swyddfa argraffu yn Ystalyfera. Sefydlodd bapur newydd wythnosol, *Y Gwladwr Cymreig*, yn 1885. Ymddangosodd y rhifyn cyntaf 22 Ion. ond daeth i ben ar 24 Medi yr un flwyddyn. Bu D. Onllwyn Brace, Ystalyfera (*Bywg.*, 42-3), J. Dyfrig Owen, Glan-twrch a J. T. Morgan ('Thalamus') yn olygyddion iddo yn eu tro. Yr oedd gan Ebenezer Rees ddiddordeb mawr mewn materion cymdeithasol a bu'n flaenllaw gyda'r mudiad llafur yng nghwm Tawe ar droad y ganrif. Yr oedd hefyd yn gyfarwydd ag arweinwyr sosialaidd y dydd megis Keir Hardie, R. J. Derfel (*Bywg.*, 155-6) a John Hodge. Yn ei swyddfa ef y cyhoeddwyd ac yr argraffwyd *Cwrs y Byd* 'i wyntyllu cymdeithas yn ei wahanol agweddau' o Ion. 1891 hyd 1895. Ymhlith cylchgronau eraill a gyhoeddwyd ganddo gellir nodi *Yr Oes Newydd* (1886), a'r *Cenadwr* (1894-1897), sef dau o gyhoeddiadau'r Swedenborgiaid yng Nghymru. Bu hefyd yn argraffu'r *Celt* am gyfnod. Ond odid mai ei gyfraniad pwysicaf oedd sefydlu *Llais Llafur* (*South Wales Voice*) wedyn), fel papur newydd wythnosol i wasanaethu ardaloedd diwydiannol gorllewin Morgannwg a dwyrain yr hen Sir Gaerfyrddin ar 22 Ion. 1898. Bu'r newyddiadur hwn yn fodd i hyrwyddo'r mudiad Llafur yn yr ardaloedd hyn, ac ymddangosodd y rhifyn olaf ar 2 Rhag. 1971. Cyhoeddodd ac argraffodd Ebenezer Rees ddegau lawer o faledi a llyfrynnau, y mwyafrif ohonynt o waith mân feirdd a llenorion cymoedd Tawe ac Aman. Bu f. yn ei gartref yn Ystalyfera 30 Medi 1908 a chladdwyd ef ym mynwent Beulah, Cwm-twrch.

Llais Llafur, 10 Hyd. 1908; *Llenyddiaeth fy Ngwlad*, 41, 175; *S. Wales Voice*, 12 Awst. 1965.

H.Wa.

REES, EDWARD WALTER ('Gwallter Dyfi'; 1881-1940), rheolwr banc a cheidwad cledd yr Orsedd; g. 8 Hyd. 1881 yn fab i Richard Rees ('Maldwyn', m. 1927) a Jane (g. Jones) ei wraig, Medical Hall, Machynlleth, Tfn. Mynychodd ysgol sir Machynlleth cyn mynd i weithio mewn banc, gan ddod yn rheolwr Banc Barclay yn Aberteifi ac wedyn yng Nghaerfyrddin (1926-40). Pr., 8 Rhag. 1914, â Frances Anne Rees, Goleufryn, Eglwys Newydd, Morg., a bu f. 24 Ebr. 1940, gan adael dau fab a merch. Yr oedd yn sylfaenydd ac ysgrifennydd Cymdeithas Cymrodorion Aberteifi ac yn aelod o nifer o gymdeithasau diwylliannol eraill. Ef oedd ysgrifennydd Eist. Gen. Caerfyrddin, 1911, a bu'n geidwad cledd Gorsedd y Beirdd am gyfnod maith, 1913-40. Golygodd golofn Ceredigion a Phenfro yn y *Cardigan and Tivyside Advertiser* am gyfnod. Yr oedd ganddo gasgliad da o hen lyfrau a llsgrau. Cymraeg ac yn 1938 etholwyd ef yn drysorydd Cymdeithas Lyfryddol Cymru.

WWP; Cardigan and Tivyside Advertiser, 28 Mai 1926.

M.A.J.

REES, GEORGE (*Bywg.*2, 48). Ei enw iawn oedd GEORGE REES HEYCOCK a hanai ei rieni o ardal Pont-rhyd-y-fen, a Phwll-y-glaw, Cwmafan, Morg. Newidiodd ei enw yn Llundain pan ddechreuwyd ei gymysgu â gwerthwr llaeth arall â'r cyfenw Maycock. Gw. *Ser. Cymru*, 21 Hyd. 1973. Casglwyd gwaith George Rees gan Brynley F. Roberts, *O! Fab y Dyn* (1976).

REES, JOHN THOMAS (*Bywg.*2, 48). g. yn Llwynbedw ger Cwmgïedd, Brych., yn fab i Thomas a Hannah (g. Morgan) Rees. Bu f. ei fam pan nad oedd ef ond wyth ml. oed. Yn naw oed dechreuodd weithio mewn glofa, ac ym mhen blwyddyn bu'n bugeilio defaid ei dad yn Llwynbedw. Toc dilynodd ei dad i'r Rhondda a gweithio yng nglofa Abergorci, lle y cafodd ddamweiniau a adawodd greithiau ar ei wyneb dros weddill ei oes. Yn 1871 yng Nghwmgïedd adeg streic tarawyd ef yn glaf o'r teiffoid. Dysgodd gerddoriaeth yn nhŷ capel Cwmgïedd gyda William Jones o Ben-twyn. Casglodd bum punt i brynu harmoniwm yn Abertawe. Dechreuodd ddysgu cerddoriaeth i blant y pentre pan oedd yn 17 oed, Daniel Protheroe (*Bywg.*, 754-5) yn un ohonynt. O 1876 i 1879 cartrefai yng Nghwmaman, lle y meistrolodd Sol-ffa o dan D. W. Lewis, Brynaman. Yn 1879 aeth i Goleg Aberystwyth yn ddisgybl i Joseph Parry (*Bywg.*, 694-5), ond prin oedd ei adnoddau ariannol, a'i ragolygon yn dywyll nes i David Jenkins (*Bywg.*, 406-7) ei gymeradwyo i gymryd dosbarthiadau mewn cerddoriaeth ym Mhen-y-garn i ddysgu'r Sol-ffa. Yn 1881 pr. Elizabeth Davies o Ben-y-garn ac yn 1882 aeth allan i Emporium, Kansas, ond dychwelodd i Ben-y-garn yn 1883.

D. H. Lewis, *John Thomas Rees . . . cofiant* (1955).

E.D.J.

REES, THOMAS (1825-1908), gweinidog (MC); g. 2 Awst 1825 yn nhŷ'r ysgol yn Nefynnog, Brych., yn fab Morgan Rees, prifathro'r ysgol rydd, a Margaret, merch David Jones, crydd. Yn blentyn âi gyda'i fam i gapel Brychgoed (A). Addysgwyd ef yn ysgol ei dad ac Academi Ffrwd Fâl o dan hyfforddiant William Davies (1805-59; *Bywg.*, 147), yr hwn a fu'r dylanwad pennaf ar ei fywyd. Aeth adref pan oedd yn 16 a dechrau pregethu trwy gynnal cyfarfodydd ar ffermydd y gymdogaeth. Bu'n byw yn Nhredegar am gyfnod pryd y daeth yn aelod o Eglwys Salem (MC), Sirhywi. Ar ôl marwolaeth ei chwaer yn 1843 a'i dad yn 1844 dychwelodd i Ddefynnog. Dewisiwyd ef yn un o fyfyrwyr cynharaf Coleg y Methodistiaid Calfinaidd yn Nhrefeca o dan David Charles (1812-78; *Bywg.*, 66). Cychwynnodd ei weinidogaeth yn Y Gelli, Brych., ac ord. cf yn y Sasiwn yn y De yn Llanelli ar 4 Awst 1852. Dychwelodd i Ddefynnog ym mis Awst 1853 a bu'n weinidog yng Nghrucywel o fis Rhag. hyd 1868, gan fyw yn rhif 4 Tower St. Yn y cyfnod a'i dilynodd gwnaeth lawer o'i waith ysgrifennu cynnar, tra oedd yn aros am alwad arall. Ym mis Tach. 1872 daeth yn weinidog Eglwys Pontmorlais, Merthyr Tudful. Yr oedd erbyn hyn yn aelod uchel ei barch gyda'r M.C.

Yn 1873 traddododd anerchiad ar 'Natur yr Eglwys', rhoddodd siars i'r rhai a gafodd eu hordeinio yn 1883, ef oedd llywydd y Sasiwn yn y De yn 1886 a llywydd y Gymanfa Gyffredinol yn 1893. Ymddeolodd yn 1888 i neilltuo'i amser i'r Eglwys ac ysgrifennu. Ef oedd awdur *Cofiant y diweddar Barch. Ebenezer Williams, Aberhonddu* (1882) a (gyda D. M. Phillips) *Cofiant a phregethau y diweddar David James, Llaneurwg* (1895). Cyhoeddwyd llawer o gyfrolau o'i bregethau a chyfrannodd erthyglau i'r *Traethodydd, Y Drysorfa, Y Cylchgrawn, The Treasury* a'r *British Quarterly Review*. Dywedodd Dr. R. Tudur Jones ei fod yn ŵr o gryn addysg ac yn berson o fri ymhlith y Calfiniaid. Derbyniodd radd D.D., Efrog Newydd, yn 1894. Disgrifiwyd ef gan gyfoeswr fel pregethwr grymus, dirwestwr cadarn, a dyn ffraeth a charedig.

Pr., 4 Tach. 1852, Sarah Williams, Glanyrafon, Llangors, a bu iddynt chwech o blant. Bu f. 8 Meh. 1908 yn ei gartref, Ty'n-y-garn, Cefncoedycymer a chladdwyd ef ym mynwent Cefn Coed. Prisiwyd ei lyfrgell yn werth £1,000.

Blwyddiadur MC, 1909, 253-4; *Drys.*, 1895, 145-8, 1908, 433-6.

I.Gl.R.

REES, WALTER ENOCH (1863-1949), contractiwr ac ysgrifennydd hiroesog Undeb Rygbi Cymru; g. 13 Ebr. 1863 yng Nghastell-nedd, Morg., yn fab i Joseph Cook Rees, adeiladydd a chontractiwr. Addysgwyd ef yng Nghastell-nedd a Barnstaple. Dechreuodd ei yrfa hirfaith fel gweinyddwr rygbi yn 1888 pan ddaeth yn ysgrifennydd clwb Castell-nedd. Etholwyd ef i bwyllgor Undeb Rygbi Cymru yn 1889, ac yn 1896 olynodd William Henry Gwynn (Abertawe) fel ysgrifennydd yr Undeb. Ni roes nes wasanaeth hwy i U.R.C. nag ef. Yr oedd ei ddylanwad a'i awdurdod yn ddihareb, yn arbennig yn ne Cymru. Etholwyd ef i gyngor tref Castell-nedd yn 1900, ac yn faer yn 1905. Penodwyd ef yn gyd-reolwr tîm rygbi Prydain i Dde Affrica yn 1910. Rhoddwyd iddo'r teitl 'Capten' gan y Swyddfa Ryfel er cydnabyddiaeth o'i waith fel swyddog recriwtio yng ngorllewin Morgannwg yn 1916. Ar ôl gwasanaeth yn ymestyn dros hanner canrif, ymddeolodd o fod yn ysgrifennydd U.R.C. yn 1948. Pr., 8 Medi 1898, Lizzie Leith Peters o Aberdeen, a bu iddynt o leiaf un mab ac un ferch. Bu f. 6 Meh. 1949 ym Mhen-y-bont ar Ogwr.

David Smith a Gareth Williams, *Fields of praise* (1980); *Playfair Welsh Rugby Annual 1949-50*; *Neath Guardian*, 10 Meh. 1949.

G.W.W.

RICHARDS, WILLIAM (*Bywg.*, 804). Yn 1775 yr aeth i athrofa'r Bedyddwyr ym Mryste a bl. yn unig a dreuliodd yno.

J.A.O.

ROBERTS, EDWARD STANTON (1878-1938), Athro ac ysgolhaig; g. 11 Mawrth 1878, yn 'Edeyrnion', Cynwyd, Meir., yn fab i Robert a Martha Roberts. Crydd oedd ei dad, 'cofiadur pennaf yr ardaloedd' yn ôl *Cwm Eithin* Hugh Evans. Addysgwyd Stanton Roberts yn ysgol fwrdd Cynwyd lle bu wedyn yn ddisgybl-athro o 1892 i 1896. Enillodd ysgoloriaeth y Frenhines i'r Coleg Normal, Bangor, a bu yno o 1896 i 1898

gan ennill tystysgrif dosbarth cyntaf. Am ddeufis yn 1898 bu'n athro yn ysgol hŷn Victoria yn Harrington, swydd Cumberland, cyn mynd i ysgol y Ponciau, Rhos-llannerchrugog, lle bu o 1898 hyd 1905. Yn 1905-6 dysgai yn ysgol gyngor Longmoor Lane, Lerpwl, ac yn 1907 aeth yn brifathro cynorthwyol ysgol Glanadda, Bangor. Yn Hyd. y flwyddyn honno fe'i derbyniwyd yn fyfyriwr i Goleg Prifysgol Cymru, Aberystwyth, lle'r enillodd nifer o wobrwyon a graddio gyda anrhydedd yn y Gymraeg yn 1911. Tra'n fyfyriwr bu'n cyd-letya â T. H. Parry-Williams. Yn 1917 cafodd radd M.A. am ei waith ar 'Llysieulyfr Meddyginiaethol William Salesbury'. Yn y Llyfrgell Genedlaethol yn Aberystwyth y bu o 1912 i 1915 yn copïo a golygu llsgrau. ar ran Urdd y Graddedigion. Daeth y rhyfel i dorri ar ei waith yno a throes yn ôl at ddysgu. Bu'n brifathro ysgol Pentrellyncymer, 1916-20, ysgol Cyffylliog, 1920-31, ac ysgol Gellifor o 1931 hyd ei f. 26 Awst 1938, mewn damwain ar feic ger Birmingham. Fe'i claddwyd ym mynwent Cynwyd. Yn 1919 pr. ag Annie, merch Robert ac Alice Roberts, Cefn Post, Llanfihangel Glyn Myfyr, a bu iddynt dri o blant.

Yr oedd yn ysgolhaig da ac, ym marn rhai, yn un o balaeograffwyr gorau Cymru yn ei ddydd. Yr oedd hefyd yn fardd ac englynwr. Oddi ar ddyddiau Aberystwyth bu'n gyfaill mynwesol a T. Gwynn Jones (*Bywg.*2, 33-4) a dystiodd i addfwynder a dewrder Stanton Roberts yn ogystal ag i'w ddiwylliant. Safodd fel heddychwr gerbron nifer o lysoedd gorfodaeth yn ystod y Rhyfel Byd I a bu hyn yn gryn rwystr i'w yrfa'n ddiweddarach. Bu'n flaenor (MC) am flynyddoedd ond yn 1930 ymunodd â'r Crynwyr yn bennaf oherwydd ei siom at agwedd yr enwadau mwy tuag at ryfel. Er hynny parhaodd fel athro Ysgol Sul yng Nghapel (MC) Gellifor. Cafodd ddylanwad mawr ar y plant a fu dan ei ofal a bu'n gweithio'n gyson gydag Urdd Gobaith Cymru.

Cyhoeddodd ysgrif ar T. H. Parry-Williams yn *Yr Ymwelydd Misol*, Tach. 1912, a'r rhagarweiniad i restr testunau Eist. Gen. Corwen, 1919. Yn 1916 cyhoeddodd *Y Llysieulyfr Meddyginiaethol a briodolir i William Salesbury*. Copïodd a golygodd argraffiadau o lsgrau. Llanst. 6 (1916), Pen. 67 (1918) a Pen. 57 (1921). Yn 1927 cyhoeddwyd Pen. 53 a Pen. 76 a gopïwyd ganddo ef.

Traf. Cymd. Hanes Sir Ddinb., 20 (1971); llythyrau a phapurau personol; a gwybodaeth deuluol. [*Brython*, 1 ac 8 Medi 1938].

D.I.

ROBERTS, FOULK ('Eos Llyfnwy'; *Bywg.*, 976, o dan WILLIAMS, FOULK ROBERT). Bedyddiwyd ef yn Llanllyfni, 6 Rhag. 1782; claddwyd brawd hŷn o'r un enw ar 16 Gorff. 1780. Pr. ei gyfnither, Catherine Williams, yn Llanberis, 6 Awst 1800.

Gwybodaeth gan Huw Roberts, Pwllheli.

ROBERTS, HOWELL ('Hywel Tudur'; 1840-1922), bardd, pregethwr a dyfeisydd; g. 21 Awst 1840 ym Mron yr Haul, (Blaenau) Llangernyw, Dinb., y trydydd o wyth o blant. Symudai'r teulu'n aml gan mai adeiladu a gwerthu tai oedd gwaith eu tad. Dechreuodd ymddiddori mewn mesur tir a dod yn bur fedrus yn y grefft. Pan oedd yn 13 oed rhoes gynnig ar bregethu. Mynychodd ysgol yn Abergele am blwc a dywedir iddo fod am ysbaid yn y *Mechanics Institute*, Lerpwl. Tua 1853 sefydlwyd Cymdeithas Lenyddol yn y Pandy ac yno y dysgodd ramadeg Caledfryn (gw. William Williams, *Bywg.*, 1018). Yn 1861 enillodd dystysgrif Cymraeg yng Ngholeg Hyffordd Caernarfon ond ni allodd gael mynediad i'r Coleg Normal am nad oedd digon o le yno. Fe'i cyfrifai ei hun fel 'Bardd Mawr y Pandy, B.B.D.'. Penderfynodd gartrefu yng Nghlynnog lle'r oedd Eben Fardd (Ebenezer Thomas, *Bywg.*, 886-7) 'hynafol batriarchaidd' yn cadw ysgol a'r post. Gwahoddwyd ef i gynllunio ysgol newydd yn y pentref fel y gallesid ei haddasu'n dai, pe deuai galw. Y mae sôn amdano'n cadw ysgol yn Llanllyfni ond troes i ymddiddori fwyfwy mewn dyfeisiadau ac, yn arbennig, yn egwyddor 'mudiad parhaus'. Cynlluniodd, ac adeiladu, llong awyr ac (yn ôl ei ferch) yn rhai o adeiladau gwesty Beuno Sant (heddiw) a bu hynny. Bu nifer o grefftwyr yr ardal yn ei gynorthwyo a deuai rhai gwŷr pwysig i ymweld ag ef. Llesteiriwyd ei gynlluniau gan brinder arian. Derbyniwyd ei gynllun (rhif 110,201) ar gyfer 'A propeller or driving wheel to put in motion vehicles, boats and flying machines' gan y Patent Office ar 14 Hyd. 1916. Ef a gynlluniodd a chodi Bryn Eisteddfod, Clynnog (ei gartref). Gŵr hamddenol, di-ffrwst ydoedd ac arferai aros ar ei draed tan berfeddion. Yr oedd yn ddiarhebol am golli trên! Cynorthwyai lawer i lunio ewyllysiau. Ef oedd un o brif ysgogwyr Cwmni Moduron Clynnog a Threfor (Moto Coch) tuag 1912. Tadogir arno declyn a alluogai giard trên i agor a chau drysau a dyfeisiodd ganhwyllbren gyda gefail ynghlwm wrthi i ddal y gannwyll. Rhagwelai ddyfais a alluogai bobl i weld lluniau o wledydd pell. Yr oedd yn bregethwr cymeradwy, ysgrifennai i gylchgronau a newyddiaduron Cyfundebol (MC) a beirniadai mewn eisteddfodau lleol yn arbennig Cylchwyl Lenyddol a Cherddorol Capel Uchaf - adeilad arall y bu a wnelo â'i gynllunio. Pr. ferch Hafod-y-wern, Clynnog, a bu'n amaethu yno ynghyd â bugeilio'i braidd yn eglwysi (MC) Seion, Gyrn Coch a Chapel Uchaf. Ganwyd iddynt bump o blant. Wedi marw ei wraig pr. chwaer y Parch. R. Dewi Williams (gw. uchod) a ganed iddynt fab a merch. Bu f. yn sydyn 3 Meh. 1922 a'i gladdu ym mynwent eglwys Clynnog, er mai yn ardal ei febyd y dymunai gael bedd. Awdur: *Gweithiau Barddonol Eben Fardd* (ar y cyd â Wm. Jones, ieu.; 1873 ?), *Llyfr Genesis ar Gân*; *Tlysau Beuno* (1902).

Gen., 32 (1914); *Gol.*, 7.6.1922; *Blwyddiadur (MC)*, 1923; *Drys.*, 71; Catrin Parri Huws, *Sul, Gŵyl a Gwaith* (1981); Swyddfa Patent, Llundain; [Catrin Parri Huws, gol., *Hywel Tudur, bardd, pregethwr, dyfeisydd* (1993)].
G.A.J.

ROBERTS, JOHN (1731-1806; *Bywg.*, 812). Gwysiwyd ef o flaen llys Esgob Bangor yn Awst 1765 oherwydd iddo gadw ysgol yn Llaniestyn heb drwydded.

Papurau Esgobaeth Bangor, B/CC/C(G)/69 yn LlGC; *Tr.*, 1870, 464.
Ll.G.C.

ROBERTS, OWEN MADOC (1867-1948), gweinidog (EF); g. yn 1867 yn fab i Gapten O. ac Elizabeth Roberts, Porthmadog, Caern. Ym Mhorthmadog y treuliodd ei fachgendod ac yno ac yn ysgol ramadeg Porthaethwy y cafodd ei addysg. Dechreuodd bregethu yn ei arddegau ac wedi ei dderbyn yn bregethwr cynorthwyol cyflawn derbyniwyd ef yn 1888 yn ymgeisydd am y weinidogaeth yn yr Eglwys Fethodistaidd. Yng Ngholeg Didsbury, Manceinion, y bu'n ymbaratoi hyd 1891 pan benodwyd ef yn weinidog i gylchdaith Abergele. Ord. ef yn 1904, ar derfyn ei dymor prawf, a 'theithiodd' wedyn ar gylchdeithiau Tre-garth, Caernarfon, Llanrhaeadr-ym-Mochnant, Llangollen, Conwy, Tywyn a Bangor. Yn 1917 etholwyd ef yn oruchwyliwr y Llyfrfa ym Mangor, a bu yno am 21 ml. Cyfrannodd erthyglau'n gyson i'r *Gwyliedydd Newydd*, *Y Winllan*, ac i'r *Eurgrawn*, y bu am dymor byr yn olygydd iddo. Ysgrifennodd nifer o lyfrau: *Llyfr y proffwyd Amos* (1924), *Pobol Capel Nant y Gro* (1914), *Cofiant y Parch. Hugh Jones* (1934) a *Bywyd Iesu Grist i'r ieuanc* (1937). Bu'n gyfrifol, ar ran y Wesleaid, i hyrwyddo cyhoeddi Llyfr Emynau a ddau Gyfundeb Methodistaidd yn 1928. Ar wahân i'w oruchwyliaeth yn y Llyfrfa, llanwodd rai swyddi taleithiol hefyd, ac yn 1920 ef oedd llywydd Cymanfa'r Eglwys Wesleaidd, ac yn yr un flwyddyn etholwyd ef yn aelod o gyngor dinas Bangor ac yn henadur am y naw ml. olaf o'i gysylltiad â'r cyngor hwnnw. Ef oedd maer y ddinas, 1935-37. Yn uwchrif, parhaodd i fyw ym Mangor, yn fawr ei barch. Pr. Margaret Jane Williams (bu f. 29 Mai 1939) o Gaernarfon, a bu iddynt ddwy ferch a mab. Bu f. 25 Hyd. 1948, yn 81 ml. oed, a chladdwyd ef ym mynwent Llanbeblig, Caernarfon.

WwW (1937); *Minutes of Conference*, 1949; *Eurgrawn* 141 (1948).
Er.E.

ROBERTS, RICHARD (*Bywg.*2, 50). Nid yng Nghyfres y Fil y cyhoeddwyd ei draethawd ar Robert Owen, ond yn *Llyfrau ab Owen*; ymddangosodd rhan I yn 1907 a rhan II yn 1910.

ROBERTS, THOMAS OSBORNE (*Bywg.*2, 50-51). Gw. ymhellach Huw Williams, *Thomas Osborne Roberts* (1979).

RODERICK, JOHN (*Bywg.*, 834). Cyhoeddodd 'bapurlen' ar rifyddeg tuag 1716. Dichon mai hon oedd y drafodaeth Gymraeg gyntaf ar rifyddeg ond nid oes copi ar gael. Cyfeirir ati yn John William Thomas, *Elfennau rhifyddiaeth* (Caerfyrddin, 1832), 6 (1805-40; *Bywg.*, 896), a John Roberts, *Rhyfyddeg neu Arithmetic* (Dulyn, 1768), iii (1731-1806; *Bywg.*, 812).
Ll.G.C.

ROWLANDS, GRIFFITH (1761-1828), llawfeddyg; g. ef ym mhlwyf Llanfair ger Harlech, Meir., ar 9 Ebr. 1761. Wedi bwrw ei brentisiaeth fel llawfeddyg yn Lerpwl, llwyddodd i ennill lle iddo'i hun yn ysbyty Bartholomew, Llundain. Wedi cwblhau saith ml. o addysg feddygol fe'i derbyniwyd ar 1 Awst 1782 yn aelod o Gwmni Llawfeddygon Llundain, rhagflaenydd Coleg Brenhinol y Llawfeddygon. Bu'n llawfeddyg tŷ yn yr ysbyty yn Llundain am ddwy fl. cyn ymsefydlu fel llawfeddyg yng Nghaer. Yn 1785 apwyntiwyd ef yn llawfeddyg i glafdy'r ddinas a bu yn y swydd am 43 o fl.

Yr oedd Griffith Rowlands yn un o'r rhai cyntaf yn Ewrop i drin toriad clun trwy lifio i ffwrdd ddau ben yr asgwrn ar y naill ochr i'r toriad i sicrhau gwell cyswllt - a hynny dros hanner can mlynedd cyn cyfnod anaestheteg. O dan ei driniaeth ef y torrwyd ymaith fawd chwith Thomas Charles o'r Bala (*Bywg.*, 67-69) yn 1799. Yr oedd y bawd wedi rhewi wrth i Thomas Charles deithio ar noson rewllyd dros fynyddoedd y Migneint rhwng siroedd Arfon a Meirion. Gyda chymorth Rowlands hefyd y tynnwyd carreg yn pwyso dwy owns a chwarter o bledren Thomas Jones o Ddinbych (*Bywg.*, 486) yn 1802.

Er mai yn Lloegr y treuliodd ran helaethaf ei oes, ni chollodd ymwybyddiaeth o'r Gymraeg a bu'n ŵr amlwg yng ngweithrediadau Cymrodorion Caer.

Bu f. 29 Mawrth 1828 o fewn ychydig ddyddiau i fod yn 66 mlwydd oed.

J. T. J., II, 526-7; G. P. Jones, *Newyn a Haint yng Ngymru* (1963), 161-63; T. Jones, *Hunangofiant* (gol. Idwal Jones, 1937), 41-43.

M.R.W.

ROWLANDS, Syr HUGH (1828-1909), cadfridog, a'r Cymro cyntaf i ennill Croes Victoria; g. 6 Mai 1828 yn ail fab John Rowlands, Plastirion, Llan-rug, uchel siryf sir Gaernarfon yn 1832, ac Elizabeth ei wraig (gw. J. E. Griffith, *Pedigrees* . . . 289 am achau'r teulu Rowlands). Cafodd Hugh ei addysg yn ysgol ramadeg Biwmares, a phan oedd yn 21 oed prynodd gomisiwn yn y *41st Foot*, sef y Gatrawd Gymreig. Bu'n gwasanaethu yn Iwerddon, ynysoedd Ionia (Groeg) a Malta cyn mynd yn 1854 i Dwrci. Fel capten yn y *Grenadier Company* yr oedd yn y cyrch ar y Crimea a chymerodd ran ym mrwydr yr Alma, ond yn Inkerman a Dach. 5 y daeth ei enw i'r amlwg. Fe'i clwyfwyd yn ddifrifol yn ei fraich a dyfarnwyd Croes Victoria iddo yn 1857. Enwyd ef drachefn am yr un anrhydedd yn yr ymosodiad cyntaf ar y Redan, ond ni chaniateid rhoi'r Groes yr eilwaith i ryd hwnnw. Ar derfyn y rhyfel dyrchafwyd ef i reng uchgapten brifed (*Brevet Major*) am ei wasanaeth. Apwyntiwyd ef yn brif swyddog garsiwn tref Sebastopol ac ar ôl hynny'n uchgapten i'r ail frigâd yn ail Adran y fyddin. Gwnaethpwyd ef yn farchog y *Légion d'honneur* gan y Ffrancod ac yn farchog urdd y Medjidie gan y Tyrciaid. Cafodd hefyd fedal y Crimea gyda 3 chlasb a Medal Crimea Twrci. Enwyd ef droeon mewn cadlythyrau yn ystod y rhyfel, ac ym marn un swyddog y gofynnwyd iddo enwi'r person a wnaeth fwy na neb arall yn ystod y rhyfel, Hugh Rowlands oedd hwnnw. Cafodd groeso dinesig gan drefwyr Caernarfon pan ddychwelodd o'r Crimea, a chyflwynwyd cledd anrhydedd hardd iddo yn y castell.

Bu'n gwasanaethu yn India'r Gorllewin, Lloegr, yr Alban, ac Iwerddon cyn mynd i'r India lle y cafodd ofal y gatrawd Gymreig yn 1865. Yn 1875 dychwelodd i Brydain a chael gofal y *34th Foot* neu gatrawd y Goror a dychwelyd i'r India. Yno y bu nes ei ddanfon yn 1878 yn swyddog gwasanaeth arbennig i drefedigaeth y Penrhyn yn Affrica. Bu'n gadweinydd i'r Cadfridog Frederic Augustus Thesiger (yr Arglwydd Chelmsford wedyn), ac ar ôl hynny penodwyd ef yn arolygydd y lluoedd yn y Transvaal. Ym mis Gorff. penodwyd ef yn gomander y Transvaal ac arweiniodd gyrch aflwyddiannus yn erbyn y Pennaeth Sekukuni. Yn ystod y cyrch daeth i wrthdarawiad â Redvers Buller ac Evelyn Wood. Yn 1879 cafodd ofal tref Pretoria a'i chadw'n ddiogel yn wyneb ymosodiad gan filoedd o Foeriaid. Dyrchafwyd ef yn frigadydd ar frigâd yng ngwlad y Zulu ac ar derfyn y rhyfel hwnnw dychwelodd i Brydain a chael croeso mawr eto yng Nhaernarfon. Rhoddwyd iddo amryw swyddi (Aldershot a Peshawar) cyn cael gofal adran Bangalore o fyddin Madras yn 1884 - yr oedd yn is-gadfridog ers 1881. Gadawodd yr India yn 1889. Penodwyd ef yn lifftenant Tŵr Llundain gan y Frenhines Victoria yn 1893, a'r flwyddyn ganlynol gwnaethpwyd ef yn brif gadfridog adran yr Alban. Ymddeolodd yn 1896 gyda rheng Cadfridog gan ddychwelyd i Blastirion. Anrhydeddwyd ef â'r K.C.B. (adran filwrol) yn 1898. Gwnaethpwyd ef yn ddirprwy-raglaw ac ustus heddwch yn sir Gaernarfon (buasai'n ustus heddwch yn y Transvaal).

Pr. Isabella Jane Barrow, wyres i William Glynne Griffith, Rhos-fawr a Bodegroes, Pwllheli, yn 1867. Bu iddynt fab a merch. Lladdwyd y mab Hugh Barrow Rowlands, mewn brwydr yn Somaliland yn 1903. Bu f. Syr Hugh Rowlands ar 1 Awst 1909.

Genedl Gymr., 3 Awst 1909; ymchwil bersonol.

W.A.W.

ROWLANDS, JOHN – gw. STANLEY, Syr HENRY MORTON isod.

ROWLANDS, ROBERT PUGH (1874-1933), prif lawfeddyg Ysbyty Guy; g. yn Nhywyn, Meir., 27 Medi 1874 yn fab i John Rowlands. Pan oedd yn ddwy oed symudodd y teulu i fyw i Abaty Cymer, Dolgellau. Derbyniodd ei addysg yn ysgol Llanelltyd ac ysgol ramadeg Dolgellau. Ar ddiwedd ei gyfnod yno llwyddodd i sicrhau lle iddo'i hun yn brentis am flwyddyn gyda'i Dr Hugh Pugh Rowlands. Yn Hyd. 1892 cychwynnodd yn ysgol feddygol Ysbyty Guy, Llundain. Yno cafodd yrfa ddisglair tu hwnt. Yn ei flwyddyn gyntaf enillodd wobr Arthur Durham, gwobr Michael Harris am anatomeg yn 1894 a'r wobr gyntaf yn 1895 ac 1896. Y flwyddyn wedyn, dyfarnwyd iddo fathodyn aur Treasurer am lawfeddygaeth a meddygaeth.

Wedi hyfforddiant pellach fel llawfeddyg tŷ yn yr ysbyty, penderfynodd sicrhau cymwysterau llawfeddygol. Felly wedi iddo gael lle ym Mhrifysgol Llundain, aeth ymlaen i ennill y bathodyn aur mewn anatomeg ar ddiwedd y flwyddyn gyntaf. Yn 1902 graddiodd yn M.B. a dyfarnwyd iddo ysgoloriaeth y Brifysgol a bathodyn aur mewn meddygaeth. Yn 1901 daeth yn F.R.C.S.; enillodd radd B.S. yn 1902 a M.S. yn 1903.

Drwy gydol cyfnod ei astudiaeth am ei arholiadau ym Mhrifysgol Llundain, yr oedd hefyd yn dysgu yn yr ysgol feddygol. Yn 1899 apwyntiwyd ef yn arddangosydd mewn anatomeg a bywydeg a bu yn y swydd honno hyd 1905. Yn yr un flwyddyn dyrchafwyd ef yn gofrestrydd llawfeddygol, ac yn 1906 yn ddarlithydd ac yn arddangosydd llaw-feddygaeth weithredol ac Athro patholeg lawfeddygol. Cyn diwedd y flwyddyn gwireddwyd breuddwyd oes pan apwyntiwyd ef yn llawfeddyg cynorthwyol i'r ysbyty.

Yn ystod y blynyddoedd hyd at Rhyfel Byd I lledodd ei enw da fel llawfeddyg ac yn 1914 cynyddodd ei waith a'i ddyletswyddau yn enfawr. Gan ei fod yn aelod o'r fyddin ranbarthol fe'i cysylltwyd ef ag ail ysbyty cyffredinol Llundain fel llawfeddyg ac yn ychwanegol cymerodd swydd llawfeddyg i ysbyty Hall Walker ac ysbyty'r Rwsiaid yn y ddinas. Yn ystod blynyddoedd y rhyfel bu'n rhaid iddo weithio'n galed iawn ac effeithiodd hyn ar ei iechyd. Yn ystod cyrch awyr, cerddodd o Stryd y Frenhines Ann i Chelsea, ac wedi cyrraedd yr ysbyty, bu wrthi'n gweithio'n ddi-baid drwy'r nos. Wedi cwblhau ei waith yno, cerddodd yn ôl, a chyflawnodd saith ar hugain o lawfeddygaethau drannoeth.

Yng Ngorff. 1918, ac yntau ond pedair a deugain oed, fe'i dyrchafwyd yn llawfeddyg llawn Ysbyty Guy, a darlithydd mewn llawfeddygaeth. Yn 1922 etholwyd ef ar gyngor Coleg Brenhinol y Llawfeddygon ac yn 1927 ef oedd cyd-olygydd seithfed argraffiad gwaith Jacobson, *Operations of Surgery*. Yr oedd eisoes wedi cyd-olygu'r gyfrol yn 1907 ac 1915. Yn 1929 apwyntiwyd ef yn ddarlithydd Bradshaw i Goleg y Llawfeddygon a'r testun a ddewisodd oedd llawfeddygaeth ar bledren a dwythell y bustl. Yng Ngorff. 1930 apwyntiwyd ef yn is-lywydd Coleg y Llawfeddygon a bu yn y swydd hon hyd Gorff. 1932. Am ei waith yn ei faes derbyniodd yr O.B.E.

Datblygodd gyflymder eithriadol yn ei grefft drwy berffeithrwydd personol ei ddulliau llawfeddygol syml eu techneg yn codi o'i wybodaeth drylwyr a greddfol o anatomeg a'i farn bendant. Yr oedd yn barod bob amser i wynebu'r annisgwyl drwy newid trefn arferol rhannau o'r corff. Credai'n gryf, yn groes i arferiad yr oes, na ddylid rhoddi gormod o rwymynau wedi'r llawdriniaeth ac anogai'r claf i eistedd i fyny yn ei wely yn fuan iawn ac i godi cyn gynted ag y byddai modd. Ef oedd llawfeddyg mwyaf talentog ac adnabyddus Ysbyty Guy. Cyfrannodd yn helaeth i'r cylchgrawn meddygol ar amryfal destunau: e.e. 'When and how to operate for appendicitis' *Br. Med. Jnl.*, 1910; 'Time in surgery', 1916; 'Cancer of the colon', 1927; 'The surgery of the gall bladder and bile ducts', 1929; a 'Cancer of the stomach', 1933.

Yn ôl ei gyfoedion, fe anwyd Robert Pugh Rowlands yn Gymro a bu farw'n Gymro gan iddo ef ei hun gyfaddef ei fod yn meddwl yn Gymraeg wrth siarad Saesneg. Pr. Alice Maude, merch Edward Piper, Bodiam Manor, Sussex, yn 1905, a bu iddynt ddau blentyn. B. f. 6 Rhag. 1933 wedi salwch byr.

Guy's Hosp. Gaz., 47 (1933); *Guy's Hosp. Reports*, 84 (1933); H. C. Cameron, *Mr. Guy's Hospital* (1954); *Www*, 1929-40, 1176.

M.R.W.

RHYS, EDWARD PROSSER (*Bywg*.2, 48-9). Pentremynydd oedd enw'r tŷ y ganwyd ef ynddo yn ardal Bethel, neu Trefenter fel y'i gelwir heddiw. Gof o deulu o ofaint oedd ei dad, David Rees. Ar ei briodas y

mabwysiadodd y mab y ffurf Gymraeg, Rhys, ar ei gyfenw. Nid yn 1913 ond yn Hyd. 1914 yr aeth i ysgol Ardwyn, neu yn iaith llyfr lòg ysgol Cofadail, 'Aberystwyth County School'.

Gw. *Traeth.*, Hyd. 1977, 181-5, am fanylion defnyddiol am ei gefndir. [Gw. Rhisiart Hincks, *Cofiant E. Prosser Rhys* (1980) am ymdriniaeth lawn].

E.D.J.

SANDBROOK, JOHN ARTHUR (1876-1942), newyddiadurwr; g. yn Abertawe, 3 Mai 1876, yn ail fab i Thomas Sandbrook a'i wraig Harriet Sarah (g. Lotherington). Addysgwyd ef yn ysgol ramadeg Abertawe a daeth yn un o newyddiadurwyr mwyaf nodedig Prydain. Cychwynnodd ar ei yrfa fel newyddiadurwr yn Abertawe yn 1892, gan ddod yn brif olygydd cynorthwyol y *Western Mail* wedi iddo fod yn rhyfel y Boeriaid (1899-1902) pryd y dyfarnwyd iddo fedal y Frenhines gyda phum clasb. Yr oedd ei gyfres o adroddiadau a anfonodd i'r *Western Mail* ymhlith y rhai mwyaf byw i ddod o Dde Affrica y pryd hwnnw. Yn 1910 penodwyd ef yn olygydd yr *Englishman* yn Calcutta. Cydweithiodd gyda Reuter i ddisgrifio ymweliad y Brenin â Delhi ym mis Rhag. 1911. Yn 1917 yr oedd yn ohebydd arbennig ym Mesopotamia; bu'n un o ddirprwyaeth gwasg India ar y ffrynt gorllewinol yn 1918; a bu yn Waziristan ac ar y ffin ogledd-orllewinol adeg y terfysg yn 1921. Y flwyddyn ddilynol ymddiswyddodd o fod yn olygydd a dychwelodd i Gymru yn brif gyd-olygydd y *Western Mail*, gan olynu Syr William Davies (*Bywg.*, 149) yn olygydd yn 1931.

Fel un a gymerai ddiddordeb byw ym mywyd Cymru, mynychodd yr Eist. Gen. droeon gan ysgrifennu'n ddyddiol adroddiadau o'r gweithrediadau. Cymerodd ran flaenllaw mewn cychwyn mudiadau cyhoeddus megis codi cofeb rhyfel genedlaethol ym Mharc Cathays, Caerdydd. Hyd ei f. ymdrechodd i wneud y 'Llyfr Coffa' yn y Deml Heddwch yn gofnod cyflawn o'r Cymry a gollodd eu bywyd yn Rhyfel Byd I. Trigai yn Beganston, Ffordd Pencisely, Llandaf cyn symud i Ffordd Fairwater, Caerdydd. Yr oedd yn gefnder i'r Fonesig Buckland (gw. teulu BERRY uchod) a bu f. yn fab gweddw, 13 Chwef. 1942.

WwW, 1933; *West. Mail*, 14 a 18 Chwef. 1942.

M.A.J.

SAUNDERS, WILLIAM (1871-1950), gweinidog (B) ac addysgwr; g. 24 Mai 1871 yn fab i Thomas Saunders ac Ann (g. Thomas), 5 John St., Aberdâr, Morg., ond symudodd y teulu'n fuan wedi hynny i bentref cyfagos Abercwmboi lle'r oedd ei dad-cu o du ei fam yn aelod blaenllaw gyda'r Bedyddwyr, ac yno y bedyddiwyd ef yn 1883. Symudodd y teulu eilwaith yn 1887 i Ynys-y-bŵl ac yno y dechreuodd William Saunders bregethu yn 1890. Addysgwyd ef yn Academi Pontypridd, ac yn 1892 aeth i goleg y Bedyddwyr yn Hwlffordd ac Aberystwyth cyn mynd yn weinidog ar Eglwys Jeriwsalem, Rhymni (1895-99), Carmel (Saesneg), Tredegar Newydd (1899-1901), a Noddfa, Pontycymer, lle y bu am 44 bl. Daeth yn boblogaidd ar unwaith, gan ddangos yn gynnar ei allu i gymodi carfannau gwrthwynebus. Yr oedd nid yn unig yn bregethwr huawdl a nerthol, yn gymdeithaswr difyr a chynadleddwr dihafal, ond bu'n weithgar tuhwnt gydag amryw fudiadau crefyddol a lleyg. Bu'n ysgrifennydd Undeb Ysgolion Sul Mynwy, Undeb Bedyddwyr Ieuainc Cymru, a Chymanfa Bedyddwyr Neilltuol Morgannwg am dros 15 ml. Bu ar gyngor Sir Morgannwg am flynyddoedd maith (1908-50) gan ddod yn gadeirydd y Cyngor am ddwy fl. a chadeirydd pwyllgor addysg elfennol y sir. Am ei wasanaeth i addysg cyflwynodd Prifysgol Cymru iddo radd LL.D. er anrh. yn 1946. Bu iddo ef a'i wraig Jane ferch a oedd yn feddyg yn Llundain. Bu f. 2 Mai 1950 a chladdwyd ef ym mynwent Pontycymer.

Llawlyfr Bed., 1951, 173; *Bapt. Hndbk.*, 1951, 361; *Ser. G.*, 1950, 117; *WWP.*

M.A.J.

SIBLY, Syr THOMAS FRANKLIN (1883-1948), daeaeregwr, gweinyddwr prifysgol; g. 25 Hyd. 1883 ym Mryste yn fab Thomas Dix Sibly a'i wraig Virginia (g. Tonkin). Addysgwyd ef yn Wycliffe College, Stonehouse, St. Dunstan's, Burnham-on-sea, a Choleg Prifysgol Bryste lle y graddiodd yn y dosbarth cyntaf (Prifysgol Llundain) mewn ffiseg arbrofol yn 1903. Troes at ddaeareg ym Mhrifysgol Birmingham a bu'n Ysgolor Ymchwil ym Mryste 1905-07; graddiodd D.Sc. Llundain 1908. Bu'n ddarlithydd mewn daeareg (â gofal yr adran) yn *King's College*, Llundain, 1908-13, ac yn Athro Daeareg C.P.D.C., Caerdydd 1913-1918, ac yn Athro Daeareg Coleg Armstrong, Newcastle-upon-Tyne (Prifysgol Durham) 1918-1920. Penodwyd ef yn Brifathro cyntaf Coleg Prifysgol Abertawe yn 1920 a bu'n allweddol mewn gosod y sefydliad newydd ar sylfeini cadarn. Yr oedd yn arweinydd cadarn a chryf, yn ddadleuwr grymus ac yn weinyddwr o'r radd flaenaf. Dywedir mai ef a sicrhaodd na fu gan y coleg newydd unrhyw gymhlethdod israddol yn ei berthynas â cholegau hŷn a Brifysgol o'r dechrau cyntaf. Yn 1926 penodwyd ef yn Brif Swyddog Prifysgol Llundain, teitl a newidiwyd ar ei benodiad ef i Brifathro, a daeth yn Isganghellor Prifysgol Reading 1929-1946 lle y gwnaeth lawer i hybu datblygiad y brifysgol ieuanc honno. Yr oedd yn flaenllaw ym myd prifysgolion Prydain a'i ddoniau negydu yn sicrhau swyddi iddo megis Cadeirydd Pwyllgor yr Isganghellorion a Phrifathrawon (C.V.C.P.) 1938-43, Cadeirydd gweithredol Bureau Prifysgol yr Ymerodraeth Brydeinig, a bu'n aelod o Gyngor Ymgynghorol yr Adran Ymchwil Wyddonol a Diwydiannol, ac o'r Comisiwn Brenhinol ar Brifysgol Durham. Rhwng 1905 ac 1937 cyhoeddodd gyfres o erthyglau a galchfeini carbonifferaidd. Bu'n aelod o'r Arolwg Ddaeareyol 1917-18, ac yn Gadeirydd Bwrdd yr Arolwg Ddaeareyol 1930-43. Gwnaed ef yn farchog yn 1938, a derbyniodd raddau D.Sc. er anrh. yn 1938, a derbyniodd raddau D.Sc. er anrh. Cymru, Lerpwl, Bryste, LL.D. er anrh. Cymru, Lerpwl, Bryste. Pr. Maude Evelyn Barfoot 1918 a bu iddynt un mab. Bu f. yn Reading 13 Ebr. 1948.

Www; DNB; D. Emrys Evans, *The University of Wales* (1953).

B.F.R.

STANLEY, Syr HENRY MORTON, gynt ROWLANDS, JOHN (*Bywg.*, 866; *Bywg.*2, 161). Mae ymchwil newydd wedi datgelu llawer ar gymhlethdod personoliaeth Stanley ac ar rai manylion bywgraffyddol. Gw. yn fwyaf arbennig Emyr Wyn Jones, *Sir Henry M. Stanley: the enigma* (1989), *Henry M. Stanley; pentewyn tân a'i gymhlethdod phaetonaidd* (1992), *Flint. Hist. Soc. Jnl.*, 33 (ar James Francis yr ysgolfeistr), *Tr.*, 1991 (ar Cadwalader Rowlands), *NLWJ*, 28 (ar ei dad tybiedig); Richard Hall, *Stanley: an adventurer explored* (1974).

Ffantasïwr a chelwyddgi patholegol oedd Stanley ac ni ellir dibynnu ar nifer o "ffeithiau" yn ei hunan-gofiant. Cadarnheir 28 Ion. 1841 yn ddyddiad ei eni ond nid John Rowlands (ieu.), Y Llys, a'i 'wraig' Elizabeth Parry oedd ei rieni. Dadleuir yn *NLWJ* 28 mai James Vaughan Horne, cyfreithiwr yn Nynbych, oedd y tad. Nid oes sail i'r stori am ei wrthodiad gan ei 'dad', John Rolant, nac ychwaith am hanes y caledi a'r creulondeb yn y Wyrcws, y gosfa a roes i'w athro cas, a'r ffoi, gyda chyfaill, yn union wedyn. Bu f. John Rowlands 24 Mai 1854 (nid 1843), yn 39 ml. Nid oedd y bywgraffydd Cadwalader Rowlands yn 'gâr' i Stanley ac y mae i'w fywgraffiad fwy o werth nag a honnwyd.

Gwybodaeth gan Emyr Wyn Jones

TEGWYN – gw. THOMAS DAVIES o dan DAVIES, JOHN BREESE, *Bywg.*, 127, ac uchod.

THOMAS, DAVID VAUGHAN (*Bywg.*, 886). Yn 1911 pan dderbyniwyd ef i Orsedd y Beirdd yn Eisteddfod Caerfyrddin y cymerodd Vaughan i'w enw. Bu yn ysgol Watcyn Wyn yn Rhydaman cyn mynd i Goleg Llanymddyfri, ac yn ystod 1873-1883 bu'r teulu'n byw yn Ystalyfera, Llantrisant, Maesteg, Llangennech a Dowlais. Graddiodd yn y 3ydd dosb. yn Rhydychen yn 1895, M.A. 1905, B.Mus. 1906, D.Mus. 1911. Ar ôl gadael Rhydychen bu'n athro mathemateg yn yr *United Services College*, Westward Ho! Aflwyddiannus fu ei gais i'w benodi'n Gyfarwyddwr Cerdd Prifysgol Cymru yn 1919.

Times, 17 Medi 1934; T. Haydn Thomas, *Welsh Music*, 4 (1973), 2; Ifor ap Gwilym, *Y traddodiad cerddorol yng Nghymru* (1978), 35.

Ll.G.C.

THOMAS, GEORGE ISAAC ('Arfryn'; 1895-1941), cerddor a chyfansoddwr; g. yn Spencer House, Llanboidy, Caerf., 29 Tach. 1895, yn fab i Rhys Morgan a Margaret (g. Jones) Thomas. Cafodd ei addysg yng Ngholeg y Brifysgol yng Nghaerdydd, 1920-22, ac yn y Coleg Cerdd Brenhinol, 1923-26. Daeth yn A.R.C.M. fel cyfeilydd ym mis Medi 1924, ac yn A.R.C.O. ym mis Gorff. 1926. Pasiodd yr arholiad theori yn 1927 ond cyn cwblhau ei gwrs F.R.C.O. collodd ei iechyd. Bu'n arwain cerddorfa Rhydaman a'r cylch o 1914 i 1922. Gweithredodd fel cyfeilydd Eist. Gen. Rhydaman, 1922, ac fel telynor yng nghôr telynau'r Fonesig Brittain ('Telynores y Golomen Wen') yng nghyngerdd yr Eist. Yn ystod ei arhosiad yn Llundain bu'n organydd capel MC Charing Cross, ac yn cyfeilio ac arwain Côr Meibion Cymry Llundain. Wedi dychwelyd i Gymru bu'n organydd yng nghapel Bethani, Rhydaman. Bu'n arwain cymanfaoedd ac yn darlithio a chyfansoddodd unawdau ac emyn-donau. Bu f. 31 Rhag. 1941 a chladdwyd ef yng nghladdfa hen gapel y Betws ar 3 Ion. 1942.

Gwybodaeth gan ei frawd J. Emlyn Thomas.

E.D.J.

THOMAS, IFOR (1877-1918), daearegwr ac arolygydd ysgolion; g. yn Commercial Place, Glanaman, Caerf., 24 Tach. 1877, yn fab i Dafydd Thomas ('Trumor'; 1844-1916) a'i wraig Margaret. Yr oedd ei dad, a oedd y löwr yng nglofa Gelliceidrim, Cwm Aman, yn fardd a hanesydd lleol, ac yn ohebydd cyson i'r wasg newyddiadurol Gymraeg. Cyhoeddwyd ei draethawd arobryn *Hen Gymeriadau Plwyf y Betws* yn 1894 (ail argr., 1912). Addysgwyd Ifor Thomas yn ysgol y Bwrdd, Glanaman, lle bu hefyd yn ddisgybl athro, ac yng Ngholeg Prifysgol Cymru, Aberystwyth, lle graddiodd yn B.Sc. Ar ôl cyfnod byr fel athro yng ngholeg Wellington ac ysgol uwchradd Bryn-mawr, aeth i Brifysgol Marburg yn yr Almaen i astudio daeareg a phalaeontoleg dan yr Athro Emanuel Kayser. Dysgodd Almaeneg yn ystod y cyfnod hwn a graddiodd yn Ph.D. yn 1905. Dychwelodd i Lundain y flwyddyn honno pan benodwyd ef i staff y *Geological Survey* yn Jermyn Street, ac etholwyd ef yn Gymrawd o'r Gymdeithas Ddaearegol. Enillodd radd D.Sc. Prifysgol Cymru yn 1911. Yr oedd ganddo ddiddordeb mawr mewn addysg a phan gollodd ei iechyd yn 1912 dychwelodd i Gymru ar ei benodi'n un o Arolygwyr Ysgolion ei Mawrhydi, gan ymgartrefu yn Abertawe. Gosodai bwyslais mawr ar ddysgu'r Gymraeg yn yr ysgolion mewn cyfnod pan nad oedd hynny'n ffasiynol, ac enilloddd barch ac edmygedd Syr Owen M. Edwards (*Bywg.*, 179-80) am ei waith dros y Gymraeg. Ysgrifennodd lawer o erthyglau ysgolheigaidd ar bynciau daearegol yn *The Geological Magazine*, a chafwyd ysgrifau ganddo yn *Seren Gomer* a'r *Geninen*. Yr oedd ymhlith y cyntaf i drafod diddordebau daearegol Edward Lhuyd (*Bywg.*, 529-31) yn Gymraeg. Ymhlith ei brif weithiau cyhoeddedig gellir nodi: *The British Carboniferous Orthotetinae*, (1910); *The British Carboniferous Producti* (1914); *The Trilobite Fauna of Devon and Cornwall* (1909); *A New Devonian Trilobite and Lamellibranch from Cornwall* (1909); *A Note on Phacops (Trimerocephalus) Laevis (Münst)* (1909); *Neue Beiträge zur Kenntnis der Devonischen Fauna Argentiniens* (1905). Bregus fu ei iechyd erioed, a dychwelodd i'w hen gartref yng Nglanaman yng ngwanwyn 1918 lle bu farw'n ŵr dibriod ar Fawrth 30 yr un flwyddyn. Claddwyd ef ym mynwent Bethesda, eglwys (B) Glanaman.

Ser. G., Mai 1918, 136-148; *Quart. Jnl. Geol. Soc.*, 75 (1919), xvii-xviii; *S. Wales Guardian*, 30 Mawrth 1975.

H.Wa.

THOMAS, JOHN WILLIAM (1805-40; *Bywg.*, 896). Cyhoeddodd *Ffordd anffaeledig i Gymro uniaith ddarllen Saesneg yn gywir* yn 1832, un o'r llyfrau cyfarwyddyd cynharaf. Ar *Elfennau Rhifyddiaeth* gw. *Gwyddonydd*, 11 (1973), 128.

Ll.G.C.

THOMAS, THOMAS HENRY (*Bywg.*, 907). Ceir casgliad ychwanegol o'i lsgrau. yn Amgueddfa Werin Cymru - AWC llsgrau. 2435/1-395.

A.Ll.H.

THOMAS, THOMAS JACOB ('Sarnicol', *Bywg*.2, 56). G. 13 Ebr. 1873 ac nid ar 8 Ebr. 1872, sef dyddiad geni brawd hŷn o'r un enw a fu f. yn faban. Gradd B.Sc. yn unig oedd gan 'Sarnicol'.

E.D.J.

THOMAS, THOMAS LLEWELYN (1840-97), ysgolhaig, athro ac ieithydd; g. 14 Tach. 1840 yn hen ficerdy Caernarfon; mab hynaf teulu o dair merch a phum mab y Canon Thomas Thomas (1804-77) a'i wraig. Penodwyd y tad yn Ficer Caernarfon yn 1835 ac ymdaflodd i fywyd crefyddol ac addysgol y dref a ddioddefai'n drwm ar y pryd gan dlodi ac ymweliadau'r colera. Llwyddodd 'Thomas of Carnarvon', fel yr adnabyddid ef, i gychwyn ysgolion elfennol a gosod sylfaen i hyfforddi athrawon yn y dref. Addysgwyd Thomas Llewelyn - nad oedd yn fachgen cryf - gan athrawes breifat nes ei fod yn naw oed. Ar ôl chwe bl. o ysgol a mynychu Ysgol Sul Gymraeg, ymaelododd fis Hyd. 1860 fel ysgolor o Goleg Iesu, Rhydychen. Nid oedd i'r coleg enw da am fri academaidd ar y pryd a thynnwyd sylw at hyn gan J. R. Green, yr hanesydd. Pwysleisiodd hefyd ddiffyg parch y coleg tuag at Gymru. Yn 1863 enillodd Thomas wobr Newdigate (a chlod Matthew Arnold) am gerdd Saesneg ar y testun 'Coal mines'. Graddiodd yn B.A. yn 1864 a daeth yn M.A. yn 1868. Aeth yn athro ac ofnod i Ysgol Rossall ac wedi dwy flynedd yng Ngholeg Llanymddyfri symudodd i ysgol Rhuthun lle'r arhosodd am bum ml. Yn 1867 fe'i hord. yn ddiacon ac yn 1868 derbyniodd urddau gan Esgob Llanelwy. Treuliodd dymor fel ciwrad Llanfwrog, Dyffryn Clwyd. Derbyniodd reithoriaeth Nutfield a oedd yn ofalaeth golegol ac yno y bu am ddwy flynedd. Enillodd wobr yn Eist. Gen. Rhuthun am lunio cân ar y testun 'Bedd y Telynor' a chyfansoddodd Brinley Richards (*Bywg.*, 801) alaw ar ei chyfer. Ym mis Mawrth 1872 etholwyd Llewelyn Thomas, yn wyneb cystadleuaeth glòs, yn gymrawd o'i hen goleg. Arhosodd yn y swydd hon am chwarter canrif yn dysgu a chyfarwyddo to ar ôl to o fyfyrwyr fel uwch diwtor, is-brifathro a darllenydd Cymraeg. Fe'i cyfrifid yn diwtor hynod o boblogaidd. Gweithredodd fel arholwr y Brifysgol a beirniad gwobr Newdigate. Ar bwys ei fri fel clasurydd fe'i gwahoddwyd i draddodi'r bregeth Ladin. Gallai gyfansoddi cerddi'n rhwydd yn yr ieithoedd clasurol, Cymraeg a Saesneg. Sicrhaodd bod ysgoloriaethau caeëdig Coleg Iesu i'w cadw ar gyfer bechgyn o Gymru na allent fforddio talu am addysg oherwydd tlodi. Mynnai mai ar gyfer myfyrwyr o Gymru y bwriedid y coleg ar y cychwyn, a rhoes gefnogaeth arbennig i ymddiriedolaeth Meyrick. Llafuriai Thomas i hyrwyddo cenhadaeth yr eglwys ar dir Cymru. Bernid fod ganddo gymwysterau i fod yn esgob. Cefnogai'n frwd sefydlu Cadair Gelteg. Gallai fod yn llym ei feirniadaeth ac yn ddisgyblwr caled ond eto'n garedig. Yr oedd yn gwmnïwr diddan yn yr ystafell gyffredin, ac ni bu ball ar ei gyfraniadau rhigymaidd Cymraeg yng nghyngherddau blynyddol y coleg. Ymserchai'n arbennig yng ngweithiau Virgil, Dante, Goethe a Tennyson. Cyfrannodd bennod ar hanes ei goleg i *Colleges of Oxford* (1891). Yn ystod gwaeledd Dr Harper ef a weithredai fel prifathro rhwng 1887 ac 1895 ond nid ef a ddewiswyd i'w olynu ond John Rhys (*Bywg.*, 793-4). Yn 1897 derbyniodd gan y Goron ganoniaeth Llanelwy. Cyfrannodd Llewelyn Thomas erthyglau ysgolheigaidd ar iaith y Basg i lyfrgelloedd Lisbon, rhifynnau 13 Medi 1884, 21 Ion. 1893, 23 Meh. 1894, 1 Chwef. 1896, a 8 Chwef. 1896 o *Academy*. Dengys ei ymdriniaeth o lawysgrifau Basg fod ganddo feistrolaeth o'r iaith honno. Ef a olygodd fersiwn Pierre D'Urte (offeiriad o ramadegydd) o'i gyfieithiaid i'r Fasgeg, sylfaenedig ar Feibl Ffrangeg Genefa, o'r Hen Destament. Ef hefyd a'i cymharodd â chyfieithiad Licarrague o'r Testament Newydd. Galwai Thomas am fersiwn boblogaidd o'r Hen Destament yn y Fasgeg fel y gallai'r werin ei ddarllen. Ni bu ei ymdrechion heb feirniadaeth ond fe gytunir fod ei gyfraniad yn un tra sylweddol. Ym mis Mawrth 1893, fe gyhoeddodd yn y gyfres *Anecdota Oxoniensis*, *The Earliest Translation of the Old Testament into the Basque Language*. Ym mis Mai 1897 fe'i trawyd yn wael gan niwmonia ac ar y 12 o'r mis bu f. yn 57 oed. Claddwyd ef, wrth ochr bedd ei dad, ym mynwent Llanbeblig, Caernarfon. Yn yr eglwys honno y mae pulpud coffa i'w dad. Yr oedd y gwasanaeth angladdol corawl yn Gymraeg.

Harriet Thomas (ed.), *Father and Son* (1898); *Alumni Oxon.*; *Caern. and Denb. Herald*, 14 Mai 1897.

G.A.J.

TOMOS AP TITUS – gw. JOHN THOMAS EVANS o dan WADE-EVANS, ARTHUR WADE uchod.

TRAHERNE, JOHN MONTGOMERY (*Bywg.*, 916). Ceir peth gwybodaeth newydd ym mywgraffiad llawysgrif Traherne. Gw. Roy Denning, *Glam. Hist.*, 4 (1967), 46-55.

VAUGHAN, ARTHUR OWEN ('Owen Rhoscomyl'; *Bywg.*, 941; *Bywg.*2, 169). Yr oedd yn awdur dwy nofel arall, *Old Fireproof* (1906) a *Battlement and Tower* [1896].

[Y mae ei bapurau yn Llyfrgell Genedlaethol Cymru, eithr heb eu catalogio. Gw. ymhellach Hywel Teifi Edwards, *I godi'r hen wlad yn ei hôl* (1989), 246-50; hefyd *Hel Achau*, 34 (1991).]

T.G.J.

WALTERS, DAVID (EUROF); (1874-1942), gweinidog (A) a llenor; g. 27 Mai 1874 yr hynaf o bum plentyn John ac Ann (g. Dyer) Walters yn Nhy'n-y-coed, Betws, Rhydaman, Caerf. Gof oedd y tad a symudodd y teulu pan oedd ef yn bump oed i'r Glais ger Clydach, Cwm Tawe. Cafodd ei addysg gynnar yn yr ysgol fwrdd leol a bu'n ddisgybl-athro yno. Yr oedd y teulu'n aelodau yn Seion, y Glais, a gofalai ei fam ei dywys i holl gyfarfodydd yr eglwys honno. Dylanwad cryf arall arno oedd ei ewythr Job Richards, 'Eilab', a fu'n ysgolfeistr yn ysgol y gwaith copr yn Llanelli ac ym Mhontafthen (Bryn-crug heddiw) ger Tywyn, Meir., cyn dilyn cwrs yng Ngholeg Bodiwan, y Bala, dan hyfforddiant Michael Daniel Jones (*Bywg.*, 466)

a John Peter (*ibid.*, 706), a dod yn weinidog cyntaf Moreia (A), Ty-croes.

Bu Eurof Walters am beth amser yn glerc dan Gwmni Rheilfordd Merthyr-Aberhonddu, cyn cymryd ei brentisio yn siop Tracy, gemydd ac eurof yn Nhreforus. Hynny sy'n egluro ei enw barddol. Aeth i Ysgol y Gwynfryn, Rhydaman (gw. Watkin Hezekiah Williams, *Bywg.*, 1011) am hanner blwyddyn. Cerddai yno o gartref ei gefnder John Dyer Richards mab hynaf Job a Mary (g. Dyer) Richards, y Waun-lwyd, Saron, Llandybïe. Aeth y ddau gefnder i'r Coleg Coffa yn Aberhonddu a dilynodd Eurof gwrs gradd yng Ngholeg y Brifysgol, Caerdydd, a chael dosbarth I mewn Hebraeg a Groeg. Dair bl. yn olynol dyfarnwyd ysgoloriaeth iddo. Gydag ysgoloriaeth Dan Isaac Davies am ddwy fl. bu'n cymryd cwrs anrhydedd yn y Gymraeg. Derbyniodd nifer o alwadau ond penderfynodd orffen cwrs B.D. ac yr oedd ymhlith y Cymry cyntaf i gael y radd honno.

Ord. ef yn Salem, Llanymddyfri, lle y bu am 5 ml. Yna yn eglwys Saesneg Sgwar y Farchnad, Merthyr Tudful, 1905-10. Wedyn bu'n gynrychiolydd Cymd. y Beiblau, 1910-15, a theithiodd yn helaeth drwy'r Iseldiroedd, gwlad Belg a Ffrainc. Ar ddechrau Rhyfel Byd I derbyniodd alwad i eglwys Stryd Henrietta yn Abertawe a llafurio am 11 mlynedd (1915-26) a dyblu rhif yr aelodaeth yno. Ei fugeiliaeth nesaf oedd Christ Church, Croesoswallt. Yn 1931 symudodd i eglwys Gymraeg y Tabernacl, Belmont Rd., Lerpwl, lle yr ymfwriodd i fywyd crefyddol a diwylliannol Cymreig Glannau Merswy. Enillodd radd M.A. Prifysgol Lerpwl am draethawd ar Vavasor Powell (*Bywg.*, 731) yn 1933. Ymddiddorai mewn llyfryddiaeth ac yr oedd yn aelod o Gymdeithas Lyfryddol Cymru a chyfrannwr i'w chylchgrawn. Yr oedd hefyd yn aelod o Orsedd y Beirdd. Yr oedd yn un o sefydlwyr yr Ysgolion Haf Cymraeg o dan Undeb y Cymdeithasau a bu'n hyfforddwr mewn llenyddiaeth Gymraeg am flynyddoedd. Enillodd chwe chadair eisteddfodol a gwobrau lawer yn yr Eist. Gen., e.e. traethawd ar Stephen Hughes (Penbedw, 1917), nofel hanes *Pwerau'r Deufyd* (Aberafan, 1932). Ysgrifennodd ar y meysydd llafur yn *Y Tyst* a'r *Dysgedydd* a nifer o esboniadau. Ef oedd cadeirydd Undeb yr Annibynwyr yn 1940-41.

Pr. Catharine Eleanor (Kate), merch William Thomas, gweinidog (A) Gwynfe, a Mary ei wraig, a bu iddynt 3 o blant. Amharwyd ar ei iechyd yn ei flynyddoedd olaf gan effeithiau'r cyrchoedd awyr ar Lerpwl a hefyd yn Abertawe gan iddo golli llawer o ffrwyth ei ysgolheictod a'i awen lenyddol pan ddinistrwyd siop lyfrau Morgan a Higgs. Bu f. yn ei gartref 12 Hampstead Road, Elm Park, Lerpwl, 29 Medi 1942, ac amlosgwyd ei gorff yn amlosgfa Lerpwl.

WwW (1937); *Tyst*, 8 a 15 Hyd. 1942.

E.D.J.

WATKIN, WILLIAM RHYS (1875-1947), gweinidog (B); g. 10 Rhag. 1875, yn Ynystawe, Morg., yn un o chwech o blant William a Barbara (g. Rhys) Watkin, y tad o linach teulu Grove, Abertawe, a'r fam o linach Rhysiaid Ty'n-y-Waun a Morganiaid Cwmcile. Brawd iddo oedd yr Athro Morgan Watkin (gw. uchod). Ymadawodd ag ysgol Pen-clun,

Rhydypandy, yn 12 oed a mynd i weithio i'r lofa leol ac oddi yno i'r gwaith alcan. Ar ôl cyfnod byr yn Ysgol yr Hen Goleg, Caerfyrddin, aeth i Goleg y Brifysgol Bangor, lle y graddiodd yn 1899 gydag anrhydedd yn y Gymraeg; ac yn 1909 enillodd radd M.A. am waith ar Bedo Brwynllys - y gweinidog (B) cyntaf i ennill y radd honno ym Mhrifysgol Cymru. Bu'n gweinidogaethu yn y Tabernacl, Maesteg, o 1900 tan 1910, ac ym Moreia, Llanelli o 1910 tan ei farw.

Ef oedd golygydd *Seren Gomer* o 1921 tan 1930 ac o 1933 tan 1947 (ar y cyd gyda John Gwili Jenkins (*Bywg.*, 410) am flwyddyn ac yna gyda David Hopkin). Yr oedd yn nodedig fel gweinyddwr; bu'n llywydd ei Gymanfa, yn llywydd Undeb Bedyddwyr Cymru yn 1939-40 ac yn gadeirydd Cymdeithas Genhadol y Bedyddwyr (y B.M.S.) o 1944 i 1945. Ysgrifennodd nifer o erthyglau i'r *Geninen*, *Seren Gomer*, ac i *Drafodion* Cymdeithas Hanes Bedyddwyr Cymru ynghyd â chyfrol ar hanes Bedyddwyr Clydach ac un ar hanes plwyf Llangyfelach.

Yn ddiwinyddol perthynai i draddodiad uniongred hen ymneilltuaeth glasurol y 18fed ganrif ond daeth yn drwm o dan ddylanwad Mudiad Cymru Fydd a chredai'n gryf ym mhwysigrwydd yr iaith Gymraeg; cynhaliai ddosbarthiadau Cymraeg yn ei eglwys ym Maesteg - peth prin ar y pryd. Enillodd Fedal Ryddiaith Eist. Gen. Llangollen, 1908, a phan ddaeth yr Eist. i Lanelli yn 1930 ef oedd ysgrifennydd y Pwyllgor Llên a dirprwy-ysgrifennydd yr Eist. Yr oedd yn aelod o Orsedd y Beirdd wrth yr enw 'Glanlliw'. Bu'n gadeirydd Clwb Awen a Chân y dref am flynyddoedd, ac yn ystod Rhyfel Byd II bu'n gadeirydd Undeb Cymru Fydd yn yr ardal. Meddai ar lyfrgell eang a gwerthfawr, ac yr oedd yn gryn awdurdod ar argraffiadau cyntaf.

Pr. yn y Tabernacl, Maesteg, 12 Medi 1905, â Jane, merch David ac Elizabeth (g. Jenkins) Williams. Bu hi f. 24 Rhag. 1936, ac yntau 16 Rhag. 1947, a chladdwyd y ddau ym mynwent y Bocs, Llanelli. Bu iddynt un ferch.

Ser. G., Maw-Ebr. 1948; manylion gan Enid Watkin Jones; a gwybodaeth bersonol.

D.W.P.

WATKINS, WILLIAM (*fl.* 1750-62), clerigwr ym Mrycheiniog ac awdur y llyfr cyhoeddedig cyntaf ar goed o Gymru. Fe'i cofnodwyd fel pensiynwr yn Neuadd y Drindod, Caergrawnt o Feb. 1750 i 1754, ond arwyddodd a cofrestrau yn Y Gelli yn gyson fel curad cynorthwyol i ficer absennol yn 1750-52. Gadawodd Y Gelli yn fuan ar ôl i'w wraig a merch iddo farw yno o'r frech wen yn 1752, a chyhoeddodd *A Treatise on Forest-Trees* (Llundain, 1753), cyfrol arbennig o brin erbyn hyn. Yn 1762 fe'i hapwyntiwyd yn ficer yn Llaneleu, ond ni wyddys mwy amdano.

Jnl. W.B.S., 11 (1975-6), 247-50.

W.L.

WAYNE (TEULU; *Bywg.*, 953). G. Matthew Wayne yn (?) Stogursey, Gwlad-yr-haf, yn 1780. Erbyn 1806 preswyliai yn Ivy House, Nantygwenith St., Merthyr Tudful, ac er ei fod wedi prynu les ar waith haearn Nant-y-glo,

Myn., yn 1811, ym Merthyr y g. ei ferch Mary yn 1816. Wedi sefydlu gwaith haearn a suddo'r lofa ddofn gyntaf yn Aberdâr, Morg., ymgartrefodd yn Glandare House. Bu f. 1854 yn 73 ml. Noder mai brawd, nid mab, Syr Joseph Bailey oedd Crawshay Bailey.

D.L.D.

WILLIAMS, DANIEL POWELL ('Pastor Dan'; 1882-1947), sefydlydd a llywydd cyntaf yr Eglwys Apostolaidd, yr unig Gymro i sefydlu eglwys fyd-eang; g. 5 Mai 1882 yn Garn-foel, tyddyn ger Pen-y-groes yn nyffryn Aman, Caerf., yn un o ddeuddeg plentyn William ac Esther Williams. Gan i'r tad golli ei olwg pan nad oedd Daniel ond 10 oed bu raid iddo adael yr ysgol ychydig fisoedd wedyn er mwyn chwyddo peth ar incwm y teulu, ond bychan o gyflog wythnos crwtyn o ddryswr o dan ddaear. O feddwl am y gwaith enfawr a gyflawnodd yn ei oes yr oedd ei baratoad addysgol yn rhyfeddol brin, ac yn ôl yr hanes, bratiog fu ei bresenoldeb yn ysgol elfennol y pentre. Pwysicach na'r ysgol yn ei fagwriaeth oedd y cartref ac eglwys (A) Pen-y-groes o dan weinidogaeth gyfoethog William Bowen a sefydlwyd ar 4 Chwef. 1880 yn fugail ar yr eglwys honno a'r chwaer eglwys ym Milo. Yng ngaeaf 1904-05 llifodd dylanwad 'Diwygiad Evan Roberts' (gw. uchod dan ROBERTS, EVAN JOHN) yn gryf o Gasllwchwr i ddyffryn Aman gan adael mwy o'i ôl yno nag ar nemor i ardal arall yng Nghymru. Daeth teulu Garn-foel yn drwm dan ddylanwad y diwygiad. Dechreuodd Daniel a diacon o eglwys y Bedyddwyr gynnal cyfarfodydd diwygiad yng nghapel Calfaria, ac ar ddydd Nadolig 1904 aeth Daniel, William ei frawd, a rhai cyfeillion i Gasllwchwr, ac yno profodd Daniel dröedigaeth a chael arddodiad dwylo'r diwygiwr ei hun. Bu'r brodyr a'u cyfeillion yn cynnal cyfarfodydd mewn tai ac yn y neuaddau a godwyd yn sgîl y diwygiad yn yr ardaloedd cylchynol, gyda chefnogaeth barod William Bowen. Yn 1906, wrth ei waith yn y pwll glo, clywodd Daniel alwad i fod yn bregethwr, ac i brofi dilysrwydd yr alwad gosododd gyfnod o bythefnos i ddisgwyl gwahoddiad gan ei weinidog, a daeth honno cyn pen y cyfnod. Pregethodd ei bregeth gyntaf ar Chwef. 1 ac aeth drwy eglwysi'r cylch yn ôl y drefn a chael ei godi'n bregethwr rheolaidd gyda'r Annibynwyr.

Er i ddwy eglwys ei wahodd i'w bugeilio gwrthod a wnaeth, o ddiffyg hyder ar y pryd, ond parhaodd i'w cymhwyso'i hun at y gwaith. Ni theimlodd lawer o rym yr ail don a dorrodd dros yr ardal yn 1907-08, ond ym mis Awst 1909 ac yntau, yn ôl arfer yr ardal y pryd hwnnw, yn treulio gwyliau yn Aberaeron, yng ngŵydd cwmni o gyfeillion a dderbyniasai 'fedydd yr Ysbryd', lloriwyd yntau ar fryncyn uwchlaw'r môr a dechreuodd 'lefaru â thafodau'. Bu'n petruso tipyn cyn gadael ei enwad ond ymddiswyddo a wnaeth yn 1910 pan oedd rhwyg yn datblygu yn eglwys Pen-y-groes rhwng yr aelodau mwy traddodiadol a'r rhai a ddaethai o dan ddylanwad y diwygiad. Ymneilltuo a wnaeth y rheini gyda'r gweinidog i ffurfio'r ddiadell y codwyd capel Mynydd Seion iddi yn 1913, ond nid gyda hwy y bwriodd Daniel ei goelbren. Yn hytrach, ymunodd â charfan fwy eithafol a gododd 'yr Hall gerrig' yn 1910 ym Mhen-y-groes fel neuadd anenwadol ar gyfer dychweledigion y diwygiad, lle y gallent wahodd arweinwyr o'u dewis eu hunain. Mynychai'r rhain gynadleddau pentecostaidd, ac yn un o'r rhain yn Belle Vue, Abertawe, y dechreuodd Daniel bregethu yn Saesneg, er mor ansicr oedd ei afael ar yr iaith y pryd hwnnw. O'r cynadleddau hyn daeth adroddiadau am 'Fedydd yr Ysbryd Glân' a'i arwyddion, megis llefaru â thafodau a iacháu trwy ffydd, a'r syniad o amherffeithrwydd eglwys heb apostol na phroffwyd yn ei gweinidogaeth. Ym mis Chwef. 1911 datguddiwyd i Daniel Powell trwy broffwydoliaeth y gelwid proffwyd i gydweithio ag ef, a'r un noson argyhoeddwyd ei frawd, William Jones, a hwnnw maes o law fu'r proffwyd addawedig. Cododd ymryson ym mhlith aelodau'r neuadd, ac er mwyn heddwch penderfynwyd fod y rhai a goleddai'r weledigaeth o 'eglwys apostolaidd' yn ymwahanu oddi wrth y gweddill. Yn ôl *Precious jewels* Rees Evans caewyd drws y neuadd yn eu herbyn fore 5 Mawrth, ac wedi ymgynnull mewn gwahanol adeiladau codasant iddynt eu hunain adeilad sinc a'i alw yn Babell neu Babell y Cyfarfod. Y ddau frawd oedd yr arweinwyr. Ymgysylltwyd â'r *Apostolic Faith Church* yn Winton, Bournemouth, lle y buasai Daniel yn pregethu pan oedd ar wyliau wedi torri i lawr o dan bwysau gwaith. Yn ôl Rees Evans daeth William O. Hutchinson a thri arall o Bournemouth, yn cynnwys Mrs. Kenny, gwraig â dawn dehongli proffwydoliaeth ganddi, i Ben-y-groes i arddodi dwylo ar y ddau frawd, un i fod yn Apostol a'r llall yn broffwyd, er y dywed T. N. Turnbull mai mewn confensiwn yn Llundain y galwyd Daniel Powell i'r apostolaeth a hynny yn 1913. Daeth galwadau lawer arno oddi wrth gynulleidfaoedd yn y de, a bu raid sefydlu swyddfa fechan yn Llwynhendy ac yna ym Mhen-y-groes. Ymwahanwyd oddi wrth yr eglwys yn Bournemouth yn 1915 oherwydd gwahaniaeth barn ar ffurflywodraeth eglwysig. Yn 1916 cyhoeddwyd rhifyn cyntaf cylchgrawn yr Eglwys Apostolaidd o dan olygiaeth Daniel Powell. Teitl y rhifynnau cyntaf oedd *Cyfoeth y Gras: The Riches of Grace*, ond ar ôl dau rifyn newidiwyd i *Cyfoeth Gras* . . . Am flynyddoedd bu'n gylchgrawn dwyieithog, ac ysgrifennodd y golygydd lawer mewn rhyddiaith a barddoniaeth yn y ddwy iaith ar gyfer y cylchgrawn, gan gyfieithu proffwydoliaethau ei frawd. Newidiwyd trefn yr ieithoedd yn y teitl yn 1932 a thoc gollyngwyd yr is-deitl Cymraeg, ond yr oedd yr erthyglau Cymraeg wedi mynd yn brin cyn hynny.

Yn 1916 hefyd y ffurfiwyd cyfansoddiad swyddogol cyfreithiol yr Eglwys Apostolaidd. Tynnwyd llawer o'r cynulleidfaoedd pentecostaidd Cymreig i mewn a syrthiodd gwaith enfawr ar ysgwyddau Daniel. Ymwelodd y ddau frawd â Glasgow yn 1918 ac 1919, gyda'r canlyniad i'r *Burning Bush Assembly* yno ddod i mewn i'r Eglwys Apostolaidd. Y flwyddyn ganlynol ymunodd cynulleidfa a sefydlwyd yn Henffordd gan Frank Hodges, ac ymledodd y mudiad oddi yno i ganoldir a de-orllewin Lloegr. Yn 1922 daeth *The Apostolic Churches of God* a ganolai ar Bradford i mewn, a sefydlwyd aden genhadol yno, a thrwy weithgarwch honno lledodd y mudiad dros y pum cyfandir.

Yn 1937 unwyd y gwahanol rannau, gyda'r pencadlys ym Mhen-y-groes, y ganolfan genhadol yn Bradford, a'r ganolfan gyllidol yn Glasgow, a Daniel Powell Williams yn llywydd yr Eglwys ac yn gadeirydd Cyngor yr Apostolion a'r Proffwydi a'r Pwyllgor Gwaith, a'i gartref ym Mhen-y-groes. Cytunwyd ar gyfansoddiad i'r Eglwys unedig a llofnodwyd ef gan y llywydd cyn ei gyflwyno i'r Uchel Lys yn Llundain. O 1917 ymlaen cynhaliwyd confensiwn blynyddol sy'n parhau i gyfarfod bob mis Awst ym Mhen-y-groes, ac yn 1933 agorwyd y Deml Apostolaidd yno i ddal pymtheng mil. Bu gan Daniel Powell Williams ran fawr hefyd yn sefydlu Ysgol Feiblaidd yr Eglwys Apostolaidd ym Mhen-y-groes yn 1934. O 1922 i 1945 teithiodd yn helaeth, nifer o weithiau yng ngogledd America, Denmark, Norwy, Estonia, Ffrainc, Yr Eidal, Nigeria, Awstralia, Seland Newydd ac India.

Pr. (1) ag Elizabeth Harries o Landeilo, a bu iddynt saith o blant; bu hi f. 23 Mai 1918; (2) â Mabel Thomas o Borth-cawl. Bu yntau f. 13 Chwef. 1947.

Cyhoeddodd lyfrau: *The prophetical ministry* (1931); *The work of an evangelist;* a *The sanctuary of the Christian life,* a chyfansoddodd nifer o emynau yn Gymraeg a Saesneg.

WILLIAMS, WILLIAM JONES (1891-1945), brawd Daniel Powell Williams a'i gydymaith fel proffwyd ar ei deithiau; g. yn Garn-foel 9 Mai 1891. Yn ddeg oed dechreuodd fynychu cyfarfodydd diwygiad, ac mewn cyfarfod yng nghapel (MC) Llanllian arddododd Evan Roberts a'r Dr D. M. Phillips eu dwylo arno gan ddymuno yr arweinid ef i'r weinidogaeth. Fel y gwelwyd uchod, galwyd ef i'r swydd broffwydol yn yr Eglwys Apostolaidd, a bu ar deithiau gyda'i frawd i lawer gwlad, a hefyd ar ei ben ei hun. Bu'n bugeilio preiddiau ym Mhen-y-groes, Bradford, Llandybïe, Caerdydd, a'r eglwys Apostolaidd yn Edgware, Llundain. Ef am flynyddoedd oedd is-olygydd yr *Apostolic Herald,* cylchgrawn cenhadol yr eglwys, a sefydlwyd yn 1922 fel yr *Apostolic Church Missionary Herald* ond yn 1931 newidiwyd y teitl. Pr. (1) â Mary Anne Evans o Landeilo yn 1912; a bu iddynt 3 phlentyn. Bu hi f. 15 Tach. 1936, ac yn 1938 pr. yntau (2) ag Elsi, merch John a Rachel Evans, Capel Isaac, a bu iddynt un ferch. Bu yntau f. 15 Ebr. 1945, yn Llundain a chladdwyd ef ym mynwent y Deml, Pen-y-groes.

Thomas Napier Turnbull, *Brothers in Arms* (1963) a *What God hath wrought: A short history of the Apostolic Church* (1959); Rees Evans, *Precious jewels from the 1904 revival in Wales;* Tom H. Williams, *Mining to ministering; Riches of Grace.*

E.D.J.

WILLIAMS, DAVID DAVID (1862-1938), gweinidog (MC) ac awdur; g. yng Ngarthlwynog, Croesor, Meir., mab David a Grace Williams. Addysgwyd ef yn ysgol ramadeg Gelli-gaer, Coleg y Bala, ac yng Ngholegau'r Brifysgol yn Aberystwyth a Chaerdydd. Ord. ef yn 1891, a bu'n gweinidogaethu ym Mheniel, Ffestiniog (1890-96); Croesoswallt (1896-1906); Moss Side, Manceinion (1906-15); a David St. (wedi hynny Belvidere Rd.), Lerpwl (1915-38). Pr., *c.* 1896-97, Clara A. Jones, Ashlands; ni bu iddynt deulu.

Aeth i fyw i Brestatyn ar ôl ymddeol, ac yno y bu f. 3 Gorff. 1938.

Yr oedd yn ŵr amlwg yn ei Gyfundeb, a bu'n llywydd Sasiwn y Gogledd (1931). Ymhyfrydai'n fawr mewn chwilota, a chafodd radd M.A. Prifysgol Lerpwl, am draethawd ar 'Vaticination in Welsh literature'. Ef oedd golygydd *Cylch. Cymd. Hanes y MC* am dymor (1930-34). Cystadleuai'n gyson ar draethodau ar faterion llenyddol a hanes yn yr Eist. Gen., a chyhoeddwyd llawer o'i draethodau arobryn gan Gymd. yr Eist. Gen. Cyfrannodd ysgrifau i'r *Brython*, *Y Beirniad*, *Y Genhinen*, *Yr Efrydydd*, a *Chylch. Hanes y MC*. Dyma restr o'i lyfrau: *Dyfyniadau llên Cymru* (1909); *Deuddeg o feirdd y Berwyn* (1910); *Twm o'r Nant* (1911); *Geirfa prifeirdd* (1911); *Dylanwad y Rhufeiniaid ar iaith, gwareiddiad a gwaedoliaeth y Cymry* (1912); *Hanes mynachdai gogledd Cymru* (1914); *Cymry enwog cyfnod y Tuduriaid* (1914); *Addysg Cymru yn y Canol Oesoedd* (1914); *Hanes dirwest yng Ngwynedd* (1921); *Thomas Charles Edwards* (1921); *Cofiant T. J. Wheldon* (1925); *Hanes Cyfundeb y Methodistiaid Calfinaidd* (1927).

WwW (1921), 504; *Drys.*, 1931, 336-39; *Cylch. Cymd. Hanes MC*, 1928, 51-3; *Gol.*, 13, 20 Gorff. 1938; *Blwyddiadur MC*, 1939, 215-26.

G.M.R.

WILLIAMS, HENRY PARRY – gw. PARRY-WILLIAMS, HENRY uchod.

WILLIAMS, JOHN ('J.W. Llundain'; 1872-1944) masnachwr llechi; g. yn Nhŷ Capel Rhostryfan, Llanwnda, Caern., 22 Medi 1872, yr hynaf o saith o blant John Williams, chwarelwr, a Catherine ei wraig, merch Robert a Jane Jones, Llandwrog. Brawd iddo oedd William Gilbert Williams (gw. uchod), yr hanesydd lleol. Cafodd John ei addysg yn ysgol fwrdd Rhostryfan cyn dechrau chwarel y Braich ym mis Gorff. 1885 a bu yno am tua phum ml. nes i ddwfr lanw twll y chwarel. Wedi rhai misoedd yn chwarel Moeltryfan penderfynodd geisio gwella'i fyd yn Lerpwl. Bu'n gweithio mewn lle naddu meini melin, ffowndri atgyweirio llongau, ystordy cotwm, warws Morris Jones, gwaith llongau Laird, gefail gof a iardau coed. Yn 1898 aeth yn glerc i adeiladydd yn Neston ond ansicr oedd y rhagolygon yno, a derbyniodd le fel goruchwyliwr mewn busnes llechi a gwaith toi yn Llundain ym mis Ion. 1900. Daeth y fusnes honno i ben yn 1904 ond cafodd swydd gyffelyb gyda chwmni oedd yn datblygu ym myd toi adeiladau. Pr. â Margaret Jane, ail ferch Edward Lloyd, Pen-y-fron, Derwen, Dinb. ym mis Rhag. 1900 a magu dwy ferch a dau fab. Ym mis Medi 1923 gwireddwyd ei freuddwyd o gychwyn ei fasnach defnyddiau toi ei hun, gyda'i fab hynaf yn glerc. Sicrhaodd iard gyfleus i'w ddefnyddiau toi mewn tri bwa pont reilfffordd yr L.M.S. yng ngorsaf Queen's Park. Bu'r anturiaeth yn llwyddiant gyda digonedd o waith gydag agor heolydd ac adeiladu ystrydoedd o dai newydd yn ystod y blynyddoedd rhwng y ddau ryfel.

Ym mlynyddoedd cynnar ei yrfa yn Lerpwl buasai ganddo ddiddordeb ym mywyd y capeli a'r cymdeithasau diwylliadol Cymraeg, ond collodd y cysylltiadau dros dro. Yn Llundain daeth i gysylltiad â nifer o lenorion da o Gymry a dechreuodd yntau ymddiddori yn y mesurau caeth. Dysgodd ganu'r piano ei hunan a chanu'r organ. Wedi dechrau mynychu capel Willesden Green ymroddodd i gymryd rhan ym mhob adran o'r gwaith yno gan ddod yn arweinydd canu ac athro ysgol Sul. Safodd yn gadarn dros ddefnyddio'r Gymraeg yng nghyfarfodydd y Cymry yn Llundain. Ar ei awgrym ef y cychwynnwyd yn 1925 gyhoeddi papur newydd i Gymry Llundain, *Y Ddolen*, gydag ef yn gofalu am gywirdeb yr iaith Gymraeg a David Rowland Hughes (gw. uchod) yn gydolygydd; parhaodd y papur hyd mis Ion. 1941. Darlithiai a chynhaliai ddosbarth ar y cynganeddion gan ysgrifennu erthyglau ar y gynghanedd i'r *Brython*, 1934-38, yn ogystal â'i golofn wythnosol 'Ymhlith Cymry Llundain' i'r papur hwnnw. Cyhoeddodd ei hunangofiant ynghyd ag englynion ac emynau o'i waith yn *Hynt gwerinwr*.

Bu'n byw am gyfnod yn 4 Wrentham Ave., Willesden ac yn Okehampton Road cyn dychwelyd i Gymru tuag 1940 a chartrefu yng Ngwynfa, Llandwrog, Caern., lle y bu f. 30 Mai 1944.

John Williams, *Hynt gwerinwr* (1943); *WWP*.

E.D.J.

WILLIAMS, JOHN JOHN (1884-1950), athro, gweinyddwr addysg, cynhyrchydd a beirniad drama; g. 12 Gorff. 1884, yn Stryd Fawr Caernarfon, unig blentyn John Williams ac Anne (g. Jones). Chwarelwr oedd y tad. Cadwai'r fam westy trafaelwyr a bu f. pan nad oedd y plentyn ond wyth mlwydd oed. Cafodd ei addysg gynnar yn ysgol fwrdd y dre ac wedyn yn ysgol Frytanaidd Llanrug. Un o'i gyfoedion yn ysgol ganolradd Caernarfon (c. 1896-98) oedd Robert Williams Parry (gw. uchod) a buont yn gyfeillion oes gyda J. J. yn was priodas i'r bardd. Cyfoedion eraill oedd H. D. Hughes, gweinidog (MC) a Dr Arthur Owen. Ar ôl ysbaid fel disgybl-athro ymaelododd yng Ngholeg Normal Bangor yn 1905. Enillodd dystysgrif athro yn 1907 yn y dosbarth cyntaf. Aeth yn athro cynorthwyol yn ysgol elfennol Granby Street, Lerpwl, yn yr un fl. ac aros yno tan 1915 pan benodwyd ef yn brifathro ysgol ganol y Cefnfaes, Bethesda, fel olynydd i John Elias Jones. Treuliodd bymtheng ml. ffrwythlon yn y swydd hon gan ymdaflu i bob agwedd ar fywyd y fro a denu cenedlaethau o fechgyn a merched i ymddiddori mewn llenyddiaeth, cerddoriaeth a chelfyddyd gain. Sefydlodd Glwb Awen a Chân llewyrchus a deuai llenorion, cerddorion a haneswyr amlycaf y genedl i annerch ynddo. Cymerai Syr Walford Davies (*Bywg*.2, 9) gryn ddiddordeb yng nghôr plant ysgol y Cefnfaes. Cynhelid yno gyngherddau o safon a pherfformiadau o operetau a dramâu. Ond yr oedd J.J. hefyd yn athro rhagorol - yn gymaint felly fel yr aeth J. Glyn Davies (gw. uchod) mor bell â chymharu ei ddull o ysbrydoli plant ag eiddo Sanderson o Oundle. Yn 1917 dechreuodd weithio ar draethawd M.A. ym Mhrifysgol Lerpwl dan gyfarwyddyd John Glyn Davies. Ei destun oedd 'The political elements in Welsh Literature, 1788-1840', a dyfarnwyd y radd iddo yn 1923. Yr oedd eisoes wedi troi i fyd y ddrama, gan bori yng ngweithiau dramodwyr fel Ibsen, Galsworthy, Strindberg a Shaw, heblaw gwaith awduron Cymreig. Astudiai bob agwedd ar dechneg y theatr, ac fe'i cysylltodd ei hun â chwmni drama Coleg y Brifysgol, Bangor, gan weithredu fel cynhyrchydd am saith ml. Ysgogodd do o actorion, dramodwyr a chynhyrchwyr (yn eu plith Dr John Gwilym Jones) a ddaeth ymhen amser yn flaenorwyr y ddrama Gymraeg. Yn Eist. Gen. Caergybi yn 1927 ef oedd swyddog cyswllt y noddwr, yr Arglwydd Howard de Walden (*Bywg.* 2, 53-4) pan berfformiwyd cyfieithiad J. Glyn Davies a D. E. Jenkins (*Bywg.*, 407) o *Yr Ymhonwyr* (Ibsen) gyda Theodore Komisarjevsky, cyn-gyfarwyddwr gweinyddol a chynhyrchydd Theatr Opera a Ballet Moscow, yn cynhyrchu. Bu'n beirniadu droeon yn yr Eist. Gen. ac ysgrifennai erthyglau beirniadol, yn bennaf ar bynciau addysgol, i newyddiaduron y dydd. Trafododd ddramâu Ibsen yn y wasg Gymraeg a nofelau Daniel Owen yn *Y Traethodydd*. Edmygid ei eiddgarwch dros bob agwedd ar ddiwylliant gan wŷr fel J. O. Williams, Ernest Roberts a Syr Idris Foster. Credai'n ddiysgog yn nelfrydau Syr Owen M. Edwards (*Bywg.*, 179-80), eithr ni fanteisiodd Cymru ar syniadau blaengar yr addysgwr anghyffredin hwn ac yn 1930 aeth yn arolygydd ysgolion i Benbedw a'i benodi yn 1932 yn ddirprwy gyfarwyddwr addysg y dref, gan aros yn y swydd honno hyd ei ymddeoliad yn 1949. Ef oedd yn gyfrifol am drefnu nodded i gannoedd o blant ysgolion y dref yn siroedd Meirionnydd a Threfaldwyn yn ystod Rhyfel Byd II. Gweithredodd ar y Comisiwn Brenhinol a fu'n gwneud arolwg ar addysg yn ardaloedd gwledig Cymru, 1928-30. Un o'i gyfeillion mynwesol oddi ar eu cyfnod fel cyd-fyfyrwyr yn y Coleg Normal oedd Fred Attenborough, Is-ganghellor Prifysgol Caerlŷr, a thad yr actor a chyfarwyddwr ffilmiau, Syr Richard Attenborough. Cydnabu Syr Richard iddo elwa llawer ar gynghorion J. J. ar ddechrau ei yrfa yn y theatr. Cyfrannodd erthyglau i *Yr Athro*, *Y Brython*, *Y Genedl Gymreig*, *North Wales Observer* a'r *Liverpool Daily Post*. Gŵr bregus ei iechyd ydoedd ond meddai ar asbri a hiwmor. Yr oedd ganddo bersonoliaeth gyfareddol, yn ymgomiwr diddan, a darlledwr difyr. Ymhlith ei gyfeillion eraill yr oedd William Garmon Jones (*Bywg.*, 496-7, ysgrif gan J. J.), E. Morgan Humphreys (gw. uchod) a Gwilym R. Jones. Perthynai iddo urddas a syberwyd. Fe'i disgrifiwyd fel sosialydd Cristionogol Cymreig. Hoffai grwydro ardaloedd cefn gwlad Cymru a Lloegr. Ar gymeradwyaeth Syr Wyn Wheldon (gw. uchod) cafodd gyfweliad am swydd cyfarwyddwr cyntaf rhanbarth gorllewin Cymru y B.B.C., ond Syr Rhys Hopkin Morris (gw. uchod) a ddewisiwyd. Pr., 3 Gorff. 1937, ag Elsie May Evans o Lanystumdwy, athrawes Saesneg yn ysgol St. Helens ar y pryd. Ni bu ganddynt blant. Bu f. 26 Rhag. 1950, yn 17 Ashburton Avenue, Claughton, Penbedw a chl. ef yn Landican.

Gwybodaeth gan ei weddw, ac Ernest Roberts; llythyrau gan J. Glyn Davies, Fred Attenborough a Syr Idris Foster; *Gen. Gymr.*, 1920; *N. Wales Obs.*, 1920; *Y Brython*, 1925, 1938, 1939; *Traeth.*, 1936; *Athro*, 1951; *Liv. D.P.*, 29 Rhag. 1950; *N. Wales Times*, 1951; *Baner*, 3 Ion. 1951; Theodore Komisarjevsky, *Myself and the Theatre* (1929).

G.A.J.

WILLIAMS, OWEN (1774-1839; *Bywg.*, 998). Bu f. yn Llundain 23 Mai 1839. Gw. Huw Williams, *Owen Williams o Fôn* (1993).

WILLIAMS, PETER ('Pedr Hir'; *Bywg.*, 1000). Yr oedd ei dad, Thomas Williams (Byrdir), yn gefnder i Syr Charles James Watcyn Williams (*Bywg.*, 966).

W.R.Wi.

WILLIAMS, PETER BAILEY (1763-1836; *Bywg.*, 1000). Yn 1798, ef a arweiniodd y ddringfa graig gyntaf yng ngwledydd Prydain i gael ei chofnodi, sef yn ôl pob tebyg Teras dwyreiniol Clogwyn Du'r Arddu (dringfa 'gymedrol' yn ôl y llawlyfrau dringo cyntaf: 'hawdd' erbyn hyn). Tywys y llysieuwr Bingley yr ydoedd ar y pryd ond ei syniad ef oedd mentro i fyny'r graig: yr oedd ganddo esgidiau hoelion ar ei draed a phan fethodd Bingley â'i ddilyn, estynnodd ei wregys i'w helpu. Dro arall, aeth â Bingley drosodd i Gwm Idwal ac yna i ben Tryfan, y Gluder Fach a'r Gluder Fawr: ar ben Tryfan, cododd arswyd arno trwy lamu o Adda i Efa, fel y gelwir y ddau faen uwchben y dibyn dwyreiniol. Ni soniodd fawr am fynyddoedd yn ei lyfr taith ar sir Gaernarfon ond anodd credu y buasai wedi tywys gŵr dieithr i'w canol onibai ei fod yn gyfarwydd iawn â'r mannau geirwon. Awgrymwyd gan Evan Roberts mai ef oedd y 'person chwedlonol' a anfarwolwyd yn enw Clogwyn y Person: gallai hynny fod ond yn y pedwar degau, wedi marwolaeth Williams, y cyfarfu J. H. Cliffe â'r 'climbing parson' anhysbys a ddisgrifiwyd ganddo ef.

William Bingley, *North Wales etc.* (1804); G. A. Lister yn *The mountains of Snowdonia* (ail arg. 1948), 51-2; Evan Roberts, 'Natural History Notes' yn H. I. Banner a P. Crew, *Clogwyn Du'r Arddu* (1963); Alan Hankinson, *The Mountain Men* (1977).

I.B.R.

WILLIAMS, ROBERT (*Bywg.2*, 176). Bed. 27 Hyd. 1782 yn f. Owen Williams a Mary (g. Davies) o ffermdy Mynydd Ithel, Llanfechell, Môn. Cofnodir ei gladdu dan yr enw Robert Owen yng nghofrestr plwyf Llanfechell, 15 Gorff. 1818, ond dywedir mai ym mynwent Llanrhwydrys y'i claddwyd. Gw. Huw Williams, *Cofio Robert Williams, Mynydd Ithel* (1990).

H.W.

WILLIAMS, ROBERT ROLFE (1870-1948), arloeswr addysg trwy gyfrwng y Gymraeg; g. yn 1870 yn Llwyn-teg, Llan-non, Caerf., yn fab i Thomas Williams, gweinidog (A), a'i briod Mary. Addysgwyd ef yn ysgol Bryn-du, ac ysgol gwaith copr Llanelli. Yn 1880 derbyniodd ei dad alwad i Gapel Soar, Cwm Clydach, y Rhondda, a chafodd y mab ei ddewis yn ddisgybl-athro i Thomas Williams ('Glynfab'), prifathro'r ysgol leol. Aeth i Goleg y Brifysgol, Caerdydd (1892-94), ac yna fe'i penodwyd yn athro yn ysgol uwchradd Ferndale. Dychwelodd, calan 1896, i Gwm Clydach i fod yn brifathro ei hen ysgol, ac yno ar 11 Maw. 1910 cyflawnodd gryn wrhydri wrth achub llawer o blant ei ysgol rhag boddi yn yr iard pan dorrodd dŵr o hen lefel lo oedd wedi'i chau ym mhen ucha'r cwm. Er hynny collwyd pump o blant. Dyfarnwyd iddo Fedal Albert am hyn, ac yn fuan wedyn aeth yn brifathro ysgol Llwynypia cyn cael ei ddyrchafu'n Arolygwr

Ysgolion Cwm Rhondda, ac yn y swydd honno enillodd gryn glod am lwyddiant ei gynllun ar gyfer ysgolion nos a fynychid yn flynyddol gan 20,000 o fyfyrwyr. Yn 1915 dewisiwyd ef yn is-gyfarwyddwr Addysg Cwm Rhondda ac ar ôl Rhyfel Byd I bu'n hynod egnïol o blaid sefydlu'r Gymraeg fel cyfrwng addysg.

Yn 1921, ar ei gymhelliad, dynodwyd pum ysgol gynradd yn rhai dwyieithog. Cyhoeddodd y Pwyllgor Addysg *Report by R. R. Williams on the teaching of Welsh in the bilingual schools of the Authority* (1925) ac argymhellwyd dysgu'r Gymraeg yn ysgolion y babanod; bod yr ysgolion hŷn yn mabwysiadu'r cynllun dwyieithog; a bod y Gymraeg i'w chynnwys ar amserlen yr ysgolion uwchradd fel pwnc ac fel cyfrwng dysgu rhai testunau eraill. Cyhoeddwyd cynllun cynhwysfawr ar gyfer athrawon di-Gymraeg a disgyblion (1926), a rhoddwyd sêl bendith y Pwyllgor Addysg ar ei bolisi iaith chwyldroadol wrth ei benodi'n Gyfarwyddwr Addysg y Rhondda yn 1927. Yn anffodus trethodd ei nerth yn ormodol ac yn 1931 gorfu iddo ymddeol cyn i'w gynlluniau gael cyfle i aeddfedu. Erbyn canol y 1930au oerodd brwdfrydedd y Pwyllgor Addysg, dilewyd y cynllun, a chollodd y Cyngor gyfle unigryw i ddiogelu etifeddiaeth plant Cymraeg y Cwm ac i arwain a wlad ym maes addysg ddwyieithog. O ganlyniad cafwyd hollt tanbaid ar aelwydydd Cymry Cymraeg gyda'r plant iau a fagwyd yn y 1930au yn colli'u mamiaith. Rhai o'r plant hynny, hanner canrif yn ddiweddarach, yw cefnogwyr mwyaf brwd dros addysg Gymraeg.

Yr oedd R. R. Williams yn Gymrawd o'r Gymdeithas Ddaearegol (F.G.S.), derbyniodd yr O.B.E. (1932), a gradd M.A. er anrh. gan Brifysgol Cymru (1933). Bu'n swyddog gweithgar nifer o gymdeithasau diwylliannol. Pr. (1) yng Nghaerdydd, 7 Rhag. 1892, ag Esther John o Marian Street, Clydach, merch Benjamin John, glöwr, a bu iddynt ddwy ferch a mab. Ar ôl ysgaru pr. (2) â Rachel Anne Jones, Tonpentre (bu f. 27 Gorff. 1970). Ymddeolodd i Lwyn-teg, Llan-non, a bu f. 26 Gorff. 1948 a'i gladdu ym mynwent Llwyn-teg (A).

Ymchwil bersonol gyda chymorth Mrs. Mary Price, Pontyberem.

D.J.

WILLIAMS, THOMAS ('Capelulo'; c. 1782-1855), meddwyn diwygiedig, llyfrwerthwr teithiol, cymeriad: g. yn Llanrwst, Dinb., tuag 1782, yn f. i ffeltiwr a phobwraig. Hanai ei deulu o Gapelulo, Dwygyfylchi, Conwy, a dyna sut y cafodd ei lysenw. Bu'n ostler ac yn yrrwr cerbyd am ychydig cyn mynd yn filwr ac ymladd ar y cyfandir yn rhyfeloedd Napoleon, ac yna dreulio cyfnodau dramor yn ne Affrica, de America a'r India. Achosodd ei wendid at y ddiod lawer o helyntion a thrafferthion iddo yn y fyddin ac ar ôl dychwelyd adref, a bu'n byw ar gardota, difyrru, canu ac adrodd hanes ei droeon trwstan a'i anturiaethau. Os oedd yn feddwyn a phuteiniwr yn byw bywyd ofer, ni ellir amau ei ddawn fel storïwr llafar, a dyna'r hyn a'i nodweddai ar ôl ei dröedigaeth tuag 1840. Bu'n ddirwestwr selog ac yn areithydd peryglus o ddoniol dros yr achos. Tyfodd yn gryn gymeriad, yn enwog am ei ddywediadau bachog, ei ddiniweidrwydd (ymddangosiadol, gan ei fod yn gymysg â thipyn o graffter yn fynych pan geisid ei bryfocio), ei ddoniolwch a'i allu i ddifyrru cynulleidfaoedd o bob math gyda hanesion ei fywyd ofer a diwygiedig.

Ei brif noddwr oedd John Jones yr argraffydd o Lanrwst (1786-1865; gw. uchod) a fu'n dipyn o gefn iddo ac a'i galluogodd i ennill bywoliaeth trwy werthu caneuon a baledi, almanaciau a llyfrau.

Prif ffynhonnell yr hyn a wyddys am 'Gapelulo' yw ei hunangofiant a gyhoeddwyd gan John Jones yn 1854. Fersiwn llenyddol yw hwn o'r hyn a adroddwyd 'o'i enau ei hun' gan yr awdur ac mae'n nodedig am onestrwydd yr hanes cyn ei dröedigaeth fel ar ei hôl. Seiliwyd cofiant Robert Owen Hughes, 'Elfyn', 1907 (*Bywg.*, 368; uchod) ar yr hunangofiant ond gan gywain hefyd lawer o'r straeon a oedd yn cylchredeg ar lafar neu a geid yn y cylchgronau a chan lwyddo yn ogystal i gadw blas saith fywiog 'Capelulo' ei hun. Bu f. yn Llanrwst a'i gladdu yno yn 73 ml. oed 14 Chwef. 1855.

Adargraffwyd yr hunangofiant, gyda rhagymadrodd, gan Gerald Morgan, *Lle diogel i sobri* (1982); 'Elfyn', *Capelulo* (1907, 1927).

B.F.R.

WILLIAMS, WILLIAM (1747-1812; *Bywg.*, 1015). Cymysgwyd ef â dau arall o'r un enw. Ni fu'n fyfyriwr yng ngholeg Magdalen, Caergrawnt ac nid o'r Bont-faen y deuai.

D.E.W.

WILLIAMS, WILLIAM JONES (1891-1945) – gw. o dan WILLIAMS, DANIEL POWELL uchod.

WILLIAMS, WILLIAM WYN (1876-1936), gweinidog (MC) a bardd; g. ym Mlaenau Ffestiniog, 12 Gorff. 1876, yn fab i deulu crefyddol o ardal y Bowydd. Bu'n ddisgybl athro yn Nhanygrisiau cyn mynd i'r Coleg Normal ym Mangor. Aeth wedyn yn athro i ardal Wrecsam. Dechreuodd bregethu ac aeth i Goleg a Brifysgol a'r Coleg Diwinyddol yn Aberystwyth. Yn 1909 sefydlwyd ef yn weinidog ar gapel Moriah (MC), Llanystumdwy; symudodd oddi yno yn 1921 i Salem, Dolgellau, ac o'r fan honno yn 1925 i Glan-rhyd, Llanwnda. Cyhoeddodd ddwy gyfrol o gerddi *Wrth Borth yr Awen* (1909) a *Caniadau* (1911). Gŵr swil a cherddgar ydoedd. Bu'n wael, a threuliodd flwyddyn er lles ei iechyd yn teithio trwy T.U.A. a Phatagonia ac yn dringo'r Andes. Pr. Kate Pritchard o Fetws Garmon yn 1927 a bu iddynt un mab. Bu f. 12 Tach. 1936.

Blwyddiadur MC, 1938, 211-2; *Gol.*, 25 Tach. 1936, 8.

B.L.J.

WILLIAMS-ELLIS, JOHN CLOUGH (1833-1913), ysgolhaig, clerigwr, bardd a'r Cymro cyntaf, ond odid, i esgyn un o fynyddoedd uchaf yr Alpau; g. 11 Mawrth 1833 ym Mangor, Caern., yn ail fab John Williams-Ellis, offeiriad, a'i wraig Harriet Ellen Clough o Ddinbych. Magwyd ef ym Mrondanw, Llanfrothen, ac yna, a'i dad wedi ei ddyrchafu'n rheithor Llanaelhaearn, yn y Glasfryn, Llangybi. Addysgwyd ef yn ysgol Rossall a Choleg Sidney Sussex, Caergrawnt, lle graddiodd yn 3rd

Wrangler a'i ethol yn gymrawd o'r coleg yn 1856. Yr oedd yn fathemategydd disglair ac yn diwtor llwyddiannus a wnaeth gymaint â neb i ddyrchafu enw ei goleg. Pan aeth Cadair Mecaneg Caergrawnt yn wag derbyniodd gefnogaeth yr holl wŷr amlwg yn y maes ond etholwyd gŵr arall oherwydd dylanwad un o'r colegau mawr. Trodd at yr eglwys gan dderbyn ficeriaeth Madingley, sir Gaergrawnt, yn 1865 a symud i reithoriaeth Gayton, sir Northampton yn 1876. Yn y cyfamser yr oedd wedi bod yn buddsoddi ei enillion fel tiwtor trwy ychwanegu at ystad y Glasfryn. Ymddeolodd yno yn 1888 a phenodwyd ef yn ynad heddwch yn 1890.

Enillodd wobrau am farddoni yng Nghaergrawnt a barddonai yn achlysurol ar hyd ei oes. Yr oedd yn hyddysg yn y Gymraeg ond er gwaethaf ei enw barddol, 'Shon Pentyrch', ymddengys mai yn Saesneg yn unig y canai. Yr oedd yn rhwyfwr ac yn nofiwr da ac yn 1855 enillodd fathodyn y Gymdeithas Ddyngarol Frenhinol am achub cyfaill rhag boddi yn Afon Cam. Yr oedd wedi arfer canlyn helgwn Ynysfor ar fynyddoedd Eryri ac yn 1857 aeth ar daith i'r Alpau gyda J. F. Hardy. Ar 13 Awst yng nghwmni William a St. John Mathews, E. S. Kennedy, Hardy a phum tywysydd esgynnodd y Finsteraarhorn (4,274m.) copa uchaf Oberland Bern. Yr oedd y mynydd wedi ei ddringo o'r blaen, efallai mor gynnar ag 1812, ond yr esgyniad Prydeinig cyntaf hwn a symbylodd William Mathews a Kennedy i sefydlu'r Clwb Alpaidd. Nid ymunodd William-Ellis â'r Clwb ac nid oes sôn amdano'n ymweld â'r Alpau eto er fod ei *alpenstock* yn dal ym meddiant y teulu.

Ar 2 Ion. 1877 pr. Ellen Mabel Greaves. Bu iddynt 6 o feibion: Syr Clough Williams-Ellis y pensaer (1883-1978) oedd y 4ydd. Bu f. 27 Mai 1913 a'i gladdu mewn llannerch ger y Glasfryn.

J. F. Hardy, 'Ascent of the Finsteraar Horn' yn J. Ball (gol.), *Peaks, passes and glaciers* (cyfres gyntaf, 1859); 'Recollections' (1904), sef hunangofiant byr mewn llsgr. (copi yn Archifdy Gwynedd); Cybi, *Beirdd gwerin Eifionydd* (1911), yn cynnwys tair o'i gerddi); *Haul*, Medi 1913; *Burke's Landed Gentry* (1952); E. A. Williams-Ellis, 'A Merioneth boyhood in the 1830's', *Cylch. Cymd. Hanes Sir Feirionydd*, 4 (1964); Ioan Bowen Rees, *Mynyddoedd* (1975).

I.B.R.

WOODING, DAVID LEWIS (1828-91), achydd, hanesydd, llyfrgarwr a siopwr; g. 13 Rhag. 1828 ym mwthyn Pen-y-bont, Llanfihangel, Abergwesyn, Brych., yn fab hynaf Benjamin Wooding (m. 1861), Beulah ger Llanfair-ym-Muallt, Brych., siopwr a ffermwr, a'i wraig Susannah (g. Davies). Mynychodd ysgol capel Beulah, 1834-36, yna preswyliodd flwyddyn (1837-38) yn ysgol fechan Thomas Price, 'Twm Corc', Cefnllanddewi, cyn mynd i academi William Davies yn Ffrwd-fâl, Caerf., 1838-44, gyda chyfnod byr yn academi'r Gelli yn 1842. Treuliodd dymor yn ysgol Hills Lane, Mardol, Amwythig yn 1844. Pan oedd yn 16 oed prentisiwyd ef i ddilledydd yn y Drenewydd, Tfn., am flwyddyn ond ni chwblhaodd ei dymor am na chadwodd y dilledydd at y telerau. Dychwelodd i Ffrwd-fâl ond gadawodd ym mis Hyd. 1845 i gynorthwyo'i dad, gan deithio llawer trwy Gymru a Lloegr. Pr.

Marianne, merch Peter Jones, yn eglwys Llanddewi, Abergwesyn 18 Meh. 1858. Bu f. 2 Mai 1891 wedi gwaeledd byr a chladdwyd ef ym mynwent Beulah (A).

Yn 1861 cymerodd gyfrifoldeb o'r siop. Galluogodd hyn iddo ddatblygu ei brif ddiddordebau. Un o'i gyfoedion oedd David Lloyd Isaac (*Bywg.*, 393), ficer Llangamarch ac awdur, ac ymhen y rhawg prynodd ei lsgrau. i gyd. Ymaelododd gydag Anrh. Gymd. y Cymm. ar gymeradwyaeth Egerton G. B. Phillimore (*Bywg.*, 710). Bu'n llythyra â Morris Davies, Bangor (*Bywg.*, 132), cerddor ac awdurdod ar emyniyddiaeth, a thyfodd D. L. Wooding yntau'n awdurdod ar awduraeth emynau Cymraeg. Rhoddwyd ei lyfrgell dda a dethol yng ngofal Llyfrgell Rydd Caerdydd gan y cynghorwr Ben Davies, Beulah, yn ogystal â rhai o'i lsgrau. (ei lyfrau nodiadau'n fwyaf arbennig). Nodweddir ei waith gan fanylder, a cheisiai bob amser gael ei wybodaeth o lygad y ffynnon. Yr oedd yn enwog am ei wybodaeth o hanes Cymru, a chantref Buallt yn arbennig. Edmygid a pherchid ef gan bawb. Ysgrifennai i'r *Haul* a chyhoeddiadau eraill, ond yn anffodus, ni chyhoeddodd gyfrolau o'i waith ei hunan, a dengys yr ychydig lsgrau. sydd ar ôl gymaint yw y golled am na wnaeth hynny. Y mae'r llsgrau. o werth arbennig oherwydd yr holl ddeunydd sydd ynddynt yn disgrifio Cymru, ac yn enwedig y canolbarth. Llwyddodd i groniclo gwybodaeth gan wrêng a bonedd. Yr oedd yn gyfaill agos i James Rhys Jones ('Kilsby'; *Bywg.*, 442), ac er nad oedd ganddo ddychymyg creadigol i'w gymharu â hwnnw, rhagorai lawer arno fel hanesydd. Ei brif lsgrau. yw: prawf a dienyddiad Lewis Lewis; gweithiau hunangofiannol; Jemal; achau'r bonheddig o gantref Buallt; awduron emynau Cymraeg.

Llsgrau. D. L. Wooding yn Llyfrgell De Morgannwg a chydag unigolion; *Brecon and Radnor Express*, 8 a 15 Mai 1891 a phapurau eraill; Evans, *Guide to Wales* (1888); defnyddiau hunangofiannol a llythyron.

B.A.M.W.

WYNDHAM-QUIN, WINDHAM THOMAS (1841-1926), 4ydd IARLL DUNRAVEN yn yr urddoliaeth Wyddelig ac ail FARWN KENRY yn y Deyrnas Unedig, K.P., 1872, C.M.G., 1902, tirfeddiannwr a gwleidydd ym Morgannwg, sbortsmon ac awdur; g. 12 Chwef. 1841 yn Adare, swydd Limerick, ond treuliodd ei blentyndod yn nhŷ ei dad, Castell Dwn-rhefn, ar lan y môr ger Porth-cawl. Disgynnai o hen deulu Gwyddelig. Quin, un o'r ychydig deuluoedd o dras dilys frodorol yn yr urddoliaeth Wyddelig, ac o deulu Wyndham o Sir Gaerloyw a fuasai'n dal tiroedd ym Morgannwg ers yr 17g. Yr oedd iddynt gysylltiadau, trwy briodas, â theuluoedd Carne, Ewenni; Thomas, Llanfihangel; a Vivian, Abertawe. Yr oedd ei dad, Edwin Richard Windham Wyndham-Quin, 3ydd Iarll Dunraven yn A.S. dros Forgannwg, 1837-50. Augusta, merch Thomas Goold, meistr yn siawnsri yn Iwerddon, oedd ei fam. Gan i'w dad droi'n Babydd (er i'r mab barhau'n Brotestant) cafodd ei addysg ym Mharis a Rhufain cyn ei ddanfon i Christ Church, Rhydychen, yn 1858. Ymunodd â'r *Life Guards* fel cornet yn 1862. Yn 1867 cafodd ganiatâd i fynd yn ohebydd rhyfel gyda'r fyddin Brydeinig i Abysinia o dan y Cadfridog Syr Robert Napier, yr Arglwydd Napier o Fagdala yn ddiweddarach, brawd y capten Charles Frederick Napier, prif gwnstabl cyntaf Morgannwg. Ar yr ymgyrch hon rhannai babell gyda Henry Morton Stanley (*Bywg.*, 866 ac uchod) gohebydd y *New York Herald* y pryd hwnnw, ac ysgrifennodd beth o'i gopi drosto. Yn 1869, ac yntau erbyn hyn yn Arglwydd Adare, y pr. Florence Elizabeth, merch yr Arglwydd Charles Lennox Kerr, ac yr ymwelodd gyntaf ag America. Dychwelodd yn rheolaidd i'r wlad honno a phrynu ransh yng Ngholorado. Arweiniai ei chwilfrydedd anniwall ef i ymchwilio i lawer o bethau gan gynnwys ysbrydegaeth.

Etifeddodd yr iarllaeth a'r teitlau eraill ar farwolaeth ei dad yn 1871, ond ni chymerodd ei le yn Nhŷ'r Arglwyddi am beth amser. Yn Rhag. 1877, tra'n aros yn T.U.A. gyda chwmni'n cynnwys yr Arglwydd Rosebery, ysgrifennodd i *The World* erthygl ar gyflwr Ewrop a dynnodd gryn sylw. Traddododd ei araith gyntaf yn Nhŷ'r Arglwyddi, yn Chwef. 1878. Ym Meh. 1885 daeth yn is-ysgrifennydd yn Swyddfa'r Trefedigaethau yn llywodraeth gyntaf yr Arglwydd Salisbury gan ddychwelyd i'r swydd honno pan ddaeth y Ceidwadwyr i awdurdod drachefn yn Awst 1886, ond ymddiswyddodd yn Chwef. 1887, yn rhannol mewn cydymdeimlad â'i gyfaill agos, yr Arglwydd Randolph Churchill, a ymddiswyddasai ychydig wythnosau'n gynt, ac yn rhannol am yr ofnai fod agwedd llywodraeth Prydain tuag at gwestiwn pysgodfa Newfoundland yn bylchu awtonomi cynulliad yr ynys. Ni ddaliodd swydd drachefn, ond arhosodd yn llygad y cyhoedd fel ymladdwr dygn dros ddiwygio tollau, fel llywydd cyntaf y *Fair Trade League* ac fel llofnodwr blaenllaw adroddiad lleiafrif y Comisiwn Brenhinol ar y dirwasgiad mewn masnach a diwydiant, 1885-86, a alwai am ddiffyndollaeth gymedrol a ffafraeth ymerodrol. Ef oedd cadeirydd y pwyllgor seneddol a fu'n ymchwilio i amodau llafur trwm ar gyflogau isel, 1880-90. Gwrthwynebodd fesur Gladstone am hunanreolaeth i Iwerddon yn 1886 am ei fod yn ei weld yn gyfystyr ag ymwahaniad, ond yr oedd yn gryf o blaid datganoli, gan ddadlau os oedd yn gweithio yn Ynysoedd y Sianel ac Ynys Manaw y byddai'n sicr o weithio mewn unedau mwy fel yr Alban a Chymru. Iwerddon oedd gofal mawr Dunraven yn ei flynyddoedd olaf. Bu'n gymorth i sicrhau pasio Deddf Tir Iwerddon yn 1903, a'r flwyddyn wedyn ymunodd â landlordiaid cymedrol eraill o Undebwyr yn yr *Irish Reform Association* i awgrymu, ond yn aflwyddiannus, gynllun newydd o ddatganoli i Iwerddon. Yn Rhag. 1921 eiliodd John Morley yn ei atebiad i araith y Brenin a gyhoeddai sefydlu Gwladwriaeth Rydd Iwerddon. Eto, ni roddodd ei ddiddordebau Cymreig heibio. Croesawodd nifer o wleidyddion amlwg, gan gynnwys Joseph Chamberlain, i Gastell Dwn-rhefn. Yr oedd yn ynad heddwch dros Forgannwg ac yn gyrnol anrhydeddus *Royal Garrison Artillery* y sir. Yr oedd yn ŵr cyfoethog. Yn 1883 yr oedd yn berchen 39,756 o erwau mewn gwahanol rannau o'r sir, a'i incwm yn £35,478 y flwyddyn. Deilliai'r rhan fwyaf o hwnnw o'i ystadau yng

Nghymru gan gynnwys tir amaethyddol ym mro Morgannwg a hawliau mwynol ym maes glo de Cymru. Gorweddai'r rhan fwyaf o dre Pen-y-bont ar Ogwr ar ei ystad. Yr oedd yn sbortsmon amlwg, yn berchen ceffylau râs ar y cyd â'r Arglwydd Randolph Churchill, ond adnabyddid ef yn fwy fel hwyliwr iot a wnaeth ddwy ymgais ddewr, ond aflwyddiannus, i gipio Cwpan America yn ôl i Brydain gyda *Valkyrie II* a III yn 1893 ac 1895. Yn ystod Rhyfel Byd I, er ei fod dros ei ddeg a thrigain, trodd ei iot ager, y *Grianaig*, yn llong ysbyty a gwasanaethu'n bersonol ynddi. Bu f. yn Llundain, 14 Meh. 1926. Cafodd dair merch, ond bu dwy ohonynt f. o'i flaen. Dilynwyd ef yn y teitlau gan ei gefnder, Windham Henry Wyndham-Quin (gw. uchod), A.S. De Morgannwg, 1895-1906.

Cyhoeddodd *Experiences in spiritualism*, gyda D. D. Home (1871); *The great divide: travels in the upper Yellowstone* (1876); *The Irish question* (1880); *The Soudan: its history, geography and characteristics* (1884); *The Labour question* (1885); *Self-instruction in the practice and theory of navigation* (1900); *No army, no empire* (1901); *Ireland and Scotland under the Unions: failure and success* (1905); *Devolution in the British Empire* (1906); *The outlook in Ireland: the case for devolution and conciliation* (1907); *Irish land purchase* (1909); *The legacy of past years* (1911); *The new spirit in Ireland* (1912); *The finances of Ireland* (1912); *Canadian nights . . . reminiscences of life and sport in the Rockies etc.* (1914); *The crisis in Ireland — federal union through devolution* (1920); *Past times and pastimes* (hunangofiant; 1922); *Dunraven Castle, Glamorgan: some notes on its history and associations* (1926).

Past times and pastimes (1922); *Dunraven Castle . . .* (1926); *DNB Suppt.*, 1922-30; *Times*, 15 Meh. 1926; *West. Mail*, 15 Meh. 1926; *Burke*, IV, 549; papurau Dunraven, LlGC.

M.E.C.

WYNN (TEULU), Wynnstay (*Bywg.*, 1033-4)

Yn yr ysgrif yn *Bywg.* dirwynwyd rhawd y teulu hwn cyn belled â'r 5ed Barwnig, Syr WATKIN WILLIAMS WYNN (1772-1840), a'i ddau frawd, Charles a Henry, triawd a lysenwyd yn 'Pip, Squeak and Bubble'. Pr. Charles Mary, merch hynaf Syr Foster Cunliffe, a gwnaethant eu cartref yn Llangedwyn. Gwraig Henry oedd Hesther Smith, merch yr arglwydd Carrington.

Etifeddwyd y teitl a'r ystadau gan fab hynaf y 5ed Barwnig, Syr WATKIN WILLIAMS WYNN, y 6ed Barwnig (1820-85). Ganesid ef yng nghartre'r teulu yn St. James's Square, Llundain, 22 Mai 1820 ac addysgwyd ef yn Ysgol Westminster cyn mynd i Goleg Christ Church, Rhydychen, yn 1837. Pan ddaeth i'w etifeddiaeth yn 1840 yr oedd dan oed i ddilyn ei dad yn sedd y teulu dros sir Ddinbych, ond ym mis Gorff. 1841 etholwyd ef yn A.S. a chadwodd y sedd dros weddill ei oes. Nid oes sôn iddo wneud enw yn y Tŷ, yn wir honnir na wnaeth araith o gwbl ond pleidleisio'n gyson dros ei blaid. Yn ôl William Rees ('Gwilym Hiraethog'; *Bywg.*, 782) gŵr safndrwm a thafodrwym ydoedd. Serch hynny, yr oedd iddo air da fel tirfeddiannwr a chymwynaswr ar waethaf agwedd ormesol rhai o'i stiwardiaid, ac nid oes amheuaeth am ei boblogrwydd ymhlith y werin. O barch i'w goffadwriaeth fel pendefig, gwladwr ac eisteddfodwr pan fu f. penderfynodd Rhyddfrydwyr sir Ddinbych beidio ag enwi ymgeisydd i'r sedd wag pe dewisai'r Torïaid ei olynydd ieuanc i'w cynrychioli. Dangoswyd parch mawr iddo drwy gydol ei oes. Yn wir, bu dathlu brwd ar ystadau'r teulu pan aned ef. Deuddeg oed ydoedd pan ddaeth y Dywysoges Victoria a'i mam i aros yn Wynnstay a rhoi arbenigrwydd pellach ar y teulu. Dyna'r pryd y newidiwyd enw gwesty'r King's Head yn Llangollen i'r 'Royal Hotel'. Bu dathlu mwy rhwysgfawr fyth pan ddaeth i'w oed yn 1841. Pr. ei gyfnither, Marie Emily, merch Syr Henry Williams Wynn, K.C.B., yn eglwys St. James yn Llundain 28 Ebr. 1852. Ar 5 Mawrth 1858 digwyddodd trychineb, a dynnodd lu o negeseuau o gydymdeimlad oddi wrth unigolion a chyrff cyhoeddus yng Nghymru, pan losgwyd rhan helaeth o blas Wynnstay, a dinistrio trysorau yn cynnwys llyfrgell werthfawr o lsgrau. Cymraeg a Chymreig. Ymhlith y negesau yr oedd anerchiad gan Sasiwn y Gogledd (MC). Ail-adeiladwyd y tŷ sy'n sefyll heddiw, dechreuodd Syr Watkin ail-adeiladu llyfrgell drwy brynu llsgrau. achau Joseph Morris o Amwythig. Daliodd swyddi traddodiadol y teulu yng ngweinyddiaeth siroedd Dinbych a Maldwyn, a chyda'r *1st Denbighshire Volunteer Corps* a'r *Montgomeryshire Yeomanry Cavalry*. Ef oedd prif swyddog y Seiri Rhyddion yng ngogledd Cymru, a bu'n gyfrifol am sefydlu nifer o gyfrinfeydd. Yr oedd ystafell arbennig iddynt ym mhlas Wynnstay. Dangosodd ddiddordeb yn yr Eist. Gen. a gelwid arno i lywyddu ar ddydd y cadeirio fel 'y Tywysog yng Nghymru'. Derbyniwyd ef i Orsedd y Beirdd wrth yr enw 'Eryr eryrod Eryri', arwyddair y teulu a ategai eryrod Owain Gwynedd yn ei arfbais. Bu'n llywydd Anrh. Gymd. y Cymmr., a chymaint oedd ei ddiddordeb yn yr Ysgol Gymreig yn Ashford fel y cynhaliwyd gwasanaeth coffa arbennig iddo yn eglwys blwyf Ashford. Bregus fu ei iechyd yn ei flynyddoedd olaf. Cafodd ryw gymaint o adferiad ar ôl mordaith ar Fôr y Canoldir yn ei long-bleser *Hebe* yng ngaeaf a gwanwyn 1875-76. Yn ei afiechyd olaf bu Syr William Jenner yn ei weld. Bu f. ddydd Sadwrn, 9 Mai 1885, yn Wynnstay a chladdwyd ef yn Llangedwyn y dydd Gwener canlynol.

Dwy ferch oedd ganddo a buasai'r ieuengaf f. yn 14 oed, ond yr oedd yr hynaf, Louisa Alexandra (1864-1911), wedi pr. ei chefnder HERBERT LLOYD WATKIN WILLIAMS-WYNN (1860-1944) ar 26 Awst y flwyddyn gynt. Hwnnw, felly, yn nai a mab-yng-nghyfraith iddo, a'i dilynodd fel perchen yr ystadau a'r teitl ac a ddaeth yn 7fed Barwnig. G. ef ar 6 Meh. 1860 yn ail fab i Herbert Watkin Williams-Wynn, brawd iau i'r 6fed Barwnig, a chafodd ei addysg yn Ysgol Wellington a Choleg y Drindod, Caergrawnt, lle y cymerodd radd B.A. O fis Mai i fis Tach. 1885 bu'n A.S. dros sir Ddinbych, ond cyn yr etholiad cyffredinol ym mis Rhag. daethai trefn newydd ar yr etholaethau. Yn lle dau aelod dros y sir rhannwyd hi yn ddwy etholaeth. Ymladdodd yntau am sedd dwyrain Dinbych ond trechwyd ef gan yr ymgeisydd Rhyddfrydol, George Osborne Morgan (*Bywg.*, 605-6), ac er iddo geisio drachefn yn 1886 ac yn 1892 ni bu'n

llwyddiannus, a chollodd teulu Wynnstay'r gynrychiolaeth a fuasai'n fath o dreftadaeth iddynt. Gan hynny, ymroes ef i'w weithgareddau lleol a gwasanaethu ei bobl ei hun yn ffyddlon am yn agos i 60 ml. Etholwyd ef dros ranbarth Rhiwabon ar gyngor sir Dinbych yn 1888 a chadwodd ei le weddill ei oes. Bu'n gadeirydd llys y sesiwn chwarter, 1905, yn uchel siryf Dinbych, 1890, ac Arglwydd Raglaw Maldwyn. Yr oedd ar gomisiwn heddwch nifer o siroedd. Bu'n aelod gyda'r fyddin diriogaethol a chododd gatrodau o wŷr meirch adeg rhyfel De Affrica. Cefnogai'r gwasanaeth ambiwlans ac etholwyd ef yn un o farchogion S. Ioan. Yn ystod Rhyfel Byd I sefydlodd ffatri 'munitions' yn Wynnstay, ac yn 1939 rhoes y stablau ac adeiladau eraill at wasanaeth y llywodraeth. Yr oedd ganddo ddiddordeb dwfn mewn peirianyddiaeth ac adeiladu a gwnaeth lawer i wella ei ystadau eang. Fel ei dad a'i deidiau bu'n feistr helgwn enwog Wynnstay ac yn 1935 cyflwynwyd rhoddion iddo ar derfyn hanner canrif yn y swydd. Yr oedd yn uchel swyddog i'r Seiri Rhyddion yng ngogledd Cymru am lawer o flynyddoedd, ac fel ei ragflaenydd sefydlodd nifer o gyfrinfeydd. Bu'n aelod o Gorff Llywodraethol yr Eglwys yng Nghymru, ac yr oedd yn eglwyswr selog. Fel darllenydd lleyg cymerai wasanaethau yn eglwysi'r cylch gan fod yn rhy ffyddlon iawn i'w gydgynulliad yn eglwys blwyf Rhiwabon. Treuliodd ei fywyd yn syml a dirodres ymhlith ei bobl ac mewn cynhaeaf gwair torchai ei lewys gyda'i weision fel unrhyw ffermwr cyffredin. Rhoes gasgliad helaeth o ddogfennau'r ystadau ynghadw yn y Llyfrgell Genedlaethol, a phan oedd y fyddin ar fin meddiannu rhai o'r adeiladau galwodd ar y Llyfrgell i ddiogelu ychwaneg o ddogfennau a allai fod mewn perygl. Yr un pryd rhoddodd y llawysgrifau a oedd yn y Llyfrgell yn Wynnstay i'w cadw yn y Llyfrgell Genedlaethol. Bu f. yn Wynnstay ddydd Sadwrn 24 Mai 1944, a chladdwyd ef yn Llangedwyn. Buasai ei wraig f. yn 1911 ond yr oeddynt wedi eu hysgaru ers 1898. Bu iddynt un mab a dwy ferch.

Dilynwyd ef yn y teitl gan ei fab Syr WATKIN WILLIAMS-WYNN (1891-1949), yr 8fed Barwnig a anwyd ar 26 Ion. 1891. Pr. ef, ar 14 Medi 1920, Daisy, merch ieuengaf John Johnson Houghton, Westwood, Neston. Syrthiodd bwyell treth marwolaeth yn drwm ar yr ystadau o tua 100,000 o erwau, ac ni fedrodd yr 8fed Barwnig ddal i fyw ond ychydig amser yn Wynnstay. Symudodd i blas Belan ar gyrion y parc ac yn ddiweddarach i Langedwyn. Bu raid gwerthu ystad Llwydiarth ym Maldwyn, a chymerwyd ystad Glan-llyn ym Meirionnydd fel rhan o'r dreth ar farwolaeth drwy drefniant gyda'r Trysorlys, a throsglwyddwyd hi i ofal y Comisiwn Tir Amaethyddol i'w gweinyddu gan yr Is-gomisiwn Cymreig. Gosodwyd plas Glan-llyn, tŷ Glan-llyn isa, ac ychydig dir o gylch ar brydles i Urdd Gobaith Cymru i'w defnyddio fel gwersyll ieuenctid. Gwerthwyd Wynnstay i ysgol breswyl Lindisfarne. Felly y daeth cyfnod uchelwrol Wynniaid Wynnstay i ben. Er na fu cysylltiad agos rhwng yr 8fed Barwnig a Wynnstay ers ei lencyndod, pan ddaeth i'r etifeddiaeth dangosodd rinweddau ei dad a'i daid, a phetai amgylchiadau wedi bod yn wahanol y mae'n sicr y buasai traddodiad y teulu wedi ei gynnal yn ffyddlon ganddo yntau.

Addysgwyd ef yn Eton a Choleg y Drindod, Caergrawnt, lle graddiodd yn B.A. yn 1913. Gwasanaethodd gyda'r *Royal Dragoons* yn Rhyfel Byd I a chlwyfwyd ef mewn brwydr. Cymerodd at weithgareddau cymdeithasol a chrefyddol ei dad yn yr ardal ac mewn llywodraeth leol. Bu'n uchel siryf sir Ddinbych. Bwriodd ati i foderneiddio trefniadaeth gweddillion yr ystad. Bu iddo ef a'i wraig un mab a thair merch. Ergyd drom iddynt fu colli'r mab mewn tân yng ngwersyll Barford, Barnard's Castle, 18 Ion. 1946. Bu f. Syr Watkin yng Nghastell Rhuthun, ddydd Llun 9 Mai 1949, a chl. ef yn Llangedwyn ar Fai 12.

Etifeddwyd y farwnigiaeth gan ei ewythr, Syr ROBERT WILLIAM HERBERT WATKIN WILLIAMS-WYNN, Plas-yn-cefn (1862-1951), y 9fed Barwnig. Yr oedd gan y 5ed Barwnig ddau fab, Syr Watkin Williams-Wynn (1820-85), y 6ed Barwnig, a Herbert Watkin WIilliams-Wynn, A.S. dros sir Drefaldwyn 1850-62, a br. Anna, m. ac aeres Edward Lloyd, Cefn Meriadog, Dinb. Bu iddynt hwy dri mab, (1) Edward Watkin a foddwyd ger Windsor yn 1888, (2) Syr Herbert Lloyd Watkin Williams-Wynn (1860-1944), y 7fed Barwnig, (3) Robert William Herbert Watkin Williams-Wynn a ddaeth yn 9fed barwnig. G. ef 3 Meh. 1862 ac addysgwyd ef yn Ysgol Wellington a choleg Eglwys Crist Rhydychen cyn ymuno â'r fyddin. Gwasanaethodd gyda'r *Imperial Yeomanry* yn Rhyfel De Affrica 1900-01 a chael ei enwi mewn cadlythyrau ac ennill D.S.O. Gwnaethpwyd ef yn gapten er anrh. yn 1900. Yr oedd yn is-gyrnol a chomander y *Montgomeryshire Yeomanry* 1906-1917 ac aeth allan gyda hwy i'r

Aifft yn 1916. Bu'n gomander adran ddeheuol yr Aifft o 1917 i 1919. Ymladdodd yn aflwyddiannus sedd sir Drefaldwyn dros y Ceidwadwyr yn 1894, 1895 ac 1900 yn erbyn Arthur Charles Humphreys-Owen, Glansevern (*Bywg.*, 376). Dyfarnwyd iddo C.B. yn 1923, K.C.B. yn 1938. Bu'n feistr helgwn Fflint a Dinbych o 1888 i 1946 a bu ganddo hefyd ddiddordeb yn helgwn Wynnstay. Pr. yn 1904 ag Elizabeth Ida, ail f. George W. Lawther, Swillington, swydd Efrog a bu iddynt 2 fab a 2 ferch. Bu f. yn ei gartref Plas-yn-cefn 23 Tach. 1951.

Dilynwyd ef gan ei fab Syr OWEN WATKIN WILLIAMS-WYNN, y 10fed BARWNIG (1904-1988).

Www, 1941-50; 1951-60; Burke; *Wrexham Leader* ar y dyddiadau perthnasol; *Baner*, 16 Mai 1885; *Wynnstay and the Wynns*, 1876.

E.D.J., B.F.R.

YARDLEY, EDWARD (1698-1769; *Bywg.*, 1042). Ychwaneger iddo gael ei ethol, 5 Tach. 1731, yn bregethwr yng nghapel S. Mihangel (hen gapel ysgol Highgate a oedd yn gapel anwes ym mhlwy S. Fair, Hornsey), swydd a ddaliodd dros weddill ei oes. Bu f. 26 Rhag. 1769 (nid 1770) yn 71 oed. Pan chwalwyd y capel symudwyd y cerrig beddau i eglwys S. Fair.

Gwybodaeth gan y Parch. D. H. Matthews allan o lyfryn *Old Highgate* yn dyfynnu F. T. Cansick, *Epitaphs of Hornsey, St Pancras &c* (3 cyf., 1872-5).

E.D.J.